ISBN 978-0-260-10076-4
PIBN 10323566

GAZA

und

die philistäische Küste.

Eine Monographie

von

Dr. **K. B. Stark,**

ausserordentl. Prof. der Philologie, Vicedirektor des archäolog. Museums
zu Jena.

Mit zwei artistischen Tafeln.

Jena,

Druck und Verlag von Friedrich Mauke.

1852.

Vorrede.

Indem ich auf den langen und mühevollen Weg zurück-
blicke, welchen diese hier dem wissenschaftlichen Publikum
vorgelegten Untersuchungen genommen haben, so fühle ich
allerdings doppelt lebendig, wie dem Wanderer zu seiner
Reise manche wichtige und nützliche Reisezurüstung gefehlt, wie er nicht alle Strecken seines Weges mit gleicher
Liebe und Rüstigkeit zurückgelegt hat, wie er manche
Höhe, die ihm vielleicht einen neuen und überraschenden
Ueberblick gewähren konnte, erst zu spät entdeckte oder
auch wieder andere unnöthig hat, wie ihn rechts und links
verlockende Abwege auf andere Gebiete abzuleiten versuch-
ten. Dennoch ist es mir zum klaren Bewusstsein geworden, was sich bei der Stellung der Aufgabe als allgemeiner, auf vereinzelte, aber bestimmte Thatsachen gegründeter
Eindruck geltend machte, dass gerade diese Ausdehnung
auf den ganzen Verlauf des Alterthums, auf die verschiedenen Seiten des äussern und inneren Lebens eine Aufgabe
der Art nach dem jetzigen Stande geschichtlicher und an-
tiquarischer Forschungen erst zu einer wahrhaft fruchtbaren
und allgemeinere Resultate bringenden gestalten konnte,
und dass zweitens der enge lokale und nationale Boden, auf
dem sie sich zunächst bewegt, wenn irgend einer dazu geeignet war, die Wechselwirkung der hauptsächlichsten Kul-
turmächte des Orients unter sich und vor Allem gegenüber
der hellenischen Welt scharf und klar herauszustellen.

Ein Blick auf das Inhaltsverzeichniss der einzelnen Kapitel wird den Leser wohl überzeugen, dass eine Menge
Detailarbeiten zur Urgeschichte der alten Völker, zu der

historischen Zeit des jüdischen Staates, zur politischen Geschichte und den Zuständen der hellenistischen Reiche, zu
dem Provinzialleben der Römerzeit hier niedergelegt ist,
dass der Versuch einer vergleichenden, aber vor Allem historisch scheidenden Mythologie auf einem bestimmten Gebiete gemacht ist, dass der Kampf des ersterbenden Heidenthums hier eine lebendige Individualisirung, dass die orientalische Kunst, wie vor Allem die spätgriechische eine ein-
gehendere Beachtung, eine Bearbeitung noch ungenützter
Quellen erfahren hat, dass ein bestimmter Kreis literari-
scher Bethätigung zusammengefasst, dass endlich Handel und
Verkehr auf einem wichtigen Knotenpunkte in Beziehung
zur politischen Geschichte, wie dem Nationalreichthum gesetzt ist. Und ich hoffe, die Bearbeiter dieser verschiedenen Gebiete werden nicht ganz ohne Gewinn in Fixirung oder Abweisung von Thatsachen von der Lektüre des
Buches scheiden. Aber das eine steht zu fürchten, dass
gerade die Mannigfaltigkeit der hierbei theilweis Interes-
sirten den Eindruck des Ganzen, in sich Abgeschlossenen
nur für Wenige zunächst wünschenswerth macht.

Diese Einheit, die Darstellung der innern Consequenz
jener geschichtlichen Verhältnisse ist aber ein Hauptstreben
des Verfassers gewesen. Wie er lebendig davon überzeugt
ist, dass Mythologie, Religions- und Kunstgeschichte nur
im Zusammenhange mit der allgemein geschichtlichen Forschung eine sichere Grundlage und berechtigte Stellung
erhält, dass dies nicht sie entwürdigen, herabsetzen, sondern erst beleben und wahrhaft fruchtbar machen heisst,
ebenso muss er, wo es sich um die geschichtliche Auffassung des Alterthums als Ganzes handelt, gegen die von der
ganzen neuern, hellenischen wie orientalischen Alterthumsforschung aber unbewusst bekämpften Ansicht erklären, die
den Orient einerseits hier als den Inbegriff des ganzen geistigen, im Alterthum wirkenden Ideeninhaltes, dort Hellas
als ein organisches, in sich vollendetes, ganz allein stehendes und doch so rasch zertrümmertes Kunstwerk isolirt auf-

fasst, die endlich in der grossen seit Alexander eingetretenen und durch Jahrhunderte ausgearbeiteten Verbindung
griechischen und orientalischen Wesens nur Zerstörung und
Auflösung sieht und nicht zugleich auch die allseitige Erziehung der Völker zu der Aufnahme der grössten, in die
Mitte der Weltgeschichte tretenden Erscheinung des Christenthums.

Ich habe zunächst noch mit Freuden eine Pflicht der
Dankbarkeit zu erfüllen gegen die Institute und Männer, die
mit Liberalität und grosser Freundlichkeit die literarischen
Hülfsmittel mir beschafft, die Benutzung von Denkmälern
mir gestattet und ermöglicht haben. Es sind die Bibliothe-
ken von Göttingen und Leipzig, die ausser der hiesigen
und Weimarischen mich hierin vielfach unterstützt haben;
es sind die Vorsteher der Kön. Münzsammlung zu Berlin,
Herr Dr. Pinder und Friedländer, die durch Uebersendung
der Münzabdrücke, durch Ueberwachung der Zeichnung
mich zu dem herzlichsten Danke verpflichten; es sind endlich verehrte Collegen, Herr G. K. R. Hoffmann und Prof.
Stickel, die mit Hülfsmitteln und Rath dem seinem Berufe
nach auf dem Gebiete des klassischen Alterthums stehenden
Verfasser das Eindringen in die orientalischen Studien er-
leichterten. Was er sonst dem persönlichen Verkehre mit
freundlich dafür sich interessirenden Männern an allgemeiner Anregung verdankt, ist schwer im Einzelnen anzu-
geben; bestimmt ausgesprochene Ansichten sind immer mit
Angabe des Verf. genannt.

Die Nothwendigkeit, von anderswo vielfach die literarischen Hülfsmittel und meist nur auf kürzere Zeit sich zu
verschaffen oder sie an fremder Stätte rasch zu bewältigen,
hat manche Ungleichheiten im Citiren hervorgerufen, wobei Autopsie aber dem Verfasser als eine wohl selten ver-
letzte Pflicht galt. Mehrere Bücher sind dem Verfasser erst
zugekommen, als der betreffende Theil der Arbeit bereits
im Druck begriffen war; so war die Benutzung von Ewald's
viertem Theile der Geschichte des israelitischen Volks, so

des ersten Bandes von Dunker's Geschichte des Alterthums unmöglich. Die Zahl der Druckfehler ist grösser geworden, als ich wünschte, besonders in den hebräischen Wörtern. Möge man sie nach dem gegebenen Verzeichnisse berichtigen und sie dem hierin nicht so geübten Auge des Verfassers zu Gute halten.

Und so möge das Buch, wie es zur eigenen wissenschaftlichen Reife und Reinigung unklarer Ansichten des Verfassers beigetragen hat, Strebenden neue Gesichtspunkte öffnen und alte erweitern, den Meistern der Wissenschaft aber zur ruhigen und wohlwollenden Prüfung empfohlen sein!

Jena, am 17. August
1852.

Der Verfasser.

Inhaltsverzeichniss.

Seite.

Einleitung.

§. 1.

Allgemeine Stellung der Aufgabe. Literarische Behandlung.

Die monographische Behandlung der Geschichte einzelner Städte oder Städtebündnisse kann nur dann ein allgemeineres, historisches Interesse in Anspruch nehmen, wenn diese schon durch die geographische Lage und die ganze ursprüngliche und immer sich wiederholende Völkerstellung zu beiden Seiten zum Schauplatze grosser Weltbegebenheiten, zu Knotenpunkten des internationalen Verkehrs bestimmt sind und diese allerdings mehr passive Aufgabe, welche aber ohne ein gewisses, selbständig recipirendes Substrat nicht gelöst werden kann, fortwährend sich an ihnen erfüllt hat. Oder es ist, wie in Griechenland und Rom und zum Theil auch in Deutschland und besonders im Italien des Mittelalters das innere bürgerliche Leben einer Stadt, die nahen, engen Beziehungen eines auf kleinem Raume gebildeten Städtebündnisses zu einem politischen, die einzelnen Nationalinteressen und Ideen concentrirenden Gesammtleben geworden; Institutionen kommen in ihnen zur Geltung, die über die engen Grenzen der Stadtmauer und des Weichbildes hinausgreifen und als Gesetz für einen grossen Complex von Gemeinwesen erscheinen; Männer treten auf, deren Blick, nicht getrübt von dem engen Interesse der Familie oder städtischer Körperschaften,

1

auf ein allgemeines nationales Ziel gerichtet ist und stellen
so sich und ihre Stadt an die Spitze geistiger Bewegungen.
Drittens endlich wird dies Interesse erregt, wenn wir zwar
hier jene politische oder die allgemein menschlich schöpferische Aufgabe nicht suchen dürfen, ist vielleicht doch die
ganze Mannigfaltigkeit politischer Bildungen in die Form
einer allgemeinen, weltherrschenden Despotie aufgegangen
und besteht sie nur noch in sehr bedingter Weise — wenn
wir aber religiös, literarisch, künstlerisch ein selbständiges Leben entwickelt sehen und gleichsam einen Typus für
ein grosses, allgemeines, uns nur sehr wenig bekanntes
Culturleben zu gewinnen hoffen dürfen, so dass in einem
kleinen, engen Rahmen alle weit aus einander gezogenen
und zerstreuten Motive und charakteristischen Züge zusammengefasst und scharf neben einander gestellt erscheinen.
In dieser dreifachen Richtung unseres Interesses liegt schon
begründet, dass die Darstellung einer solchen Specialgeschichte immer auf dem Hintergrunde der allgemeinen Geschichte erfolgen muss und dass in dem Zusammenhange
mit jener nur der rechte Massstab gefunden wird für Grosses und Kleines, Wichtiges und Unbedeutendes.

Indem ich es unternehme, eine Stadt an den Gränz-
landen Asiens und Afrika's, G a z a, deren Name bereits
in der ältesten geschichtlichen Urkunde als von den einwandernden Hebräern vorgefunden bezeichnet wird, die
dann wieder an den Gränzen der alten Geschichte, in den
ersten Jahrhunderten des Mittelalters noch erscheint und
hier, wie die Untersuchung selbst erweisen wird, eine sehr
bedeutende Blüthestätte der hellenistischen Bildung und des
religiösen Lebens bezeichnet, diese Stadt und das ihr gewissermassen annexe Gränzland zum Mittelpunkt einer historischen Untersuchung zu machen, so trieb mich theils
das Interesse, das diese Gränzstätte mit allen hier durchziehenden oder aufgehaltenen Völkerbewegungen, mit dem

ganzen Reichthum des friedlichen Völkerverkehrs, mit ihrer
zwar vielfach alterirten, auch räumlich verschobenen Urbevölkerung, die eben den nur scheinbar passiven Wider-
stands- und Centralpunkt jener Bewegungen bildet, an und
für sich erweckt; theils aber war es die lebendige Ueber-
zeugung von der Nothwendigkeit, das Hellenenthum in
seiner receptiven und vor Allem auch activen Stellung zum
Orient während des ganzen Umfangs seiner Entwickelung
und mit Trennung der verschiedenen Stadien wissenschaft-
lich zu erkennen und hierzu auf einem kleinen, begränzten,
aber besonders geeigneten Gebiete eine durchgehende, allseitige Untersuchung als einen wohl abgemessenen, bear-
beiteten Baustein zu liefern.

Fällt nun auch für den Verfasser nach seinem innern
und äussern Beruf ein Hauptgewicht auf diesen zweiten
Gesichtspunkt, so fühlte er um so mehr die dringende Pflicht
gerade für die ältere, vorhellenistische Geschichte, für die
Urzeit feste und dauerhafte Grundlagen zu gewinnen und
den Charakter und Umfang der damaligen Cultur so viel
als möglich zu begrenzen. Und in der That fehlt es an
wichtigen Momenten nicht, die wir freilich fast ganz aus
den jüdischen, national entgegengesetzten Berichten schöpfen
müssen, aber in diesen zum Theil sehr ursprüngliche, die
ganze Geschichte eines grossen Völkercomplexes umfassende Ueberlieferungen besitzen und dabei durch die fragmentarischen ägyptischen, phönikischen, assyrischen, wohl
auch lydischen Geschichtstrümmer unterstützt werden, während die Denkmälerforschung Aegyptens wie Assyriens
uns hiefür kaum historisch sichere Data, aber wohl wichtige Vergleichungspunkte bietet. Die Andeutung der frühsten, zwischen Joppe, oder weitestens dem Carmel und der
Gegend von Pelusium ansässigen Völker, das Auftreten der
Philistäer, als eines ritterschaftlichen und kaufmännischen,
in geordnetem Städtewesen sich consolidirenden Stammes,

1 *

ihre Beziehung zu Unterägypten, ihre erobernde und herrschende Stellung gegenüber den Israeliten und anderen
Nachbarn, das Sinken ihrer Macht, ihre Zwischenstellung
zwischen der assyrischen und ägyptischen Weltmacht, ihre
allmälige Verschmelzung mit vordringenden oder länger benachbarten Stämmen — das sind die rein historischen
Hauptpunkte, die hier in Frage kommen. Es ist dies ein
seit Jahrhunderten vielseitigst bearbeitetes Gebiet, das in
neuer Zeit durch Werke, wie die Geschichte des Volkes
Israel von Ewald, durch Movers' Phönicier zusammenfassende, allgemein historische Behandlungen erhalten hat.
Der Verfasser hat hier mehr das Vorhandene prüfend, de-
fensiv, vielfach abweisend sich verhalten müssen, doch ist
vielleicht der Revers, den er zu einem Theile der jüdischen
Geschichte zu zeichnen versuchte, ein auch für diese nicht
gänzlich nutzloser geworden. Anders stand es mit der
Entwickelung der innern politischen Gestaltung jener philistäischen Städte, mit dem Versuche einer philistäischen
Mythologie und Cultuslehre, mit dem Hervorheben der Natur ihres Handels, der in seiner Beziehung zu den nordarabischen Stämmen eine besondere, noch wenig hervorgehobene Bedeutung hat, ihrer Kunst. Hier galt es vor
Allem, jede vereinzelte, auf diese historische Periode sich
sicher beziehende Notiz zu verarbeiten und in vielen Dingen
weniger als Andere zu wissen, aber wo auch eine Combination von den verschiedensten Seiten indicirt erscheint,
diese ganz und scharf durchzuführen. Und hier glaubt er
wohl seinen eigenen Weg gegangen zu sein und das Verhältniss der altasiatischen Religionen unter sich und zu der
hellenischen schärfer und allseitiger gefasst zu haben. Je
mehr es aber dem Verfasser daran lag, das historisch-grie-
chische Leben in Gaza und im Bereiche der philistäischen
Küste zu verfolgen und als Gesammtheit zu erfassen, um
so mehr fand er sich veranlasst, Ansichten zu prüfen, die

mit grosser Bestimmtheit ein enges verwandtschaftliches Verhältniss der Philistäer zu dem Grundstock hellenischer Bevölkerung als erwiesen hinstellen. Sie schliessen sich zwar an die mit Recht jetzt hervorgehobene Bedeutung kananäischer oder semitischer Stämme an, die auf den Inseln des Mittelmeeres, an einzelnen Punkten des Festlandes eine frühzeitige Verbreitung fanden, aber sie gehen weit darüber hinaus: nur Schade, dass wir bei der einen dieser Hypothesen in den Philistäern lauter Indogermanen, ächte Pelasger besitzen und dass indische und urgriechische Gottheiten durch uralte Colonieen ihren Sitz an dieser Küste aufschlugen, dass die andere aber die Pelasger zu Philistäer, d. h. zu Semiten macht und dass wir eine förmliche Uebertragung alles Glaubens aus Aegypten nach Hellas erhalten. Es ist allerdings nothwendig, diesen Richtungen prüfend nachzugehen, sie nicht etwa, wie von Seiten klassischer Alterthumsforschung bisher meist geschehen ist, vornehm zu ignoriren, aber dann auch sie offen zu bekämpfen, wo die eine mit viel Scharfsinn, scheinbar grammatischer Strenge, aber grösster historischer Willkür Worte und Götter aus Indien, Kreta, Palästina combinirt, eine vereinzelte Nachricht des fünften Jahrhunderts nach Christus gebraucht, um vormosaischen Cult zu erweisen und nun sofort über das innere Wesen ganzer Volkstämme entscheidet, ohne das Gewonnene auch nur an einer seiner Seiten nachzuweisen. Die andere Ansicht kommt uns zwar mit schwererem Geschütz aller Art entgegen, aber um so mehr vermissen wir die Genauigkeit und Treue in Auffassung der Quellen, die wir bisher noch sicherer lesen können, als die Hieroglyphen.

Mit Alexander's des Grossen Eroberung dieser Küste treten wir in eine neue, allerdings schon mannigfach in der Perserzeit vorbereitete Epoche ein. Griechische Neugründungen, vor Allem griechische starke Einwanderungen und

Besatzungen in philistäischen Städten, Katastrophen derselben bringen in etwa 150 Jahren das hellenistische Element
hier zur Herrschaft, obgleich im Cultus, in der niedern
Bevölkerung auch in der Sprache nie eine gewaltsame Ausrottung von Seiten der Griechen stattgefunden hat. Aber
diese Küste fällt ganz und gar für die zwei ersten Jahrhunderte den grossen Schwankungen der syrischen und
alexandrinischen Machtentwickelung anheim : und hier
kommt es darauf an, bei den höchst fragmentarischen Ueberresten einer einst so reichen historischen Literatur bestimmte Tendenzen für eines der beiden Regimente, die
Kraft der Ausdauer, dann die Art der innern Verwaltung,
den geistig verschiedenen Einfluss beider näher in's Auge
zu fassen. Dagegen erhebt sich gegen die Mitte des zweiten Jahrhunderts vor Christus ein höchst merkwürdiger,
für diese Städte verhängnissvoller Kampf, der gegen die
gewaltige, im Orient überall ausbrechende Reaktion, gegen
gesteigerte, altnationale Tendenzen, die aber selbst durchdrungen, gefärbt sind durch moderne, hellenistische, wie politische Formen, so Bildung und Lebensansicht. Hier wiederholt
sich noch einmal das Schauspiel eines Kampfes der Israeliten und Philistäer, die nun hellenisirt, von ihren hellenistischen Verbündeten im Stich gelassen nach langer, tapferer
Gegenwehr unterworfen, ja zum Theil ausgerottet werden.
Es folgt eine Zeit grosser Verwilderung und Verödung an
dieser Küste mit einer einzelstehenden Ausnahme. Aber
gerade die gewaltsame Judaisirung eines Theiles dieser
Stämme ist der Grund zur inneren Auflösung des jüdischen
Reichs und zur Erhebung einer aus philistäischem Stamm
hervorgehenden, ganz hellenisirten Regentenfamilie. Die
zweite Epoche schliesst mit dieser Verödung und vielfachen Vernichtung.

Mit dem Auftreten der Römer in Palästina, welche eben
jene dem Hellenismus reagirenden, nationalen Mächte des

Orients, zuletzt auch Judäa bezwingend, nun zwar den letzten Schein hellenistischer Herrschaft vernichten, dagegen mit grösster Sorgfalt die verödeten Städte neu begründen oder mit Einwohnern verstärken, mit ihnen beginnt der dritte Hauptabschnitt unserer Untersuchungen. Dies war der Anfang der meisten Aeren dieser Städte und allerdings eine Aera friedlicher, ruhiger Entwickelung bei fast selbständiger Verfassung bei dem gesteigerten, geregelten Verkehr war für sie angebrochen, nachdem im Laufe des ersten Jahrhunderts die Beziehungen zu dem in krampfhaften Zuckungen des nationalen, schwer gebeugten Nationalsinns liegenden Judenthums gelöst waren. Wie ganz Syrien eine der blühendsten und reichsten römischen Provinzen ist, wie von hier aus ein ganz merkwürdig, tief eingreifender, ja hier und da officiell zur Herrschaft kommender Einfluss auf den Westen geübt wird in Cultur und religiösen Anschauungen, in der griechischen, hier mehr schulmässig getriebenen Literatur, in allen Formen des Luxuslebens, theils der Sitte, theils architektonischer Anlagen, so können wir dies in den Städten der philistäischen Küste scharf nachweisen. Prachtvolle Tempel haben sich hier neu erhoben und glänzende Feste werden gefeiert. Nun gilt es, die Entwickelung des hellenistischen Cultus und das Hervortreten und Umbilden älterer, den Mythenkreis, der hier sich ansetzt, näher zu verfolgen. Die künstlerische Technik hat hier sich lange in Blüthe erhalten: wie sie in der Tempelconstruction manches Bezeichnende für die Entwickelung des Rundbaus aufweist, so hatte sie grosse Anlagen des Verkehrs, des Genusses geschaffen. Interessante Beschreibungen von Gemälden, von Kunstwerken mehr mechanischer Art sind uns geblieben. Eine Art Universität mit Reihen von Rhetoren, Philosophen, Dichtern hatte sich in Gaza vor Allem gebildet und sie wird noch besonders wichtig als eine Hauptbildungsschule der

Söhne arabischer Häuptlinge, die durch die Ausdehnung
der römischen Herrschaft über Petra hinaus und am ailani-
tischen Golf mehr und mehr in den Zauberkreis europäi-
scher Bildung gezogen werden.

Das Zusammenwirken ursprünglicher, nationaler Zähigkeit, wie sie uns in den Nachbarn dieser Küste, in Juden,
wie Aegyptern in noch höherem Masse begegnet, der hohe
Grad hellenistischer Cultur, die in alle Poren gleichsam gedrungen war, der schroffe Gegensatz gegen alles aus Judäa Kommende, endlich der fortwährende Handelsverkehr
mit den nicht christlichen Stämmen der arabischen Halbinsel, der dadurch begründete materielle Wohlstand, Alles dies
zusammen hat die philistäischen Städte merkwürdig lange
gegen die Einwirkungen des Christenthumes verschlossen. Noch am Ende des vierten Jahrhunderts nach Chr.
ist jener hellenistische Glaube und Cultus ganz der herrschende, in den städtischen Corporationen nur anerkannte.
Aber bereits war in dem Anachoretenthum des judäischen
Gebirges, wie der ägyptischen Eremos der gefährliche, vernichtende Gegner ausgebildet und es beginnt jetzt von Seiten desselben, unterstützt von der materiellen, ja militärischen Macht des Kaisers, ein blutiger Kampf der Vernichtung. Das Kreuz siegt zuerst in den niedern Schichten
der Bevölkerung, während die vornehme Klasse im Kampfe
zum Theil untergeht. Die Bischöfe treten nun an die Spitze
der Städte und sie verstehen es, durch grossartige Kirchenbauten, durch kirchliche Feste, durch Förderung der literarischen Bestrebungen den neuen Glauben mit der frühern
Cultur in engste Beziehung zu setzen. Noch eine und die
letzte Entwickelung des Hellenismus tritt uns hier entgegen. Aber die erste Hälfte des siebenten Jahrhunderts,
der erste Siegeszug jener südarabischen, von einem neuen
Glauben erfüllten Stämme macht derselben ein Ende. Die
hellenistische Cultur des Orients tritt nun von dem eigent-

lichen Schauplatz der Geschichte ab, aber sie wirkt fort
als vielfach bestimmendes Ferment der arabischen Kunst und
Bildung.

Dieser letzte Theil der Untersuchung bewegt sich auf
einem noch sehr jungfräulichen, kaum gekannten Boden,
aber bietet gerade dadurch einen eigenthümlichen Reiz; er
fusst zum Theil auf erst seit wenig Jahren veröffentlichten
schriftlichen Denkmälern, deren Text wir daher oft Schritt
vor Schritt folgend behandeln müssen, freilich uns oft genug bescheidend, wo eine ganz andere, genaue, handschrift-
liche Begründung nöthig wäre. Vor Allem tritt es hervor
bei der Schilderung von Bau - und anderen Kunstwerken,
bei denen die noch so schwankende Bestimmung der tech-
nischen Ausdrücke störend sich zeigt.

Wie hierfür unmittelbar der Wunsch sich geltend macht,
in den noch vorhandenen baulichen Resten einen Massstab,
Bestätigung und grössere Anschaulichkeit zu erlangen, so
bildet überhaupt die geographische Kenntniss des Land-
strichs und seiner jetzigen Physiognomie die nothwendige
Grundlage zur ganzen Arbeit. Trotz der ausserordentlich
grossen Zahl von Reiseberichten, die seit 500 Jahren über
Palästina uns vorliegen, ist eine einigermassen gründliche,
aufmerksame Beachtung der Küstengegend fast nicht zu
Theil geworden, ist doch noch keine Küstenaufnahme von
Joppe an bis Pelusium (dem jetzigen Tineh), wie sie allerdings von den Engländern im Jahre 1840—1841 gemacht
wurde, veröffentlicht worden und begränzen sich die wissenschaftlichen Kenntnisse und Interessen der Reisenden
bisher durchgängig in der biblischen Darstellung, zum Theil
ohne Ahnung des später hier entwickelten Lebens.

Monographisch ist Gaza im vorigen Jahrhundert drei-
mal behandelt worden: von

A. G. Siber, De Gaza Palestinae oppido. Lips. 1715, 4.

eine Dissertation, die ich vergeblich auf der Leipziger und

Göttinger Bibliothek gesucht habe, welche nach Anführung
bei andern die Reihe der christlichen Bischöfe ziemlich vollständig giebt, ferner

> J. T. Burscher in Stephani Byzantini de Gaza narrationem dis-
> quisitio. Lips. 1764. 4 und
> J. T. Burscher, De Gaza derelicta futura. Lips. 1768. 4.,

Abhandlungen von wenig Seiten, welche die Epochen für
die ganze Geschichte der Stadt klar und einfach hinstellen,
dann sich auf ein Paar Stellenerklärungen beschränken.
Vollständiger und umfangreicher ist der Gegenstand behandelt von

> Mignot, Sixième mémoire sur les Phéniciens in Histoire de l'aca-
> démie royale des inscript. et belles lettres t. XXXIV, p. 341 ff.,

der die Münzen und Aera von Gaza genauer untersucht.
Die Abhandlungen über die ältere oder spätere Geschichte
der philistäischen Städte sind an geeigneter Stelle angeführt.

Ausserdem geben die allgemeinen historischen und geographischen Beschreibungen von Palästina, sowie Realencyclopädieen meist noch kurze Zusammenstellungen. Leider ist in dem grossen, alle bisherigen Forschungen in sich
vereinigenden Werke Karl Ritter's der sechzehnte, das
Küstenland behandelnde Theil noch nicht erschienen, aber
sowohl der vierzehnte (erschienen 1848), die sinaitische Halbinsel und auch ihren Seerand umfassende,
wie die zwei Abtheilungen des funfzehnten (erschienen 1850
und 1851) mit ihrer allgemeinen historischen und ethnographischen Einleitung sind für uns von vielfachstem Interesse gewesen. Das bei weitem Bedeutendste und Um-
fassendste für die historisch-geographische Bestimmung der
biblisch interessanten Punkte Philistäa's ist von Robinson
geleistet, dessen Zwecken die spätere griechische Zeit ferner lag. Von früheren, hierher gehörigen Werken standen
dem Verfasser folgende zur Vergleichung zu Gebote:

1) Werke über Geographie Palästina's:

Sam. Bochartus, Geographia sacra, Ed. IV. 1707. p. 138. 422. 556. 743.

Hadr. Relandus, Palaestina ex monumentis veteribus illustrata. Traj. Batav. 1714. p. 787—800.

Vitringa, Geographia sacra. 1723. p. 72 sqq.

Bachiene, Historische und geographische Beschreibung von Palästina. 1773. Bd. II, 3. S. 12—22.

F. G. Crome, Geographisch-historische Beschreibung des Landes Palastina. Göttingen, 1834. Thl. I. S. 41.

K. v. Raumer, Palästina. Leipzig. Aufl. 2. bes. S. 190. Aufl. 3. S. 154. 156 ff 173 — 176 (beschäftigt sich genauer fur Gaza mit der Stelle Apostelg. 8, 26).

Ed. Robinson, Palástina und die angränzenden Länder. Halle, 1841. 3 Thle. II, 629. 634 ff. 690 ff. III, 1. S. 229 ff. u. a. a. O.

Arnold, Palästina. 1845. S. 107 — 109 (Auszug aus Robinson).

2) Allgemeine geographische Werke:

Cellarius, Notitia orbis antiqui. Lips. 1706. t. II. p. 511.

Conr. Mannert, Geographie der Griechen und Römer. Nürnb. 1799. Thl. VI. Abtheil. 1. S. 263.

Forbiger, Handbuch der alten Geographie. Leipzig, 1844. Bd. II. S. 708—10. 722. 23

3) Realencyclopädieen:

Winer, Biblisches Realwörterbuch. Aufl. III. Th. I. S. 95. 98. 233. 393 ff. II, 251 ff.

Pauly, Realencyclopädie der Philologie. Art. Gaza. Askalon. Azotus. (Mit keinem Worte wird der griechischen Culturblüthe dieser Gegend Erwähnung gethan.)

In kartographischer Hinsicht ist natürlich die

Karte von Palästina nach Robinson und Smith bearbeitet von H. Kiepert, herausgegeben von K. Ritter. Berlin, 1842

zur Grundlage genommen worden, welche selbst in ihrer wissenschaftlichen Strenge uns das Ungenügende in Bezug auf die jetzige Kenntniss der Küstengegend darlegt. Um so unbrauchbarer war das glänzend ausgestattete, jüngste Werk

Jean van de Cotte, Coup d'oeuil historique sur des cartes
topographiques de la Palestine. Bruxelles, 1847
mit der dazu gehörigen, noch ganz auf Jacotin basirten
Karte, die auch für den unsern Zweck berührenden Theil
in naivster Weise Namen und Orte zusammenwürfelt.

§. 2.

Geographische Grundlage.

Quellen: Aus der reichen, fast unübersehbaren Literatur der Rei-
sebeschreibungen des heiligen Landes, die uns jetzt in der trefflichen Anordnung und Kritik von Ritter (Erdkunde Thl. XV, 1.
S. 23 80) vorliegt, gaben folgende unter den dem Verf. zugänglichen Werken ihm für die geographische Grundlegung Ausbeute.
Indem wir die vereinzelten Pilgernachrichten und die reicheren
über die Geschichte dieser Küstenstädte in den Kreuzzügen für einen
Anhang aufsparen, ist Abulfeda in seiner Tabula Syriae ed.
J. Bernh. Koehler. Lips. 1767. p. 77. 78 u. a. O. an die Spitze
zu stellen. Während die Itinéraires de la terre sainte du XIII,
XIV — XVII siècle: traduits de l'Hebreu par J. Carmoly. Brux.
1847 keine Notiz liefern, verweise ich für die ältesten Reiseberichte
seit der Zeit der Kreuzzüge bis in das sechzehnte Jahrhundert auf
die Uebersicht: Thomas Wright, Early travels in Palestine. 1848.
p. 26. 143. 289 und vor Allem auf die Sammlung der Reisen
von Brocardus bis Jos. Helfrich, welche zum grossen Theil
Gaza, weil auf der Pilgerstrasse nach dem St. Kathaiinenberg gelegen, besuchen im Reissbuch des heiligen Landes. Nürnberg,
1659. S. 134. 178. 187. 289 — 91. 364. 413. 678. 721. 765. 832.
879. Aus den folgenden Jahrhunderten gab Pierre Belon (reist
1546 — 1549) in seinen Observations de plusieurs singularités
etc. Paris, p. 310, Jean Thevenot (1655 — 1659) in der Relation d'un voyage fait au Levant. Paris, 1727. t. II. p. 568, v. Arvieux in den Merkwürdigen Nachrichten. 1753. Thl. II. S. 38
— 59, Volney (1783 — 1786) Voyage en Syrie p. 197 nicht unwichtige Notizen. Wittmann als Begleiter der turkischen den
Franzosen auf ihrem Ruckzuge folgenden Armee von Akka bis
Aegypten im J. 1799 hat in seinen Travels in Turkey, Asia minor, Syria etc. London, 1803, sowie Martin Leake in seiner Pre-
face zu Burkhardt's Travels in Syria. Lond. 1822 die genausten
Berichte über die von den neuern, in wissenschaftlichem Sinne

unternommenen Reiserouten verlassenen Küstenweg von Gaza nach
Tineh geliefert. Wichtiger als B u c k i n g h a m's Travels in Palestine.
Lond. 1822. p. 423 und d e s s e l b e n Travels among the arabian tribus. Lond. 1825. p. 103 ist für unsern Zweck R i c h a r d s o n,
Travels along the Mediterranean and the adjacent parts. Lond. 1822.
Vol. II. p. 197 ff. und J o l i f f e, Reise in Palästina im J. 1817
bearb. von Rosenmüller. Leipz. 1821. S. 284. Dagegen haben wir
leider Leonard I r b y and James M a n g l e s Travels in Egypt, Nu-
bia, Syria and Asia minor. Lond. 1823, ein nie in den Buch-
handel gekommenes Werk, nicht benutzen können, worin letter II
p. 174 — 236 die Reise von el - Arish über Gaza nach Aleppo mit
dem Besuche von Askalan, Asdod geschildert wird. Nach dem auch
als strenger Reisebericht alles Vorhergehende weit hinter sich lassen-
den Werke R o b i n s o n's nenne ich noch unter den neusten Reise-
werken Lord N u g e n t, Lands classical and sacred Lond. 1845. t. I.
p. 292 ff. Von bildlichen Darstellungen sind mir allein die von R o-
b e r t s, La terre sainte. Bruxell. 1844. livr. 8 gegebenen bekannt
geworden, die aber für genauere, kunsthistorische Bestimmungen
keine sichere Ausbeute geben. Sehr zu bedauern ist, dass das
Erscheinen des zweiten Theils der Wanderungen am Mittelmeer von
D r. B a r t h, welcher auch Palästina umfassen würde, in unbestimmte
Ferne gerückt ist, da der Verf, der den griechischen und römischen
Culturbildungen ein so hervorstechendes, durch grosse Vorstudien
gestütztes Interesse zugewandt hat, sich einen Monat lang in Gaza
aufgehalten haben soll.

Die Küste Syriens, welche sich vom Meerbusen von
Trablus (Tripolis) aus in fast gleichbleibender Richtung,
im nördlichen Theil nur durch einzelne hakenförmig hervortretende Spitzen und eingreifende Buchten mit den
Mündungen von kurzen Küstenflüssen unterbrochen, süd-
südwestlich, nicht mehr südlich, wie bis zu dem oben genannten Punkte zieht, wendet sich zwischen dem 32° und
31° N. Br. allmälig mehr westlich, bis sie von der Mündung des Wadi el Arish an ganz westlich nun als ägyptische Küste die vom Flugsand und Salzlaken bedeckte
Wüste, dann die langgedehnten Sumpfseen, die zu den
Nilmündungen gehören, umsäumt. Am nördlichen Theile

dieses letzten Bogens liegt das heutige **Gaza**, auch **Ga-**
zara von den Reisenden genannt, **Ghazza** bei Abulfeda [1]), **Ghuzzeh** von den heutigen Arabern, in seiner
geographischen Lage bis jetzt nur relativ zu Jaffa von
Jacotin im Jahre 1799 bestimmt und zwar unter 31° 27′
20″ N. Br. und 32° 25′ 56″ O. L. von Paris [2]), welche letztere Bestimmung im Vergleich zur Robinsonschen
Karte ein Viertelgrad zu östlich angenommen ist. Sehr
verschieden tritt der Charakter dieser Küstenlandschaft in
ihren drei Hauptabschnitten auf: während der nördliche
Theil der Küste, der der alten **Phönike** von **Trablos** (Tripolis) bis **Akka** (Aka, Ptolemais) oder bis zum Karmelvor-
sprung unter dem majestätischen, steilen Abfalle des eine
Höhe von 9000 F. erreichenden Libanon und der Ausläu-
fer des Antilibanon und Hermon sich schmal hinstreckt, be-
wässert von kurzen, aber vom Hochgebirge genährten Küstenflüssen, eingeschnitten durch scharfe Buchten, so entfernt sich die palästinische Kalkhochebene mit dem südöst-
lichen Verlaufe des Karmel mehr und mehr von dem mittleren Theile; ihr zum Theil ödes, steiniges, von zerklüfteten Schluchten eingeschnittenes Plateau steigt in einer
Gebirgsterrasse zur Küstenebene herab ganz im Gegensatz
zu dem mauerähnlichen Abfall von dem Jordanthal. Zwischen dem Meere, das aller natürlichen Hafenbildungen, mit
Ausnahme etwa des von Jaffa entbehrt, auf dem der Küste
parallel gehende Luftströme herrschen, und der Hochebene,
der Trägerin aller grossen Culturstätten Judäas, breitet sich
ein fruchtbares, wellenförmiges Gelände aus, das bei Kai-
sarijeh (Caesarea) kaum 1—1½ Meilen breit am südlichen
Ende bei Gaza fast um das Sechsfache sich erweitert hat.
Unmittelbar am Meer hin ziehen sich öde, weissglänzende

1) Abulfeda, Tabula Syriae ed.　　2) Berghaus, Memoire zur
Koehler. Lips. 1766. p 5. 77. 78.　　Karte von Syrien. S. 25. 26.
u. a. O.

Sanddünen, hie und da mit einzelnen Baumgruppen bewach-
sen, hie und da auch felsige Abhänge, wie diese bei Dora
allerdings noch unter dem Abhang des Carmel, dann bei
Joppe, endlich bei Askalon unmittelbar in das Meer treten.
Dahinter streckt sich zunächst eine vollständige Ebene, von
der Küste parallelen Hügelreihen nach Osten zu mehr und
mehr getheilt und wellenförmig geworden. Einzelne, aber
meist wasserarme Wadis durchschneiden sie quer nach dem
Meere zu, aber das Gebirge nicht öffnend, das vielmehr
durch die sich vorschiebenden Vorsprünge der Kalkterras-
sen natürliche Schutzwehren seinen Bewohnern gewährt.
So der bei den Trümmern Apollonia's mündende Bach, so
der Nahr Audjeh, etwas nördlich von Jaffa, so der Nahr
Rubin, in dessen Nähe Jamnia und Ekron gelegen, so der
in der Nähe von Asdod befindliche Wadi, so der Wadi
Simsim, der hart bei Askalon zum Meer sich öffnet, so
südlich von Gaza der Wadi Scheriah und es-Suny. Die
Fruchtbarkeit dieses Geländes, das bereits nördlich von
Joppe als Ebene Saron vielfach bekannt und gepriesen war,
steigert sich südlich von diesem Punkte fortwährend und
erreicht ihren Höhepunkt bei Gaza, wo ein Reichthum von
Süsswasserquellen dem sandigen Boden entspringt; auch an
Teichen fehlt es nicht; so erklärt schon Joh. Helffrich [1]:
Gaza die Stadt liegt an einem schönen, lustigen Ort, dergleichen ich auf der ganzen Reise nicht gesehen habe. Nach
Norden und Osten und kurze Strecken auch nach Süden
von Gaza dehnen sich reiche Gersten- und Weizenfelder,
deren Ernte Robinson am 19. Mai bereits weit vorgerückt
fand. Nach Norden schliesst sich dann der grösste Oli-
venhain ganz Palästina's an, während Dattelpalmen trupp-
weis zerstreut stehen und die köstlichsten Früchte von
Aprikosen, Feigen, Granatäpfel, dazu Weintrauben in

---

1) Reissbuch S. 721.

grösster Menge und Güte in den mit Cactusgebüsch und indischen Feigen eingehegten Gärten reifen, Tabak und Lupinenfelder wechseln mit Obstgärten und eine reiche Flora deckt die übrige Ebene. Der Reichthum dieses engern Bezirks um Gaza, der noch heute einer sorgfältigen Behauung geniesst, während der grössere Theil der alten Sephela, eben diese Küstenebene von Joppe an, unbebaut und mit vielfachen Trümmern bedeckt ist, macht es begreiflich, wie zu einer Zeit, wo eine Reihe bedeutender Städte nur wenig Stunden je von einander entfernt in selbständigster Weise hier blühten, eine merkwürdige Steigerung der Bodenkultur, der regste Verkehr nach dem Binnenlande, wie der Küste entlang sich bilden musste, ja wie man bald daran dachte, der See durch künstliche Bauten sichere Häfen abzugewinnen, die die Natur versagt hatte.

Aber die Bedeutung dieser Küstenebene und vor Allem der Gegend von Gaza wird uns noch ganz anders lebendig entgegentreten, wenn wir dem dritten, oben angegebenen Küstenabschnitte von Gaza nach Pelusium folgen. Zwar hat gerade hier die geschichtliche Umgestaltung, die Vernichtung der Kultur der alten Welt, die bis nach Justinian hier sich lebendig erhielt, auch eine grössere Bodenveränderung herbeigeführt. Aber schon im Alterthume wird Gaza, so von Arrian [1]) als äusserste Stadt für den von Phoenike nach Aegypten Reisenden am Beginne der Wüste (ἐπὶ τῇ ἀρχῇ τῆς ἐρήμου) genannt und zu der Bestätigung dieser Behauptung sind die Naturbedingungen jetzt nur noch schärfer hervorgetreten. Es schneidet der kaum eine Meile südlich von Gaza zum Meer sich streckende Wadi Sheriah, einst Bach Besor, der von Richardson 30 Schritt breit und trocken gefunden ward und bis zum steilen westlichen Abfall des Edomgebirges

---

1) Anab. II, 26.

aufsteigt, über dessen Verbindung und Stellung zu dem
alle südlichen Abflüsse desselben Gebirges aufnehmenden
Wadi es Sebà, dem Bach von Beerseba uns nähere Nachrichten fehlen, das fruchtbare, reiche Vorland des jüdischen Gebirges ab gegen die öden Abdachungen des fruchtbaren, hellblendenden Wüstenplateaus et Tih, das weit vor
dem Urgebirgsstock des Sinai nach Norden gelagert ist.
Zwar schliesst sich zunächst an jenen Wadi Sheriah noch
ein nicht sehr breiter Küstenrand, der als wellenförmiges
Terrain mit einzelnen Brunnen für Weideplätze, ja für
Tabakanpflanzungen nicht ungeeignet ist. Aber der nächste Stationspunkt, Khan Yûnas, der 3 deutsche Meilen von
Gaza entfernt ist, liegt hart am Wüstenrande, der hier
bis zur See sich erstreckt, in dem nur einzelne, nur von
den arabischen Führern gekannte, verdeckte Cisternen mit
Trümmerresten die Stationen bezeichnen. Ein solcher Haltepunkt ist Zaca oder Zawieh, vorher Refah. Nach einem
Weg von nicht ganz 6½ deutschen Meilen von Khan Yûnas, von etwa 9 Meilen von Gaza aus erreicht der Reisende den weiten vom Wasser oft stark durchströmten
Wadi el - Arish, dessen Verzweigungen nach Süden alle
kleineren Wadis der Nordabsenkung der Wüste et Tih in
sich aufnehmen. Hier bildet noch heute das verfallende Ku-
lat el - Arish, ein viereckiges Gebäude mit Eckthürmen und
einer Umgebung von wenig Hütten, als Dorf einen militärisch wichtigen Punkt. Die Meeresküste sichert auch hier
die landenden Schiffe nicht gegen den oft heftig stürmenden
Südwind, aber die Rhede daselbst, besser als an der ganzen Küste von Gaza her und zwischen hier und Pelusium,
ist bei der Wichtigkeit dieses Punkts, der Gränze von
Aegypten und Syrien, oft in neuerer Zeit besucht worden
und könnte bald von neuer merkantiler Bedeutung werden.
Noch eine deutsche Meile führt dann der Weg in der Nähe
der Meeresküste hin bis Messudieh, dem letzten, guten

Brunnen, wo der Reisende sich für eine fast dreitägige
mühevolle Reise durch Sandhügel, mit Salz incrustirte
Flächen, ohne jede menschliche Stätte, ohne jeden Baum,
zu versorgen hat. Es ist dies dieselbe Gegend, deren Natur und Ausdehnung von Herodot[1]) genau ebenso mit den
Worten geschildert wird: — ἐὸν τοῦτο οὐκ ὀλίγον χωρίον
ἀλλ' ὅσον ἐπὶ τρεῖς ἡμέρας ὁδὸν ἄνυδρόν ἐστι δεινῶς, die
in der Steigerung des traurigen und sandigen Charakters
(λυπρὰ καὶ ἀμμώδης) im Gegensatz zu dem ersteren Theile
des Weges von Gaza bis zum Wadi el Arîsh auch Strabo[2])
hervorhebt. Der Weg führt jetzt von Messudiah ganz vom
Meere südlich ab und erreicht endlich nach 15 deutschen
Meilen Katieh mit den ersten Palmbäumen, mit Resten von
Backsteinanlagen früherer Zeit; von da setzt er sich in
derselben Richtung bis Salahieh am Nil mit dem ersten,
grossen Dattelpalmenwald fort, das bereits ausserhalb des
Bereiches der sumpfigen Niederungen des Menzalehsees
liegt. Von Katieh wird aber auch über Ambeh Tineh, das
alte Pelusium, in einer Entfernung von 4 deutschen Meilen
gelegen, erreicht. Dieses bedeutende Terrain aber zwischen
el-Arîsh oder Messudieh und Tineh ist in seinen dem Meere
nahe gelegenen Theilen noch nicht erforscht und nur zwei
Vorsprünge in die See, Ras Strâki und Ras el-Kasrûn
oder el-Kas, sind uns dem Namen nach bekannt, aber die
genauere Bestimmung der seit Herodot[3]) oft genannten
Σερβωνὶς λίμνη, die parallel dem Meere sich erstreckte
und in einem später aber künstlich zugeschütteten Ἔκρηγμα
mit demselben in Verbindung stand, deren Längenausdeh-
nung bis zu diesem Ekregma von Strabo[4]) auf 200 Sta-

---

1) III, 5.

2) XVI, 2, 32. p. 371 ed Tauchn.

3) Herod. III, 5.

4) XVI, 2, 32. Dagegen gehört
§ 42. p. 377, weil das todte Meer
mit Namensverwechselung bezeichnend, nicht hierher.

lien = 5 deutsche Meilen, die Breite auf 50 Stadien = $1\frac{1}{4}$
deutsche Meilen, deren Umfang von Plinius [1]) nach frühern,
mit der Anschauung seiner Zeit nicht mehr zusammenstim-
menden Nachrichten auf 40 M. P. = 8 deutsche Meilen berechnet ward, ferner der Punkte auf der alten an der Küste hinführenden Strasse, besonders des Casius mons, den
Strabo [2]) als einen ϑινώδης τὶς λόφος ἀκρωτηριάζων ἄνυ-
δρος bezeichnet, fehlt uns noch gänzlich.

Dieser Küstenweg ist die einzige, von der Natur gleichsam vorgezeichnete Handels- und Heerstrasse zwischen
Aegypten und Palästina mit einer Länge von 54 Wegstun-
den oder 7 Tagereisen oder 28 geographischen Meilen und
der Ausspruch des Herodot [3]), dass auf diesem Wege allein
der Zugang nach Aegypten geöffnet ist, hat sich fortwährend an allen grossen Heereszügen von Kambyses bis Na-
poleon bewahrheitet. Wenn die Israeliten einen andern
Weg geführt wurden, wenn die neuern Reisenden, die in
Alexandrien landen und über den Sinai nach Palästina reisen, den Weg dann durch den Wadi el Arabah einschlagen
und so von Südost Palästina sich nähern, so waren es besondere Führungen, auch ein besonderes Verhältniss zu den
hier wohnenden Stämmen, so ist es jetzt das religiöse und
wissenschaftliche Interesse, das von der nähern, naturge-
gebenen Strasse abführte. Dagegen ist der Küstenweg die
grosse Karavanenstrasse geblieben und Kairo und Damaskus sind die zwei Hauptzielpunkte dieses Verkehrs. Gaza
ist immer der Ort, wo die von Palästina Reisenden ihre
Vorräthe einkaufen, wo die arabischen Stämme wie die Te-
rahim, die Teyahah mit ihren Kameelen hinkommen und
die Reisenden von den Führern übernehmen, hier bei Gaza
rastet nach der Wüstenreise die Karavane und versieht sich

---

1) Nat. H. 1, 14.
2) a. a. O.

3) III, 5. μούνῃ δὲ ταύτῃ εἰσὶ
φανεραὶ ἐσβολαὶ ἐς Ἄιγυπτον.

mit neuen Lebensmitteln, um ihren Weg nach Lydda, Ramleh fortzusetzen. Gaza ist daher in eine nothwendige, fast beherrschende Beziehung zu diesem Küstenland gesetzt, hierin nur mit dem andern Endpunkt Pelusium oder Tineh wetteifernd, obgleich hier nilaufwärts eine grössere Zahl anderer Ausgangspunkte auch sich fanden. Geschiehtlich ist diese Beziehung erst zur vollen Bedeutung gekommen durch das Wohnen eines mächtigen Stammes von der ägyptischen Gränze bis Joppe und weiter nördlich.

Die Beziehungen nach Süden zu dem Innern der Sinaihalbinsel sind jetzt mehr beschränkt auf den Verkehr mit den arabischen Stämmen, während bis in das vorige Jahrhundert die Pilgerstrasse von Jerusalem zum Sinai, zum Grabe der h. Katharina über Gaza führte und von da aus in drei verschiedene Hauptwege sich spaltete, die von Robinson [1] näher bestimmt sind. Ebenso ist bei der jetzigen, gänzlichen Bedeutungslosigkeit des arabischen Meerbusens mit seinen zwei tief eingreifenden Enden für den Handel, überhaupt bei der jetzigen geringen, merkantilen Beziehung des innern, nördlichen Arabiens das durch die Natur gegebene Verhältniss von Gaza und seinen Nachbarstädten als Export- und Tauschplätzen am mittelländischen Meer, z. B. zu Aila, zu der grossen Hadjstrasse, die östlich am Wadi el Arabah sich hinzieht, wenig beachtet. Aber noch kommen heutiges Tags eine Menge Lebensmittel aus der Gegend von Gaza nach Wady Musà und el Maàn, wenn die Hadjkaravane vorbeizieht. Und wir werden es bei einem genauern Blick auf die Karte, ihre Distanzpunkte, ihre natürlichen Strassen wohl begreifen, welche grosse Rolle diese Küstenstädte spielen konnten, wenn hinter ihnen das den Handel mit Südarabien und Indien vermittelnde Handelsvolk der Nabatäer stand. Geschichtlich haben wir dies

---

[1] Palästina, Bd. I, S. 315. 438.

näher nachzuweisen und dabei die bestimmten Strassen ins
Auge zu fassen. — Nach Norden und Nordost führt die Karavanenstrasse durch die Sephela, durch Hügel 1 — 1½
Stunden vom Meer getrennt, sich allmälig von ihm ent-
fernend, aber keine der für uns wichtigen Stadtplätze berührend. Kurz vor Gaza trennt sich von ihr die den stolzen Namen el-Sultâna [1]) tragende Route nach Jerusalem;
Reihen von Ruinen decken hier das Vorhügelland, die zum
Theil in den arabischen Namen die Kennzeichen ihrer geschichtlichen Bedeutung im alten Testamente tragen. Der
Verkehr mit Hebron, der Stadt der Gräber der Patriarchen,
bewegt sich auch auf diesem Wege bis Beit Jibrin, dem
von Robinson in seiner Identität mit Eleutheropolis erwiesenen Bethogabra. Die Entfernung von Jerusalem beträgt
in gerader Linie 12 deutsche Meilen, von Hebron 9, von
Jaffa 11.

Wenden wir uns jetzt von den allgemeinen Naturver-
hältnissen und den darin gegebenen geschichtlichen Bedingungen zu dem Zustande der jetzigen Lokalitä-
ten, die jene philistäischen Städte, das Objekt unserer Untersuchungen einnahmen und zu den Ueberresten, die
uns geschichtliche Anhaltepunkte oder Bestätigungen geben,
beschränken uns aber hierbei auf die eigentliche Pentapolis und die spärlichen Reste an der Küste zwischen Gaza
und Pelusium, die nördlich über Ekron hinausgehenden,
spätern Erwerbungen, wie das auch in seiner jetzigen
Gestalt wohl bekannte Joppe (Jaffa, Yâfa) ausschliessend.
Nur Ekron oder Akkaron als die nordwestliehste der
fünf philistäischen Hauptstädte lag jenseit des Wadi Rubin
und ist erst von Robinson [2]) an der Stelle des beträchtli-
chen Dorfes Akir neu wieder entdeckt worden, nachdem
in der Zeit der Kreuzzüge es öfters genannt war und aus-

---

1) Robinson, Pal. II. S. 596.   2) Paläst. III. S. 229—233.

ser dem Namen auch an Ort und Stelle die Tradition sich erhalten hatte. Trümmerreste waren nicht sichtbar, doeh hörte Robinson vom häufigen Auffinden von Cisternen, behauenen Steinen und dergl. Damit stimmt auch ganz Hieronymus in seinem. Liber de situ et nom. loc. hebr. [1]), wenn er vollständiger als der Eusebianische Text sagt: — Accaron dicitur inter Azotum et Jamniam ad orientem respiciens. Kaum eine deutsche Meile davon entfernt ist Jabnah, Jamnia in dem Namen des Dorfes Yehna auf einer kleinen Anhöhe auf der südwestlichen Seite des Wadi Rubin wieder zu finden; über den Nahr selbst führt in der Nähe noch eine römische Brücke mit hohen Bogen und Scholz sah hier die Ruinen einer altchristlichen Kirche [2]). Die Entfernung zum Meer beträgt etwas mehr als eine Stunde. Ob an der Küste noch Reste der Hafenstadt sich finden, darüber sind wir ohne Nachricht. Von Yehna führt der der Küste näher gehende Weg in 2 deutschen Meilen zu der runden, grasbedeckten, von Bäumen umsäumten Anhöhe, an welcher der Name Esdûd haftend uns die Stelle von Asdod, Azotos erhalten hat. Ein arabisches, gewöhnliches Dorf mit einem grossen Khan liegt dabei. Während Robinson [3]) auf den Bericht von Richardson, Irby und Mangles von einem Fehlen an Ruinen spricht, sah Wittmann [4]) zwei schmale Eingangsthore und einen Raum, der mit Fragmenten von Säulenschaften, Capitellen, Cornichen bedeckt war, eine Stunde von da entfernt an einem Hügel noch einen Ruinenhaufen mit einer aufrecht stehenden Säule. Die hohe Lage von Asdod wird uns durch den Ausdruck des Ἄζωτος ὄρος im ersten Buch der Makkabäer [5]) bestätigt.

---

1) Op. t. II, p. 398. ed. Paris.
2) Robinson III, S. 230 Note.
3) Paläst. II, S. 629 Note.
4) Travels p. 258.
5) 1 Makk. 9, 15.

Askalon, von Jamnia über Azotos nach Artemidoros bei Strabo[1]) ungefähr 200 Stadien, also 5 deutsche Meilen entfernt, liegt als ein Bild furchtbarer Zerstörung, die es im Jahre 1270 gänzlich vernichtete, als ein grosses Trümmerfeld hart am Meer[2]); der Name ist in Askulân erhalten. Dicke mit Thürmen besetzte Mauerreste umziehen es auf dem zu beiden Seiten in das Meer auslaufenden Felsrücken und amphitheatralisch senkt sich im starken Abfall der innere Trümmerraum zu dem an die Felsblöcke in heftiger Brandung sich brechenden Meer. Eine wissenschaftliche Untersuchung der gewaltigen Baureste fehlt uns noch gänzlich. Im Mittelpunkte häufen sich die Säulenschäfte, die meisten von grauem Granit, einige von Marmor, wenige von schönem Porphyr. Graf Forbin[3]) spricht von 40 hohen Säulen von rosenfarbenem Granit; er sieht einen Venustempel hier, dann macht er aufmerksam auf die Capitelle und Friese von schönstem Marmor über einem Gewölbe, das Joliffe eine Galerie bei einer Badeanlage nennt. Anfänge von Ausgrabungen hatte Lady Stanhope gemacht. Ueber die Umgebung Askalons, über die Spuren der oft genannten $\lambda i\mu\nu\eta$ wissen wir nichts.

Ehe wir von Askalon und dem Meere uns abwendend der $\frac{3}{4}$ Meile weiter unterhalb den Wady Simsin bei einer antiken Brücke passirenden Hauptstrasse, in welche auch die von Esdud kommende eingemündet ist, nach Gaza folgen, müssen wir noch einen Blick auf die östlich von Asdod und Askalon liegende, weite fruchtbare Landschaft werfen, die einst mit den Landstädten und Töchtern jener Hauptstädte besetzt war und selbst eine solche trug, nämlich **Gath**. Unter jenen können wir wahrscheinlich im

---

1) XVI, 2, 29. p. 370. T. 3) Rosenmüller, Zusätze zu Jo-
2) Robinson II, S. 629. Note liffe S. 277 ff.
nach dem Bericht von Smith.

jetzigen Yasûr das an der östlichen Gränze von Askalon gelegene Hazor, Ἀσώρ bestimmen [1]). Aber für die Lage von Gath, das Hieronymus [2]) auf den Weg zwischen Eleutheropolis und Gaza setzt, hatte Robinson, der die Gegend von Eleutheropolis so genau durchforschte, keine Anhaltepunkte zur Ortsbestimmung [3]).

Wenden wir uns jetzt zu dem Hauptpunkte dieser Städteanlagen und unserer Untersuchungen, der auch noch heute als eine nicht unbedeutende Stadt, als Sitz eines eigenen Gouverneurs oder Sheikh, welcher eine gewisse Autorität über die beiden andern Palästinas, über den von Jerusalem und Hebron ausübt, als Mittelpunkt einer das alte Philistäa mit umfassenden Provinz an seine frühere Bedeutung erinnert, zu Gaza, so tritt der Mangel einer irgend ausreichenden, genauen Beschreibung uns sehr fühlbar entgegen. Im Ganzen haben die Reisenden sich nicht sehr lange dort aufgehalten oder mehr in ungeduldigem Warten auf die Kameele, als mit irgend wissenschaftlichem Interesse. Tucher verweilte 14 Tage daselbst [4]), Fabri 8 Tage [5]), Helfferich über einen Monat [6]), Arvieux 8 Tage, aber meist bei dem Pascha schmausend [7]), Robinson 1½ Tage [8]) und diese 1½ Tage geben uns die meiste Ausbeute. Das heutige Gaza liegt nicht, wie Brocardus sagt [9]), am Gestade des Meeres, sondern ungefähr eine Stunde, wie Robinson berichtet, zwei italienische Meilen nach Tucher [10]), womit auch Arrian's [11]) Angabe vom alten durch Alexander den Grossen 'zerstörten Gaza (Παλαίγαζα) als 20 Stadien vom Meere entfernt übereinstimmt, zurück ins Land

---

1) Robinson II, S. 631. Note 1.
2) Op t. II, p. 447.
3) Robinson II, S. 690 ff.
4) Reissbuch S. 678.
5) a. a. O. S. 289.
6) a. a. O. S. 721.

7) Merkw. Nachr. II, S. 50.
8) Paläst. II, S. 634 — 48.
9) Reissbuch S. 879.
10) Reissb. S. 678.
11) Anab. Al. 2, 26.

und bietet ebenso wenig den Anblick einer Seestadt dar,
als Jerusalem. Sandige mit Gesträuch bewachsene Hügel
nehmen die Aussicht auf das Meer hinweg. Die Küste
selbst ist nur selten besucht worden, so von Wittmann [1]).
Der Landungsplatz ist, so erzählt er, ein offenes Gestade,
durch die heftige Brandung sehr gefährlich zum Landen
für irgend beladene Böte; eine Anzahl kleinerer Fahrzeuge
lag weiter in der See vor Anker. Der allgemeine Charakter des Ufers ist also der schon von Arrian bezeichnete:
ἔστι ψαμμώδης καὶ βαϑεῖα ἐς αὐτὴν Γάζαν ἡ ἄνοδος
καὶ ἡ ϑάλασσα ἡ κατὰ τὴν πόλιν τεναγώδης πᾶσα. Ueber
die Lokalität der Hafenstadt, des Hafens selbst, den Abulfeda [2]) als „Zunge von Gaza‟ noch kennt, wissen wir nichts.
Es ist nur Phrase bis jetzt, wenn Jean de Cotte [3]) sagt
von Majuma: dont les ruines existent sur le bord de la mer
mediterranée. Die Stadt selbst liegt zum Theil auf einem
Hügel, welcher sich über die rings angebaute Ebene um
etwa 50—60 F. erhebt und einen Umfang von 2 engli-
schen Meilen hat; jedoch ist nur der südliche Theil davon
mit Häusern bedeckt und zwar mit aus Steinen gebauten;
dagegen dehnt sich der grössere Theil der jetzigen Stadt
weit über die Ebene in einer Art von Vorstädten mit Lehm-
bau aus, woran sich ausgedehnte Begräbnissstätten anschliessen. Der Umfang wird schon von frühern Reisenden auf zweimal so gross als Jerusalem geschätzt. Der
Eintritt in das Innere zerstört aber alle Illusion, die der
wirklich grossartige durch die Zahl schlanker Minarets
verschönerte Anblick von aussen erregt hat. Die heutige
Stadt hat keine Thore und gleicht hierin einem offenen
Dorfe, jedoch sind am Fusse jenes centralen Hügels die

---

1) Travels, p. 266. 3) Coup d'oeil p. 57.
2) Tab. Syr. ed. Koehl. p. 78.

Stellen der frühern Thore noch zu bezeichnen, sowie die frühern Befestigungswerke. Auf dem Hügel befinden sich die öffentlichen von Stein gebauten Gebäude; Arvieux fand hier einen prachtvollen Serail des Aga mit Gartenanlagen, der aber schon zu Volney's Zeiten in Trümmern lag; Thevenot beschreibt das Schloss mit vier Eckthürmen noch näher. Unter den übrigen, öffentlichen Gebäuden werden uns 7 Moscheen genannt. Die Hauptmoschee ward von Arvieux, dann von Robinson besucht: sie war früher eine christliche Kirche, Johannes dem Täufer angeblich von der heiligen Helena geweiht. Die Länge des Gebäudes beträgt mit dem Raum für den Altar etwa 130 Fuss. Zwei Reihen korinthischer Säulen begränzen das Hauptschiff; über ihnen erhebt sich noch je eine Reihe kleinerer Säulen, also eine Empore in den Mittelraum öffnend. Von christlichen Kirchen fand Helfferich im Jahre 1595 [1] drei, von denen die bischöfliche allein noch benutzt wird; sie ist sicherlich diejenige, deren Stätte nach der von Thevenot erzählten Tradition durch eine Rast von drei Tagen der heiligen Familie auf der Flucht nach Aegypten geheiligt war, wohl auch die angeblich von Chrysostomus nach Albrecht Graf zu Löwenstein und Wormbser gestiftete [2]. Arvieux hält sie für sehr alt und führt als einen allerdings dem altchristlichen Kirchenbau angehörigen Theil den auf zwei prachtvollen Marmorsäulen ruhenden Triumphbogen des Chores an. Ob die armenische Kirche, die hier existirt, unter diesen dreien mit begriffen ist, ist dem Verfasser unbekannt. Ausser diesen kirchlichen Anlagen berichten uns ältere Reisende, wie Fabri, von einem köstlichen Badehaus mit weissem, polirtem Marmor, eben so von einem wohl versehenen Bazar, von einem Hofe zur Aufnahme der Reisenden.

---

1) Reissb. S. 721.   2) a. a. O. S. 364. 413.

Die Bevölkerung ist gewöhnlich um so vieles zu niedrig angeschlagen, als die von Jerusalem überschätzt wurde. Die verschiedenen Angaben der frühern Reisenden belaufen sich auf 2—5000 Seelen, jedoch Robinson [1]) schliesst aus den von Mohamedanern und Christen ihm zugekommenen Mittheilungen, dass nicht weniger als 15,000 Seelen hier wohnen, Gaza also volkreicher als Jerusalem ist. Der grosse Verkehr mit den alle Bedürfnisse hier einkaufenden Bedavins hat neben dem Acker-, Garten- und Weinbau eine nicht unbedeutende Industrie erhalten. Volney berichtet, dass an 500 Webestühle zu seiner Zeit zur Fertigung von Seidenschleiern beschäftigt waren; daneben bestanden noch 2—3 Seifefabriken, da aus den Wüstenpflanzen viel Soda gewonnen wird. Jedoch der Reichthum beschränkt sich auf wenige grosse Kaufleute, während die übrige Bevölkerung in Armuth versunken ist. Aber das ganze Volk erscheint hier in Gaza dem Reisenden viel gebildeter, als das in Aegypten und auf dem Küstenwege. Eine Christengemeinde und ein Bisthum hat sich hier fortwährend erhalten. Die Zahl der Christenfamilien giebt Robinson auf 57, die Gesammtzahl Richardson auf 500 an. Die Sprache ihres Gottesdienstes ist, wie in den meisten griechischen Gemeinden Palästinas, die arabische. Der Bischof wohnt in einem Kloster zu Jerusalem. Auch für die Mohammedaner hat die Stadt als Begräbnissort des al Haschem, des Grossvaters von Mohammed, sowie als Geburtsstätte eines Sektenstifters, as Schafei [2]), religiöse Bedeutung. Und das Thor Simsons, der Berg desselben, sein Begräbniss (Mukâm) lebt in religiöser Tradition fort, die ihre Oertlichkeiten dazu sich schuf.

Die neue Stadt in ein historisches Verhältniss zur alten zu bringen, die Reste der alten zu untersuchen, to-

---

1) Paläst. II, S. 640.   2) Abulfeda, Tab. Syr. p. 77.

pographisch zu ordnen, nach Stil und Inschriften zu bestimmen, dies ist bisher von keinem der Reisenden auf irgend genügende Weise versucht worden. Die frühern sind
gläubig den Erzählungen der Ciceroni gefolgt und haben das
Thor Simson's, den Dagontempel, den Palast der Philistäer
vor sich gesehen, neuern fehlte die Handhabe mitgebrachter
wissenschaftlicher Erkenntniss von dem hier Gewordenen
und Gewesenen, auch Robinson betrachtete seinen Aufenthalt als „Episode der Reise, nicht als das Resultat eines
bestimmten Untersuchungs - und Beobachtungsplanes" [1]).
Folgendes sind bis jetzt die einzigen über die antiken Reste
bekannten Thatsachen: auf dem einen Ende des Hügels
neben dem nun auch zerstörten Serail der früheren- Pa-
sehas dehnt sich ein bedeutender Raum mit Trümmerresten
aus, die üppiges Gesträuch zum Theil überwachsen hat.
Richardson spricht mit Bestimmtheit von Substructionen und
Säulenresten eines Rundbaues — eine von uns wohl zu
beachtende Thatsache.   Sehr natürlich ward dies von allen
ältern, gläubigen Reisenden für das von Simson eingestürzte
Haus oder für den Dagontempel angesehen.   Thevenot sah
schon mit mehr Kritik den Rest des Schlosses der Römer.
Nach allen Berichten aber sind die Stadt und die Vorstädte
erfüllt mit Resten von Marmor - und Granitsäulen; die Moscheen sind zum Theil davon erbaut, über einander ge-
häufte Capitelle stützen eine baufällige Hütte und Thür-
schwellen, Wassertröge werden von antiken Säulen gebildet.   Ein herrlicher antiker Altar mit Ammonshörnern wird
als Auftritt zu einem Taufstein genannt [2]).   Roberts spricht
von einer förmlichen Ruinenvorstadt.   Auch die zahlreichen
türkischen Grabmäler sind meist aus antiken Stücken ge-
haut.

---

1) Paläst. II, S. 647.   2) Reise eines engl. Cavallerie-
off. Weimar, S. 135.

Der höchste Punkt der Umgegend ist ein vereinzelter Berg im Südosten der Stadt, eine halbe Stunde entfernt, mit einem Mukâm, genannt el-Muntâr, auf der Spitze, welcher von frühern Reisenden ohne Grund der Simsonberg genannt wird [1]). Ihn für den mons Angaris bei Plinius [2]) zu halten, ist nach der hervortretenden Lage wohl eher begründet, als diesen zwischen Meer und Stadt, wie auch auf der Kiepertschen Karte geschehen, zu setzen.

Sahen wir bisher den aus den Stürmen südlicher und mittelasiatischer Völkerzüge geretteten Rest antiken Glanzlebens freilich als rohe, ungeordnete Masse der Nothdurft der heutigen zum Theil in Elend versunkenen Bevölkerung dienen, sahen wir neue Ansiedelungen an die berühmten, alten Namen geheftet, so fehlen uns für den über Gaza hinausgehenden mehr südlichen Theil meist auch diese Anhaltepunkte und es scheint, als ob der wirbelnde Wüstensand und die salzigen Laken auch das Ihrige zur Unkultur der Bewohner hinzugethan, um diesen Landstrich als einen geschichtlichen verschwinden zu lassen. Doch ist aufmerksamen Reisenden auch hier manche Entdeckung noch vorbehalten. So hat Rowland das von Robinson noch nicht bestimmte Gerar im Südsüdosten von Gaza unter dem Namen Kirbet el-Gherar mit Ruinen in einem Wadi wieder aufgefunden [3]). Ueber die Punkte auf der Küstenstrasse von Gaza nach Pelusium verweise ich im Allgemeinen auf Ritter's Abschnitt: Gaza's Küstenstrasse [4]). Hier hat sich der Name von Raphia noch ganz in dem eines Brunnens 6 Stunden Wegs von Gaza, Rafa erhalten, wo bedeutende Reste alter Bauten sich finden und auch flüchtige Reisende zwei stehende Granitsäulen, die als Gränzen von Asien und Afrika wohl bezeichnet werden, sahen. Dass

---

1) Robinson II, S. 639. 3) Williams the holy city p. 489.
2) Plin. h. n. V, 14. 4) Thl. XIV, S. 137—146.

dagegen der Name des Dorfes Khan-Yûnas nicht aus dem
alten Jenysos hervorgegangen ist, beweist eben jene hero-
dotische Stelle, in der es sich allein findet, die wir weiter
unten zu besprechen haben; ausserdem hat der Prophet vielen Orten Namen gegeben, ich erinnere nur an den Nebbi
Yûnas Mosûl gegenüber, jenen durch die assyrischen Entdeckungen in seinem Innern so berühmten Hügel, dann
ein anderes nördlich von Sidon, in der Nähe des alten Porphyrion. Die Lage von Rhinokorura an dem Wadi el-
Arish unmittelbar am Meer ergiebt sich aus den Distanz-
angaben, aus der schon oben bezeichneten Naturbestimmung
dieser Gegend, aus dem Gebrauche der Septuaginta, die im
Jesajas [1]) Bach Aegyptens mit Ῥινοκορουρα übersetzt. Von
antiken Ruinen, die wohl auch nicht fehlen werden, wissen wir nichts, noch weniger von den Resten der folgenden Stationen, die nur in den Namen von Landspitzen
Strâki von Ostrakine, Kas von Kasion bisher ihr verstüm-
meltes Andenken erhielten. Wie wenig wir aber berechtigt sind, von jetziger Oede und Verwüstung auf die Ver-
gangenheit zu schliessen, das zeigt die Zahl der Episkopalsitze von Arabia Peträa [2]), das zeigt die Entdeckung
ganzer Ruinenstädte unmittelbar im Süden und Südosten unserer Küstenanlagen, wie von Lysa, Eboda, des Wadi Ru-
haibeh, von Elusa auf der Wüstenstrasse von Aila nach
Gaza und Hebron [3]), wo jetzt nur wandernde Beduinen-
stämme hausen.

Auf der Grundlage dieser kurz angedeuteten Naturverhältnisse, sich anschliessend an diese ungenügenden Berichte der sprechenden Steindenkmäler muss es die Forschung versuchen, aus den weit zerstreuten, hier ganz
fehlenden, dort überraschend reich fliessenden schriftlichen

1) 27, 12.   3) Ritter XIV, S. 915 ff.
2) Ritter XIV, S. 114—137.

Quellen ein geordnetes Ganze aufzubauen und Thaten und Leiden eines kleinen, aber wichtigen Völkerstammes, den Wechsel der Culturzustände zum unveräusserlichen Besitz der Geschichte zu gestalten.

ERSTES BUCH.

Die Zeit orientalischer Abgeschlossenheit

oder

bis zur Eroberung Gaza's durch Alexander den Grossen.

Kap. I.

Urgeschichte.

Calmet, Dissert. de origine et nominibus Philisthaeorum in Prolegomena et dissertationes etc. ed. Mansi. t. I. p. 180—189.

Movers, Phönicier. Thl. I. 1841. Bonn. S. 1—55. Thl. II, 1. Berlin, 1849. S. 13 ff. 23 ff. Thl. II, 2. Berlin, 1850. S. 174 ff.

Bertheau, Zur Geschichte der Israeliten. 1842. S. 186—200 a. a. O.

Hitzig, Urgeschichte und Mythologie der Philistäer. Leipzig, 1845. Dazu vergl. Quatremère im Journal des savants. Paris, 1846. p. 257—269. p. 411—424 und Redslob in Gersdorf's Repertorium, 1845. Hft. 45.

Ed. Röth, Geschichte unserer abendländ. Philosophie. Bd. I. 1846. S. 82—99. 239—277. Noten, S. 4—17. 236—248.

Redslob, Die alttestamentlichen Namen der Bevölkerung des wirklichen und idealen Israelitenstaates etymologisch betrachtet. Hamb. 1846.

A. Arnold, Philister, Artikel in Ersch' u. Gruber's Encyclopädie. Sect. III. Thl. 23. S. 321—329.

Aug. Knobel, Völkertafel der Genesis. Giessen, 1850. S. 98.
208 ff. 215—222. a. a. O.

Ewald, Geschichte des Volkes Israel. Göttingen, 1851. Thl. I,
bes. S. 301—341. Aufl. 2.

§. 1.

Die Urbevölkerung. Gründung und Name von Gaza.

Als Sidonier, die ächten und erstgebornen Kananäer,
sich zwischen Libanon und der Küste des mittelländischen
Meeres niederliessen, von da südlich und nördlich ihre
Herrschaft ausbreitend, als die übrigen, mit ihnen verwandten Stämme vom Orontesthale bis zu der Südgränze
Palästinas als Gebirgs- und Thalbewohner, als eigentliche
Binnenländer ihre kleinen, bald blühenden Reiche mit
Städtemittelpunkten gründeten, fanden sie bereits im Süd-
westen des nachherigen Palästina als Landeseinwohner
die Avväer (עַוִּים, Εὐαῖοι), ein Ackerbau treibendes, in
offenen Dörfern (חֲצֵרִים) lebendes Volk. Sie wohnten bis
Gaza[1]), sie werden an einer andern Stelle[2]) als Bewohner des philistäischen Landes vom Bache Aegyptens
bis Ekron mit genannt, haben also jedenfalls die eigentliche, fruchtbare Ebene von Gaza bis Ebron inne gehabt.
Nirgends werden sie in den Stammtafeln der Völkerstämme erwähnt, vor Allem nicht in dem der Kananäer,
obgleich eine Lesart des Josephos[3]) den Namen hier freilich mit Nichtbeachtung der angegebenen Gesammtzahl ein-
fügt und auch die LXX die Chivväer als Εὐαῖοι auffasst. Sie aber zu den von den Kananäern bereits vorgefundenen Stämmen zu zählen, was Ewald[4]) und Andere
thun, dazu führt besonders ihre Zusammenstellung in jenem

---

1) 5 Mos. 2, 23.
2) Jos. 13, 3.
3) Ant. jud. I, 6, 2.

4) Gesch. des Volks Isr. I, S.
311.

Kapitel des Deuteronomiums[1]) mit den Choräern, jenen
Höhlenbewohnern im Lande Edom und Gebirge Seir[2]),
mit den Refaim oder Enakim oder Aemim, dem einst,
wie jenseits des Jordan im Lande Basan, besonders bei
Astharoth Karnaim[3]), so diesseits weilenden Riesenge-
schlechte, das dann von Josua aus Hebron vertrieben wird.
Wichtig ist es besonders, dass eben diese Refaim, auch
Nephilim genannt, sich nach dem Meere zu, nach Gaza,
Gath, Asdod zurückziehen[4]), wo sie also in den nicht vernichteten Avväern Stammverwandte vorgefunden haben müssen und dass sie im Verein mit den Bewohnern der Sephela
als einzelne, ausgezeichnete Kämpfergeschlechter dort noch
später erscheinen. Wir können mit dem im Hebräischen
in ganz anderer Bedeutung gebrauchten Wortstamme von
רפא wohl auch den Stadtnamen Raphia, südlich von Gaza
(bei den Arabern Refa, Rafa genannt) in Verbindung
bringen. Die Bedeutung dieser Ureinwohner als Bevölke-
rungselement in den philistäischen Städten geht auch aus
einer Stelle in den Chronika[5]) hervor, wo die Bewohner
von Gath (oder vielmehr, was in dem Ausdruck: אַנְשֵׁי גַת
liegt, die herrschenden, kriegführenden Geschlechter) als
die im Lande Geborenen den von ihnen bekämpften
Ephraimiten gegenüber gestellt werden, übrigens scheint
danach, wovon später zu sprechen, zur Zeit der israelitischen Eroberung Gath keine philistäische Stadt gewesen
zu sein.

Man hat nun weiter gefragt, zu welchem grössern
Völkercomplex diese Avväer gehörten? Hitzig stellt mit
ihnen die Stadt oder Landschaft עֵוָֹן (bei den LXX aber
'Αιά) zusammen, die neben Babel und anderen Städten Si-

---

1) 5 Mos. 2, 10 ff. 23.   4) Jos. 11, 22.
2) 1 Mos. 36, 20.   5) I, 7, 21.
3) 1 Mos. 14, 15.

nears als ein Punkt genannt wird, von wo durch den König der Assyrer Einwohner nach Samaria verpflanzt werden[1]); er sieht die Avväer ebenso wie Sidonier vom persischen Meerbusen herziehen. Viel eher haben wir dann
das Recht, an die Stadt הָעַוִּים im Stamme Benjamin bei
Josua[2]) zu erinnern, die wie häufig den Volksnamen selbst
trägt; die LXX lesen auch hier: Αἰείν, also das alte Ain
verstehend. Knobel, welcher den Stamm Lud, als den ältesten, Nordarabien und die peträische Halbinsel besitzen-
den hamitischen, d. h. arabisch-ägyptischen Stamm zu
grosser Bedeutung erhebt, rechnet zu diesem die Avväer[3]);
ähnlich sucht Ewald[4]) dem Stamme Amalek diese Urbevölkerung Palästina's zuzuweisen. Wir müssen diese
Frage offen lassen; nur so viel ist sicher, dass die Avväer
der grossen, (im biblischen Sinne) hamitischen Völkermasse,
deren allmälige Zurückdrängung im Tigris- und Euphrat-
thal, in Arabien und Palästina durch aramäische, chaldäische, eigentlich semitische Stämme eine immer
mehr historisch begründete Thatsache wird, zugehörten,
dass sie aber einer ältern Völkerschicht derselben beizuzäh-
len sind, als die Kananäer, mit denen sie aber auf gemeinsamem Sprachboden stehen.

In welches Verhältniss diese Urbewohner der Sephela
zu den sich ausbreitenden und die ganze Küste bis
Gaza und Gerar[5]) einnehmenden Kananäern getreten
sind, dafür fehlen uns allerdings ausdrückliche Angaben.
Wir wissen, dass noch viel später auch das Land der Philistäer als Kanaan (das den Griechen bekannte Χνᾶ nach
Stephanos von Byzanz u. a. W.) aufgerufen wird[6]), dass
ein kananäischer Stamm, die thalbewohnenden und acker-

---

1) 2 Kön. 17, 24.
2) 18, 23.
3) Völkertafel S. 207.

4) I, S. 337.
5) 1 Mos. 10, 19.
6) Zephanja 2, 5.

bauenden Pherisäer (פְּרִזִּי als Nomen proprium, פְּרָזִי als Appellativum) in ihren südlichern Wohnsitzen ganz in das Land und den Namen der später einwandernden Philistäer aufgingen [1]), dass aber die Philistäer noch die Avväer als ein nicht gebrochenes Volk vorfinden [2]). Daraus geht wohl klar hervor, dass zwischen den Kananäern und Avväern durchaus kein Vernichtungskampf stattgefunden hat, wie mit den Choräern oder Enakim, dass vielmehr die Avväer als friedlicher, auch verwandter Stamm die Präponderanz der Kananäer anerkannten. Von einer damaligen Ansiedelung der Sidonier, des seemächtigen Stammes von Kanaan an dieser Küste finden wir im A. T. keine Spur.

Gehören nun die später philistäischen Städte mit ihrer Gründung bereits dieser Vorzeit an? Von Gaza, Gath, Asdod, Ekron können wir dies als gewiss annehmen. Für die drei letzten Städte weisen die oben angeführten Stellen vom Rückzug der Refaim darauf hin, für Gath noch jene andere als eine Stadt von Landeseingebornen, Gath (Kelter) ein sonst auch meist mit einem Zusatze verbundener, kananäischer Städtename, Ekron (unser Roda) auch in seiner hebräischen, also ursprünglich kananäischen Sprachwurzel klar. Weniger ist dies mit Asdod (אַשְׁדּוֹד) der Fall, dessen Verknüpfung mit שָׁדַד als einer zerstörten Stadt durchaus nicht anspricht; viel eher haben wir es mit אָשַׁר, mit אֲשֵׁרָה in Verbindung zu setzen. Askalon (אַשְׁקְלוֹן, 'Ασκάλων, 'Ασκαλώνιον, auch "Ασκαλος und 'Ασκάλης [3])) wird in den obigen Verbindungen nicht erwähnt; wir werden seine frühzeitige Bedeutung, als Sitz ächt philistäischer, religiöser Anschauung, auch philistäischer Macht, aber zugleich frühen innerasiati-

---

1) 1 Chron. 7, 28.   3) Steph. Byzant. s. h. v.
2) 5 Mos. 2, 23. Jos. 13, 3.

schen, assyrischen Einflusses, sowie die möglichen Etymologieen noch kennen lernen. Dass in der ganz fragmentirten
Stelle des Periplus von Skylax von Karyanda [1]) der ver-
stümmelte Satz: (Ασκα) λῶν πόλις Τυρίων καὶ βασίλειον ἐνταῦθα, wo der Accent gegen eine solche Ergänzung
ist, nicht für eine kananäische oder phönikische Gründung
beweisen kann, ist leicht ersichtlich, da der Verfasser alle
Küstenanwohner von Syrien für Phöniker ohne Unterschied ansieht, also hierin weniger bekannt ist mit den
ethnographischen Verhältnissen, als Herodot, der freilich auch bei der Angabe der Verbreitung des Uraniakultus [2]) aus Askalon nach Kythera sagt: Φοίνικές εἰσιν οἱ
ἱδρυσάμενοι ἐκ ταύτης τῆς Συρίης ἐόντες, aber
wie man deutlich sieht, den gäng und gäben Ausdruck:
Phöniker zwar beibehalten, aber auf den Zusatz alles Gewicht legend. Zugleich steht diese Nachricht im direkte-
sten Widerspruche mit einer andern, später zu behandelnden, wonach Askalon mittelbar erst die Gründung von Inseltyrus veranlasste, also des Tyrus, welches erst die hervorragende, herrschende Rolle spielte. Das von Movers [3])
angegebene Auskunftsmittel, die Gründung der eigentlichen
Hafenstadt zu verstehen, ist auf Askalon, das am Meere
gelegene, kaum anzuwenden.

Wie steht es aber mit den durch die Griechen vermittelten Sagen und Ueberlieferungen anderer Stämme über
Gründung dieser Städte, besonders Askalons? Wir können hier phönikische, assyrische und besonders lydische neben einander stellen. Ganz zu der ersten haben
wir es zu rechnen, wenn im Stephanos von Byzanz s. v.
Ἄζωτος [4]) erzählt wird, ein Flüchtling (φυγάς) vom ery-

---

1) Geogr. min. ed. Oxon. t. I,
p. 42.

2) I, 105.

3) II, 2. S. 177.

4) Ἄζωτος πόλις Παλαιστί-
νης· ταύτην ἔκτισεν εἷς τῶν
ἐπανελθόντων ἀπ' ἐρυθρᾶς θαλάσσης φυγάδων καὶ ἀπὸ τῆς

thräischen Meere habe die Stadt gegründet und nach seiner Frau **Aza**, welches Ziege bedeute, genannt, aus **Aza** sei dann der Name in **Azotos** umgewandelt. · Es kommt uns hier zunächst noch nicht darauf an, ob diese Erzählung durch Versetzung von **Gaza** zu Ἄζωτος gekommen sei und statt dessen die unter **Gaza** gegebene Ableitung von **Azon**, einem Sohne des **Herakles**[1]), nach **Azotos** gehöre. Es ist klar, dass die erste Erzählung überhaupt auf der von **Herodot** zuerst[2]) und dann von den Erklärern der homerischen Stelle über Sidonier und Erember[3]), wie wir sie bei **Strabo**[4]) am ausführlichsten zusammengestellt finden, vorgebrachten Tradition einer Einwanderung der **Phöniker vom erythräischen Meere** beruht, zugleich also auf der ungenauen, aber bei den Griechen verbreiteten Ansicht von der Identität der Phöniker und jener Küstenbewohner Palästinas. **Movers**, welcher diese Tradition einer ausführlichern Betrachtung unterwirft[5]) und mit vollem Rechte sie gegenüber den alten, einheimischen Berichten der Phöniker und Hebräer als jung und auf **den bereits so gemischten** Zustand der Bevölkerung an der phönikischen Küste seit der Zeit der Assyrer, Babylonier und Perser bezüglich erklärt, will in der zweiten Stelle des Herodot überhaupt sie nur für die Phöniker in Palästina, d. h. für die Philistäer gelten lassen. Dies ergiebt jedoch eine genaue Erklärung der Stelle nicht[6]), sowie auch in der ersten Stelle einfach

---

γυναικὸς αὑτοῦ Ἄξας ὠνόμασεν ὅ ἐστιν χίμαιραν ἣν Ἄζωτον μετέφρασαν.

1) Vergl. auch Eust. Dion. Perieg. v. 910.

2) I, 1. VII, 89.

3) Od. IV, 81—85.

4) Strabo I, 2, 38. XVI, 4, 27.

5) Phönicier II, 1. S. 38—60.

6) Her. VII, 39: es wird eine Aufzählung der Völkerstämme gegeben, die zur persischen Flotte ihr Contingent stellten; sie werden, die ersten durch μὲν, die folgenden durch δὲ eingeführt. Dann wird ihre Rüstung beschrieben: entweder wird dieser Satz asyndetisch ohne Pronomen hinzugesetzt oder durch οὗτοι δὲ, οὗτοι δ᾽αὖ oder

die Einwanderung von den Phönikern überhaupt nach
dem λόγος der Perser berichtet wird. Der weitere Inhalt
jener Gründungssage bei Stephanos, nämlich die Namenge-
bung nach der Frau, die Aza, Ziege geheissen, ist sieht-
lich eine blosse Namenerklärung mit jenem wohlfeilen, späten, euhemeristischen Mittelgliede; die zweite Ableitung
stimmt mit jener tyrischen Kolonie des Skylax; Herakles ·
als Städtegründer, wenn auch mittelbar, an der syrischen
Küste ist der tyrische Melkarth[1]). Der Name Azon, dessen
Bildung mit phönikischen und philistäischen übereinstimmt,
mit Sidon, Dagon, ist uns sonst ganz unbekannt.

Die zweite assyrische Sage, durch Ktesias und

---

durch Participialconstruction. Dann
folgt eine ethnographische
Bemerkung. Diese wird regelmäs-
sig durch οὗτοι, οὗτοι δὲ, (c. 89.
91. 95), οὐτέων δὲ, oder durch
Wiederholung des obenan gestellten
Namens so Λύκιοι δὲ, Ἴωνες δὲ
oder endlich durch das Demonstra-
tivum und den dazu, als wiederholende, genauere Bestimmung
hinzugefügten Namen eingeführt.
Dies letztere kommt zweimal vor,
eben bei den fraglichen Phönikern,
dann bei den Pamphylen. Dort
heisst es οὗτοι δὲ οἱ Φοίνικες,
hier οἱ δὲ Πάμφυλοι οὗτοι· Movers will nun in diesem Ausdrucke
eine beschränkende Kraft finden
und meint, es beziehe sich blos auf
die an der Küste Palästina's wohnenden Phöniker, auf die Philistäer; er beachtet dabei jene regelmässige Einführung durch οὗτοι
jenen zweiten Fall nicht, wo dieselbe Construction sich findet. In
beiden Fällen sind die Sätze ver-

kürzt, zusammengezogen zu denken für: das sind die Phöniker,
das die Pamphyler, welche u. s. w.
Aber der Schriftsteller hat zugleich
c. 89 zwei und nicht eine ethnographische Bemerkung zu geben,
weil er von zwei verbundenen Völkern gesprochen, nämlich von Φοίνικες σὺν Συρίοισι τοῖσι ἐν
τῇ Παλαιστίνῃ; er spricht daher
in dem Satze: οὗτοι δὲ οἱ Φοίνικες, von jenen, in dem Satze:
τῆς δὲ Συρίης τοῦτο τὸ χωρίον
von diesen, nämlich den Pälestinen-
sischen Syriern. Auch hier führt
das Demonstrativ τοῦτο τὸ χωρίον
die Bemerkung ein. Movers beachtet diese sprachlich so scharf an-
gedeutete Scheidung nicht; bei ihm
muss τῆς Συρίης τοῦτο τὸ χωρίον
identisch sein mit τῆς Συρίης τὰ
παρὰ θάλασσαν, was unmittelbar
vorgeht, eine auch schon rein äusserlich gefasst unerträgliche Breite,
dazu nicht einmal wahr.
1) Movers II, 2. S. 109 — 115.

Diodor[1]) vermittelt, ist vorzugsweise mythologischer Natur und sucht in Askalon, oder vielmehr in einem in der Nähe bestehenden Heiligthume der Derketo den Ursprung der Semiramis, jener theils mythologischen theils historischen Gestalt an der Spitze des assyrischen Reiches. Sie kennt hier bereits königliche, assyrische Heerden, einen ·Vorgesetzten dafür, den S i m m a s, ferner einen assyrischen ὕπαρχος von ganz Syrien, den O n n e s, welcher die Tochter jener ureinheimischen Göttin, den Findling unter den Hirten zur Gemahlin nimmt, sie dann auf dem Feldzuge gegen Baktra mitnimmt, wo sie aber Gemahlin des Ninos wird; die neu aufgefundenen Fragmente des Nikolaus von Damaskus erzählen uns nach Ktesias noch Ausführliches[2]) über die Kinder jenes Onnes und der Semiramis. Hiernach ist jenes τέμενος der fischleibigen Göttin Derketo ein u r s p r ü n g l i c h e s, den Landesbewohnern angehöriges und die assyrische Herrschaft, in deren Bunde also auch Semiramis erscheint, ist etwas Hinzugekommenes, Neueres. Von der S t a d t Askalon ist in der ganzen Sage nicht die Rede. So fassten es οἱ λογιώτατοι τῶν ἐπιχωρίων in Askalon, so war wahrscheinlich die spätere Tempelsage daselbst. Und auch der Ausspruch des Pausanias[3]) über den ˙Dienst der Aphrodite Urania, dass zuerst unter allen Menschen ihr Dienst bei den Assyrern sich festsetzte, n a c h d e n Assyrern (μετὰ Ἀσσυρίους) bei den Paphiern in Kypros und bei Φοινίκων τοῖς Ἀσκάλωνα ἔχουσιν ἐν τῇ Παλαιστίνη, soll nicht, wie man wohl meinte, eine Uebertragung von Assyrien nach Askalon bezeichnen, denn er giebt hier eine rein z e i t l i c h e Folge an, während er unmittelbar darauf sagt: παρὰ δὲ Φοινίκων Κυθήριοι

---

1) II, 4 ff.
2) Muller Frgm. histor. III,   p. 356 — 57. vgl. auch Mos. Chor. I, 16. p. 47.
3) I, 14, 6.

μαϑόντες σέβουσιν, also hier eine Uebertragung annimmt.
Dazu kommt, dass Herodot[1]) nach genauem Forschen, wie
er ausdrücklich sagt, das Heiligthum in Askalon für das
älteste erklärt, von dem das zu Paphos erst abgeleitet sei;
er weiss wohl, dass die Assyrer eine Urania verehren,
aber auch, dass dieser Dienst bei den Arabern ursprünglich ist[2]) und mit dieser arabischen ist die askalonische
urverwandt. Man könnte noch einen andern Mythenkreis
für eine uralte, assyrische Gründung einer später philistäischen Stadt beibringen, den nämlich des Aethiopen-
königs Kepheus und seines Sitzes zu Jope nebst der
daran sich schliessenden Sage von Perseus und Andromeda,
und Movers[3]) hat dies durchzuführen geglaubt. Aber ganz
abgesehen von der innern religiösen Bedeutung jenes in
Griechenland erst spät, weiter erst in Alexandrien entwickelten Mythus[4]), die für uns später gerade im treff-
liebsten Zusammenhange mit der ächt philistäischen
Grundanschauung erscheinen wird, so darf doch wohl das
Schwanken der griechischen Begriffe von Aethiopien, die
darin zuerst nur Bewohner vom Ost- und Westrand der
Erdscheibe, bald Phöniker und Nachbarn der Phöniker,
bald Assyrer, bald Babylonier, bald Perser sahen, bald dann
die spätern Aethiopen südlich von Aegypten, uns nicht be-
rechtigen, hier eine uralte Gründung von Assyrien aus
zu sehen. Und wie? Ist nicht Jope nach Plinius[5]): Joppe
Phoenicum *antiquior terrarum inundatione* ut ferunt, also
autochthonisch, wenn irgend eine Stadt? Auch spricht Plinius[6]) von einer Einwanderung aus dem afrikanischen
Aethiopien nicht, sondern von einer Ausdehnung der Herr-

---

1) I, 105.

2) I, 131.

3) Phön. II, 1. S. 282—289.

4) K. F. Hermann, Perseus und Andromeda. Göttingen, 1851.

5) V, 14.

6) VI, 35.

schaft bis an die Gränzen Syriens, stützt dies aber allein
auf den dort haftenden Mythus der Andromeda. Und wenn,
was Movers damit combinirt, eine Relation bei Tacitus[1])
die Juden für Abkömmlinge der Aethioper erklärt, welche
unter König Cepheus Furcht und Hoffnung ihre Sitze zu
verändern getrieben habe, so werden diese Aethioper ausdrücklich als solche aus dem südlich von Aegypten liegenden Aethiopien kommend aufgefasst, indem sie gegenübergestellt werden der Tradition einer assyrischen Herkunft. Wir sehen aber deutlich, wie die Ausdehnung der
Herrschaft dort bei Plinius, hier die Auswanderung ganz
sich gleichgestellte Mittel sind, den Namen Aethioper an der
Küste von Jope zu erklären. Damit könnten wir eine andere, gleichsam vermittelnde Erzählung in Verbindung
bringen, die vom äthiopischen Krieg bei Josephos[2]): danach erobern in der Zeit der Anwesenheit der Hebräer in
Aegypten Aethioper aus Meroe das ganze Land bis Memphis und das Meer; ja durch sie werden die Städte der in
Verbindung mit den Philistäern genannten unterägyptischen
Stämme, die auch das eigentliche Palästina bis Gaza von
Aegypten mit bewohnten, zerstört; es liegt nun sofort nahe,
eine Flucht der Stämme, ein Sichzurückziehen aus Furcht
weiter die Küste hinauf anzunehmen.

Die lydische Sage, welche durch Xanthos von Lydien, einen allerdings Einheimisches und griechische Sage
in leichtfertiger Weise verbindenden Historiker, überliefert
war, aus diesem in des Mnaseas Werk περὶ Ἀσίας[3]) und
das allgemeine Geschichtsbuch von Nikolaos von Damaskus[4])
überging, aus diesem dann in vereinzelten Bruchstücken

---

1) Hist. V, 2 ff. Vergl. dazu die
treffliche Abhandl. von J. G. Müller in Theol. Studien und Kritiken 1843. S. 935—41.

2) Ant. I, 6, 2. II, 10, 1.

3) Athen. VIII, 37 p. 346. D.

4) Fr. 24—26.

bei Stephanos von Byzanz uns erhalten ist[1]) hat eine doppelte, eine geschichtliche und mythologische Seite. Beide treten in Berichten über grosse Kriegszüge des Moxos oder Mopsos, Königs von Lydien, der nach der Tyrannis des $M\acute{\eta}\lambda\eta\varsigma$ herrschte, hervor, welcher als Kriegsheld und religiöser Ordner von den Lydern verehrt wurde, welcher auch syrische Städte einnahm. Dieser erscheint in unmittelbarer Beziehung zur $\mathrm{A}\tau\acute{\varepsilon}\rho\gamma\alpha\tau\iota\varsigma$ und ihrem Sohne $\mathrm{"}I\chi\vartheta\nu\varsigma$, deren Fischverwandlung bei Askalon er erst herbeigeführt habe durch Fangen wegen ihrer $\mathring{\upsilon}\beta\rho\iota\varsigma$ und Versenken (dieses Versenken wendet er auch bei den Bewohnern der lange belagerten Stadt Krahos an, die ebenfalls als $\mathring{\alpha}\vartheta\varepsilon o\iota$ bezeichnet werden). Daneben wird uns noch berichtet, dass unter König Akiamos Askalos, ein Bruder des Tantalos und Sohn des Hymenaios, zum Feldherrn für einen Feldzug gegen Syrien ernannt und hier aus Liebe zu einer Jungfrau eine Stadt gegründet und nach seinem Namen benannt habe, nämlich Askalon — eine merkwürdige Version, man erwartet umgekehrt, nach dem Namen der Jungfrau. Immer spielt hier das Verhältniss zu dem weiblichen Wesen, das mit Askalon verbunden ist, eine Rolle: dort bei Moxos ist es eine Strafe, die an ihr wegen ihrer $\mathring{\upsilon}\beta\rho\iota\varsigma$ und zwar, wie wir im mythologischen Theile sehen werden, gegen Aphrodite und der durch sie erregten unseligen Liebe vollzogen wird, hier diese Liebe selbst. Aber jene Könige gehören der lydischen Urzeit an, der vor den Herakliden, d. h. wie jetzt feststeht, der streng assyrischen Herrschaft, regierenden Dynastie der Atyaden, welche auf Lydos, den Sohn des Atys, des Sohnes von Manes ihren Ursprung zurückführte, also auf rein mythische, von den Lydern fortwährend göttlich verehrte Gestalten, welche in ihrem Wesen dieselben Grund-

---

[1) Muller, Frgmt. hist. III, p. 371. 372.

begriffe, im Manes den eines gewaltigen Eroberers, in
Atys den eines weibischen, in Weiberkleider sich verstek-
kenden Königs haben, die in der assyrischen, mythischen
Geschichte spielen und auf bestimmten, religiösen Anschauungen beruhen. Sie gehören somit, was schon ausdrücklich
in der Angabe des Herodot[1]) ausgesprochen ist, dass sie
erst den Namen Lyder dem Volke gegeben hätten, jenem
ächt semitischen Stamme der Ludim an, der erst allmälig an die Küsten Kleinasiens vordrang und hier die den
Pelasgern verwandten Stämme, wie die Mäoner sich unterwarf. Und es ist sehr wohl zu fragen, ob jene Berichte
von Verkehr und Krieg mit Syrien nicht jener frühern
Zeit angehören, wo die Lyder noch im östlichen Theile
Kleinasiens sassen. Dies wird unterstützt durch das Auftreten des Mopsos, denn derselbe gehört in seiner mythischen wie historischen Bedeutung noch mehr Kilikien
als Lydien an als König und Seher und Städtegründer in
Kilikien und Pamphylien. Dass die späteren griechischen
Mythologen und Historiker ihn zu einem Sohne der Manto,
zu einem von Troja heimkehrenden und verschlagenen Helden machten, kann uns nicht wundern, noch weniger seinen asiatischen, semitischen Ursprung verdunkeln[2]). Mopsos
aber als Ordner des religiösen Dienstes, als Verbreiter zugleich der lydischen Macht trat, wie es scheint, in ein bestimmtes, oppositionelles Verhältniss zu jener in Obersyrien, besonders in Bambyke oder Hierapolis hochverehrten syrischen Göttin, welcher der Fisch besonders heilig war
und scharf geschieden von der später als herrschend hin-
zukommenden, oberasiatischen Artemis oder Hera. Da

---

1) I, 7.
2) Theopompos im 12. Buch in
Muller, Frgmt. hist. gr. I, p. 296.
Philostephanos, De urbibus Asiae
bei Ath. VII, p. 297. F., Schol.
Lycophr. v. 440, Euseb. Chron.
II, p. 310 in Script. vet. n. coll.
ed. Mai t. VIII.

aber nun die spätere Sage, besonders seit der assyrischen
Herrschaft an der Küste Phönikiens jene Fischgöttin von
Askalon mit dieser syrischen ganz zusammenwarf, sie aber,
wie oben gezeigt ward, mit Semiramis, jener oberasiatischen Göttin auch in Verbindung setzte, so ist das Auftreten des Mopsos bei Askalon leicht erklärlich, daraus dann
die mit den lydischen Heerzügen gegen Syrien überhaupt
combinirte Gründung von Askalon. Die Namensähnlichkeit
mit Ἄσκαλος mochte dazu noch beitragen, ein Name, der
von Xanthos ganz gräcisirt ist. Nach alledem geben wir sehr
gern kriegerische Berührung des lydischen, aber noch nicht
an der Küste Kleinasiens herrschenden Stammes in Kilikien
und dem nördlichen Syrien zu, zugleich auch eine solche
zwischen dem lydischen, in ihrem Grundwesen noch oberasiatischen, assyrischen Glauben und Cultus und zunächst
dem aramäischen, weiterhin auch dem philistäischen. Andere Erklärungen müssen wir zurückweisen, z. B. die
Ansicht von Movers[1]), dass die Philistäer von ihren Küsten
her feindselige Angriffe auf Lydien gerichtet, noch mehr
die Meinung von Knobel[2]), dass die in der Völkertafel[3])
als Söhne Mizraims einmal genannten, dann ganz verschwindenden Ludim, nach ihm die Urbewohner Nordara-
biens, denen er, gestützt auf arabische Angaben eine grosse
Rolle zuweist und sie für die Hyksos hält, hier unter den
Lydern verstanden sein. Es müsste dies auf einer grossen
durchgehenden Verwechselung in der lydischen Urgeschichte
beruhen, deren Entstehung viel schwerer und künstlicher
zu erklären wäre, als selbst die strengste Wahrheit der
ganzen Angabe des lydischen Historikers. Und jener von
Knobel vorgebrachte Grund, dass L y d e r gar kein alter
Name bei den Griechen sei, dagegen Mäoner das Volk zu-

---

1) Phönic. I, S. 17.   3) 1 Mos. 10, 13.
2) Völkertafel S. 208.

erst genannt, zerfällt in sich nach der oben schon bezeichneten Grundansicht, dass Lyder, die Ludim der Genesis, die Söhne Sem's und Brüder von Arpachsad, Aram, Assur, Elam, jener semitische in Kleinasien vordringende und die Herrschaft an der Küste, so über die Mäoner erringende Stamm waren, dass daher die Erinnerungen eben dieses Stammes sich weit zurück als Lyder bezeichnen, während der mit den Küsten verkehrende Grieche hier nur Mäoner kannte.

Nachdem wir so die fremden, durch Griechen vermittelten Angaben, welche in voralexandrinische Zeit bestimmt gehören, über uralte Städtegründung an der philistäischen Küste der Kritik unterworfen haben, wenden wir speciell uns noch zu Gaza selbst, um auch hier ihr Bestehen vor dem Auftreten der Philistäer, den nach gewöhnlichem Sprachgebrauch semitischen Ursprung des Namens, die spätern griechischen so wie neuern Erklärungsversuche in ihrem Grunde oder Ungrunde zu erweisen.

Man könnte wohl fragen, ob jene Bezeichnung von dem Wohnen der Avväer bis Gaza[1]), der Kananäer bis Gaza und Gerar[2]) nicht erst von dem spätern Erzähler gebrauchte Ortsangaben seien. Werden jene Avväer nicht gerade als ein in Dörfern lebendes Volk bezeichnet, das also feste Städte nicht kannte? Dagegen ist zu erinnern, dass Gaza an der zweiten Stelle zusammengenannt wird mit Gerar, wo bereits Abraham den König Abimelech fand[3]), ferner mit Gomorra, Adama, Zeboin, Lasa, altkananäischen Städten, die bereits bei der Einwanderung der Hebräer der Sitz uralter Cultur und Entsittlichung waren und deren Namen schon lange vor der Wanderung nach Aegypten nur in Verbindung mit dem furchtbaren Naturereigniss genannt

1) 5 Mos. 2, 23.   3) 1 Mos. 20, 2.
2) 1 Mos. 10, 19,

wurde, das sie vernichtete. Ausserdem ist bei einem Acker-
bau treibenden Volke eine Stadt als Mittelpunkt, eine $\pi\acute{o}\lambda\iota\varsigma$
gegenüber den $\varkappa\tilde{\omega}\mu\alpha\iota$ oder dem $\delta\tilde{\eta}\mu o\varsigma$ eine anderwärts sich
immer wiederholende Thatsache.

Der Name עַזָּה ($"A\zeta\alpha$, wie nach Stephanos von Byzanz [1]) die Syrer mit Schwächung des ע zum Spiritus
lenis noch fortwährend aussprachen, während $\Gamma\acute{\alpha}\zeta\alpha$ die
griechische Aussprache war) ist als ein durch alle Zeiten
hindurch erhaltenes Erbtheil der Ureinwohner zu betrachten. Der Einwohner hiess davon עַזָּתִי, eine auch bei
Alexander Polyhistor $\pi\varepsilon\varrho\grave{\iota}\ \Sigma\upsilon\varrho\acute{\iota}\alpha\varsigma$ [2]) in $\Gamma\alpha\zeta\tilde{\alpha}\tau\alpha\iota$ nachgebil-
dete Form, während die allgemeine, griechische $\Gamma\alpha\zeta\alpha\tilde{\iota}o\varsigma$,
unregelmässig auch $\Gamma\alpha\zeta\eta\nu\acute{o}\varsigma$ nach Pausanias lautete. Die
Einwohner sprachen in der griechischen Zeit auch von $\Gamma\alpha$-
$\zeta\tilde{\iota}\tau\alpha\iota$, aber um damit bestimmte, in Gaza verfertigte Ge-
schirre zu bezeichnen. Wir haben, waš die Ableitung be-
trifft, zunächst von der im Alterthum allgemeinen ahzu-
sehen, die sich an das Wort Gaza, nicht an das ursprüngliche hebräische Wort anschloss und können hier mit den
meisten, neuern Erklärern, wie Gesenius, Ewald, Quatremère einfach nur das Femininum des Adjektiv עַז darin
erkennen, mit der Bedeutung die Starke, Mächtige, wie
sie einer $\pi\acute{o}\lambda\iota\varsigma$ im Gegensatz zum offenen Dorfe vor allem
zukommt, wie sie in $P\acute{\omega}\mu\eta$ von den griechischen Erklärern fortwährend angenommen ward [3]). Hitzig hat dagegen
nun den entschiedensten Einspruch erhoben, indem er erstens erklärt [4]), עז bedeute nicht fest, stark, sondern nur
grimmig, wild und zweitens sei ein solches alleinstehendes,
adjectivisches Femininum ganz gegen den Sprachgebrauch,
es hätte heissen müssen עַ—עִיר oder עִיר הָעֵזָּה. Gern ge-

---

1) I, p. 129 ed Diod.

2) Steph. Byz. s. v. $\Gamma\acute{\alpha}\zeta\alpha$. Tv-
$\varrho\acute{\varepsilon}\delta\iota\zeta\alpha$. $A\tilde{\iota}\alpha$.

3) Niebuhr, Röm. Gesch. I, S.
218 ff.

4) Urgeschichte S. 8.

ben wir zu, dass das Adjektiv עַז vom Löwen, Wind, Fluthen, Hunger, dann vom Feind, Volk, König gebraucht wird[1]), dass es daher nicht sowohl fest, gesichert, als stark an Kraft, an Intensität bezeichnet, aber jedenfalls lehnt es sich in seiner Bedeutung an das als Substantiv schon ältere עֹז an. In diesem kommt aber jene Bedeutung des Grimmes, der Wildheit gar nicht vor und geradezu steht es in einer Anzahl Wortverbindungen, die ein Bauwerk, eine Veste bezeichnen, wie מִגְדַּל־עֹז[2]), wie עִיר־עֹז[3]), wie קִרְיַת־עֹז[4]) und Gesenius weist eine Anzahl phönikischer Städtenamen nach, in denen das עֹז mit enthalten ist. Wir haben dabei aber nicht an Städte auf schroffen Felshöhen zu denken, denn diese werden durch עָרֵי־הַמִּבְצָר (LXX übersetzt: πόλεις ὀχυραί[4])) bezeichnet, sondern die geistige Beziehung der Macht und Stärke tapferer, herrschender Bewohner gegenüber Unterworfenen oder zu Beschützenden spricht sich darin aus. Und das ist auch ganz die Bedeutung des Adjectivs. Was nun zweitens die artikellose Femininform eines Adjectivs als Nomen proprium betrifft, so ist vor allem zu erwidern, dass nach spätern, syntaktischen Regeln des hebräischen Dialekts nicht ein kananäischer, uralter Name zu bemessen ist, dass es sich hier vor Allem um entsprechende Analogieen handelt und diese fehlen nicht, so das neben Gaza genannte[5]), mit Sodom und Gomorra untergegangene אַדְמָה d. h. die Rothe, so לִבְנָה: die Weisse[6]), so רָמָה: die Hohe. Aber was bietet uns Hitzig statt עַוָּה, der Starken? Er sieht hierin das sonst unbekannte und ausserdem in seinem Umlaute, welcher nach dem Plural in i erfolgen würde,

---

1) Richt. 9, 51. Ps. 61, 4.

2) Jes. 26, 1.

3) Sprichw. 18, 19.

4) Jos. 10, 20.

5) 1 Mos. 10, 19. Vgl. auch Hos. 11, 8.

6) Jos. 12, 15.

ganz regelwidrige Feminin von עֵז der Ziege, einem jetzt anch als phönikisch auf der Inschrift zu Marseille nachgewiesenen Werke [1]) und bringt nun dies mit der oben erwähnten, zu Azotos gegebenen Deutung des Stephanos von Byzanz zusammen. Ueber den Werth dieser Deutung haben wir hier nicht mehr zu reden, nur zu fragen zuerst, wo ist im Semitischen Ziege als Frauenname bekannt, wie רָחֵל, das Mutterschaf? Da ist doch jene Ableitung von Gangra in Paphlagonien, dem späteren Ankyra, die uns Alexander Polyhistor nach Nikostratos berichtet [2]), die nach einer wirklichen, auf den steilen, unzugänglichen Ort verirrten und dort Junge werfenden Ziege den Namen vom Hirten geben lässt, eine viel einfachere, natürlichere. Aber bei dem niedrigen Hügel von Gaza ist an einen solchen Ziegenpfad nicht zu denken. Und weiter fragen wir, ist es bei Vergleichung uralter Städtenamen erweislich, dass sie einfach nach einem zufälligen Frauennamen und nicht nach Beschaffenheit des Grund und Bodens oder in religiöser Anlehnung an Götternamen, was z. B. auch bei den mit der Semiramis zusammenhängenden Namen der Fall ist, gegeben werden? Das Letztere sucht freilich Hitzig noch zu erreichen, am Ende seiner Untersuchungen kommt er noch einmal auf den Namen zurück und sieht in ihm die griechische Artemis (!), bezeichnet durch den auf dem Wege des Arabischen umgebildeten Beinamen der indischen Bavâni, nämlich Katscha. Wir gestehen, hier können wir dem Verf. nicht weiter folgen in eine solche Tradition syrischer, phönikischer und griechischer Mythologie aus dem indischen Orient, wo obendrein ein in der ältesten, historischen Quelle erwähntes, altsemitisches Wort umgebildet sein soll erst aus dem Arabischen und durch diesen aus dem Indischen.

---

1) Munk in Journ. Asiat. 1847. t. X, p. 521 ff.
2) Steph. Byz. s. v. Γάγγρα.”Αγκυρα. Muller, Frgmt. hist. III, p. 233.

Viel näher, als sofort eine neue Etymologie zu versuchen, liegt es für den historischen Forscher, sich nach der Wiederkehr dieses Städtenamens im Bereiche orientalischer Völker besonders umzusehen und der übereinstimmenden Etymologie der Griechen und auf sie sich stützenden Römer eine Entstehungszeit und innere Begründung anzuweisen. Im Bereiche der semitischen Sprachverbreitung, die, wie bekannt und vor Allem jetzt durch die himjaritischen Inschriften zu Aden, Hadramaut und an der gegenüber liegenden afrikanischen, über die Strasse von Babelmandeb hinaufreichenden Küste erwiesen ist, in dem grossen, einst weiter verbreiteten Stamme der Cuschiten von den Küsten Gedrosiens, Carmaniens, Susianas über Südarabien und als Sprache herrschender, erobernder, kaufmännischer Niederlassungen nach Afrika sich hinüber erstreckte, begegnet uns der Name Gaza nur einmal und zwar als Emporium von Barbaren [1]) zwischen dem Avalites sinus und dem Vorgebirge und Handelsplatz Massylon, der Hauptstation für den Zimmthandel und der Gränze der Eroberungen des Sesostris; Gaza wird hier von Plinius[2]) genannt, während Arrian[3]) und Ptolemaios[4]) zwei andere Emporien $M\alpha\lambda\alpha\acute{\omega}$ ($M\alpha\lambda\varepsilon\acute{\omega}\varsigma$) und $Mo\tilde{v}v\delta o\varsigma$ angaben. Wie der Name der Avalitae von Knobel[5]) mit Recht in dem biblischen Chavila erkannt ist, wie für die genannten Namen sich leicht die semitischen, zunächst arabischen Wurzein finden lassen, so ist kein Zweifel, dass der Name Gaza hier dem semitischen Sprachstamme angehört, hier ebenfalls einem Emporium am Meere gegeben. Dagegen gehört das Baragaza, das nach Meinung einiger bei Plinius[6]) als letzte Stadt Aethiopiens an diese Küste gesetzt wird, von Ste-

---

1) $\dot{\varepsilon}\mu\pi\acute{o}\varrho\iota\alpha\ \beta\alpha\varrho\beta\alpha\varrho\iota\varkappa\acute{\alpha}$ nennt alle Anlagen dieser Gegend Arrian Peripl. Erythr. mar. p. 5. ed. Huds.
2) H. Nat. VI, 29.

3) Peripl. Erythr. M. p. 6. 7.
4) Geogr. 4, 7.
5) Völkert. S. 246 ff.
6) l. l.

4

phanos von Byzanz als Emporium Gedrosiens genannt wird, allerdings der Hauptverkehrsort dieser Städte am Meerbusen von Aden [1]), wie seiner Lage, so seinem Namen nach nach Indien [2]).

Wenden wir uns aber nun zu dem Namen und der Bedeutung von Gaza im indogermanischen, zunächst arischen Sprachstamme, so begegnet es uns häufig als Nomen proprium und daneben als Appellativum im vielfachsten Gebrauch bei Griechen und Römern. Aber wir können entschieden sagen, das Appellativum kommt in der griechischen Literatur erst seit der Zeit Alexander's des Grossen vor und bezeichnet hier zunächst den königlichen (und nach griechischer Ansicht vom persischen König als βασιλεύς oder Grosskönig zunächst persischen) Schatz, theils als Verwahrungsort, theils als verwahrten königlichen Besitz. So erzählt Deinon bei Plutarch [3]), dass die persischen Könige das Wasser des Nil und Ister holen lassen und: εἰς τὴν γάζαν ἀποτίθεσθαι. Für Verwahrungsort bildet sich dann ein eigenes, in den Makkabäerbüchern [4]) häufiges Wort: γαζοφυλάκιον. Bei Polybios erscheint das Wort häufig theils in der Bedeutug als königlicher Schatz [5]), theils, wie dann auch bei Andern, neben χρήματα gestellt und von ihm unterschieden, so [6]) wird Pharnakes befohlen: τῶν χρημάτων καὶ τῆς γάζης — ἀποδοῦναι — ἐνακόσια τάλαντα, so kehrt Mallius, der römische Feldherr, zur Zeit Antiochos des Grossen von seinem Zuge gegen die Galater zurück σὺν γάζῃ τε πολλῇ καὶ χρήμασιν ἀπείροις [7]),

---

1) Arr. Per. Er. M. p. 8. 13. 18.

2) Vgl. Forbiger, Handb. der alten Geogr. II, S. 506.

3) Plut. Al. c. 36. Muller Fragm. hist. gr. II, p. 92.

4) 1 Mos. 14, 49. 2 Mos. 3, 6. 24. 28. 40. 4, 42 a. a. O.

5) z. B. XI, 34. XXII, 26.

6) XXVI, 6.

7) App. Syr. 42.

so erzählt Artapanos bei Alexander Polyhistor [1]), dass die
Juden aus Aegypten mitnahmen goldene Trinkgefässe, Klei-
dung und $\check{\alpha}\lambda\lambda\eta\nu$ $\tau\varepsilon$ $\pi\alpha\mu\pi\lambda\eta\vartheta\tilde{\eta}$ $\gamma\acute{\alpha}\zeta\alpha\nu$; deutlich bezeichnet
also $\gamma\acute{\alpha}\zeta\alpha$ die auch ausser dem gemünzten Geld ($\chi\varrho\acute{\eta}\mu\alpha\tau\alpha$
im spätern Gebrauch) gesammelten, werthvollen Gegen-
stände.

Dieses selbe Wort ist es nun, welches in den griechischen Gründungssagen auf unser Gaza angewandt wird
und wo ausdrücklich sein persischer Ursprung bezeugt
wird. Es gehen hier zwei Versionen, von denen die eine
sichtlich die ältere und das historische Verhältniss zwischen
Gründer und Name noch lebendig erhaltende ist; sie ist
bei Pomponius Mela [2]) erhalten und lässt die Stadt Gaza,
womit die Perser aerarium bezeichneten, deshalb nennen,
weil Kambyses bei seinem Zuge gegen Aegypten hier
hinein das Kriegsmaterial und Geld gelegt habe. Also war
sichtlich die Rolle, welche allerdings Gaza im ägyptischen
Kriege und überhaupt unter den Persern spielte, zuerst
freilich, wie wir sehen werden, in feindlicher Beziehung,
dann als persischer militärischer Hauptpunkt, zugleich mit
dem Namen Gaza in Griechenland bekannt geworden. Die
andere Version giebt der Stadt einen göttlichen Gründer,
den Zeus selbst, der in ihr $\tau\grave{\eta}\nu$ $\grave{\iota}\delta\acute{\iota}\alpha\nu$ $\gamma\acute{\alpha}\zeta\alpha\nu$ gelassen, so
Stephanos von Byzanz [3]), so nach ihm Eustathius [4]). Warum
gerade Zeus, der hier die Rolle eines orientalischen, per-
sisch redenden Königs zu spielen scheint, wird aus den
spätern, hellenistischen Culturverhältnissen Gazas klar werden. Ausserdem fehlt es nicht an spätern Erklärern, die
einfach das persische Wort hier mit Erklärung anführen,
so Curtius [5]), so Hieronymus [6]), so Servius [7]), so Hesy-

---

1) Eus. Praep. Ev. IX, 27.
Muller, Frgm. hist. III, p. 223.
2) I, 11, 13 ed. Gron.
3) s. v. $\Gamma\acute{\alpha}\zeta\alpha$.

4) ad Dion. Perieg. v. 910.
5) III, 13.
6) Comment. in Jes. c. 40.
7) ad Aen. I, 119. II, 763.

chios[1]); danach bezeichnet es eben τὰ χρήματα, τὰ τίμια, divitiae, pecunia regia oder genauer οἱ ἐκ πολλῶν φερόμενοι φόροι oder als Oertlichkeit aerarium, τὸ βασίλειον. Bötticher[2]) stellt damit zusammen die Formen im Sanskrit gañ́ga, die persischen gang, ganż und dadurch wird auch in den hierher gehörigen Städtenamen der Wechsel von gaza, ganza, gazna erklärt. Es ist aber klar, wie gerade das persische Wort für Residenzen, für Festungen, die als militärische und finanzielle Mittelpunkte einer Provinz dienten, zu einem Nomen proprium ward, besonders wenn man hier die auch in der Diadochonzeit ganz wiederkehrende Bedeutung jenes Aerarium, jener wirklichen Aufbewahrungsorte des königlichen Schatzes bedenkt. So gab es in Sogdiana ein von Alexander[3]) erobertes Gaza zwischen Kyreschata und Ἀλεξάνδρεια ἐσχάτη und der Name hat sich in Ghaz, Gazna bis heute erhalten[4]), so ein Γάζακα oder Γαύζακα am Hindukusch[5]), jetzt Ghazna, so Gaza oder Gazaka, die bedeutende Sommerresidenz der medisehen Könige in Atropatene, bei dem jetzigen Tebriz[6]),, so begegnen wir noch weiter westlich in Kappadokien der Landschaft Gazacene mit der Stadt Amasia[7]). Und wenn von Stephanos von Byzanz Γάζα als τείχωμα Θρᾴκης genannt wird, so gehört dieser Name jedenfalls demselben Sprachstamm an, mag es nun von den persischen Heeren unter Darius gegründet oder eine später nachalexandrinische Stiftung sein; als τείχωμα zeigt es sich dem Begriffe des Verwahrungsortes entsprechend.

---

1) s. v. Γάζα.
2) Arica. Halae 1851. p. 14.
3) Avv. Anab. IV, 2.
4) Forbiger, Handb. II, S. 563,

5) Forbiger II, S. 542.
6) Forbiger II, S. 593.
7) Plin. VI, 3.

§. 2.

Auftreten der Philistäer.

Ihre Namen, ethnographische Stellung im Orient und zu den Pelasgern, früheren Wohnsitze und Zeit der Einwanderung an die philistäische Küste.

Während die grösste Zahl der altkananäischen Städte im südlichen Theil von Syrien, frühzeitig der Sitz bedeutender, freilich mit tiefer Entsittlichung verbundener Cultur, theils durch gewaltige Naturereignisse unterging, theils bei dem siegreichen Vordringen eines gottbegeisterten Stammes erlag, der selbst einer nordöstlichen Heimath und einer andern Völkerfamilie entstammt, einst kananäische Sprache als geduldete Fremdlinge im Lande sich angeeignet, dann in Aegypten umgeben von einer andern, vollständig entwickelten Cultur sein Stammesbewusstsein, seiner Väter Glauben gestärkt und gleichsam concentrirt hatte, während also jene Städte zu einer völlig unbedeutenden politischen Stellung herabsanken, nur wenige mit verändertem Namen, wie Hebron und Jerusalem, als Mittelpunkte der neuen Besitzer heranwuchsen, ist Gaza, jene Stadt der Avväer und auch der die Ebene bewohnenden Kananäer, sind die übrigen Städte dieser Küstenebene erst durch einen einwandernden Stamm voll grosser Energie zu ihrer politischen und Culturblüthe gelangt und ihnen eine selbständige Stellung zwischen den sie umgebenden nationalen, scharf in jeder Beziehung charakterisirten Mächten der Israeliten, Phöniker, Aegypter, Araber, später auch der Hellenen gesichert worden. Je mehr wir bei der Darstellung der streng philistäischen, nationalen Periode allein fast angewiesen sind auf die Berichte ihrer nächsten und wichtigsten Gegner, auf die geschichtlichen Bücher der Israeliten, uns daher natürlich die Philistäer fast absorbirt

erscheinen in diesem einen Gegensatz, um so wichtiger ist
es, die Versuche der neuern Forschung aus zerstreuten
und bisher gewöhnlich einseitig behandelten Dokumenten
einen Ueberblick über die ethnographische Stellung dieses
Volkes zu gewinnen, aufmerksam zu prüfen. Immer aber
müssen hier in erster Linie die einfachen, nackten Berichte
jener Theile der mosaischen Bücher gestellt werden, die
eine gemeinsame Erinnerung einer grossen Völkerfamilie
in wunderbarer Treue und Einfachheit bewahrt haben, deren historische Wahrheit auch die strenge Forschung der
Neuzeit nur mehr ins Licht gesetzt hat; daran schliessen
sich dann die an vereinzelten Stellen der Propheten zerstreuten nicht sowohl absichtlich historischen als in Namen und umschreibenden, allgemein geläufigen Aus-
drücken enthaltenen Notizen. Dies muss für uns Grundlage bilden und eine Art Massstab für die Namensbezeich-
nungen und die verschiedenartigsten, durch eine Menge
Hände, besonders der spätern combinirenden Griechen ge-
gangenen Berichte anderer Völker; besässen wir freilich
für die Hyksoszeit in Aegypten in Denkmälern und ihren
Legenden, in den Bearbeitungen derselben, wie für das ältere Reich besonders und das jüngere durch Lepsius, Bunsen und Andere feste Anhaltspunkte, so wäre hierin das
gleichzeitige, urkundliche Material gewonnen für eine bestimmte Periode.

Die Völkertafel der Genesis [1]) stellt bekanntlich unter
dem Völkergeschlecht der Hamiten vier Völkerfamilien
auf: die Cuschiten in einem weiten Kreise vom Lande
Sinaar zum persischen Golf, durch Südarabien und nach
Afrika hinüber, nach Abyssinien sich erstreckend, von
denen aber einzelne Zweige, wie die Seba und Dedan als
Mischstämme zugleich auch semitischen Ursprungs [2]) erschei-

---

1) 1 Mos. 10, 14. vgl. 1 Chron.   2) 1 Mos. 10, 28.
1, 12.

nen; ferner die **Mizraim**, die Bewohner Aegyptens und
seiner beiden Seiten, wie sie als eigentliches **Libyen** und
als **arabisches** Nachbarland auch in der griechischen Zeit
fortwährend mit Aegypten zusammen genannt werden, drittens die **Phutim**, die eigentlichen afrikanischen, aber nicht
Negerstämme, endlich die **Chenaanäer**, die zehnfach getheilten Bewohner des untern Syriens. Unter den Stämmen Mizraims werden aufgeführt die Ludim, Anamim
(עֲנָמִים, LXX hat Ἐνεμετιείμ), Lehabim (Λαβιείμ), Naphtuchim (Νεφθαλείμ), Pathrusim, Casluchim (Χασμωνιείμ)
und endlich Caphtorim. Bei Casluhim findet sich dann
auch in der LXX der wichtige Zusatz: אֲשֶׁר יָצְאוּ מִשָּׁם
פְּלִשְׁתִּים (ὅθεν ἐξῆλθε Φυλιστιείμ); neuere Interpreten haben
hier eine alte Versetzung angenommen und den Satz als
zu Caphtorim gehörig betrachtet; dies ist allerdings in Bezug auf die andern, hierher gehörigen Stellen ein leichtes,
aber, wie ich glaube, nicht ganz gerechtfertigtes Auskunftsmittel. Also das geht aus dieser Stelle zunächst einfach hervor: die **Caphtorim** sind ein ägyptischer Stamm
(wir werden später sehen, welcher Hauptabtheilung angehörig), die **Pelischtim** ebenfalls, nur nicht als ein selbständiger charakterisirt, sie werden als bereits aus ihren
Wohnorten ausgezogen betrachtet und der örtliche Ausgangspunkt waren zunächst die Casluhim. Man sieht
hieraus deutlich, dass der Name der Pelischtim nicht als
Volksname für ein Volk **in** Aegypten bekannt war, sondern als Name für einen ägyptischen, **ausgewanderten** Stamm. Knobel urgirt aber hier vor allem den Ausdruck: אֲשֶׁר־מִשָּׁם, der mit Absicht gesetzt sei und
nicht אֲשֶׁר מֵהֶם; er behauptet, durchaus sei hier nicht
eine **Zugehörigkeit** der Philistäer zu den Casluhim,
Mizraim, überhaupt den Hamiten ausgesprochen, sondern
nur ein örtliches Zusammenwohnen. Die Philistäer seien
Ludim d. h. Uraraber, zwar vielfach mit Aegyptern ver-

mischt und als solche ein Theil der Hyksos. Wir müssen
sagen, eine solche blos geographische, rein beiläufige Bemerkung widerspricht dem ganzen trockenen Verzeichniss-
stile und warum sind die Philistäer nicht bei den Ludim
angeführt, wenn sie dazu auch nach dem ältesten Bewusstsein der Hebräer gehören? Dann sollte man jedenfalls den
Satz für ein späteres Einschiebsel erklären. Wie kann
sonst V. 20 zusammenfassend gesagt werden: „Das sind
die Söhne Ham's in ihren Ausbreitungen, nach ihren Dialekten, in ihren Ländern, nach ihren Völkern?" Wir müssen gerade auf jenes Ausgehen, jene Auswanderung,
die allerdings von einem bestimmten Punkte zunächst an-
hebt, vielleicht aus mehreren der Stämme, aber lauter
Mizraim zusammengesetzt ist, den Accent legen; der Name bildet sich erst bei dem Ausgehen, dem Ausscheiden.

Neben diese Stelle der Genesis haben wir zunächst
eine andere des fünften Buchs Mosis[1]) zu stellen, wonach
diejenigen, welche die Avväer vernichteten und Gaza besetzten, aus Caphtor Ausgezogene, Caphtorim genannt werden, sichtlich gleichbedeutend mit den Philistäern,
neben denen und zwar ausdrücklich auch neben denen von
Gaza der Avväer erwähnt wird[2]). Ausdrücklich lässt
Amos[3]) Jehovah die Philistäer aus Caphtor heraufführen,
wie Israel aus Aegypten, wie die Syrer aus Kir; das
עָלָה bezeichnet bekanntlich ein Hinaufgehen, nicht Zurückkehren, wie das griechische ἀναβαίνειν vom Meere tiefer
ins Land und wird vor Allem von dem Wege aus Aegypten
nach Palästina gebraucht. Jeremias in der Weissagung gegen die Philistäer[4]) fügt zu ihrem Namen hinzu: שְׁאֵרִית
אִי כַּפְתּוֹר, also das Uebrige, der Rest der Küste, des am
Meer liegenden Caphtor (LXX: τοὺς καταλοίπους τῶν νή-

---

1) 5 Mos. 2, 23.　　　　3) 9, 7.
2) Jos. 13, 3.　　　　　4) 47, 4 (in der LXX. 29, 4).

σων). Ob hiermit nicht der Ausdruck des Hesekiel[1]), den er an dritter Stelle als parallel für die Philistäer gebraucht שְׁאֵרִית חוֹף הַיָּם, also „Rest der Meeresküste,“ zusammenzustellen ist, ist nicht ganz gewiss, da bereits Amos[2]) von einem „Rest der Philistäer“ spricht und in jener Stelle des Jeremias im folgenden Verse bei Aufzählung der einzelnen Städte, so Askalon, von einem Rest ihres Gefildes (שְׁאֵרִית עִמְקָם), in Bezug auf die bereits erfolgten Niederlagen ihrer Macht und Verringerung der Bevölkerung die Rede ist. Also die Philistäer sind ausgezogen, heraufgezogen aus Caphtor, einem vom Meer bespülten Lande, sie sind selbst Reste eines einst grösseren, mächtigeren Stammes der Caphtorim, deren Namen sie selbst auch noch tragen.

Weiter haben wir zunächst noch nach dem einen oder mehreren gleichbedeutenden Namen des Stammes und ihrer gegenseitigen Stellung zu fragen, welche sowohl in den hebräischen Quellen, als bei den Griechen erweislich für ihn gebraucht werden. Der stehende Name des hebräischen Textes ist פְּלִשְׁתִּים oder פְּלִשְׁתִּיִם. Von der LXX, in den Büchern Mosis und im Buch Josua ist er streng als Φυλιστιείμ herübergenommen, ein Ausdruck, der auch noch 1 Makk. 3, 24 und im Sirach 46, 18 sich findet; Josephos hat[3]) die dem am nächsten stehende Form Φυλιστῖνος auch einmal gebraucht, während die ihm und den Griechen geläufige Form Παλαιστῖνος ist.

Herodot erwähnt bekanntlich an der merkwürdigen Stelle über die Pyramidenerbauer Cheops und Chephren[4]), dass die Aegyptier aus Hass gegen den unter ihnen stattgefundenen Druck, besonders wegen der in dieser Zeit ge-

---

1) 25, 15.   4) Her. II, 128 vgl. Bähr Annot.
2) 1, 9.   ad h. l. Vol. I, p. 781. 82.
3) Ant. Jud. I, 6, 2.

schlossenen Tempel und des unterbrochenen Cultus die
Namen der Erbauer nicht gern aussprechen, sondern dass
sie auch die Pyramiden benennen nach einem Hirten $\Phi\iota-\lambda\iota\tau\iota\varsigma$ (so hat der cod. Med.) oder $\Phi\iota\lambda\iota\tau\iota\omega\nu$ (so jüngere
Mss.), welcher in dieser Zeit, in dieser Gegend Heerden
weidete. Der Name ist seit Jablonsky mit vollem Recht
und mit immer grösserer Zustimmung auf den der $\Phi\upsilon\lambda\iota-\sigma\tau\iota\varepsilon\iota\mu$, $\Phi\upsilon\lambda\iota\sigma\tau\tilde{\iota}\nu o\iota$ zurückgeführt worden; Knobel[1]) hat
richtig zunächst ihn mit der kurzen Form פְּלֵתִי zusam-
mengestellt, die also bereits auch in der ägyptischen Sprache sich festgestellt hatte. Um hier gleich das Thatsäch-
liebste zu berühren, worauf es uns an dieser Stelle noch
nicht so ankommt, so haben wir Röth und seiner Schule,
welche auf diese Stelle den ganzen Beweis der Pyramiden-
erbauung durch die Philistäer und Hyksos gründet und bereits von der Spitze der Pyramiden von Ghizeh[2]) verkündet, zu erwidern, dass in der Darstellung des Herodot
nicht die wirkliche Anerkennung einer Thatsache von
Seiten der Aegyptier liegt, sondern vielmehr der grosse
Hass der Aegyptier ausgesprochen ist, die die Namen i h r e r
verhassten Könige nicht gern aussprachen und an deren
Stelle den bekannten, verbreiteten und zur Bezeichnung
alles Gegensätzlichen gebrauchten des einst auch bei Memphis herrschenden Philisterstammes, hie und da auch den
eigenen, gewaltigen Bauwerken der Pyramiden beifügten.
Aber neben jenem Philitis oder Philition kennt Herodot be-
reits das Land $\Pi\alpha\lambda\alpha\iota\sigma\tau\iota\nu\eta$ und die Bewohner $\Pi\alpha\lambda\alpha\iota-\sigma\tau\iota\nu o\iota$ in scharfer geographischer Begränzung, er unterscheidet es besser, als viele späteren Schriftsteller. In der
grossen $\Sigma\upsilon\rho\iota\eta$, welche von Kilikien bis zum Berg Kasios[3]), bis nach Aegypten[4]), als dessen Gränze eben der

---

1) Völkertafel S. 221.   3) Herod. II, 158 III, 5.

2) Allgem. Augsb. Zeit. 1851. N.   4) II, 116.

177. Beilage.

Kasios genannt wird, sich hinzieht, zu welcher natürlich Städte wie Azotos[1]) gerechnet werden, aber auch die mittelländische Meeresküste Arabiens ($\tau\tilde{\eta}\varsigma$ $'A\varrho\alpha\beta\acute{\iota}\eta\varsigma$ $\tau\grave{\alpha}$ $\pi\alpha\varrho\grave{\alpha}$ $\vartheta\acute{\alpha}\lambda\alpha\sigma\sigma\alpha\nu$ [2]), jene sonst von Herodot erwähnten arabischen Emporien), also in dieser weitern Bezeichnung scheidet Herodot die Phöniker sehr wohl von den $\Sigma\acute{\upsilon}\varrho\iota o\iota$ $o\acute{\iota}$ $\grave{\varepsilon}\nu$ $\tau\tilde{\eta}$ $\Pi\alpha\lambda\alpha\iota\sigma\tau\acute{\iota}\nu\eta$ oder $o\acute{\iota}$ $\Pi\alpha\lambda\alpha\iota\sigma\tau\iota\nu o\acute{\iota}$ $\varkappa\alpha\lambda\varepsilon\acute{o}\mu\varepsilon\nu o\iota$ [3]); er spricht es an letzter Stelle ausdrücklich aus, dass $\tau\tilde{\eta}\varsigma$ $\Sigma\upsilon\varrho\acute{\iota}\eta\varsigma$ $\tau o\tilde{\upsilon}\tau o$ $\tau\grave{o}$ $\chi\omega\varrho\acute{\iota}o\nu$ (nämlich das mit Phönike verbundene, von ihr theilweis noch umsäumte) $\varkappa\alpha\grave{\iota}$ $\tau\grave{o}$ $\mu\acute{\varepsilon}\chi\varrho\iota$ $A\acute{\iota}\gamma\acute{\upsilon}\pi\tau o\upsilon$ $\pi\tilde{\alpha}\nu$ $\Pi\alpha\lambda\alpha\iota\sigma\tau\acute{\iota}\nu\eta$ $\varkappa\alpha\lambda\acute{\varepsilon}\varepsilon\tau\alpha\iota$. Palästina wird bei den Griechen auch allgemeine Bezeichnung des hinter der Küste liegenden Landes und so ging der Begriff zu den Römern über, ja noch heute nennen die Araber dasselbe Falestin. Dass zu Josephos' Zeit der ursprüngliche Begriff noch nicht verloren war, beweist der Ausdruck[4]): „Simeon bereist Judäa $\varkappa\alpha\grave{\iota}$ $\tau\grave{\eta}\nu$ $\Pi\alpha\lambda\alpha\iota\sigma\tau\acute{\iota}\nu\eta\nu$ $\acute{\varepsilon}\omega\varsigma$ $'A\sigma\varkappa\acute{\alpha}\lambda\omega\nu o\varsigma$". — Der Name der Pelischtim ist endlich auf ägyptischen Denkmalen gelesen worden, so von Champollion an einem Pylon zu Medinet Abu nach Röth[4]), so als Pulusatu auf der statistischen Tafel von Karnak neben den Sharu, den Syrern, den Khita, den Shairutana, den Takaru (schwankt noch mit Fikaru, Takalu) aus der Zeit der 19. Dynastie [5]).

Natürlich ist Pelischti eine erst von פְּלֶשֶׁת abgeleitete Form zur Bezeichnung des einzelnen Individuums aus dem Stamme, während jenes theils als allgemeine Gentilbezeichnung, wie Moab, Edom, Ammon, Amalek, neben die es unmittelbar gestellt wird[7]), dient, theils aber auch und zwar

---

1) Her. II, 157.

2) Her. II, 12.

3) Her. II, 104. III, 5. 91. VII, . 89.

4) Ant. Jud. XII, 510.

5) Geschichte der abendl. Phil. I, Noten S. 7.

6) Birch in der Anmerkung von Layard, Niniveh and its remains. Vol. II, p. 407.

7) Ps. 83, 7, 8. 60, 10 u. a. O.

schon frühzeitig das Land mit bezeichnet, wie im Exodus[1])
von den Bewohnern Pelescheths die Rede ist. Daher hält
Quatremère in der oben angeführten Recension[2]) das Wort
für uralte Bezeichnung des Landes und von da auf die
spätern Bewohner übertragen; dieselbe Ansicht hat Redslob
sichtlich zu seiner neuen Etymologie geführt. Den Beweis
für die Priorität dieser Bedeutung zu führen, möchte wohl
schwer halten.

Fragen wir aber nach der Abstammung und Bedeutung des Wortes, so treten in neuer Zeit drei allein in
den Vordergrund. Die eine, von Gesenius, Movers, Röth
u. A. angenommene führt es zurück auf die im Aethiopi-
schen vorhandene Wurzel falasch (parseh würde es im Altägyptischen lauten, da bekanntlich dieses ein l nicht kennt) mit
der Bedeutung: auswandern. Daraus ist der Collectivbe-
griff der Auswanderschaft gebildet und erst als dieser zunächst vom ägyptischen Standpunkt aus, dann auch bei andern von ihnen influenzirten Völkern für eine bestimmte
nationell herausgebildete Menschenmasse und die in ihrer
Auswanderung besetzte Landschaft sich festgesetzt, ward
der Name des Individuums gebildet. Wir müssen uns entschieden für diese Ansicht erklären, da sie sprachlich ganz
gerechtfertigt im Laufe der Untersuchung die auffallendste
Bestätigung erhalten wird: ich weise hier einstweilen auf
die ausgesprochene Identität von $\Pi\alpha\lambda\alpha\iota\sigma\tau\iota\nu\acute{o}\varsigma$ und $\Pi\eta\lambda o\acute{v}\sigma\iota o\varsigma$
hin[3]), auf die Stadt Pelusium, die derselben Wurzel und
derselben geschichtlichen Beziehung angehört. Und es ist
geradezu falsch, wenn Arnold[4]) behauptet, die Griechen
hätten den Namen von den Hebräern zuerst erfahren, wäh-

---

1) 2 Mos. 15, 14
2) S. 267.
3) Plut. de Is. et Os. c. 17 ed.
Parthey.

4) Ersch und Gruber, Encycl.
Artikel: Philister S. 321.

rend ihn Herodot genau für die Bewohner des bestimmten
Küstenlands kennt und geläufig braucht, ohne von den
Hebräern etwas, wenigstens etwas Eigenthümliches, zu wis-
sen; überhaupt ist ja bekanntlich das eigne Auftreten der
Griechen in Aegypten viel früher, als an der syrischen
Küste. Als vollständiges Analogon zu dieser Bedeutung
eines Nomen proprium können wir den Namen der $\Pi\acute{\alpha}\varrho$-
$\vartheta o\iota$ oder $\Pi\alpha\varrho\vartheta\nu\alpha\~\iota o\iota$ anführen, welcher als skythische
Glosse durch $\varphi\nu\gamma\acute{\alpha}\delta\varepsilon\varsigma$, *exules* übersetzt wird und einem
skythischen, angeblich in der Zeit des Sesostris flüchtig
nach Medien gewanderten Stamme zu Theil ward[1]). Das
Wort ist nun zwar kein skythisches, also nach jetziger
Ansicht dem mongolischen Sprachstamme angehöriges, sondern ein persisches nach Pott und Bötticher[2]); der Letztere vergleicht damit das afghanische praday, d. h. der
Fremde; auch hatte bereits Malalas[3]) den persischen Ursprung hervorgehoben. Sichtlich ist dieser Name dem flüchtigen, ankommenden Stamme von der Urbevölkerung gegeben und erst nach und nach hat er sich zu einem vom
Volke selbst gebrauchten Namen erhoben[4]).

Gegen diese Etymologie erhob sich Hitzig[5]) und sah
sich im Sanskrit nach einer für die Pelischtim wie die $\Pi\varepsilon$-
$\lambda\alpha\sigma\gamma o\iota$, die er für identisch hält, gleichgeltenden Wurzel
um, er fand sie in valaxa $=$ weiss und balájâ $= \pi\alpha\lambda\lambda\alpha\varkappa\acute{\eta} =$
schönes Weib, Kebsweib, zwei Worte, die er auf künst-
liche Weise erst unter sich verbinden muss. Für ihn sind
die Philister die Weissen im Gegensatz zu den Rothen,
den $\Phi o\acute{\iota}\nu\iota\varkappa\varepsilon\varsigma$, obgleich zu einem solchen Gegensatz weder
im jüdischen noch griechischen Sprachgebrauch irgend eine

---

1) Steph. Byz. s. v. $\Pi\alpha\varrho\vartheta\nu\alpha\~\iota o\iota$.
Justin. 41, 1. Eust. ad Dion. v.
1039. Ersch und Gruber, Artikel
Parther in Sect. III, Th. 22.

2) Arica p. 56.

3) Chron. II, p. 26. ed. Bonn,

4) Vergl. im Allgemeinen über
die parthische Einwanderung Droysen, Hellenismus II, S. 326.

5) Urgeschichte S. 33 ff.

Stütze sich findet, ja der letztere ganz gewöhnlich die Philistäer unter den Phönikern mit begreift. Und ganz ab-gesehen von der weiter unten zu besprechenden ethnogra-phischen Hypothese fehlt bei dieser Etymologie noch ganz die Nachweisung des dann zum Stamm gehörigen ח.

Die dritte Etymologie stellte gegen Hitzig R e d s l o b in der oben erwähnten Recension und eigenen Schrift auf und Arnold hat z. B. sich dafür erklärt. Sie geht rein von der lokalen Beziehung der Pelescheth aus und sieht darin eine blosse Umsetzung für שְׁפֵלָה, das Niederland, bekanntlich die Bezeichnung der Fruchtebene zwischen Jope und Gaza. Die Nothwendigkeit, ja nur die Veran-lassung zu dieser Umsetzung sieht man schon nicht ein; es ist hier keine Uebertragung eines fremden, persischen Aus-drucks etwa in das hebräische Idiom, wobei allerdings Um-setzungen nachzuweisen sind; und ein euphonischer Grund kann es nicht gewesen sein, die Zahl der Nomina propria, die mit שׁם beginnen, ist gross. Und ausserdem ist der Begriff der Sephela ein viel engerer, als der der Pelescheth und gehört nicht einmal dem Theil, welcher ausdrücklich als ursprüngliches Palästina bezeichnet wird, nämlich der Küste und dem dahinter liegenden Weideland von Gaza bis Aegypten, wie Josephos hervorhebt[1]), wohin auch die Philistäer bei ihrem ersten Auftreten als Volk versetzt wer-den. Es erscheint nämlich Pelescheth geographisch als d r e i t h e i l i g e s Land: als Sephela, als Negeb, das von Gaza südliche Weideland, und als eigentliche Küste (חוֹפְהַיָּם) und der erste Theil ist-der Gegenstand fortwährenden Kampfes, der reichste, aber auch jüngste Besitz. Um so unbegreiflicher bleibt es, wenn von diesem Theile dem Volke erst der Name gegeben wäre.

---

1) Ant. Ind. I, 6, 2.

Noch ein Name tritt neben dem gewöhnlichen der Pelischtim, dem den historischen Ursprung bezeichnenden der
Caphtorim als gleichbedeutend in einigen biblischen Stellen
auf, es ist der der Krethim, כְּרֵתִים [1]), welchen die LXX
durch Κρῆτες oder πάροικοι Κρητῶν übersetzt. Er erhält
noch seine Bestätigung durch die Bezeichnung der König
David seit seinem Aufenthalt in Zikelag unter den Philistäern, dann auch die folgenden Könige begleitenden Leibwache; ihre Führer erscheinen neben denen der Kernmann-
schaft, der Gibborim und der 600 Githiter, also ebenfalls
Philistäer, als nächste Umgebung des Königs und führen
seine wichtigsten Beschlüsse aus. Die Leibwache trägt
bekanntlich den Namen Krethi und Plethi (הַכְּרֵתִי
וְהַפְּלֵתִי, in der LXX ὁ Χερεθὶ καὶ ὁ Φελεθί) [2]). Für
כְּרֵתִי liest an zwei Stellen [3]) die Masora כָּרִי, das Keri dagegen hat die vollere Form. Dass Κᾶρες kein unerwarte-
ter Name hier sein würde neben dem der Philister, besonders als Soldtruppen, ist schon öfter hervorgehoben und
wird in der weitern Untersuchung ebenfalls hervortreten.
Während noch Gesenius reine Apellativa in den zwei Namen sah, die Krethi als Kopfabschneider, also als Henker
erklärte, haben die neuern Erklärer wohl einstimmig für
die nationelle Bedeutung sich entschieden, theils aus der
Wiederkehr desselben Wortes an den obigen Stellen, wo
kein Zweifel an dem Nomen proprium sein kann, und der
Verwandtschaft von פלת und פלשתי, theils aus der besondern Stellung der רָצִים, die das Henkersgeschäft haben [4]).
Auch musste der Name der Githiter ebenfalls dazu führen. Die Form Plethi erregt allerdings einige Schwierigkeit; mit Recht hebt Hitzig die Bedeutung des Gleichklangs

---

1) 1 Sam. 30, 14. Zeph. 2, 5.
Ezech. 25, 16.
2) 2 Sam. 8, 18. 20, 7. 15, 18.

3) 1 Kön. 1, 38. 44.
4) 1 Sam. 22, 17. 1 Kön. 1, 5.

hervor und Knobel wies, wie wir erwähnten, das Wort
im herodotischen *Φίλιτις* nach. Aber, fragt es sich, ist
auch wirklich Krethim mit Pelischtim gleichbedeutend, weist
nicht jene Formel gerade auf eine Doppelheit, eine Verschiedenheit hin? Quatremère[1]) und Knobel[2]) haben diese
behauptet, nur wieder in fast entgegengesetzter Weise.
Quatremère hält die Krethim für einen südlich an die Philistäer gränzenden arabischen Stamm, Knobel dagegen
die Philistäer für Uraraber, die Krethim für die aus Aegypten nach Kreta gekommenen Kaphtorim, die dann wieder
an diese Küste gewandert seien und hier den Süden bis
Gerar und Gaza besetzt hätten, daher seien es zwei verschiedene Nationalitäten, die politisch verbunden sein mochten. Wir wenden uns hier gegen die zweite ausführlicher
dargelegte Ansicht, da die Gründe gegen die Doppelheit,
die totale Verschiedenheit auch die erste Ansicht mit treffen und diese von ihrem Urheber eben nur als Ansicht —
und haben wir einmal die Verschiedenheit zugegeben, allerdings eine sehr wahrscheinliche — hingestellt ist. Knobel sagt, der Crethi wird geographisch einmal erwähnt[3])
und zwar im Negeb, einer Gegend, in welcher die Philistäer nicht wohnen; sonst in jener Bezeichnung der Leibwache werden sie immer nebengefügt, also unterschieden.
Aber jene Stelle aus dem Buch Samuelis in ihrem weitern
Zusammenhange weist gerade auf den für den Verfasser
gleichbedeutenden Gebrauch der Ausdrücke hin: es ist die
Rede von David, welcher mit seinen zwei Frauen und seiner kriegerischen Genossenschaft zu König Achis von Gath
geflohen ist und von diesem Zikelag geschenkt erhalten hat,
das also philistäisch war. David hat einen verheerenden Streifzug von da aus gegen die Geschuräer, Girzäer

---

1) Journal des savants. 1846. 2) Völkertafel. S. 215—225.
p. 263. 3) 1 Sam. 30, 14.

und Amalekiter gemacht, die seit Alters nach der Wüste
Schur und Aegypten zu wohnten [1]). In der Abwesenheit
Davids unternehmen die Amalekiter einen Rachezug, brechen ein in den Negeb und nach Zikelag, das niedergebrannt wird [2]). Bei der Rückkehr Davids wendet sich der
Zorn des Volks, also sichtlich hier der dem Fremden an
und für sich nicht günstigen Philistäer, gegen ihn und will
ihn steinigen. Da unternimmt er, die Feinde zu verfolgen.
Am Bache Besor wird der ägyptische Sklave des Amaleki-
ters gefunden, welcher von dem Zuge berichtet; er nennt
als die Gegenden, welche sie überfallen haben, den Negeb
des Crethi, den Negeb, welcher Juda zugehörte und
den Negeb Kalebs und als die zerstörte Stadt Zikelag [3]).
Es ist hier wohl hervorzuheben, dass der Ausdruck: Negeb des Crethi nur im Munde des amalekitischen Knechts
gebraucht ist. David findet darauf [4]) das Lager der Amalekiter und diese schmausend und schweigend von all der Beute,
die sie genommen „aus dem Lande der Philister und
aus dem Lande Judas." Hier haben wir also drei Ausdrücke, die dasselbe Terrain bezeichnen: allgemein der
Negeb und Zikelag, als einzige zerstörte Stadt, dann
der dreifach, oder im Grunde zweifach getheilte Negeb,
der des Crethi und der Judas, da zu dem letzten der
Negeb Kalebs mit gehört und Zikelag, drittens endlich das
Land der Philister und das Judas. Also das geht hervor, der Negeb, die südliche Weidegegend, gehört theils
Juda, theils aber auch den Philistäern, und hier hat
er im Munde des Fremden, des amalekitischen Knechts den
Namen Negeb des Crethi. So fällt hier der Gegensatz vom
Negeb des Crethi zur Sephela der Philistäer ganz

---

1) 1 Sam. 27, 8.
2) 1 Sam. 30, 1.

3) a. a. O. S. 30, 14.
4) a. a. O. 30, 16.

weg, ebenso sehr aber auch an allen andern Stellen [1]).
Dort nämlich erscheint ein dreitheiliger Parallelismus, den
wir oben bereits hervorhoben, der der Sephela, der
Fruchtebene, des Negeb, des an die Wüste gränzenden
Weidelandes und der eigentlichen Meeresküste, die als
ein schmaler Streif bis nach Aegypten hin sich erstreckt,
gerade so wie er im Deuteronomium [2]) für das ganze Land
Kanaan neben dem Gebirge als geographische Hauptabtheilung gegeben wird. Wir hätten dann volles Recht, drei
Nationalitäten neben einander anzunehmen: Philistäer, Kreter und die Bewohner der Küste. Und greifen nicht die
Philistäer unter König Ahas [3]) sowohl die jüdischen Städte
in der Sephela als auch den Negeb an und wohnen daselbst? Naeh alledem kann von Spuren einer Fremdenco-
lonie, die in das Land der Philistäer gekommen und ihnen
den südlichen Theil abgenommen habe, in den biblischen Namen keine Rede mehr sein. Vielmehr geht nur
hervor, dass der Name der Philistäer der weitere, der der
Krethi der engere, vielleicht zunächst nur von den südlichern, angränzenden Stämmen gebrauchte war, welcher
die das Weideland bewohnenden, also Viehzucht und nicht
Ackerbau treibenden Philistäer bezeichnete. Auf die Etymologie von כרתי wollen wir nicht weiter eingehen; die von
כרת, abschneiden, trennen in der Bedeutung die Getrennten, Fremden ist immer gezwungen und in der passiven
Bedeutung formell nicht erklärt, eher sind es Trennende,
die Gränze Bewohnende. Dagegen die Crethim auf Κρῆτες
zurückzuführen, erklärt nichts, sondern lässt nur für Beides wieder eine gemeinsame Wurzel suchen. Wo diese
wohl zu suchen ist, wird im Folgenden wahrscheinlich
werden.

1) Ezech. 25, 16. Zeph. 2, 5.   3) 2 Chron. 26, 18.
2) 5 Mos. 1, 7.

Gegenüber diesen den Philistäern in der Zeit ihrer Macht, wenigstens ihres vollen, politischen Bestandes zugehörigen Namen steht ein griechischer, sehr allgemeiner, welcher in der LXX von dem Buche der Richter an ganz und gar die Bezeichnung Φυλιστιείμ verdrängt: es ist Ἀλλόφυλοι. Das Wort ist, wie Hieronymus[1]) schon hervorhebt, eine auffallende Uebertragung eines Appellativum der allgemeinsten Art auf einen an Zahl und Ausdehnung sehr beschränkten Volksstamm. Sehen wir uns nach dem noch nicht beachteten Gebrauche derselben früher und besonders in der Zeit der Entstehung der LXX etwas näher um: zuerst bei Aeschylus[2]) gebraucht bildet es den reinen Gegensatz zu ὁμόφυλος wie ἔκφυλος zu ἔμφυλος und weist auf die Verschiedenheit des φῦλον, nicht der φυλή, also eines Volksstammes, nicht einer Stammesabtheilung hin, wozu es Pollux[3]) zieht. Ist der Begriff so dem des βάρβαρος wohl verwandt und kommen beide Wörter verbunden[4]) vor, so liegt in ἀλλόφυλος von vorn herein durchaus nicht der Gedanke an das Nichthellenische, als solches Unvollkommene und Feindselige, vielmehr nennen Hellenen in ihren Hauptstämmen unter einander sich ἀλλόφυλοι; im Aeschylos wird Athen mit der ἀλλόφυλος χθών verglichen und seine dereinstige ehrenvolle Stellung hervorgehoben, dies nur im Vergleich zu Städten, wie Sparta, Argos, Theben; im Thukydides nennen die Spartaner als Dorer an zwei Stellen[5]) die Athener als Ioner ausdrücklich ἀλλόφυλοι. Aueh Piato[7]) braucht in diesem Sinne οἱ ἐκτός τε καὶ ἀλλόφυλοι. Mit Alexander dem Grossen, der ja politisch und geistig den Gegensatz des Hellenen- und Barbarenthums brach, wird der Ausdruck ἀλλόφυλος ein wei-

1) in Jes. c. 2.
2) Eumen. v. 813.
3) VIII, 110.
4) Plut. Cam. 23.

5) a. a. O.
6) I, 102. IV, 86.
7) de Legg. I, p. 629. A.

terer und gewöhnlicherer; er bezeichnet daher die in einem
Lande, unter einer grössern, aus denselben nationalen
Theilen bestehenden Masse wohnenden, befindlichen Menschen andern Stammes; so sind die δυνάμεις des Hannibal ἀλλόφυλοι unter der gallischen und italischen Bevölkerung[1]), so bedient sich Hannibal selbst bei seinen kriegerischen Unternehmungen vieler ἀλλόφυλοι καὶ ἑτερόγλωττοι
ἄνδρες[2]), so spricht Polybios in der römischen Heerorga-
nisation von den ἀλλόφυλοι καὶ οἱ ἐκ τοῦ καιροῦ προςγιγνό-
μενοι σύμμαχοι[3]), so werden die Römer, als sie bereits
an Griechenlands Westküste Fuss gefasst und auf einmal
als drohende Macht dastanden, von den Lakedämoniern als
ἀλλόφυλοι, nicht βάρβαροι bezeichnet[4]) im Gegensatz zu den
Achäern und Makedonen, die ὁμόφυλοι genannt werden. Genau
im obigen Sinne braucht Diodor das Wort in der wichtigen
Stelle[5]) über die Hyksos, die er freilich mit den Aussätzigen und Juden vermischt; da ist die Zahl und Art der
ξένοι in Aegypten gross und die ἐγγενεῖς fassen den Plan,
die ἀλλόφυλοι zu entfernen; auch nach Plutarch[6]) strebt in
einer aus verschiedenen Bestandtheilen gemischten Stadtbe-
völkerung (ἐν πόλει μιγάδων καὶ συγκλύδων ἀνθρώ-
πων πλῆθος) ein jeder Theil für das οἰκεῖον, gegen das
ἀλλόφυλον, weil jeder sich für den Mittelpunkt, Haupt-
kern hält. Eine neue und sehr intensive Bedeutung musste
das Wort ἀλλόφυλος im Munde der griechisch redenden
Juden bekommen: war der nationale und religiöse Gegensatz gegen alles Nichtjüdische nur gesteigert nach der Rückkehr aus dem Exil hervorgetreten, wurde dieser in der
Makkabäerzeit in einem neuen Aufschwung zur Geltung
gebracht, so war zugleich der Anspruch auf das Land, wie

---

1) Pol. 3, 61.
2) Pol. 24, 9.
3) Pol. 6, 31.
4) Pol. 9, 37. 39.

5) Diod. fr. l. XL. p. 67 ed.
Dind. nach Hekataios von Abdera.
6) Plut. Symp. p. 661. C.

es als von -Gott verliehenes Erbe dem Volke vorbehalten
war, ein fortwährend lebendiges, auch gegen die vielfachen
andern Besitzer festgehaltenes. Bilden daher die ἔϑνη überhaupt, oder τὰ ἔϑνη τὰ κύκλῳ αὐτῶν als unheilige, unreine polytheistische Mächte (daher auch βλάσφημα καὶ
βάρβαρα ἔϑνη genannt)¹), mögen es Griechen oder Barbaren sein, den religiösen Gegensatz, so werden ἀλλότριοι²)
oder ἀλλογενεῖς, υἱοὶ ἀλλογενεῖς³) oder ἀλλόφυλοι⁴) vor
Allem die Hellenen genannt, später die Römer, insofern
sie Jerusalem und andere Städte besetzen, und hier sich
als Einwohner geriren, Einrichtungen nach ihren Sitten
treffen. Der Begriff des ἀλλοφυλισμός wird daher ein pa-
ralleler für Ἑλληνισμός⁵). Den Gegensatz bilden auch hier
die ὁμόφυλοι oder ὁμοεϑνεῖς⁶). Aber zweitens sind unter
den ἀλλόφυλοι auch alle nichtjüdischen, orientalischen Bewohner Palästinas verstanden, so ist die Galiläa ἀλλοφύ-
λων⁷) oder τῶν ἀλλογενῶν⁸), also alle jene seit der assyrischen Herrschaft hierher verpflanzten oder aus der Nach-
barschaft eingewanderten Volksmassen, welche auch Diodor a. a. O. meint, wenn er den spätern Juden ἡ τῶν
ἀλλοφύλων ἐπιμιξία zuschreibt. Endlich drittens concentrirt sich der Begriff auf das ursprüngliche Palästina, d. h.
Philistäa, den Sitz mächtiger, dem Hellenismus ganz zuge-
fallener Städte; dies ist die γῆ ἀλλοφύλων und wird so
von Syrien noch unterschieden⁹). Dies ist der Punkt, wo
sich der Sprachgebrauch der LXX zur Bezeichnung der Philistäer noch in einer längst vergangenen Epoche anschliesst.

---

1) 2 Makk. 10, 4.
2) 1 Makk. 1, 38. 2, 7.
3) 1 M. 3, 35. 10, 12.
4) 1 M. 11, 68. 3 M. 3, 6. 2 M.
10, 5. Jos. de l. J. I, 1, 4. I, 7, 6.
Ant. XII, 8, 2. XIII, 14, 2.
5) 2 M. 4, 13. 6, 24.

6) 2 M. 4, 1. Jos. Ant. Jud.
XII, 8, 2.
7) 1 M. 5, 15.
8) Jos. Ant. XII, 9, 1.
9) 1 M. 3, 41. 4, 22. 5, 66. Jos.
Ant. XII, 8, 6.

Fragen wir, wie die Juden dazu gekommen sind, die Philistäer und nicht die Kananäer oder einen Stamm derselben
in der geschichtlichen Sprache so später zu benennen, so
ist jedenfalls die richtige Antwort, dass die Philistäer das
einzige Volk war, welches erstens als ein später einge-
wandertes in dem wenigstens ideell von Abraham schon
besessenen Lande erschien und welches zweitens als fremde
In s a s s e n sich fortwährend selbständig, ja mächtig den
von ihnen stammverschiedenen Juden gegenüber erwies,
während die Kananäer erstens vorgefunden im Besitz erschienen und dann politisch untergingen. Wir können daher den Ausdruck nicht als einen von den Aegyptern den
Philistäern gegebenen und von den hellenistischen Juden
adoptirten auffassen, da für die Hyksos dieser Ausdruck wohl gebraucht wird, aber daneben andere mehr,
wie ξένοι; noch weniger ist die neuere Ansicht von Movers[1]) begründet, es sei ursprünglich ein Ausdruck für die
Mischbevölkerung seit dem Exil, welches auch an der Küste
sich gebildet, und im G e g e n s a t z zu den Philistäern gebraucht.

Ueberblicken wir nun den Gang unserer bisherigen,
zunächst auf den Sprachgebrauch und die Interpretation gegründeten Untersuchung, so bleibt für uns als Resultat:
die Philistäer werden zu den ä g y p t i s c h e n Stämmen (in
ihrer weiteren, in der Völkertafel angenommenen Bedeutung) gerechnet, sie erscheinen theils als a u s - und w e g -
g e z o g e n von dort aus dem Gebiet der K a s l u h i m,
theils als U e b e r r e s t eines grössern, ein K ü s t e n l a n d
bewohnenden, ebenfalls ä g y p t i s c h e n Stammes der
C a p h t o r i m, den letztern Namen führen sie daher zuweilen in prophetischer, seltener Ausdrücke sich bedienen-
der Sprache, ihr eigener Name P e l i s c h t i m ruht auf

---

1) Phönicier Bd. II, 1. S. 405.

einer dem südsemitischen, äthiopischen und altägyptischen
Stamme angehörigen Wurzel und ist eine von Aegypten
ausgegangene, auch den Griechen von da bekannt gewordene Benennung eines ausgewanderten Stammes, die ursprünglich an der Küste von Gaza bis Palästina haftet,
dann die drei durch die Natur gegebenen Haupttheile des
Landes umfasst; der Name Crethim tritt vereinzelt als
gleichbedeutend auf, bezeichnet zunächst die philistäischen
Bewohner des Negeb im Munde ihrer nomadischen, amalekitischen Nachbarn. Der griechische Name Ἀλλόφυλοι
zeigt uns die Philistäer als stammverschiedene Insassen des
idealen jüdischen Landbesitzes, besonders nahe zugleich
verschmolzen mit den herrschenden Hellenen. Mit dieser
einfachen Grundlage gilt es, den ethnographischen Haupt-
fragen näher zu treten, die hierbei fortwährend in Betracht
kommen und ein allgemeines historisches Interesse erregen,
aber bisher der Spielball der verschiedenartigsten, oft lufti-
gen Combinationen waren. Wir haben hier vor Allem zu
fragen: 1) Welches war die Stellung der spätern Pelischtim in dem ägyptischen Völkercomplex, welches Ereigniss
hat ihren Auszug, ihre Vertreibung veranlasst und stehen
sie hier in Verbindung mit einer der wichtigsten Epoche
der ägyptischen Geschichte? Ferner 2) ist eine Auswanderung aus Aegypten nach Kaphtor anzunehmen? Was
haben wir unter Kaphtor zu denken? Hier schliesst sich
als Unterfrage, die für uns von besonderer Wichtigkeit
ist, an: Was ist überhaupt das Verhältniss der Philistäer
zu den Kretern, Karern und Pelasgern? Endlich 3) welche Spuren von geschichtlicher Bedeutung der Philistäer
finden sich in der Zeit ihrer das Scheidegebiet von Kanaan
und Aegypten einnehmenden Stellung und in welcher Zeit
erscheinen sie im Besitz der Pentapolis innerhalb Kanaans?

1., Aegypten erscheint physisch durchaus nicht als ein
ganz einheitliches, denselben Naturbedingungen unterwor-

fenes Land, wenn es auch von einer grossen Lebensader, dem Nil durchströmt wird und die Beziehungen zu diesem Strome überall als herrschende oder wenigstens wirkende sich geltend machen. Vor Allem ist es der Gegensatz von Ober- und Unterägypten, von dem regenlosen, unter merkwürdiger Festigkeit der atmosphärischen Verhältnisse stehenden, zwischen Kalkgebirge, dann weiter südlich von Silsilis an Sandstein, Granit und Syenit eingeschlossenen Nilthale und der weit sich breitenden Marschgegend des Delta, welcher seit frühester Zeit in den Ansichten und der Sprache der Bewohner ihren Ausdruck gefunden hat: wie dies die jüdischen Quellen in Mizraim s. str. und Pathrus aussprechen [1]), so die spätere griechische Zeit mit der Bezeichnung ἡ ἄνω καὶ ἡ κάτω χώρα [2]). Aber ausserdem tritt die Verschiedenheit der Naturbedingungen, wie für Oberägypten zwischen dem eigentlichen Nilthale und dem öden Gebirge, weniger der Meeresküste des arabischen Meerbusens, der Wohnung der Troglodyten, welche erst unter den Ptolemäern in ein dauerndes Verhältniss mit Aegypten gesetzt ward, so für Unterägypten scharf hervor zwischen dem eigentlichen Marschlande, zwischen der zu beiden Seiten hart daran stossenden Geest, welche im Westen als die eigentliche Libya mit den Natronseen bis an dem steilen Plateauabfall der Καταβαθμοί, im Osten als Arabia zu den Bitterseen und der Sirbonis sich erstreckt und hier noch weit durch die Nilüberschwemmungen mit berührt wird; von diesen dreien ist endlich das Küstenland noch verschieden, das die einst noch viel unbedeutenderen Sumpfseen, wie den Menzalehsee, den von Burlos, die Mareotis als Landstreifen umsäumt und zwischen ihnen sich ausbreitet, mit seinen heftigen, luftreinigenden Mee-

---

1) Jerem. 44, 1. 15. 2) Inscript. de Rosette l. 3. 46.

résswinden, mit dem leichtern Sandboden, mit der unmittelbaren Hinweisung auf die See und den Fischfang.

Auch geschichtlich ist dieser Gegensatz von Ober- und
Unterägypten ein durchgehend ausgeprägter, obgleich wir
die erste Feststellung eines einheitlichen Reiches unter Menes als den im Vergleich zu allen Völkern des Alterthums
ausserordentlich frühen Beginn einer wahren Geschichte
betrachten müssen; er sprach sich fortwährend aus in der
Verschiedenheit des Dialektes, in der Verschiedenheit religiöser Mittelpunkte und an die Spitze des Göttersystems
tretender Gottheiten[1]), in dem vielfachen politischen Gegensatz von Deltadynastieen gegen oberägyptische. Liegt
dieser Erscheinung nothwendig eine Stammesverschieden-
heit zu Grunde, natürlich innerhalb ägyptischer Nationalität, so haben wir doch, entsprechend jener oben bezeichneten geographischen Unterschiede, zugleich in der Betrachtung der nach beiden Seiten offenen und gleichsam das
Land der Passage und des Austausches der afrikanischen
Küste und Asiens charakterisirenden Lage von Unterägypten
gerade hier an eine grössere Mannigfaltigkeit von Stämmen
zu denken, welche als Bewohner der Marsch, der Geest,
der Küste sich schieden und welche zugleich in mannigfacher Nuancirung des Dialektes Uebergänge bildeten zwischen dem frühzeitig und in merkwürdiger Ursprünglichkeit abgeschlossenen oberägyptischen Sprachstamme und
den vielfach jüngeren, oder gemischteren, aber jenem,
wie die Pronominalstämme, das Wesen der Affixa, die
Bildung des Futurums u. s. w.[2]) deutlich zeigen, urver-

---

1) Lepsius, Ueber d. ersten ägyptischen Götterkreis. Berlin, 1851,
welcher auf S. 16. 17 ein treffliches,
wohl zu beherzigendes Wort über
das Verhältniss unserer Oberägypten fast nur angehörenden Denk-
mälerkenntniss und den griechischen, aus unterägyptischen
Cultusstätten entnommenen Nachrichten spricht.

2) Bunsen, Aegyptens Stelle.
B. I, S. 310 — 362. Anhang S.
518 ff.

wandten sog. semitischen Sprachen, welche hier östlich in
den Amalekitern, den Kananäern, später in den von Nordosten eingewanderten hebräischen Stämmen, die sprachlich
sich den vorgefundenen, älteren Bewohnern assimilirten,
angränzten; ebenso hat auch nach Westen eine uralte Völ-
kerbeziehung zwischen den Urbewohnern Nordafrika's, die
noch heutzutage in der Mischbevölkerung der Berber, der
Libyphöniker des Alterthums, sich unterscheiden lassen und
denen die selbständige, in vieler Beziehung im Vergleich
zu dem Phönikischen und Hebräischen ursprünglichere und
ältere Seite der Berbersprache zugehört [1]), und den Stämmen Unterägyptens bestanden.

Wir besitzen aber in der Völkertafel der Genesis eine
Aufzählung der Stämme Mizraims, Namen, von denen wir
später nur noch einzelne als daselbst oder in der Nähe
nachweisen können, während die übrigen, wie Josephos [2])
hervorhebt, gänzlich verschwinden mit Ausnahme der Philistäer, die die geschichtliche Rolle von einem nach Nordosten hin gerückten Mittelpunkte aus spielen. Unter diesen Stämmen gehören die Pathrusim nur allein noch
dem oberen Aegypten, das denselben Namen trug, wie es
scheint als Land der Hathor, sie sind gleichsam die Aegypter κατ᾽ ἐξοχήν; von den Naphtuchim macht es Knobel [3]) wenigstens wahrscheinlich, dass sie dem nördlichen
Theile Mittelägyptens (übrigens ein in der frühern nationalen gar nicht, dann auch der alexandrinischen nur untergeordnet sich zeigender geographischer Begriff) angehören;
alle übrigen sollen Unterägypten mit den zu beiden Seiten dazu
gehörigen Landschaften zugehören. Die Lehabim waren
leicht und sicher in den Libyern s. str. westlich vom mareo-

---

1) Vergl. über diese schwierigen Völkerverhältnisse Libyens jetzt
Movers, Phönicier II, 2. S. 363
—442.

2) Ant. Jud. I, 6, 2.

3) Völkertafel.

tischen. See zu erkennen, ebenso die Ludim in dem
ägyptisch-arabischen nomadischen Stamm östlich vom Nil
nach den Bitterseen, überhaupt nach Arabia Peträa hin.
Noch bleiben dann die Anamim, Casluchim und Caphtorim
zu bestimmen. Knobel bringt die Ersten, welche in der
LXX als Ἐνεμετιείμ bezeichnet werden, mit dem ägyptischen Wort sanemhit in Verbindung, welches das nördliche Aegypten bezeichnet und macht sie zu Bewohnern
des ganzen Delta. Wenn wir das Erstere auch zugeben wollen, so fehlt doch der zweiten Behauptung alle
Begründung. Wir glauben nicht zu irren, den Namen
Anamim in der hieroglyphischen Legende „Naamu" wie-
derzufinden, welcher einem friedlichen, Nahrung und Schutz
suchenden, hellfarbigen, durch die Umgebung als nordöstlichen charakterisirten, wie Lepsius meint, semitischen Stamme in einer Darstellung des Grabes zu Benihassan aus der
Zeit von Sesortesen II. (in der zwölften Dynastie) beige-
fügt ist[1]).

Wo haben wir nun die zwei für uns wichtigsten Stämme der Casluchim und Caphtorim hinzusetzen? Es kann
für uns bei irgend einer genauern Betrachtung jener in der
Völkertafel gegebenen kleinsten Stammesabtheilungen, besonders innerhalb des Kreises hamitischer und semitischer Bevölkerung, kein Zweifel sein, dass diese gerade geographisch näher zusammenliegende, mit den Namen der Oertlichkeiten, der Stadtanlagen nah verbundene Bestandtheile
bezeichnen. Und gerade jener Zusatz zu den Casluchim:
„von wo die Pelischtim auszogen" giebt für das Wahr-
nehmen dieser Regel und der Ausnahmen ein schlagendes
Beispiel. Es musste daher schon deshalb die Deutung der
einen auf Kolchier, der andern auf Kappadoker, die merkwürdigerweise noch der weitläufige Commentar von K. W.

---

1) Bunsen, Aegypten II, S. 323. Lepsius, Chronologie S. 286.

J. Schröder zu dem ersten Buch Mose[1]) als ganz sicher
hinstellt, höchst bedenklich erscheinen; jetzt kann nach den
schlagenden Gründen von Hitzig, die auf die historische
Grundlage jener ägyptischen Kolonie in Kolchis und auf
den in persischen Denkmalen erwiesenen Namen Katpatuk
für Kappadokien sich stützen, keine Rede mehr von dieser
Ansicht sein. Aber ebenso wenig haltbar ist es, wenn
Knobel aus seiner Anordnung der ägyptischen Stämme uns
beweisen will, es sei alles von den übrigen Stämmen besetzt gewesen und nothwendig seien die Caphtorim gleichsam vor die Thore des Vaterhauses, nach Kreta zu setzen.
Dazu gehörten wohl andere sichere lokale Bestimmungen
der Stammwohnungen, so besonders für jene Anamim.
Nein, vielmehr sind wir der festen Ansicht, dass diese
Caphtorim die eigentlichen Küstenbewohner des ägyptischen Delta und vielleicht noch weiter östlich und westlich
waren. Wir haben hier die hebräischen Ausleger und die
arabische Uebersetzung auf unserer Seite, die das Wort
durch Damiataei übersetzen. Aber entscheidend sind hier
die inneren Gründe: diese Caphtorim der Genesis für verschieden von den sonst nur selten und in sichtlich alter-
thümlichem Ausdruck erwähnten zu halten, dazu fehlt uns
jeder Anlass; ausdrücklich wird von der Küste, dem Meer-
land Kaphtor, von den Philistäern als Rest der Meeran-
wohner gesprochen; Meeresküste ist ein zu Kaphtor
nothwendiger Begriff, dass aber die Caphtorim ausgewan-
dert aus Aegypten, dass sie erst eine Insel in Besitz genommen, dass von dieser Insel die Philistäer wieder zu-
rückgewandert sind an Aegyptens Gränze, die dafür gegebenen Beweise haben wir bei dem zweiten Hauptpunkt zu
erörtern. Wir kennen bisher für diese Küste noch keinen
bestimmten ägyptischen Namen, noch weniger einen hier-

---

1) Berlin, 1846. S. 228.

hin versetzten Stamm; der Ausdruck für das Delta, *Πτί-
μυρις*, welchen Stephanos von Byzanz [1]) einmal erwähnt,
ist auf Denkmälern noch nicht nachgewiesen und würde
also das ganze Marschland mit umfassen. Ebenso haben
die koptischen Namen sanemhit oder psanemhit, thet,
het eine ausgedehntere Bedeutung für Unterägypten; enger
giebt den Küstenbegriff für die Strecke von der kanopi-
schen zur pelusischen Mündung das koptische tihot [2]). Und
das Wort Kaphtor findet im Koptischen viele entsprechende
Bildungen, besonders auch Städtenamen: so vor Allem ior,
eor, d. h. der Fluss, der Nil, mit dem Artikel pihor, phuor,
dann menhor, dimenhor [3]), eine Stadt im Delta, pafor,
eine Stadt [4]), sor, pisor [5]), auch existirt ein Ort Kafar
jetzt Akifour [6]). Es liegt daher kein Grund gegen eine
solche immerhin durch die Tradition gestützte Annahme
vor. Und, worauf wir hier einstweilen hindeuten können,
es wird gerade der eigenthümlich philistäische Cult mit den
hier an der Küste haftenden Culten und Mythen im eng-
sten Zusammenhang erscheinen und hierdurch, durch die
Verschiedenheit von dem oberägyptischen religiösen System
und die erfolgte, fast gänzliche Vertilgung dieses Cultus
der merkwürdige Zwiespalt zwischen den griechischen
Mythen und dem officiellen, ägyptischen Glauben gelöst
werden.

Für die geographische Einordnung der Casluhim, des
Ausgangspunkts der philistäischen Auswanderung machen
sich zwei Ansichten vor Allem geltend. Die eine, bereits
von Forster [7]) aufgestellte, von Neuern, wie Knobel angenommene bringt sie mit dem Berg Kasios in Verbindung

---

1) s. v. *Δέλτα.*
2) Parthey, Vocabular. coptico-
latinum etc. p. 501. 502. 508. 509.
3) Parthey p. 494. 498. 505.

4) Parthey p. 500.
5) a. a. O. p. 503.
6) a. a. O. p. 496.
7) Epp. ad Mich. p. 16 ff.

und setzt sie zwischen Pelusium und den Kasios. Die
Targumim übersetzen es dem entsprechend bereits durch
Pentaschoenitae, also sich an den spätern Namen der in
der Mitte zwischen den angegebenen Punkten liegenden
Station anschliessend. Dagegen bringt Quatremère[1]) sie
mit dem Berberstamm der Scheluhs zusammen, setzt sie
also auf die libysche Seite und Movers[2]) findet dies wahrscheinlich. Die erstere Ansicht ist jedenfalls die in sich
begründetste; nur dann werden die Casluhim als Ausgangspunkt der Philistäer ganz begreiflich, wird ja der
Berg Kasios von Herodot[3]) ausdrücklich als Gränze der
Συρία Παλαιστίνη genannt. Und nicht wohl die griechische Form Κάσιος, sondern die jetzt noch an diesem Land-
vorsprung haftende, wie so häufig der altorientalischen
noch näher stehende arabische el Kasrûn giebt uns die
treffende Bestätigung, besonders wenn wir bedenken, dass
das Altägyptische nur einen Mittellaut zwischen l und r
kennt und diese beide im Koptischen wechseln[4]).

Somit ist uns zunächst das Resultat gesichert: die spätern Philistäer gehörten zu den unterägyptischen und
als solche in vielfachem Gegensatze zu dem oberägyptischen
stehenden Stämmen, sie gehörten zunächst zu den die Meeresküste bewohnenden Caphtorim, die östlich in den Casluhim ihre Nachbarn, wahrscheinlich nur eine kleine Ab-
zweigung hatten; sie sind den grossen Völkerströmungen,
welche seit uralten Zeiten und hier stärker als später, wo
Aegypten eine förmliche Verschanzungslinie nach Osten hin
besass, von Osten in die fruchtbare Nilniederung und weiter
westlich sich bewegten, vielfach ausgesetzt gewesen. Es
gilt nun, jetzt die vereinzelten Andeutungen des Kampfes

---

1) Journal des savants. 1846.
p. 266.
2) Phönicier II, 2. S. 420.

3) II, 116. 158. III, 5.
4) Schwartze in Bunsen's Aegypten I, S. 538. 554.

der unterägyptischen Stämme gegen die This zuerst, dann
Memphis, dann Theben aus herrschenden Dynastieen im alten Reiche nachzuweisen und dann vor Allem die im mittleren Reiche durch starke, zuströmende Massen kananäischer oder urarabischer oder amalekitischer Stämme gestützte herrschende Gewalt mit einem bestimmten, lokalen
Mittelpunkt, die endliche Zertrümmerung derselben und die
Katastrophe der Auswanderung darzulegen, bei welcher
uns die Philistäer gleichsam als der militärische, letzte
Kern erscheinen werden.

Unter dem ersten König der dritten Dynastie, der ersten memphitischen, Necherochis wird uns ein Abfall der
Libyer von den Aegyptern berichtet, die aber durch eine
wunderbare Monderscheinung, eine Vergrösserung ge-
schreckt sich unterworfen hätten [1]. Dass hier nur jener
Stamm der eigentlichen Lybier, die biblischen Lehabim
am Westrande des Delta in dem Nomos Libya oder dem
koptischen Niphaiat zu verstehen sind, ist klar, theils aus
dem Sprachgebrauche, theils aus der Lage des noch jungen,
ägyptischen Reiches. Für die fortdauernde Abneigung dieser
Libyer aber, sich nicht als Aegyptier zu betrachten und den
religiösen Gesetzen, so in Bezug auf Essen von Kuhfleisch
zu unterwerfen, giebt uns Herodot [2] einen interessanten
Beleg, wobei das Ammonische Orakel sie aber als Nilan-
wohner auch für Aegyptier erklärt. Als die erste den unterägyptischen Stämmen und vor Allem dem an der Küste
bei Pelusium wohnenden angehörige Dynastie erscheint uns
die neunte, die der Herakleopoliten bei Manetho mit
409 Jahren nach Afrikanos, mit 100 nach dem griechischen
und armenischen Eusesios [3], dann die zehnte mit der bei
Allen übereinstimmenden Zahl von 185 Jahren. Es ist hier

---

1) Manetho bei Bunsen Urkundenb. S. 12. 13.

2) II, 18.

3) Bunsen, Urkundenb. S. 20. 21.

nicht der Ort, In die Beurtheilung der Grundverschiedenheit
der Böckhschen und Bunsenschen Ansicht von den Dynastieen des Manetho einzugehen, ob gleichzeitige darin
enthalten seien oder nicht (obgleich auch Böckh [1]) in der
Realität solche gleichzeitige zugiebt, nur nicht in der bestimmten Anordnung und Rechnung des Manetho), die hier
scharf hervortritt, da Bunsen diese zwei Dynastieen als
Nebendynastieen neben der siebenten, achten und neunten
ansieht, ja, was aller Wahrscheinlichkeit schon an und
für sich entbehrt, sie selbst gleichzeitig regieren lässt [2]),
eben so wenig in eine Feststellung der Zahlen für beide
Dynastieen, welche Bunsen mit grosser Willkür verändert, verkürzt oder in eine Bestreitung der mit sehr losen
Fäden geknüpften Combination von Achthoes und dem dio-
dorischen Aethiopenkönig Aktisanes; zwei Dinge sind für
uns von Wichtigkeit, der Name der Dynastieen und die
Charakterisirung des allein genannten Königs Achthoes,
welcher an ihrer Spitze stand. Was den Namen betrifft,
so weist Bunsen mit vollem Rechte auf die gänzliche Unwahrscheinlichkeit hin, in Herakleopolis die Stadt dieses
Namens, magna zubenannt, in der Heptanomis, südlich
von Memphis zu erkennen, da eine mit Gewalt sich geltend machende Gegendynastie hier im Nilthale, so nahe
der mächtigen Metropole Memphis, sowie auf der andern
Seite der südlichen This und Theben blosgestellt sich
schwerlich bilden konnte; dagegen ist das Delta bis in die
Ptolemäerzeit der Sitz aufrührischer, oft sehr gefährlicher
Dynasten gewesen. Wir haben daher an die Herakleopolis parva, vielleicht das ägyptische Sethron zu denken, den
Mittelpunkt des Nomos Sethroites, welcher die Landschaft
von Pelusium östlich vom Nil begriff. Hier sind wir aber
gerade in dem nachweislichen militärischen und religiösen

---

1) Manetho S. 118 ff.　　　2) Aegypten I, S. 264 — 270.

Mittelpunkte der späteren Hyksosmacht und zugleich der Philistäer. Also hier bereits eine zeitweilige Uebermacht der nördlichsten und nordöstlichen Stämme von Unterägypten, die wenigstens zuerst auf ganz Aegypten sich erstreckte. Dies spricht deutlich der Zusatz zu dem ersten und allein aufgeführten König Achthoes aus: „er war der an Furchtbarkeit ($\delta\varepsilon\iota\nu\acute{o}\tau\alpha\tau o\varsigma$, saevissimus) alle Frühern Uebertreffende und that Böses an allen Bewohnern von ganz Aegypten ($\tau o\~\iota\varsigma \;\grave{\varepsilon}\nu \;\pi\acute{\alpha}\sigma\eta \;A\grave{\iota}\gamma\acute{\upsilon}\pi\tau\omega$), später verfiel er in Raserei und kam durch ein Krokodil um.“ Zugleich ist der Hass der priesterlichen, thebaischen und memphitischen Tradition gegen diesen Usurpator aus dem Norden und dem religiös vielfach verschiedenen Deltalande nicht zu verkennen. Während die zwölfte Dynastie, die der Diospoliten nach einer Zeit mannigfaltiger Zerrüttung und Verfalls die oberägyptische, von Theben ausgehende Herrschaft in grossen Eroberungszügen eines Sesortesen II. befestigte, in gewaltigen unvollendeten Denkmalen verewigte, wobei daher die nördlichen, unterägyptischen Stämme, wie jene oben erwähnten Namen, vollständig als unterworfen erscheinen, tritt in der vierzehnten uns zunächst wieder eine Deltadynastie, die der Xoiten, also mit Xois in der Nähe von Tanis als Hauptstadt, daher auch Taniten vom Barbarus genannt, von 184 Jahren Dauer entgegen. Sie wurzelt im eigentlichen Delta und hat daher für unsere Frage eine nur mittelbare Bedeutung, weil im Gegensatz oder neben der thebaischen bestehend.

Wir sind somit dem Ende des alten ägyptischen Reichs nahe getreten, in dem wir die hie und da energisch sich geltend machende, nach Herrschaft strebende Kraft der unterägyptischen Stämme, besonders auch des um Pelusium sitzenden erkannt haben. Ein langer Zwischenraum ge-

---

1) Manetho bei Bunsen, Urkundenb. S. 20. 21.

waltsamer, besonders religiös oppositioneller Fremdherrschaft trennte in der Volkserinnerung und der priesterlichen
Ueberlieferung die alte Zeit von dem neuen Reiche. Denkmäler und ihre Schrift erhielten sie nicht lebendig; vielmehr strebte man danach, später den unmittelbaren Fort-
gang der thebaischen Königsreihen von der dreizehnten zur
achtzehnten Dynastie auf den Königstafeln darzustellen.
Auch für uns fehlt es an bestätigenden und vor Allem das
Leben und Sitte der Hyksosherrscher darlegenden Denkmälern, wenn man auch hie und da, wie Prisse in meist
zerstörten Tempelbauten zu Karnak [1]) solche von fünf Herrschern zu finden geglaubt hat. Die neue Forschung hat
aber mit besonderem Interesse sich diesem Zeitraume zugewandt, besonders da hiervon die wichtige, alttestamentli-
che Frage nach dem Aufenthalt der Juden in Aegypten,
ihrer dortigen Stellung und der Zeit ihrer Auswanderung
nicht zu trennen war.

Wir weisen vor Allem hin auf den Text der Quellen
selbst, wie er in mannichfacher Version und Zersplitterung
vor Allem auf Manetho, daneben aber auf die griechischen
Bearbeiter der ägyptischen Geschichte auf Hekatäos von
Abdera [2]), welcher bereits die von ihm auch den Sagen
ägyptischer Einwanderungen nach Hellas gleichgestellte jüdische Erzählung der Auswanderung damit verflocht, auf
den Periegeten Polemon [3]), auf Ptolemäos den Mendesier [4]),
auf den Grammatiker Apion [5]), auf Chairemon [6]), auf Ly-

---

1) Transact of the royal soc.
of literat. sec. ser. 1843. Vol. I,
p. 76 sqq.

2) Die Quelle von Diodor l.
XVI, p. 67 ed. Dind. (vergl. noch
l. XXXIV, 1), was für diesen
Punkt Müller in den Theol. Stud.
u. Kritik. 1843. S. 912 nicht mit
treffenden Gründen bestreitet, während er für die zweite Stelle mit
Recht den Poseidonios als Quelle
anführt.

3) Muller, Frgmt. hist. III, p.
119.

4) Tat. adv. Gr. c. 38 ed. Otto
Clem. Al. Strom. I, 21. p. 138.

5) a. a. O.

6) Jos. c. Apion. I, 32. 33.

simachos [1]) von Alexandria zurückzuführen ist. Der mane-.
thonische Bericht ist der Hauptsache nach in der Schrift
des Josephos gegen Apion [2]) enthalten, beruht aber auch
hier nicht auf gleicher Basis, da Josephos bei der
Etymologie von Hyksos auf ein ἄλλον ἀντίγραφον, ferner
auf eine Notiz in einem andern Buche der Αἰγυπτιακά sich
beruft, dagegen bei der Erzählung über die λεπροί Manetho ausdrücklich erklären lässt, dass er hier aufzeichnen
werde τὰ μυθευόμενα καὶ λεγόμενα περὶ τῶν Ἰουδαίων,
nicht ein aus den ägyptischen ἀναγραφαί Geschöpftes, was
wir durchaus nicht mit Lepsius [3]) auf den kleinen Zusatz
über die Namensumänderung des Osarsiph in Moses beschränken können. Daneben stehen des Manetho Dynastieenangaben im Auszuge des Africanus, der Excerpta Bar-
bari, des griechischen und armenischen Eusebios und des
Scholiasten zu Plato's Timäos [4]). Sie sind für uns jetzt
übersichtlich in Bunsens Urkundenbuch [5]) und bei Muller [6])
geordnet. Indem Manetho mit schärfster Scheidung die
Zeit der Hyksos von der der Aussätzigen und jüdischen
Auswanderung trennt, indem er jenen eine Dauer der Herrschaft von 54 Jahren, dann die Zeit eines grossen und
langjährigen Krieges nach der einen Version [7]), zunächst
der Aufzählung der Dynastieen aber bei Africanus 3 Dynastieen, die funfzehnte bis zur siebzehnten, die letztere
gleichzeitig schon mit Diospoliten und einen Zeitraum von
953 Jahren (nach Böckh von 2607—1655, nach Bunsen
2568—1638) giebt, fällt für ihn die Erhebung der Aussätzigen und eines Theils der von Neuem eingedrungenen,

---

1) Jos. c. Ap. I, 34. II, 2. Tac.
Hist. V, 3.
  2) I, 14. 15. 26.
  3) Chronologie der Aegypter S.
328.

4) Schol. in Plat. Tim. 123, D.
t. II, p. 424. Beck.
  5) S. 24 ff. S. 42 ff.
  6) Frgmt. hist. gr. t. I, p. 566.
  7) Josephus c. Ap. I, 14.

in Palästina wohnenden Hyksos, die beide dann die Juden
bilden, und ihre nur 13jährige Herrschaft 578 Jahre später[1]); bei ihm heisst der König, welcher die Hyksos vertrieben, Tuthmosis, der erste der achtzehnten Dynastie,
dagegen der Besieger der Aussätzigen Amenophis, nach
Lepsius[2]) der Menephta, Sohn des Ramses Miamun in der
neunzehnten Dynastie. An dieser Scheidung, an der That-
sächlichkeit der in Aegypten tief eingreifenden Dauer der
Hyksosherrschaft gegenüber den um Jahrhunderte spätern
Vorfällen vor und bei dem Auszuge der Israeliten müssen
wir streng festhalten, wenn überhaupt die manethonischen
Listen für uns Werth haben sollen, gegenüber der Vermischung beider Thatsachen, wie sie in den oben genannten,
hellenistischen Schriftstellern enthalten ist, wenngleich bei
Polemo die Beziehung auf die Juden durchaus noch nicht
ausgesprochen wird, wie sie dann von Josephos, Clemens
von Alexandria und den kirchlichen Schriftstellern meist in
systematischer Weise durchgeführt ist. Auch die neuesten
Versuche, diese Identität zu erweisen, also die Hyksospe-
riode zu läugnen, oder sie nur als Ausfluss, als Appendix
zu der jüdischen Auswanderung zu betrachten, wie sie
von Hengstenberg[3]) und Hofmann[4]) gemacht sind, können
gegenüber den Darlegungen von Müller[5]), von Bunsen[6]),
von Böckh[7]), zuletzt von Lepsius[8]) kaum mehr genannt
werden. Wenn Saalschütz in seiner Abhandlung: Die Ma-

---

1) Jos. c. Ap. I, 26.

2) Chronologie S. 330.

3) Manetho und die Hyksos.
Beilage zu: Die Bücher Moses und
Aegypten. S. 257 ff.

4) Theol. Studien und Kritiken
Jahrg. 1839. S. 393 ff. Aegypti-
sche und israelitische Zeitrechnung.
Nördlingen, 1847. S. 21—29.

5) Theol. Studien u. Kritiken.
Jahrg. 1843. S. 905—935.

6) Aegypten. Th. III, S. 1—50.
Bes. S. 28 ff. S. 48 ff.

7) Manetho und die Hundsstern-
periode. Berlin, 1845. S. 157.
189 ff. 220—248. 290 ff.

8) Chronologie der Aegyptier.
S. 314—367.

nethonischen Hyksos [1]) noch einen neuen Weg betreten
hat, indem er den Einfall der Hyksos nach Joseph setzt [2]),
indem er die Dauer ihrer Herrschaft auf etwa 81 Jahre
bestimmt [3]), in denen er sie zu den Erbauern der Pyramiden, also hier mit Röth zusammentreffend, macht [4]), indem
er sie untergehen lässt durch die in Verbindung mit den
Aegyptern getretenen Juden [5]) und durch die Katastrophe
im rothen Meere [6]), wenn er endlich den Namen Hyksos
ursprünglich den Juden zuschreibt und bei ihnen sogar die
Namen der ersten Hyksoskönige als Stammfürsten wieder-
findet, dagegen diese sogenannten Hyksos zu Amalekitern
oder Philistäern aus Gath, die als eine kleine Kolonie den
Juden gefolgt seien, so hat er von Neuem die spätere com-
binatorische Erzählung, die darauf ausging, die jüdische
Tradition mit der ägyptischen in Einklang zu bringen, zum
Ausgang der Untersuchung gemacht, er verfällt zugleich in
eine Menge kleinlicher Deductionen, die eine grosse, epo-
chemachende Thatsache gleichsam aushöhlen und zersplit-
tern, und fusst endlich auf Beweisen, die einer einfachen
Interpretation ganz widersprechen, wofür unten einige Beweise folgen werden. Nur darin müssen wir dem Verfasser [7]) gegen Lepsius beistimmen, dass die Erzählung Manetho's über die Aussätzigen keinen streng geschichtlichen
Charakter trage, wenn auch nicht, wie er weitergehend
meint, einen ganz fabelhaften. Jedenfalls sind die Wie-
derholungen derselben Fakten auffallend: die neue Bevölkerung des öden, den Aegyptern verhassten Avaris, dann
die ebenfalls kampflose Einnahme des Landes, dann das

---

1) Forschungen auf dem Gebiete
der hebräisch - ägyptischen Archäo-
logie. III. Königsb. 1851. S. 41
—110.
  2) a. a. O. S 62.

3) a. a. O. S. 85.
4) a. a. O. S. 68.
5) a. a. O. S. 83. 84.
6) a. a. O. S. 85.
7) S. 106.

Verbrennen der Städte, das Plündern der Tempel. Sie sind alle mit einer gewissen Absichtlichkeit in Bezug zu den Thatsachen der Hyksoszeit gesetzt und suchen von dort gleichsam ihre Berechtigung, aber auch in der Ueberbietung ihren Effekt[1]). Aber wie in dieser Erzählung sichtlich ein ächt ägyptischer Kern liegt, der die Auffassung des jüdischen Aufenthalts, ihres Verhasstwerdens, ihrer Entfernung unter dem Priester Osarsiph von On von ägyptischer Seite aus giebt, ebenso haben wir in jenem Bericht über die Hyksos zuletzt eine Zuthat des Manetho, oder vielleicht des hier pro domo streitenden, ihn excerpirenden Josephos zu erkennen: ich meine nämlich die Schlussworte[2]), nachdem der in den ägyptischen Quellen jedenfalls noch, aber auch nur berichtete Erfolg der Capitulation zu Avaris erzählt war, nämlich: *τοὺς δὲ — ἀπὸ τῆς Αἰγύπτου τὴν ἔρημον εἰς Συρίαν ὁδοιπορῆσαι*, welche nun hinzufügen: „diese Auswanderer hätten aus Furcht vor der damals in Asien bestehenden Herrschaft der Assyrer *ἐν τῇ νῦν Ἰουδαίᾳ καλουμένη* eine Stadt erbaut, die für so viele Myriaden gross genug war und sie Hierosolyma genannt.“ Erstens erregt hier die Erwähnung der assyrischen Weltmacht und die hinein gelegte Veranlassung zu einem grossen Stadtbau eben so viel Bedenken, als in der vorhergegangenen Er-

---

1) Jos. c. Apion. I, 26: οἱ Σολυμῖται — σὺν τοῖς μιαροῖς — οὕτως ἀνοσίως τοῖς ἀνθρώποις προσηνέχθησαν ὥστε τὴν τῶν προειρημένων κράτησιν χειρίστην φαίνεσθαι τοῖς τότε τὰ τούτων ἀσεβήματα θεωμένοις. Hier ist das von Havercamp nach dem Vet. Interpr. aufgenommene χειρίστην für χρυσὸν jedenfalls falsch, weil es ganz und gar den vom Schriftsteller gezogenen Vergleich zwischen den früheren, oben er-

zählten (προειρημένον) Hyksosherrschaft und der jetzigen aufhebt, der ja im folgenden durch γὰρ eingeführten Satz weiter nachgewiesen ist. „Golden, herrlich, sagt Manetho, erschien denen, die die gottlosen Thaten dieser anzusehen hatten, die Gewaltherrschaft der oben Genannten.“ Statt χρυσὸν ist vielleicht χρυσῆν zu lesen, da das Adjectiv noch häufiger übertragen gebraucht wird.

2) Jos. c. Apion. I, 14.

zählung, wo die Hyksos Avaris bauen sollen gegen die auch Aegypten bedrohenden Assyrer. Dies passt ganz und gar in den Sinn des Josephos, welcher auch in der Ar- chäologie [1]) bereits von der Herrschaft der Assyrer über Asien zu Abraham's Zeit spricht und sie τὴν Συρίαν ἅπα- σαν plündernd durchziehen lässt, stimmt aber durchaus nicht mit den übrigen übereinstimmenden Berichten, wo- nach die assyrische Macht, seit dem vierzehnten Jahr- hundert als erobernd in Oberasien und nach Kleinasien zu auftritt, im achten erst gegen Syrien und dann auch Aegypten drohend sich wendet. Zweitens rührt jener Aus- druck ἐν τῇ νῦν Ἰουδαίᾳ λεγομένῃ nicht von Manetho, aus der Zeit des Ptolemäos Philadelphos her. Damals kannte, wie aus dem zweiten Buche erhellen wird, man in der po- litischen Eintheilung kein Judäa, nur ein kleines ἔθνος Ἰουδαίων; es ist ein Ausdruck, der erst mit dem Siege der Makkabäer, dann unter den Römern officiell sich gel- tend macht. Endlich zeigt sich Josephos auch darin als ungenauen Referenten, indem er hier allein von Erbauung der Stadt Hierosolyma spricht, an der andern [2]) noch aus- drücklich die Erbauung des Tempels erwähnt. Er hat sieht- lich die entweder von Manetho selbst oder einem judaisi- renden Verfälscher desselben begangene Verwechselung der Palästiner mit den Juden benutzt, um darauf sein System von der Identität der Hyksos mit den Juden zu bauen und sie von der einmal in der ägyptischen Tradition gegebenen Bezeichnung der Aussätzigen zu befreien.

Wie stehen aber die so aus der vielfach verwickelten, getrübten Ueberlieferung für uns in bestimmter geschicht- licher Fassung herausgetretenen Hyksos zu den unterägyp- tischen Stämmen, vor Allem zu demjenigen, aus wel- chem die Philistäer hervorgegangen? Sie bestehen, um

---

1) Jos. Ant. Jud. I, 9. 10.   2) Jos. contra Ap. I, 26.

unsere Ansicht hier gleich an die Spitze zu stellen, ihrer
Hauptmasse, ihrem inneren Kern nach eben aus diesen
nördlichen und nordöstlichen Stämmen, die von jeher in
Opposition mit dem oberägyptischen Stamm, auch bereits
in einer Dynastie auftretend, jetzt zu entschiedner Herrschaft gelangen, indem sie zugleich gedrängt und verstärkt
werden durch die ihnen östlich wohnenden, vor Allem ur-
arabischen Stämme und die Philistäer sind der nach langen,
vielleicht Jahrhunderte langen Kämpfen, nach mannigfachen
Abscheidungen einzelner, auch über die besonders den Caphtorim wohlbekannte See gehender Abtheilungen gebliebene
Rest vor Allem der streitbarsten Mannschaft, welcher von
Avaris aus im Sethroitischen Nomos, mit voller Habe auf
das Küstenland zwischen Pelusium und Gaza sich zurückzog, hier zuerst sich consolidirte auch in einzelnen Städten
und dann als erobernder Stamm an die Küste Kanaans sich
ausbreitete. Jeder, der unter der reichen Zahl von Combinationen über die Hyksos sich umgesehen hat, wird leicht
erkennen, dass sehr verwandte Ansichten schon öfters ausgesprochen sind, dass sie vor Allem der Bunsenschen [1]) am
nächsten kommt, aber hoffentlich wird das Unterscheidende
und zugleich der selbständige Gedankengang, auf dem der
Verf. dazu geführt wurde, ihm nicht entgehen. Jenes liegt
vor Allem darin, dass ein Hauptaccent auf die in Unterägypten bereits wohnenden, sesshaften Stämme gelegt wird,
dass die Philistäer nicht ein aus den östlichen, spätern
Sitzen eingewanderter rein semitischer Volksstamm sind,
dass endlich sie in ihrer spätern Unterscheidung von den
Kananäern sowohl als den terachitischen Stämmen streng
festgehalten werden. In wie weit eine Verwándtschaft mit
der Ansicht von Saalschütz [2]) stattfindet, welcher Philister
aus Gath den Juden nachziehen lässt und zu den Hyksos

---

1) Aegypten III, S. 33. 49.   2) Forschungen S. 95 ff.

erwachsen, wird leicht aus dem Obigen und der ganzen Untersuchung erhellen. Wir haben diese Ansicht theils mit dem ganzen Charakter der Hyksosherrschaft, theils mit den einzelnen Nachrichten über Herkunft, über den Hauptsitz und über die Richtung der Auswanderung in Verbindung zu setzen oder danach zu berichtigen.

Der auftretende Herrscherstamm trug in der ägyptischen Ueberlieferung den Namen Ὑκσώς (Ὑκουσσώς bei Eusebios), nach Manetho's Erklärung βασιλεῖς ποιμένες, der daneben die spätere Erklärung: gefangene Hirten auch kannte. Hirten ist der durchaus bezeichnende, durchgehende Ausdruck für die drei Dynastieen und für das Volk, damit waren sie charakterisirt als verschieden von den Marschländern, als Bewohner des Geestlandes, zugleich als feindselig und verachtet von den mit ihrem ganzen geistigen und materiellen Leben auf den Ackerbau basirten Nilthalbewohnern. Weiter weiss die strenge Ueberlieferung nichts, allenfalls noch, dass ἐκ τῶν πρὸς ἀνατολὴν μερῶν die Herrschaft sich verbreitet habe. Manetho erklärt [1]: „es waren Menschen ihrem Stamme nach unbestimmbar (τὸ γένος ἄσημοι)“; er fügt dann als Meinung von Einigen weiter unten hinzu, dass sie Araber seien. Ebenso haben wir es nur als eine Meinung anzusehen, wenn sie bei Africanus und Eusebius (hier bekanntlich erst in der siebzehnten Dynastie) als Φοίνικες ξένοι bezeichnet werden. Einen merkwürdigen noch nicht näher beachteten Zusatz giebt uns der Letztere: er nennnt sie ἀδελφοί, aber jedenfalls kein müssiger oder von Eusebios erfundener Zusatz. Bezeichnet er: unter sich Verbrüderte, oder als Brüder, als Verwandte und Helfende einem rufenden Stamme gegenüber auftretend oder werden nicht Phöniker, sondern nur Brüder, Ver-

---

[1] Jos. c. Ap. I, 14.

wandte derselben genannt? Wir sind entschieden für die
zweite Annahme. Als *Φοίνικες* selbst werden sie auch sonst
bezeichnet und bei dem die ganze Küste bis Pelusium umfassenden Begriffe konnten sie mit vollem Rechte so genannt werden, schwerlich blos Brüder derselben. Dagegen
ist dieses brüderliche, helfende Verhältniss zu einem in
Aegypten selbst wohnenden Volkstheil in jener zweiten,
wie wir oben sahen, im Anschliessen an die Hyksossage
sehr alterirten Erzählung des Manetho von den den Aussätzigen zu Hülfe eilenden Nachkommen der Hyksos wohl
ausgesprochen. Ja, es fragt sich vielleicht, ob dieser den
Hyksos zugehörige Beiname nicht vielleicht gerade Veranlassung gab zu jenen weitern Combinationen. Also feststeht für uns: Die Hyksos sind durchaus keine als ge-
schlossene, fremde Nationalität mit eigner Sprache[1] auftretende Macht in Aegypten, wie später die Assyrer oder Perser, wie etwa die Skythen bei ihrer 28jährigen Herrschaft
über Asien, sondern sie erscheinen vielmehr als eine an
der Gränze, bei der Eroberung selbst sich bildende militärisch starke Volksmasse, die vor Allem aus den Weide-

---

[1] Für diese geben allein die Namen der sechs ersten Könige, die
einzeln noch sehr schwanken, einen
Anhalt. Ist von diesen der erste
Salatis mit dem hebräischen שלט,
einem auch von Joseph für seine
Stellung in Aegypten gebrauchten
Ausdruck, der, wie Saalschütz (S.
91. Note) bemerkt, in einer Nebenform unter den babylonischen Titeln wiederkehrt, mit
Recht zusammengestellt, so ist die
Form Aphophis eine streng ägyptisch gebildete, wie Amenophis
und auch sonst erwähnt. Der letzte
Königsname variirt zwischen Assis,
Asses, Assethus, Archles: hat
man ihn mit עזיץ, wie z. B. ein
König von Emesa heisst (Jos. Ant.
20, 7), identificirt, so dürfen wir
wohl daran erinnern, dass ein Axes
bereits auf einem Königsschild der
dritten Dynastie auf der Tafel zu
Karnak gelesen wird (Bunsen II,
S. 68 ff). Wir sind danach durchaus nicht berechtigt, die Sprache
der Hyksos als kananäisch zu betrachten, sondern nur als einen
unterägyptischen, den östlichen
Nachbarn mehr sich nähernden Dialekt.

ländern östlich vom Nil sich ergänzt, vielleicht von hier zunächst ihre nähern Führer hat, aber welche in den andern Stämmen Unterägyptens, besonders den Küsten - und Geestbewohnern ihren materiellen Schwerpunkt besitzt. Daher konnte um so eher in den spätern die Hyksos und die Aussätzigen oder die Juden vermischenden Erzählungen nur von den im L a n d e befindlichen Fremden, von ihrer Uebermacht die Rede sein, daher konnte Polemon geradezu sie bei der Vertreibung eine $\mu o \tilde{\iota} \varrho \alpha$ $\tau o \tilde{v}$ $A i \gamma v \pi \tau i \omega v$ $\sigma \tau \varrho \alpha \tau o \tilde{v}$[1]) nennen.

Nur so wird uns der ganze Charakter dieser Herrschaft klar, der später vor Allem im Lichte des religiösen Gegensatzes, nicht nationaler Unterdrückung erschien, nur so die erste kampflose Einnahme des Landes und die 900-jährige Dauer. Wir haben es mit Königen zu thun, die in Memphis residirend von dort ihren Tribut aus der $\check{\alpha}\nu\omega$ und $\varkappa\check{\alpha}\tau\omega$ $\chi\dot{\omega}\varrho\alpha$ erheben, die in alle bedeutenden Städte ihre Besatzungen legen, die eine Hoplitenmasse von 240,000 Mann (allerdings eine militärische Organisation, die wir bei blossen Beduinenhorden nicht suchen dürfen) in ihrem Haupthaltepunkt üben, die Verproviantirung, die Soldauszahlung jährlich im Sommer ordnen. Nach einander treten drei Dynastieen ($\pi o \iota \mu \dot{\varepsilon} \nu \varepsilon \varsigma$ $\check{\alpha} \lambda \lambda o \iota$) auf, jedenfalls ein Zeichen einer den Unterthanen gegenüber befestigten Herrschaft. Mit der Zeit bilden sich in Theben und an anderen Orten Vasallenkönige, die endlich im langen Kampfe die Hirten aus dem übrigen Aegypten vertreiben. Wie tief diese ganze Herrschaft in das innere, besonders religiöse ägyptische Leben eingriff, wie früher als allgemein ägyptisch anerkannte Gottheiten, die aber ihren Hauptkult, ihre bedeutendste mythologisahe Entwickelung in den Stämmen Unterägyptens, besonders der Küstenbewohner hatten,

---

1) Eus. Pr. Ev. X, 11. Muller, Frgm. h. III, p. 119.

durch diese langsame, aber entscheidende Katastrophe, in rein oppositionelle Mächte umgewandelt sind, wie der spätere Abscheu ihre Namen vernichtete und den Mythus von Osiris sichtlich danach modificirte, das ist bereits von· Andern, so von Müller, besonders von Lepsius[1]) hervorgehoben und wird für uns später in überraschendem Einklang mit den Grundlagen der philistäischen Mythologie erscheinen. Es wäre dies ein neues Räthsel ohne die Mitbetheiligung, ja hauptsächliche Betheiligung der dem weitern, früher vereinigten, ägyptischen Wesen angehörigen Stämme.

Und haben wir nicht die Caphtorim und Casluhim bereits früher an der pelusischen Mündung gleichsam concentrirt gefunden, gehörte hierher nicht die herakleopolitische Dynastie? Wie nun, ist nicht gerade hier auch der militärische und religiöse Mittelpunkt der Hyksos zu suchen? Ausdrücklich wird Avaris[2]), jene 10,000 Aruren umfassende, mit Mauern stark befestigte Stadt, der Sitz des Hoplitenkernes ihrer Macht, zugleich das Gaza ihrer Habe, die Gränzfeste gegen alle östlichen Mächte, noch später die $\pi\varrho o\gamma ov\iota\kappa\dot{\eta}$ $\pi\alpha\tau\varrho\dot{\iota}\varsigma$ der Hyksos, in den Sethroitischen Nomos östlich von der Bubastitischen Mündung gesetzt, ausdrücklich wird sie ihrer Anlage nach als bereits vorhanden, genannt, mit einer uralten religiösen Sage ($\dot{\alpha}\pi\dot{o}$ $\tau\iota\nu o\varsigma$ $\dot{\alpha}\varrho\chi\alpha\dot{\iota}\alpha\varsigma$ [3]) $\vartheta\varepsilon o\lambda o\gamma\dot{\iota}\alpha\varsigma$ oder $\kappa\alpha\tau\dot{\alpha}$ $\tau\dot{\eta}\nu$ $\vartheta\varepsilon o\lambda o\gamma\dot{\iota}\alpha\nu$ $\ddot{\alpha}\nu\omega$ $\vartheta\varepsilon\nu$ [4])) verbunden, durch sie als typhonisch bezeichnet,

---

1) Ueber den ersten ägyptischen Götterkreis. Berlin, 1851. S. 48—56.

2) Dieser Name wird auch mit Recht jetzt in der Stelle des Apion: $\kappa\alpha\tau\dot{\varepsilon}\sigma\kappa\alpha\psi\varepsilon$ $\tau\dot{\eta}\nu$ $A\ddot{v}\alpha\varrho\iota\nu$ statt $M\alpha$-$\varrho\dot{\iota}\alpha\nu$ bei Tatian adv. Gr. c. 38 ed. Otto und bei Clemens Alex. Strom.

I, 21. p. 138 statt $'A\vartheta v\varrho\dot{\iota}\alpha\nu$ gelesen.

3) Jos. c. Ap. I, 16.

4) Jos. c. Ap. I, 26. Wir führen nur als Curiosum die von Saalschütz gegebene Erklärung bei; er übersetzt: es liegt die Stadt oberhalb Typhonis; diese Stadt ist

von dieser aus der Name Avaris abgeleitet. Alles dies passt allein auf Pelusium und seine Umgebung, besonders jenes nahgelegene Taphne, die spätere, fortwährende und einzige Gränzfestung, wie Lepsius[1]) ausführlicher nachweist. Vor Allem ist ja der Name des Typhon, der an Avaris haftet, der ägyptische Name der Landschaft selbst: des Nomos Sethroites, des Landes des Gränzwächters Seth. Sethron, (Σέϑρον wofür Salmasius Σεϑρόη lesen will), das einmal bei Stephanos von Byzanz genannte, ist sichtlich der später gemiedene, heilige Name derselben Stadt. Und Pelusium wird selbst in die Mitte der typhonischen Sagen gesetzt, der Πηλούσιος ist ein anderer Name für Παλαιστινός. Den gleichen Stamm für Pelusium und Pelescheth hoben wir oben hervor, nicht angefochten von der griechischen Ableitung von πηλός. Was den Namen Avaris (Αὔαρις) betrifft, so bin ich entschieden gegen die allerdings sehr scheinbare Erklärung von Ewald[2]), welche auch Lepsius gutheisst[3]), dass er mit den עִבְרִים, den Hebräern, zusammengehöre, theils wegen der allgemeinen Ansicht über die Hyksos, die mit diesen nichts zu thun haben, theils wegen der ausdrücklichen Angabe Manetho's, dass der Name herrühre ἀπό τινος ἀρχαίας ϑεολογίας. Jedenfalls ist dieser von einem Beinamen des Typhon herzuleiten.

Die langen, hartnäckigen Kämpfe des mit grosser, besonders auch religiöser Kraftsteigerung sich erhebenden oberägyptischen Stammes, die allmälige Zurückdrängung, auch aus dem Delta haben mannigfache, starke Auswanderungen an der Küste nach Ost und West und auf die See zur Folge gehabt, die in den griechischen Sagen vom

---

ihm Baal Zephon. Ist das κατὰ τὴν ϑεολογίαν eine Bezeichnung eines geographischen Compendiums? Vgl. Saalschütz, S. 64. 97.

1) Chronologie S. 340.
2) Gesch. d. Volk. Isr. I, S. 507.
3) Chronol. S. 341.

Danaos, Aegyptos u. s. w. den geschichtlichen, wenn auch sehr alterirten Hintergrund bilden. Der letzte, entscheidende Kampf ward aber um Avaris unter Misphragmuthoses und seinem Sohne Thuthmosis geführt, der als Amosis in den getrübten, vermischenden hellenistischen Nachrichten erscheint. Hier war die Hoplitenmasse versammelt, hier zugleich der Besitz gedrängt. Durch einen Vertrag werden die Hyksos endlich bewogen abzuziehen und zwar den Weg nach Syrien. Dies die constante Ueberlieferung. Hier in Syrien setzt die grosse Auswanderschaft sich fest. Während nun der interpolirte Manetho und die die Hyksos und Aussätzigen ganz vermischenden Autoren von Judäa und von Jerusalems Gründung sprechen, giebt der Perieget Polemon die kurze, aber treffende Notiz von jener μοῖρα τοῦ Αἰγυπτίων στρατοῦ[1]): οἳ ἐν τῇ Παλαιστίνῃ καλουμένῃ Συρίᾳ οὐ πόρρω Ἀραβίας κατῴκησαν. Julius Africanus fügt natürlich hinzu: οὗτοι δηλονότι οἱ μετὰ Μωυσέως, wir fassen dagegen die Palaistine Syria in dem oben dargelegten, bei Herodot und später geltenden Begriffe von dem Küstenlande zwischen der engern Phönike und dem Kasios auf, um so mehr, da die Nähe Arabiens markirt ist und Araber ja hier, wie Herodot weiss, an die Küste sich gedrängt hatten; wir begreifen nun wohl, wie Josephos[2]) diese Küste von Gaza nach Pelusium zum Wohnsitz ägyptischer Stämme und vor Allem der Phylistinoi machen konnte, die ihr den Namen gegeben. Wichtig für uns ist es aber, dass diese Auswanderer, die von Pelusium und aus der Kasiotis auszogen, dieser Kern der Hyksos, also der mit den benachbarten Arabern vielfach versetzten unterägyptischen Stämme, besonders der Caphtorim, dass sie als στρατός, als die Hoplitenmasse hier von ägyptischer Seite bezeichnet werden. Diese mili-

---

1) Muller, Frgm. hist. III, p. 119.   2) Ant. Jud. I, 6.

tärische Ordnung, diese Macht der Schwerbewaffneten ist es ja gerade, welche ein charakteristisches Merkmal in der Geschichte der in Kanaan auftretenden Philistäer bildet.

So glauben wir unsere an die Spitze gestellte Ansicht allseitig begründet, überhaupt den weiten, vielfach mühsamen Weg durch die ägyptische Geschichtsforschung nicht umsonst zurückgelegt zu haben. Es bliebe uns nur noch übrig, die Spuren dieser ägyptischen Heimath auch an den Philistäern der Pentapolis nachzuweisen. Die Darstellung der Geschichte vor und nach Alexander wird den Beweis für das lebendige Verwandtschaftsgefühl der Philistäer gegen Aegypten, für die an glänzenden Beispielen der Ausdrücke bewiesene Hinneigung ihrer Städte zu den spätern Pharaonendynastieen, sowie den Ptolemäern liefern, sowie die Entwickelung der Handelsbeziehungen dies nur bestätigen kann. Nur zwei Punkte, in denen vielleicht ein Gegengewicht gesucht werden könnte, seien hier näher berührt: die Sprache und das Fehlen der Sitte der Beschneidung.

Was die Sprache betrifft, so haben wir vor Allem zu bekennen, dass wir überhaupt nur etwa 14 sicher philistäische Wörter, darunter 12 Namen kennen und dass ferner die Sprache derselben auf dem Boden Kanaans, unter einer kananäischen oder derselben ganz verwandten Landbevölkerung nothwendig sich modificirte und eine Menge rein semitischer (d. h. im gewöhnlichen Sinne) Elemente in sich aufnahm zu den bereits in den unterägyptischen Dialekten viel stärker vorwaltenden, gemeinsamen Grundlagen. Aber jedenfalls haben wir eine eigenthümliche Stellung der philistäischen Sprache anzunehmen zwischen der hebräischen und ägyptischen; zusammenzuhalten wären wohl als näher stehend die Sprachreste der Amalekiter, der Idumäer, überhaupt der alten nordarabischen Stämme. Dass in der Zeit des babylonischen Exils die Sprache der Asdoditer, die mit Unrecht für die assyrischer Colonisten erklärt wird, sehr verschieden war von der hebräischen, geht klar aus der Klage bei Nehemia[1]) über den Einfluss asdodischer Mütter hervor, deren Kinder nur asdoditisch, nicht jüdisch verständen. Neben den leicht auch der Form nach aus dem Semitischen nachzuweisenden Worten wie הַלַּיְלָה‎, סַף‎, רָפָה‎, יַתַּאי‎, יִשְׁבִּי‎, אֲבִימֶלֶךְ‎, דָּגוֹן‎ erscheinen andere als eigenthümliche Nebenform oder mit ganz ägyptischer Endung, so סֶרֶן für שׂוֹר‎, so die auf at endenden Namen, wie Goliath, Achusath[2]), wie Gnubat der in Aegypten geborne Sohn des Idumäers Hadad heisst, endlich auch ganz ägyptische Worte, so der Philistäa zugehörige, von da verbreitete Name Μαιουμᾶς, Majuma für einen künstlichen Hafen aus μα, Plur. μαι (d. h. der Ort[3])) und ιαμ (das Meer[4])) zusammengesetzt. Auch den Königsnamen אָכִישׁ werden wir lieber mit dem ägyptischen ΑΧΗΣ, dem sechsten König der dritten Dynastie bei Manetho[5]) zusammenstellen, als dabei an Anchises denken mit Hitzig[6]). Genauere, vergleichende Studien der semitischen Dialekte und der ägyptischen werden andere, noch dunkle Formen, wie פּיכֹל[7]), wenn dies anders ein philistäischer Name ist, wie מָעוֹךְ[8]) erklären[9]).

Es ist eine sichere Thatsache, dass die Philistäer die Sitte der Beschneidung nicht hatten, weder in der Zeit der Richter, also ihrer politischen Blüthezeit[10]), noch später, also zur Zeit des Jeremias, während sie bei den Aegyptiern und Aethiopen, bei den südarabischen Stämmen,

---

1) 13, 23.
2) 1 Mos. 26, 26.
3) Parthey, Lexic. copt. p. 77.
4) a. a. O. p. 59.
5) Bunsen, Urkundenb. S. 12.
6) Urgeschichte S. 80.
7) Mos. 21, 22. 32.

8) 1 Sam. 27, 2.
9) Vergl. übrigens Hitzig, a. a. O. S. 53—85. Ewald, Geschichte I, S. 328. 332.
10) Richt. 14, 3. 15, 19. 1 Sam. 14, 6. 17, 26. 36. 18, 25. 27. 31, 4. 2 Sam. 1, 20. 3, 14.

wie den Homeriten, dann bei den zu den Hebräern im weiteren Sinne gehörigen Ammonitern, Moabitern und Idumäern [1], endlich auch bei den Phönikern eingeführt war, die Aegypter von andern Völkern geradezu hierin als ihr Vorbild betrachtet wurden [2]. Wir können hier nicht auf die noch streitige Ableitung der Sitte, die jedenfalls auf dem religiösen Begriff der Weihung und einer gesundheitlichen Rücksicht zugleich beruht, eingehen, ob sie vom kananäischen Molochdienst ausgegangen, wie Movers meint [3], oder von Aegypten umgekehrt, wie Bertheau nach Herodot [4], nur heben wir hervor, dass auch in Aegypten die strenge Sitte sich nur auf die Priester erstreckte, dass ebenfalls unter den kananäischen Stämmen z. B. die Chivväer ursprünglich unbeschnitten sind [5], dass später die Sidonier von Hesekiel unter den Unbeschnittenen genannt werden [6], dass zu Herodot's Zeit die mit den Griechen verkehrenden Phöniker die Sitte aufgegeben hatten. Es kann uns daher dies von den Juden immer stark hervorgehobene Fehlen der Beschneidung nicht gegen die ursprüngliche Zusammengehörigkeit der Philistäer mit den Aegyptiern ein Beweis sein, vielmehr uns ihre Unabhängigkeit, ihre religiöse Opposition gegen die im neuen Reiche so gesteigerte religiöse, alles Fremde als unrein und unheilig verabscheuende, priesterliche Strenge neu bestätigen. Auffallend ist es dagegen, dass Herodot [7] die $\Sigma \acute{v}\varrho o\iota\ o\acute{\iota}\ \acute{\varepsilon}\nu\ \tau\tilde{\eta}$ $\Pi\alpha\lambda\alpha\iota\sigma\tau\acute{\iota}\nu\eta$ neben den Phönikern als Beschnittene nannte, die auch selbst die Ableitung der Sitte aus Aegypten zugeständen, da er, wie der Verfolg weiter zeigen wird und

---

1) Jerem. 9, 24. 25.
2) Herod. II, 36. 37. 104. Vergl. dazu die ausführlichen Noten von Bähr und Zusätze S. 930.
3) Phönicier I, S. 60. 61.

4) Zur Gesch. Isr. S. 222.
5) 1 Mos. 34.
6) 32, 30.
7) II, 104.

7

auch der Gebrauch des Wortes Παλαιστίνη [1]) beweist, von
·ihnen die Küstenbewohner, die Philistäer, nur näher kannte
und besucht hatte und der Zusatz selbst zeigt, dass er dies
Bekenntniss von den Juden, die ihre Beschneidung als ein
besonderes, gleichsam göttliches Charakteristikum ihrer Berufung ansahen, nicht selbst gehört hatte. Aber allerdings war in seiner Zeit schon eine grosse Vermischung
der jüdischen und philistäischen Bevölkerung eingetreten
und aus der spätern Makkabäerzeit wissen wir ausdrücklich, dass die Juden die Idumäer und die unterworfenen
Städte zu dieser Sitte zwangen. Er fügte ja auch hinzu,
die mit den Griechen verkehrenden Phöniker beobachteten
diese Sitte nicht mehr und dies mochte er auch
Phöniker in Palästina, wie er die Philistäer an einer Stelle
nennt, beziehen.

2., Die Philistäer und Kreter, Karer und
Pelasger. Wir könuten nach den gewonnenen Resultaten sofort zu den Spuren der philistäischen Macht an dem
Küstenlande zwischen Aegypten und dem spätern Palästina,
auf die Zeit ihrer Einwanderung und Bildung der Pentapolis übergehen, wenn nicht hier uns eine, vielfach behandelte, in grossen Modificationen aufgestellte und wie ein
historisches Faktum in populäre Handbücher übergegan-
gene Combination hemmend in den Weg träte. Zwar ist
es kein erfreuliches und wahrhaft förderndes Geschäft,
wenn die einfachen Grundlagen einer Untersuchung gewonnen sind und auf diese basirt der Bau der einzigen Ansicht so fest und allseitig gesichert, als möglich, darüber
sich erhoben hat, nun noch nach allen Seiten auszuschauen
und jede widersprechende Ansicht einzeln zu zersetzen
aber wo es fast allgemein geltende, von Autoritäten ver-
tretene Ansichten gilt, sind wir es diesen wohl schuldig,

1) S. oben S. 58. 59.

in ihren Gedankengang möglichst einzugehen und dann springt vielleicht nach Beseitigung der einzelnen, nicht stichhaltigen Gründe doch ein allgemeineres, wohlbegründetes Verhältniss heraus, es eröffnet sich eine Aussicht in noch nicht betrachtete Gegenden, deren Anschauung auch dem eigenen Standort erst die rechte allseitige Begränzung gewährt.

Dies ist in ganz besonderem Grade für uns der Fall, indem wir uns nach den fast durchweg von der unsrigen abweichenden Ansichten über die Herkunft und Wanderungen der Philistäer umsehen. Ausgangspunkt für diese waren die Crethi, als Bezeichnung des Volkes und der Leibwache, ferner der Ausdruck אִי כַפְתּוֹר, meist als Insel Kaphtor verstanden, endlich späte griechische Nachrichten, dass Gaza einst Μινώα geheissen habe, und dass der dort verehrte Gott Μάρνα für den Ζεὺς Κρηταγενής gehalten werde. Wir müssen diese letztern Nachrichten, die nicht über Hadrian zurückgehen, dem Abschnitte über die späteren mythologischen Bildungen in hellenistischer Zeit, über die vielfach rein etymologischen Ausbreitungen des Namens Minos für syrische und arabische Namen von Städten und Personen zuweisen; für die Urgeschichte haben sie keine Bedeutung. Etwas anders steht es mit der ebenfalls hierher bezogenen Sage, welche Tacitus[1] erzählt, wonach die Judaei als ursprüngliche Idaei und Saturnusdiener in Kreta mit Vertreibung desselben, d. h. seines Dienstes durch den hellenischen Zeus, von der Insel weichen und die novissima Lybiae besetzen. Dass hier neben der reinen etymologischen Spielerei ein gewisser Kern zu Grunde liege, hat Müller in dem oft erwähnten Aufsatze über die Stelle des Tacitus[2] nachgewiesen; das Resultat wird sich für uns allerdings noch etwas anders stellen, als

---

[1] Hist. V, 2.   [2] S. 940—49.

für ihn. Nachdem die alte Identificirung von Kaphtor und Kappadokien zurückgetreten, nun auch zurückgewiesen war, hat man an drei Punkten vor Allem Kaphtor gesucht: in Kreta, in Kypros und in Pamphylien.

Die erste Ansicht ist die verbreitetste, von Lakemacher, Calmet zuerst aufgestellte, nur in sich selbst wieder modificirt: bald wandern die Philistäer aus dem Osten nach Aegypten, von Aegypten nach Kreta und von Kreta wieder zunächst an die Küste von Gaza bis Pelusium, so Movers[1]), so Müller[2]), bald fällt Aegypten als erstes Glied weg und es werden drei auf einander folgende Einwanderungen aus dem pelasgischen Kreta angenommen, so Hitzig[3]), bald endlich werden die Philister und Kreter mehr geschieden, als zwei grosse, doch auch über Kreta kommende, vielfach gemischte Stämme betrachtet, so Ewald[4]), bald endlich haben die Philister zwar immer in der spätern Heimath gewohnt, sind nur durch hinzukommende Kreter mehr aus dem Süden vertrieben worden, so Knobel. Die Zahl der im Allgemeinen der Hypothese Beistimmenden ist gross, so hat Raumer sie ohne Weiteres in sein Palästina[5]) aufgenommen. Dagegen hat Höck, der gründliche Forscher der Urgeschichte Kretas, sich nur sehr skeptisch über diese Annahme ausgesprochen[6]) und Quatremère[7]) erklärt sie für eine reine Hypothese. Zuvörderst steht als eine dem ganzen geschichtlichen Auftreten der semitischen, überhaupt asiatischen Stämme zuwiderlaufende Erscheinung eine so bedeutende Rückwanderung aus einem nach Westen weit vorgeschobenen Posten, wie Kreta, an die syrische Küste da, mögen wir an die Lyder,

1) Phönic. I, 2. S. 29.
2) a. a. O. S. 946.
3) Urgesch. B. II.
4) Gesch. Isr. I, S. 329.
5) S. 326.
6) Kreta II, S. 367.
7) Journal des sav. 1846. p. 265.

die Assyrer, die Phöniker vor Allem, auch an die Libyphöniker denken. Wohl ziehen die Phöniker sich aus dem
griechischen Archipel vor den Hellenen zurück, wenden
sich aber dann nach dem Westen, nach Sicilien, Sardinien, Spanien, wohl verlassen die Karer mit der Zeit die
Inseln, aber wenden sich dem nahen Festlande zu, dessen
Küsten sie höchstwahrscheinlich schon früher inne hatten
und amalgamiren sich hier mit dem fremden Stamme. Natürlich gewaltsame Versetzungen durch Despotenwillkür,
wie der Juden und Phöniker nach Babylonien, an den
persischen Meerbusen können nichts beweisen. Und zweitens bot die sandige, flache, hafenlose und von den gefährlichsten Stürmen heimgesuchte Küste zwischen dem Kasios und Gaza keine sichere Stätte zum Landen, zu dem
bei einer solchen Uebersiedelung natürlich sehr lebhaften
Seeverkehr dar und die künstlichen Hafen der Pentapolis,
in die spätere, grosse Auswanderungen einlaufen konnten,
gehören doch selbst einer noch spätern Zeit an. Und werden die Bewohner des hochgebirgigen Kreta so leicht zu
Hirten des Negeb geworden sein? Sehen wir uns drittens
die etymologischen Verbindungsglieder an, so erkennen die
besonnenen Forscher das Missliche und Schwankende derselben sehr wohl an. Hitzig[1]) sucht in folgender Weise
die Verbindung herzustellen: Die Insel Kypros, die bekanntlich bei den Semiten Kittim heisst, besass noch einen
zweiten semitischen Namen, כְּפֹר, daraus ward durch Ein-
schieben der litera servilis כַּפְתֹּר gebildet und auf die
nächstliegende, grosse Insel übertragen. Hier ist bereits
das Kephor eine durch kein Zeugniss bestätigte Annahme.
Wie lose hängt damit nun aber die Folgerung zusammen!
Kreta und Kypros sind bekanntlich noch in ihren nächsten
Spitzen um 6 Längengrade von einander entfernt und z. B.

---

1) S. 29—32

Rhodos liegt bedeutend näher. Ferner ist der merkantile
und religiöse Verkehr von Kypros und Kreta durch die
Phöniker, wenn sie auch einzelne, kleinere Hafenstätten
dort besassen, direkt nicht nachzuweisen, während z. B.
eine unmittelbare Uebertragung des Astartedienstes nach
Kythera stattfand. Und der Mythus der Europa ist den
Weg über die lykische Küste und Karien, nicht
über Kypros nach Kreta gegangen[1]). Und durch die Phöniker kam der Name doch erst an die Hebräer. Ebenso-
wenig kann die Zusammenstellung von Kaphtor und $Kv\delta\acute{\omega}v$
bei Ewald[2]) uns gefallen, besonders wenn er als Analogon
die ganz erschütterte Identität von Kasluhim und $K\acute{o}\lambda\chi\iota o\iota$ anführt. Auch die von Movers versuchte Nachweisung von
Kaphtor in Aptera entbehrt aller Wahrscheinlichkeit. Jedoch es soll der Name der Philistäer selbst in Städtenamen
dort noch erscheinen: vor Allem wird die von Strabo zwei-
mal genannte Stadt $\Phi\alpha\lambda\acute{\alpha}\sigma\alpha\varrho\nu\alpha$ an der allerwestlichsten
und zwar nordwestlichsten Spitze von Kreta am Hals des
Vorgebirges Korykos angeführt[3]), daneben die Namen $\Phi\acute{\alpha}$-
$\lambda\alpha\nu\nu\alpha$ und $\Phi\alpha\lambda\iota\nu\nu\alpha\acute{\iota}\alpha$. Zu jener mit falas und sar, sarnim
zusammengebrachten Form wollen wir nur erinnern, dass
die Endung auch sonst erscheint, so in $Ä\lambda\acute{\iota}\sigma\alpha\varrho\nu\alpha$ in Troas,
wo an die Philistäer wohl nicht gedacht wird, ja sehr leicht
könnte dieser Name mit jenem digammirten identisch sein[4]).

---

1) Movers, Phön. II, 2. S. 77
—83.
2) Gesch. d. Volks Isr. S. 331.
3) Strabo X, 4, 2. 13. Beide
Male liest Kramer, der neuste Her-
ausgeber, $\Phi\alpha\lambda\acute{\alpha}\sigma\alpha\varrho\nu\alpha$, nicht $\Phi\acute{\alpha}$-
$\lambda\alpha\varrho\nu\alpha$ und der Zusammenhang er-
giebt die nothwendige Identität; der
Wechsel von $\tau\acute{\alpha}$ und $\acute{\eta}$ bei Städtenamen, die auf α enden, ist später
ein sehr gewöhnlicher; ich erinnere
nur an $\tau\acute{\alpha}$ $\Gamma\acute{\alpha}\zeta\alpha\varrho\alpha$ und $\acute{\eta}$ $\Gamma\acute{\alpha}\zeta\alpha\varrho\alpha$.

Danach ist die Note bei Ewald (I,
S. 330) zu berichtigen. Polybios
(XXIII, 15) deklinirt $\Phi\alpha\lambda\acute{\alpha}\sigma\alpha\varrho\nu\alpha$
als Femininum und giebt zugleich
das wohl ausführlichste Bruchstück
aus der Geschichte der Stadt, woraus vor Allem hervorgeht, dass Pha-
lasarna den Kydonern gar nicht
gehörte, vielmehr ihnen feindselig
war.
4) Steph. Byz. s. h. v. nach
Theopompos.

Ferner ist es nicht wunderbar, dass die von Südosten kommenden Kaphtorim sich gerade an der nordwestlichsten Spitze niederlassen, dass jene von da ihren Weg nicht nach dem so nahen Kyrene einschlagen, sondern nach der entlegensten Ecke des östlichen Mittelmeeres, während die Phöniker sich in dem ihnen zunächst gelegenen Itanos oder im Hafen Phoinix auf der Südseite ansiedeln? Hitzig lässt allerdings auch die Bewohner Ostkreta's, die Eteokreter, nach Philistäa auswandern, aber hier hätte er auch die entsprechenden Namen suchen sollen.

Wenden wir uns zur zweiten Ansicht, so ist diese, in neuerer Zeit von Redslob [1]) vertreten worden: er hält Kaphtor für Kypros und jedenfalls unterstützt hier der griechische Name weit mehr diese Annahme, als jede andere Vergleichung; dazu kommt, dass ein uralter Verkehr zwischen Askalon und Kypros, eine Uebertragung des Uraniakultus von dort hierher nach Paphos von den Kypriern anerkannt war [2]). Und es wäre sehr wohl denkbar, dass neben dem bekanntlich auch in sehr allgemeiner Bedeutung gebrauchten Namen der Kittim [3]) noch ein speciellerer Name Kaphtor früher gebraucht war. Wenn aber Redslob jenen als phönikische Bezeichnung für das nördliche und östliche Kypros, diesen als philistäische für das südwestliche, weil von der Hafenstadt Jope ausgegangen, bezeichnen will, so hat er darin Unrecht, da bekanntlich Kittion, der Mittelpunkt der Kittier, auch der Südseite angehört, ausserdem Jope sowohl erst später in die Hände der Philistäer fiel, als immer der Verkehrshafen gerade der Tyrier mit Palästina war. Jedenfalls könnte für uns Kaphtor, wenn es überhaupt in Kypros nachgewiesen wäre, nur ein von der un-

---

1) Alttestamentl. Namen S. 15.
2) Her. I, 105.
3) Vergl. die ausführliche Darlegung des Gebrauchs dieses Na- mens und der Stellung der Kittier oder Chittäer bei Movers II, 2. S. 207—221.

terägyptischen Küste übertragener Name sein, da auch
Movers [1]) mit Recht einen der ältesten Bestandtheile der Bevölkerung von Kypros von dort ausgegangen annimmt.

Die dritte Ansicht ist bisher allein von Röth [2]) aufgestellt worden. Er zieht und allerdings mit Recht das Appellativum כַּפְתֹּרִים zur Vergleichung herbei, welches einmal als technischer Ausdruck zur Bezeichnung eines Capi-
telltheiles an dem grossen, goldenen Leuchter gebraucht
wird [3]). Er übersetzt es durch Granatapfel und schliesst
so weiter: nun bezeichnet σίδη im Griechischen den Granatapfel, folglich ist die äolische Kolonie Side in Pamphylien Kaphtor, folglich sind die Philistäer von Aegypten an
die Südküste Kleinasiens gewandert und von da zurück an
die Küste neben Aegypten. Nur Schade, dass כַּפְתֹּרִ gar
nicht den Granatapfel bedeutet, wofür die Hebräer das bekannte und als architektonischen Ausdruck bei der Säu-
lenbeschreibung auch gebrauchte Wort רִמּוֹן haben. Es
wird hingegen durch die LXX mit σφαιρωτήρ übersetzt,
welches einen rundgeschnittenen, den Fuss umbindenden
Riemen bezeichnet, von der Vulgata durch sphaerula. Und
die ganze Beschreibung zeigt deutlich, dass hiermit der
untere, mit Riemenwerk gleichsam umflochtene Theil des
Capitells bezeichnet ist, aus dem der in Lilien sich öffnende
κρατήρ erst erhob, wie an ägyptischen Säulen so häufig
zu sehen ist. Somit fällt die ganze, ohnehin sehr luftig
gebaute Hypothese zusammen. Aber Eines können wir uns
wohl aus ihr entnehmen: dass jenes Appellativum, das sonst
nicht weiter vorkommt, mit der ganzen Form aus Aegypten herübergenommen ist und dass hier zwischen der Bezeichnung des Küstenlandes und des σφαιρωτήρ vielleicht

---

1). Phön. II, 2. S. 204.

2) Gesch. der abendl. Philos. I,
Noten S. 12.

3) 2 Mos. 25, 31 ff. Vergl.

die entsprechende kürzere Angabe
1 Kön. 7, 49 und dazu Thenius,
Commentar. 1849. S. 123.

ein Zusammenhang stattfindet. So brauchen die Griechen
gerade häufig für dasselbe ταινία, z. B. Diodor[1]) nennt
gerade so die ganze ägyptische, dem Unerfahrenen kaum
sichtbare Küste von Aegypten, so Strabo[2]) die Strecke an
der kanobischen Mündung, so Diodor[3]) die Gegend am
Sirbonissee.

Haben wir so im Einzelnen alle derartigen Combinationen über weite Wanderungen der in der Pentapolis und
südlich sitzenden Philistäer abweisen müssen, weil uns
hierzu alle wirklichen Grundlagen fehlen, so können wir
nun fragen: liegen bei alledem nicht gewisse, ursprüngliche Völkerverhältnisse zu Grunde, die auch die Philistäer
zu den westlichen Stämmen an und auf dem Mittelmeer in
Verbindung setzen? Hier ist nun nicht zu leugnen, dass
neben den bestimmten, phönikischen Handelscolonieen
und Faktoreien in Kreta, Rhodos, Kythera, Thera, Melos,
Oliaros, Thasos und an manchen Punkten des Festlandes,
zum Theil vor denselben, zum Theil dann mit ihnen in
Verbindung getreten eine starke ungriechische Bevölkerung die grossen Inseln wie Kreta und Rhodos, das Küstenland Kleinasiens und hie und da auch Griechenlands,
wie im Karion bei Megara, in Epidauros bewohnt und zur
See geherrscht hat[4]). Die später auf das asiatische Festland beschränkten Karer bilden den eigentlichen Kernpunkt
dieser Bevölkerung, daneben treten die einst so seemächtigen Kreter oder Eteokreter, denen auch Ansiedelungen
am Festland, wie die Gründung der παλαιὰ Μίλητος unter
Sarpedon[5]), zugeschrieben werden, die geradezu die Karer
für einen von ihnen ausgegangenen Stamm erklärten; ferner die Solymer in Lykien mit ihrem Stammesheros

---

1) I, 31.
2) XVII, 1, 16.
3) II, 30.

4) Movers I, S. 25. II, 2. S.
246—57.
5) Her. I, 171. Diod. V, 80.

Sarpedon, den der Mythus als Sohn des Zeus und der
Europa aus Kreta kommen lässt. Wie aber später ausdrücklich von Herodot[1]) die Vermischung der ionischen Kolonisten mit den Karern in Asien bezeugt wird, so tritt in
jener frühsten Zeit an den griechischen Küsten und in
Asien eine Mischung mit der pelasgischen Bevölkerung ein
in den Lelegern, die Strabo treffend als σύνοικοι Καρῶν
bezeichnet und die daher eine Zwitterstellung zwischen Hellenen und Barbaren einnehmen. Es ist zwar nur auf dem
Wege genauster, vergleichender Sprachforschung über die
Reste der karischen und kretischen Sprache ein scharfes
Urtheil in Bezug auf ihre ganze ethnographische Stellung
zu erlangen, und zu einer solchen ist hier weder der Ort,
noch im Verfasser vielleicht der Beruf, aber das können
wir als eine von allen Seiten sich uns bestätigende Grundansicht hinstellen, dass die Karer und Kreter in ihren Wan-
derungssagen, in ihren religiösen Anschauungen, auch in
der ganzen Lebensweise sich vielmehr den unterägyptischen
und libyschen Stämmen nähern, als dem eigentlich kananäischen oder phönikischen, dass das Ende des Hyksoskam-
pfes in Aegypten eine sichtliche Verstärkung, Bewegung
in den verwandten Inselbewohnern hervorgerufen hat. Nach
Aegypten weist unmittelbar der unterweltliche Rhadamanthys (ra t. amente, Thor der Unterwelt), mit der Vertreibung des Saturn, des den kananäischen und unterägyptischen
Stämmen gemeinsamen Gottes El, aus Kreta bevölkern die Idaei
die novissima Libyae, hier jedenfalls die östlichsten Theile[2]),
mit Unterägypten und von dort aus beginnt die ganze Ge-
nealogie des Agenor, der Europa, dann des Danaos. Movers[3]) hat bereits vielseitig darauf hingewiesen, dass die
den karischen Stämmen besonders eigenthümlichen My-

---

1) I, 146.
2) Tac. Hist. V, 2.
3) Phönic. II, 2. S. 58—109.

thenkreise, wie der der Europa, immer jene Beziehung auf
Unterägypten, überhaupt den weitern südlichen Kreis der
Wohnsitze semitischer Stämme festhalten, mochte dann auch
Tyrus und Sidon gern bei sich in späterer Zeit sie lokali-
siren. Wir können hier im Voraus schon auf eine von
uns später darzulegende Ansicht hinweisen, die gleichsam
als Charakteristikum der unterägyptischen, daher auch philistäischen und libyschen, an vielen Punkten karischer Ansiedelungen hervortretenden religiösen Anschauung und
Dienstes die Ausbildung der Meeresgottheiten nach
ihrer männlichen und weiblichen Seite, meist in ihrer düstern, vernichtenden und unterweltlichen Gewalt voran-
stellt, während in den phönikischen Culten nur ganz vereinzelte Spuren dafür auftreten.

Aber wie? Haben wir bereits eine solche Verwandtschaft der Karer und Kreter mit den einst unterägyptischen,
nordlibyschen Stämmen, auch also mit dem für uns ziemlich fixirten Begriff der Philistäer anerkannt, sollen wir
nicht noch einen Schritt weiter gehen und nicht auch die
ganze griechische Urbevölkerung in dieses ver-
wandtschaftliche Band aufnehmen? Dies thun, verhehlen
wir uns das nicht, heisst, entweder jedes Band zwischen
der pelasgischen Vorzeit und der hellenischen Entwickelung
zerschneiden, hierbei die vielseitigsten Zeugnisse der Tradition des Glaubens, der ganzen bildenden Thätigkeit ignoriren, oder überhaupt das Hellenenthum aus seiner dem
Orient von vorn herein selbständig reagirenden Position
herausweisen, ihm eine freie, schöpferische Kraft im Gebiete des Wissens, Glaubens und Könnens absprechen.
Oder könnte umgekehrt etwa bewiesen werden, dass die
philistäischen Stämme nur ein Ausfluss des pelasgischen
sein, dass wir hier an uralte Colonieen aus dem Westen
in Syrien und der Nähe von Aegypten zu denken haben?
Wie ganz anders erscheint dann die ganze Entwickelung

Philistäa's, wie bildet die hellenistische Periode gleichsam
nur die nothwendige Blüthe des frühern Pelasgerthums!
Und in der That stehen alle diese Fälle nicht als leere
Möglichkeiten, als Spiele der eignen Phantasie vor uns,
sie haben Fleisch und Blut gewonnen in den Werken gelehrter, scharfsinniger Männer; sie machen vor Allem Anspruch von denen geprüft zu werden, die die Darstellung
der Wechselwirkung von Hellenenthum und Orient sich als
wissenschaftliche Aufgabe gestellt haben.

Movers nennt in seinem ersten Bande [1]) die Philistäer,
die er als südkananäischen, von den Sidoniern getrennten
Stamm betrachtet, einmal „diese Pelasger Kanaans", sichtlich nur vergleichsweise auf ihre Wanderungslust und Wan-
derschicksale anspielend. Hitzig und Röth, beide haben
aus dem Vergleich den vollsten Ernst gemacht und behaupten die Identität derselben, nach dem Vorgange älterer,
nicht eben in dem besten Rufe stehender Forscher, wie
Fourmont. Beide gehen von Sprachvergleichung aus und
kommen zu ganz entgegengesetzten Resultaten: für Hitzig
werden die Philistäer als Pelasger zu Indogermanen und
die Sprache jener ist eben die alte Muttersprache von Griechisch und Lateinisch, Röth macht dagegen die Urbevölkerung Griechenlands durchweg zu Semiten.

Sehen wir uns die Gründe Hitzig's [2]) etwas näher an,
die „die Sache so klar machen sollen, wie der Tag", so
ist es ein ethnographischer und eine Anzahl Sprachver-
gleichungen, die mythologische Deduktionen gleichsam ins
Schlepptau nehmen. Die Philistäer sind in mehrfachen Colonieen aus Kreta gekommen, sie sind die ächten Kreter,
Eteokreter; aber in der Urzeit haben auf Kreta Pelasger gewohnt, also sind Kreter und Philistäer Pelasger;
dies die Deduktion auf S. 37, dagegen muss Hitzig auf

---

1) Phönic. I, S. 17. 2) Urgesch. S. 56.

S. 54 zugeben, dass die Eteokreter eine barbarische Sprache sprachen, dass sie vielleicht kaum Pelasger sind,
nun, da haben sie sich wenigstens den kretischen Pelasgern
bei der Auswanderung angeschlossen und die Karer sind
Pelasger, die ächten Philistäer. Wir weisen hier nur einfach auf die vielen ausdrücklichen Zeugnisse hin, die die
Eteokreter ganz von den Pelasgern scheiden; so stellt Homer[1]) die Ἐτεόκρητες μεγαλήτορες und δῖοι Πελασγοί weit
von einander, so zählt Diodor[2]) fünf auf einander folgende
Bevölkerungen auf: zuerst die sogenannten Ἐτεόκρητες, die
als Autochthonen gelten, sowie bei Strabo[3]) auch die Kydonen, zweitens viel Geschlechter nach diesen die
vielfach wandernden Pelasger, dann Dorer und Achäer,
viertens ein Geschlecht barbarischer Mischlinge (μιγάδες
βάρβαροι), die mit der Zeit auch sprachlich mit den Hellenen verschmelzen (wie es scheint, Phöniker mit Karern
verbunden), endlich die dorischen Kolonieen aus Lakedämon
und Argos nach dem Heraklidenzuge. Und Herodot[4]) behauptet, dass in alter Zeit Kreta ganz von Barbaren
innegehabt wurde, dass in dieser Zeit zufolge des Streites der Brüder, des Minos und Sarpedon, der Söhne jener
unterägyptisch-phönikischen Europa, die Trennung des ly-
kischen oder vielmehr Termilen-Stammes von dem kretischen stattgefunden habe, er weist an einer andern
Stelle[5]) deutlich nach, wie zufolge jenes mythischen Zuges
des Minos nach Sikelien die ganze alte Bevölkerung fast
zu Grunde ging mit Ausnahme der Praisier und der Bewohner von Polichne, also mit Ausnahme des spätern Re-
stes der Eteokreter, deren Hauptstadt Praisos bekanntlich blieb, wie darauf in Kreta eine zweite Bevölkerung

---

1) Od. 19, 176., 77.   4) I, 173.
2) V, 80.   5) VII, 170.
3) X, 4. 6.

sich ansiedelte, andere Menschen und besonders Hellenen,
die aber in der troischen Zeit und nachher durch Hunger
und Peśt ganz geschwächt wurde, wie endlich dann die
jetzige Bevölkerung der *Κρῆτες*, d. h. der Dorer, aufgetreten sei. Die Vergleichung mit Diodor ergiebt deutlich die
Uebereinstimmung dreier grosser Epochen der Bevölkerung,
nur wird die mittlere, von Herodot allgemeiner, als zum
Theil h e l l e n i s c h bezeichnet, bei Diodor in drei kleinere
Abtheilungen der Pelasger, Achäer und *μιγάδες βάρβαροι*
zerspalten. Alles dies dient zum entschiedenen Beweise
gegen die selbst in sich schwankende Behauptung Hitzig's
über das Pelasgerthum der Kreter, ganz abgesehen von
der Unhaltbarkeit der ganzen Auswanderung aus Kreta
nach Philistäa.

Die Hauptstützen Hitzig's und wir können sagen, die
Axen gleichsam seiner ganzen Untersuchung bilden die
Etymologieen. Nun kann er aber zwar das Vorhandensein
einer Zahl semitischer Worte nicht läugnen, auch nicht
die in der Endung at auffallende Analogie mit dem Aegyptischen, aber dennoch ist ihm das Indogermanische der
Schlüssel zu dem ächt Philistäischen oder dem von ihm dafür Gehaltenen. Sehen wir uns ein Paar seiner scheinbar-
sten Ableitungen etwas an, dann auch einige der kühnsten.
Vorausschicken müssen wir freilich, dass er ohne Weiteres
die g r i e c h i s c h e n Umbildungen der Namen zu Grunde
legt, dass er das durchgehende Streben derselben, fremde
Namen den eigenen gleichlautend zu machen, durchaus nicht
berücksichtigt.

A s k a l o n (אַשְׁקְלוֹן) ist ihm das indische Participium
des Präsens in starker Form von sqal, wanken mit dem
a privativum, eigentlich asqalant, dann asqalan, daraus
ascalon; es bezeichnet „nicht wankend" und passt, wie er
meint, vortrefflich auf die hart am felsigen Meeresgestade
gelegene, vom Meer umbrauste Stadt. Später hat Hitzig

noch die entsprechende Stadt in Indien und zwar im S i n d
gefunden [1]), sie wird in arabischen Nachrichten Askaland
oder Askalandussa genannt, die letztere Form ist ihm eine .
gräcisirte. So sei der Name mit den Pelasgern von der
Induslandschaft über Babylon nach der syrischen Küste gewandert. Wir müssen dagegen einwenden, dass es uns
durchaus dem Wesen uralter Städtenamen widerspricht, sie
durch N e g a t i o n eines Begriffes bilden zu lassen und was
jene s i n d i s c h e Stadt betrifft, so möchte es wohl schwer
sein, ihr über Alexander den Grossen hinausgehendes Alter
zu beweisen, geschweige sie in die Urzeit zu versetzen,
vielmehr sind wir sehr geneigt, diesen gräcisirten Namen
als eine Umbildung aus dem Griechischen selbst, aus $'A\lambda\varepsilon$-
$\xi\acute{a}\nu\delta\varrho\varepsilon\iota\alpha$ zu betrachten. Wir sind zwar über die genauere
Lage der Stadt in der Landschaft Sind nicht unterrichtet,
aber es ist bekannt 1., dass Alexander im Indusdelta sehr
bedeutende, für den Handel berechnete Anlagen machte,
Städte, Stationen u. s. w. und dass das Andenken an ihn
noch später sich lange erhielt, 2., dass ein Alexandreia
von ihm unmittelbar oberhalb des Delta am Indus angelegt
ward, ferner dass unmittelbar an der Küste neben dem
Delta im Lande der Oriten ein Alexandreia von Hephästion,
ein zweites weiter westlich von Leonnatos gegründet ward [2]).
Dagegen kann Hitzig schwerlich die Behauptung, die Form
Aschkelon sei im Hebräischen aller Analogie bar, im Ernst
gemeint haben. Dass die Endung ך als Ableitungssilbe
von einem Verbum oder Nomen zur Bezeichnung der Eigenschaft, des Angefülltseins mit einem Gegenstande sehr
häufig in Eigennamen und Städtenamen erscheint, ist bekannt genug, wie Dagon, Madon, so Ekron allein unter

---

1) Zeitschr. der deutschen morgenl. Gesellschaft. Bd. II, S. 359:
Bericht des in Basel darüber gehaltenen Vortrags.

2) Droysen, Gesch. des Hellenismus. II, S. 627.

den wenigen philistäischen Namen; und daneben Städtenamen, wie Hebron, Helbon (jetzt Haleb), Aleppo), Hezron
neben Hazor, Gibbethon, Gibeon, Esdraelon. Wir können
wohl sagen, diese Endung wird zunächst der Gegend, der
Stätte gelten, daher auch ein Gebirge, der Libanon, so bezeichnet ward. Und dies passt ganz auf Askalon, wo die
Stätte des Heiligthums der Aphrodite Urania wahrscheinlich
eher benannt ward, als die später gegründete Stadt. Was
dann den Stamm des Wortes selbst betrifft, so können wir
für die Wurzel שׁקל einfach auf die Auseinandersetzung
von Gesenius über das א prostheticum [1]) hinweisen, müssen für die Bedeutung aber bekennen, dass die im Hebräischen gäng und gäbe des Wägens hier nicht genügt, dass
aber diese jedenfalls auf eine sinnlichere zurückzuführen
ist, welche bekanntlich noch in סָקַל erhalten ist und als
סֶקֶל Stein bedeuten würde [2]). Danach bezeichnet אַשְׁקְלוֹן
einen steinigen, felsigen Ort und wie trefflich dies
zu der Oertlichkeit selbst passt, erweist unsere geographische Einleitung zur Genüge. Der Wechsel des ס und שׁ
ist hier derselbe, welcher in אֶשְׁכֹּל und dem chaldäischen
סְגוּלָא, die Traube, ebenfalls bei dem א prostheticum stattfindet. Mit dieser Ableitung, von der es uns unbekannt
ist, ob sie von Andern bereits aufgestellt wurde, glauben
wir allen Anforderungen der Formenlehre und auch des
Sinnes genügt zu haben. Für unsere historische Ansicht
der Dinge ist sie ein weiterer Beleg für die Aufnahme älterer, von den vorgefundenen Bewohnern gebrauchter Bezeichnungen, aber nicht Grundlage zu irgend einer Hypothese.

Ferner wird Jabne (יַבְנֶה [3]) oder, wie es vielmehr in
der älteren Urkunde heisst, יַבְנְאֵל [4])), wozu im Stamm

---

1) Thesaur. l. hebr. t. I, p. 3.
2) Gesen., Thes. l. hebr. t. II.
p. 969.

3) 2 Chron. 26, 6.
4) Jos. 15, 11. 46.

Naphthali ein zweiter gleichnamiger Ort existirte[1]), nicht nach dem einfachen, allgemein angenommenen Wortlaut: „Gott baut es“, „Er baut es“ erklärt, es wird nicht als eine früher judäische, erst später unter König Usia philistäisch gewordene Stadt angesehen, wie die angeführten Stellen klar beweisen; nein — es ist eine pelasgische Ansiedelung, es heisst ursprünglich Ἰαμνία, Ἰάμνεια von ἰαμνοί, sumpfige Wiese. Hitzig hebt hier nicht hervor, dass die LXX es mit Ἰαβνήλ, Λεβνά, Γεμνά im Cod. Vat., Ἰεμναί, Ἰαμναί übersetzt, dass die gräcisirte Form nur in den Makkabäerbüchern und dann bei Strabo, Stephanos von Byzanz, überhaupt bei den spätern Griechen vorkommt, die natürlich die spätere hellenistische Stadt auch im Namen dem Hellenischen näher bringen wollten. Abgesehen nun von der geographischen Beschaffenheit des jetzigen Bodens bei Jamnia, der von sumpfigen Wiesen ganz entfernt ist, muss Hitzig annehmen, dass in der Zeit der Besitzesvertheilung unter den israelitischen Stämmen der pelasgische, in seinen Lauten abgeschliffene Name Ἰάμνεια hebraisirt, das m zu f verschärft, die tonlose Endsilbe zu einem אֵל geworden ist. So etymologisiren heisst wahrlich das Ding auf den Kopf stellen! Und gerade dieses Jahne ist die eine Hauptstütze des ganzen Pelasgerthums, eine andere die angeblich philistäische, nördlichste Stadt Akko, (עַכּוֹ, auf Münzen עַךְ, Ἀκχώ, Ἄκη oder nach der Neugründung Πτολεμαίς), welche Hitzig mit ἀγκών, Ancona in Verbindung bringt, da sie an dem einen Ende des durch den vorspringenden Karmel gebildeten Meerbusen liegt und ἀγκών allerdings die Biegung des Ufers bezeichnen kann. Nun aber beweist die einzige sichere Stelle, wo vor den Makkabäern Akko genannt wird[2]), dass es damals von Kananäern bewohnt war so gut wie Sidon, Achzib u. a.,

---

1) Jos. 19, 33.   2) Richt. 1, 31.

nicht von Philistäern. Der Name ist daher, selbst wenn
wir mit Hitzig noch eine nördliche, philistäische Pentapolis
annehmen wollten, ein schon vorhandener, von den Kananäern gegebener. Und die von Gesenius[1]) gegebene Ableitung von einer nur im Arabischen erhaltenen Wurzel,
wonach es erwärmten Sand bedeuten würde, hat allerdings
Sinn, da Strabo[2]) ausdrücklich sagt: μεταξὺ τῆς Ἄκης
καὶ Τύρου Θινώδης αἰγιαλός ἐστιν ὁ φέρων τὴν ὑαλῖτιν
ἄμμον, der bekanntlich für die Gewerbthätigkeit der Phöniker von der grössten Bedeutung war.

Wie weit man bei einer vorgefassten Ansicht sich ver-
irren kann, davon giebt eine von Hitzig[3]) aufgestellte Ableitung einen glänzenden Beweis. Der Bach Aegyptens
heisst jetzt bekanntlich Wadi el Arîsh, die klägliche Anlage an der Stelle des alten Rhinokorura ebenfalls Ku-
lat el-Arisch. Rhinokorura ist ihm der von den Arabern,
welche zu Herodot's Zeit[4]) diese Gegend besetzt hielten,
gegebene Name des Ortes, zunächst des Wadi und er erklärt ihn in Bezug auf die trübe, auf den Zustand des
Trinkenden wirkende Eigenschaft des Wassers. Ob dies
richtig oder nicht, können wir nicht entscheiden, jedenfalls
hat das Hinweisen auf eine arabische Wurzel seine volle
Berechtigung, noch mehr die Abweisung der traditionell
noch so oft angenommenen griechischen Etymologie von
ῥῖνας κολούειν und dem daran sich schliessenden Mährchen,
wo bald König Aktisanes, der Aethiope, bald ein rex Per-
sarum figurirt[5]). Wir fügen nur noch zwei analoge Bildungen hinzu von Städtenamen, die dem Bereiche der Libya im engern Sinne, also der unterägyptischen Stämme
auch angehören, nämlich Χέρρουρα zu Χερρόνησος dann um-

---

1) Thesaur. l. hebr. II, p. 1020.   4) III, 5.
2) XVI, 2, 25.   5) Diod. I, 60. Seneca, De ira
3) Urgesch. S. 109 ff.   3, 20.

gestaltet als fünfte Stadt Libyens genannt von Alexander
Polyhistor in seinen Libycis[1]), ferner *Κερκέσουρα* in der
Libya, auf der linken Seite des Nil, Heliopolis gegenüber,
πόλις κατὰ τὰς Εὐδόξου σκοπὰς κειμένη[2]). Jedenfalls ist
der zweite Theil dieser drei Städtenamen derselbe und die
Wurzel im Aegyptischen zu suchen. Jedoch Hitzig ist
mit Rhinokurura, als ursprünglichem, philistäischem Namen
nicht zufrieden, nein, er sucht einen andern und findet in
dem mittelalterlichen Namen el Arish, den die Pilger wohl
in ihren Reisebüchern als Larisch, Laris angeben, auf einmal das uralte L a r i s s a. Plötzlich wird der weite, kalkige,
nur in der Winterzeit oder nach Regengüssen wasser-
reiche Wadi zur fruchtbaren, fetten Niederung und Pelasger
bauen hier ihr kyklopisches Larissa! Und dieser Name,
treu bewahrt im Munde der bekanntlich von Süden herauf-
gedrängten, arabischen Stämme des Mittelalters war in der
Griechenzeit so total verschwunden, dass diese, die überall
Anknüpfungspunkte suchten, für eigene Namen, die das
s y r i s c h e Sizara zu einem Larissa umgestalteten[3]), die
im nördlichen A r a b i e n ihr Arethusa, Larissa, Chalkis
gegründet hatten[4]), hier nichts der Art fanden! Ich erinnere nur beiläufig, dass dies nicht das einzige el Arish ist,
sondern dass an dem Westende Nordafrikas ein el Arîsh,
Larisch, Larasch von den Europäern genannt, existirt und
zwar ein el Arish beni Arôs d. h. ein Weinland der Söhne
Arôs, zufolge der einst grossen, an der Nordküste Afrika's
blühenden und auch in der Gegend südlich von Gaza bei
den nordarabischen Stämmen, wie früher den Amalekitern, noch tief in das Mittelalter hinein getriebenen Wein-
kultur[5]).

---

1) Steph. Byz. s. v. *Χερρόνησος*.
Muller, Frgm. hist. t. III, p. 239.

2) Strabo XVII, 1, 30.

3) Steph. Byz. s. v. *Λάρισσα*.

4) Plin. VI, 28.

5) Barth, Wanderungen am
Mittelmeer. Thl. I, S. 20.

Somit fällt die ganze pelasgische, d. h. urgriechische Abstammung der Philistäer in ein Nichts zusammen, von der übrigens Hitzig keine Spur in der historischen Entwickelung des Volkes zu finden weiss, ausgenommen etwa, dass ihm die im sechsten Jahrhundert von den Aehten des Klosters am Sinai verstandene Bessa- oder Bestasprache, von der wir nur diesen corrumpirten Namen kennen, an die pelasgische erinnert[1]). Gerade die ganzen Consequenzen mussten aus der Grundansicht gezogen werden auf das ganze Leben, Staat, Religion, Kunst, wenn diese selbst irgend mehr, als ein scharfsinniges Wortspiel bleiben sollte.

Glauben wir so das Pelasgerthum der Philistäer genügend beseitigt zu haben, so bleibt uns noch das Philistäerthum der Pelasger stehen, die Ansicht Röth's, welche uns zwar für unsere specielle Aufgabe weniger genirt, um so wichtiger aber für die ganze Auffassung des Verhältnisses von Orient und Hellas ist. Es handelt sich in der That darum, die Pelasger, diese Urbevölkerung von ganz Griechenland[2]), auf die vor allem der ionische Stamm sowie der äolische sich zurückführte[3]), deren Umwandlung in Hellenen zunächst nach Attika gesetzt ward[4]), zu einem von Aegypten ausgehenden, von dort Religion und Cultur mitbringenden, kananäischen Volke umzustempeln. Die allgemeine Ansicht von dem Barbarenthum der Pelasger ist zwar durchaus nicht neu, sie tritt bereits im Alterthum hie und da auf, aber wie man z. B. aus der Stelle des Scholiasten zum Apollonios Rhodios[5]) im Verhältniss zu der Stelle des Hekataios bei Strabo[6]) und zu

---

1) Itinerar. Anton. Mart. c. 38. Vergl. dazu Ritter, Erdkunde Thl. 14, S. 29. 30, welcher die Reise um 600 setzt.
2) Herod. II, 56. VIII, 44.
3) Her. I, 56. VII, 94. 95.
4) Her. II, 51.
5) I, 580.
6) VII, 7, 1.

Herodot[1]) sieht, beruht sie von vorn herein auf einer Mischung einer ethnographischen und einer kulturgeschichtlichen Ansicht, die zuerst neben einander hergehen.

Es kann uns hier nicht in den Sinn kommen, diese Frage irgendwie umfassend behandeln zu wollen, wir verweisen zunächst einfach auf die Staatsalterthümer von K. Fr. Hermann[2]) und die dort angeführte, zahlreiche Literatur; es handelt sich nur um die bestimmten Gründe, welche Röth für seine aufgestellte Ansicht vorbringt, die allerdings bei dem der Sache selbst nicht genau auf den Grund sehenden Publikum viel Anklang gefunden hat. Wir müssen sagen, sie sind um nichts schlagender als die gegentheiligen, von Hitzig uns dargelegten. Die angeblich ganz phönikischen Ueberreste der pelasgischen Sprache, die Röth[3]) anführt, lassen wir auf sich beruhen; ehe wirklich kritisch und umfassend die erwiesen pelasgischen Sprachreste, besonders die Namen gesammelt und geordnet sind, bleiben derartige Versuche vergeblich und in der That ist uns keine treffende Ableitung begegnet. Aber drei Stellen sind es besonders, auf welche der Verfasser sich stützt. Sehen wir diese uns etwas näher an.

Allerdings spricht Cornelius Nepos[4]), wo er die Einnahme der Insel Lemnos durch Miltiades erwähnt, von Cares qui tum Lemnum incolebant und durch Miltiades zur Auswanderung veranlasst wurden, während Herodot[5]) ausführlich die Geschichte der zuerst in Attika als σύνοικοι der Athener wohnenden tyrrhenischen Pelasger erzählt, die dann nach Lemnos auswanderten und an Athen sich durch einen Weiberraub rächten. Von vorn herein können wir die kurze Notiz der an historischen Unge-

---

1) I, 58.
2) Kap. I, § 7. 8.
3) Forsch. I, S. 11.

4) Milt. c. 2.
5) VI, 137—141.

nauigkeiten so überaus reichen, biographischen Compilation
des Cornelius Nepos nicht als vollgültiges Zeugniss für
eine ethnographische Hauptfrage in die Wagschale legen.
Zweitens hat sichtlich in Lemnos eine Mischung verschiedener Ansiedelungen pelasgischer und phönikischer, wie religiöser Vorstellungen stattgefunden, wie dies an der lem-
nischen Artemis und dem Hephaistos Movers nachweist[1]).
Endlich haben wir es bei Herodot n u r mit den t y r r h e -
n i s c h e n Pelasgern zu thun, deren besondere Stellung und
Wanderungen in der historischen Zeit ganz zu scheiden
sind von den Pelasgern als Urbevölkerung; bei diesen können wir allerdings, bei ihrem Wohnsitze in Böotien vielleicht schon ein Verhältniss, eine Vermischung mit einer
semitischen Ansiedelung annehmen. Die Sprache dieser
tyrrhenischen Pelasger, wie sie sich noch am Hellespont,
zu Kreston in Italien erhalten hatten bis in die Zeit des
Herodot, ist es auch noch allein, welche Herodot kennt;
diese waren damals $\beta\acute{\alpha}\varrho\beta\alpha\varrho o\nu \; \gamma\lambda\tilde{\omega}\sigma\sigma\alpha\nu \; \acute{\iota}\acute{\epsilon}\nu\tau\varepsilon\varsigma$ und daraus
schliesst Herodot[2]) mit einem „es scheint" ($\delta o\varkappa\acute{\epsilon}\epsilon\iota$) auf das
$\Pi\epsilon\lambda\alpha\sigma\gamma\iota\varkappa\grave{o}\nu \; \acute{\epsilon}\vartheta\nu o\varsigma \; \acute{\epsilon}\grave{o}\nu \; \beta\alpha\varrho\beta\alpha\varrho\iota\varkappa\acute{o}\nu$. Herodot findet zwar diese
Sprache fremd, ungriechisch, aber keinesfalls k a r i s c h;
denn er selbst, in einer karischen Stadt geboren, mit den
Karern sehr wohl bekannt, hätte diese Aehnlichkeit jedenfalls hervorgehoben. Und neben diese, von Röth als zweiten Hauptbeweis angeführte Stelle haben wir eine andere
von Herodot zu stellen, die die Pelasger als griechische
Urbevölkerung betrifft[3]) : hier spricht er von der Tradition
ägyptischer Götternamen nach Griechenland, nimmt eine
Anzahl von Namen aus, die den Pelasgern eigenthümlich
seien, sowie er die samothrakischen Mysterien als pelasgisch
hinstellt; da befragen die Pelasger das Orakel des Z e u s

---

1) Phönicier II, 2. S. 105. 282.   3) II, 50 ff.
2) I, 57. 58.

zu Dodona, das älteste ἐν Ἕλλησι, aber zugleich als ächt
pelasgisch von Homer schon bezeichnet, ob sie aufnehmen
sollen τὰ οὐνόματα τὰ ἀπὸ τῶν βαρβάρων ἥκοντα;
von den Pelasgern empfangen dann die Hellenen die Götter. Hier werden klar Pelasger und Barbaren sich
gegenübergestellt, hier fühlen die Pelasger nicht im Entferntesten sich verwandt mit den aus Aegypten auswan-
dernden, Götterkult mitbringenden Stämmen, also mit den
Philistäern, denn von diesen kann überhaupt nur die Rede
sein, wenn von einem Einfluss ägyptischer Culte und Colonieen auf Griechenland gesprochen wird.

Röth führt endlich als dritten Hauptbeweis die Stelle
des Strabo an[1]), in welcher dieser bei der Angabe der
illyrischen und andern den nördlichen Theil der Balkanhalb-
insel bewohnenden Völker von dem südlichen Theil als zer-
fallend in Hellas und ἡ προσεχὴς βάρβαρος d. h. hier vor
Allem Epirus spricht; weiter gehend als Hekataios, der den
Peloponnes als vor den Hellenen von Barbaren bewohnt
genannt hatte, meinte er, wenn man aus alle dem, was
erzählt werde, schliessen wolle, so ziemlich sei wohl ganz
Hellas (σχεδὸν δέ τι καὶ ἡ σύμπασα Ἑλλάς) eine Wohnung von Barbaren (κατοικία βαρβάρων) gewesen und
führt als Beweis die verschiedenen Kolonisten, wie Danaos, Kâdmos, Pelops, den Thraker Tereus an, dann eine
Anzahl Stämme, darunter die Pelasger, neben Kaukonen,
Dryopern, Lelegern, endlich einige Namen an, die τὸ
βάρβαρον zeigen sollen. Er wendet sich dann zu den
Stämmen und verweist in Bezug auf die Pelasger auf seine
frühere Behandlung bei Gelegenheit der Tyrrhener[2]): hier
aber werden sie nirgends als Barbaren bezeichnet, nur
als ἀρχαῖον τι φῦλον, was über ganz Hellas sich ausgebreitet habe und es folgen dann die Beweisstellen für ihre

---

1) VII, 7, 1.   2) V, 2, 3 ff.

alten Sitze in Arkadien, Argos, Thessalien, Lemnos, Imbros. Auch viele epeirotische Stämme wurden für pelasgische gehalten, dies knüpft an das Obige an und erklärt zugleich die Zurechnung zu den Barbaren, da man in der Zeit der attischen Blüthe auf den Zustand der Aetoler, Lokrer, Akarnanen, Epeiroten als einen fremdartigen, fast barbarischen herabsah, obgleich dies nur der alte, einst von allen Griechen getheilte Urzustand war, wie Thukydides[1]) trefflich nachweist. — Von einer Identität, ja von einer Verschmelzung der Pelasger mit den Karern spricht Strabo durchaus nicht, dagegen hebt er als Beweis für das Barbarenthum der Leleger hervor, dass sie von Einigen für gleich mit den Karern, von allen übrigen als σύνοικοι und συστρατιῶται derselben betrachtet wurden. Das Letzte war allein das Thatsächliche, auch von Strabo Adoptirte und allerdings werden wir in den meist an den Küsten verstreuten, seeverkehrenden Lelegern eine Mischung des urgriechischen Stammes mit den Karern, ächten Barbaren, nicht verkennen können, durchaus nicht einen zweiten, rein griechischen Urstamm, wie es Knobel[2]) auffasst, dessen Ansicht gleichsam zwischen der Hitzigschen und Röthschen in der Mitte steht, indem sie die Karer und Leleger als urgriechischen Stamm identificirt, dagegen scharf Philistäer und Karer trennt.

Wir kehren von dieser längern Abschweifung zu den Kretern, Karern, Pelasgern zurück in die Stätte der ersten philistäischen Ansiedelung auf der Küste zwischen Gaza und Pelusium in der Hoffnung, nicht ganz umsonst uns unter den jetzigen Ansichten über diese Völkerverhältnisse umgesehen und weitere, umfassendere Grundlagen für die Geschichte der Philistäer gewonnen zu haben. Wenn irgendwo, so ist es gerade in der Urgeschichte nothwendig,

---

1) I, 5.   2) Völkertafel S. 225.

ethnographische Vergleichungen zu fixiren, um dann in dem
Verfolg besonders der innern, religiösen und Culturent-
wickelung nicht in die Gefahr der willkürlichsten, kleinli-
chen Combinationen zu gerathen oder auf der andern Seite
auf jede Licht und Einsicht schaffende Combination verzichten zu müssen. Es bleiben jetzt als die zwei letzten
Hauptpunkte der Urgeschichte nur noch zu behandeln: 1.,
welche Spuren der geschichtlichen Bedeutung der Philistäer
finden sich während ihrer Concentration auf dem genannten
Küstenland und dem dahinter liegenden Weideland? und 2.,
wann haben wir die Einwanderung in die Sephela und die
Bildung der philistäischen Pentapolis zu setzen? Hierbei
kommt es natürlich nicht sowohl auf bestimmte Jahreszahlen an, als auf das Verhältniss des Früher oder Später zu
den Thatsachen in der Geschichte benachbarter Völker, hier
besonders der Israeliten.

Zwar können wir weder die genaue Zahl der festen
Niederlassungen jener als Philistäer aus der Gränzfeste
Aegyptens ausgezogenen Heermassen bestimmen, noch sie
alle einzeln nachweisen, aber dass sie solche hier gegründet oder neu verstärkt haben, dafür sprechen entschiedene
Zeugnisse, dafür die ganze militärische und politische Verfassung, wie sie in der langen Herrschaft über Aegypten
sich consolidirt hatte. Während Pelusium, ihre frühere
Metropole, nun von den diospolitischen Herrschern, besonders dem Sesoosis Diodor's zu dem einen und zwar stärk-
sten Endpunkte der Befestigungen gegen Osten hin umgewandelt wird und von da an fortwährend eine starke Militärmacht sich dort und in der Nähe befindet, erstreckten
sich die Niederlassungen der Philistäer bis diesseit des
Kasios, der von Herodot[1]) auch als noch von den Syrern
innegehabt bezeichnet wird. Ob hier in jener Zeit bereits

---

1) III, 5.

eine städtische Anlage sich befand, dafür fehlen uns alle
bestimmten Angaben, sowie für das Vorhandensein eines
uralten Tempels des Zeus Kasios, wenngleich eine heilige Verehrung an diese Bergspitze, wie an fast alle in
die See hervortretenden Berge der syrischen Küste sich
knüpfen mochte und dieser Punkt, als der letzte mit Wasser versehene an der Gränze einer nach Herodot drei Tagereisen langen Wüstenstrecke bei dem lebendigen Verkehr
dieser Strasse sehr frühzeitig ein wichtiger Stationsort werden musste, um so mehr, als auch nach Süden von hier der
kürzeste, zu Herodot's Zeit [1]) wohl bekannte und ausge-
messene Weg zum arabischen Meere führte. Eine sichere
und nicht unbedeutende Gründung der Philistäer ist jedenfalls Rhinokorura. Dafür spricht theils die durch die
Naturverhältnisse gegebene Wichtigkeit des Platzes, der
als Bach Aegyptens in den ältesten geschichtlichen Urkunden [2]) wohl gekannt war, theils der Name, dessen Analogieen wir oben nachgewiesen haben, theils endlich der
historische Kern, welcher der freilich sehr durch griechische
Deutelei entstellten Erzählung von dem Aethiopenkönig Aktisanes bei Diodor [3]) zu Grunde liegt. Nach der letzteren
besteht die Gründung der Stadt in einer gewaltsamen Verpflanzung aller Räuber oder Uebelthäter aus ganz Aegypten
an diesen Ort, welche mit verstümmelten Nasen sich schämen in die Heimath zurückzukehren und durch die Noth
zu der Einrichtung eines noch später getriebenen, grossartigen Wachtelfangs bewogen werden. Wer erkennt hier
nicht sogleich eine Stätte der von den spätern Aegyptern
gehassten, vertriebenen Hyksos? Dann verdanken den Philistäern die später erst von den Arabern eingenommenen
Emporien zwischen Rhinokorura und Gaza, darunter jedenfalls Raphia ihre erste Gründung oder doch ihre wachsende

1) Herod. II, 158.   3) I, 60. Vergl. Strabo XVI,
2) z. B. Jos. 15, 47.   2, 31.

Bedeutung. Aber nicht allein die Küstenpunkte, sondern auch das Weideland der tief einschneidenden Wadis, der eigentliche Negeb erscheint früh im Besitz der Philistäer, ja hier begegnet uns zuerst ein kleines Königthum, umgehen von Freunden des Königs mit militärischen Führern und in freundlichem, wohlwollendem Verkehr gegen die nomadisirenden Hebräer, mit dem sie auf gemeinsamem, religiösem Boden der Elohim stehen. Wir besitzen bekanntlich noch die zwei auffallend ähnlichen Berichte über den Aufenthalt Abraham's sowie Isaak's in Gerar bei dem Könige Abimelech[1]: eine genauere Vergleichung zeigt das Gemeinsame, aber auch das Unterscheidende in der jedenfalls jüngern, gleichsam mit Rücksicht auf den ersten Bericht geschriebenen Erzählung von Isaak. Dort wird Gerar nicht als philistäisches Königthum, noch Abimelech als König derselben hingestellt, sondern nur zweimal[2] wird von einem Rückkehren und Bleiben בְּאֶרֶץ פְּלִשְׁתִּים des Königs Abimelech, welcher zu Abraham nach Beersaba hinaufgezogen war, gesprochen, hier dagegen wird[3] Abimelech als Philisterkönig bezeichnet, die Leute des Königs werden die Pelischtim genannt[4]. Sichtlich waltet hier eine lebendigere Vorstellung eines philistäischen Königsitzes zu Gerar vor, während dort von einem Namen des Landes, welchen dieser bereits bei der Rückkehr der Juden nach Kanaan schon ein Paar Jahrhunderte führte, der daher auch unmittelbar in die Zeit der Patriarchen mit hinübergenommen ward, es sich handelt. Für einen philistäischen Stamm spricht freilich der Name des Achusath, sowie die Erwähnung eines militärischen Befehlshabers. Und folgen wir der chronologischen Aufstellung von Lepsius[5],

---

1) 1 Mos. 20, 1. 26.
2) 21, 32. 34.
3) 26, 1. 8.

4) 26, 14. 15. 18.
5) Chronologie. S. 380 ff., bes. 388.

welcher die Geschlechtsregister als sichere, historische
Grundlágen nimmt, dagegen die Zahlen als künstliche, auf
ein gewisses System gebaute ansieht, so fällt überhaupt
Abraham erst in die Zeit der achtzehnten ägyptischen Dynastie, sein Aufenthalt in Aegypten findet erst nach gänzlicher Vertreibung der Hyksos statt um das Jahr 1610—20,
dann ist ein philistäisches Königthum in Gerar auch
nach unsern Deduktionen ganz natürlich. Jedoch wir müssen gegen diese so starke Verkürzung sowohl des Aufenthalts in Aegypten, den er auf 90 Jahre anschlägt, als
der Patriarchenzeit noch manchen Zweifel behalten, wenn
wir gleich seine Gründe für eine Anwesenheit der Juden
nur unter den Anfängen des neuen Reiches, nicht noch
unter der Hyksoszeit für sehr gewichtige halten und ihm
auch hierin zustimmen. Jedenfalls haben wir daher dieses
Königreich zu Gerar für das eines den Hyksos zugehörigen, ihnen verwandten Stammes zu halten, wenn auch
nicht für eine Gründung jener als Pelischtim ausgezogenen
militärischen Kernmasse, deren Charakter von vorn herein ein mehr kriegerisch gefärbter ist.

Wichtig für uns sind die entschiedenen Beweise der
philistäischen Macht in dem Zwischenlande Aegyptens und
Palästina's bei dem Auszuge der Israeliten. Sie
bildet nämlich das ausgesprochene Hinderniss der Juden, die
grosse Heerstrasse an der Küste hin nach Kanaan zu ziehen[1]. Hieraus erhellt theils die keineswegs freundliche
Stellung der Philistäer und Juden in jener Zeit, was also
jener verbreiteten Ansicht ganz widerspricht, dass die Juden unter den Hyksos nach Aegypten gekommen und hier
einer angenehmen, fast bevorzugten Stellung genossen hätten, dass dagegen die einheimische Pharaonendynastie ihnen
gleichsam als Rest der Hyksos feindselig geworden sei;

---

1) 2 Mos. 13, 17.

theils geht eine Concentration der Philistäer gerade hier in der Nähe Aegyptens daraus hervor. Dass die Nachricht von dem Untergange des Pharaonenheeres im rothen Meere Theilnahme und Erstaunen bei ihnen weckte, zeigt sowohl ein Vers des grossen, sehr frühzeitig bei dem Feste zu Silo gesungenen Paschahliedes[1]), als der Ausspruch der philistäischen Priester selbst, die an diese Thatsache eine Warnung vor der Macht Jehovah's knüpften[2]).

Wann haben die Philistäer aber ihre mächtige Pentapolis, die fünf Städte: Gaza, Askalon, Asdod, Ekron und Gath mit dem dazu gehörigen Gebiete besetzt? Waren sie bereits im Besitze derselben, als die Israeliten, bei Gilgal über den Jordan kommend, unter Josua den siegreichen Kampf mit den Kananäern begannen und rasch aller Macht und Waffenkunst, aller festen Städte ihrer Feinde ungeachtet ziemlich den Umfang ihres nachherigen Besitzes einnahmen, wenngleich der bedeutenden Inseln von kananäischer Macht und Kultur noch sehr viel in diesem Bereiche blieben? In Zahlen umgesetzt fragen wir also, waren sie im Jahr 1451, nach der bisherigen chronologischen Feststellung[3]), 1409 nach Movers, der den Tempelbau Salamo's 969 setzt und allerdings mit triftigen Gründen[4]), oder c. 1300 nach Lepsius[5]) Herren ihres späteren Landes? Die Ansichten der Neueren sind auch hierüber sehr getheilt: während Bertheau die Ansiedelung der Philistäer zur Zeit von Moses als gesichert ansieht, auch Hitzig[6]) die Bildung seiner zweiten Pentapolis zufolge einer neuen pelasgischen Kolonie vor Moses setzt, lässt Ewald in der ersten Auflage[7]) jene fünf Städte vom

---

1) 2 Mos. 15, 14.
2) 1 Sam. 6, 6.
3) Baur, Tafeln der Geschichte des israelitischen Volkes.
4) Phönicier II, 1. S. 141 ff.

5) Zur Geschichte des isr. V. S. 196.
6) Urgesch. S. 150.
7) Gesch. des V. Isr. I, S. 258 ff.

Stamme Juda erobern und zwar den Ureinwohnern, also
den Avvim, Enakim, sowie den Kananäern wegnehmen,
dann aber in der ersten Hälfte der Richterzeit an die aus
Kreta kommenden Philistäer verloren gehen, in der neuen
Auflage hat er aber seine Ansicht dahin modificirt, dass
allerdings ältere Philistäer bereits da wohnen, untergeben
den Kananäern, eine Zeitlang unterjocht von .den Juden,
dann aber durch eine zweite Wanderung aus Kreta verstärkt und sich freimachend. Movers[1] hatte bereits vor
Ewald[2] die nachmosaische Einwanderung nachzuweisen
versucht und hält sie auch in seinem grossen Werke fest.
Knobel[3] sucht, ähnlich wie Ewald, aber seiner Grundansicht gemäss eine Vermittelung, indem er in der Zeit
zwischen den Patriarchen und Moses die vier nördlichen
Städte durch Philistäer besetzen lässt, dagegen die Einwanderung seiner Caphtorim oder Kreter nach Gaza und die
südlicher gelegenen Theile in die Richterperiode verlegt.

Sehen wir die zu Grunde liegenden Stellen etwas genauer an und suchen wir die wirklichen oder scheinbaren
Widersprüche zuerst zu bezeichnen, dann zu heben. Wir
haben hier drei Klassen von Stellen gleichsam zu scheiden:
1., solche, in denen eine Uebersicht des idealen, ver-
heissenen Besitzes des Volkes Israel gegeben ist, 2.,
solche, die uns von den Kämpfen Josua's, von den wirklich unterworfenen Städten, Völkern und Königen berichten und 3., solche, in denen die dem Volke Israel übrig-
gebliebenen, mächtigen Feinde, die Aufgabe für ihre folgende Geschichte gleichsam, aufgezählt sind; unter dieser
letzten Rubrik kommt allein der Name der Philistäer
vor als einer compakten, politisch gegliederten Volksmasse.

---

1) Zeitschr. f. Philos. und ka-
thol. Theol. 1836. Hft. 18. S. 123
—127.

2) Phönic. II, 1. S. 316.
3) Völkertafel S. 218. 223.

Der ideale, Abraham verheissene Besitz seiner Nachkommen erstreckte sich nach Südwest bis zum Bache Aegyptens und umfasste also die philistäische Meeresküste mit[1]), daher werden auch ` im 11. Kapitel des Buches Josua [2]) Gaza, Gath, Asdod, obgleich **nicht'unterworfen** zum Besitze der Kinder Israel hinzugezählt, ebenso wird Gaza, Ekron, Asdod dem Stamme Juda, als dessen Annexum nur Simeon erscheint, zugetheilt[3]), nach Josephos auch Askalon dabei genannt[4]). Es war hiermit die Tendenz der Ausbreitung nach dieser Richtung unter dem Schilde eines göttlichen Rechtes ausgesprochen, aber noch keine reelle That. Erst die spätere Zeit David's und Salomo's hat das Recht zu einer gewissen Wahrheit gemacht. Wir können daher hieraus weder auf ein Vorhandensein der Philistäer in der Pentapolis, noch auf ihre Unterwerfung einen Schluss machen, es ist nur gleichsam von Seiten der Juden der Fehdehandschuh den Inhabern dieses Landes hingeworfen, die rechtliche Begründung des langen Kampfes gegeben.

Die entscheidenden Kämpfe diesseit des Jordan und ihre Erfolge sind uns vor Allem an zwei Stellen, an der einen in wirklich urkundlicher Weise dargestellt[5]). An jener ist uns der Kampf Josua's mit den Amoritern, dem mächtigen kananäischen Stamme, der das Gebirge inne hatte, erzählt und sein Vordringen nach Süden; die Erzählung schliesst damit, dass das Gebirge, die Sephela, der Negeb, der Fuss des Gebirges mit allen Königen von Kades Barnea bis Gaza (עַד‎—עַזָּה‎), sowie das Land Gosen bis Gibeon geschlagen waren durch Josua. Die Philistäer, die nachherigen Inhaber der Sephela und eines Theils des Negebs werden in der vorhergehenden, entscheidenden Schlacht mit keiner Silbe erwähnt und Gaza wird hier sichtlich nur

---

1) 1 Mos. 15, 18.
2) 11, 22.
3) Jos. 15, 49.
4) Ant. Jud. V, 1, 22.
5) Jos. c. 10 und 12, 8 ff.

als Gränzbestimmung gebraucht, um die weite Ausdehnung
des hervorgerufenen Schreckens und einer augenblicklichen,
scheinbaren Unterwerfung zu bezeichnen, was übrigens in
dem von Josua's Thaten hier zusammenfassenden Ausdrucke יַכֵּה, auch nur liegen kann, während im Vorhergehenden die Belagerung und Einnahme von Städten, wie
Lachis, Libna, Makeda, Odollam, welche im Vergleich
zu Gaza, wie es unter den Philistäern erscheint, immer
unbedeutend waren, ausführlich berichtet wird. Die
andere Stelle giebt uns ein genaues Verzeichniss der besiegten Könige im Gebirge, in der Sephela, in der
östlichen am todten Meere und von da südlich sich erstreckenden Wüste (עֲרָבָה), an dem Fusse des Gebirges
(אֲשֵׁרוֹת), in der Weidegegend, der mehr östlichen, nach
dem todten Meere zu gelegenen, dem מִדְבָּר und dem eigentlichen Negeb: nach dieser trefflichen, genauen Charakterisirung des Landes nach Naturunterschieden werden
uns 31 Fürsten aufgezählt, darunter aber keiner weder der
Philistäer noch einer der Städte der Pentapolis. Unter den
besiegten Stämmen, die neben den drei nordarabischen,
den Kenitern, Kenisitern und Kadmonitern in der Prophezeiung für Abraham bereits genannt werden[1]), sind fünf
zu den Kananäern und zwei, die Pheresiter und Avväer,
der ältesten Bevölkerung zuzurechnen, aber Philistäer erscheinen nicht dabei. Wichtig für uns ist aber gerade eine
jene Urbevölkerung betreffende Notiz[2]): nach ihr bleiben
nämlich die aus Hebron und von dem Gebirge vertriebenen
Enakim in Gaza, Gath und Asdod, also hier eine noch
freie Zuflucht und Haltepunkt findend. Noch haben wir
hier eine Stelle[3]) anzuführen, die uns zwar in die Zeit
nach Josua führt, aber dabei gerade theils durch einen of-

---

1) 1 Mos. 15, 19 — 21.   3) Richter c. 1.
2) Jos. 11, 22.

fenbaren, innern Widerspruch theils durch die Nichterwäh-
nung der Philistäer auffallen muss: es werden uns die siegreichen Kämpfe des Stammes Juda und Simeon berichtet,
die Niederlagen der Kananäer und Pheresiter, die Vertreibung der erstern aus den von Hebron südlichen Städten;
da wird auf einmal V. 18 eingefügt: Juda eroberte Gaza,
Askalon, Ekron mit ihrem Gebiete, aber im folgenden Verse
unmittelbar angefügt: Gott habe Juda das Gebirge (הָהָר)
einnehmen lassen, die Bewohner der Ebene (hier עֵמֶק, nicht
Sephela) aber nicht, da sie eisenbeschlagene Kriegswagen
in grosser Menge besassen. Der Widerspruch liegt hier
auf der Hand, jene Städte können niemals zum Gebirge
gerechnet werden. Der vatikanische Text der LXX hat
allerdings durch Einschiebung der Negation den Widerspruch gehoben, jedoch sichtlich hier corrigirend, nicht
übersetzend, denn Josephos z. B. [1]) sucht den Widerspruch
zu vermitteln, indem er von den Städten in der Ebene
und am Meere allerdings Askalon und Azotos erobern lässt,
dagegen nicht Gaza und Ekron [2]) wegen des Gebrauchs der
Kriegswagen in der Ebene. Aber ohne den Besitz der
Ebene konnten jene beiden Städte jenseit derselben nicht
gehalten werden, daher ist auf diese Scheidung kein Gewicht zu legen, vielmehr müssen wir V. 18 für das Einschiebsel eines Ordners halten, welcher die sonst nicht erzählte und doch ideal angenommene Besetzung jener Küstenstädte hierdurch begründen wollte. Das Resultat aus
der Vergleichung dieser zweiten Klasse von Stellen also
ist: jene Städte Gaza, Askalon, Asdod, Ekron sind allerdings n i c h t von den Israeliten bei der ersten Eroberung
Kanaans eingenommen, sie werden aber auch nicht als im

---

1) Ant. Jud. V, 2, 4.
2) Dass Ekron von den Juden
nicht eingenommen sei, berichtet

auch Hieronymus (Onom. in Opp.
t. II, p. 398. ed. Paris.).

Besitze der Philistäer erwähnt, sondern erscheinen als Halt,
als Zufluchtsort der aus dem Gebirge und von seinem Fusse
vertriebenen Ureinwohnér, der Avväer und Pherisäer.

Endlich haben wir die Angaben zu beachten, welche
ausdrücklich die Pentapolis der Philistäer und ihr bis an
den Bach Aegyptens gehendes Gebiet namhaft machen und
zwar als weder von Josua noch von den folgenden Geschlechtern unterworfen [1]. In der erstern werden alle
Bezirke (גְּלִילוֹת — כָּל) der Philistäer neben dem Lande
Geschur als unerobert bezeichnet, vom Bache Aegyptens
bis Ekron, wo der Kananäer Nachbar, sich erstreckend,
während das Land Geschur das Küstenland der Kananäer,
zunächst der Sidonier das Land am Hermon und Libanon
umfasst. Der Erzähler fügt hinzu: die Geliloth der Philistäer bewohnen die fünf Herren von Gaza, Asdod, Askalon, Gath, Ekron neben den Avväern. Damit stimmt die
andere Stelle ganz überein, nur dass sie die einzelnen Herren der Philistäer nicht besonders aufführt; sie werden in
dieselbe Verbindung mit der eigentlichen Phönike gesetzt
und als diejenigen genannt, welche Gott bleiben liess, um
Israel damit zu versuchen und zu prüfen. Wir sehen deutlich, an der ersten Stelle werden die Philistäer zum ersten
Male in die geschichtliche Erzählung verflochten und daher genauer in ihren Theilen aufgeführt; allerdings ist hier
durchaus keine Andeutung gegeben über ihre spätere Einwanderung, sondern der spätere Erzähler, der des Deuteronomium, dem beide Stellen wohl zuzuschreiben sind,
blickt von seiner Zeit rückwärts und findet jene beiden
Hauptgebiete der Phönike mit Kölesyrien und Palästina als
nie unterworfen, ihre Bewohner als die wichtigen Gegner
Israels sich fortwährend erweisend.

---

1) Jos. 13, 1—3. Richt. 3, 1—3.

- Was wird also die Antwort auf unsere Hauptfrage sein? Bei der Eroberung Kanaans durch die Israeliten sind jene fünf Städte des Küstenlandes im Besitze der Avväer und Pherisäer, sie werden nicht erobert durch die Juden, wohl aber ruft der Schrecken vor dem auf dem Gebirge und von da aus zur Ebene hin ihre Waffen in religiöser Begeisterung tragenden Volke hier vielfach Bewegung hervor, veranlasst vielleicht zu augenblicklicher Demüthigung. Der Rest der aus dem Gebirge vertriebenen Ureinwohner wirft sich auf die Sephela und findet hier Halt und Schutz. Indessen sind die Philistäer bereits ein mächtiger, gefürchteter Stamm, der die Küstenstationen und das Weideland der Wadis bis nach Beerseba hinauf schon seit ein Paar Jahrhunderten besetzt hat. Mögen sie nun auch schon als eine Art kriegerischer Heergefolge in das Gebiet der Avväer früher gekommen sein, hier festen Fuss gefasst haben, die grosse Umwälzung, welche durch die Israeliten in Kanaan hervorgerufen wird, die Zertrümmerung mächtiger Königssitze, die Schwächung der ganzen Bevölkerung hat die Philistäer erst zu einer raschen und vollständigen Einnahme ihrer nachherigen Pentapolis veranlasst, die nun, das können wir sagen, erst materiell und politisch ihre Bedeutung erhält. Dass sie zu gleicher Zeit von Aegypten aus durch die grossen Eroberer der neunzehnten Dynastie gedrängt wurden, ist zwar wahrscheinlich, aber noch nicht bestimmt zu erweisen. Die Urbevölkerung und die Kananäer werden theils vernichtet, theils und dies ist besonders in der Gegend von Ekron und Gath der Fall, halten sie sich als die eigentlichen Landbauer, ja lange wohl als die eigentliche Hauptmasse der Bevölkerung und ihr Einfluss ist hier in Sitte, Sprache und Cultus immer ein sehr bedeutender geblieben, während Asdod, Askalon, Gaza die ächt philistäischen Mittelpunkte werden natürlich neben dem fortwährend festgehal-

tenen· Besitze des Negeb und der Meeresküste bis über
Rhinokorura hinaus. Wir sind somit auf dem Punkt angelangt, wo jene Gegend als eigentliche Palaistine ihre wichtige politische Rolle zu spielen beginnt, deren Betrachtung
uns zu dem folgenden Abschnitt hinüberführt.

Kap. II.

Politische Entwickelung

der philistäischen Städte bis zu Alexander dem Grossen.

§. 3.

Der philistäische Städtebund

und

die Verfassung der einzelnen Städte. Die militärische Organisation.

Während in den Tiefländern des Euphrat und Tigris,
sowie in dem weiten Nilthal, an dem östlichen Abhange
des Libanon, sowie in den Flussthälern von Kleinasien an
grössere Städtegründungen sich weit ausbreitende Reiche
knüpfen, in denen von einem despotischen Oberhaupte und
dessen Familie alle Unternehmungen, alle politischen Hand-
lungen ausgehen, so bietet sich uns ein ganz anderes Schauspiel an der syrischen Küste dar. Hier hat sich ein vorzugsweise städtisches Leben ausgebildet und zwischen den
Städten, die als herrschende dem Lande ringsum mit seinen Ortschaften vorstehen, ein Föderativverhältniss. So
haben wir in der nördlichen Hälfte der Küste den phönikischen Städtebund, im Süden den philistäischen. Zwei
Hauptpunkte sind es wohl vor Allem, die dieses Verhältniss begründet haben: die Art der Besetzung selbst und
die Hinweisung auf die See und das Verkehrsleben auf derselben. Beide Stämme, sowohl die Kananäer oder Sido-

nier.als die Philistäer kamen nicht als nomadische Stämme
sich unaufhaltsam ausbreitend über die Ebenen und unter
einer Anführung allen Widerstand niederwerfend, das neugewonnene Reich von einem Mittelpunkte aus ordnend, noch
waren sie ein seit uralter Zeit. in fruchtbarer Niederung
ansässiges, auf Ackerbau und friedliches Leben in kleiner
Beschränkung hingewiesenes, nicht durch Mühe und Kampf
gestähltes und auch in politischer Beziehung zu fremden
Einwohnern oder Nachbarn gereiftes Volk, sondern sie erscheinen mehr als Reste, vertrieben nach langen Kämpfen
aus ihrer Heimath, wo sie bereits einen Culturzustand
erreicht hatten, mehr colonieenmässig ausziehend und einzelne feste Punkte gewinnend, sich erobernd, in diesen ein
städtisches Leben, das sie bereits früher gekannt, bald
wieder einrichtend. Während die asiatischen Reiche und
auch das ägyptische von.dem Innern des Landes nach den
Periphericen drängen und erst später an die See kommen,
so haben wir hier ein umgekehrtes Schauspiel; einzelne
feste Punkte hart an der See gewonnen, gleichsam poly-
penartig an einem fremden Körper angesetzt, von da aus
ein Streben, nach dem Innern sich auszudehnen.

Die einzelnen Gründungen bedürfen mehr einander;
als Auswanderer stehen sich die einzelnen Abtheilungen
gleich; das frühere Reich, wenigstens bei den Philistäern,
das der Hyksos ist zerstört; der Kern der wehrhaften,
tapfersten Stämme, gleichsam die Ritterschaft ist an der
Küste fortgezogen und hat nun eine Anzahl selbständiger
Burgen oder Festungen besetzt in einer fruchtbaren, reichen Landschaft, deren frühere Bewohner als Landbauer in
einem abhängigen Verhältnisse bleiben. Der andere Gesichtspunkt, die Hinweisung auf das Meer, den. freien
Handel, die Möglichkeit, jeder Unterdrückung auf.diesem
Wege zu entgehen und doch wieder von einem neuen Punkte
aus die Mutterstadt zu unterstützen, dieser ist vorzugsweise

bei den sidonischen Städten hervorgetreten, die ja alle
Küstenstädte sind, während dies im strengsten Sinne des
Wortes nur eine philistäische ist, Askalon, die unmittelbar in das Meer hinein mit ihren Substructionen gebaut
ist; die andern wie Gaza, Asdod, Ekron, so Jope haben
ihre Häfenorte, die sogenannten Maiumas. Die Bedeutung des Handels kann aber besonders für die Macht Gaza's nicht hoch genug angeschlagen werden, da hier neben
der grossen Wasserstrasse die der Wüste, gleichsam eines
zweiten Meeres mündet und hier die Beziehungen zu dem
ganzen östlichen, indischen Handel auf das Lebendigste erhielt, zugleich die Philistäer in die regste Verbindung mit
den freien, immer unabhängigen Stämmen Arabiens' setzte.

Es sind daher für das politische Leben Philistäer zunächst drei Verhältnisse ins Auge zu fassen: das der
Hauptstädte zum Land und den untergeordneten Städten, das der gleichberechtigten Bundesstädte und endlich in der Stadt das eines Oberhauptes zur Gemeinde.
Für das erste haben wir ausdrückliche Zeugnisse und zugleich Angaben der Gränze. Bei der Ländervertheilung
Josuas [1]) wird zu Juda gerechnet Gaza und seine Töchter (בָּנוֹת ist der stehende Ausdruck für Töchterstädte [2]),
daher auch die Städte der Philistäer, diese als Gesammtheit genommen בְּנוֹת פְּלִשְׁתִּים. heissen [3])) und seine
Dörfer (חֲצֵרִים) bis zum Bache Aegyptens. Dass
wir [4]) עַד — עַזָּה וּבְנוֹתֶיהָ nicht hier anführen können, da dieses עַזָּה, wofür vielmehr mit vielen Mss.
עַיָּה zu schreiben, zur Gebietsbestimmung des Stammes
Ephraim neben Gazer, Sichem als westliche Gränze genannt wird, liegt auf der Hand; oder wir müssen ein zweites Gaza in dieser Gegend annehmen, wozu uns sonst alle

---

1) Jos. 15, 47.   3) Hes. 16, 27. 57.
2) 1 Chron. 18, 1. 4) 1 Chron. 7, 28.

Belege fehlen. Nach Richt. 1, 18 nahm Juda ein Gaza
und. sein Gebiet (עָזָּה וְאֶת—גְּבוּלָהּ); Hiskia schlägt die
Philister bis Gaza und dessen **Gränzen** (וְאֶת—גְּבוּלֶיהָ)[1].
Dasselbe wird von Ekron[2], Asdod[3], von Gath[4] ausge-
sagt. In Bezug auf das Letztere haben wir noch einen
bezeichnenden Gegensatz[5], den nämlich der Königsstadt
oder **Hauptstadt** zur **Land**stadt, der עִיר הַמַּמְלָכָה
gegenüber den עָרֵי הַשָּׂדֶה, wozu z. B. Zikelag gehört.
Für Gaza gewinnen wir also bestimmte Haltepunkte. Das
Gebiet erstreckt sich bis zum Bache Aegyptens oder dem
Bache Sihor, also wird das ganze früher von den Philistäern besetzte Land dazu gerechnet und wir haben als
Töchter Gaza's jene theils herodoteischen Emporieen bis Jenysos, oder die Städte von Raphia bis Rhinokorura anzusehen, theils mehr Binnenstädte wie die spätere Menois,
eigentlich Menenatha. Auch Gerar, das alte Königreich,
gehörte den Philistäern, hier zunächst Gaza lange Zeit,
bis das Handelsvolk der Maonäer es besetzt[6]. Natürlich
die Σύροι jenseit des Baches Aegyptens, welche nach Herodot[7] τῆς Ἀραβίης τὰ παρὰ θάλασσαν bewohnen, also
bis zum Κάσιον ὄρος, können wir mit zu dem Bereiche
Gaza's rechnen. Dagegen sind die חֲצֵרִים die offenen Dorf-
schaften, die unter philistäischer Hoheit von den Ureinwohnern, den Avvim fort bewohnt wurden[8]. Es ist also
der Negeb der Crethi[9] neben einem Theil der **Küste**
des Meeres, welcher zu Gaza gehört, während die Sephela
oder die Geliloth der Philistäer den übrigen Städten zuzuweisen sind. Aus diesem ganzen Gebiete wurde also von
Gaza die Mannschaft zu den Kriegen gestellt, von hier

---

1) 2 Kön. 18, 8.
2) Jos. 15, 45.
3) Jos. 15, 47. 1 Sam. 5, 6.
4) 1 Chron. 18, 1. 1 Sam. 27, 5.
5) 1 Sam. 27, 5.

6) 2 Chron. 14, 14.
7) II, 12.
8) 5 Mos. 2, 23.
9) 1 Sam. 30, 14.

flossen die Geschenke in die Hauptstadt, nach Gaza selbst
zu. Wir sehen hieraus, wie keine andere Stadt der Philistäer auf einen so bedeutenden Länderbesitz basirt war
und wie zugleich die Gazäer die eigentlichen Pforten zwischen Asien und Afrika besetzt hielten.

An der Spitze von Gaza wie jeder der übrigen Städte
steht einer der fünf Fürsten oder Sarnim (סְרָנִים) der
Philistäer. Die LXX übersetzt es mit ἄρχοντες φυλιστιείμ.
Ungenau spricht Josephos [1]) bei Simson's Aufenthalt in
Gaza von den Nachstelluugen der τῶν Γαζαίων ἄρχοντες. Wir haben darum nicht mehrere Sarnim in einer
Stadt anzunehmen, sondern die Bezeichnung gilt für die
gemeinsam handelnden philistäischen Sarnim. Es ist dies
eine Würde, die allein bei den Philistern uns genannt
wird und über deren Bedeutung wir uns hier so viel als
möglich klar werden müssen. Fragen wir zuerst, welche
andern Bezeichnungen für Herrscher, Anführer uns bei den
Philistern begegnen, so muss zunächst als gleichbedeutend
genannt werden der Ausdruck שָׂרִים, wie er an mehreren
Stellen [2]) unmittelbar neben und für den andern gebraucht
wird. Während Gesenius [3]) Seren unmittelbar als Meta-
pher von der Wagenachse auffasst und hierzu aus dem
Arabischen Belege bringt, erkennt Ewald [4]) darin dieselbe
Wurzel, als in Sar. Solche שָׂרִים werden schon vom
Stamme Isaschar im Lobliede der Deborah [5]) erwähnt, als derselben in der Schlacht beistehend. Der Prophet Zephanja [6]) spricht
sein Wehe aus über die שָׂרִים Jerusalems neben den Schophe-
tim, den Richtern und den Priestern. Genauer wird uns
die Beziehung gegeben in einer Anzahl von Stellen, wo
diese Sarim über die einzelnen Abtheilungen des Heeres

---

1) Ant. Jud. V, 8, 10.   4) Geschich. I. S. 332.
2) 1 Sam. 18, 30. 29, 3. 9.   5) Richt. 5, 15.
3) Thes. II, p. 973.   6) 3, 3.

von den Tribus (שְׁבָטִים) bis zu den Funfzig herab uns
als eine mit der neuen, von David nach dem Vorbild der
Philister gemachten Organisation des Heeres in Verbindung
stehende militärische Würde erscheint[1]). Samuel warnt
die Israeliten davor, dass der neu zu wählende König ihre
Söhne zu Sarim machen werde[2]). Die Sarim der Hunderte (אֶת — שָׂרֵי הַמֵּאוֹת) existiren noch in der Zeit des
Verfalls, sie sind es, die vom Priester Jojada bewaffnet
an der Spitze des Volkes Athalja stürzen und Joah erheben[3]). Wir sehen also, die Sarim sind zunächst rein militärischer Natur. Auch die Sarnim, die obersten Sarim
haben in der militärischen Führung zunächst ihren
Beruf. So heisst es, die Sarnim ziehen nach Hunderten
und Tausenden hinauf gen Gilboa[4]). Aber ihre Thätigkeit erstreckt sich auf alle Mittel, äussere Feinde abzuhalten, so handeln sie gemeinsam, um Simson bei Delila zu fangen[5]); sie erscheinen ferner bei dem grossen gemeinsamen Dankopfer[6]);
sie werden von den Männern von Asdod zusammengeru-
fen, um über die erbeutete Bundeslade und die grossen
dadurch eingetretenen Landplagen zu berathen, sie folgen gemeinsam der Procession der Bundesladen[7]), sie fragen aber auch die Priester um Rath. Bemerkenswerth ist
hier, dass die Sarnim von den אַנְשֵׁי—אַשְׁדּוֹד zusammen-
berufen werden nach Asdod, ebenso nach Ekron. Es erscheint also hier die Gemeinde, eben diese Männer
von Asdod, Ekron, als mit dem Rechte betraut, die in den
einzelnen Städten zerstreuten Sarnim zu berufen, ihnen
ihre Verlangen vorzutragen. Allerdings steht diese Notiz

---

1) 1 Sam. 22, 7. 1 Chron. 28, 1.
2) 1 Sam. 8, 12.
3) 2 Chron. 23, 1. 9.
4) 1 Sam. 29, 2.
5) Richt. 16, 5. 8. 18.
6) a. a. O. 27. 30.

7) 1 Sam. 5, 8. 11. 6, 12. Vergl.
auch Jos. Ant. J. VI, 1, 2, der ausdrücklich die ἄρχοντες der 5 Städte
einzeln nennt und zwar die von
Gaza und Azotos zusammen, getrennt
gegenuber den drei andern.

für uns allein, aber sie erlaubt uns durch die Vergleichung der uns bei ihrem ausgedehnten Coloniewesen ziemlich genau bekannten phönikischen Staatsverfassungen, bei der Beachtung der mit der politischen Gliederung eng zusammenhängenden militärischen, sowie der nach Alexander dem Grossen herrschenden Verhältnisse manche weitere Schlussfolgerungen. Zunächst können wir wohl die Sarnim mit den Schofetim, den Suffeten [1]) der phönikischen Städte vergleichen, nur dass der verschiedene Charakter beider Stämme, dort in der herrschenden Bedeutung der militärischen Führer, hier der richterlichen Thätigkeit bei einem grossen Verkehrsleben hervortritt. Denn wie die Sarnim natürlich aus bevorzugten Geschlechtern hervorgehen, so ist daneben die Macht städtischer Geschlechter, repräsentirt in einer Art Gerusia, in jenen Männern von Ekron und Asdod anzuerkennen. Auf diesen, die zugleich den waffenfähigen Adel bildeten, aus denen vor Allem die Wagenkämpfer hervorgehen, und ihren Abtheilungen ruht mit die militärische Organisation. Sie bilden zugleich die Herren des fruchtbaren Landes gegenüber den zinspflichtigen Landbewohnern. Der Stolz der Philister, auf Reinheit des Blutes, auf Reichthum und Tapferkeit im Kampfe der schweren Bewaffnung bauend, wird uns im geschichtlichen Verlauf als ein charakteristischer Moment heraustreten.

Aber es werden auch Könige (מְלָכִים) und zwar alle Könige des Landes der Philister erwähnt von Jeremias [2]) und einzeln Askalon, Gaza, Ekron, Asdod aufgezählt zwischen dem König Pharao von Aegypten, den Königen des Landes Uz und dann den Königen von Sidon und Tyrus. Von Salomo's Oberherrlichkeit über die Königreiche

---

1) Vergl. überhaupt Movers,   2) 25, 20.
Phön. II, 1. S. 479 ff. 532 ff.

(הַמַּמְלָכוֹת) vom Lande der Philister an wird allerdings[1]) auch schon gesprochen, aber hier ist erstens ·diese Lesart nicht durchaus gesichert, und dann ist der Ausdruck ein allgemeiner, der auch andere kleine Reiche der Edomiter u. s. w. mit begreifen kann und worunter auch die Herrschaften der Sarnim leicht mit verstanden werden. Aber Achisch, der König von Gath, erscheint bereits in der Geschichte Davids[2]) und zwar als erblicher König, ein Sohn des Magog. Auch Amos[3]) spricht von Gath, dem Königreiche der Philister, das grösser gewesen sei, als Juda und Israel. In Askalon gab es nach ihm[4]), also am Ende des achten Jahrhunderts Einen, der das Scepter trägt (תּוֹמֵךְ שֵׁבֶט). In der Mitte des achten Jahrhunderts nennt der Verfasser von Sacharja C. 9, 5 einen König von Gaza. Es ist klar, dass der Begriff des מֶלֶךְ ein anderer ist, als der des שַׂר; in jenem tritt die berathende Thätigkeit in Vordergrund und zugleich die Idee der Heiligkeit, daher auch die Elohim, auch Jehovah damit bezeichnet wird; dagegen der שַׂר oder סֶרֶן (ein Singular, der nicht vorkommt) zunächst eine militärische Stellung uns vergegenwärtigt. Wie verhalten sich bei den Philistern beide zu einander, sind sie identisch oder nicht? Hervorzuheben ist, dass aus der frühern Zeit, der Zeit der philistäischen Macht, also bis David nur ein philistäisches Königthum uns genannt wird (denn Abimelech, der König von Gerar, ist für uns nicht sicher König der Philistäer) und zwar das von Gath. Nun liegt aber Gath am weitesten in das Binnenland hinein, die Bewohner von Gath werden auch als Autochthonen[5]) bezeichnet nach der jüdischen Einwanderung, Gath geht dann am frühsten auch verloren in das

---

1) 1 Kön. 5, 1. 3) 6, 2. -
2) 1 Sam. 21, 12. 27, 2 ff. 4) Amos 1, 8.
1 Kön. 2, 39 ff. 5) 1 Chron. 7, 21.

jüdische Reich, die Beziehungen zu den jüdischen Königen
sind unter allen philistäischen Städten am lebhaftesten hier,
was z. B. die Flucht israelitischer Sklaven nach Gath und
die freundliche sofortige Herausgabe zu Salomo's Zeit bezeugt[1]); so mag auch hier der den Kananäern eigene
Königsname und die Königssitte, die z. B. in dem Amte
eines Wächters, des Kopfes, also des Lebens (שֹׁמֵר לְרֹאשׁ),
zu dem David[2]) ernannt wurde, sich ausspricht, am frühsten
Eingang gefunden oder sich aus der vorphilistäischen Zeit
erhalten haben. Ob der König aber zugleich der Seren für
Gath war, ist nicht ganz klar. Es zieht der König allerdings auch ins Feld, aber hinter den Sarnim und ihren
Abtheilungen mit David und dessen Leuten[3]); es wird dann
einfach von dem Verlangen der Sarnim gesprochen, David
zu entlassen, nicht von dem der andern Sarnim; der König erklärt: „Du bist gut in meinen Augen, aber nicht
in den Augen der Sarnim der Philistäer." Der König muss
ihn darauf hin entlassen. Zwar kann sehr wohl unter
der allgemeinen Bezeichnung: die Sarnim die Majorität
verstanden sein, besonders eine Majorität, unter der die
mächtigsten Stämme, die von Gaza, Askalon, Asdod sich
befinden, und es scheint allerdings, dass der König von
Gath als solcher auch Seren war, dass aber die eigentlichen streng philistäischen Staaten keinen König, nur Sarnim kannten. Josephos hat über dies ganze Verhältniss
keinen klaren Begriff; er lässt[4]) die Philistäer sich ordnen κατὰ ἔθνη καὶ βασιλείας καὶ σατραπείας, unter
den letztern also Unterabtheilung der Königreiche verstehend
und sichtlich die den Sarnim untergeordneten Theile, dann
spricht er nur von König-Achis und ihm gegenüber von οἱ
στρατηγοί. Was aber die übrigen Stellen betrifft, die alle

---

1) 1 Kön. 2, 39. 3) 1 Sam. 29, 2.
2) 1 Sam. 28, 2. 4) Ant. J. VI, 14, 5.

einer Zeit 3 Jahrhunderte und mehr noch später angehören, einer Zeit, wo im Wechsel politischer Herrschaft die besondern Verfassungszustände sich sehr ausgeglichen hatten, so mag da wohl der Name und die Stellung der Sarnim ganz gegen das Königthum zurückgetreten sein, besonders da dieses auch seit Saul den Israeliten die ganz geläufige Vorstellung geworden war.

Ob unter den Sarnim eine Art Hegemonie des einen oder andern stattgefunden, ist nicht bekannt, doch sehr wahrscheinlich, da ja zum Beispiel Ekron nie eine mit den andern vergleichbare Macht gehabt hat. Bei der ältesten Aufzählung derselben [1] wird der Gazäer (הַעַזָּתִי) zuerst genannt, dann der von Asdod, Askalon, Gath und Ekron; dagegen bei der Rückgabe der Bundeslade wird Asdod Gaza vorangestellt, die übrigen drei in ihrer Reihenfolge gelassen [2]. Gath verschwindet seit seiner Einnahme durch David aus der Reihe der philistäischen Städte, nicht dagegen aus der des jüdischen Reiches, wo es durchaus nicht unbedeutend erscheint [3]. Unter den vier übrigen Städten folgt nach Amos [4] in der Zeit der Könige Jerobeam II. und Usia um 800 sich Gaza, Asdod, Askalon, Ekron; der nicht viel jüngere Verfasser vom zweiten Theile des Sacharja [5] nennt dagegen Askalon, Gaza, Asdod, Ekron. Unter König Josia, dem religiösen Reformator in Juda, wird von Zephanja [6] um 630 wieder Gaza vor Askalon, Asdod, Ekron gestellt, während Jeremia [7], fast 30 Jahre später, auf Askalon Gaza, Ekron und den Rest des zerstörten Asdod folgen lässt. Aus der Vergleichung dieser Stellen geht hervor, dass Ekron immer zuletzt genannt wird, als die unbedeutendste Stadt, dass Gath, so

---

1) Jos. 13, 3.
2) 1 Sam. 6, 17.
3) 2 Kön. 12, 17. Micha 1, 10.
14.

4) 1, 6. 7.
5) 9, 5—7.
6) 2, 1—7.
7) 25, 20.

lange es im Bunde ist, an der vierten Stelle erscheint, dass
in der dritten nur Askalon und Asdod wechseln, dass das
Primat aber zum grössern Theile und in den verschiedensten Zeiten Gaza gegeben wird, dass Asdod früher, Askalon seit dem Auftreten der assyrischen Macht in Palästina,
besonders seit der furchtbaren Zerstörung Asdods einen
Vorrang, auch zeitweis über Gaza behauptete.

Wir haben schon oben auf den kriegerischen, ritterlichen Charakter der Philistäer aufmerksam gemacht; wir
haben ihn jetzt näher nachzuweisen in ihrer Bewaffnung,
ihrer Heeresordnung, ihrem Söldnerdienst, der
militärischen Befestigung ihrer Städte, sowie der Mili-
tärherrschaft über ganze Länderstriche. Das philistäische Heer bestand aus drei Massen, den Streitwägen, der
Reiterei und dem Fussvolke. Wie bedeutend die Zahl von
allen drei war, erhellt aus einer Angabe aus der Zeit Sauls [1],
wo 30000 Wagen (רֶכֶב), 6000 Reiter (פָּרָשִׁים) uns genannt werden und Fussvolk wie Sand am Meere. Aber Salomo hatte in Zeiten seines Glanzes nur 1400 Wagen und
12000 Reiter [2]; der Pharao Sisak zieht mit 1200 Wagen,
aber 60000 Reitern nach Jerusalem [3]. Und wir müssen
daher diese Zahl 30000, wenn sie gleich auf das Beste
bezeugt ist, als eine in Zahlen so häufige, alte Verschrei-
bung für 3000 halten, ähnlich wie Thenius dies bei der
Angabe von 40000 Wagenrossen für Salomo's Macht gethan hat [4]. Immer noch bleibt die erste Zahl eine ganz auffal-
lend grosse, wenn gleich die Philistäer damals den grössten Theil von Judäa beherrschten. Schon in den Zeiten
Josuas [5] wird uns allerdings berichtet, wie die Ebene der
Philister für den Stamm Juda wegen der vielen Wagen un-

---

1) 1 Sam. 13, 5.
2) 1 Kön. 10, 26. 2 Chron. 1,
14. 9, 25.
3) 1 Kön. 14, 25. 2 Chr. 21, 1 ff.

4) Thenius, Comment. 1 Kön.
5, 4. 5. S. 42.
5) Richt. 1, 19.

einnehmbar gewesen sei. Der Wagenkampf war ein sowohl bei den Aegyptern[1]) als bei den kananäischen Stämmen verbreiteter, viel weniger dagegen Reiterei, die uns hier aber auch in ziemlicher Stärke begegnet. Beide waren den Juden, einem ursprünglichen Hirtenvolke fremd, vielmehr war für sie nicht das Reiten zu Ross, sondern auf Eselfüllen Zeichen der Reicheren, Angesehenen[2]). Dieser Reichthum an Gespannen setzt entweder eine eigene ausgedehnte Pferdezucht voraus oder einen sehr lebendigen Handel, jedenfalls aber ein reiches, fruchtbares Land zur Erhaltung derselben. Nun aber ist für uns der Zusammenhang der Philistäer mit den unterägyptischen Stämmen hergestellt, dort hatten sie ihre Heimath gehabt; dort sowie in dem angränzenden Libyen und Kyrene war eine uralte, hochbedeutende Rossezucht[3]), von dort kommen in den Zeiten Salomon's die Kaufleute mit Pferden und Wagen und versorgen nicht allein die jüdischen Könige, sondern auch die der Hethiter und ganz Aram damit[4]). Es wird uns der Preis zugleich angegeben: 600 Seckel Silber (כֶּסֶף), also 400 Thaler für Wagen und Gespann, 150 für ein Pferd. Aus Aegypten brachten auch die Philistäer Wagen und Rosse mit, von dort werden sie auf dieser grossen Karavanenstrasse, die ihr ganzes Land vom Bache Aegyptens an durchstreicht, sie fortwährend erhalten haben. Und die grasreichen Weiden des Negeb, sowie die fruchtbare Sephela bot selbst für eine sehr grosse Anzahl von Rossen hinreichende Nahrung.

---

1) Auf den ägyptischen Denkmalen erscheinen bekanntlich auf ägyptischer Seite nur Wagenkämpfer; Wilkinson kennt nur einen einzigen Reiter zu Esneh und zwar von einem Denkmal der Römerzeit (Manners and customs Vol. I, p. 289).

2) Vergl. Ewald II S. 240 und die das. angef. Stellen.

3) Her. IV, 170.

4) 1 Kön. 10, 29. Thenius, Comment. zu a. O. S. 165. 2 Chron. 1, 16. 17.

Die Wagen besteigen natürlich die Helden, der schwer-
bewaffnete Adel, jene Nachkommen der aus Aegypten
ausgezogenen Hoplitenmasse. Zu diesen gehört z. B. Goliath aus Gath, sowie der Riese Jischbi, alle diese Söhne
der Rephaim, deren Namen in der Geschichte David's und
seiner Heldenführer erscheinen, die hier homerischen Helden gleich in Zweikämpfen sich zeigen. Wir lernen aus
mehreren Beschreibungen [1]) die Bewaffnung eines solchen
Hopliten kennen: den runden Helm (כּוֹבַע) von Kupfer,
den geschuppten oder vielmehr wohl Kettenpanzer (den
שִׁרְיוֹן mit den קַשְׂקַשִׂים) von Kupfer, also entsprechend
dem ϑώραξ ἁλυσιδωτός, die ehernen Beinschienen, den
כִּידוֹן von Kupfer auf den Schultern, nach den LXX eine
ἀσπίς, sonst als Wurfspiess erklärt [2]); dazu die Lanze
mit der 600 Sekel schweren eisernen Spitze und dem we-
bebaumartigen Schafte oder die Lanze (קַיִן) des Isbi, die
300 Pfund (מִשְׁקָל) Kupfer wog, endlich das grosse
Schwert (ῥομφαία). Zu dem Hopliten als solchem gehört
immer der Waffenträger, gleich dem homerischen ϑερά-
πων, ausserdem dann noch der Lenker des Wagens. Als
Leichtbewaffnete erscheinen vor Allem die Bogenschützen
(הַמּוֹרִים אֲנָשִׁים), die in der Schlacht von Jesreel Saul be-
drängen und treffen [3]); eine Waffengattung, die die Israeliten bis dahin nicht kannten. Dass vor Allem die Crethim,
diese im Süden von Gaza wohnende, mit Viehzucht sich
beschäftigende Abtheilung der Philistäer, als Bogenschützen
sich auszeichneten, erhellt aus ihrem Auftreten als Leib-

---

1) 1 Sam. 17, 4—8. 45. 21, 9.
22, 10. 2 Sam. 21, 16.

2) Gesen., Thesaur. Vol. II, p.
683, der eine leichte Uhlanenlanze
darunter versteht, welche zur Rüstung eines Hopliten durchaus nicht
passt, während das Schild ein noth-
wendiges Requisit derselben ist.

Dazu ist der Ausdruck: „auf den
Schultern ruhend" ganz bezeichnend für den grossen, mit dem Rand
aufliegenden, zugleich durch den
breiten Schildriemen gehaltenen
Schild.

3) 1 Sam. 31, 3.

wache David's, wo statt כְּרֵתִי der chaldäische Uebersetzer immer קַשְׁתִּיא setzt, also der Bogenschütz. Es trifft dies merkwürdig zusammen mit der Hauptwaffe der *Κρῆτες* oder *Ἐτεόκρητες*, dem Bogen, dessen Uebung dem Rhadamanthys oder Minos schon zugeschrieben wird, also zurückgesetzt in die ägyptische gemeinsame Heimath. Ebenso erinnern wir daran, dass die Karer, auf deren Verwandtschaft mit den Philistäern wir oben hinwiesen, als tapferes Soldatenvolk bekannt waren, dass, wie Strabo sagt[1], sie als Beweis *τοῦ περὶ τὰ στρατιωτικὰ ζῆλου* die Erfindung der *ὄχανα*, der *ἐπίσημα* und *λόφοι* sich zuschrieben, dass die Perser den Karern den Namen „Hähne" gaben wegen der Helmbüsche, dass z. B. aus der Umgebung des Artaxerxes in der Schlacht von Kunaxa ein Karer den Kyros tödtete, der dafür als Ehrenzeichen einen goldenen Hahn auf seinem Speer führte[2].

Diese kriegerische Ausbildung tritt aber vor Allem auch in einer ausgebildeten **Heeresverfassung** hervor, der, wie ich oben erwähnte, die jüdische seit David nachgebildet war. Nach **Hunderten** und **Tausenden** ziehen die Sarnim auf[3]; die folgenden Stufen der Schebatim (שְׁבָטִים) und Machlekot (מַחְלְקוֹת), wie sie bei David neben den Hundert und Tausend genannt werden[4], mögen auch schon den Philistern zugehört haben. Die grossen Abtheilungen sind dann die Machanim (מַחֲנִים)[5]. Dass dieser Ausdruck ganz speciell für das philistäische Heer gebraucht

---

1) XIV, 2, 27. p. 208 ed. Tauchn.

2) Deinon bei Plut. Artax. c. 10.

3) 1 Sam. 29, 2.

4) 1 Chron. 28, 1. Vergl. Movers, Phön. II, 1. S. 481. Nach 2 Mos. 18, 22. Jos. Ant. Jud. III, 4, 1 wird die Eintheilung der Hebräer in Tausende, Hunderte, Funfzige, Zehner mit Sarim an der Spitze dem Midianäer Jithro zugeschrieben, es war also eine bei den nordarabischen Stämmen uralte, auf die Hebräer übertragene Einrichtung.

5) 1 Sam. 29, 1. 17, 1 u. a. a. O.

ward, beweist 2 Chron. 22, 1: vorher ist von dem gemeinsamen Zuge der Philister und Araber die Rede; hier heisst
es: die Königssöhne ermordete die Schaar (הַגְדוּד), die von
den Arabern stiess לַמַּחֲנֶה, also zu dem philistäischen
Heere. Wie eine geregelte Schlachtordnung (מַעֲרָכָה),
so kennen sie feste Lager, legen Besatzungen, Militärstationen in das feindliche Land, so zu Bethlehem, vertheilen ihre Heerhaufen durch das Land[1]). Ihre Nezibim
z. B. in Gibea[2]) sind militärische Gouverneurs. Eben so
sehr aber, als sie fern von der Heimath feste Positionen
fassen, hat es ihnen daran gelegen ihre eigenen Städte zu
befestigen und wo möglich uneinnehmbar zu machen; in
dem Verlaufe der politischen Geschichte werden wir Beispielen der hartnäckigsten, langwierigsten Belagerungen
begegnen.

Die hohen Mauern (חוֹמַת) und Burgen (אַרְמְנוֹת) von
Gaza wie von Asdod werden von Amos[3]) als freilich dem
Untergange verfallen hervorgehoben. Gaza wird an einer
Stelle, sicherlich mit Parallelismus zu der ursprünglichen
Bedeutung des Namens, Stadt der Stärke = עִיר מִבְצָר
genannt als ein Gränzpunkt gegenüber dem andern, dem
Thurme der Wächter, מִגְדַּל נֹצְרִים[4]). Schon dieser letztere weist uns auf ein organisirtes Vertheidigungssystem.
Ebenso haben wir an einer Stelle[5]), wo alle Städte
der fünf Herren betont werden und es heisst von עִיר מִבְצָר
bis zum Gau des Landmanns oder Pheresiters (כְּפַר הַפְּרָזִי)
und bis an das grosse Feld, wo die Bundeslade niederge-
setzt wurde, unter עִיר מִמְצָר geradezu Gaza zu verstehen, jenen Gau des Landmanns aber als nördliche Gränze.

---

1) 1 Sam. 13, 17 ff.
2) 1 Sam. 13, 3.
3) 1, 5. 6. 3, 9.
4) 2 Kön. 18, 8.
5) 1 Sam. 6, 18.

Dass ein so militärischer Stamm, dem ein bedeutender persönlicher Muth innewohnte[1]), welcher zugleich unter einer freieren, mehr dem Lehnverhältniss sich nähernden Verfassungsform lebte, leicht und gern fremde Kriegs-
dienste nahm und Würden und Ehre in der unmittelbaren
Umgebung fremder, auch feindlicher Könige sich gefallen
liess, ist leicht begreiflich, stehen doch eine Anzahl ähnlicher Thatsachen bei Karern, Kretern, Hellenen, in der
neuen Zeit bei Schweizern sowie den ritterlichen Völkern
des Kaukasus zur Seite. So finden wir auch die Crethi
und Plethi (תִּכְרֵתִי וְהַפְּלֵתִי) als Leibwache an David's Seite
gleich bei seiner Einrichtung als König[2]); sie bilden neben
den Gibborim und den 600 Githitern, also ebenfalls Philistern seine nächste Umgebung, seinen treusten Schutz
gegenüber allen Empörern[3]); sie sind es, neben Zadok
und Nathan[4]), die den Salomo auf den königlichen Maulesel
setzen und ihn als König ausrufen.

§. 4.

Ausbreitung der philistäischen Macht über Kanaan.

Kampf um die Herrschaft mit den benachbarten Völkern, vor Allem den Israeliten.

Quellen und Hülfsmittel: Grundlage bilden hier ganz und gar
die Berichte der geschichtlichen Bücher des A. T., vor Allem Buch
der Richter K. 12—16 und erstes Buch Samuelis K. 4—7. Zu
vergleichen ist damit Josephos B. V—X incl. Für die Zeiten seit
dem 8. Jahrhundert werden die älteren Propheten wichtig, besonders Amos, Micha, der ältere Theil des Sacharja, Zephanja, Jesaja.
Als Hülfsmittel dienen vor Allem die Commentare, so von Bertheau zum Buch der Richter, 1845, bes. von S. 169—191, von

---

1) 1 Sam. 4, 9.
2) 1 Chron. 18, 17 2 Sam. 8,
18.

3) 2 Sam. 15, 18. 20, 7. 20, 20.
4) 1 Kön. 1, 38. 44.

Thenius zu den Büchern Samuelis, 1842, von demselben zu
den Büchern der Könige, 1849, von Hitzig zu den zwölf kleinen
Propheten, 1838, von Knobel zu Jesaja, 1843. In geschichtlicher
Darstellung hat das Hauptverhältniss der Philistäer und Israeliten
eingehende und umfassendere Beachtung allein erfahren bei Ewald,
Geschichte des Volkes Israel Bd. II. und III. Als geschichtliche
Uebersicht nenne ich daneben Baur, Zeittafeln zur Gesch. des israel.
Volks. Mit der chronologischen Bestimmung, besonders der Richter-
zeit beschäftigen sich genauer Bunsen, Aegypten I, S. 209 — 214,
Lepsius, Chronologie S. 371—380, Movers, Phönicier II, 1.
S. 141—165.

Der grosse fast 1000 Jahre umfassende Zeitraum, in dem
wir die geschichtliche Stellung der Philistäer und zunächst
Gaza's zu betrachten haben, zerfällt in zwei Hauptabtheilun-
gen. Voran steht die Zeit, wo hier an dem Vermittelungs-
punkt Asiens und Afrika's eine selbständige Mittelmacht
sich bilden konnte und vor Allem zwei Völker, Israeliten und Philistäer, um Consolidirung dieser Macht strit-
ten, während die früheren kananäischen Reiche bei der
Entsittlichung ihrer Cultur dem Untergange entgegengin-
gen, die Sidonier, also die eigentlichen Phönicier mehr dem
überseeischen Westen ihr Auge zugewandt hatten, die
ismaelitischen Hirtenvölker der Wüste, wie die Midianäer
wohl hie und da das Land im Siegeslauf oder mehr nach
Art kühner Räuber überschwemmten, aber nicht besetzt
hielten. Die Herrschaft der Philistäer fällt hier früher als
die der Juden in das Ende der Richterzeit, die Regierungszeit Saul's und den Anfang davidischer Herrschaft, also in
das Ende des 12. und erste Hälfte des 11. Jahrhunderts.
Lange, hartnäckige, sich immer wiederholende Kämpfe unter David brachen endlich die Obergewalt derselben und vor
der zuerst wieder seit Josua vereinigten Kraft aller jüdischen Stämme, die nun in der politischen und religiösen
Centralisation, in einer militärischen, den Feinden abge-
lernten Organisation einen ganz neuen Weg der Entwicke-

lung betraten, musste eine Zeitlang die Pentapolis der
Sarnim sich beugen. Doch auch nur beugen — denn kaum
ist das Reich getheilt, als die Kämpfe am Fusse und den
Eingängen des Gebirges von Neuem beginnen und unter
wechselndem Glück. Aber der Charakter derselben wird
ein anderer: es ist nicht mehr der Kampf einer eroberungs-
lustigen, frischen Ritterschaft, die ein Land mit friedlichen
Hintersassen sich erwerben will, an gegenseitige Unterwerfung denkt man wohl wenig mehr, um so mehr gilt es,
in Besetzung von Strassenpunkten, in dem Erwerb von
Menschen als Waare oder in Wahrung des Getreidelandes
dem Handel eine grössere und ausgedehntere Bedeutung
zu geben. · Zugleich gehen diese Kämpfe zum Theil schon
parallel den drohendern der Weltmächte und der Gegensatz
von Juden und Philistäern lehnt sich an einen allgemeine-
ren, politischen an. Die zweite Periode beginnt mit der
Ausbreitung der zwei Weltmächte, Aegypten und Assyrien
im achten Jahrhundert auf dieses Zwischenland, ihren, wenngleich von Aegypten aus schon viel früher beginnenden Eroberungszügen und dem entscheidenden Kampfe endlich bei
Carchemisch; seitdem überwog die asiatische Macht: Assyrer, Chaldäer, Perser gewinnen das Land und Palästina
reiht sich ein in die Zahl der persischen Provinzen. In
dieser zweiten Periode handelt es sich für Philistäa, besonders für Gaza, den Schlüssel des Ganzen, um Wahrung
der Selbständigkeit, um kluge Politik zwischen den
zwei Mächten, um Standhaftigkeit bei drohender Gefahr.
Und dies Alles haben die Philistäer im hohen Masse bewiesen, so dass sie auch nie eine so gewaltsame Verpflanzung, wie die Juden erfahren haben. Wir können diese
zwei Abschnitte, die zeitlich mit ihren Enden und Anfängen sehr in einander greifen, daher bezeichnen als Kampf
um Herrschaft mit Israeliten, Phöniciern, Ismaeliten
und als Kampf um Selbständigkeit mit Aegypten und
den östlichen und nordöstlichen Reichen.

Die fünf Herren der Philister werden ausdrücklich zuerst angegeben unter den Völkern, die der Herr unbesiegt und mächtig liess, um an ihnen fortwährend die nach Josua's Tode bald sinkende sittliche und religiöse Kraft der Israeliten zu beleben[1]). Sie übten bald durch ihren Cultus einen grossen Einfluss aus auf Israel[2]) und schon in dem zweiten Jahrhundert nach dem Zeitpunkt der Einwanderung in Judäa müssen sie, was für jenen religiösen Einfluss die nothwendige Grundlage ist, als eine bedeutende politische Macht erschienen sein; denn bei späterem Drucke[3]) wird von einer früheren Errettung Israels aus den Händen der Philister gesprochen, die hier nach den Aegyptern, Amoritern, Ammonitern und vor den Sidoniern, Amalekitern und Midianäern genannt werden. An einer andern Stelle[4]) werden sie zwischen die Herrschaft des Kananiters Jabin zu Hazor und der Moabiter gesetzt. Nun aber wird die Macht der letzteren, welche aber zugleich die Ammoniter mit sich vereinigt hatten und daher auch diesen Namen zuweilen tragen konnten, auf 18 Jahre angesetzt[5]) und dann 80 Jahre der Ruhe und Stille[6]), darauf die Erlösung Israels durch Samgar, der 600 Philister mit einem Ochsenstecken, dem βουπλήξ schlug, dann die 20jährige Herrschaft des Königs Jabin zu Hazor und seines Feldherrn Sisera[7]), die auch Richt. 10, 11 als sidonische bezeichnet werden konnte. So geht also in jener Stelle des Buches Samuel die Berechnung von dem zeitlich näher liegenden Punkte aus und wir werden mit Recht jene frühere Herrschaft der Philister in die Seit Samgars setzen, also am Anfang des fünften Geschlechts nach Josua, etwa um 1300 der gewöhnlichen Berechnung (nach Movers also

---

1) Richt. 3, 3.
2) Richt. 2, 13. 10, 6. 1 Sam. 12, 10.
3) Richt. 10, 11.
4) 1 Sam. 12, 9.
5) Richt. 3, 12—29.
6) a. a. O. 30.
7) Richt. 4, 1 ff.

um 1278). Nach Eusebius[1]), der sich auf die Judaeorum traditiones stützt, beherrschen die alienigenae (ἀλλόφυλοι) die Hebräer nach Josua's Tod 8 Jahre, nach des ersten Richters Gothoniel's Tod 18 Jahre, nach Ἀώδ (Ehud) 20 Jahre[2]), nach Deborah und Barak 7 Jahre[3]); er übergeht hierin ganz jenen Kampf Samgars mit den eigentlichen alienigenae, den Philistäern, über den die Ueberlieferung, kurz und lückenhaft, wie sie ist, an das Lied der Debora sich angeschlossen zu haben scheint. Jener sehr charakteristische uns von Bertheau[4]) auch in griechischen Sagen, welche später an die Gegend des Karmel sich anschlossen, nachgewiesene Zug: „er schlug sie mit dem Ochsenstecken" deutet übrigens auf eine hervorstechende That plötzlicher Aufwallung, auf eine Erhebung des gedrückten Landbauers gegen seinen Herrn, zu einer Zeit, wo, wie Deborah singt[5]), feierten die betretenen Pfade und die Wanderer der Bahnen. Es folgt darauf die siebenjährige Uebermacht der meist ismaelitischen Stämme aus der Wüste, so Midian's und Amalek's, die Heuschrecken gleich mit ihren Kameelzügen auf die fruchtbaren Gefilde sich warfen, die Früchte verwüsteten und Israel zwangen, in den Klüften des Gebirges bei Hebron und Höhlen und Felsenburgen sich zu bergen[6]). Dass die Sephela der Philistäer dabei auch litt, wird ausdrücklich erwähnt, denn die Verwüstungen der Felder erstreckten sich עַד — בּוֹאֲךָ עַזָּה, also bis in die Nähe von Gaza, während ihr Hauptlager im nördlichen Theile, in der Ebene Jezreel sich befand.

Aber diese Wüstenstürme nomadischer Völker waren vorübergehend, sie haben sich oft genug wiederholt im Ver-

---

1) Chron. II, p. 299. lat. Text und das Chron. Paschale p. 78.
2) Eus. p. 304.
3) Eus. p. 306.
4) Richt. p. 73.
5) Richt. 5, 6.
6) Richt. 6, 1 ff. Jos., Ant. Jud. V, 6, 1

laufe der Geschichte bis zu der gewaltigen Umwälzung, die aus Arabien durch den grossen religiösen Impuls hervorging und eine dauernde Veränderung von Asien und Nordafrika hervorrief. Uebrigens scheinen die Philistäer in vielfach freundschaftliche Verbindung mit den Midianäern, (ob identisch mit den Bewohnern von Maân מָעוֹן ?), Idumäern, den Arabern (עֲרָבִיאִים oder עֲרָבִים), die den Cuschiten zur Seite wohnten, früh getreten zu sein; so werden sie[1] oft zusammen genannt, auch als gemeinsam in kriegerischen Unternehmungen. Im Verlauf der Geschichte werden wir ein fortwährendes Vorschreiten dieser Stämme zur philistäischen Küste und vielfache Vermischung mit den Bewohnern derselben verfolgen können.

Den eigentlichen Glanzpunkt der philistäischen Macht bildet eine spätere Zeit, die in Israel bekannten 40 Jahre, mit denen die Heldengeschichte Simson's, sowie das hohepriesterliche Amt Eli's, und das Wirken Samuel's und Sauls theilweis zusammenfällt. Die Zahl 40 als runde, für eine lange, geraume Zeit geht durch die ältere jüdische Geschichte überall durch und Lepsius[2] macht mit Recht auch auf das Herrschen dieser Zahl noch bei den drei Königen Saul, David und Salomon aufmerksam, sowie sie bei Phönikern und Arabern dieselbe Bedeutung zeigt. Daher ist sie für die Richterzeit ebenfalls als keine genau historische zu betrachten. Vielmehr hat Bertheau[3] die eine durchgehende Berechnung dieses Zeitraums nach je 40 Jahren nachgewiesen, mit welcher eine zweite, genaue zusammengeworfen ist; mit Recht stellt er die 40 als Bezeichnung der Dauer eines Geschlechtes hin, was Lepsius nicht hätte aufgeben sollen, um zu der griechischen Zahl

---

1) Ps. 83, 7. 8. 2 Chr. 17, 11. 21, 16. 26, 7.   2) Chronologie der Aegypter S. 15. Anm. S. 316.
3) Richter, p. XVIII ff.

der 30 bei den Geschlechtsregistern sich zu wenden. Ueberhaupt leidet dessen Berechnung der geschichtlichen und ungeschichtlichen Zahlen[1]) an grossen Willkürlichkeiten, vor Allem wenn er 12 Jahre als Durchschnittszahl für die Dauer einer Richterzeit und zugleich der Unterdrückung durch ein Volk annimmt.

Ehe wir diesen 40 Jahren philistäischer, vollständiger Herrschaft uns zuwenden, der Zeit des zehnten Geschlechts nach Josua, gilt es, den Spuren jener Zwischenstufen, auf denen die Philistäer allmälig Kanaan zu einem Palästina im strengen Wortsinne gestalteten, nachzugehen. Hier begegnet uns zunächst die auf eine Stelle im Buch der Richter[2]) sich stützende Annahme einer um fast zwei Geschlechter vorausgehenden achtzehnjährigen Herrschaft der Philistäer. Sehen wir uns die Stelle selbst näher an. Es dienen 88 Jahre in der Zeit von Gideon, Abimelek, Tola, Jair nach der Schreckensherrschaft der Midianäer die Israeliten fremden Göttern, unter andern auch denen der Philister, was schon den bedeutenden politischen Einfluss derselben zeigt; da, heisst es, ergrimmt Jehovah über sie und giebt sie in die Hände der **Philister** und **Söhne Ammon's**. Darauf folgt die Schilderung der achtzehn Jahre der ammonitischen Herrschaft, die endlich durch Jephtah[3]) gedämpft wird, von den Philistern ist dabei mit keiner Silbe die Rede. Es folgt dann die Reihe der Richter mit Jahreszahlen, Jephtah mit 6, Ebzon mit 7, Elon mit 10, Abdon mit 8 Jahren, also im Ganzen 31 Jahre; da heisst es nun[4]), wegen des fortgesetzten Sündigens habe Gott Israel in die Hände der Philister 40 Jahre gegeben. Ewald nimmt

---

1) S. 377.
2) 10, 7. Jos., Ant. V, 7, 7.
3) Richt. 11, 33.
4) Richt. 13, 1. Vergl. auch Euseb. Chr. II, p. 311: post Labdon Hebraeos in ditionem redigunt alienigenae annis XL, qui copulantur temporibus judicum posteriorum —, der Synkellos (p. 173. A.) nennt sie die *Φυλιστιείμ*.

nun erst eine 18jährige, dann eine 40jährige Herrschaft
der Philistäer an, die beide durch einen Zwischenraum getrennt sind. Dies liegt aber durchaus nicht in den Worten;
deutlich sehen wir, dass jener oben erwähnte Vers im 10.
Kapitel der Richter[1]) im Allgemeinen die Herrschaft der
Philister und Ammon's hinstellt als Folge des Abfalls vom
reinen Jehovahdienst; dann aber beziehen sich die 18 Jahre
nur auf Ammon, von einer Besiegung der Philister ist mit
keiner Silbe die Rede, sie werden gar nicht wieder erwähnt
bis zu der andern Stelle. Wir haben aber schon oben ein
Beispiel[2]), dass die dem Erzähler der Zeit nach näher
liegende Thatsache zuerst genannt wird. Auch Baur (Tafel 2) erklärt die obige Erwähnung als eine vorausgrei-
fende, ebenso findet Bertheau[3]), der die Verse 10, 6—16
als Einleitung des die einzelnen Berichte unter einen Gesichtspunkt ordnenden, späteren Ordners des ganzen Buches
scharf nachweist, nichts dagegen einzuwenden. Natürlich ist
hiermit nicht die fortwährend Israel drohende und weiter
sich ausbreitende Macht der Philister in Abrede gestellt,
vielmehr haben wir zum Glück Zeugnisse, die uns einen
interessanten Blick auf die Ausdehnung der Philister der
Küste entlang und im Gegensatz und Kampf mit den Israeliten - in der Niederung und den Phönikern oder Sidoniern
werfen lassen. Es mochten gerade hierhin die Unternehmungen des kriegerischen Stammes sich eine geraume Zeit
ableiten, so dass sie erst später ganz Israel bis zum Jordan
sich unterwarfen, nachdem auch hier die Küste eine Zeitlang in ihren Händen war. So haben wir die Verdrängung
der Stammes Dan von der Küste und der Ebene, seine
theilweise Auswanderung nach Lais am Fusse des Hermon,
wo ein neues Dan als Stadt gegründet ward[4]), gerade die-

---

1) 10, 7.
2) 1 Sam. 12, 9.
3) Richt. S. 153.
4) Richt. c. 18.

ser philistäischen Ausbreitung zuzuschreiben; ausdrücklich wird dies von Josephos[1]) berichtet, der eine Verbindung der kriegswagenmächtigen Städte der Ebene, besonders von Askalon und Ekron hier erwähnt. Bertheau weist zugleich aus dem Liede der Deborah[2]) nach, dass diese Verdrängung von der Küste nicht vor der Besiegung des mächtigen Königreichs von Hazor im Norden Galiläa's durch die Juden stattfand. Es wird ferner aber bei Justin[3]), welcher die Geschichte der Phönicier kurz erzählt, ihre Wanderung an das Assyrium stagnum, dann an die Meeresküste, wo Sidon gegründet ward, die merkwürdige Nachricht uns gegeben: post multos deinde annos a rege Ascaloniorum expugnati navibus appulsi Tyron urbem ante annum Trojanae cladis condiderunt. Es wird also die Veranlassung zur Gründung von Inseltyrus einer Eroberung Sidons durch einen König der Askalonier zugeschrieben. Diese Thatsache eines Kampfes mit den nach den obigen Untersuchungen durchaus nicht so nahe verwandten Sidoniern, deren Ausbreitung von Norden nach Süden, also gerade entgegengesetzt stattfindet, erscheint durchaus nicht unbegründet, da wir an der Küste nördlich von den fünf Städten allerdings Spuren genug philistäischer Niederlassungen finden, so ist Jamnia (יַבְנֶה) später ganz philistäisch[4]); von Joppe (יָפוֹ, später יָפָה), der eigentlichen Hafenstadt Palästina's, haben wir zwar keine bestimmten Zeugnisse, aber östlich etwas davon lag ein Beth-Dagon, jetzt Beit Dedjàn, das eine philistäische Gründung dem Namen nach ist; und die oben erwähnte Zurückdrängung Dan's von der Küste weist auch darauf hin; eine Besetzung von Dor und zwar der grossen Binnenstadt, die wahrscheinlich identisch ist mit Náphat Dor[5]) und später Salomo gehörte[6]),

---

1) Ant. J. V, 3, 1.
2) Richt. 5, 17.
3) XVIII, 3.
4) 2 Chron. 26, 6. 2 Makk. 12, 39.
5) Jos. 12, 23.
6) 1 Kön. 4, 11.

die kananäische Könige hatte, ist nicht bestimmt zu erweisen [1]), während die Hafenstadt ausdrücklich als πόλις
Σιδονίων von Skylax [2]), von Claudius Julius [3]) genannt
wird und aus der Anlage einer Purpurfärberei entstand [4]);
aber die ganze, damalige Stellung der Philistäer macht sie
sehr wahrscheinlich. Diese aber erhellt daraus, dass der
Kampf mit Israel in der Ebene Jezreel östlich vom Carmel
geführt wird. Uebrigens ist hier nur von einer zeitweisen
Herrschaft zufolge von Siegen über diese Küste die Rede,
keineswegs von einer dritten Ansiedelung der Philistäer,
wie sie z. B. Hitzig sehr ausführlich uns beschreibt [5]), der
hier einen neuen Städtebund sich construirt. Die Zeitbestimmung jenes Kriegszuges von Askalon aus nach Sidon
auf das Jahr 1184 nach der Eratosthenischen Aera oder 1209
nach der Aera des Marmor Parium, wodurch die Uebereinstimmung mit Josephus Nachricht über die Erbauung
von Tyrus vollständig wird [6]), stimmt wohl mit den jüdischen Angaben der philistäischen Herrschaft über Israel, die
einige Zeit später als eine vollständig eingetretene erscheint [7]).

Wir haben über die 40jährige [8]) Herrschaft der Philister zwei verschiedene, längere Berichte, die einen, die an
den Namen Simson's und dessen Thaten sich anschliessen
und mehr lokaler Natur auf Dan und Juda, also auf den
Süden sich beschränken, die andern aber, welche an das
religiöse Heiligthum zu Silo und das hohenpriesterliche Geschlecht, den einzigen, damaligen Mittelpunkt der jüdischen
Stämme anknüpfen, zugleich aber im entgegengesetzten,
nördlichen Theile, vor Allem auch in der fruchtbaren,

---

1) Vergl. Movers, Phönic. II, 2.
S. 176.
2) Peripl. p. 42.
3) Bei Steph. Byz. s. v. Δῶρος.
4) Movers II, 2. S 28.

5) S. 146 ff.
6) Vergl. Movers II, 1. S. 150.
7) Hitzig, S. 162 ff.
8) Jos. Ant. J. V, 8, 1.

schlachtenreichen Ebene Jezreel am Fusse des Tabor und
kleinen Hermon spielen. Diese letzteren sind reicher an
den eigentlichen entscheidenden historischen Thatsachen,
jene an einzelnen das philistäische Leben näher bezeichnenden Zügen, die sichtlich verklärt und auf eine Persönlichkeit zusammengedrängt sind durch die ächt nationale Sagenbildung, die das Ideal des Nazir in die Mitte stellt.
Das Auftreten Simson's, dieses in der Sage durch Körper-
stärke, sowie durch seine Schwäche gegenüber dem weiblichen Geschlecht vielfach an Herakles erinnernden Helden,
der aber durch den eigenthümlichen Zug des witzigen Spot-
tes und Hohnes, wie dies Ewald[1]) hervorhebt, einen speciell israelitischen Charakter trägt, erfolgt bereits in der
Zeit der Philisterherrschaft[2]), die Anerkennung derselben
vom Stamme Juda ist an der letzteren Stelle offen ausgesprochen. Seine Thätigkeit als Richter Israels, d. h. zunächst als vorkämpfender, einen Einheitspunkt darbieten-
der Held erstreckt sich durch 20 Jahre nach zwei Stellen[3]), die überhaupt allein ihn als Richter hinstellen, während sein ganzes Auftreten durchaus eine durch seine Persönlichkeit und zwar nur an bestimmter Oertlichkeit, nicht
durch seine politische Stellung gegebene Bedeutung uns zeigt.
Sein Tod führt uns durch die ganze Art und Weise die völlige
Uebermacht der Philister lebendig vor. In drei Haupter-
zählungen und zugleich Unternehmungen zerfällt seine Geschichte, welche selbst wieder in 12 Momente sich abtheilen.
Wir finden ihn zunächst in Timnatha, einer zum Stamm
Juda gehörigen, aber damals ganz philistäischen[4]) Stadt, die
in dem welligen Hügelland liegt, während Zarea, Simson's
Geburtsort, die Höhen des Gebirges krönt. Er ist auf der
Brautfahrt, mit den 30 Gesellen, den κλητοί, feiert er ein

---

1) Gesch. d. Volks Isr. II S. 401 ff.   3) Richt. 15, 20. 16, 31.
2) Richt. 13, 1. 14, 4. 15, 11.   4) Jos. Ant. V, 8, 5.
Jos. Ant. Jud. 5, 8.

7tägiges Hochzeitsgelage; die Sache schliesst aber mit Ermordung von 30 Männern in Askalon, denen er die Kleider abnimmt, die er verschenken soll. Wir sehen, hier ist zunächst noch ein friedliches Verhältniss zwischen den Stämmen und eine Heirath erscheint von jüdischer Seite zwar nicht gewünscht, aber doch durchaus 'nicht unerhört, obgleich die Verbindung mit fremden Frauen als Hauptthebel des Götzendienstes immer streng verpönt war. Daran schliesst sich dann die Erzählung[1]) vom Verbrennen der Felder, Wein- und Obstpflanzungen der Philister, von dem Verfolgen derselben trotz einer Niederlage in das Felsengebirge, wo Simson bei dem Felsen Lehi, wo die Philistäer sich gelagert, von den Juden ausgeliefert ward im Bewusstsein ihrer Unterthänigkeit bei treuer Abgabe des φόρος[2]). Der Eselskinnbacken befreit ihn, ja bringt unter den Feinden eine grosse Niederlage hervor und es scheint eine Zeit längeren, ruhigen Verkehrs auch mit den Philistern verlaufen zu sein. Da zeigt sich[3]) Simson in Gaza im Hause einer Buhlerin (אִשָּׁה זוֹנָה), bei Josephus in einem der καταγώγια. Die Gazäer wollen ihn am Morgen am Thore abfangen, siehe da, um Mitternacht hat er die Thorflügel mitgenommen und auf die Höhe getragen: עַל־פְּנֵי חֶבְרוֹן. Die Tradition hat dies durchaus aufgefasst als einen Hügel bei Gaza, der in der Richtung nach Hebron liegt; man hat daher ein Grabesheiligthum Simson's auf diesem Hügel gebaut. Ewald[4]) und Bertheau[5]) erklären es: die Höhe vor Hebron selbst; so hatte es auch Josephos[6]) verstanden, wenn er übersetzt: τὸ ὑπὲρ Χεβρῶνος ὄρος. Die Unwahrscheinlichkeit eines solchen Tragens mehr als 9 geogra-

---

1) Richt. 15, 1 ff.

2) Jos., Ant. J. V, 8, 8.

3) Jos., Ant. J. V, 8, 10. Richt. 16, 1—3.

4) Gesch. des Volkes Isr. II, S. 414.

5) Richter, S. 187.

6) Ant. J. V, 8, 10.

phische Meilen weit kann uns bei der so sagenhaften Behandlung der Geschichte Simson's nicht von dieser Erklärung abhalten, die sprachlich genauer ist und die den geschichtlichen Kern: den Rückzug nach dem Gebirge bei Hebron uns treffend giebt. Ewald fügt hinzu, ein solches Mitnehmen der Stadtthore möge früher in der Zeit des ersten Siegeslaufs Juda's, wo Gaza auf kurze Zeit eingenommen sei, allerdings mal stattgefunden haben. Wir kennen nach dem Obigen[1]) eine solche Einnahme nicht, die Erzählung selbst aber stimmt vortrefflich mit dem ganzen, an Scherz oft streifenden, die Dummheit der Gegner scharf in's Licht setzenden Tone der Lebensgeschichte von Simson. Der dritte und letzte Akt seines Lebens zeigt ihn uns im Thale Shorêk, einem auf der Karte zu Robinson nicht bestimmten Wadi, den wir aber nach den Angaben des Eusebios über das Dorf Kapharsarech und Σωρήκ in die Nähe von Zarea, Simson's Geburtsort, zu setzen haben. Die gefährliche Bedeutung des Mannes für die Philister tritt uns in dem gemeinsamen Handeln der Sarnim, ihrem hohen Geldversprechen bei Delila und dann in dem Jubel hervor, mit welchem der gewaltige Held endlich in Ketten in Gaza eingeführt wird. Gaza wird einige Zeit darauf Zeuge eines grossen Freuden- und Dankfestes bei seinem Haupttempel, wo alle Sarnim und eine grosse Menge Volks versammelt sind. Aber der gefangene, geblendete Mann in Ketten begräbt mit seinem Falle eine grosse Menge des Volks und alle Fürsten unter die Trümmer des Tempels, so noch im Tode für die ihm widerfahrene Schmach sich rächend. Sein Leichnam wird übrigens ruhig herausgegeben und in der Heimath begraben.

Aus dem Ganzen geht hervor, wie die Oberherrschaft der Philister eine anerkannte, über Juda und Simson we-

---

1) S. 129.

nigstens bis an die eigentliche Gebirgswand verbreitete war,
wie unter derselben der Verkehr der jüdischen Orte mit den
philistäischen Städten leicht und lebhaft sein mochte, wie
ein einzelner Parteigänger, der durch seine persönliche
Kraft und Schlauheit sich furchtbar machte, um so heftige-
ren Hass und Rache erregen musste, aber von einem Volks-
krieg, von einem entschiedenen Bruche mit der Fremdherrschaft, vom Aufbieten bedeutender militärischer Kräfte
ist hiebei nicht die Rede. Wir haben daher die ganze Geschichte Simson's, die in den Tagen der Philistäer
geschah, nicht nach jenen 40 Jahren, sondern in dieselben
zu setzen.

Die andere Erzählung im ersten Buche Samuelis [1])
knüpft an die Geschichte des hohenpriesterlichen Amtes an,
das zu Silo bei der Bundeslade verwaltet wurde; wir finden hier Eli, den letzten Hohenpriester des ursprünglichen
Geschlechtes, im hohen Alter und Samuel, den von Gott
Erwählten, durch prophetische Gabe bekannt werdend. Die
Philisterherrschaft ist länger vorhanden bei dem Beginne
der im ersten Buche Samuelis erzählten Thatsachen [2]); nach
einer spätern Stelle [3]) ist sie bereits in das 20. Jahr getreten seit diesen Thatsachen, dauert also schon viel länger. Da beginnt unser Bericht mit einem Kriegszug Israels
gegen die Philister; sichtlich sind hier nur die nördlichen
Stämme diesseit des Jordan, die um Ephraim sich schaarten, gemeint. Der Schlachtplatz der ersten Schlacht ist
zwischen Ebenezer und Aphek [4]), zwei bis jetzt noch nicht
genau bestimmten Punkten der Ebene Jezreel [5]) und zwar
auf dem weiten, den Philistäern günstigen Terrain, der zweiten weiter südlich ganz in der Nähe bei dem, wie es scheint,

---

1) 1 Sam. K. 4 — 7. Jos., Ant.
V, 11 — VI, 4.
2) 1 Sam. 4, 9.
3) 1 Sam. 7, 2.
4) Jos., Ant. V, 11, 1.
5) Robins., Palästina III, p. 477.

stehenden, festen jüdischen Lager, keine ganze Tagereise
von Silo weit[1]); wir sehen also schon fern von den philistäischen Gränzen. Beide Schlachten gewannen die Philister; erst 4000, dann 30000 M. Fussvolk fielen auf der
andern Seite und das Heiligthum Israels, die Bundeslade
kam in feindliche Hände. Diese entscheidende Schlacht fällt,
wenn man die runden Zahlen von je 40 und 20 als historische setzt, in das Jahr 1117 nach der bisherigen Bestimmung des Tempelbaues. Eusebius[2]) im lateinischen und
griechischen Text, wo von alienigenae, ἀλλόφυλοι die
Rede ist, setzt sie 900 Jahre nach Abraham, was ziemlich damit stimmt. Auch Silo scheint von den Philistern
besetzt zu sein, es wird nicht wieder als Mittelpunkt erwähnt[3]), sondern religiöse Haltpunkte sind nun weiter
südlich und östlich in Benjamin Bethel, Mizpa und Gilgal
und an dem letzten Ort, schon im Jordanthal gelegen, versammeln sich nach einiger Zeit die Kriegsschaaren unter
Saul[4]). Die ausführliche Erzählung[5]) von den verderbli-
chen und wunderbaren Wirkungen, die die Bundeslade erst
im Tempel des Dagon zu Asdod, dann als sie vier Monate
umhergetragen ward, auf das ganze Volk und das Land
ausübte, die Art ihres Zurückbringens giebt uns für das
religiöse Leben manchen Aufschluss, hier in der politischen
Geschichte ist dies von keiner Bedeutung. Wir haben nur
hervorzuheben, dass die drei nördlichen Städte Asdod, Ekron,
Gath (wofür freilich die LXX Askalon lesen) am meisten dabei betheiligt erscheinen, dass aber die Sühne von allen fünf
Städten oder ihren Sarnim in gleicher Weise gegeben
wird mit besonderer Angabe der Namen. Nach 7 Monaten
ward die Bundeslade bei Bethsemes wieder ausgehändigt und

---

1) 1 Sam. 4, 12.
2) Chr. II, p. 314.
3) Vergl. Ewald II, S. 424.
4) 1 Sam. 13, 4.
5) 1 Sam. 5. 6.

von da, da das Anschauen derselben auch hier seine tödtliche Wirkung nicht verfehlte, nach Kiriath Jearim hinauf gebracht.

Zwanzig Jahre philistäischer Herrschaft, also die zweite Hälfte jenes oben erwähnten grösseren Zeitraumes, zugleich die Zeit, wo die Bundeslade sich in Kiriath Jearim befand [1]), werden kurz nur berührt als Zeiten der Klage und des Jammers von Israel [2]). Zugleich geht aus den folgenden Versen 3 und 4 dieser Stelle hervor, wie mit der politischen Uebermacht auch der philistäische Cultus wieder den bedeutendsten Einfluss gewann. Es mag in dieser Zeit auch jenes Beth Dagon östlich von Sichem gegründet sein. Endlich ermannt sich das Volk Israel besonders durch Samuel's mahnende und prophetische Worte, dessen erstes Auftreten aber als eines Jünglings noch mit dem grossen Nationalunglück und dem Untergange des Hohenpriesters Eli und seiner Söhne 20 Jahre früher zusammenfällt. Es wird der erste Landtag zu Mizpa gehalten, aber dies sogleich von den Philistern in seiner gefährlichen Bedeutung erkannt. Die Sarnim ziehen heran auf das Gebirge, aber ein Gewitter schreckt sie, sie werden zurückgeschlagen bis nach Bethkar. Da heisst es V. 13 weiter: Die Philister wurden da kleinlaut und versammelten sich nicht mehr, um in die Gränzen Israel's zu dringen und die Hand Gottes lag auf ihnen alle Tage Samuel's. Es kehrten die Städte, welche Israel entrissen waren, von Ekron bis Gath zu Israel zurück und es war Friede zwischen Israel und dem Amoriter. Josephos [3]) hält sich hier ganz an die biblische Quelle. Daher spricht Jesus Sirach in der Verherrlichung Samuels [4]) sogar aus: καὶ ἐξέτριψεν ἡγουμένους Τυρίων καὶ πάντας ἄρχοντας Φυλιστιείμ. Wir haben hierin eine zusammenfas-

---

1) Jos., Ant. VI, 2, 1. 3) Ant. J. 6, 2, 3.
2) 1 Sam. 7, 2. 4) Weish. Sir. 46, 18.

sende kurze Uebersicht über die ganze Folgezeit des Sa-
muelischen Richter - und Prophetenamtes, die allerdings
grosser Beschränkungen bedarf, wenn wir irgend sie mit
den folgenden Thatsachen in Einklang bringen wollen; sie
ist sichtlich gegeben in vorzugsweise priesterlicher Anschauung, um das Unglück, die fortwährenden Kämpfe unter
dem Königthum dadurch recht in's Licht zu setzen. Es
wird dieser Landtag zu Mizpa allerdings als erste selbständige Erhebung nach 40jähriger besonders in der letzten
Hälfte drückender Herrschaft zu betrachten sein und ein
glücklicher Waffenerfolg mag die Philister zurückgedrängt
haben, so dass die ganz zu Philistäa geschlagenen Städte
von Dan und Juda wieder sich loslösten, besonders da,
wie es' heisst, die Amoriter, jener kananäische einst so
mächtige, aber schon lange sehr gesunkene Stamm in dem
Gebiete der 12 Stämme selbst, der der Urbevölkerung
näher als ein anderer stand und sich jetzt ganz an die Philistäer angeschlossen haben mochte, Frieden mit Israel hielten. Aber darum hatten die Philistäer ihre festen Positionen mit Besatzung auch auf dem Gebirge nicht aufgegeben, sie hinderten nur die religiösen und friedlichen Versammlungen zu Mizpa, Bethel und Gilgal nicht, machten
keine gemeinsamen Heereszüge in das Land und so mochte
unter Samuel, dessen volle Bedeutung erst mit jener Erhebung beginnt, ein geordneter, ruhiger Zustand in Israel
eintreten, freilich unter dem Damoklesschwert philistäischer Besatzungen. So erfahren wir ganz beiläufig aus
dem Munde Samuel's selbst[1]), dass zu Gibeah נְצִיבִים
der Philister sich befinden, also Beamte mit militärischem
Schutze, die wahrscheinlich auch Abgaben eintrieben; einen
solchen zu Gibeah erschlug Jonathan[2]). Nezibim setzte
David in das ihm unterthänige Land von Damaskus[3]), eben-

---

1) 1 Sam. 10, 5.   3) 2 Sam. 8, 6.
2) 1 Sam. 13, 3.

11 *

so Salomo über die Theile seines Reiches [1]). Merkwürdigerweise will Thenius [2]) diese Nezibim von Säulen, den
Denkzeichen der Herrschaft verstehen und bringt dazu die
Analogie der Sesostrissäulen. Der ganze Zusammenhang
macht solche Deutung unmöglich.

Dieser Zustand der Ruhe und einer gewissen gegenseitigen Anerkennung dauerte eine sehr geraume Zeit nach
dem Ende jener 40 Jahre; Samuel ist indess zum Greis
geworden. Da wird die Wahl eines Königs auf das heftige Drängen des Volkes durchgesetzt, das in dem König,
wie die andern, herumwohnenden Völker, zwar auch einen
Richter, aber vor Allem einen Kriegsführer haben will, der
seine Kämpfe auskämpft, was Josephos [3]) nicht unrichtig
individualisirt in den Worten: „Der an den Philistern sich
räche und von ihnen Strafe nehme für die frühern Unge-
rechtigkeiten", wie er das bei den Worten der Salbung
auch thut [4]). Allerdings erst nach und nach verschafft er
sich Geltung, aber schon seine Einsetzung, besonders die
unter seiner Leitung ausgeführte Befreiung von Gilead jenseit des Jordan und die Niederlage der Ammoniter, die
darauf folgende Anerkennung Saul's zu Gilgal bringt die
Philister zum Bewusstsein der ihrer Herrschaft drohenden
Gefahr. Es heisst [5]): „Israel stank vor den Philistern",
d. h. war verhasst. Die Tödtung eines Nezib zu Gibeah
durch Jonathan war die Losung zu neuem Kampfe. Eine
furchtbare philistäische Macht erscheint mitten auf dem Gebirge; Michmas, an dem obern Ende eines nach Gilgal, in
das Jordanthal herabführenden Felsenpasses gelegen, wird
zum Mittelpunkt der Besetzung. Drei Heerhaufen durchziehen das Land. Eine vollständige allgemeine Entwaff-

---

1) 1 Kön. 4, 19.
2) Comment. üb. Samuel. S. 35,
44.

3) Ant. VI, 3, 3.
4) Ant. VI, 4, 2.
5) 1 Sam. 13, 4.

nung tritt ein. Darauf scheinen die Beamten der Philister schon länger hingearbeitet zu haben. Man erfährt hier[1]), dass damals in ganz Israel kein Schmied sich fand, dass Alle zu den Philistern hinabgehen mussten, um ihr Acker-geräth, als Pflugschaar, Grabscheit, Axt, Dreschschlitten zu schärfen, dass das Volk weder Schwert noch Spiess in Händen hatte, daher auch David später hervorhebt[2]), es solle diese ganze Gemeine erfahren, dass der Herr nicht durch Schwert noch Speer hilft. Ein solcher Zustand ist nicht das Werk einer augenblicklichen Besatzung, sondern längerer Dienstbarkeit. Es mochte während jener 40jähri-gen Herrschaft planmässig darauf hingearbeitet sein und auch die folgende Zeit den Zustand nicht geändert haben. Gerade die Metallarbeiten müssen in Philistäa sehr geblüht haben und es lag ganz im Sinne der Philister als k r i e g e-r i s c h e r A d e l einer ruhigen, Ackerbau treibenden, aber wehrlosen Bevölkerung gegenüber zu stehen, der man ih-ren Glauben und ihr Eigenthum wohl liess, aber von aller freien Führung der Waffen fern hielt.

Während die Bevölkerung des Gebirges vor der philistäi-schen Macht einen offenen Kampf nicht wagt, sich zer-streut und in Klüfte verbirgt, oder jenseit des Jordan flieht, bleiben Saul und Jonathan mit einer kleinen Schaar auf Gibeah. Die kühne That Jonathan's, der allein mit dem Waffenknaben zum feindlichen Lager emporklettert, er-muthigt sie. Im philistäischen Lager entsteht eine Empö-rung der zum Mitziehen gezwungenen Hebräer[3]) und hef-tiger Kampf. Von allen Seiten brechen die Bewohner aus ihren Verstecken hervor. So zieht der Kampf vom Gebirge in das Thal, von Michmas nach Ajalon sich hinab[4]), eine weitere Verfolgung findet nicht statt[5]), die Philister ziehen

---

1) 1 Sam. 13, 19 ff. Jos., Ant. VI, 6, 1.
2) 1 Sam. 17, 47.
3) 1 Sam. 14, 21.
4) 1 Sam. 14, 31.
5) 1 Sam. 14, 37. 46.

in ihre Heimath zurück. Es war dies der Anfang langer, harter Kämpfe, die die ganze Regierungszeit Saul's dauerten[1]), über deren genauer Bestimmung, besonders im Verhältniss zu Samuel's Zeit, allerdings noch mancherlei Dunkelheit schwebt[2]), da ein grosser Theil der Zeit als Beiden gemeinsam betrachtet werden muss. Für unsere Untersuchungen haben wir nur so viel festzustellen: auf die 40 Jahre der Philisterherrschaft, in welche die Thätigkeit Simson's und Eli's fällt und welche mit dem Landtage zu Mizpa und dem ersten, bedeutungsvollen Auftreten Samuel's schliesst, folgt eine längere Zeit, die des eigentlichen Richteramtes von Samuel und einer gemilderten, aber immer noch bestehenden Oberherrschaft der Philister. In diese fällt bereits hinein das Drängen des Volkes nach dem Königthum, sowie die erste Weihung des jugendlichen Saul, die aber politisch noch weiter keine Folgen hatte, von wo allerdings die von einer spätern Zeit gerechnete 40jährige Herrschaft Saul's zu beginnen ist. Erst in einer Zeit, wo Saul in Jonathan einen waffenfähigen Sohn besass, der bereits eine Belagerung leiten kann, fällt die wirkliche Anerkennung Saul's als König, zugleich beginnen nun aber von Neuem die heftigen, sich wiederholenden Angriffe der Philistäer. Bis dahin sind seit jenem Landtage von Mizpa, also seit dem Ende der 40 Jahre der Philistäer, leicht 30 Jahre verflossen, wovon auf die angeblich 40jährige Regierung Saul's wenigstens 18 Jahre kommen müssen, wie auch Josephos angiebt[3]). Die wirkliche Regierung aber seit Erneuerung der philistäischen Heereszüge auf dem Gebirge und dem ersten glücklichen Zurückdrängen derselben bei Gibeah ist nicht über 20 — 22 Jahre zu setzen, ist doch Jona-

---

1) 1 Sam. 14, 47. 52. Jos. Ant. VI, 5 — VII, 1. 2) Bertheau, B. der Richter. Einleit. p. XIX.
3) Ant. VI, 13, 5.

than bei dem Beginn derselben schon erwachsen und ist
der zweite Sohn Isboseth bei Saul's Tode 40 Jahre alt[1]).
Rechnen wir nun einen Theil der davidischen Regierungszeit, welcher in Kämpfen mit den Philistäern hinging,
hinzu, so können wir sehr wohl die Dauer der Herrschaft
derselben, wenigstens ihrer Uebermacht über Israel auf ein
Jahrhundert ansetzen. Kehren wir nun zu den Zeiten Saul's
zurück.

Jene Kämpfe bestanden vor Allem in jährlich sich wiederholenden Kriegszügen, wo von festen Lagerpunkten
(מַחֲנִים, παρεμβολαί) aus die nach der Ernte angefüllten
Tennen geplündert, das Vieh weggetrieben ward, einzelne
hervorragende Helden im Einzelkampfe sich massen; zugleich hatten die Philister aber auf der Hochebene selbst noch
militärische Stationen (מַצָּב), eine solche war, z. B. Bethlehem[2]). Der Schauplatz der Kämpfe ist jetzt, so lange
David, der neu erstandene Held und Hort Israel's, im
Dienste Saul's steht oder als Freibeuter an den Gränzen
Juda's sich herumtreibt, südlicher und westlicher als vorher, in den Wadis, die an das Gebirge sich heranziehen;
so lagen die Philister zuerst[3]) zwischen Socho (Shuweikeh)
und Aseka an einen Berg gelehnt, Saul ihnen gegenüber im
Terebinthenthal[4]); bei den zwei folgenden durch David ihnen beigebrachten Niederlagen ist die Oertlichkeit nicht angegeben[5]); dann haben die Philister in der Ebene Refaim
ihr Lager[6]); wieder plündern sie in Kegila[7]), also west-

---

1) 2 Sam. 2, 10. Vergl. Thenius z. d. a. O.
2) 2 Sam. 23, 14.
3) 1 Sam. 17 ff.
4) Robinson, Pal. II, S. 607 hat
zuerst Socho als Shuweikeh, das
Elahthal als Wady es-Sumt bestimmt.

5) 1 Sam. 18, 25. 19, 8.
6) Sie erstreckt sich mit ihrer
nordöstlichen Gränze bis hart an
das Thal Ben Hinnon, also an Jerusalem. Vergl. Robinson, Pal. I, S.
305. u. a. a. O.
7) 1 Sam. 23, 1—5.

lich von Hebron am Gebirgsrand; als Saul David in der
Wüste Maón verfolgt, so ruft ihn die Nachricht von einem
philistäischen Einfalle ab[1]). Wir sehen, wie unermüdlich
die Philistäer in ihren Versuchen sind, ihre Herrschaft herzustellen, trotz des einmaligen Zurückdrängens bis an die
Thore Ekron's und Gath's ist es ihnen auch mehr und mehr
gelungen, sehen sie doch auf einmal ihren gefürchtetsten
Feind zweimal[2]) um Schutz bei dem König von Gath. nach-
suchen und mit seiner Heerschaar in dessen Dienste treten,
wofür er die Stadt Zikelag gleichsam als Lehen erhält.
Hierdurch ist das Gebirge Juda ihnen sicher, wie überhaupt
der ganze Süden und es bereitet sich jetzt der entscheidende Schlag im Norden Palästina's vor, der für eine Zeitlang das ganze Land bis zum Jordan den Philistäern unterwirft, bis sie in ihrem eigenen Lehnträger, der indessen die militärische Organisation von ihnen entnommen und
mit dem Kern eines tüchtigen Heeres, den er sich gebildet hat, ihnen die Spitze bietet, ihren gefährlichsten Gegner finden. Die Heersäulen der Philister versammeln sich
mit ihren Sarnim an der Spitze, sie ziehen nordwärts und
lassen sich an der nördlichen Gränze der Ebene Jezreel
bei Schunem nieder[3]), von da concentriren sie zur eigentlichen Schlacht ihre Streitkräfte bei Aphek[4]), wo wir sie
bereits früher schon fanden. Die Israeliten unter Saul
nehmen das Gebirge Gilboa zu ihrer Rückenwand und ziehen
sich dann nach Ain oder Endor[5]). Diese grosse lokale
Veränderung würde uns sehr räthselhaft erscheinen, wenn
wir nicht die Philistäer uns auch noch in dieser Zeit als
Herren des Küstenlandes zu denken hätten oder wenigstens
mit den Kananäern durch günstige Verträge verbunden.

---

1) 1 Sam. 23, 27.
2) 1 Sam. 21, 10—15. 27, 3 ff.
3) 1 Sam. 28, 4.
4) 1 Sam. 29, 1.
5) 1 Sam. 28, 4. 29, 1.

Der Erfolg der Schlacht ist ein ganz entscheidender [1]):
Saul mit seinen Söhnen fällt, das Heer geht im Gebirge
Gilboa zu Grunde, die Bewohner der Städte auf der Seite
der Ebene Jezreel, sowie auf der des Jordan vom Gebirge
Gilboa gerechnet [2]) fliehen und die Philister nehmen Besitz
von den Städten. Noch nie erfüllte ein solcher Jubel die
fünf Philistäerstädte als jetzt, wo das Haupt und die Waffen des getödteten Königs rings in den Städten, in den Tempeln umhergetragen ward, die Waffen niedergelegt wurden
im Hause der Astharoth [3]) oder ihrer Elohim [4]), der Kopf
in das Haus Dagon's [5]), der Leichnam zum Hohne ausge-
hängt an die Mauer von Bethshan (der nachherigen Skythopolis), so dass die Israeliten jenseit des Jordan ihn sahen [6]).
Daher mochte wohl David in dem herrlichen Klaglied [7]) um
die königlichen Helden ausrufen: „Saget es nicht an zu
Gath, verkündiget es nicht auf der Gasse zu Askalon, dass
sich nicht freuen die Töchter der Philister, dass nicht froh-
locken die Töchter der Unbeschnittenen."

Ueber die Art und Weise und über die Dauer der
philistäischen Herrschaft hören wir kein Wort, nur deutet
jenes Wohnen in den verlassenen Städten auf ein festeres
sich Ansiedeln hin. Josephos [8]) giebt uns nun allerdings eine
mehr auf allgemeiner, von Vielen getheilter geschichtlicher
Ansicht, als auf bestimmter, genauer Ueberlieferung ru-
hende Nachricht von der damaligen philistäischen Macht;
er sagt nämlich, **ganz Syrien und Phönike** und **viele
andere, streitbare Völker** seien mit ihnen zu Felde
gezogen; daher die fortwährend sich erneuende Militärmacht derselben. Ist dieses in diesem Umfange auch sehr

---

1) Vergl. auch 1 Chron. 10 neben 1 Sam. 31.

2) Nach 1 Chron. 10, 7 die Männer in der Thalebene (עמק).

3) 1 Sam. 31, 10.

4) 1 Chron. 10, 10.

5) a. a. O.

6) 1 Sam. 31, 10. 2 Sam. 21, 12.

7) 2 Sam. 1, 19—27.

8) Ant. VII, 4, 1.

übertrieben, so können wir wenigstens die Ausdehnung der philistäischen Herrschaft über das Küstenland bis an den Karmel, sowie den grössten Theil des nachherigen Galiläa für diese Zeit noch als sicher ansehen, somit auch die Theilnahme kananäischer Streitkräfte an den Kämpfen. Jenseit des Jordan bildete Abner ein neues Reich für Isboseth und gewann auch in den zwei Jahren von dessen Herrschaft diesseit Haltepunkte in Ephraim, Benjamin, der Ebene von Jezreel und Asser[1]); dieses fiel nach Isboseth's Tode David zu, der jedoch noch $5\frac{1}{2}$ Jahre zu Hebron blieb. War er als König von Juda von den Philistern anerkannt worden, die in ihm ihren Lehnsträger und Unterthanen sahen, so änderte sich die Sachlage ganz, als um ihn alle Stämme sich schaarten, er den Hauptmittelpunkt der kananitischen Stämme im Innern, Jebus oder Jerusalem gewann und nun als mächtiger selbständiger König auftrat[2]). Hiermit entbrennt der Kampf heftiger als je; die Ebene Refaim, eine hochgelegene Gegend, südwestlich Moriah gegenüber wird der Haltepunkt der Philister, aber zweimal werden sie von David zurückgeschlagen, das zweite Mal bis nach Gazer verfolgt[3]); hier in die Umgegend von Jerusalem werden die Einzelkämpfe gesetzt, Nob ward Zeuge der Bedrängniss Davids[4]), bei Gob wurden zwei Schlachten geschlagen[5]), wofür die Chronika[6]) Gazer haben, sowie Josephos; endlich zieht sich der Kampf nach Gath[7]) herab. Die genauern örtlichen Bestimmungen über den Schauplatz dieser Kämpfe sind, wie auch der Referent im Asiatic Journal[8]) hervorhebt, von Robinson zuerst gegeben. Nob ist

---

1) 2 Sam. 2, 9.
2) Jos. Ant. l. VII.
3) 2 Sam. 5, 17 — 25. 1 Chr. 14, 8 —17.
4) 2 Sam. 21, 16.

5) 21, 18. 19.
6) 20, 4.
7) 21, 20.
8) New Ser. V. XXXVI, p. 143.

allerdings ein doppeltes, das eine, die alte Priesterstadt, auf dem Gebirge nahe bei Jerusalem, das andere am Fusse derselben bei Lydda. Es ist dies eine Zeit persönlicher Tapferkeit und Heldenthaten; späteren Geschlechtern schien es ein Kampf mit Riesengeschlechtern, mit den vier Söhnen Rafah's, Ischbi, Saph, Goliath und dem אִשׁ מָרוֹן Aber die Verhältnisse hatten sich gegen früher geändert; David hatte von seinen Feinden militärische Ordnung gelernt, er hatte zugleich eine auserlesene Schaar von Philistäern in seiner Leibwache der Crethi und Plethi und den 600 Gathitern an sich gekettet, die ihn nie verlaßen, einer seiner besten Heerführer, Itai, war selbst ein Philister aus Gath [1]). Es war gerade das bereits eingetreten, was Samuel als Folge des nach dem Vorbilde der benachbarten Völker eingerichteten Königthums vorausgesagt hatte [2]): „Er nimmt eure Söhne und setzt sie sich auf seine Wägen und auf seine Rosse u. s. w.", ferner: „Er nimmt sie, um sie sich zu setzen zu Sarim über Tausende und zu Sarim über Funfzig." Das Resultat war daher nach langem Kampfe ein entschiedenes, nämlich Vernichtung der Herrschaft der Philistäer über Israel und Einnahme von Gath und seiner Tochterstädte [3]), das am nordöstlichsten gelegen von je am wenigsten speciell philistäischen Charakter trug. Winer [4]) stellt die Einnahme von Gath problematisch hin, weil später unter Salomo [5]) ein König von Gath genannt wurde. Dort fliehen zwei Sklaven des Semei aus Jerusalem zum König Achisch (Ἄγχους) von Gath. Semei setzt sich auf den Esel und holt sie ohne Beschwerden wieder zurück. Der Anfang der Erzählung wird ausdrücklich noch in die Lebzeiten von David gesetzt; dieser Vorfall

---

1) 2 Sam. 15, 18. 18, 1.   4) Realwörterb. Art. Philister.
2) 1 Sam. 8, 11. 12.   5) 1 Kön. 2, 39.
3) 1 Chron. 18, 1.

3 Jahre später und allerdings nach der Rede des Salomo, in Anfang seiner Regierung. Aber sehr wohl konnte Gath eingenommen und dabei, besonders bei den frühern freundschaftlichen Verhältnissen David's und Achisch doch ein, wenn auch abhängiges Königthum bestehen. Die Ausdrücke für dieses Resultat sind sehr bezeichnend; es heisst [1]): Er nahm die Zügel des Vorderarmes, d. h. die um diesen gewickelt waren, aus der Hand der Philister [2]) und Jesus Sirach [3]) rühmt von David: Bis heutigen Tages zertrümmerte er ihr Horn. Also der Philister, der kühne Wagenlenker, der Israel an seinen Kriegswagen gespannt, verliert die Zügel und das stolze Einhorn sein Horn. David konnte daher im Psalm [4]) frohlockend nach dem Siege über Damaskus, vor dem über Edom ausrufen: Philistäa jauchzet mir zu. Dass hiermit an eine völlige Unterwerfung Philistäa's nicht gedacht werden kann, ist klar, geht auch aus der Art der Zählung [5]) hervor. Vielmehr haben wir uns die vier philistäischen Städte auch fortan als selbständig ohne jüdische Nezib zu denken. Allerdings hat Salomo (1015 — 975 nach Baur, 973 — 933 nach Movers) eine Art Oberherrlichkeit über die philistäischen Herrschaften oder Königreiche damals ausgeübt, jedoch wird sie unterschieden von der Herrschaft über das Reich vom Euphrat bei Thapsakus bis nach Philistäa. So heisst es im Buch der Könige: Salomo war Herr (מוֹשֵׁל) über alle Königreiche vom Fluss (Nahar, d. h. der Euphrat) zu dem Philisterlande und bis zur Gränze Aegyptens, also Syriens und

---

1) 1 Sam. 8, 1.

2) Zum Vergleich dient der Ausspruch des P. Scipio Asiat., als er bereits in Sardes war, gegenüber dem Antiochos d. Gr.: νῦν αὐτοὺς καὶ τὸν χαλινὸν ἐνθέντας καὶ ἐπὶ τῷ χαλινῷ τὸν ἵππον ἀναβάντας. App. Syr. 29.

3) 47, 8.

4) 60, 10. Derselbe Vers kehrt wieder Ps. 108, 10.

5) 2 Sam. 24, 1 — 9. 1 Chron. 21, 1 — 7.

des ganzen Philisterlandes, die ihm Geschenke brachten und dieneten [1]); und an der andern Stelle V. 4: „Er trat (רֹדֶה) auf das ganze Land diesseit des Nahar (Euphrat) von Thipsach bis Gaza, auf alle Könige diesseit des Flusses. Ausdrücklich werden diese zinspflichtigen Königreiche und zwar geschieden die Syrien's und die Philistäa's hier aufgezählt im Gegensatz zu dem im vorhergehenden Kapitel gegebenen Verzeichnisse der wirklich zum jüdischen Reiche gehörigen, von Salomo's Statthaltern verwalteten Landschaften. Thenius hat daher in seinem Commentar[2]) ganz Unrecht, wenn er Philistäa dem Bezirke des Bendeker zuweisen will, der die Städte am Gebirgsabhang des Stammes Dan verwaltet, blos deshalb, weil der hier erwähnte Ort Beth Hanan, der sonst nicht erscheint, in dem Dorfnamen Beit-Hunûn bei Gaza erhalten sein könne. Die Geschenke der philistäischen Fürsten bestanden vor Allem in feinem Getreidemehl und Schlachtthieren für die königliche Haushaltung[3]), ebenso wie Salomo an Hiram Getreide und Oel gab[4]), war doch die Schephela das reichste

---

[1] 1 Kön. 5, 1 steht allerdings: מִן־הַנָּהָר אֶרֶץ פְּלִשְׁתִּים וְעַר גְבוּל מִצְרָיִם, also: vom Flusse des Philisterlandes bis zur Gränze Aegyptens und man könnte allenfalls an den unterhalb Jabneh in das Meer mündenden, die Gränze ziemlich bildenden Nahr Rubin denken, jedoch sind die Worte מִן־הַנָּהָר, die von 2 Codd. ausgelassen werden, in dieser Verbindung hier mehr als verdächtig, denn הַנָּהָר bezeichnet gleich im Folgenden den Euphrat V. 4, wie überhaupt immer den grösseren Fluss. Zugleich steht 2 Chron. 9, 26, wo von derselben Sache die Rede ist, ganz dieselbe Formel für die Euphratgränze, nur mit dem darauf folgenden nothwendigen Einschiebsel —וְעַר, das um so leichter ausfallen konnte, da es unmittelbar darauf noch einmal vorkommt. Josephos (Ant. VIII, 2, 4) hat die Stelle auch so verstanden, wenn er sagt: ἦσαν δὲ καὶ ἕτεροι τῷ βασιλεῖ ἡγεμόνες οἳ τῆς τε Σύρων γῆς καὶ τῶν ἀλλοφύλων — ἥτις ἦν ἀπ' Εὐφράτου ποταμοῦ διήκουσα μέχρι Αἰγύπτου — ἐπῆρχον —.

[2] Buch der Könige. S. 32.
[3] 1 Kön. 5, 2. 3.
[4] 1 Kön. 5, 25.

Getreideland und der Negeb durch seine Viehzucht ausgezeichnet. Wieviel allerdings von den täglichen Lieferun-
gen von 90 Kor oder 171 Dresdner Scheffeln weissem und
grobem Mehl, von den 10 gemästeten Ochsen und 20 der
Weide, von den 100 Schafen, von den dreierlei Wildpret,
von dem Geflügel auf Philistäa allein kam, können wir nicht
bestimmen, jedenfalls kein kleiner Theil. Aber wichtiger noch, als diese politische, doch immer
noch lockere Verbindung der Pentapolis mit dem jüdischen
Reich ist der grosse Culturaustausch, welcher zwischen ihr
und Jerusalem eintritt. Die Einwirkung des durch Handel reichen, ritterlichen Lebens der philistäischen Sarnim und der
reichen Geschlechter auf den jüdischen Königshof ist eine
ganz unverkennbare. Bei den grossen Tempelfesten, sowie
bei der ersten Einführung der Bundeslade nach Jerusalem
mochten aus Philistäa viele sich nach Jerusalem versammeln, da auch Juden in der ganzen Ausdehnung bis zum
Bache Aegyptens unter den Philistäern wohnten [1]). Jerusalem ward besonders unter Salomo der Mittelpunkt des
Kulturlebens zwischen Euphrat und der Gränze Aegyptens,
grosse Reichthümer strömten von allen Seiten, aus dem Süden über den Hafen Ezeongeber, aus Phönikien, von dem
Euphrat, aus Arabien herzu; der Handel mit Aegypten
ward sehr lebendig. Und sowohl dieser letzte Verkehr, als
auch der mit dem rothen Meere und den südarabischen Punkten ging zum Theil durch die Hand philistäischer Kaufleute und Karavanenherren.

Der politische Glanzpunkt der Philistäer ist nun vorüber, sie haben dem Reiche Israel die erste Stelle zuge-
stehen müssen, aber nur, indem sie einen Theil ihrer Einrichtungen, ja ihre eigenen Söhne zum Schutze jenes Thro-
nes hergeben. Rasch genug fällt jenes Reich aus einander

---

[1] 1 Chron. 13, 5. 2 Chron. 7, 8. Jes. 27, 12.

und die Philistäer erscheinen selbständig von Neuem, Israel wie Juda gegenüber; ihr Städtebund, ihr militärischer, ritterlicher Charakter bewährt sich fortwährend, aber es treten die Verhältnisse zu den zwei Staaten bald in den Hintergrund gegen die grossen Bewegungen, die aus Aegypten und von Assyrien her die Selbständigkeit bedrohen. Wir verfolgen erst jene Verhältnisse kurz bis in die Zeiten des persischen Reiches, um dann den zweiten Abschnitt der Geschichte der Philistäer, ihren Kampf gegen die Weltmächte zusammenhängend zu betrachten.

Mit dem Reiche Israel hatte Philistäa nur an seiner nördlichen Gränze Berührung. Wir haben eine Notiz, die uns den hartnäckigen, langwierigen Kampf in dieser Gegend um eine im Stamme Dan von den Philistäern besetzte Stadt, Gibbethon zeigt. Schon Nadab, der Sohn Jerobeam's und zugleich der Letzte seines Geschlechtes, lag mit Israel vor Gibbethon und ward hier (953 nach Baur, 913 nach Movers) erschlagen[1]); 24 Jahre später belagerte das Volk ebenfalls noch Gibbethon, als die Nachricht von der Ermordung Ella's und der Erhebung Simri's eintraf; da machte das Lager ihren שַׂר־צָבָא, den Feldherrn Omri zum König[2]). Dass diese Thatsache nicht als eine vereinzelte dasteht, sondern wohl aus einer ganzen Reihe von Kämpfen herausgenommen, ist wohl klar; sie traten nur zurück gegen die Gefahr, die Israel von Syrien aus drohte. Wir sahen ja früher, wie nach dem Norden bis in die Ebene Jezreel die Philistäer ihre Herrschaft ausgedehnt und dort sich festgesetzt. Also hier in Dan hatten sie seitdem

---

1) 1 Kön. 15, 27. Ueber die Lage von Gibbethon ist noch nichts Genaues ermittelt. Vergl. Thenius zu d. a. O. S. 207. Es befand sich nach Jos. 19, 44 an der Gränze von Dan und zwar an der nördlichen, in der Nähe von Jehuda und muss ähnlich Gazer eine sehr bedeutende Feste gewesen sein. Josephos (Ant. VIII, 11, 4) nennt sie Γαβαθά, aber VII, 12, 5 auch Γαβαθώνη.

2) 1 Kön. 16, 15.

nicht ihre festen Ansiedelungen aufgegeben. Andere Stellen zeigen uns den grossen Einfluss philistäischer Culte im Norden Palästina's, sowie auch freundschaftliche Beziehungen Israel's zu dem durch seinen Getreidereichthum einladenden Lande. Achasja nämlich (897—896 nach Baur, 854—853 nach Movers) schickte, als er in Folge eines Falles krank geworden war, Gesandte zu dem Heiligthum des Baal Sebub in Ekron, um da um Rath zu fragen[1]). Elisa, der heftigste Feind des Baaldienstes, schickte die Frau, deren Sohn er lebendig gemacht, bei drohender Hungersnoth als Fremde (als הָגָר) in das Philisterland, wo sie sieben Jahre blieb[2]).

Ganz anders nahe war aber Philistäa zu dem Reiche Juda gestellt, an dessen westlicher Gränze hin es sich mit seiner Länge streckte. Hier in Juda war auch die unmittelbare Tradition davidischer Ansprüche und Einrichtungen am lebendigsten geblieben. Aber die ersten Jahrzehnte waren gleich Zeiten vielfacher, äusserer Bedrängniss, in denen an das Geltendmachen der Oberherrlichkeit wohl nicht gedacht ward, die der Theorie nach noch bestand. Unter Assa heisst es ausdrücklich, es sei kein Krieg zehn Jahre lang im Lande gewesen; das jüdische Heer hatte eine sehr bedeutende Stärke in Hopliten, sowie auch gleich den Philistäern eine starke Macht von Bogenschützen[3]). Der glückliche Heereszug Assa's gegen Serach, den Cuschiten, der vom Süden bis tief nach Juda vorgedrungen war[4]), zeigt

---

1) 2 Kön. 1, 2. 3. Jos., Ant. IX, 2, 1.

2) 2 Kön. 8, 1 ff.

3) 2 Chron. 15, 9 ff. Ueber die Vereinigung mit 1 Kön. 15, 16 siehe Thenius zu d. l. St.

4) 2 Chron. 14, 13. Jos., Ant. VIII, 12, 1. Schon Scaliger, dann Champollion, jetzt Thenius (zu 1 Kön. 15, 23) wollen Serach für einen ägyptischen König der 22. Dynastie, letzteren für den Osorthon oder Osarkon, Nachfolger des Scheschonk halten. Mit Recht weist dies Rosellini, dann Böckh (Manetho S. 321) von ägyptischer Seite zurück. Auch bei dem biblischen Bericht ist Alles dagegen. Cuschim und Mizraim

uns, dass Gerar und die umliegenden Städte, welche damals von den Juden verbrannt und von wo das Kleinvieh und die Kamele weggeführt wurden, von den Cuschim bereits besetzt; dass also die Philistäer aus ihren südlichen Gegenden schon zurückgedrängt waren oder sich mit jenen verbündet hatten. Die von Assa angebahnte Regeneration des Königreichs Juda ward unter Josaphat (914—889 nach Baur, 872—847 nach Movers) vollendet, die militärische Organisation durchgeführt und so kam es, ohne dass uns dabei von vorhergehenden Kämpfen berichtet wird, dass die Philister Geschenke (מִנְחָה) und einen Tribut (מַשָּׂא) an Silber, also in Geld brachten, also in der Weise wie zu Salomo's Zeit, nur dass uns da von Silber nicht berichtet wird, ebenso wie die Araber eine bestimmte Zahl von Schafen und Böcken ablieferten [1]). Aber schon der folgende König Joram sah die Philister mit den Arabern in Juda, ja in Jerusalem siegreich einziehen, die Reichthümer aus dem Königspalaste und Töchter und Söhne bis auf einen einzigen wegführen; die Söhne mordeten dann die Araber [2]). Jedoch hatte dies keine dauernde Besetzung oder Herrschaft zur Folge; aber die Philistäer haben sich dabei in Besitz aller verlornen Posten an ihren Gränzen, besonders auch in den von Gath wieder gesetzt und von Seiten der Juden

---

sind immer scharf geschieden, dazu kommt, dass hier nicht lange vorher vom Zuge Scheschonks gesprochen ist (12, 9). Ausserdem beweist die Verwüstung von Gerar, die Heerdenwegführung, dass wir es mit einem Hirtenvolke und zwar einem, dem Gerar entweder gehörte oder nah verbunden war, zu thun haben. Es ist dies jedenfalls ein südarabischer Stamm. Cuschim werden als neben den Arabim wohnend erwähnt und diese Stämme im Bunde mit Idumäern, Midianäern und Philistäern, den frühern Herren von Gerar (vergl. 2 Chron. 21, 16. 26, 7) genannt.

1) 2 Chron. 17, 11. Jos., Ant. J. VIII, 15, 2.

2) 2 Chron. 21, 16. 17. 22, 1. Jos., Ant. J. IX, 5, 3. Die Wahrheit der Einnahme Jerusalems sucht zu läugnen Kuhlmei in Rudelb. Zeitschr. 1844. III, S. 82 ff., während Movers und Hitzig (Einl. zum Joel) mit Recht dieselbe festhalten

steigert sich der Hass gegen sie, besonders als stolze, habgierige, das Leben der Gefangenen als leichtes Erwerbsmittel benutzende Kaufleute. Daher werden von dem, weniger als ein Menschenalter darauf lebenden Joel [1]) unter den Heiden, welche in das Thal Josaphat zu Gericht geführt werden, neben Tyrus und Sidon vor Allem auch die Geliloth der Philister genannt, denn „sie haben das Land Israel's unter sich getheilt, sie haben das Loos um das Volk geworfen, sie haben den Knaben hingegeben für die Dirne und das Mädchen gegen Wein und haben sie vertrunken, sie haben die Kinder Juda's und von Jerusalem verkauft an die Javanim (Hitzig [2]) erklärt sie hier für ein Volk in Jemen, was allerdings durch die angeführten Analogieen in V. 8 und die unten zu erwähnende Stelle von Amos eine Stütze erhält), sie haben Silber und Gold und Kostbarkeiten weggenommen und in ihre Tempel gebracht." Während schon hier die Philistäer nicht mehr die Rolle des Siegers, des starken Herren spielen, sondern an Andere sich anschliessend den Sieg mehr kaufmännisch benutzen, so ist ihr Verhältniss zu der immer drohenden, damals Israel beherrschenden Macht der Aramäer unter Hazael ein sekundäres. Bei dem Zuge Hazael's gegen Jerusalem unter König Joas (879—839) [3]) wird Gath von den Syrern genommen und von da die Unternehmung gegen Jerusalem gemacht. Gath ist hier keineswegs als zu Juda noch gehörig zu erweisen; vielmehr scheint es einen Stützpunkt der Syrer gebildet zu haben. Wir erfahren ausser dieser Notiz in einem Zeitraum von 80 Jahren fast nichts von Philistäa bis zur Herrschaft Usia's (870—758, ungefähr 784—732 nach Movers [4])), welcher die Kriegsmacht Juda's,

---

1) Hitzig zu Joel S. 1 ff. Joel 4, 1—6.

2) Hitzig zu Joel S. 23.

3) Thenius zu 2 Kön. 12, 15 —21.

4) Phönicier II, 1. S. 153.

theils Hopliten, theils Bogenschützen und Schleuderer auf
307500 Mann brachte, Jerusalem mit Brustwehren und
Thürmen wohl verwahrte, Ackerbau, Viehzucht und Weinbau sehr beförderte. Unter ihm und im israelitischen Reich
unter Jerobeam II (vergl. Am. 7, 10 ff.), der bis 784
nach Baur regierte, in einer Zeit kurzer Macht und innerer Ruhe in beiden Reichen erhob Amos, einer der Hirten in Thekoa sein prophetisches Wort gegen Damaskus,
gegen die Philistäer, gegen Tyrus, die Idumäer, Ammon,
Moab, gegen Juda und besonders gegen Israel zwei Jahre
vor dem Erdbeben in Hinblick auf die im Osten sich erhebende assyrische Macht, wie aus zwei Stellen[1] klar
hervorgeht; denn die Syrer sollen nach Kir weggeführt werden und Israel über Damaskus hinaus. So erklärt er[2]: Gott
werde um drei oder vier Sünden (dies die durchgehende
Formel) Gaza nicht verschonen, weil es die Gefangenen
fortgeführt habe als Bezahlung sie Edom zu überliefern.
„Feuer wird die Mauern verzehren und vernichtet werden
ihre Burgen. Vernichten wird der Herr den Bewohner von
Asdod und den Scepterträger von Askalon und seine Hand
wird er umdrehen über Ekron und untergehen wird der
Rest (שְׁאֵרִית) der Philister." Es fragt sich, bezeichnet
dieser letzte Ausdruck überhaupt die Philister als Rest eines
grösseren Stammes, als Rest jener Caphthorim, oder die
damaligen Philister, die nur als Rest erschienen im Gegensatz zu früheren Jahrhunderten? War doch Gath und sein
Gebiet von David ihnen früher weggenommen, kürzlich erst
durch Hazael erobert worden. Das Letztere ist hier jedenfalls das Richtige, wie auch Jesaias[3] von dem Untergang der שְׁאֵרִיתֵךְ spricht. Wir sehen übrigens hier, wie
Gaza in den Vordergrund tritt gegen die übrigen Städte,

---

1) 1, 5. 5, 27.   3) 14, 30.
2) Amos 1, 6 ff.

wie dasselbe bei jener Einnahme Jerusalem's durch Menschenhandel sich bereichert, also von Handelsinteressen, nicht Eroberungsplanen getrieben wird und wie es hier, wie fortwährend später in enger Verbindung mit den südlichen Stämmen erscheint, wie bedeutend und gefährlich für die jüdischen Reiche Philistäa war, um es gleich hinter den damals mächtigsten Feind, das Reich von Damaskus zu stellen. Diese Drohung erfüllte sich in beschränkterer Weise noch unter Usia, denn er begann den Kampf mit den Philistäern und führte ihn glücklich durch; mit den Philistern werden hier die Araber von Gurbaal und **Maonäer** oder **Minaer**, also die Bewohner des späteren Petra, des Haupthandelsplatzes nach Arabien hin, verbunden genannt. Die Mauern von Gath, das also lange[1]) von jüdischer Herrschaft frei geworden und auch nach Hazael's Zug neu bevölkert war, von Asdod und von Jabneh werden gebrochen und Städte von Usia, also mit jüdischer Bevölkerung und offen, bei Asdod und unter den Philistern gebaut. Daher spricht **Micha** etwas später von einem מוֹרֶשֶׁת גַּת neben Gath selbst und stellt es mit andern Städten der Sephela mit Lachis, Achsib und Maresa zusammen, die alle auf gleiche Weise mit Jerusalem leiden[2]). Der Aenderungsvorschlag von Reland, Gesenius, Hizig in V. 10: אַל־תַּגִּידוּ בָּכוּ אַל־תִּבְכּוּ נָגַת für בְּכוּ zu lesen בְּעַכּוֹ und so Akko neben Gath zu bringen, wird von Quatremère[3]) mit Recht gemissbilligt. Die LXX liest an der Stelle: οἱ ἐν Γὲθ μὴ μεγαλύνεσθε καὶ οἱ Ἐνακεὶμ μὴ ἀνοικοδομεῖτε. Die Sephela wird von des Königs Heerden beweidet (a. a. O. V. 10), in der Wüste, hier dem mehr nach dem Wadi el Araba sich erstreckenden Theil, werden feste Thürme angelegt, sowie Brunnen gegraben, ja der

---

1) 2 Chron. 26, 6 ff. Jos., Ant. IX, 10, 3.

2) 1, 10. 14.

3) Journ. des sav. 1846. p. 418.

Hafen von Elath erneuert und mit jüdischer Besatzung versehen, der Name des Königs wird bis nach Aegypten hin bekannt. Allerdings drohte Usia hiermit die Lebensader der noch ungebeugten Städte, wie Gaza und Askalon in dem arabischen Handel und dem Besitze der Fruchtebene abzuschneiden. Jedoch unter Jothan, Usia's Nachfolger, zeigt sich die Schwäche und Unselbständigkeit des Hauses Juda gegenüber der drohenden Uebermacht der Syrer unter Rezin, gegen die der folgende König Ahas die Assyrer herbeiruft und sich als Knecht derselben erklärt. Diese Bedrängniss benutzen die Philister, sie kommen von Westen, während jene von Osten und verzehren Israel [1]; sie brechen ein in die Städte der Sephela und den Negeb Juda's, nehmen Bethsemes, Ajalon, Gederoth, neben dem im Buch Josua [2] ein Beth Dagon uns in der Sephela genannt wird, Socho und ihre Töchter, Thimnath, Gimzo und ihre Töchter ein und lassen sich daselbst nieder [3]. Somit sind sie wieder an dem Rande des Gebirges Ephraim und Juda, auf dem Schauplatze früherer hartnäckiger Kämpfe. Daher hebt der Prophet Jesaias in der Schilderung der Messianischen Zeit hervor, dass man hinfliegen wird über die Schulter der Philister nach dem Meere zu, sowie man verachten wird die Söhne des Ostens, d. h. die Arabischen Stämme, wie nach Edom und Moab man seine Hände ausstreckt und die Söhne Ammon's gehorsam sind [4]. Die LXX liest: πετασθήσονται ἐν πλοίοις Φυλιστιείμ θάλασσαν ἅμα προνομεύσουσι καὶ τοὺς ἀφ' ἡλίου ἀνατολῶν, worin also von dem Uebergang der philistäischen Seemacht an die Juden gesprochen wird und in der That

---

1) Jes. 9, 12, wo die LXX statt der ἀλλόφυλοι "Ελληνες hat, sichtlich im Sprachgebrauche ihrer Zeit, wo die Küstenstädte ganz hellenisirt waren.

2) Jos. 15, 41.

3) 2 Chr. 28, 18.

4) Jes. 11, 14.

veranlasst der Sprachgebrauch von עוף zu dieser Deutung.
Aber schon Ahas (nach Movers 720 — 705, Baur 742
—728) muss mit Glück gegen die vordringenden Philistäer
gekämpft haben; daher ruft Jesajas[1] dem Philisterland zu
bei dessen Tode, es solle sich nicht freuen, dass die Ru-
the, die es schlug, zerbrochen sei; es werde aus der Wurzel der Schlange ein gehörntes Unthier kommen und ihre
Frucht werde reifen zum fliegenden Drachen. Seine Nachkommenschaft werde Hungers sterben, sein Rest getödtet
werden, während die Erstgebornen der Armen ruhig weiden und die Elenden sicher ruhen, also das jüdische Volk
in reicher Nahrung und Ruhe lebt. Thor und Stadt, jene
hochummauerten, stolzen Mittelpunkte der Philister, ruft der
Prophet an, dass sie laut schreien, ganz Philisterland sei
verzagt, „denn von Mitternacht (מצפון) kommt ein Rauch
(Zorn) und es ist kein Einsamer (kein Versprengter, Zu-
rückbleibender) bei seinen Signalen. Und was werden die
Boten (מלאכים) der Heiden sagen? Dass Gott Zion gegründet hat und in sie sich zurückziehen die Elenden seines Volkes."

Die Stelle ist von jeher für die historische Auslegung
von Schwierigkeit gewesen. Wir können natürlich nicht
auf die grosse Zahl der einzelnen Ansichten eingehen, sehen
uns aber die Hauptpunkte der Stelle selbst etwas näher an
und prüfen dann die beiden neusten, ausführlicher begründeten Meinungen von Knobel[2] und Movers[3]. Auf Juda
bezieht sich jedenfalls der Stab (שבט), der Pelescheth
schlug, aber nun zerbrochen ist, auf Juda die weidenden,
ruhenden Armen, endlich die unwandelbare Festigkeit Zion's;
dagegen kommt vom Norden (צפון) nicht Juda, höchstens
Israel[4], das aber damals als ganz unter Assyrien gebeugt

---

1) Jes. 14, 28 ff.
2) Prophet Jesaj. S. 102 — 105.
3) Phön. II, 1. S. 391.

4) Der Prophet Jeremias (3,
12) wendet nach Norden sein Antlitz
gegen Israel.

nicht in gefährliche Berührung mit Philistäa kam, jedenfalls
auf der damascenischen Strasse die oberasiatischen Eroberer,
damals also die Assyrer; diese sind auch sonst bekannt
unter dem Bilde der gehörnten Schlange und des Drachen.
Es wird aber hier beides, Juda und die assyrische Macht
in Verbindung gebracht: denn es wird geradezu Juda unter
dem Bilde des in eine Schlange verwandelten Stabes, der
eine Wurzel hat und noch eine Frucht treibt, als der Grund
und Boden, der Ausgangspunkt der assyrischen Macht genannt und dann wird während des assyrischen Heerzuges
der Zustand Juda's als ruhig, friedlich und gesichert geschildert. Also wird sichtlich Philistäa gegenübergestellt
theils dem Juda, das geschwächt, dem Hohne, wie wir eben
sahen, unter Ahas auch den Angriffen der Philister ausgesetzt war, jetzt aber doch sich neu erheben und stärken
wird, theils Assyrien, das gleichsam das aktive Rächer-
thum, die Mission Judas in der Bekämpfung der stolzen Küstenstädte übernimmt. Diese Doppelstellung und Combination des neu erstarkenden Judas und der nahenden assyrischen Macht passt aber ganz und gar auf den Regie-
rungsanfang Hiskia's, der die von seinem Vater überkom-
mene Politik festhaltend das erste Jahrzehent sich ganz an
die mit zwei grossen Heereszügen Phönicien und das Reich
Israel überziehenden Assyrer anschloss, dabei aber seine
eigene Macht, weil unangefochten und gesichert, Philistäa
gegenüber und wahrscheinlich im Bund und auf Veranlassung Assyriens geltend machte. Es ist daher kein Grund,
mit Knobel[1]) die Zeitbestimmung der Ueberschrift zu ver-
werfen, wenn wir auch nicht in der Schlangenbrut den
Hiskia erkennen und die Prophezeihung um 10, 11 Jahre
früher in die Anfänge von Ahas Zeit zu versetzen. Während Knobel immer noch einen Zusammenhang zwischen

---

1) Proph. Jes. S. 103.

Juda und Assyrien in der Stelle angedeutet findet, freilich den ruhigen, sichern Zustand des erstern, der jetzt eintreten soll, gar nicht berücksichtigt, hat Movers denselben ganz ignorirt: er bezieht dieselbe ganz allein auf die Assyrer, welche zwei Jahre vor Ahas Tod Krieg mit Phönicien führten und einen Frieden abschlossen, welche dabei auch die Philistäer unterworfen haben sollen, wofür aber gar kein Beleg existirt. Im Todesjahr von Ahas sollen diese einen Abfall versucht haben und auf diesen hin sei die Weissagung erlassen. Das ist Alles unbewiesen; wir werden im folgenden Abschnitt die Zeit der philistäischen Unterwerfung bestimmen. Daneben schweben alle jene auf Juda nothwendig bezüglichen Ausdrücke der Stelle ganz in der Luft. Und es ward allerdings das ruhige, gesicherte Juda unter Hiskia neben und, wie ich glaube, im Bunde mit dem an der phönicischen Küste weilenden assyrischen Heereszug höchst gefährlich für die Philistäer. Zwei kurze Notizen belehren uns darüber: im zweiten Buch der Könige[1]) wird erwähnt, dass Hiskia in seinen ersten Regierungsjahren, also bald nach 728 der gewöhnlichen Berechnung die Philister schlug bis Gaza und ihre Gränze, ihr Gebiet vom Wachtthurm[2]) an (also am nördlichen Ende) bis zur Stadt der Stärke (Gaza selbst). Josephos lässt ihn die Städte von Gaza bis Gitta, Gath besetzen, was nur von den Gränzorten zu verstehen ist, die die Philistäer unter Ahas besetzt hatten. Die zweite Notiz, welche in der Beschreibung der einzelnen Stämme, ihrer Register und ihrer Wohnorte im Anfange der Chronika steht[3]), giebt uns ein interessantes Detail über den unter Hiskia eingetretenen Verlust des Negeb und die Zurückdrängung der mit Philistäa verbündeten Stämme. Eine Abtheilung des

---

1) 2 Kön. 18, 8.
2) Ant. Jos. IX, 13, 3.

3) 1 Chron. 4, 39 ff.

Stammes Simeon besetzt in der Zeit noch vor Hiskia Gerar (so liest die LXX) und die Gegend von da östlich bis
zu dem Gai, der Thalschlucht Moab's und weidet ihre
Heerden im Angesicht der hamitischen Stämme; unter
Hiskia schlagen sie diese in ihren Wohnungen und die
Maonäer, also das Handelsvolk von Petra; ein Theil
lässt sich hier am Gebirge Seir nieder und schlägt hier den
noch übrig gebliebenen Rest von Amalek, also jener ältesten, nach und nach ganz verschwindenden Bevölkerung der sinaitischen Halbinsel. Diese Besetzung konnte,
wenn das Reich Juda überhaupt noch viel Lebenskraft
besass, für den Haupthandel Philistäa's sehr verhängniss-
voll werden.

Die grosse von Aussen, von Assyrien, Aegypten, Babylonien, drängende Gefahr vereinigte Juda und die Philistäer
nicht, vielmehr benutzen diese das Unglück Juda's im Interesse ihres Handels und zur Ausbreitung des Landbesitzes, während Juda jedes Verhängniss jener als eine
Strafe ihrer Ungerechtigkeit gegen das auserwählte Volk
Gottes betrachtet und die Hoffnung auf einstmalige Unterwerfung nicht aufgiebt. So erheben die Propheten, wie der
Verfasser von Sacharja 9, 5 — 7 im achten Jahrhunderte[1]),
wie Zephanja[2]) unter Josia (641 — 610 nach Baur, 639 — 601
nach Movers), wie Jeremias[3]) im 9. Jahre Jojakim's (610
— 599 nach Baur, 608 — 597 bei Movers) ihre düsteren
Prophezeihungen über Philistäa, die allerdings die ihnen
anderswoher drohende Vernichtung ankündigen, aber doch

---

1) Hitzig, Kl. Proph. S. 129 ff.,
dessen Gründe Kap. 9 und 10, weil
vor 11 stehend, das er in die ersten
Tage Menahem's um 772 setzen zu
müssen glaubt, vor diesen Zeitpunkt
zu rücken, in die Anfänge des Usia,
uns nicht schlagend erscheinen; nur

das steht nach 10, 9 fest, dass sie
kurz vor der Wegführung Israel's, im
Jahre 722 nach gewöhnlicher Berechnung, geschrieben sind.

2) 2, 4 — 7.

3) 25, 20 ff. — 47, 7.

den Hass der Juden und ihre Hoffnung einstmaligen Auf-
gehens in das messianische Reich zugleich aussprechen,
Prophezeihungen, die im Laufe der Jahrhunderte zur furchtbaren Wahrheit geworden sind. Sacharja weist darauf
hin, wie der Untergang von Tyrus Askalon, Gaza, Ekron
erschrecken werde, wie ihre Hoffnung verdorrt, wie der
König von Gaza untergeht, in Askalon niemand mehr wohnt,
in Asdod der Bastard (מַמְזֵר), wie der Stolz der Philister
vernichtet wird, der Gräuel ihres Opferdienstes entfernt,
der Rest Jehova behalten und in Juda sei wie ein Einge-
bürgerter, Ekron wie der Jebusiter, während Jerusalem zu
neuem Glanz sich erhebe im messianischen Reich. Zephanja
verkündet: „Gaza wird zur Einöde werden (Wortspiel in
עַזָּה עֲזוּבה) und Askalon zur Wüstenei, Asdod in der Mit-
tagshöhe seines Glücks wird vertrieben werden und Ekron
ausgerottet. Wehe über die Anwohner der Meeresküste,
über die Heiden, die Crethim, das Wort des Herrn ist
über euch, Kanaan, du Land der Philister, ich werde dich
verwüsten, dass niemand daselbst wohnt. Und die Meeresküste wird zur Weide, Cisternen der Hirten und Schaf-
hürden. Und es wird die Küste zu Theil dem Reste vom
Hause Juda, auf ihr werden sie weiden, in den Häusern
von Askalon werden sie am Abend ruhen, denn Jehovah
wird sich zu ihnen wenden und ihr Gefängniss kehren."
Der heftige Hass gegen die Idumäer, die nach der
Zerstörung Jerusalem's aus dem Süden, aus ihren Wohnungen in Felsenklüften nordwärts gedrungen und fast das
ganze jüdische Land besetzt hatten, umfasst die andern
Völker auch mit, die am gleichen Raube Theil genommen:
So spricht noch Obadja[1]) aus, nachdem er von dem verzehrenden Feuer des Hauses Jakob und Joseph gegenüber
dem Stroh des Hauses Esau gesprochen, dass wie der Ne-

---

1) 1, 19.

geb, d. h. hier der Negeb des Stammes Juda das Gebirge
Esau in Besitz nehmen werde, so die Sephela, also auch
deren jüdische Bewohner, der Stamm Dan und Juda die
Philister. Im Hesekiel ist aber in den Weissagungen
über fremde Völker[1]) eine besondere Prophezeihung gegen
die Philister[2]) ausgesprochen, weil sie Rache geübt haben
aus Uebermuth, aus eigner Lust, als Verderber in altem
Hasse. Gegen sie übernimmt Jehova selbst die Bestrafung;
er will seine Hand ausstrecken über die Philister, aus-
schneiden, ausrotten die Crethim, verderben den Rest der
Meeresanwohner. Wir erfahren, dass die Philister einen
Theil des Landes, die Sephela an sich brachten, welchen
sie freilich unter Dareios Hystaspis wieder herauszugeben
den Befehl erhielten[3]), dass sie vor Allem durch S k l a v e n -
h a n d e l mit jüdischen Knaben und Mädchen sich berei-
chern und Gold und Silber aus dem zerstörten Jerusalem,
vor Allem wohl auch von den babylonischen Siegern durch
Handel an sich bringen, dass sie mit Idumäern, den Chu-
täern Samaria's und andern ἔϑνη die zurückkehrenden, am
Aufbau Jerusalem's arbeitenden Juden bedrängten durch
Neckerei, einzelne Tödtung, Plünderung. Aber wohl war
der eigentlich ritterliche, thatkräftige Geist einer früheren
Zeit gewichen, der nicht schadenfroh dem bedrängten Feinde
noch das Letzte nimmt und in fremde Beute sich theilt, sondern der in offenem Kampfe um den Besitz ringt. Daher
heisst es mit Recht bei Jesus Sirach[4]): ,,Bis heutigen Tages
ist das Horn der Philister gebrochen,'' aber daneben auch[5]):
,,Zwei Völkern bin ich gram, den Samaritanern und Philistern.'' Trotz dieser durch die Zeiten des Exils, durch die

---

1) Kap. XXV — XXXII.
2) 25, 15 — 17.
3) Jos., Ant. XI, 3, 8: πϱος-
έταξε δὲ τοὺς Ἰδουμαίους καὶ Σα-
μαϱείτας καὶ τοὺς ἐκ τῆς Κοίλης
Συϱίας ἀφεῖναι τὰς κώμας
ἃς τῶν Ἰουδαίων κατεῖχον.
4) 47, 8.
5) 50, 28.

grosse Veränderung der ganzen Bewohnerverhältnisse Palästina's lebendig erhaltenen Abneigung gegen die stolzen
Bewohner der Küstenstädte war an mehreren Punkten eine
Mischung der Juden und Philister, zunächst der Asdoditer
eingetreten, so dass Juden asdoditische Frauen hatten und
die Kinder zum Theil nur asdoditisch, nicht jüdisch verstanden[1]), ein Beweis, dass damals um 444 das Philistäische
noch eine selbständige lebende Sprache war. Nehemia, der
Erneuerer des bürgerlichen Wohles des hebräischee Gottesdienstes, trat mit Strenge diesen Verbindungen entgegen. Die späteren Beziehungen nach Alexander d. Gr.
werden in dem zweiten Abschnitte zur Sprache kommen,
da hier sowohl in dem reagirenden Judenthum, als und besonders in den Küstenstädten das neue, treibende Element,
der Hellenismus ist als eine allgemeine, die alte Welt um-
gestaltende Macht. Wird auch die $\gamma\tilde{\eta}$ $\dot{\alpha}\lambda\lambda o\varphi\acute{\upsilon}\lambda\omega\nu$ hier noch
manchmal als Ganzes genannt[2]), sowie die $\Phi\upsilon\lambda\iota\sigma\tau\iota\varepsilon\acute{\iota}\mu$, erhält sich noch im Cultus und auch der Sprache ein eigen-
thümlich philistäisches Element, so ist doch die politische
Bedeutung des Volkes als solches verschwunden, der Bund
existirt nicht mehr und die einzelnen Städte, wie Gaza,
sind nun als Einzelwesen geschichtlich zu verfolgen, jetzt
nur als Glieder und zwar besonders thätige und bedeut-
same in dem grossen griechisch - orientalischen Cultur-
system.

---

1) Nehemia 13, 23, einem nach
Ewald (Gesch. des Volkes Israel I,
S. 260) unverändert aus Nehemia's
Denkschrift entnommenen Abschnitt
angehörig.
— 2) 1 Mak. 3, 24. 5, 68.

§. 5.

Die Philistäer gegenüber den asiatischen Welt-
mächten und Aegypten.

Ihr Kampf um Selbständigkeit und die Zeit ihrer Unterwerfung.

Quellen sind neben einzelnen Notizen der historischen Bücher des
A. T. vor Allem die mittlern und jüngern Propheten, so Jesajas,
Zephanja, Jeremias, Ezechiel und die entsprechenden Abschnitte
bei Josephos, bes. von Buch 8, 8 bis 12. Daneben werden die
fragmentarischen Berichte des Dios und Menander über phönikische
Geschichte, die Excerpte aus Berossos bei Eusebios über assyrische
und babylonische Geschichte, aus Alexander Polyhistor und Bion
über die assyrischen Dynastieen neben den Angaben von Herodot, von
Ktesias bei Diodor, neben dem dritten Buche der Dynastieen des
Manetho von Bedeutung.

Von neueren, specielleren Untersuchungen über diese Völkerverhältnisse verweise ich neben den Commentaren von Knobel und
Hitzig zu den Propheten vorzüglich auf die Abschnitte bei Movers:
Phönicier II, 1. S. 258—302 und S. 373—478, auf Hupfeld in
seinem Exercitatt. Herodott. specimen primum sive de rebus Assyriorum (Marb. 1837) und specimen tertium, im Anhang de Chaldaeis
(1851) und die genauen, synchronistisch wichtigen Erörterungen
Böckh's zum dritten Buche des Manetho S. 312 ff.

Die Auflösung des philistäischen Staatenbundes und ihrer Stammeseigenthümlichkeit ist nur zum kleinern Theil
herbeigeführt durch die eben geschilderten vielfachen Kämpfe
mit den Reichen Juda und Israel, die uns nach der Vernichtung jener frühern, dauernden Herrschaft über ganz
Palästina einen fortwährenden Wechsel im Besitz der reichen Fruchtebene und der südlichen Weidegegend, in der
schwankenden Anerkennung einer gewissen Oberherrlichkeit der Könige von Juda darstellen, allerdings zuweilen
auch Verpflanzung jüdischer Bevölkerung in philistäisches
Gebiet und umgekehrt aufweisen. Der tiefere Grund lag
überhaupt in der allgemeinen Verschmelzung nationaler

asiatischer Elemente in den grossen Weltreichen und in
der eigenthümlichen, gefährlichen Stellung Philistäa's zwischen den kämpfenden Mächten. Diese haben wir daher
hier im Zusammenhang aufzufassen.

Es ist eine geographische Nothwendigkeit, die durch
Jahrtausende sich manifestirt hat, dass jede Weltmacht,
die in den grossen Flussthälern von Mittelasien sich bildet,
um die Herrschaft über Vorderasien zu behaupten, vor
Allem die syrische Küste mit ihren Häfen, ihrem Holz-
reichthum, ihren natürlichen Pässen, wie im Norden durch
den hart an die Küste tretenden Amanos, so im Süden
ihren schmalen Küstenstreif zwischen Meer und Wüste gewinnen muss. Ebenso ist aber durch die feindliche Besetzung des letztern auch Aegypten leicht der Eroberung
geöffnet. Droht daher eine solche Gefahr von Innerasien
oder strebt in Aegypten eine einheitliche Herrschaft nach
Ausdehnung der Herrschaft über die Naturgränzen des Landes, so wird die palästinensische Küste ihr wichtigster und
nothwendigster Besitz sein. Starke, kräftige Staaten also
hier, wie die Phöniker, die Syrer von Damaskus, die Philistäer, die Juden bildeten, sind immer von grosser politischer Bedeutung für die Auseinanderhaltung der einander
widerstrebenden grossen Mächte, sie bilden gleichsam einen
Neutralitätspunkt und sind besonders geeignet, die Colpor-
teurs der beiderseitigen Cultur, wie dies im Handel zunächst zu Tage tritt[1]), zu werden. Wie aber das Gebirge von Juda und Ephraim mit seinen hochgelegenen
Städten und Festen die nothwendige Vorbedingung ist für
innerasiatische Mächte, um an die südliche Küste von Syrien zu kommen, daher auch der Neubau Jerusalem's ausdrücklich in dieser Beziehung als gefährlich genannt wird,

---

1) Herod. I, 1: $\Phi o i \nu \iota \kappa \alpha \varsigma$ — $\dot{\alpha} \pi \alpha \gamma \iota \nu \dot{\epsilon} o \nu \tau \alpha \varsigma$ $\delta \dot{\epsilon}$ $\varphi o \varrho \tau i \alpha$ $A \dot{\iota} \gamma \dot{\upsilon} \pi \tau i \dot{\alpha}$
$\tau \epsilon$ $\kappa \alpha \dot{\iota}$ $' A \sigma \sigma \dot{\upsilon} \varrho \iota \alpha$.

so haben die Aegypter vor Allem die festen Küstenstädte zu gewinnen; und in der That spricht sich auch durchgehends in der ganzen politischen Haltung, wie in Sitten und Lebensformen, in religiösen Anschauungen, bei den Juden eine Hinneigung zu den Assyrern und babylonischen Chaldäern aus, dagegen bei den Philistäern eine ähnliche zu Aegypten; den letzten Grund bilden auch hiefür die ursprünglichen ethnographischen Verhältnisse.

Neuere, genauere Untersuchungen besonders der Dynastieenangaben des Berossos beim armenischen Eusebios[1]) haben gegenüber der von Ktesias und danach Diodor ausgesprochenen Priorität von Niniveh die viel frühere und ursprüngliche Machtbildung in B a b y l o n, überhaupt im Lande S i n e a r erwiesen. Und wie hierin der Bericht der Genesis über Babylon, Nimrod und Niniveh seine volle Bestätigung findet, so ist ebenfalls die ursprüngliche Völkerschicht, welche hier im fruchtbaren Tiefland eine Culturmacht entwickelte, als eine h a m i t i s c h e im biblischen Sinne und zwar näher als eine c u s c h i t i s c h e zu betrachten, welche in einem weiten Bogen von beiden Seiten des persischen Meerbusens über Südarabien und dann nach Abyssinien hinüber sich erstreckt und sichtlich später immer weiter südlich, besonders zwischen dem Euphratland und der Sinaihalbinsel verdrängt ward erst durch die ismaelitischen Stämme, dann durch die zu den Hebräern gehörigen von Ammon, Moab, Edom. Allerdings ist diese cuschitische Machtbildung durch eine sehr frühe, siegreiche Einwanderung von der nördlichen Hochebene unterbrochen und modificirt worden; mit der sogenannten m e d i s c h e n Eroberung, die zugleich den Beginn der Rechnung nach Sonnenjahren bezeichnet und von Lepsius auf das Jahr 2413 v. Chr., von

---

1) Euseb. Chron. l. I in Coll. I, S. 192 ff. Lepsius, Chronologie nova scr. vet. ed. Mai. p. 8 ff. Nie- S. 7 ff. buhr, Kl. hist. u. philol. Schriften.

Niebuhr, der dies Jahr der ersten Aristoteles gezeigten
chaldäischen Himmelsbeobachtung als Aera ansieht, auf 2234,
nach Hupfeld auf 2278 bestimmt wird, beginnen die historischen Königsreihen. Wir sind überzeugt, dass mit diesen Medern zugleich die Χαλδαῖοι (כַּשְׂדִּין Carduchae,
Cudraja im Medischen), jener nördliche, semitische, aber
auf dem Gränzland mit den arischen Stämmen zusammenwoh-
nende und gemischte Stamm, zuerst in Babylonien erschienen sind; vorher werden sie nach dem armenischen Eusebios nicht genannt. Ist nun auch hiermit eine bedeutende
Veränderung vor sich gegangen im religiösen Leben, wohl
auch in der Sprache, so ist jene cuschitische Bevölkerung
fortwährend noch ein sehr wichtiges Element; wir haben
zwischen den medischen sogenannten Tyrannen und den
chaldäischen Königen noch eine Reihe einheimischer, sowie
eine Dynastie arabischer Könige. Dieses babylonische
Reich, welches in seiner völligen Selbständigkeit von der
medischen Eroberung an noch 927 Jahre ausser den für
uns fehlenden Zahlen der 11 Könige der zweiten Dynastie
bestand, hat allerdings in vielfacher Beziehung und Einwirkung zu Palästina gestanden: es ist vor Allem auf den gemeinsamen hamitischen Ursprung der Amalekiter, der Urbewohner Kanaan's mit den Bewohnern Sinear's hinzuweisen, dann auch haben wir ausdrückliche Erwähnung der
Uebermacht der Könige von Sinear, Elam u. a. in der Zeit,
wo Abraham in Kanaan erscheint [1]); auch gehört die vereinzelte Notiz im Eusebios [2]) zu dem Jahre 483 nach Abraham, in der Zeit von Moses Jugend hierher: Chaldaei contra Phoenices dimicant. Es ist daher manche, ja vielleicht
viele Gemeinsamkeit in Sprache und religiöser Anschauung
zwischen jenen später verdrängten, ausgerotteten oder nur
untergeordneten, umgebildeten Völkern gern zuzugeben;

---

1) 1 Mos. 14, 1.   2) Chron. II, p. 295.

nur das steht fest, hier spielt die Semiramis, jene oberasiatische Göttin, nicht hinein, sie erscheint überall in Begleitung der assyrischen Eroberung; vielleicht, aber
ohne allen strikten Beweis, der Mythus vom Aethiopen
Kepheus und dem blutfordernden Meerungeheuer.

Eine assyrische Machtbildung aber an der palästinischen Küste, sprechen wir das hier gleich entschieden den Deduktionen von Movers für eine ältere Herrschaft um das Jahr 2000, eine mittlere im 13. Jahrhundert gegenüber aus, kennen wir vor den Zeiten eines Phul
und Salmanassar nicht. Alle seine Beweise ruhen eben auf
dem Vorkommen des Namens von Semiramis, der Aethioper und der falschen von Diodor und Josephos angenommenen Uranfänglichkeit des assyrischen, ninivitischen Reiches. Josephos trägt z. B. in den Manetho bei dem Bericht über die Hyksos seine Ansicht geradezu hinein, oder
er übersetzt den hebräischen Text willkürlich, z. B. wenn
er den Cuschan Rischathaim ($Xov\sigma\acute{\alpha}\varrho\vartheta\eta\varsigma$), welcher Israel
im Anfange der Richterzeit bekriegte, König der Assyrer
nennt[1]), obgleich er König von Aram Naharaim, d. h. Mesopotamien genannt wird und wie es gerade hier an selbständigen kleinen Reichen nie fehlte, lehren uns jetzt die
ninivitischen Denkmäler zur Genüge. Mit der Gründung
Niniveh's und der andern assyrischen Städte von Babylonien aus, mit der ersten Bildung eines assyrischen Staates, den der Name Ninos bezeichnet, reichen wir allerdings
bis um das Jahr 2000 hinauf, worauf die 1300 Jahre des
Justin[2]), die 1240 des Eusebios[3]) bis zum Tode des Sar-
danapal hinführen. Und es mag die allmälige Ausbreitung
des Reiches in Mesopotamien jene Wanderungen der hebräischen Stämme, ihr Drängen nach Südwest mit veranlasst

---

1) Ant. J. V, 3, 2.   3) Chron. II, p. 325.
2) I, 3.

haben, wie Ewald meint[1]); aber die ersten 6 Jahrhunderte
beschränkt sich dasselbe auf die obern Tigris- und Euphrat-
länder. Das gleichzeitige Zusammentreffen einer gewaltsamen. Dynastieveränderung, in der eine Atossa als die
historische Semiramis den Mittelpunkt bildet, die Erscheinung assyrischer Herrscher mit der Semiramis an der Spitze
durch 526 Jahre in Babylon, der Beginn jener 520 Jahre
assyrischer Herrschaft über Oberasien ($\dot{\eta}$ $\ddot{\alpha}\nu\omega$ $\dot{A}\sigma\dot{\iota}\alpha$)[2]),
worunter sowohl Medien, als Armenien und der mittlere
und nördliche Theil Kleinasiens mit begriffen war, der Beginn einer heraklidischen, offenbar assyrischen Dynastie in Lydien, markirt uns eine um das Jahr 1300 (nach
Movers 1273) eingetretene wichtige Epoche. Wir haben
oben[3]) zwar die Möglichkeit, ja Wahrscheinlichkeit feind-
seliger Berührung der sich ausbreitenden lydischen Macht
mit Nordsyrien, besonders einen gewaltsam auftretenden,
religiösen Einfluss, wie er z. B. in Bambyke sichtlich ausgesprochen ist, zugegeben, aber eine Festsetzung der Assyrer an der phönikischen, noch mehr palästinischen Küste,
eine Herrschaft daselbst müssen wir ganz läugnen. In den
biblischen Berichten ist davon keine Spur, vielmehr folgt
ja im 12. und 11. Jahrhundert die Zeit der höchsten Blüthe
Philistäa's, dann der Israeliten und eine Ausdehnung der
letztern Macht bis Thapsakus und Hamath, endlich der Ha-
dads von Damaskus. Erst die Mitte des 8. Jahrhunderts
ist es, welche die Assyrer und zwar nach dem Verluste
ihrer oberasiatischen Herrschaft, besonders Lydiens und
Mediens unter einer neuen chaldäischen Dynastie, die Babylonien als ein ziemlich selbständiges Nebenreich verwaltete, mit grosser Energie und Planmässigkeit in Syrien
auftreten sieht und hier vor Allem im nördlichsten Theil
und an der kilikischen Küste und dann im Süden im Lande

---

1) Gesch. d. V. Israel I, S. 511.   3) 41 ff.
2) Her. I, 95.

jenseit des Jordan, dann an der philistäischen Küste einen
festen, auf starke Kolonisation gegründeten Haltepunkt er-
streben lässt. Hier beginnt also auch erst der hartnäckige
Kampf Philistäa's um seine Selbständigkeit, um seine nationale Bedeutung.

Aber wie steht es für diese ältere Periode vor dem 8.
Jahrhundert mit dem Einfluss und der Uebermacht des ägyptischen Reichs? Hat die oberägyptische Dynastie, welche
die Hyksos gänzlich vertrieben, welche nun mit rascher,
erneuter Kraft einer innern, neuen Organisation des Landes
vielfacher religiöser Veränderung und vor Allem einer Ausbreitung auch nach Aussen zustrebte, nicht auch noch wenigstens zeitweise die Küste der Hyksos, der Pelischtim
erobert? Allerdings ist dies der Fall gewesen, die Eroberungszüge bis tief nach Sinkar (Babylonien), Naharina
(Mesopotamien), Kananah (Kanaan) und gegen die Ludim
(Lyder) und Romanen (Armenier) sind für den achten König der achtzehnten Dynastie, Ramses III Miamun den
Grossen (Sesostris, Sesaosis) bezeugt [1]), nachdem bereits
seine Vorgänger, wahrscheinlich in vielfachem Kampf mit
den aus Aegypten selbst vertriebenen Hyksos ihre Eroberungen in dieser Richtung ausgedehnt hatten. Herodot berichtet bekanntlich ausdrücklich, dass er von den durch Sesostris errichteten Stelen, den Denkmalen seiner Siege mit
seinem Namensschild und längerer Inschrift seiner Thaten,
zugleich der Zugabe der weiblichen Scham bei schwachen
Gegnern, selbst welche $\dot{\varepsilon} v$ $\tau \tilde{\eta}$ $\Pi \alpha \lambda \alpha \iota \sigma \tau \acute{\iota} v \eta$ $\Sigma v \varrho \acute{\iota} \eta$
gesehen mit Inschrift und diesem Abzeichen, also ein siche-
rer Beweis zeitweiliger Unterwerfung. Man hat dies von
Herodot gesehene Denkmal auf die am Flusse Lykos (Nahr
el Kelb) zwischen Berytos und Byblos entdeckte und ge-

---

1) Böckh, Manetho S. 294—98. Bunsen, Aegypten III, S. 97 ff.
Movers II, 1. S. 298.

lesene Inschrift bezogen, wo neben dem ägyptischen Siegeszeichen der spätere assyrische Eroberer seine Keilschrift
als zweites Siegeszeichen einhauen liess, aber dagegen ist
doch wohl zu sagen, dass Herodot, der sehr genau und
scharf die *Φοινίκη* und *Παλαιστίνη Συρία* unterscheidet,
unmöglich die nördliche Küste Phönikes unter diesem Namen begriff. Er spricht dazu von Autopsie und da er, wie
wir später sehen werden, höchstwahrscheinlich nur den
Küstenweg von Aegypten nach Phönike hinzog, also durch
die eigentliche Palaistine, sah er hier also im Philisterlande
jene Denkmale und zwar mehrere, von denen vielleicht noch
Reste eine genauere Küstenforschung uns entdecken lässt[1]).
Und auch für Ramses IV Meiamun, den ersten der 19ten
Dynastie (den Sethos des Manetho) erweisen sowohl die
Angaben des Manetho[2]) als die Darstellungen des von ihm
erbauten Palastes von Medinet Abu Kämpfe zu Land und
zur See, eine Unterwerfung einer Reihe syrischer und
weiter wohnender Stämme, worunter, wie wir oben erwähnten, die Pulusatu uns erwähnt werden, ebenso wie
Kypros eine Zeitlang ihm gehorchte. Pelusium, als Ausgangspunkt der Unternehmung, als der Punkt, wo der Bruder und Empörer Armais dem Sieger entgegentritt, erscheint

---

1) Movers (II, 1. S. 300 Anm.)
zweifelt an den Hieroglyphen, also
an dem ägyptischen Ursprung dieser Stelen, da sich jene zwei Fel-
senreliefs in Kleinasien bei Ephesos
und Sardès, die Herodot darauf beschreibt, als assyrisch erwiesen hätten, jedoch mit Unrecht, da erstens
also wirklich eine solche Inschrift
des Sesostris in Phönike sich gefunden, und zweitens in jener Stelle
ganz genau die nur mit Inschriften
versehenen Stelen und der Inhalt der

Inschriften selbst aufgeführt ist,
dagegen jene zwei *τύποι* als etwas
Neues mit den Worten: *εἰσὶ δὲ καὶ
περὶ Ἰωνίην δύο τύποι* eingeführt
werden und in der Inschrift der Reliefs das Fehlen des Namens als Unterschied hervorgehoben ist, ausserdem auch die Meinung Anderer, welche sie für *Μεμνόνεια*, also Assy-
risches erklärten, angeführt wird.

2) Jos. c. Apion. I, 15. Vergl.
überhaupt Böckh, Manetho S. 304 ff.

hierbei von grösster Bedeutung. Aus alledem geht also hervor, dass zwischen dem 16. und Ende des 14. Jahrhunderts die ägyptische Uebermacht sich sehr stark, an der Küste Palästina's geltend gemacht, dass auch die Philistäer sich ihnen gebeugt, dass sie‑ erst ihre erobernde Rolle nach dem raschen Sinken jener Uebermacht. zu spielen beginnen.

Aegypten tritt nun für die eigentliche Richterzeit, die Zeit des philistäischen Glanzes, wie der Heldenthaten Israel's vom palästinischen Schauplatz zurück. Natürlich ist der merkantile Verkehr von Philistäa und Unterägypten dabei ein fortwährend lebendiger. Erst unter David und Salomo werden die Pharaonen von neuer, eingreifender Bedeutung für Palästina. Wir haben hier wohl zu beachten, dass mit der 21. Dynastie die Reihe der unterägytischen Herrscherhäuser beginnt, der Taniten, Bubastiten, Saiten, nur mit Unterbrechung der 40jährigen Aethiopenherrschaft, dass somit Unterägypten und seine nachbarlichen Beziehungen stärker in den Vordergrund treten. Unter David ist bereits, wie Eupolemos bei Alexander Polyhistor[1]) berichtet, ein freundschaftliches Verhältniss zu den ägyptischen Pharaonen, unter denen jener $Ο\grave{υ}αφρής$ nennt, eingetreten. Dass jedoch der Pharao nicht versäumte, der steigenden Bedeutung des jüdischen Reichs ein Gegengewicht zu geben, indem er Feinde David's, die in sein Land kamen, hoch ehrte, ja sie sich verschwägerte, geht aus der Erzählung von dem Idumäerprinzen Hadad hervor[2]). Das Verhältniss des Pharao, und zwar desselben $Ο\grave{υ}αφρής$ nach Eupolemos, zu Salomon wird ein noch näheres, engeres; dies geht theils aus der Weigerung hervor, jenen Hadad in seine Heimath zu entlassen, theils aus der Verwandtschaft, die er mit Salomo

---

1) Muller, Frgmta hist. gr. III, p. 228.   2) 1 Kön. 11, 15 ff. Jos., Ant. VIII, 7. 6.

eingeht [1]). Ja, wir finden denselben — und das ist für unsern Gegenstand das Wichtige — auf einmal mit einem Heereszuge mitten in Palästina vor Gaser (גֶּזֶר, LXX Γαζέρ, Josephos Γαζάρα), jene wichtige vor dem nach Jerusalem hinaufführenden Gebirgspass von Bethhoron gelegene Feste, die wir in der Seleukidenzeit wieder und zwar in mannichfacher Verwechselung mit Gaza eine Rolle spielen sehen; die Stadt wird eingenommen, verbrannt, die Einwohner ausgerottet und zwar nach den biblischen Nachrichten Kananäer (nach Josephos gehört sie dem Lande der Παλαιστῖνοι), die Stadt dann als Morgengabe der Tochter an Salomo mitgegeben und von dieser zu einer Hauptfestung des Reiches gemacht. Mögen auch die ursprünglichen Bewohner Kananäer gewesen sein, oder ist der Name der Kananäer hier im weitern Sinne auch für Philistäer gebraucht, richtig ist es jedenfalls, dass die Philistäer, die ja die Ebene weiter über Jope hinaus noch später besetzt hielten, wie wir oben sahen, die vor Allem die Zugangsplätze zum Gebirge zum Hauptobjekt ihrer Kämpfe machten, jedenfalls Gazer besitzen mussten. Und so glaube ich allerdings, dass der Zug des Pharao gegen die immer sich stark geltend machende Unabhängigkeit Philistäa's gerichtet war, dass seitdem wohl erst jenes oben erwähnte, sich unterordnende Verhältniss von Philistäa eintrat. Aber rasch haben die Dinge sich umgestaltet; in den letzten zwölf Jahren von Salomo ist eine neue; die 22. Dynastie in Aegypten unter Scheschonk (Sisak, Susakim)

---

1) 1 Kön. 3, 1 ff. 9, 16. Jos., Ant. VIII, 6, 1. In dem Namen Οὐαφρής, welcher hier dem letzten Könige der 21. Dynastie zufällt, also dem Ψουσέννης, ist vielleicht nur die Bezeichnung Φαραώς, im Aegyptischen Φ — PH enthalten. Uebrigens kommt der Name in der 26. Dynastie im armenischen Text des Eusebios als Vaphres ganz so vor, im griechischen Οὐαφρις, bei Herodot Ἀπρίης, bei Jeremias (44,30) חָפְרַע.

aufgetreten und sichtlich mit ganz andern, dem Reiche Salomo's feindlichen Tendenzen [1]. Daher wird der gegen Salomo eine Empörung versuchende Jerobeam, als er fliehen muss, freundlich von Scheschonk aufgenommen und geschützt [2]; daher bedrängt Scheschonk mit einem grossen, an Reiterei und Streitwagen reichen Heer das Königreich Juda, er nimmt alle festen, an Philistäa's Gränze von Rehabeam angelegten Städte weg, und plündert Tempel und Palast zu Jerusalem, das Juthmalk wird auf den Denkmalen unter seinen Eroberungen aufgeführt und Rehabeam völliger Knecht der Aegypter [3]. Dass bei dieser Unternehmung die philistäischen Städte, durch deren Gebiet der ganzen Ausdehnung nach Scheschonk ziehen musste, auf Seite der Aegypter standen, ist aus der ganzen oppositionellen Haltung gegen das Reich Juda wahrscheinlich. Aber eine dauernde ägyptische Obermacht ist hierdurch damals nicht begründet, wir haben wenigstens keine Zeugnisse für eine Einmischung der Aegyptier in Palästina ziemlich zwei Jahrhunderte lang, bis auf Hosea, welcher an König Sua (Sabako) von Aegypten um Hülfe gegen Salmanassar schickte.

Wir stehen hiermit an dem Anfange des langen Kampfes der asiatischen Mächte und Aegyptens um Syriens Besitz, an dem Beginn des Untergangs der einzelnen selbstän-

---

1) Wir folgen hierin den Bestimmungen von Movers, der das Jahr des Tempelbaues von 1012 auf 969 rückt. Diese auf hiervon ganz unabhängigen Gründen beruhende Bestimmung passt trefflich zu den manethonischen Angaben über den Beginn der 22. Dynastie (Movers II, 1. S. 160 — 162), während Bunsen 42 Jahre willkürlich von der 22. Dynastie an zulegt, Böckh (Manetho S. 315 — 323) hier zu einem von ihm sonst verschmähten Mittel, einer theilweisen Gleichzeitigkeit von der 21. und 22. Dynastie greift. Die so auffallend veränderte Stellung des Scheschonk und der frühern gegenüber Salomo, welche sichtlich der Dynastiewechsel mit sich brachte, ist hierbei meines Wissens nach nicht hervorgehoben.

2) 1 Kön. 11, 40. Jos., Ant. VIII, 7, 7.

3) 1 Kön. 14, 25. 2 Chron. 12, 1 — 9. Jos., Ant. VIII, 10, 2.

digen Staaten, so auch der philistäischen Pentapolis. Gerade
hier tritt uns aber die ganze geographische Bedeutung jener Städte lebendig entgegen, zugleich glänzende Beispiele
ausharrender Thatkraft und unerschrockenen Muthes. Folgen wir daher dem meist nur aus beiläufigen Notizen zu
erringenden Zusammenhange dieser Kämpfe für Philistäa.
Wäre gegen die grosse, aus Assyrien mit Energie der Küste
Syriens sich zuwendende Uebermacht ein erfolgreicher Widerstand nur möglich gewesen durch eine engere Verbrü-
derung von Damaskus, den beiden jüdischen Reichen, Phö-
nielen und Philistäa, so benutzte Assyrien gerade die inneren Streitigkeiten, um von der einen Partei zur Unterdrückung der andern sich rufen zu lassen [1]). So wird zunächst von Israel an Assyrien Gilead abgetreten noch zur
Zeit von Phul (740 — 731 nach Movers, bis 760 nach Baur),
so fällt Damaskus und Israel unter Tiglath Pilesar (731
— e. 708 nach Movers, nach Baur 760 — 30), Juda unter
Ahas wird zinspflichtiges Königthum. Von Damaskus war
der Weg an die Nordküste von Syrien gebahnt und nach Cilicien, wo bald Tarsus als assyrische Colonie in grossartiger Anlage sich erhob. Auf der andern Seite war mit
dem Besitze vom südlichen Gilead auch der Weg zu den
Häfen am arabischen Meerbusen gegeben, die eine kurze
Zeit vorher vom Reiche Juda neu erworben und befestigt
waren, und die Handelsstrasse von Petra an das Mittelmeer
führte direkt nach Gaza. Dies war die Zeit, wo Sacharja[2])
den Spruch Jehovah's sich vollenden sah gegen das Land
Hadrach, gegen Damaskus und Hamat; Tyrus und Sidon,
trotz ihrer Weisheit, ihres Reichthums, ihrer neu erhau-
ten Befestigungen werde eingenommen werden. Er fährt
fort Vers 5 — 7: „Askalon schaut und schaudert und Gaza

---

1) Movers, Phön. II, 1. S. 372   2) 9, 1 ff.
— 412.

kreiset sehr und Ekron, weil zu Schanden geworden seine Zuversicht. Umkommt der König von Gaza und Askalon wird nicht bewohnt, der Mischling wohnt in Asdod und ich rotte aus den Stolz der Philister u. s. w.“

Wir sehen hier den Weg der Eroberung schon vorgezeichnet, wie er in der Natur der Sache lag: die syrischen Reiche, dann Phönicien, dann Philistäa. Ueber das historische Faktum selbst müssen wir die sehr dürftigen Notizen und die neue von Movers angestellte Combination scharf ins Auge fassen; die letztere wird ihre innere Wahrscheinlichkeit dadurch sehr verlieren. Zwei Heereszüge Salmanassar's (nach Baur c. 730 — 717, Movers c. 708 — 697) gegen Phönicien sowie gegen das Reich Israel unter Hosea (nach Movers 708 — 699, Baur 730 — 721) sind erwiesen, jene durch die von Menander übersetzten tyrischen Urkunden ($\tau \grave{\alpha}$. $\tau \tilde{\omega} \nu$ $T \nu \varrho \acute{\iota} \omega \nu$ $\grave{\alpha} \varrho \chi \alpha \tilde{\iota} \alpha$) bei Josephos[1]), diese durch den biblischen Bericht[2]). Das Resultat des ersten Heereszuges, den der König wenigstens gegen Phönicien nicht selbst unternahm, war daselbst ein Friedensschluss mit dem ganzen Städtebund, für Israel Tributpflichtigkeit. Die zweite Unternehmung gegen Phönike ward veranlasst durch den Abfall der übrigen phönikischen Städte von Inseltyrus, die sich nun erst dem Assyrerkönig übergeben und ihm eine Flotte schaffen, um Inseltyrus anzugreifen. Jedoch der Angriff zur See misslingt und es schliesst sich eine Belagerung an, vor Allem ein Abschneiden der Wasserleitungen, die die Tyrier 5 Jahre (nach Movers 701 — 697, nach gewöhnlicher Berechnung 722 — 718) aushielten. Von der Einnahme haben wir keinen bestimmten Bericht, aber die Uebergabe ist sicher[3]). Für Israel war

---

1) Ant. J. IX, 14, 2. Movers II, 1. S. 383. 384.
2) 1 Kön. 17. Jos., Ant. J. IX, 13, 1.

3) Jes. 23. Vergl. Knobel, Der Prophet Jesaia S. 159 ff.

der Erfolg jener bekannte der Vernichtung des nördlichen,
früher schon unterworfenen Reiches und der Exilirung nach
dreijähriger Belagerung Samaria's. Dass wir hier nicht an
vier verschiedene Heereszüge, sondern an zwei grössere zu
denken haben, ist wohl klar. Der Zwischenraum zwischen
beiden betrug höchstens 4—5 Jahre. Movers [1]) nimmt nun
an, jener erste Feldzug gegen Phönicien habe bereits eine
Unterwerfung zur Folge gehabt und an diese sich sofort
die von Philistäa geschlossen, welches keinen Widerstand gewagt haben würde nach Besiegung Phönicien's.
Jedoch auf wie schwachen Füssen steht diese nirgendswo
erwähnte Unterwerfung! Die ganze Erzählung der phönikischen Kriege zeigt uns deutlich, wie mächtig Tyrus
noch blieb, ja selbst dann noch mächtig, als alle andern
Städte abgefallen waren, die sich erst beim Beginn des
zweiten Feldzugs dem Assyrer übergeben. Und die Philistäer, deren Tapferkeit wir kennen, die auch ihre festen
Städte hatten, deren Ausdauer in der Vertheidigung wir
öfter noch kennen lernen, sollten ohne Schwertstreich sich
ergeben haben! Dazu kommt, dass gerade damals das
Reich Juda unter Ahas ganz eng an Assyrien sich angeschlossen hatte, dass assyrischer Cultus für eine Zeit den
reinen Jehovadienst verdrängte; Juda ist aber der erbittertste Gegner der Philister in dieser ganzen Zeit. Also ist
an eine freiwillige Unterwerfung, um etwa Hülfe gegen
den Nachbar zu erhalten, bei Philistäa nicht zu denken.
Aber Movers glaubt im Jesaias [2]) die entschiedene Bestätigung, ja noch mehr zu finden: einen alsbaldig erfolgten
Abfall der Philister. Wie wenig dies begründet ist, haben
wir bereits oben gesehen. Vielmehr ist in jener Stelle des
Sacharja offen ausgesprochen, dass die philistäischen Städte
erst in Angst gerathen, nachdem Tyrus gefallen und Si-

---

1) Movers II, 1. S. 391.   2) 14, 28 ff., bes. 32.

don, besonders Tyrus, das als ihre Zuversicht hingestellt
wird. Deutlich ist hier der ganz geschichtliche Vorgang
vorgezeichnet, der die Assyrer erst Philistäa angreifen
lässt, nachdem Tyrus überwunden war. Dies geschah aber
erst am Ende des zweiten Feldzuges von Salmanassar (nach
Movers 697), welcher kurz darauf gestorben sein muss.
Die einzige feste historische Notiz über die Einnahme Philistäa's giebt uns allerdings Jesajas, aber Kap. 20, 1 ff.:
da erfolgt die Prophezeihung im Jahre, wo Thartan von
Sargon, dem König von Assur gesendet, gegen Asdod
zog, es belagerte und einnahm. Aus der Prophezeihung
selbst sehen wir, dass der Philister, „der Bewohner dieser
Küste" (יֹשֵׁב הָאִי הַזֶּה) nach Aegypten und Cusch,
Aethiopien, deren Dynastie, die 26. (nach Böckh 719—680)
über Aegypten damals herrschte, wie kurz vorher Hosea
von Israel an Soas, den König Aegyptens heimlich um Hülfe
gegen Salmanassar geschickt hatte[1]), ebenso sich um Hülfe
vor dem König von Assyrien-gewandt hatte und mit bitte-
rem Spotte von der Errettung sprach, dass zweitens mit
der Einnahme Asdods den Assyrern der Weg nach Aegypten gebahnt war, daher die Macht der Philister in Asdod
ganz concentrirt gewesen sein muss, daher nennt sie Hieronymus: urbs potentissima Palaestinae de quinque urbibus.
Gaza leistete nach dem Falle desselben keinen weiteren
Widerstand. Die Zeit der Eroberung Philistäa's fällt in
jene 5 Jahre (Movers 696—91, Baur 719.—713), die
auf die Einnahme von Tyrus folgten und dem Heereszuge
von Sargon's Nachfolger, Sanherib, vorausgingen, welcher nach Aegypten bestimmt, hier an der Belagerung von
Pelusium und der Diversion des Aethiopen Tirhaka schei-
terte[3]); schon vorher war er durch die unter Hiskia ganz

---

1) Jos , Ant. J. IX, 14,1. 2 Kön.   3) 2 Kön. 19, 9. Jes. 37, 9.
17, 4.   Jos., Ant. X, 1. Her. II, 141.
2) In Jesaj. c. XX.

veränderte Stellung des Reiches Juda aufgehalten worden.
Es erfolgte zwar die Einnahme der festen Plätze Juda's,
die Entsendung eines Theiles unter Thartan nach Jerusalem und die Auflegung eines schweren Tributes, aber eine
plötzlich um sich greifende Pest verringerte das Heer so,
dass Sanherib zur Rückkehr nach Ninive sich genöthigt
sah. Hierbei wird aus der Stellung Sanherib's vor Lachis
südwestlich von Jerusalem, sowie der Unternehmung gegen Pelusium auch klar, dass er der festen Philisterstädte
ganz sicher sein musste und von der Küstenstrasse aus
Juda bekämpfte. Aus Herodot[1] geht ohnehin hervor, dass
in Sanherib's Heer die Araber einen bedeutenden Bestandtheil bildeten, natürlich hier die mit den Philistäern eng
verbündeten Nordaraber.

Die assyrische Denkmälerforschung hat in ihren neusten Ergebnissen, die wir allerdings nur als Bestätigungen,
nicht als Grundlagen der Ansichten gebrauchen wollen, für
den Erbauer des Palastes von Khorsabad, den S a r g i n a
(Sargon) oder Salmanassar Annalen von 15 Jahren mit den
geführten Kriegen gebracht[2]. Danach wird zuerst der Feldzug gegen S a m a r i a (genannt Samarina) und die Unterwerfung des Landes, zweitens die Besiegung der Könige
von L i b n a h und K h a z i t a, die von Aegypten abhängig
waren, dann der Tribut der P i r h u (der Pharao) sowie
die Eroberung von Asdod und Jamnai genannt. S a n h e -
r i b's (Sennacheribu), des Erbauers des Palastes von Kujunjuk, Regierungsjahre und Thaten hat Rawlinson besonders
auf einer Inschrift an einem Stier von Kujunjuk gelesen.
Hiernach führt ihn ein Aufstand in dem bereits den Assyrern unterworfenen Theile von Palästina gegen den Padiya
dorthin, die assyrischen Beamten sind zu Hiskia nach Je-

---

1) II, 141.
2) Rawlinson im Athenaeum

1851 — Aug. vergl. Magaz. d. Lit.
des Ausl. 1851. N. 105.

rusalem geflohen, die Rebellen rufen die Aegypter herbei, es kommt zu einer Schlácht bei Allaku. Aber dann erscheint Sanherib im Streit mit Hiskia wegen des Tributs, er nimmt die Städte von Juda ein; nach einem Vertrag mit Hiskia kommen nun Dörfer von des Hiskia Besitz an Hebron, Askalon, Khazita. Sind die Namen richtig gelesen, so ist klar, dass jenes Khazita und Libnah, welches auf Aegypten sich stützt, zwischen Samaria und Aegypten lag. Wie Libnah, die frühere kananäische Königsstadt, die dann zu dem südwestlichen Theile Juda's gerechnet ward und hier nahe neben die philistäischen Städte gestellt ward[1] in die Südebene Juda's, so erscheint Khazita als eine bedeutende, jedenfalls nicht jüdische Stadt, da ja das jüdische Reich damals mit den Assyrern nahe befreundet war. Das Vertrauen, die Hülfe von Aegypten weist uns auf eine philistäische Stadt: ebenso wie an der andern Stelle die Verbindung mit Askalon und Hebron als Feinde Jerusalem's. Daher identificirt Rawlinson es mit Kadytis oder mit Gaza. Davon später. Dass bei Khazita nicht an Jerusalem zu denken ist, erhellt aus der ganzen historischen Stellung der Städte in jener Zeit, eben so sehr, dass Rawlinson Ursalimma neben dem Land Gehuda und dem König Kehazakijaha las.

Movers[2] knüpft an diese assyrische Unterwerfung, die erste vollständige der philistäischen Pentapolis, Folgerungen der ausgedehntesten Art: er lässt eine bedeutende assyrische Kolonie in Asdod anlegen, die einen eigenen Volksstamm hier gebildet habe, er datirt von daher eine durch die Assyrer veränderte Richtung des binnenländischen Handels, so dass seine Ausgangspunkte Tarsus in Cilicien und Philistäa bildeten, einen seitdem erst erfolgenden Aufschwung von Asdod sowie von Gaza und seinen

---

1) Jos. 12, 14. 15, 42.   2) Phön. II, 1. S. 404 ff.

Emporien. Wir gestehen, eine entscheidende Begründung
dazu ganz zu vermissen, wenn wir gleich von da an die
Auflösung des eigentlichen Städtebundes mit ansetzen und
nun die einzelnen Städte, wie Asdod und Gaza, selbständig
von einander sich erheben und erstarken sehen, jene immer eine Binnenstadt und daher mit seinen Interessen vorzugsweise dem nahe liegenden Juda zugewandt, dieses vor-
herrschend Handelsstadt nach Aegypten, über die See und
mit den arabischen Stämmen in Verbindung. Aber diese
Stellung ist nichts Neues bis auf den gesteigerten Seeverkehr, dessen Begründung gerade Movers nicht den Assyrern, sondern den ägyptischen nachfolgenden Herrschern
zuschreibt. Es war übrigens ganz natürlich, dass der Verkehr in dem assyrischeu Reiche grosse Ausdehnung gewonnen, dass vor Allem an solchen Gränzpunkten, wie Gaza,
er sich steigern musste. Wir haben an einem andern Orte
dies näher zu besprechen. In Bezug auf die Kolonie in Asdod und den fortdauernd assyrischen Charakter stützt
sich Movers besonders auf die Stelle in Sacharja[1], wo es
heisst: in Asdod wird wohnen der מַמְזֵר, der Fremdling,
der von fremder Mutter Stammende, ferner dass in der
Zeit des Exils die Asdoditer verbunden erscheinen mit San-
ballat, dem obersten der assyrischen Kolonieen der Aura-
niter, mit Ammon und Arabern, die doch gewiss nicht als
assyrische Kolonisten hier auftreten[2], dass ein besonderer asdoditischer Dialekt erwähnt wird[3], dass später bei
Strabo[4] „nach der Meinung einiger" sowie bei Hesy-
chios[5] die Ἀζώτιοι als eigener Stamm erscheinen neben den
Γαζαῖοι, den Juden und Idumäern. In jener Prophezeihung
des Sacharja war auch ausgesprochen, dass Askalon nicht

---

1) 9, 6.
2) Neh. 4, 1.
3) Neh. 13, 23. 24.

4) XVI, 2, 2.
5) s. v. Ἀζῶτος.

bewohnt werden werde; ebenso wenig als dies in Folge jener assyrischen Eroberung zur Wahrheit geworden ist, da Askalon fortwährend genannt wird in den Prophezeihungen und nicht der Rest von Askalon, ebenso wenig ist bei Asdod deshalb an eine bestimmte assyrische Kolonisirung zu denken. Das Gebiet von Asdod war übrigens bereits durch Usia kolonisirt worden und so die Bevölkerung schon gemischt. Und in demselben Jahrhundert erlitt Asdod eine solche Katastrophe, dass von da an von dem Reste Asdod (שְׁאֵרִית אַשְׁדּוֹד) [1]), von dem Reste am Ufer des Meeres [2]) die Rede war. Wir müssen also mit mehr Recht in jene spätere Zeit eine neue Bevölkerung oder Verstärkung der Bevölkerung setzen.

Die Städte in Philistäa waren allerdings für Assyrien ein höchst wichtiger Punkt, da mit ihnen der Weg nach Aegypten geöffnet war; sie waren der Schauplatz und Kampfpreis zugleich der hartnäckigsten Kämpfe zwischen Assyrien und der so eben in Aegypten mit bisher ganz ungekannten Kräften, fremder Bildung, Handel und Streitmacht sich erhebenden Saitischen Dynastie. Die Unternehmung Sanherib's war zwar nicht zur völligen Ausführung gekommen, aber dass fortwährend militärische Befehlshaber der Assyrer mit Besatzungen in dieser Gegend standen, geht aus der Erzählung von der Gefansenschaft Manasse's hervor [3]). Auch eine Nachricht des Abydenos bei Eusebios [4]) spricht uns von Kriegen und Eroberungen des Axerdes (Asarhaddon 675 — 668) in Syria inferior und Aegypten, ebenso spricht Diodor [5]) von dem Feldzuge Psammetich's (nach Herodot 670 — 17, Manetho 654 — 601, bei Böckh 658 — 604, Movers 664 — 611) nach

---

1) Jerem. 25, 20.
2) Hesek. 25, 16.
3) 2 Chron. 33, 11.

4) Chron. t. I, 9, 1. p. 26.
5) I, 67.

Syrien mit der Hauptmasse karischer und ionischer μισθοφόροι.

So treten zum ersten Male griechische Truppen
auf dem Boden von Philistäa auf. Aus der Erzählung Diodor's geht hervor, dass förmliche Schlachten hierbei geliefert sind. Aber die Hauptaufgabe blieb vor Allem die Einnahme der festen Städte. Und hier trat jene Zähigkeit und
Ausdauer der Philistäer in einer Weise hervor, die die
Bewunderung der Historiker erregte, der wir noch in den
folgenden Jahrhunderten wiederholt begegnen. Asdod war
diesmal der Mittelpunkt des Streites und 29 Jahre belagerte
Psammetich diese grosse Stadt Syriens, wie Herodot sie
nennt, in regelmässiger Belagerung (προσκατήμενος ἐπο-
λιορκεε), bis er endlich sie einnahm und vernichtete (ἐξεῖλε) [1]);
die längste Belagerung, von der Herodot Kunde hatte.
Haben wir uns natürlich assyrische Besatzung oder assyrische Heere zum Schutze zu denken, so lag in den Bewohnern, die früher von Aegypten schmählich verlassen
und preisgegeben waren, der Grund tapferster Vertheidigung. Wie die Verbindung Aegyptens mit Philistäa von
jeher eine lebhafte war, daher selbst Psammetich als Flüchtling vor dem Aethioper Sabako sich eine Zeitlang dort, wenigstens in Syrien, aufgehalten hatte [2]), so musste jene
dauernde Besetzung des Landes das ursprüngliche ägyptische Element des Stammes sehr verstärken. Auch werden
wir von da an nähere Bekanntschaft der Griechen, die gerade in dem syrischen Kriege gegen die einheimische
Kriegerkaste bevorzugt diese zum Abzug veranlassten [3]),
und wohl auch sporadische Ansiedelungen datiren können.
Gaza wird hierbei nicht erwähnt, aus der langen Stellung
der ägyptischen Armee vor Asdod geht hervor, dass die in

---

1) Her. II, 157.   3) Biod. I, 67.
2) Her. II, 152.

ihrem Rücken liegende Stadt von ihnen erobert oder ihnen
zugethan sein musste. Die Aufmerksamkeit von Juda,
das damals unter Josia (nach Baur und Hitzig 642—610)
den mächtigen Einfluss der assyrischen Cultur und den festgewurzelten Cultus bei sich zu vernichten strebte, war diesem hartnäckigen Kampfe unmittelbar an seiner Gränze sicher sehr bedeutend zugewendet und gerade in Hinblick auf
ihn sprach Zephanja[1]) (nach Movers und Hitzig 628—622)
die Prophezeihung aus, die mit Philistäa beginnt und hier
ihren Schwerpunkt gleichsam findet: „Gaza wird zur
Einöde werden (עַזּוּבָה עַזָּה) und Askalon zur Wüstenei,
Asdod im Mittag soll vertrieben werden und Ekron ausgerottet. Wehe über die Bewohner der Küste des Meeres,
die Heiden, die Crethim! Das Wort des Herrn ist über
euch. Canaan, Land der Philister, ich vernichte dich,
dass niemand da wohnt und es sind am Ufer des Meeres
Weiden, Brunnen der Hirten und Hürden der Schaafe"[2]).

Aber ein gewaltiger Völkersturm unterbricht für eine
Zeit den ganzen seiner Katastrophe, der Einnahme Ninive's durch die Meder und Babylonier und dem Hervortreten der chaldäisch-babylonischen Macht sehr nahen geschichtlichen Gang der vorderasiatischen Völker: die Skythen, jenes mongolische Reitervolk mit Pfeil und Bogen,

---

1) c. 2, 4—8.
2) Hitzig (Kl. Proph. S. 233 ff.)
will entschieden die Prophezeihung
des Zephanja auf den skythischen
Einfall beziehen. Dagegen ist zu
erinnern, dass in derselben nicht
die geringste Spur der Charakterisirung jener, wie wir gleich sehen
werden, durch ihre äussere Erscheinung und Wesen so auffallenden, daher von andern Propheten
genau geschilderten Feinde sich findet, ferner — und das scheint mir

besonders wichtig — vor Allem Philistäa und Ninive als dem Untergange, der Zerstörung anheimgefallen erscheint; aber Ninive wird
ja grade durch die Skythen von
seiner Bedrängniss durch die Meder befreit, und dass Psammetich
allerdings „Grosses im Schilde
führte", nämlich die dauernde Unterwerfung der syrischen Küste,
hat das Vorhergehende wohl bewiesen.

das auf Wagen seine ganze Habe bei sich führte, jene
Riesen, deren Köcher offene Gräber sind[1]), brechen nach
Oberasien am kaspischen Meere ein, schlagen die Meder,
die bereits Ninive belagerten und machen sich so zu Herren
von den Binnenländern Oberasiens. Von da ziehen sie gegen Aegypten, das sichtlich damals die herrschende Macht
an der syrischen Küste war. Wie Palästina vor Allem
das an der grossen ägyptischen Heerstrasse gelegene Küstenland mit seinen festen Städten, mit seinen Weinbergen
und Feldern von dieser heuschreckenartig überziehenden
Volkmasse überfluthet und verwüstet wird[2]), so war es
hier (ἐν τῇ Παλαιστίνῃ Συρίῃ) und zwar südlich von Askalon, also im Gebiete von Gaza, wo Psammetich, welcher
somit seine ganze Macht nach Aegypten zurückgezogen
haben muss, durch Geschenke und Bitten sie abwendete[3]).
Auf dem Rückzuge plündert ein Theil den Tempel der
Urania zu Askalon und wird dafür von jener νοῦσος θήλεια befallen, die in dem Geschlechte der Frevler sich fort-
pflanzte[4]).

Die Art dieser Bestrafung durch eine philistäische
Gottheit erinnert übrigens sehr an jenes Uebel, das die
Philistäer selbst in Folge der Wegführung der Bundeslade
befiel. In welcher Weise die Skythen ihre 28 Jahre (nach
Movers 634.— 607) lang dauernde Herrschaft über Asien
ausübten, sagt uns Herodot[5]) deutlich; es handelte sich
nicht hier allein um den φύρος, der der jedesmaligen herrschenden Macht, mochten es Assyrer, Aegypter, Babylonier oder Perser sein, bezahlt wurde, sondern einzelne

---

1) Jer. 5, 16. Vergl. überhaupt
Jer. c. 4 — 6. Hes. c. 38. 39. Joel
c. 1, 6. 2, 4 — 10. 20.

2) Eus. Chr. II, p. 335. Sync.
p. 214. B: τὴν Παλαιστίνην κα-
τέδραμον zu Ol. 37. Poly. Strat.
VII, 44, 2.

3) Her. I, 105.

4) C. W. Stark, De νούσῳ
θηλείᾳ prolusio. Jenae 1827. Ro-
senbaum, Die Lustseuche im Alterthum. Halle 1839. §. 14.

5) I, 106.

Haufen durchstreifen das Land und nehmen und rauben,
was ihnen gerade einfällt, was der Bewohner besitzt. Um
so weniger war es ihnen möglich, irgend eine geordnete
Beherrschung einzurichten und die fernsten Gegenden, wie
Philistäa, waren längst von ihnen frei, als ihr Hauptlager
in Medien durch die List der Meder vernichtet wird. Daher umfassen jene 28 Jahre auch den ganzen Zeitraum von
ihrem ersten Auftreten bis zu ihrer Vernichtung.

Die Eroberungsplane der ägyptischen Könige waren
durch diese Katastrophe nur unterbrochen, nicht aufgegeben. Necho II. (nach Herodot 616 — 601, nach Manetho
600 — 595, oder mit der nothwendigen Erhöhung um 4
Jahre 604 — 598, nach Böckh's[1] sehr wahrscheinlicher Vereinigung der beiden Nachrichten durch Annahme einer noch
9jährigen, gleichzeitigen Regierung von Necho mit Psammetich von 613 — 598, nach Movers 610 — 595) begründete
eine ägyptische Seemacht auf dem mittelländischen und südlichen Meere, was ihm nur möglich war durch den Besitz
der phönikischen Küste und unternahm es, in ausgedehnter
Weise der aus den Euphratländern drohenden Gefahr zu
begegnen. Sein Heereszug ist nach den biblischen Berichten[2] gegen Assur gerichtet, wir haben aber hier nicht
mehr die eigentlich assyrische Dynastie darunter zu verstehen, sondern die an deren Stelle tretende, von Berossos
selbst[3] unmittelbar jener angereihte babylonische, die aus
Unterkönigen nun Grosskönige geworden waren. Bei dieser Unternehmung, an deren Beginn die Schlacht bei Magdolos oder Megiddo (Josephos[4] nennt sie Μένδην πόλιν,
Perizonius conjicirte Μέγδην) mit dem König Josia oder

---

1) Manetho, S. 337 ff., bes. 341.
350.
2) 2 Kön. 23, 29. 2 Chron. 35,
20 — 24.

3) Bei Alexander Polyhistor und
Abydenos in Eus. Chron. I, p. 19.
26.
4) Ant. J. X, 5, 1.

14*

nach Herodot mit den Syrern steht[1]), worauf 3 Jahre ($+$ 3
Monate, $+$ x Monate) der Sicherung der Herrschaft über
Obersyrien und das Reich Juda folgen, die dann durch die
Schlacht bei Karchemisch 605 ihr Ziel und Entscheidung findet, nehmen für unsern Zweck zwei kurze Notizen das vollste Interesse in Anspruch, nämlich jene Worte
des Herodot[2]): μετὰ δὲ τὴν μάχην (bei Magdolos, die andere bei Karchemisch verschwiegen die ägyptischen Quellen, aus denen er schöpfte, oder knüpfte sich, was hier
wahrscheinlicher, seine Kenntniss der einen Schlacht an
jenes Weihgeschenk des Necho nach Milet) Κάδντιν πόλιν
τῆς Συρίας ἐοῦσαν μεγάλην εἷλε; die Kleidung, in welcher Necho dies vollbrachte, weihte er dem Milesischen
Apollo. Daneben steht eine Nachricht bei Jeremias[3]):
„das Wort des Herrn geschah zu Jeremia, dem Propheten,
an die Philister, bevor der Pharao Gazâ schlug
(עַזָּה — פַּרְאֹהאֶת וַיִּכֶּה)."

Diese Prophezeihung, die wir hier zuerst behandeln
wollen, folgt im hebräischen Text unmittelbar der gegen
die Aegypter zur Zeit der Schlacht bei Karchemisch, dann
der zweiten[4]), als Nebukadnezar bereits Necho verfolgte,
während im griechischen Text ganz an die Spitze der
bedrohten ἔϑνη Elam tritt, den Weissagungen gegen Aegypten das Wort gegen dessen Feind, die grosse Babylon, sich
anschliesst, Philistäa aber sichtlich einen ganz neuen Cyklus beginnt von Völkern, mit denen es auch sonst meist
verbunden genannt wird, Edom, Ammon, Moab und die
Araber, die Söhne des Kedem. Ob die Gesammtprophe-
zeihung gegen die ἔϑνη, in denen die Philister ebenfalls,
aber noch andere als die eben genannten, überhaupt nicht

---

1) Eusebios im Chronikon (II,
p. 336) setzt sie schon zu Ol. 41, 4.

2) II, 159.

3) 47, 1, in der LXX 29, 1 ff.,

wo aber jener zeitbestimmende Zusatz fehlt.

4) 46, 3.

weiter einzeln behandelte vorkommen, welche im hebräischen Text Kap. 25, 15 ff. weit vor, im griechischen dagegen Kap. 32, 1 ff. ganz an das Ende der einzelnen Prophezeihungen gesetzt ist, ursprünglich als Einleitung an
die Spitze gehört, ist durch Hitzig's Darlegung [1]) nicht entschieden; vielmehr sind jene einzelnen, auf bestimmten Zeit-
verhältnissen beruhenden e i n z e l n auch erst hervorgetreten
und später erst ist eine solche zusammenfassende Weissagung wie zum Abschluss gegeben, die aber in dem durchgehenden Hauptbilde, in der Aufführung der Völker sich
vielfach von jenen einzelnen Prophetieen scheidet. Das ist
für uns vor Allem festzuhalten, die Ordnung des hebräischen Textes bildet hier k e i n e G r u n d l a g e chronologischer Ansetzung. Dagegen ist jene nackte, einfache, geschichtliche Notiz, „bevor der Pharao Gaza schlug", wie
auch Hitzig annimmt, ein ganz ursprünglicher ächter Zusatz, um so mehr, je weniger er mit der aus der Ordnung
des hebräischen Textes scheinbar hervorgehenden Zeitbestimmung stimmt.

Sehen wir uns die Prophezeihung also selbst an. In
ihr wird die Gefahr als von M i t t e r n a c h t herkommend
(מִצָּפוֹן) geschildert; der Vergleich eines gewaltig auf-
schwellenden, Stadt und Länder überschwemmenden Wassers (V. 2) ist ganz bis ins Einzelne derselbe, mit dem in
der Prophetie gegen Aegypten [2]) Aegyptens drohende,
gegen den Euphrat ausgehende Macht geschildert wird; auf
die Reiterei vor Allem neben den Streitwagen wird hier [3])
wie dort.[4]) hingewiesen. Die Gefahr droht ganz Philistäa
neben Tyrus und Sidon und dem ganzen Rest der Verbündeten; aber besonders hervorgehoben wird nur Gaza und

---

1) Proph. Jer. S. 193 ff. S.   3) V. 3.
353 ff.   4) 46, 9.
2) 46, 8.

Askalon. Es heisst V. 5: „Es kommt Kahlheit über Gaza, verloren geht Askalon; Rest ihrer Niederung, wie lange noch ritzest du dich in Trauer?"

Der Prophet redet dann das Schwert Jehovah's an, das nicht ruhe und in die Scheide fahre; da schliesst er V. 7: „Wie kannst du ruhen? Jehovah hat ihm befohlen gegen Askalon und gegen die Küste des Meeres dort hat er es bestimmt."

Es kann zuvörderst nicht daran gedacht werden, diese drohende Gefahr auf den dem Pharao folgenden Sieger Nebukadnezar zu beziehen, welcher allerdings als von Norden kommend Aegypten gegenüber erscheint [1]. Die Ueberschrift selbst spricht darin klar genug, dazu ist geschichtlich der Hauptwiderstandspunkt der Babylonier nicht etwa Philistäa, sondern das hier beiläufig erwähnte Tyrus gewesen, von einem Widerstand jenes wissen wir nichts; er war auch sogar nicht wahrscheinlich, da gerade gegen die Aegypter durch den kürzlich geendeten langen Kampf um Asdod hier ein Volkshass genährt war. Wir haben daher nur an den ägyptischen Pharao als das Schwert Jehovah's zu denken. Aus der Prophezeihung selbst geht aber hervor, dass ein Bund sich gegen den Pharao gebildet von Philistäa, den Phönikern und noch andern, dass, da Asdod nach der 29jährigen Belagerung kaum wieder aus seiner Zerstörung erstanden war, Gaza und Askalon die Hauptobjekte des Kampfes bildeten, ferner, dass der Pharao von Norden gegen Philistäa zog. Es kann daher von einer Einnahme Gaza's auf dem Hinwege Necho's, der, wenn er zu Lande ($\pi\varepsilon\zeta\tilde{\eta}$) erfolgte, Gaza berühren musste, oder nach der Schlacht von Magdolos, wenn diese wie Einige, so Movers [2] meinen, noch in dem ägyptischen Arabien oder am Eingange Palästina's bei Beerseba zu su-

---

1) 46, 20. 24. 2) Phön. II, 1. S. 421.

chen ist, nicht die Rede sein. Es bieten sich nur zwei Möglichkeiten dar: entweder entstand der Bund der Küstenstädte gegen Necho in jenen drei Jahren nach der Schlacht bei Megiddo, das wir mit den meisten Auslegern nach deutlichen Aussprüchen[1]) in dem Norden Palästina's in der Ebene Jesreel gelegen auffassen, als jenen von Salomo besonders als wichtige Reichsfeste befestigten Punkt, von wo die grosse syrische Strasse das Küstenland verlassend den wichtigsten Gebirgspass überschreitet, wo daher Necho mit doppeltem Rechte das Zurückweichen Josia's fordern konnte, da er das jüdische Reich bereits ganz zur Seite gelassen; oder erst nach der Schlacht bei Karchemisch lösten sich die Bande der Herrschaft und Necho fand bei seinem Rückzuge in Askalon und Gaza, besonders dem letzteren, hartnäckigen Widerstand, dem nur die Einnahme ein Ende machte. Der zweiten Ansicht ist Hitzig[2]), welcher meint, Necho habe hiermit noch festen Fuss in Philistäa behalten wollen. Jedoch erheben sich dagegen sehr bedeutende Bedenken: erstens war der Sieg bei Karchemisch ein so entscheidender, der Rückzug so eilig, selbst mit Zurücklassung des königlichen Zeltes[3]), so dass Nebukadnezar Ende desselben Jahres[4]) bereits vor Jerusalem eintraf, dass er nach Berossos[5]) bis zum Tode seines Vaters, in dessen Auftrag er den Krieg führte, im folgenden Jahre bereits Syrien, Phönicien, Palästina sich unterwarf und Aegypten bedrohte, Länder, die nach babylonischer Auffassung als abtrünnige Vasallenstaaten erschienen[6]). Zweitens geht deutlich aus Jeremias hervor, dass Gaza nicht etwa von dem rückkehrenden, fliehenden

---

1) Sach. 12, 11. 2 Chron. 35, 22.

2) De Cadyti urbe Herodotea. p. 12. Proph. Jerem. S. 364.

3) Jes. 46, 17.

4) Movers, Phön. II, 1. S. 423. Anm. 25.

5) Jos., Ant. J. X, 11, 1. c. Apion. I, 19.

6) Berossas l. III. bei Jos.

Necho als leichte Beute überrumpelt wird, sondern dass
ein förmlicher Bund gegen ihn organisirt war und daher
nur durch grosse Macht und furchtbare Verwüstungen Philistäa wieder unterworfen ward. Endlich geschieht in jenem Kapitel mit keinem Worte Erwähnung der schon ge-
brochenen ägyptischen Macht, sondern Necho erscheint als
Schwert Jehovah's, das fortwährend thätig nicht in die
Scheide fährt und sich ausruht. Zu diesen mehr negativen
Gründen kommen entschieden positive, die für die Unterwerfung Philistäa's, für den Schlag auf Gaza in der Zeit
jener drei Jahre sprechen. Es muss für den ersten Anblick
sehr auffallen, dass Necho in der Antwort an die Boten
Josia's [1]) von der ihm durch Jehovah anbefohlenen Eile
auf seinem Zuge nach dem Euphrat spricht, dass wir ihn
dann länger als d r e i Jahre auf dem Wege von dem syrischen Hamath bis Karchemisch zubringen sehen. Nun
giebt das Buch der Könige [2]) und die Chronik [3]) Andeutungen allerdings: wir erfahren, dass das Volk in Jerusalem,
ohne von dem Pharao irgendwie bestimmt zu werden, den
Joahas wählt, wie dieser aber Böses that vor Jehovah, Alles
das, was seine Väter gethan, dass 3 Monate darauf er gefangen, in Bande gelegt wird zu Riblath im Lande Hamath und wie nun eine förmliche Unterwerfung Juda's sich
daran schliesst, dann die Einsetzung des andern Bruders
Jojakim und zwar nach der einen Lesart in der Stelle der
Chronika [4]) zu Jerusalem, ferner eine Schätzung des ganzen Landes, um den hohen Tribut von **100 Talent** (כִּכַּר)

Apion I, 19. Ant. Jud. X, 11, 1
spricht er von der Herrschaft über
Aegypten, Syrien, Phoinike, Arabien und von dem abtrünnigen Satrapen in Aegypten καὶ τοῖς περὶ
τὴν Συρίαν τὴν Κοίλην καὶ τὴν
Φοινίκην τόποις.

1) 2 Chron. 35, 21.

2) 2 Kön. 23, 31—37. Vergl.
Thenius, Comment. z. a. St.

3) II, 36, 1 ff.

4) 2 Chron. 36, 2.

Silber und ein Talent Gold an den Pharao zu bezahlen, endlich die Abführung des Joahas nach Aegypten[1]). Was ist aber dies Böse vor dem Herrn, das die Väter des Königs gethan, anders, als die Annahme assyrischen Cultus, assyrischer Sitte, assyrischer Politik? Das war es, was den Pharao zu so entscheidenden Massregeln veranlassen musste. Und hier ist der richtige Punkt, wo sich jener Bund der Seestädte, vor Allem der philistäischen, anschliesst. Der Pharao hat bei seinem raschen Zuge die durch die skythische Herrschaft ganz gelockerte Abhängigkeit nicht neu erzwungen; er ist bereits in Syrien, er hat vielleicht seinen Zweck, die Besetzung des Hauptübergangs über den Euphrat, schon erreicht, als hinter ihm jene Verschwörung losbricht und er sich nun von Norden wieder nach dem Süden Palästina's hinwendet und mit der Einnahme von Gaza, nachdem bereits Juda unterworfen ist, wie es scheint auch mit der Askalon's seine Herrschaft sichert. Ja, es ist sehr wahrscheinlich, dass der Pharao noch einmal nach Aegypten zurückkehrt, wohin der Exkönig von Juda gebracht wird. So fasst Josephos [2]) die Sache ganz auf: er lässt nach dem Treffen bei Mende den Necho weiter ziehen, dann von dem Kampfe gegen die Meder aus Babylonien zurückkehren, dann ganz Syrien ihm gehorchen, dann, sowie Nebukadnezar mit Kriegsrüstung gegen Karchemisch zieht, ihn eine neue Unternehmung machen.

Diese ganze Annahme wird aber auch auf gewichtige Weise unterstützt durch jene oben angeführte Stelle des Herodot, aus welcher zunächst erhellt, dass die Belagerung und Einnahme von einer grossen, wichtigen

---

1) Joseph, Ant. J. X, 5, 2 lässt Necho sichtlich von Ἀμαθά in Syrien aus die Anordnungen treffen. Eine Anwesenheit in Jerusalem, noch weniger eine Einnahme davon durch Necho kann nirgends sich erweisen lassen.

2) Ant. J. X, 5. 6.

Stadt Syriens nach der Schlacht bei Magdolos (Megiddo)
erfolgte und dass sie selbst ein grosses, nicht gefahrloses
Werk war, wobei der Pharao persönlich in Gefahr stand
und dankbar der hülfreichen Nähe des Gottes der Branchi-
den seine Kleidung, welche er dabei getragen, demselben
weihte.

Aber ist Kadytis Gaza und haben wir hier ein und
dieselbe, von Herodot und Jeremias erwähnte Thatsache
vor uns? Bekanntlich hat sich um den Namen Kadytis eine
ganze Literatur gebildet: während die früher ziemlich allgemein angenommene Meinung, Kadytis sei Jerusalem, in
neuer Zeit noch von Dahlmann[1]), Keil[2]), Bähr[3]), Niebuhr[4]), Müller[5]), kürzlich in ausführlicher Darlegung, die
ich bis jetzt nicht habe erlangen können, von Henry Hol-
land[6]) festgehalten ist, ist die zuerst von Isaak Toussaint[7])
aufgestellte Identität mit Gaza ganz von Neuem und von
einander unabhängig durch Heyse[8]) und besonders Hitzig[9])
mit scharfen und gewichtigen Gründen zu ihrem Rechte
gelangt und unter Andern haben sich Ewald, Quatremère[10]), Thenius[11]) dafür erklärt. Daneben hat Gath
auch Vertheidiger gefunden, so in Larcher, Reland, Val-
ckenaer[12]). Noch einen neuen Weg hat Movers[13]) einge-

---

1) Herodot S. 75.

2) Apolog. Vers. S. 434.

3) Exc. XI ad Herod. II, 159.
Tom. I, p. 921 ff. Heidelb. Jahrb.
1851. N. 35. p. 557, wo er von
den Forschungen deutscher Gelehrten spricht, die dies Resultat
glänzend herausgestellt; ich muss
leider gestehen, dass ich diese nicht
kenne.

4) Kl. Schr. I, S. 210.

5) Frgmta hist. gr. t. II, p. 595.

6) Transact of the royal soc.
of literat. New. Ser. vol. II.

7) Dissertatio de Cadyti Herodoti. Franequ. 1737.

8) De Herodoti vita et itineri-
bus. Berol. 1826. p. 94—96.

9) De Cadyti-urbe Herodotea
dissert. Gott. 1829. Comment. Jerem. S. 364.

10) Journ. des sav. 1846. p. 415.

11) Bücher der Kön. S. 439.

12) De Herodotea urbe Cadyti.
Fran. 1737, eine von mir, wie die
obige von Toussaint nur aus Cita-
ten gekannte Abhandlung.

13) Phön. II, 1. S. 421.

schlagen: er sagt, allerdings meinte Herodot mit Kadytis
Gaza, aber er irrte sich, die Thatsache fällt Mabog oder
Hierapolis am Euphrat zu. Wir denken nicht daran, in
aller Breite hier jedes einzelne Gesagte zu wiederholen und
zu kritisiren. Indem wir uns ganz entschieden für Gaza
erklären, heben wir nur vier Punkte näher hervor, worin
wir eine grössere Vollständigkeit zu geben, einzelnes Neues
zu bringen, Einzelnes noch schärfer zu markiren hoffen.

1., Was den Namen $K\acute{\alpha}\delta v\tau\iota\varsigma$ selbst betrifft, so variirt er in der Ueberlieferung in seinem zweiten Consonan-
ten zwischen δ, λ, ν. Stephanos von Byzanz[1]) nennt
eine Stadt $K\acute{\alpha}\lambda v\tau\iota\varsigma$, $\pi\acute{o}\lambda\iota\varsigma$ $\Sigma v\varrho\acute{\iota}\alpha\varsigma$. Er fährt fort: $\,'H\varrho\acute{o}\delta o$-
$\tau o\varsigma$ $\delta\epsilon v\tau\acute{\epsilon}\varrho\alpha\cdot$ $\acute{o}$ $o\grave{\iota}\varkappa\acute{\eta}\tau\omega\varrho$ $K\alpha\lambda v\tau\acute{\iota}\tau\eta\varsigma$ $\varkappa\alpha\grave{\iota}$ $\tau\grave{o}$ $\vartheta\eta\lambda v\varkappa\grave{o}v$ $K\alpha\lambda v$-
$\tau\grave{\iota}\varsigma$ $\delta\iota\grave{\alpha}$ $\tau\grave{o}$ $\pi\varrho o\epsilon\iota\lambda\tilde{\eta}\varphi\vartheta\alpha\iota$ $\tau\grave{o}v$ $\chi\alpha\varrho\alpha\varkappa\tau\tilde{\eta}\varrho\alpha$. Er las also an
der Stelle des Herodot, um die es sich hier handelt, $K\acute{\alpha}$-
$\lambda v\tau\iota\varsigma$; er ist sich bewusst, dass in dieser Form die Femininform für die Einwohnerin bereits enthalten ist, während
die männliche die ganze Ableitungssilbe, wie in $\Gamma\acute{\alpha}\zeta\alpha$, $\Gamma\alpha$-
$\zeta\acute{\iota}\tau\eta\varsigma$ noch dem bereits mit einer Endung versehenen Stamm
hinzufügt. Daneben erfahren wir aus Stephanos[2]) auch,
dass Hekataios der Milesier, jener unermüdete Reisende
und unmittelbare Vorgänger Herodot's, eine Stadt $K\acute{\alpha}v v\tau\iota\varsigma$
kennt und zwar als $\pi\acute{o}\lambda\iota\varsigma$ $\Sigma v\varrho\acute{\iota}\omega v$ $\mu\epsilon\gamma\acute{\alpha}\lambda\eta$ mit dem $\dot{\epsilon}\vartheta v\iota$-
$\varkappa\acute{o}v$ $K\alpha\lambda v\tau\acute{\iota}\tau\eta\varsigma$. Es kann kein Zweifel sein, dass $K\acute{\alpha}v v\tau\iota\varsigma$
mit jenem, wie wir nachher sehen werden, für Gaza in
der Perserzeit stehenden Zusatz und mit derselben Ableitungs-
form, identisch ist mit $K\acute{\alpha}\lambda v\tau\iota\varsigma$ und $K\acute{\alpha}\delta v\tau\iota\varsigma$. Wie leicht
übrigens $\varDelta$, $\varLambda$, N verwechselt werden in Handschriften,
brauche ich nicht zu erwähnen. Vielleicht waren die noch
weichen, euphonischen Formen mit λ und ν auch in der
Aussprache eines fremden Städtenamens nicht ganz unge-

---

1) p. 350 ed. Meineke. 2) s. v. $K\acute{\alpha}v v\tau\iota\varsigma$ p. 355 ed.
Mein.

wöhnlich neben der auf δ lautenden, bereits aus einer schärfern mit δς erweichten.

2., Die Angaben des Herodot und des Hekataios passen ganz ·auf Gaza, keineswegs auf Jerusalem, überhaupt nicht, und besonders in jener Zeit unter den frühern persischen Herrschern. · Denn Kadytis liegt ·auf der grossen, einzigen [1]) Heerstrasse von Mesopotamien nach Aegypten, welche über die Ebene von Jezreel führte und von da immer parallel der Küste, zuerst bis Gaza wenig Stunden entfernt, dann wieder nahe derselben; Jerusalem wird nicht davon berührt. Es liegt ferner südlich von Phönike, in dem Lande der Σύροι Παλαιστινοί und zwar als südliche Gränzstadt unmittelbar angränzend an die ἐμπόρια des Arabiers, die bis Ἰήνυσος sich erstrecken; die folgende Strecke bis zum Kasios gehört wieder den Syrern, sichtlich denselben, die eben als Παλαιστινοί bezeichnet sind. Wie dies auf Jerusalem bezogen werden kann, die in glücklichen Zeiten Jope als Hafenstadt wohl besass, aber doch weder selbst zu den Σύροι Παλαιστινοί in dem ächten, von Herodot gebrauchten Sinne gehörte, noch weniger südliche Gränzstadt gegen die arabischen Emporien war, begreife ich nicht. Endlich Kadytis erscheint als grosse, hochbedeutende Stadt mit einem Gebiet (οὐροι), selbst ziemlich so gross als Sardes, die lydische Königsresidenz, welche ausser der grossen Akropolis eine weitausgedehnte Stadt zu beiden Seiten des Paktolos war [2]), deren Ruinen noch heute durch ihre weite Ausdehnung Verwunderung erregen. Wer denkt bei jenem Ausdruck der οὖροι von Kadytis nicht an den stehenden Ausdruck des alten Testaments: „Gaza und sein Gebiet, seine Gränzen",

---

1) Her. III, 5: μούνη δὲ ταύτῃ εἰσὶ φανεραὶ ἐσβολαὶ ἐς Αἴγυπτον bei dem Heereszuge des Kambyses.

2) Vergl. die Stellen bei Forbiger, Geogr. II, S. 194.

die ja gerade nach Süden hin sich erstreckten, einst die
ganze Küste bis Aegypten umfassten, während für Jerusalem ein ähnlicher Ausdruck sich schwer nachweisen lässt?
Und gesetzt, er existirte, war Jerusalem um 530 bei des
Kambyses Heereszug, war es auch nachher um 470—450,
als Hekataios, als Herodot Syrien bereisten, eine grosse,
Sardes gleiche Stadt, hatte es ein zum Meer reichendes
Gebiet damals, wo die erste neue Ansiedelung unter Se-
rubabel fortwährend mit Vernichtung bedroht war von den
benachbarten Völkern, unter andern den Bewohnern der
Seestädte, wo später Nehemia um 445' also nach Herodot's Anwesenheit, die Thore gebrochen, die Stadt verwüstet findet und erst eine weltliche Ordnung der Juden begründet? Dies Jerusalem der frühern Perserzeit darf man
doch um keinen Preis mit dem spätern nach Alexander dem
Grossen vergleichen. Zu alledem kommt noch hinzu, dass
Kambyses wirklich über Gaza zog, dass er hier den einzigen, aber furchtbaren Widerstand traf, während er mit
den daran gränzenden Arabern einen Vertrag geschlossen hatte zur Verproviantirung mit Wasser, wie wir weiter unten nachweisen werden.

3., Sehen wir uns die neueste Meinung, die von Movers, etwas näher an, so hält er die Ableitung *Κάδυτις*
von קרש fest und meint, die Stadt habe קדּישא oder
קרת קדשים geheissen, also *Ἱεράπολις*; so heisse Bambyke, Mabog, also sei das gemeint und Herodot habe den
Namen verwechselt. Ich will nicht wiederholen, was Hitzig
bereits gegen diese Ableitung mit Recht eingewendet, dass
man ש nicht in *τ* umsetze, dass für Jerusalem der Ausdruck: die Heilige, Stadt der Heiligen in prophetischer
Sprache, aber nicht als geographische Bezeichnung vorkomme; erst später ist *Ἱεροσόλυμα* von den etymologisi-
renden Griechen mit *ἱερός* in Verbindung gebracht worden. Auch die *Ἱεράπολις* für Bambyke ist ein erst von

den Griechen nach Alexander d. Gr. der Stadt der syrischen Göttin gegebener Name, während der syrische, ureinheimische *Μαβούκ* sich bis zu Abulfeda's Zeit erhielt[1])
und zwar bekanntlich mit ganz anderer Bedeutung. Und
dem Herodot eine reine Verwechselung von Gaza und Bambyke zumuthen in einem Landstriche, den er selbst besucht, bei Städten, die sonst gar keine Beziehung zu einander haben, das heisst überhaupt ihn als Gewährsmann
in dem Abc gleichsam der Länderkunde in Abrede stellen.

4., Wie kommt aber Gaza zu dem Namen *Κάδυτις*?
An und für sich dürfen nicht verschiedene Namen für eine
Stadt, besonders bei dem Wechsel, der Mischung der Bevölkerung, bei Gränzstädten, die von verschiedenen Nationen benannt wurden, am wenigsten auffallen. So führt
auch Ewald[2]) eine ganze Reihe von kananäischen, dann
hebräischen Städten auf. Ebenso könnte man mit Niebuhr
in Kadytis die ägyptische Bezeichnung für eine palästinische Stadt sehen. Doch ist dies Alles nicht nöthig. Hitzig
hat bereits[3]) die Möglichkeit der Einheit beider Namen gezeigt. Bekanntlich ist die ursprüngliche Femininform auf
הָת neben der auf הָת im Syrischen vielfach erhalten und
besonders in Städtenamen: wir haben Rama und Ramath,
Thimna, der philistäische Ort und Thimnath u. a., die
Griechen hängen dann die Neutralendung auf *α* noch
an[4]) und sprechen von *Ραμαθά, Θαμναθά, Γαβαθά*.
Ebenso würde *Γαζαθά*, eigentlich *Γαζατ* gebildet sein.
Diese Form ist uns aber jetzt auf den assyrischen Inschriften entdeckt, wie wir eben aus Rawlinson's Berichten re-
ferirten: wir haben dort das Khazita gefunden und zwar
dem ganzen Zusammenhange nach nothwendig auf Gaza zu

---

1) Forbiger, Geogr. II, S. 643.
2) Gesch. des Volks Isr. I, S.
494.

3) De Cadyti urbe. p. 14. 15.
4) Spanheim ad Jos., Ant. Jud.
XIII, 1, 3.

beziehen. Das starke, rauhe ע ist hier zu ק geworden,
wie auch sonst in aramäischen Worten [1]). Und dass $\zeta = \delta\varsigma$,
$\sigma\delta$ zu δ im ionischen Dialekt, besonders nach dem vorhergehenden, harten Gaumenlaute erweicht ward, kann nie-
mand auffallen. So erhalten wir allerdings ein $K\acute{\alpha}\delta\nu\tau\iota\varsigma$ aus
עזה.

Wir schliessen hier gleich eine Bemerkung über Je-
nysos ($^{\prime}I\acute{\eta}\nu\nu\sigma\sigma\varsigma$) an, einen bei Herodot [2]) allein vorkommenden Namen einer Stadt. Noch auf der Kiepertschen
Karte ist er neben dem heutigen Khan Yûnas, 3 deutsche
Meilen südlich von Gaza gesetzt. Jedoch diès ist nach
den Angaben Herodot's unmöglich, vielmehr haben wir es
entweder ganz identisch mit Rhinokorura oder ganz in die
die Nähe zu setzen. Seine Lage wird nach beiden Seiten
auf der Küstenstrasse genau bestimmt: es ist das letzte
und, wie es scheint, grösste Emporion der Araber und eine
ordentliche $\pi\acute{o}\lambda\iota\varsigma$, die übrigen $\dot{\varepsilon}\mu\pi\acute{o}\varrho\iota\alpha$ derselben liegen
zwischen demselben und den Gränzen, dém Gebiet von
Gaza, dessen südliche Ausdehnung wir auch damals noch
gerade bis Khan Yûnas, bis zu dem Herantreten der Wüste
an das Meer rechnen müssen; es bleiben dann immer nur
sechs deutsche Meilen für den Landstrich der $\dot{\varepsilon}\mu\pi\acute{o}\varrho\iota\alpha$. Auf
der andern Seite ist die Entfernung zwischen Jenysos und
dem $K\acute{\alpha}\sigma\iota\sigma\nu$ $\ddot{o}\varrho\sigma\varsigma$ auf ziemlich drei Tagreisen angegeben
und die Strasse als furchtbar wasserlos geschildert; dies
trifft bekanntlich eben die Strecke von Rhinokorura zum
Kasios allein, welche von Strabo, wie schon früher erwähnt ward, auch so geschildert und auf 400 Stadien,
zehn deutsche Meilen berechnet ward. So werden wir
nothwendig auf Rhinokorura geführt, das auch später der
Hauptpunkt war, wo die arabische, nach Aegypten füh-

---

1) Gesen. thes. l. hebr. t. II,   2) III, 5.
p. 977.

rende Handelsstrasse an das Meer trat. Ueber den Namen
selbst wissen wir nichts Genügendes zu sagen, jedoch halten wir ihn für den bei den damals hier herrschenden Arabern gewöhnlichen Namen, dagegen Rhinokorura für den
ägyptischen.

Wir kehren zu der geschichtlichen Entwickelung zurück. Gaza war also Necho unterlegen nebst ihren Verbündeten. Doch der Gewinn blieb für Aegypten kein dau-
ernder; denn es folgte bald darauf die Katastrophe bei Karchemisch 606, die den Pharaonen alle Eroberungen in
Asien kostete, ja ihm im eigenen Lande die höchste Gefahr
brachte. Wir haben schon oben auf die grosse Raschheit
der Bewegungen Nebukadnezar's aufmerksam gemacht. Sie
waren dadurch vor Allem gefördert, dass der Herrscher von
Babylon nun im Besitze von Ninive zugleich im Besitze
aller Ansprüche und Traditionen assyrischer Macht in Syrien war. So finden wir nirgendswo einen erheblichen
Widerstand und binnen einem Jahre (606 — 605) ist „alles
Land vom Bache Aegyptens bis zum Euphrat" in den Hän-
den Nebukadnezar's[1]). So sagt Philostratus $\dot{\epsilon}\nu$ $\tau\alpha\tilde{\iota}\varsigma$ $\dot{\iota}\sigma\tau o$-
$\rho\dot{\iota}\alpha\iota\varsigma$[2]), dass er $\Sigma\upsilon\rho\dot{\iota}\alpha\nu$ $\varkappa\alpha\dot{\iota}$ $A\dot{\iota}\gamma\upsilon\pi\tau o\nu$ $\varkappa\alpha\dot{\iota}$ $\pi\tilde{\alpha}\sigma\alpha\nu$ $\tau\dot{\eta}\nu$
$\Phi o\iota\nu\dot{\iota}\varkappa\eta\nu$ $\varkappa\alpha\tau\epsilon\sigma\tau\rho\dot{\epsilon}\psi\alpha\tauo$ $\pi o\lambda\dot{\epsilon}\mu o\iota\varsigma$, so Josephos[3]), dass
er $\tau\dot{\eta}\nu$ $\check{\alpha}\chi\rho\iota$ $\Pi\eta\lambda o\upsilon\sigma\dot{\iota}o\upsilon$ $\Sigma\upsilon\rho\dot{\iota}\alpha\nu$ einnimmt. Schon damals fanden Fortführungen in grösseren Massen von Phönikern,
Syrern, worunter wir auch Philistäer verstehen müs-
sen $\tau\tilde{\omega}\nu$ $\varkappa\alpha\tau'$ $A\dot{\iota}\gamma\upsilon\pi\tau o\nu$ $\dot{\epsilon}\vartheta\nu\tilde{\omega}\nu$ neben den Juden statt; sie
wurden in Babylonien colonisirt[4]). Die Prophetie des Je-
remias fasst diese wunderbar schnelle Besiegung unter dem
Bilde der Trunkenheit, des Taumels auf, der alle Könige ergriffen, da ihnen der Becher des Zornes auf Befehl Jehovah's gereicht wird; hier werden besonders genannt alle

---

1) 2 Kön. 24, 7.
2) Syncell. p. 221. D.
3) Ant. J. X, 6, 1.
4) Movers II, 1. S. 424 nach
Beross. bei Jos., Ant. X, 11, 1.

Könige des Landes der Pelischtim, von Askalon, Gaza, Ekron und dem Reste von Asdod, welches also auch jetzt noch in seiner Bevölkerung und seiner Macht von der langen Belagerung Psammetich's sich nicht erholt hatte. Jedoch der sichere Besitz dieser Länder war dem babylonischen Eroberer dadurch noch nicht gegeben. Bald entstehen hinter seinem Rücken Verbindungen aller Art; Juda wird der Mittelpunkt und Herd' der Unruhen und Aegypten bieb die auswärtige Hülfe, auf die man hoffte [1]. Bei der von Jeremias [2] erwähnten und von ihm bekämpften Zusammenkunft der Gesandten zu Jerusalem waren die Philistäer nicht betheiligt; dass sie später diesem engen Bunde wirklich beigetreten, wie Movers [3] erklärt, geht aus Ezechiel [4] zwar nicht hervor, wo die Strafe über den Hass und die Schadenfreude der Philistäer bei dem Falle von Jerusalem verkündet, also vielmehr ein fortgesetzt feindliches Verhältniss mit Juda vorausgesetzt wird, dagegen gehören sie zu den πάντες οἱ κατοικοῦντες κατὰ πρόσωπον παραλίας, welche im zwölften Jahre Nebukadnezar's (594) mit den Persern, Kilikern, Damaskus, den Bewohnern des Libanon und Antilibanon, Samaria, Juda, Aegypten dem Könige die Hülfe im Kriege gegen die Meder verweigern, wodurch die ganze babylonische Herrschaft in die grösste Gefahr gebracht ward. Dies führte sechs Jahre darauf zu dem grossen Heereszuge Nebukadnezar's nach Syrien (ἐπὶ Φοίνικας καὶ Ἰουδαίους [5]), in dem die hartnäckige Belagerung und Zerstörung Jerusalem's (588—587) [6] den ersten Hauptabschnitt, dann die zum Theil gleichzeitige dreijährige Be-

---

1) Jos., Ant. X, 6, 2.

2) 27, 1 ff.

3) II, 1. S. 426.

4) 25, 15. 16.

5) Judith 1, 7. Berossos bei Clem. Al. Strom. I, p. 329.

6) Ol. 47 nach Eus. Chr. II, p. 337, genauer nach Clemens von Alexandria Ol. 48, 1 oder 588—587 v. Chr.

lagerung und endliche Uebergabe von Inseltyrus den zweiten bildet. Die Paralia ergab sich nach dem Buch Judith[1]) dem herannahenden Kriegsheer sehr bald; hierbei werden die Bewohner von Azotos und Askalon genannt, Gaza nicht, aber es werden die Felder verwüstet, Aushebungen gemacht, die festen Städte ($\pi \acute{o}\lambda\varepsilon\iota\varsigma$ $\acute{v}\psi\eta\lambda\alpha\acute{\iota}$) besetzt und der einheimische Cultus auszurotten versucht. Im Ganzen haben wir die philistäischen Städte, besonders die Gazäer, nach dem oben Dargethanen als den Babyloniern wohlbefreundet uns zu denken, eine Verbindung, die ihnen Länderbesitz und regen Handelsverkehr sicherte. Freilich waren sie der Gefahr immer ausgesetzt, die das unter Hophra mächtige, den Babyloniern entgegentretende Aegypten ihnen brachte, die Zufluchtsstätte der Juden[2]). Seine Hülfe hatte sich zwar oft theils als trügerisch, theils als nicht ausreichend erwiesen, aber der oft verkündete Zug Nebukadnezar's nach Aegypten ward durch ein Erdbeben gehemmt und Apries (Hophra) verfuhr aggressiv, eine starke Flotte und ein Landheer, meist Soldtruppen, griff Cypern und Phönicien an, Sidon wird erobert, die Tyrier geschlagen und Phönike beugt sich[3]).

Das Abhängigkeitsverhältniss dauerte in sehr gelockerter Weise kaum bis zum Falle Babylon's unter Nabonedus 538 fort, bis dahin, wo die mit Cyrus auf die Perser übergehende medische Macht Oberasien, das Reich des Krö-

---

1) 2, 28. 3 ff.
2) Eus. Chr. II, p. 337.
3) Herod. II, 161. Joseph., Ant. J. X, 9, 7: 10, 3, welcher von einem wirklichen Einfall in Aegypten spricht und die Tödtung von Apries (Hophra) und Erhebung des Amasis dem Nebukadnezar zuschreibt. In welche zeitliche Ordnung der Zug Nebukadnezar's und besonders die grossen Unternehmungen des Hophra (592 — 573 nach Böckh) zu ordnen sind, ist noch nicht klar, keinesfalls fallen sie in die zwei letzten Jahre desselben allein, wie Movers (II, 1. S. 458) meint, sondern griffen in die ganze Zeit des Kampfes mit Nebukadnezar ein.

sus und überhaupt Kleinasien bereits sich unterworfen hat.
Hiermit beginnt die gleichsam rechtliche Obermacht der Perser in Syrien; die nach Palästina entlassenen Juden erhalten
ihren Vorgesetzten (נשיא)[1]. Dagegen ist die Meeresküste
durchaus noch nicht militärisch in ihrer Hand, weder Phönikien noch die philistäischen Städte, daher sind die Perser
zur See noch ohnmächtig. Die entgegenstehende Angabe
des Xenophon[2] kann nicht gelten, da er auch die Aegypter von Cyrus unterwerfen lässt, während ausdrücklich
Herodot[3] die Unterwerfung Phönikiens, den Besitz des
Meeres dem Kambyses erst zuschreibt, nach Thukydides[4]
Dareios zuerst mit der Phönikischen Flotte bei den griechischen Inseln erscheint. Der Erwerb der Meeresküste
hing nothwendig mit der Eroberung Aegyptens zusammen;
ohne jenen war diese nicht möglich. Es erfolgte diese im
Jahre 529 (nach Böckh). Phönikiens Macht war im langen Kampfe mit den Babyloniern gebrochen, die persische
Macht furchtbarer als je die assyrische oder babylonische.
Sie stellten ihre Flotte bereitwillig zur Verfügung und
übergaben sich ganz und Ake ward, wie Strabo[5] sagt, das
ὁρμητήριον, also der Rüstplatz und Ausgangspunkt zur Unternehmung gegen Aegypten, wo auch später unter Artaxerxes
Mnemon der grosse Heereszug unter Pharnabazos und Iphikrates sich sammelte (Ol. 101, 3 oder 374 v. Chr.[6]). Von den philistäischen Städten wagt es keine andere, ausser Gaza den Persern sich zu widersetzen; ganz allein stehend, ohne Hülfe trotzt
es der Gefahr und lässt es auf eine Belagerung ankommen, über
deren endlichen Ausgang wir nicht unterrichtet sind, wie

---

1) Esra 1, 8. 11. 5, 14.

2) Cyrop. I, 1, 4: κατεστρέ-
ψατο δὲ — Φοίνικας — und dann
ἐπῆρξε — καταβὰς δ᾽ ἐπὶ
θάλατταν καὶ Κυπρίων καὶ
Αἰγυπτίων.

3) III, 19, 34.

4) I, 16.

5) XVI, 2. p. 568 ed. Tauchn.

6) Diod. XV, 41. Poly. Strat.
III, 9, 56.

15 *

Polybios berichtet [1]). Er führt dies als eine der vielen
Heldenthaten der Gazäer an, die sie ἐκ παραδύσεώς τε καὶ
προθέσεως = aus sittlicher Gewöhnung und freiem Ent-
schlusse vollbracht. Und in der That spricht sich hierin
das Bewusstsein der hohen Bedeutung ihrer das Gränzge-
biet wahrenden Aufgabe, gestützt durch hohen Muth und
ritterliche Tapferkeit, glänzend aus. Kambyses konnte nur
auf diesem Wege mit einem Landheer nach Aegypten gelangen, es waren dies allein, wie Herodot [2]) sich ausdrückt,
die φανεραὶ ἐμβολαί. Und es kam vor Allem darauf an,
dem Wassermangel in dem wüsten Küstentheil (ἡ ἄννδρος)
für das Heer abzuhelfen. Dies wurde durch ein Bündniss
mit dem Araberkönig bewerkstelligt, dessen Gebiet unmittelbar an das der Gazäer gränzte, der durch eine Kamel-
karawane das Wasser bereit hielt. Aber nothwendig musste
vorher der Widerstand der Gazäer bezwungen sein, mit
denen die benachbarten Araber auch meist verbunden erscheinen. Die entscheidende Weltschlacht, die Asien zum
Herrscher von Aegypten machte, fiel erst unmittelbar an
der Gränze des engen Aegyptens, bei Pelusium vor.

Seitdem ist also Gaza, überhaupt Philistäa, im Verbande der grossen persischen Monarchie. Es gehört seit
der Organisation des Reiches unter Darius Hystaspis zur
fünften Satrapie oder νομός, in den Φοινίκη τε πᾶσα καὶ ἡ
Συρίη ἡ Παλαιστίνη ἡ καλεομένη καὶ Κύπρος fallen, überhaupt alles Land von Poseidion, der nördlichen Gränzstadt
nach Kilikien, bis Aegypten mit Ausnahme eines tribut-
freien Theiles der Araber [3]) und trägt daher seinen Antheil

---

1) XVI, 40 ed. Becker: κατὰ
γὰρ τὴν Περσῶν ἔφοδον ἐκπλα-
γέντων τῶν ἄλλων διὰ τὸ μέγεθος
τῆς δυναστείας καὶ πάντων ἐγχει-
ρισάντων σφᾶς αὐτοὺς καὶ τὰς
πατρίδας Μήδοις μόνοι τὸ δεινὸν
ὑπέμειναν πάντες (ob πάντων
hier zu lesen?) τὴν πολιορκίαν
ἀναδεξάμενοι.
2) III, 5.
3) Her. III, 91.

an' dem Tribut von 350 Talenten (Silber). An der Spitze
der Satrapie steht der Satrap oder ἔπαρχος τῆς Συρίας καὶ
Φοινίκης [1]), der einmal auch als ἡγεμών [2]), also als militärischer Commandeur genannt wird, daneben der γραμ-
ματεύς [3]) und ein Beirath, οἱ τῆς βουλῆς τῆς ἐν Συρίᾳ καὶ
Φοινίκῃ [4]), οἱ ἑταῖροι oder nach der Uebersetzung der LXX
οἱ σύνδουλοι; diese zusammen werden auch kurz als οἱ σα-
τράπαι [5]) oder ἔπαρχοι bezeichnet. Darunter stehen, bilden
vielleicht die βουλή zum Theil die γαζοφύλακες, φορολόγοι und
οἰκονόμοι [6]), die Finanzbeamten für die Erhebung des Tributs
und die einzelnen grossen γάζαι, sowie dann die militärischen Befehlshaber, von denen uns z. B. zwei ἵππαρχοι [7])
in Samareia erwähnt werden. Die syrischen Küstenstädte
haben allerdings eine freiere Stellung, als das offene Land,
als die einzelnen ἔθνη. Die wichtigern, und so Gaza, erhalten freilich eine persische Besatzung und es werden dort
grosse Depots errichtet unter persischer Aufsicht, aber die
innere Verwaltung, so auch die untern militärischen Com-
mandos der zu stellenden Truppen bleiben in den Händen
der vornehmsten städtischen Geschlechter. So stellt Philistäa für den Kriegsdienst seinen Beitrag zur Flotte. Bei
der grossen Zählung im Heere des Xerxes [8]) berichtet uns
Herodot [9]), dass von den 1207 Trieren 300 die Phoiniker
stellten σὺν Συρίοις τοῖσι ἐν τῇ Παλαιστίνῃ. Und so haben
wir auch später bei allen persischen Flottenrüstungen, wo
die Kiliker, Kyprier und Phöniker genannt werden, unter

---

1) Jos., Ant. XI, 2, 1. 4, 7. 4,
6. 5, 6. Vergl. überhaupt die Bücher
Esra und Nehemia.
2) Jos., Ant. XI, 4, 6.
3) Jos., Ant. XI, 2, 1. 4, 6.
4) Jos., Ant. XI, 2, 1. 4, 5. 6.
5) Jos., Ant. XI, 1, 3. 3, 8. 4,
4. 5, 1.

6) Jos., Ant. XI, 5, 1.
7) Jos., Ant. XI, 4, 9. 5, 7. An
der letzten Stelle wird der königliche
Brief abgegeben dem Satrapen τῷ
Ἀδαίῳ καὶ τοῖς ἄλλοις ἱππάρχοις.
8) Herod. VII, 61 ff.
9) c. 89.

den Phönikern die Philistäer mit zu verstehen. Sie standen zwar unter dem Oberkommando zweier Perser Prexaspes und Megabazos, aber jeder Stamm ($\check{\epsilon}\vartheta\nu o\varsigma$) hatte seine Stammesführer, in jedem $\check{\epsilon}\vartheta\nu o\varsigma$ war wieder jede Stadt durch einen Unteranführer vertreten. Leider führt Herodot von den Palästinensern keine Namen der Führer an, während dies bei den Sidoniern, Tyriern u. a. der Fall ist. Aus jenen sehen wir wenigstens, dass das einheimische Königsgeschlecht auch hier seinen Vorrang behauptete. An einer andern Stelle[1]) werden sie geradezu οἱ τῶν ἐθνέων τῶν σφετέρων τύραννοι καὶ ταξίαρχοι genannt, welche der Reihe nach gemäss der von Xerxes gegebenen Ehre im Feldherrnrathe sich setzen. Es lag überhaupt im persischen Systeme, wie in den griechischen Städten und Inseln Kleinasiens, so auch anderswo die einheimischen Herrscherfamilien zu erhalten oder neue Herren aus den Eingebornen zu setzen. So haben wir uns auch in den ändern philistäischen Städten die von Jeremias noch erwähnten Könige wohl unter den Persern als fortdauernd zu denken. Und unter den τῆς Συρίας βασιλεῖς, die Alexander nach Jerusalem begleiten[2]), mögen dieselben mit verstanden sein, natürlich von dem eben eroberten oder zu erobernden Gaza nicht, bei dem es sich sehr fragt, ob nach der ersten tapfern Gegenwehr unter Kambyses man das Königsgeschlecht nicht vernichtet hat. Ebenso bleibt das Verhältniss der einzelnen πόλεις zu ihrem Gebiet, zu den ihnen gehörigen Landstädten dasselbe, wie früher. Wir haben hiefür unter der persischen Herrschaft eine ganz treffende Analogie auf Kypros, wo es neun wichtige Städte (πόλεις) gab, denen eine Anzahl von μικρὰ πολίσματα untergeben waren und angehörten; jede πόλις hatte ihren

---

1) Her. VIII, 67.   2) Jos., Ant. XI, 8, 4.

König, der ἄρχων für die Stadt war, aber dem König der
Perser unterworfen [1]).

Ueber die Stellung, welche die philistäischen Städte
inmitten der grossen Bewegungen einnahmen, welche
in Aegypten, auf Kypros, in Phönike eintraten und
theils den unhaltbaren, in sich zerfallenden Zustand des
persischen Reichs an den Tag brachten, theils auch die
militärische, wie geistige Uebermacht und Unentbehrlich-
keit des Hellenenthums klar herausstellten, haben wir
keine ausdrücklichen Zeugnisse, doch lassen hier sich
manche sichere Schlüsse machen. In dem fast 10jährigen
(392 — 383) aber nur zwei Jahre entschieden geführten
Kriege des Euagoras von Kypros gegen Artaxerxes Mnemon
erscheint jener als Herr von Tyrus und eines Theiles der
phönikischen Küste; die Perser können ihn nur von
Kilikien angreifen; er ist zugleich auch befreundet, wie
mit dem ägyptischen Könige Akoris, so dem Könige der
Araber, unter dem hier nur der König der mit ihrem
Besitz bis an das Meer reichenden Bewohner der Arabia
Peträa zu verstehen ist; dieser unterstützt ihn sehr mit
Soldaten [2]). Hiernach müssen wenigstens die Emporien
südlich von Gaza für Euagoras gewonnen sein. Bei dem
grossen, dem persischen Könige die Hälfte seiner Einkünfte entziehenden Aufstand der Paralia Asiens in dem
letzten Jahrzehent des Artaxerxes Mnemon [3]) werden neben den Küstenländern Kleinasiens auch aufgeführt die
Σύροι καὶ Φοίνικες καὶ σχεδὸν πάντες οἱ παραθαλάττιοι [4]).
Dass hierbei auch die palästinische Küste von persischer
Macht entblösst war, geht aus dem Zuge des Tachos
von Aegypten mit Agesilaos und Chabrias hervor (im Jahre
361), sie lagern sich περὶ Φοινίκην, besitzen aber Sidon

---

1) Diod. XVI, 42.

2) Diod. XV, 2.

3) Ley, Fata et conditio Aegypti etc. 1830. p. 39.

4) Diod. XV, 90 ff.

hicht und Neklanebos wird ἐκ Φοινίκης ausgeschickt, um
die Städte in Syrien zu belagern, worunter hier die
Städte von Kölesyrien s. str. wohl zu verstehen sind. Der
innere Kampf um die Herrschaft in Aegypten lässt es zu
keinem dauernden Besitze Phönike's kommen, jedoch haben
die frühern Unternehmungen [1] des Ochos auch hier die
den Persern feindliche Partei nicht gedemütbigt. Vielmehr
fallen 351 die Phöniker mit Kypros entschieden ab, und es
bedarf der grausamen Niedermetzelung jener 500 der vornehmsten Sidonier und der Verbrennung der Stadt[2]), um
die übrigen Städte zur sofortigen Unterwerfung zu bewegen.

Wir haben für diese Periode vor Allem auf zwei Dinge
aufmerksam zu machen: auf das Vordringen der Araber
an der Küste unmittelbar neben Gaza, ja ihre Betheiligung
an der Bevölkerung Gaza's selbst, zweitens auf den immer
regern und lebendigeren Verkehr mit den Griechen. Beweis für das Erstere ist die in den letzten Zeiten des jüdischen Reiches immer häufigere Erwähnung der Arabim
in Verbindung mit den Philistern und Phönikern, der Bund,
den nach dem Exil sie mit den Asdoditern und den assyrischen Colonieen gegen die Juden eingehen[3]), die Ausbreitung der Idumäer über den ganzen Süden Juda's. Gerar, früher philistäisch, war dann von den Midianäern besetzt[4]). So ist bei dem Heereszuge der Perser die Kette
der Töchterstädte Gaza's, die sich ununterbrochen bis zum
Bache Aegyptens und weiter erstreckte, zerrissen durch
die dazwischen eingeschobenen, bis an das Meer vorge-
drungenen Araber, von Gaza selbst an bis zu Jenysos[5]);
auch Arrian[6]) referirt aus den Alexander gleichzeitigen

---

1) Diod. XVI, 40. 48.
2) Diod. XVI, 45. Prol. iu Trog.
Pomp. l. X.
3) Nehem. 4, 1 — 7.

4) 2 Chr. 14, 14.
5) Herod. III, 5. 91.
6) Ind. 43, 1.

Berichten: *Ἀραβίης ταύτης τὰ μὲν κατήκει ἔστε ἐπὶ τὴν θάλασσαν καὶ τὴν Παλαιστίνην Συρίαν.* Sie haben hier die Emporien inne; ähnlich hiess die Küstensegend der kleinen Syrte ohne weitere Bezeichnung Ἐμπόρια [1]. Diese Araber gehören zu den jüngern arabischen Stämmen oder den Ismaeläern. Dass sie unter denselben mit den später unter den Diadochen, schon unter Antigonos im Jahr 312 so mächtigen, den Haupthandel vom glücklichen Arabien treibenden Nabatäern, jenem ersten Sohne Ismael's, Nebaoth [2]), identisch sind, ist sehr wahrscheinlich. Nach Diodor [3]) kam ein nicht geringer Theil mit ihren Kamelen beladen mit Waare, dem Weihrauch, Myrrhen und anderm Räucherwerk an's Meer, und nach Herodot [4]) brachten die Arabier dem Perserkönig statt des *φόρος* 1000 Talente Weihrauch. Sie erscheinen auch hier [5]) besonders reich an Kamelen, durch die sie das Wasser transportiren und in der Wüste bereit halten. Diodor berichtet [6]), dass einige arabische Stämme mit unter den tributpflichtigen wohnen, Ackerbau treiben, mit den Syrern alles gemeinsam haben bis auf ihre Wohnungen in Zelten. Diese Syrer sind gerade hier die Bewohner von Südpalästina und Philistäa, die Bewohner von Gerar und des übrigen Negeb. Wie gefährlich diese Araber ihren Nachbarn, den philistäischen Städten in der persischen Zeit waren, geht aus der Entschuldigung hervor, welche der Satrap Pharnabazos (oder richtiger Tissaphernes [7])) nach der Schlacht bei Sestos im Jahre 410 vorbringt, seine 300 Schiffe habe er abgesendet, da er erfahren, dass der König der Araber und der der Aegy-

---

1) Pol. XXXII, 2.
2) 1 Mos. 25, 13. 28, 9. 36, 3.
1 Chron. 1, 29. Jes. 60, 7. Jos.,
Ant. J. I, 12, 4. Vergl. dagegen
Ritter, Erdk. Th. XII, S. 114—140.
3) XIX, 94.

4) III, 97.
5) III, 5.
6) a. a. O.
7) Ley Fata et cond. Aeg. p.
55. Thuc. VIII, ult. cap.

pter Absicht hatten auf Phönike (ἐπιβουλεύειν τοῖς περὶ
Φοινίκην πράγμασι [1])).

Der zweite Punkt ist der steigende Verkehr mit den
Griechen, besonders den seefahrenden Ioniern: so nach
der Einnahme Jerusalems (587) wird der Sklavenhandel mit
jüdischen Mädchen und Knaben an die Javanim hervorgehoben. Seit Asarhaddon (Axerdes des Abydenos) und Psammetich waren griechische Soldtruppen, die bereits in der
ägyptischen Schlachtreihe den Ehrenplatz erhielten [2]), in
dieser Gegend nichts Seltenes. Kambyses führte Ioner und
Aioler mit gegen Aegypten [3]), also auch gegen Gaza vorher; so zogen die 20000 μισθοφόροι unter Iphikrates diese
Strasse [4]). Der spätere Krieg in Syrien und der dreima-
lige [5]) gegen Aegypten unter Artaxerxes Mnemon und König Tachos von Aegypten, unter Ochos ward meist mit
Griechen geführt auf beiden Seiten, so betrug die Zahl
der von Theben, Argos, den asiatischen Hellenen dem Ochos
gestellten Hülfstruppen 10000 nach Diodor [6]), welche nach
der Einnahme Sidons zu Artaxerxes stiessen und den
Landweg, also an Gaza vorbei durch die βάραθρα, wo das
Heer furchtbarer Verlust traf, nach Pelusium machten;
gegen sie führte Nektanebos von Aegypten 20000 hellenische μισθοφόροι [7]). Den Griechen erschien Gaza sehr
gross: Hekataios nannte Κάννυτις eine πόλις Συρίων
μεγάλη [8]), Herodot Κάδυτις mit denselben Worten [9]) und
vergleicht es mit Sardes, der alten lydischen Königsstadt
am Paktolos mit der hohen uneinnehmbaren Akropole,
welche Strabo [10]) als πόλις μεγάλη bezeichnet. Hero-

---

1) Biod. XIII, 46.
2) Diod. I, 67.
3) Her. II, 1. III, 1.
4) Diod. XV, 41. Poly. Strat.
III, 9, 47. 59. 63.
5) Prol. Trog. Pomp. LX.

6) XVI, 45.
7) Diod. a. a. O. c. 47.
8) Steph. Byz. s. h. v.
9) II, 159.
10) XIII, 4 p. 151 ed. Tauchn.

dot konnte solche Vergleichung nur nach eigner Anschauung machen und diese besass er, denn er erklärt[1]:
ἐν — τῇ Παλαιστίνῃ Συρίῃ αὐτὸς ὅρεον ἐούσας[2]. Wahrscheinlich hat er den Landweg von Pelusium aus gemacht
und so die ganze Küstenstrecke gesehen, da er ja von mehreren dieser στῆλαι spricht, die doch an verschiedenen Punkten aufgestellt waren, sowie er diesen Küstenweg überhaupt
genau beschreibt[3]. Auf den letztern Grund macht auch
Bähr[4] aufmerksam, während Heyse[5] die Sache nur als
Möglichkeit nimmt. So beschreibt er eine Einrichtung mit
einer regelmässigen Wasserversorgung des Weges, die er
wohl nur durch Augenschein kennen lernte[6].

Nach Arrian[7] war Gaza auch eine μεγάλη πόλις,
auf einem hohen Erdhügel (χῶμα) gebaut und mit
starker Mauer rings versehen; mit ihm stimmt ganz Zonaras[8]. Nach Plutarch[9] war sie zur Zeit ihrer Einnahme durch Alexander die grösste Stadt Syriens.
Auch Strabo[10] berichtet von ihrem frühern Glanze, er
nennt sie ἔνδοξός ποτε γενομένη. Und in der That konnte
das erst neu aufgebaute, lange noch offene, mauerlose Jerusalem einen Vergleich mit Gaza nicht bestehen, auch
wohl nicht Asdod, obgleich eine Συρίης μεγάλη πόλις nach
Herodot's Zeugniss[11], das von jener grossen Belagerung und Eroberung sich kaum wieder erholt hat. Unter
den phönikischen Städten war Tyrus sehr gesunken, Sidon
dagegen gestiegen bis zu der traurigen, oben erwähnten
Katastrophe und Tripolis, die Residenz des Satrapen[12]

---

1) II, 106.

2) Die Stelen des Sesostris.

3) Her. III, 5.

4) Her. t. IV. p. 392.

5) de Herod. vita etc. p. 97.

6) III, 6.

7) II, 26.

8) Ann. IV, 10.

9) Alex. c. 25.

10) XVI, 2. p. 370 ed. T.

11) II, 157.

12) Biod. XVI, 41.

die bedeutendste neuere phönikische Stadt. Auch Ake als persischer Rüstplatz gegen Aegypten datirt seine Bedeutung erst aus persischer Zeit. In Ake rüstete Artaxerxes Mnemon z. B. den Feldzug gegen die Aegypter[1]). Gaza hatte zwar manche Schläge erlitten, so unter Necho und Kambyses, aber zu einer Zerstörung war es nicht gekommen. Und so blieb sie ein festes Bollwerk an der Gränze gegen Aegypten, wie gegen die arabischen Stämme, daher ein Waffenplatz und die Stätte eines königlichen Schatzes und zugleich eine Stadt, wo durch den lebhaften Handel alte Reichthümer sich aufgehäuft. Sehr wichtig für die Ausbreitung hellenischen Wesens an der syrischen Küste ist die Regierung des Königs Straton von Sidon, der mit Nikokles, dem Nachfolger des Euagoras von Kypros (seit 373), wetteiferte in glänzenden Agonen, Hauseinrichtungen, Opfern, dazu aus Ionien, aus dem Peloponnes, aus ganz Hellas Flötenspielerinnen, Sängerinnen, Tänzerinnen, Musiker holen liess und mit Athen in naher Handelsbeziehung stand, Verträge schloss[2]) u. dergl. — Ihm die Gründung von $\Sigma\tau\varrho\dot{\alpha}$-$\tau\omega\nu\sigma\varsigma$ $\pi\dot{\upsilon}\varrho\gamma\sigma\varsigma$ an der Küste-Palästina's zuzuschreiben, könnten wir leicht veranlasst sein, wenn nicht eine auffallende Analogie uns in die Ptolemäerzeit wiese; davon weiter unten.

Jedoch in die grosse Katastrophe, die ganz Asien umgestaltete und hier auf einmal der hellenischen Cultur, die schon seit zwei Jahrhunderten auf Asien, auf den persischen Hof den bedeutendsten Einfluss gewonnen, den ungeheuern Nachdruck einer politischen Herrschaft von Hellenen gab, ist auch Gaza mit hineingezogen worden; die Zähigkeit der philistäischen Nationalität, die Treue am Festhalten asiatischer Herrschaft führt den Untergang des Al-

---

1) Proleg. Trog. l. X.   2) Vergl. Hegewisch, hist. philos. Schr. Thl. I. p. 1 ff.

ten,. Nationalen herbei und über den Trümmern von Gaza,
schritt, freilich nach langer, ungeheurer Anstrengung,
Alexander Aegypten entgegen, das in ihm den Befreier
und Erretter begrüsste. Die Belagerung und endliche Einnahme mit Sturm (κατὰ κράτος) wird uns von einer ganzen Anzahl Schriftsteller berichtet: Hegesias aus Magnesia,
der rhetorische schwülstige, und gesuchte Behandler der Geschichte Alexander's unter den ersten Ptolemäern [1]) bei Dionysios [2]), Polybios [3]), Diodor [4]), Strabo [5]), Plutarch [6]), Mela [7]),
Josephos [8]), Zonaras [9]), das Itinerarium Alexandri [10]); eine
ausführliche Schilderung geben uns Arrian [11]) und Curtius [12]). Diodor und Josephos allein bringen eine Zeitbestimmung, nämlich 2 Monate der Belagerung (δίμηνον
προσεδρεύσας εἷλε). Von neuern Behandlungen heben wir
nur Droysen im Leben Alexander's [13]) hervor. Kurz wird
das rein Militärische daran herausgestellt von Rüstow und
Köchly in der Geschichte des griechischen Kriegswesens [14]).

Der Plan Alexander's nach der Schlacht bei Issos, vor
Allem die persische Thalassokratie zu brechen und in seinem Rücken keinen gefährlichen Ausgangspunkt zu Aufständen auch für Griechenland frei zu lassen, hatte ihn
nach Phönikien geführt; alle andern Städte, auch auf Kypros ergaben sich ihm, nur Tyrus, der Kern und Mittelpunkt des persischen Seewesens, trotzte. Nach 7 Monaten
grosser Anstrengungen, grosser Wasserbauten, Maschinen-

---

1) J. G. Voss, de hist. Gr. I. 1.
c. 18.

2) Περὶ συνθέσεως ὀνομ. c. 71.
t. V, 120 ed. R. Vergl. auch die
Fragmente des Hegesias in Arriani
anab. etc. edd. Dübner et Müller
Paris. 1846. p. 141.

3) XVI, 40.

4) XVII, 48.

5) XVI, 2.

6) Alex. c. 25.

7) I, 11, 3.

8) Ant. XI, 8, 3. 4.

9) Ann. IV, 10.

10) c. 45 — 47.

11) II, 26. 27.

12) IV, 5. 6.

13) S. 197 — 200.

14) Aarau. 1852. S. 322.

errichtungen, Seegefechte ward es erobert im Juli 332 (im
Monat Hekatombaion des Archontates des Aniketos oder Ni-
keratos[1])). Es schien jetzt jeder Widerstand gegen den gewaltigen Andrang (ὁρμὴ καὶ βία) Alexanders vergeblich.
Ganz Kölesyrien und Palästina fiel ihm zu. Alexander zog
mit dem Landheer die Strasse nach Aegypten, Hephästion
fuhr mit der Flotte an der Küste hin[2]); da ist Gaza die
einzige Stadt, die ihm Widerstand leistet, die, wie Polybios voll Bewunderung ausspricht, zu einer Zeit, wo Rettung allen, die dem gewaltigen Anlauf Alexander's Widerstand leisteten, hoffnungslos war, dennoch einzig und allein
von den Syrern widerstanden und jegliche Hoffnung erprobten. Der Eunuch **Batis** oder **Betis** (Josephus nennt
ihn Babemesis mit den Varianten Bibimasis, Babimasis,
Abimases) fest an Darius haltend, hatte mit einer mässi-
gen Besatzung Perser als φρούραρχος[3]) die Stadt inne;
aber er hatte bereits **arabische** Soldtruppen an sich gezogen und grosse Vorräthe wie zu einer langen Belagerung gehäuft. Die Lage des Ortes auf steilem Abhange,
die starken, mit Thürmen versehenen Mauern (muri ingentis operis nennt sie Curtius) schienen jedem Angriff zu
trotzen. Alexander lagert sich mit dem ganzen Heere vor
der Stadt auf der Südseite, die am schwächsten gegen den
Angriff schien und beschliesst mit Minengängen, da wo es
am wenigsten gesehen wurde, und zugleich zum Schein
mit Belagerungsthürmen sie anzugreifen, trotzdem dass
die Baumeister die Unmöglichkeit einer Einnahme durch

---

1) Arr. II, 24, 1.

2) Curt. IV, 5.

3) Hegesias nennt ihn βασιλεύς.
Einen König in Gaza zu finden,
ist zwar nach dem Obigen nicht unwahrscheinlich, aber theils ist jene
Bezeichnung als Eunuch zu speciell einem persischen, als besonders treu erprobten und daher an
diese Stelle gesetzten Diener, Leib-
wächter des Königs angehörig, theils
liegt es in der Natur der Sache,
dass die Perser in Gaza nicht dem
einheimischen Regenten das Oberkommando bei solcher Gefahr über-
liessen.

Sturm (βίᾳ ἑλεῖν) bei der Höhe der Lage darthun. Er betrachtet dieselbe als einen Ehrenpunkt und als ein wirksa-
mes Schreckmittel für die übrigen Feinde. Freilich er-
schwerte der sandige, zugleich reich bewässerte Boden das
Fortbewegen der Maschinen sehr, der das Führen von
Minen begünstigte. Curtius, der überhaupt bei dieser Schilderung sehr genaue Data an die Hand giebt, legt von vorn
herein auf das Anlegen der Minen, die Alexander aesti-
mato locorum situ angeordnet, das Hauptgewicht. Arrian
hebt ihre Bedeutung bei der Einnahme später allerdings
auch hervor, aber nachdem der Sturm blos mit Belagerungsmaschinen misslungen war. Auf der Südseite wird ein
Erdaufwurf gemacht, um die Maschinen zur Höhe der
Mauer zu erheben, und man versucht sie wirken zu lassen; jedoch hierbei werden schon viele verwundet. Für
den folgenden Tag soll das Heer von allen Seiten angreifen.
Bei dem feierlichen Opfer, das Alexander beim Sonnenaufgang
zu bringen im Begriff ist, lässt ein über dem Altar flie-
gender Raubvogel, ein Rabe (Curtius) einen Stein oder
Erdscholle (Plutarch, Curtius) auf die Schulter des Königs
fallen; setzt sich aber selbst auf den daneben befindlichen
Belagerungsthurm, wo er von dem Anstrich mit Erdpech
und Schwefel festgehalten wird oder sich in das Netz von
Sehnen (κεκρύφαλοι νεύρινοι) verwickelt, dessen man sich
zu dem Anspannen der Taue (ἐπιστροφαὶ τῶν σχοινίων)
bediente (Droysen S. 198 übersetzt allgemein: „das Tau-
werk"). Der Seher Aristandros, dem Alexander den meisten Glauben schenkte, legt dies Zeichen als eine dem
Leben Alexander's drohende Gefahr aus, der aber die Einnahme der Stadt folgen werde. Alexander hält sich daher
nach Arrian ausserhalb der Wurfweite (ἔξω βέλους) in
der Nähe der Maschinen, nach Curtius, was unwahrscheinlich, gab er sogar das Zeichen zum Rückzug und es
entsteht ein Schwanken, ein Stillstand im Stürmen. Da

brechen aber, die Gazäer mit Gewalt heraus, bedrohen die
Maschinen mit Feuer, beschiessen die Makedonier, die sie
abzuwehren suchen und, fangen an, sie vom Erdaufwurf
herabzudrängen. Alexander eilt, durch einen Panzer geschützt, mit seinen Hypaspisten, 'der Leibgarde zu Fuss'
in das Treffen und hielt die Makedonier von einer schimpf-
lichen Flucht von dem Damme ab. Ein Araber naht sich
ihm und wirft sich mit dem Scheine der Uebergabe zu
Füssen, der König nimmt ihn an, da stösst der Barbar
mit dem bis zu diesem Augenblicke verborgenen Schwert
nach dem Nacken Alexander's. Eine rasche Wendung rettete ihn und ein Schlag trennt die Hand des Arabers ab.
Diese die Gefahr des Alexander noch erhöhende Anekdote
berichtet freilich nur Hegesias Magnes, nach ihm Curtius.
Jedoch diese Gefahr war nicht die geweissagte: ein Pfeil
oder Wurfgeschoss (καταπέλτης) dringt durch Schild und
Panzer und bleibt in der Schulter stecken; nach Zonaras
wird er mit einem Stein, also aus einem πετροβόλος, einem
παλίντονον an der Schulter verwundet. Die augenblickli-
she Hülfe des Leibarztes stillt zwar das Blut, aber nach
einiger Zeit schwinden dem König die Kräfte, er bricht
zusammen und wird fortgetragen. Siegesjubelnd kehrt
Betis in die Stadt zurück. Es folgt eine längere Zeit der
Belagerungsarbeiten: man führt concentrisch um die Stadt
einen Erdwall auf, 2 Stadien, also 1200 F. breit und 250
Fuss hoch zur Höhe der Stadtmauern selbst. Während
Curtius einfach sagt: aggerem, quo moenium altitudinem
aequaret, exstruxit, lässt Arrian ihn den Befehl geben:
χῶμα χωννύναι ἐν κύκλῳ πάντοθεν τῆς πόλεως im Gegensatz zu der ersten Anlage ἐν κύκλῳ τῆς πόλεως, Worte,
die nicht zu verdächtigen sind, wie oft geschehen. Es
kann allerdings, wie Droysen richtig hervorhebt[1]), von

---

1) S. 199, Anm.

einer völligen Circumvallation der Stadt nicht die
Rede sein, aber wenn die Angabe richtig ist, auch nicht
blos von der Anlage eines solchen Erddammes an einem
Punkte, als wie zuerst an der Südseite; was soll sonst
das πάντοθεν? Wir sehen im Folgenden Minengänge ἄλλη
καὶ ἄλλη geführt, wir sehen, wie die φάλαγξ πάντοθεν
hervorgeführt wird, wie die Mauer an verschiedenen Stellen (τῇ μὲν - τῇ δε) einstürzt oder verschüttet wird. Wir
haben danach zu denken, dass allerdings an verschiedenen Stellen rings um die Mauer Erdaufwürfe gemacht
und Minen gegraben wurden, denn Beides geht hier Hand
in Hand. Es ist dies ein bei Belagerungen häufiger Ausdruck, der z. B. ganz so bei der Belagerung von Jerusalem durch Nebukadnezar vorkommt [1]. Von Tyrus
langen zur See die grossen Belagerungsmaschinen an und
werden aufgestellt, man legt an verschiedenen Orten Minengänge (ὑπόνομοι) an, unvermerkt wird die Erde her-
ausgeschafft, bereits thun die Maschinen ihre Wirkungen,
die Kämpfer werden von den Thürmen vertrieben, die innern Theile der Stadt von den Geschossen bestrichen, hie
und da stürzen Theile der unterhöhlten Mauer ein. Auch
die Gazäer erbauen neue Befestigungen auf die Höhe ihrer
Mauer, aber die Thürme der Belagerer, deren grösste nach
des Diades Angabe, des Maschinenbauers von Alexander,
eine Höhe von 180 Fuss besassen, ragen darüber hinaus.
Drei Stürme werden glücklich abgeschlagen, aber bei dem
vierten stürzt ein bedeutendes Stück Mauer ein; es gelingt,
Leitern anzulegen, ein Wetteifer entbrennt, wer zuerst
die Mauer ersteige, und Neoptolemos, einer aus der nächsten Umgebung Alexander's, der ἑταῖροι, ist es, dem es
gelingt. Andere folgen, Thore werden erbrochen, von

---

1) Jos., Ant. J. X, 8, 1: — καὶ πολλὰ περὶ τὸν κύκλον
ὅλον ἤγειρε χώματα.

allen Seiten dringen die Phalangen ein. Dem kühn vor-
eilenden König verletzt ein Steinwurf das Bein. Aber noch
geben die Gazäer den Widerstand nicht auf, sie drängen
sich zusammen und fallen alle kämpfend an der Stelle, auf
die sie beordert waren. Nach Curtius steht Betis vielfach verwundet endlich allein; kein Wort erwidert er Alexander's
Drohungen, kein Kniebeugen. Da wird er lebendig, die
Knöchel mit Riemen durchzogen, an den Wagen des neuen
Achilles gehängt und um die Stadt geschleift. Hegesias.
giebt über das Schicksal des Betis noch genaueren, anekdo-
tenartigen Bericht, der jedenfalls für die Auffassung fremden Unglücks durch das makedonische Heer bezeichnend
ist. Problematisch bleibt natürlich immer das Schleifen
um die Mauern, obgleich es dem Sinne des einem Achill nach-
eifernden Alexander nicht fremd wäre. Nach Hegesias
wird Betis von Leonnatos und Philotas gefangen vorgeführt.
Der Barbar war fett und von schwärzlicher Farbe. Dies
erregte schon Lachen und Spott; als er aber an den Füssen
gefesselt mit nacktem Körper geschleift ward und im
Schmerz in gebrochner barbarischer Sprache nach dem
Herrn flehentlich rief, so erregte dieser Solöcismus bei der
zusammengelaufenen Menge mit dem wunderlichen, an ein
babylonisches Thier erinnernden Anblick des Körpers er-
höhten Hohn und Spott. So überwog die Bedeutung des Barbarischen, Hässlichen und gar noch Linkischen jede menschliche Rücksicht.

Es sollen an 10000 Perser und Araber gefallen sein.
Weiber und Kinder werden als Sklaven verkauft. Die
Dauer der Belagerung ist, wie oben erwähnt ward, auf
z w e i Monate angegeben und zwar auch von Diodor, was
Droysen[1]) nicht erwähnt. Der Letztere hat diese Angabe
als unrichtig hingestellt, weil die Zeit zur Anlage der

_____

1) S 200

Werke zu kurz sei und weil Alexander nicht vor dem
14. November, d. i. dem 1. Thoth 417 aer. Nab. als Pha-
raone in Memphis geweiht sei bei dem Opfer des Apis —
dies, nicht die Ankunft in Memphis, musste von Droysen als Zeitpunkt für die Angaben des Kanons der Könige
angegeben werden. Aber diese Gründe sind durchaus nicht
stichhaltig; die zwei Monate für Gaza sind so richtig, wie
die von denselben Schriftstellern und von andern gegebenen
sieben für Tyrus. Alexander hatte sein ganzes Heer zur
Verfügung vor Gaza, hatte bei der Wallaufwerfung mit
keinen Terrainschwierigkeiten zu kämpfen, der Boden
war leicht, ohne Felsen und Sumpf, die Maschinen zur
Belagerung von Tyrus her da. Und dann die chronologische Bestimmung: wie Droysen[1]) selbst angiebt, ward Tyrus am 20. Aug. erobert, dann[2]) brach er Anfangs Sep-
tembers von Tyrus auf, der Weg von Tyrus nach Gaza
beträgt in gerader Linie an 30 geogr. Meilen, ist für ein
Heer unter 7—8 Tagen nicht zu machen, dazu dann die
zweimonatliche Belagerung, ferner der Umweg über Samaria und Jerusalem, den auch Droysen zugiebt, dann
die 7 Tage nach Pelusium[3]), endlich der Weg von da
nach Memphis durch die Wüste über Heliopolis zum Theil,
der fast ebenso lang ist, als der zwischen Gaza und Pelusium. So kommen wir mit der genausten Rechnung
immer auf Ende Novembers — und dies ist ja mehr, als
Droysen will.

Die Beute war sehr gross[4]), viele Geschenke über-
sandte Alexander von hier an Olympias, Kleopatra und die
Freunde. Dass er hier das Hauptdepot des arabischen
Weihrauchhandels fand und sich nun im Besitze der ἀρω-

---

1) S. 192.
2) S. 197.

3) Cur̄t. IV, 7. Arr. III, 1, 1.
Itiner. Alex. 48.
4) Ant. Alex. c. 25.

ματοφύρος fühlte, geht aus dem eigenthümlichen Geschenk
von 500 Talenten Weihrauch und 100 Talenten Myrrhen an
seinen Pädagogen Leonidas hervor, der ihm als Knaben
die Verschwendung von Weihrauch beim Opfer vorgewor-
fen, so lange er noch nicht im Besitze des Weihrauchlan-
des sei. Jetzt konnte er, der Schüler den Lehrer mah-
nen, die Mikrologieen gegen die Götter aufzugeben. Mit
dieser Katastrophe schliesst für uns die Geschichte des alten
philistäischen Gaza. Seine stolzen Mauern waren gebrochen, der Kern der Bevölkerung war vernichtet.

Kap. III.

Culturgeschichtliche Stellung der Phili-
stäer.

§. 6.

Glaube und Kultus.

**Bedeutung derselben im Kreise verwandter Mythen-
bildung. Sittlicher Zustand.**

Vergl. ausser den oben angeführten Werken von
Calmet, Prolegomena et dissertationes ed. Mansi. t. I. p. 184
— 189, von
Movers, Phönicier Thl. I, S. 175. 143. 590 ff. 632 ff. 664.
522 ff. a. a. O., von
Hitzig, Urgeschichte und Mythologie der Philistäer. Buch III:
Joh. Seldeni de dis Syris syntagmata duo ed. A. Beyer. Lips.
1672.
Nork, Die Götter Syriens. Stuttgart, 1842. S. 71 ff. 91 ff. 100 ff.
Creuzer, Symbolik. Aufl. 3. Thl. II.
K. Schwenck, Mythologie der Semiten. Frankfurt, 1849.
Winer, Biblisches Realwörterbuch. S. die betreffenden Artikel.

Wenn irgendwo, so spricht sich auf dem Gebiete des
Kultus und der mythologischen Vorstellungen das
innere nationale Leben eines Stammes und die historisch

erfolgten Veränderungen, Verschmelzungen desselben aus.
Wie auf der einen Seite noch lange, nachdem der ursprüngliche Kern der Bevölkerung sich aufgelöst hat in der Mischung mit benachbarten oder fremden Bestandtheilen und
die Erinnerung früherer nationaler Grösse erloschen ist,
die äussere Form des Cultus und Namen sich fortpflanzen,
so setzt sich auf der andern Seite mit jeder neuen nationalen Mischung auch eine neue religiöse Form, neuer Cultus an den bereits bestehenden an. Auf diesem Gebiete
ist es daher vor Allem wichtig, die Perioden zu scheiden,
vor Allem die Entwickelung der asiatischen Culte vor und
nach ihrer Berührung mit den griechischen, die mit
wunderbarer Leichtigkeit auf jene eingingen, die überall
Anhaltepunkte fanden, oft nur in einer sehr flüchtigen Etymologie, in Namensähnlichkeit, in der Lokalität. Haben
wir daher hier nur von den Culten und religiösen
Vorstellungen der Philistäer, zunächst der Gazäer vor dem
Auftreten der Griechen in dieser Gegend zu sprechen, oder
solchen, die notorisch aus früher Zeit bekannt noch fort-
dauern, so ist es hier vor Allem wichtig, erst einfach die
Nachrichten zusammenzustellen und zu ordnen. Es wird
uns dann nicht zu schwer fallen, die verschiedenen Bestandtheile des Cultus zu erkennen und zu scheiden, wie
sie zum Theil der altkananäischen und Urbevölkerung, zum Theil den Philistäern, als herrschendem,
von Aussen hergekommenem Stamme, zum Theil auch dem
assyrischen Einflusse angehören und danach die Verbindung
und Zurückführung auf einen grössern Kreis religiöser
Grundanschauungen zu versuchen. So ist es allein möglich,
feste Grundlagen zu gewinnen und mit Entschiedenheit jenen
kühnen, aber haltlosen Combinationen entgegenzutreten,
wie sie von Hitzig und Andern versucht sind.

Als allgemeiner Ausdruck für die Gottheiten der Philister erscheint der Name Elohim, derselbe Begriff wal-

tender Naturmacht, der in der Schöpfungsgeschichte auftritt und der später zu dem Jehovah der Juden in einem Gegensatze stehend den benachbarten Völkern, vor Allem den
Kananäern zufällt. Die Elohim der Philister werden dann
in gleiche Linie mit denen der Aramäer, Phönicier, Moabiter und Ammoniter gesetzt. An der Spitze als das allen
Gemeinsame erscheint meist die Doppelheit der Baalim und
Astaroth, so an zwei Stellen im Buch der Richter.[1]), wo
V. 11 der zweiten Stelle Baalim; V. 13 die Elohim der
herumwohnenden Götter und besonders Baalim und Astaroth genannt werden; so heisst es auch: thut ab die fremden
Elohim und Astaroth[2]). Dass wir aber unter Elohim nicht nur
den allgemeinen Begriff einer von den nicht-jüdischen Völkern
zunächst Syriens gemeinsam verehrten Naturmacht im Gegensatz zu dem gesetzgebenden Jehovah zu denken haben,
das beweist, dass der Ausdruck Elohim an der Stelle bestimmter, philistäischer Gottheiten gebraucht wird: Goliath verflucht bei seinen Elohim David[3]), das Haus der
Elohim der Philistäer[4]) wird in den Chroniken da genannt, wo im ersten Buche Samuelis[5]) das Haus Astaroth
bei derselben Sache erscheint. Die Philister nennen den
Dagon zu Gaza ihre Elohim[6]), ebenso den Dagon zu Asdod[7]). Ja auch das eigentliche Götterbild wird Elohim
genannt, so lassen die Philister in der Schlacht bei Baal
Perazim ihre Elohim auf dem Platze und sie werden verbrannt[8]). Ebenso bezeichnen die Philister von ihrem Standpunkte aus den Jehovah als Elohim, sie erkennen die
Existenz und Macht desselben an[9]). Erst die im jüdischen

---

1) 10, 6. 2, 13.
2) 1 Sam. 7, 3
3) 1 Sam. 17, 43.
4) 1 Chron. 10. 10.
5) 31, 10.

6) Richt. 16, 23. 24.
7) 1 Sam. 5, 7. 6, 5.
8) 1 Chron. 14, 12.
9) 1 Sam. 4, 8. 5, 7

Kriegs- und Staatsdienste stehenden Philisläer unterscheiden das, wie Itai der Githite, obgleich er ein נָכְרִי,
ein Fremder und Heide ist, Jehovah und seinen König David leben lässt[1]).

Wie die Elohim die Götterbilder selbst bezeichnen,
so tritt umgekehrt der Ausdruck für diese, für die Ge-
bilde aus Thon, עֲצַבִּים, fast ganz an die Stelle jener.
Die Siegesnachricht wird in den Häusern der Azabim verkündet[2]). Wo in den Chroniken Elohim als von den Philistern in die Schlacht mitgebracht erscheinen[3]), kommen
in demselben Zusammenhange die Azabim vor[4]). Es sind
dieselben Götterbilder, die hier verbrannt werden, als die
γλυπτὰ τῶν θεῶν, welche in späterer Zeit in Asdod von
den Makkabäern aufgefunden und dem Feuer überwiesen
werden[5]). Und wie die Heere ihre Götter in leiblicher
Gestalt bei sich führten, so werden kleine Nachbildungen
davon als Amulete frühzeitig von dem einzelnen Philistäer
getragen. Als unter dem Makkabäer Judas im glücklichen
Kampfe mit Gorgias, dem Feldherrn der Idumäer, eine Anzahl Juden fielen und man sie nach ein Paar Tagen begraben wollte, fanden sich unter den Unterkleidern der
Todten, ἱερώματα τῶν ἀπὸ Ἰαμνείας εἰδώλων, was nach
jüdischem Gesetze streng verboten war; man schrieb diesem Umstande die Ursache des Todes zu[6]). Jamnia, Jabneh
ist seit dem achten Jahrhundert aber eine ganz philistäische Stadt[7]); also werden wir ihre εἴδωλα den philistäischen Azabim ganz gleichstellen müssen und diese ἱερώματα
sind Gegenstände, die von jenen εἴδωλα ihre Weihung erhielten, am natürlichsten also kleine Götterbilder selbst.

---

1) 2 Sam. 15, 20. 21.
2) 1 Sam. 31, 9. 1 Chron. 10, 9.
3) 14, 12.
4) 2 Sam. 5, 21.
5) 1 Makk. 5, 68.
6) 2 Makk. 12, 39.
7) 2 Chron. 26, 6.

Wenden wir uns jetzt zu den einzelnen Gottheiten und Culten, so tritt uns hier als eigenthümlich philistäischer Gott ganz in den Vordergrund Dagon (דָּגוֹן, *Δαγών*). In Gaza ist er die Hauptgottheit und das Heiligthum daselbst Centralheiligthum des philistäischen Städtebundes; nach der Gefangennahme Simson's [1]) wird hier von allen Sarnim ein grosses Opfer gebracht; die Sarnim preisen Dagon ihren Elohim, der den Feind in ihre Hände gegeben. Das Volk wiederholt[2]) dieselben Worte. Ein zweiter Cultusort ist Asdod; hier ist ebenfalls[3]) ein בֵּית דָּגוֹן; hierhin wird die weggenommene Bundeslade gebracht und unmittelbar neben die Statue des Gottes gesetzt; hier hat Dagon seine eigenen Priester (כֹּהֲנִים). Hierhin, *εἰς Βηϑ-δαγὼν τὸ εἰδωλεῖον αὐτῶν*, flüchten die syrischen Truppen des Apollonios vor Jonathan dem Makkabäer, weil sie sich sicher glauben; doch das *ἱερὸν Δαγών* wird angezündet und die Flüchtigen werden mit verbrannt[4]). Eines von diesen beiden Heiligthümern ist es, wo das Haupt Saul's niedergelegt wird[5]). Auch noch andere Verehrungsstätten des Dagon, die in der Zeit der philistäischen Herrschaft auch über das nördliche Palästina gestiftet wurden, sind in Ortsnamen enthalten; so lag ein Bethdagon, jetzt Beit dedjân, nahe bei Joppe, ebenso ein zweites östlich von Sichem[6]), ebenso gab es ein Caphar Dagon. Und wir können in allen philistäischen Städten Dagonheiligthümer annehmen, wie dies

---

1) Richt. 16, 23.
2) V. 24.
3) 1 Sam. 5, 3—5.
4) 1 Makk. 10, 83.
5) 1 Chron. 10, 10.
6) Wenn im Josephos (de bello Judaico I, 2, 3. Ant XIII, 8) eine Bergfeste, die über Jericho lag, wie er selbst angiebt, und in die sich Ptolemaios, der Schwiegersohn des Simon Makkabäus, zurückzog, *Δαγών* genannt wird, so ist dies eine unrichtige Schreibart für *Δῶκον* oder *Δώκ*, wie in 1 Makk. 16, 15 dieselbe Burg genannt wird und noch heute als Ain Dûk bezeichnet ist. Ueberdies wurde der blosse Gottesname kaum Städtename sein können.

bestätigt wird durch Hieronymus[1]), der den Dagon ein Idolum Ascalonis, Gazae et *reliquarum urbium Philistim* nennt. An der Stelle im Jesajas lesen die LXX statt „ἔπεσε Βὴλ συνετρίβη Ναβώ" συνετρίβη Δαγών. Nabo ist moabitischer und babylonischer Gott, der auch in babylonischen Königsnamen wiederkehrt: er ist planetarischer Natur und ward auf einem Berge verehrt[2]). Die Verwechselung der beiden Namen beruht hier sicherlich auf ihrem Gleichklange.

Ueber die Gestalt des Gottesbildes sind wir zum Glück genauer unterrichtet, was uns für die Erfassung des eigentlichen mythologischen Gedankens und für weitergehende Combinationen von höchstem Werthe ist. Wir erfahren[3]), dass die Statue ein menschliches Antlitz, überhaupt einen menschlichen Kopf hat, ebenso zwei Hände, dass dagegen der eigentliche Rumpf des Körpers ein דָּגוֹן, ein Fisch-körper (ῥαχὶς Δαγών) ist. Quatremère[4]) hat daher nicht Recht zu sagen, dass keine Andeutung der Fischgestalt vorkomme, denn דָּגוֹן ist ja Ausdruck für die ῥαχίς wie den Gott selbst, aber nur für diese Art ῥαχίς. Das Gottesbild war in der ersten Nacht, wo die Bundeslade sich im Tempel befand, vor ihr auf 'sein Antlitz (לְפָנָיו) gefallen, in der zweiten lag es wieder auf der Erde, der Kopf und die beiden innern, hohlen Hände (כַּפּוֹת יָדָיו, palmae manum) waren abgehauen auf der Schwelle, nur der Fischrumpf war übrig geblieben. Daraus geht hervor, dass wir uns die Hände nicht wie bei den ägyptischen Statuen eng anliegend an den Schenkeln zu denken haben, sondern eher gehoben und die innere Fläche zeigend. Die LXX geben hier mehr, als der hebräische Text; sie fügen ein: καὶ ἀμφότερα τὰ ἴχνη χειρῶν (ποδῶν liest Selden

---

1) Comm. ad Es. 46, 1.   3) 1 Sam. 5, 3—5.
2) Selden II, 12.   4) p. 419.

p. 266, dies passt allein zu ἴχνῇ und zum Folgenden) αὐτοῦ ἀφῃρημένα ἐπὶ τὰ ἔμπροσϑεν ἀμαφέϑ (הַפְּמֹתָן) ἕκαστοι. Hiernach hatte die Statue auch menschliche Füsse, wie dies von babylonischen ähnlichen Darstellungen ausdrücklich gesagt wird. Hier scheint diese Hinzufügung im griechischen Texte eine weitere Ausführung ohne eigentliche Grundlage. Sie wird aber angenommen von dem jüdischen Erklärer Abarbeneb, welcher ausspricht: Dicunt Dagoni fuisse formam piscis ab umbilico et superne sed quod manus et pedes formam humanam. Josephus [1]) giebt dagegen über die Gestalt des Dagon nichts an, nur über sein Herabfallen von der Basis. Er lässt die Sache sich oft wiederholen ohne Schaden für die Statue. Dagon hat seine Priester (כֹּהֲנִים), sowie es überhaupt an diesen und an Weissagern (קֹסְמִים[2]) nicht bei den Philistäern fehlt[2]). Ueber seine mythologische Stellung erhalten wir allein aus der so trüben, mancherlei vermischenden Quelle des Philo [3]) Byblius eine Nachricht. Die Erklärung Δαγὼν ὅς ἐστι σίτων ist zwar falsch, auf die Etymologie von דָּגָן und zugleich den später hervorgetretenen Cultus allerdings eines Regen und Fruchtbarkeit bringenden Gottes in Gaza gebaut, aber wir beachten immer seine Stellung als Bruder neben Kronos, also dem El, von dem er mithin ganz geschieden wird, als Sohn des Uranos und als Vater dem Namen nach des Demaros [4]), der neben der sidonischen Astarte, dem Hadad von Damaskus, als Landesgott der Araber ih Syrien herrscht.

Wir haben neben Dagon eine Göttin zu stellen, die allerdings nicht im Alten Testament, noch voralexandrisehen Schriftstellern gerade hier erwähnt wird, deren Kult

---

1) Ant. Jud. VI, 1,
2) 1 Sam. 6, 2.

3) ed. Orelli p. 28. 16.
4) Movers I, S. 144. 661.

an philistäischer Küste bei Askalon mit einer daran sich
schliessenden euhemeristisch umgestalteten Mythe uns Diodor besonders[1]) näher beschreibt, die aber in ihrer ganzen Erscheinung und der Verbindung, in die sie zu Semiramis und Ninos, sowie zur Aphrodite tritt, als eine
ächt syrische, dem Dagon noch verwandte sich zeigt; es
ist dies die Δερκετώ.. Und die Quelle des Diodor fällt ganz
in die persische Zeit. Aus Herodot's Ἀσσύριοι λόγοι[2]),
in denen, wenn sie überhaupt vollendet wurden, die Semiramis ausführlich behandelt war, also wohl auch Derketo, wissen wir nichts hierüber, dagegen kommt bei
Ktesias für uns zuerst die Δερκετώ vor als gleich der
Ἀταργατή oder Ἀθάρα bei Strabo[3]) (nach Poseidonios Angabe) und dieser ist es, nach dem Diodor seine Geschichte der
Semiramis erzählt[4]), also auch ihre Geburt, ihre Abstammung
von Derketo, da gerade Andere, wie Athenaios, sie des
mythologischen Gewandes entkleidet als schöne Hetäre hin-
stellten. Nach Diodor ist nicht weit von Askalon ein
grosser und tiefer, fischreicher Teich; bei diesem befindet
sich das τέμενος einer hoch angesehenen Göttin, die die
Syrer Δερκετώ nennen. Diese hat das G e s i c h t e i n e r
F r a u, den übrigen Körper aber ganz von einem Fisch.
Lukian in der Schrift über die syrische Göttin[5]) sagt: Das
Bild der Derketo habe ich in Phönike gesehen, ein fremd-
artiger Anblick, die eine Hälfte ist sie Weib, die andere
aber von den Schenkeln bis zu den Spitzen der Füsse läuft
sie als F i s c h s c h w a n z aus. Kurz darauf erwähnt er
noch einmal: Derketo hat F i s c h g e s t a l t. Er verwahrt
sich aber ganz dagegen, diese Derketo von Askalon gleich-
zustellen der assyrischen Hera oder Ἀτέργατις, die als Sy-

---

1) II, 9.

2) I, 184.

3) Strabo XVI, 4.

4) II, 20.

5) c. 14.

ria dea später einen in Griechenland auch verbreiteten Kult hatte, in Hierapolis aber nicht weit vom Euphrat hochverehrt war, aber ganz in menschlicher Gestalt. Allerdings befand sich auch dort im τέμενος ein tiefer Teich mit heiligen Fischen, aber daneben frei herumlaufend vierfüssige Thiere und Vögel, sowie heilige Menschen, nur ein Beweis für die Universalität der Naturgöttin, der das feuchte Element als das schaffende, zeugende ebenso nahe liegt, als die nährende Erde. Wurden nun auch die Fische von den eigentlichen Syrern oder Aramäern für ein χρῆμα ἱρόν gehalten, berührten, assen sie deshalb keine [1]), was aber von den Phöniciern, den nächsten Nachbarn der Philistäer, nicht gilt, welche Fischhandel trieben [2]), so ist doch die Fischgestalt der Gottheit selbst ein der philistäischen Küste ganz eigenthümliche Form.

Selbst bei den römischen Dichtern, welche in einer Zeit des entwickelten, religiösen Synkretismus, fern von Syrien, nicht eben sehr bekannt, noch weniger ängstlich umspringend mit den geographischen Unterschieden zwischen Phönicien, Syrien, dem Euphratland, auch von der fischgestaltigen, mit dem Sternbild der Fische in Verbindung gebrachten, vor Typhon fliehenden Venus oder Dione berichten [3]), können wir sehr wohl die gäng und gäben Ausdrücke der Babylonia Derceto, des Babyloniacae undae, des Euphrates von der bestimmten Hinweisung auf die Palaestini, als die Träger gerade dieser Auffassung der Derketo scheiden. So sagt Ovid [4]):

> dubia est de te Babylonia narret
> Derceti quam versa squamis velantibus artus
> stagna *Palaestini* credunt celebrasse figura,

---

1) Luc. de dea Syria c. 14. Cic. de N. D. III. 15.

2) Nah. 13, 16.

3) Ovid. Metam. IV, 44 — 46.

V, 331. Fast. II, 453 — 474. Manil. Astron. IV, 580 — 583.

4) Metam. IV, 44 — 46.

so lässt er an der dritten Stelle Dione mit Cupido vor Typhon zum Euphrat fliehen, er lässt sie sich niedersetzen
in Palaestinae margine aquae und dann in das Wasser
sich stürzen und erklärt dann aus dieser Mythe die Scheu
der timidi Syri, Fische auf den Tisch zu bringen. Es
ist hier klar, dass jene stagna, jene Palaestina aqua sich
auf die λίμνη bei Askalon beziehen, wo das uralte Heiligthum dieser Fischgöttin war, eben so sehr, dass die bei
Ktesias zuerst erscheinende Verbindung dieses lokalen Mythus mit dem Sagenkreis der Semiramis jene gänzliche Vermischung mit Babylonien herbeigeführt hat. Und wie wir
dem einheimischen, kenntnissreichen Syrer Lukian unbe-
dingt in jener Trennung der askalonischen Derketo von der
grossen Göttin zu Hierapolis folgen, so erklären wir hier
gern, dass der Name der Δερκετώ, der griechischen Um-
änderung für Ἀρταγατή, Ἀταργάθη, Tirgata sprachlich
dem oberasiatischen, assyrisch-medischen Stamme angehören
kann und wohl mit Recht von Simplicius, neuerdings von
Benfey und Stern auf âtar und vielleicht gâtu, Ort des
Feuers, zurückgeführt wird. Nur ist der Name von dem
bekanntlich auf assyrischer, medischer Ueberlieferung sich
stützenden Ktesias erst auf jene askalonische Göttin übertragen.

Jedenfalls müssen wir Dagon und Derketo als männliche und weibliche Gottheit, wie sie ausdrücklich bezeichnet werden, scheiden, und nicht wie Movers [1]) über ihre
Identität schwanken. Für die Eigenthümlichkeit der Derketo erhalten wir noch nähere Aufschlüsse. Hören wir
dazu den von den Einsichtsvollsten der Eingeborenen (οἱ
λογιώτατοι τῶν ἐγχωρίων) erzählte Mythus der Derketo [2]):
Aphrodite, an der Göttin Anstoss nehmend, ihr übelgesinnt,
wirft in sie eine heftige Liebe zu einem nicht hässlichen

---

1) I, S. 143.   2) Diod. II, 4.

Jüngling unter den Opfernden. Derketo gebiert zu Folge
der Verbindung mit dem Syrer eine Tochter, aber aus
Scham über den Fehltritt lässt sie den Jüngling verschwinden, setzt das Kind aus in eine verlassene, felsige Gegend
(dies die taubengenährte Semiramis, die selbst zu einer
neuen Form der Ἀφροδίτη Οὐρανία wird[1])), stürzt sich
selbst aus Scham und Schmerz (διὰ τὴν αἰσχύνην καὶ λύ-
πην) in den Teich und wird so in ihrer Körperform in
einen Fisch verwandelt. Eine etwas andere, aber noch ein
bezeichnendes Moment hinzubringende Version giebt uns
der Lyder Xanthos nach Mnaseas [2]). Danach ward Ἀτέργατις von Mopsos dem Lyder gefangen oder ertappt (ἁλοῦσα)
und mit ihrem Sohne Ἰχθύς versenkt in dem See bei Askalon wegen ihrer ὕβρις und von den Fischen verzehrt.
Auch hier also der Fisch als verschlingend, der Fisch als
Sohn, Ursache des Verschwindens die ὕβρις gegen eine
Gottheit. In dem Mythus ist also klar das Missverhält-
niss der feindliche Gegensatz der Aphrodite, deren uralte
Verehrungsstätte in Askalon selbst war, wovon wir nachher zu sprechen haben, zur Derketo bezeichnet, also zwei
verschiedene und sich fremde Culte. Wir begreifen daher
nicht, wie Knobel[3]), früher Hupfeld in der auf dem mythologischen Gebiete leider vielerlei vermischenden Abhandlung: de rebus Assyriorum [4]), beide identificiren kann.
Ferner geht daraus die nahe Verbindung der Derketo mit
dem einheimischen Volksstamme, den Σύροι hervor, wie
zum Unterschiede von den Phönikern gerade die Philistäer genannt werden, endlich das Wohnen der Göttin
im Wasser und der Charakter des Schmerzes, der
Trauer. Diese λύπη der Derketo erinnert uns an jene

---

1) Athenag. leg. pro Chr. c. 26
ed. Devair. Gerh., Kunst d. Phön.
in Abhdl. Berl. Akad. 1846. S.
604. Anm. 8.

2) Ath. VIII, c. 37. p. 346.
3) Völkertafel S. 207.
4) Marb. 1837 p. 42.

Erklärung im Lex. graec. nomm. hebr. bei Hieron. [1]):
Δάγων εἶδος ἰχθύος ἢ λύπη, die allerdings zunächst in
einem etymologischen Versuche von דג in Dagon mit אָגָן
wohl beruht, aber zugleich doch auf einem im Culte des
Dagon wie der Derketo hervortretenden Zuge des Schmerzes, der Trauer sich stützen mochte.

Aber wir haben noch einen andern Cultusmittelpunkt
düsterer Meergottheiten an der philistäischen Küste und in
der philistäischen Zeit nachzuweisen; auch hier ist es nur
ein späteres Zeugniss von einem aber bereits ganz im Sinken und Verschwinden begriffenen, den Griechen fremdartigen Culte, zugleich aber mehrere, scharf das Einheimische markirende Züge in der euhemeristisch und ästhetisch
von den Griechen ausgebildeten Sage, aus denen wir mit
voller Sicherheit rückwärts schliessen können: ich meine
Joppe mit seinen felsigen, vom Meer umbrandeten Vor-
sprüngen des Ufers, der einen Felsklippe und dem Andro-
medamythus. Plinius berichtet mit Bestimmtheit: colitur
illic fabulosa Ceto [2]). Zugleich ward hier ein Riesenskelett
von 40 Fuss Länge und 6 Fuss Höhe des Rückgrates aufbewahrt [3]) bis auf M. Scaurus, der als Aedil im Jahre 60
v. Chr. es nach Rom schaffen und zeigen liess. Ausserdem existirten daselbst noch Altäre vor dieser Aedilität mit
den Namen des Kepheus und Phineus [4]). Dass man noch
die Spuren der in den Felsen geschlagenen Fesseln der Andromeda zeigte [5]), ja dass dies noch zur Zeit des Hieronymus [6]) geschah, beweist allerdings nur, wie fest in den
spätern hellenistischen Bewohnern der Glaube an die Oert-

1) Opp. II, p. 201.
2) Strabo XVI, 2. p. 369. I, 2.
p. 67. T. Plin. h. n. V, 14. 34.
3) Plin. h. n. IX, 4. 11.
4) Pomp. Mela I, 11.

5) Jos., B. J. III, 9, 3. Plin.
V, 14.
6) Hieron. in Jon. c. 1 (Opp.
III, p. 1473).

lichkeit dieses Vorgangs lebte. Endlich existirte nahe dem
Meere eine Quelle mit rothem, blutähnlichem Wasser[1]).
Hierin sollte Perseus das Blut des Meerungeheuers abge-
waschen haben. Die eigenthümlich syrische Auffassung ro-
ther Gewässer in Bezug auf Tod und Untergang göttlicher
Personen erhellt aus der Bedeutung des einmal im Jahre
roth gefärbten Adonisflusses bei Byblos[2]). Daneben sind in
dem Mythus selbst der Andromeda, der in Griechenland
zuerst durch Pherekydes[3]) erwähnt, dann durch die Tragiker seit Sophokles behandelt und erst durch die Tragödie Gegenstand der bildenden Kunst wird[4]), die entschiedensten Züge eines fremden, in Jope einheimischen
Cultus. Wir heben hier hervor den von vorn herein damit verbundenen Namen der Aethioper, die überhaupt ein
südöstliches, asiatisches, den Phönikern benachbartes Volk
bezeichnen, den Namen des Kepheus und der Kephe-
ner, die bald als $Xαλδαῖοι$[5]), bald als Aegypter[6]) gedeutet werden, den uralten Autochthonenruhm Jope's
und Jope[7]) als Gemahlin des Kepheus, die nahe verwandt-
schaftliche Verbindung des Kepheus und Phoinix[8]), ferner
für die innere Auffassung den Zorn der Nereiden[9]) gegen
die Königin, welche zur Strafe des Uebermuthes das $κῆτος$
schicken, die sichtlichen Menschenopfer, die demselben gebracht werden, endlich die durchaus lichtgott-
heitliche Natur des Perseus, sowie die Verbindung der
Kassiopeia und Andromeda mit Sternbildern; dies Letztere wird jedoch schwerlich vor die hellenistische Zeit sich
zurückführen lassen, beweist aber doch den auf dem Ge-

---

1) Paus. IV, 35, 6.
2) Luc. de dea Syr. c. 8.
3) Schol. Apoll Rhod. IV, 1091.
4) Maury sur Nept. Phén. in
Revue archéol. V, p. 547. Hermann,
Perseus und Andromeda. Gött. 1851.

5) Hellanikos s. Muller, Frgm.
hist. III, p. 365. Annot.
6) Eust. ad Dion. Perieg. v. 910.
7) Eust. a. a. O.
8) Con. Narr. 40, Astron. 64.
9) Luc. Dial. mar. 14.

gensatz von Meer- und chthonischem Kult und Licht- und
astraler Verehrung beruhenden Charakter des Mythus. Und
trotz aller nicht unerheblichen Bedenken und Gegengründe
von Hitzig[1]) bleibt die Erzählung in den ersten Kapiteln
des Propheten Jonas jedenfalls ein Zeugniss, dass Jope und
der Begriff des κῆτος, sowie das zur Sühnung der Mee-
resgewalten gebrachte Menschenopfer für die Juden bekannte
und eng verbundene Vorstellungen waren, so wenig als
die Erzählung des Mythus selbst hier gegeben werden
sollte.

Es bleibt uns also in Jope ein alteinheimischer, hluti-
ger Kult einer Meergottheit, einer Nereidennatur, angeschlossen zugleich an das Vorhandensein einer naturhisto-
rischen Merkwürdigkeit, ähnlich wie Meteorsteine astralen
Gottheiten als sichtliches Substrat dienten, ein Kult, feindselig dem Licht- und Sternendienst. Plinius nennt diese
Meergottheit Ceto und zwar fabulosa. Wenn diese Lesart auch jetzt als die allgemein bezeugte sich erweist und
wir nicht einen durch Abbreviatur entstandenen Schreibfeh-
ler für Derceto haben, was durch die ganz parallele Stelle[2])
über Hierapolis: *ibi prodigiosa* Atergatis, Graecis autem
Derceto dicta *colitur*, so ist Ceto rein die Latinisirung von
Κῆτος, dem stehenden Ausdruck für das Meerungeheuer.
Die Ansicht von Maury[3]), Ceto mit dem Volksnamen חת
zu verbinden und einen Gott K'eth zu schaffen, ist ganz
unhaltbar.

Neben diesen zwei sichtlich verwandten, dem Meere
und der Fischwelt angehörigen Gottheiten (die Meergottheit zu Jope wird ausdrücklich als weiblich bezeichnet und
fällt ihrem Wesen nach mit Derketo zusammen) sind es
noch zwei, deren Kult in Philistäa unbezweifelt ist: der

1) Kl. Proph. S. 360 ff.   überhaupt noch Müller in Stud. u.
2) Plin. V, 19.   Krit. 1843. S. 935 ff.
3) Revue arch. V, 546. Vergl.

der Astaroth und der Baalim, des Baal, die wir schon
oben als den Philistäern mit den Kananäern gemeinsam
bezeichneten. Jedoch treten uns auch hier nationale Modificationen entgegen, die wir wohl zu beachten haben.
Neben jenen allgemeinen Stellen, die wir anführten, wird
uns nur einmal das בֵּית עַשְׁתָּרוֹת, das Heiligthum der
Astaroth im A. T. hervorgehoben: hier legen nämlich die
Philister die Waffen Saul's nieder[1], während der Kopf
in das Haus des Dagon gebracht wird. Der kriegerische,
ernste Charakter der Astaroth oder Astarte geht hieraus
klar hervor. Wo dieses Haupttheiligthum war, ist zwar
nicht näher dort bezeichnet, aber wird aus andern Nachrichten erwiesen, wenn der Kult selbst auch nicht auf
eine Stadt sich beschränkte; es ist dies das Heiligthum
der Ἀφροδίτη Οὐρανίη in Askalon, das älteste nach Herodot[2] dieser Göttin, das er durch Forschen fand, denn
auch das in Kypros und zwar in Paphos ward von hier
nach dem eigenen Zeugnisse der Kyprier abgeleitet und das
in Kythera haben Φοίνικες — ἐκ ταύτης τῆς Συρίης
ἐόντες gegründet[3]. Auch die Araber, die unmittelbar an
Philistäa gränzten, verehrten in der Ἀλιλάτ dieselbe Urania[4]. Ueber den noch spät in die hellenistische, auch
christliche Zeit hineinreichenden Kult des Baal, des Mondes
und der mit dem Stern Lucifer verbundenen Aphrodite, als
Hauptgöttin auf der sinaitischen Halbinsel, geben die sinaitischen Inschriften interessante Aufschlüsse, wie Tuch[5]
nachweist. Der Charakter dieser Göttin in Mitten und im
Verhältniss zu den zahlreichen, verwandten weiblichen
Gottheiten Syriens, zur Aschera, Baaltis von Byblus, zur

---

1) 1 Sam. 31, 10.
2) I, 105.
3) Vergl. auch Paus. I, 15, 5.
4) Herod. III, 8.

5) Zeitschr. d. morgenl. Ges.
1849. Bd. III, S. 136 ff. bes. 153.
195. 202.

Mylitta, zur Astronoe, Asteria, Naama, zur sidonischen Astarte
ist von Movers [1]) richtig entwickelt. Wir haben in ihr eine
dem Himmel, besonders dem reinen Mondlicht und
seinem Einflusse auf das Erdenleben angehörige Gottheit,
die auf Erden als strenge, starre, kriegerische Weiblichkeit auftritt, entweder ganz jungfräulich, wie in Sidon,
oder als der Liebe unterworfen und Liebe gebend, wie in
Askalon, aber auch nicht in weichlicher, ausschweifender
Weise, sondern als mächtige, bezwingende Leidenschaft.
Ihr gehört die Mondsichel, Speer und Taube, die hier in
Askalon auf Münzen der Kaiserzeit sich zusammenfinden,
theilweis noch in Paphos und Kythera. Die Tauben genossen einer besondern Verehrung in Askalon: massenweise fand sie noch Philo der Jude die Stätte bedeckend,
und als er nach dem Grunde fragte, erklärte man, ihre
Speisung sei in Askalon verpönt [2]) und Tibull fragt bei
dem Geburtstagslied auf M. Valerius Messala, ob er Syrien, das jener verwaltet, besingen soll: quid referam ut
volitet crebras intacta per urbes *alba Palaestino sancta
columba Syro* [3]). Diese Urania oder Astaroth der Philistäer
ist zur Venus hastata, victrix von Kythera, von Sparta
geworden. Sie ist die Himmelskönigin (מְלֶכֶת הַשָּׁמַיִם),
der die Frauen Kuchen backen zu Jerusalem, der die Juden opfern mit Trank- und Räucheropfern in den Städten
Unterägyptens, wie es vordem ihre Väter und Könige in
Juda gethan [4]).

Neben Astaroth werden uns die Baalim oder Baal
(בעל) als die den Philistäern mit kananäischen Stämmen
gemeinsame Gottheit genannt. Wie jene Himmelskönigin
zunächst ist und nicht auf die Mutter Erde oder auf das Le-

---

1) I, S. 559 ff. 601—642.   3) El. I, 7, 17. 18.
2) Euseb. Praep. Ev. VIII, 5.   4) Jerem. 7, 18. 44, 17—26.

ben schaffende feuchte Element zurückgeführt werden darf,
so haben wir in Baal den Herrn des Himmels, wie er als solcher Baal samim genannt wird[1]), ursprünglich anzuerkennen; er ist dann zugleich in menschlicher Erscheinung der
Herr als Gatte[2]). Aber auch in ihm verschmolzen schon
sehr früh verschiedenartige Bestandtheile und umgekehrt
tritt er mit bestimmten Beinamen als besondere Gottheit
auf. Movers[3]) hat vor Allem drei ganz auch national verschiedene Auffassungen nachgewiesen: den Adonis, den
Frühlingsgott mit Wechsel von Entstehen und Vergehen
und ausgelassenem sinnlichen Dienst, angehörig den rein
syrischen, aramäischen Stämmen und den nördlichen Städten Phöniciens, besonders Byblos, zweitens den El, Beli-
tan, der von den Griechen als Κρόνος aufgefasst wird, der
den kananäischen Stämmen ganz ursprünglich zugehört und
mit den Elohim der Bibel zusammenfällt, der Gott des Winters, des zeitlichen Verlaufs der Ordnung der Dinge, und
drittens Moloch, der Gott der Sommergluth, des gewaltsam herrschenden, verheerenden, die Seele mit Begeisterung erfassenden, blutige Opfer verlangenden Princips, daher den Griechen als Ares und Dionysos erscheinend. Dieser schliesst sich ursprünglich an den Feuerkult ober-
asiatischer Religionen an, hatte dann vor Allem in Tyrus und seinen Colonieen, sowie in Judäa selbst Ausbildung
gewonnen seit dem überwiegenden Einflusse des assyrischen Reiches. Dies sind die Hauptgruppen, nach denen
wir auch die mit besonderen Beinamen bezeichneten Baalim
zu ordnen haben. In Philistäa wird uns in Ekron der
Kultus des בַּעַל זְבוּב, des Baal der Fliegen und eine dabei befindliche Orakelstätte genannt; Ahasja, König von
Israel (nach Baur 897 — 896, nach Movers 849 — 848), der

---

1) Philo Bybl. 2, 5 in Mull. Frg.
hist. III, p. 566.

2) Movers II, 1. S. 89. Anm. 28.
3) I, 180 — 384.

Sohn Ahabs, der mit der tyrischen Königstochter aus Tyrus den Baaldienst in umfassendster Weise eingeführt und
in Samaria einen Tempel Baals mit Altar (כִּיתַהַבַּעַל) und
Statue (מַצֵּבָה) [1]) erbaut hatte [2]), diesem Dienste ganz zugethan, schickte doch bei einer gefährlichen Krankheit Boten an Baalsebub, den Elohim von Ekron, um ihn um
Rath zu fragen [3]). Wir sehen also, dieser Gott von Ekron
hat in den Augen des Königs eine besondere Macht voraus vor dem tyrischen Baal, dem er diente. Es ist sicher
ein uralter Kult im Gegensatz zu dem neuen zu Samaria: ein Kult, der an die einfachsten Lebensverhältnisse
eines Ackerbau und Viehzucht treibenden Volkes sich
anschliesst. Der Gott des Jahreswechsels und des Himmels, der die Früchte reift, er erzeugt, ruft hervor
die Schwärme quälender Fliegen, die in südlichen Gegenden selbst Krankheiten im Gefolge hatten, aber er entfernt
sie auch. Diese in ihrem durch die ganzen Witte-
rungsverhältnisse bedingten Auftreten und Verschwinden
erscheinen selbst mit prophetischer Kraft begabt. In Ky-
renaike rief man einen Deus Achor [4]) an, wenn die Masse
der Fliegen Pestilenz bringt, die sofort verschwindet, wenn
jenem geopfert ist. Selden [5]) findet in Achor die Spuren
von Accaron, da auch Josephus [6]) sagt: τὸν Ἀκκάρων
θεὸν Μυῖαν, jedoch ist dies Ἀκκάρων hier sichtlich nur
Kultusort. Der griechische Kult bietet mancherlei Vergleichungspunkte dar, die schon öfters hervorgehoben sind,
aber es bleibt dabei wohl zu beachten, dass der Beiname
des Gottes fast durchgehends auf ganz speciellen Verhältnissen, meist Festfeiern und dabei erwiesener Hülfe beruht,
nicht aber zu dem innern Kern der Gottheit selbst irgend-

---

1) 2 Kön. 3, 2.
2) 1 Kön. 16, 32.
3) 2 Kön. 1, 2. 3. 6. 16. Philastr.
haer. catal. Helmst. 1676. p. 12. 13.

4) Plin. h. n. X, 28.
5) p. 304.
6) IX, 2, 1.

wie gehört. So hatte Herakles dem Ζεὺς Ἀπόμυιος einen
Altar zu Olympia gegründet und die Eleer pflegten darauf
zu opfern, um die Fliegen vom heiligen Haine und den
Wettspielen abzuhalten[1]), so gab es einen Heros Μυίαγρος
zu Aliphera in Arkadien, dem man voraus opfert bei der
Panegyris der Athene, durch ihn werden die Fliegen nichts
Lästiges mehr[2]), so hat Herakles, welcher theils mit den
Stieren in naher Berührung steht, theils als Einrichter von
Opfern bekannt ist, mit der Entfernung störenden Unge-
ziefers vielerlei zu thun; er wird ein κορνωπίων, ein
ἱποκτόνος, ja selbst wohl ein ἀπόμυιος, so verehren die
Boioter, dies Volk des Landbaues und der fetten Vieh-
weide, einen Apollo Πορνοπίων, und danach hiess ein Monat im äolischen Kalender[3]). Bedeutsamer jedenfalls und
enger mit dem ganzen, auch prophezeienden Wesen
der Göttin verknüpft erscheint die Maus auf dem kleinasiatischen Boden beim Apollo Σμινθεύς, dessen uralter
Kult in Troas noch in des Pausanias Zeit fortdauerte, dessen Feste in Lindos und der Stadt Rhodos, die Σμίνθια,
hochgehalten wurden. Und mit Recht führt Heffter[4]) beide
Kulte auf einen gemeinsamen, kretischen, nicht griechischen Ursprung zurück. Aber darum haben wir gar keinen Grund, die Verehrung des in der prophetischen Kraft
der erdgebornen (γηγενεῖς) Mäuse sich offenbarenden Apollo
mit der des in den Fliegen, ihrem Erscheinen und ihrer
Vertreibung hervortretenden Baal in Verbindung zu setzen,
ja sie sogar, wie Hitzig thut[5]), zu identificiren. Nach
einer andern Seite wies mit vollem Recht zuerst Calmet[6])
hin, nach der vor Allem in Unterägypten so mannigfalti-

---

1) Paus. V, 14, 1. Etym. M.
p. 119. ed. Lips. Clem. Alex. Protr.
p. 24.

2) Paus. VIII, 26, 4.

3) Strabo XIII, 1. p. 131. ed.
T. Bergk, Beitr. z. Monatsk. p. 8.
4) Rhod. Gottesd. III, S. 43.
5) S. 304 ff.
6) Proleg. I, p. 188.

gen, an schädliche oder unansehnliche Thiere sich knüpfen-
den Kultus, er erwähnt dabei schon den Scarabaeus (pillu-
larius), den in Mistkugeln sich fortpflanzenden Käfer, dieses
Bild der immer neuen Schöpferkraft, die daher als *Ζεύς*
unmittelbar in orphischer Lehre bezeichnet ward[1]). Hug[2])
hat dies neuerdings geltend gemacht, aber dabei ist denn
doch zu bedenken, dass die Verbindung der Fliege überhaupt und des Scarabaeus keine nothwendige ist, dass ferner im philistäischen Glauben gerade das hervortritt, was
das ausgebildete, ägyptische System als typhonisch, als
feindlich hinstellt, dass endlich Ekron neben Gath am meisten den kananäischen und avväischen Charakter behalten hat.

Noch haben wir in dem Bereiche der philistäischen
Küste einen Kultus zu erwähnen, für den Zeugnisse aber
n u r aus der nachalexandrischen Zeit existiren, obgleich
z. B. Herodot die Stätte desselben gut kennt und oft erwähnt, welcher eben erst in der Kaiserzeit zu grosser
Bedeutung gelangt ist, hier durch Umbildung in eine apollinische Natur entwickelt. Es ist dies der Kult des Zeus
K a s i o s auf dem einsam ragenden Kasiosgipfel an der Sirbonis. Es ist dies B a a l als H i m m e l s g o t t, verehrt
ohne Tempel auf Bergeshöhen, die selbst dadurch heilig
werden, ebenso wie der Kasiosgipfel am Orontes, wie Baal
Hermon, wie Carmel. Dieser an hohe, von der Frühsonne
bestrahlte Gipfel sich anschliessende Kult ist allerdings alt
und kananäischen, aramäischen Stämmen wie den Philistäern
gemeinsam. Ueber die Besonderheit des Zeus Kasios können wir nur in der folgenden Periode reden.

Also Dagon, Derketo, Astarte und Baal, als Fliegen-
und als Berggott, dies sind die vier Gottheiten, die wir

---

1) Philostr. Heroic. p. 92 ed.   2) Freib. Zeitschr. VII, 104 ff.
Boiss.

in den philistäischen Städten verehrt finden und zwar Dagon vorzüglich in Gaza und Asdod, sichtlich als eigenthüm-
licher Bundesgott der Philistäer. Derketo gehört in die
Nähe von Askalon und an die Meeresküste bei Joppe.
Astarte in Askalon steht an Ansehen Dagon am näch-
sten. Der Baaldienst gehört in die am meisten mit ka-
nanäischen, frühern Bewohnern versetzte Gegend, nach
Ekron, aber auch an die älteren Sitze der Philistäer.
Wir können mit Hitzig [1]) nicht von einem philistäischen
Apollo reden, der der Beelzebub sein soll, ebensowenig von
einem Civadienst, der im problematischen Dienste des
Berges Serbâl auf der sinaitischen Halbinsel (das Itiner.
Ant. Mart. c. 38 aus der Zeit 550 — 600 erzählt von einem
Monddienst auf dem Kreuzberge bei dem Serbâl) oder in
dem für philistäisch erklärten Carmel oder im $Z\varepsilon\dot{v}\varsigma\ K\alpha$-
$\sigma\iota o\varsigma$ wiederkehre; wir können auch den Marnas hier nicht
erwähnen, der, wie wir später sehen werden, einer ganz
andern, späten religiösen Entwickelung angehört. Es
handelt sich nun um eine tiefere Begründung dieser vier
Kulte und einer Beziehung zu der ältesten geschichtlichen
Stellung der Philistäer. Wir sehen deutlich, Dagon
ist die ausgeprägteste, eigenthümlichste religiöse Bildung,
die in den vor den Philistäern das Land bewohnenden Ur-
und kananäischen Stämmen keinen Anhalt findet. Er ist
mit den Philistäern gekommen und sein Kult schreitet vorwärts mit ihrem politischen Vordringen. Ihm am nächsten steht die Derketo, die auch bei den Kananäern kein
Analogon findet, aber manches Verwandte bei den eigentlich aramäischen, syrischen Stämmen; sie ist sichtlich
in Verbindung nachher gesetzt mit dem Kulte der mittel-
asiatischen Semiramis. Astaroth oder Urania ist ihrer
Grundlage nach gemeinsam kananäisch, aber auch den

---

1) S. 304 ff.

arabischen Stämmen gehörig; sie hat aber hier in Philistäa
und wahrscheinlich durch 'den philistäischen Stamm selbst
eine eigenthümliche Ausbildung erhalten, nämlich jene
Vereinigung des Astralen mit einer heroischen, kriegerischen, aber nicht jungfräulichen Weiblichkeit. Baal hat
am meisten den alten sowohl kananäischen als den nordarabischen Stämmen gehörigen Charakter bewahrt, er ist
nicht inficirt von dem oberasiatischen Feuerdienst, aber
hat in Thier- und Verehrung der Berghöhen als solcher
sich consolidirt.

Die Untersuchung über Dagon und Derketo muss sich,
wenn sie mehr sein soll, als eine auf einer vielleicht zufälligen Namensähnlichkeit beruhende Vermuthung, anschliessen an die geschichtliche Entwickelung, die Wanderungen und Veränderungen des Volksstammes selbst.
Dieser aber weist uns, wie die obigen Untersuchungen hin-
reichend gezeigt haben und wie ja in einzelnen Theilen
von den meisten Forschern es zugegeben ist, zunächst an
die südwestliche Meeresküste, die zwischen Aegypten und
Philistäa liegt, auf die Landschaft Kasiotis und die Gegend
von Pelusium und dem Sirbonischen See hin, überhaupt
aber auf die Meeresküste des Delta, die für uns das
Caphthor ist. Die Philister sind uns einer der vielfachen
Stämme der Hyksos, einer hamitischen und zwar einer
Mischbevölkerung, die zwischen den Aegyptern, Kananäern und den Nordarabern in der Mitte steht und die
einst von Unterägypten aus sich ausgebreitet hatte in langer Herrschaft über das Nilthal und das angränzende Arabien und Libyen; sie sind uns der Kriegerstamm der Hyksos, der noch am längsten in Avaris oder Pelusium sich
gehalten und nach Osten hin endlich verdrängt wurde.
Hier also in den Resten eigenthümlicher unterägyptischer
Kulte oder vielmehr noch in dem geistigen oder religiösen
Rückschlage, den die Hyksosherrschaft und ihre endliche

Besiegung auf die oberägyptische, durchdringende religiöse Anschauung und Kultus ausgeübt, haben wir die Grundlagen unserer Untersuchung zu suchen. Hauptsächlich werden ja nach Hekataeus Abderita[1]) die andern Sitten περὶ τὸ ἱερὸν καὶ τὰς θυσίας und die dadurch entstandene Veränderung der πάτριαι τῶν θεῶν τιμαί als Grund zur Vertreibung der Hyksos angegeben, also eine religiöse Mischung und dann die heftigste Reaktion des oberägyptischen Glaubenskreises bleibt jedenfalls Thatsache. Dieser Rückschlag liegt uns aber klar vor Augen in dem Mythus von

Typhon oder Seth (Σήθ, hieroglyphisch ⌂ = ST) mit seinen 72 (nach Plutarch[2]) oder 26 (nach Diodor[3])) Genossen und der weiblichen Göttin Nephthys (hieroglyphisch △ = Nebti), andernseits concentriren sich jene Kulte der Deltaküste in den heiligen Stätten wundergestaltiger Meergötter des Proteus, Eidothea, der Jo oder Isis Pharia. Zwar ist sehr frühzeitig eine Mischung zwischen dem hellenischen Giganten Τυφώς, dessen Mythe allerdings auch in den Orient, nämlich nach Kilikien und Nordsyrien weist, aber ganz in die hellenische Grundansicht von dem olympischen gegen die frühern rohen Naturmächte, so hier gegen das Vulkanische ankämpfenden Göttergeschlecht aufgegangen ist, und dem ägyptischen Seth eingetreten, wofür nur auf Monumenten zuweilen Tipo als ein, wie es scheint, weibliches Wesen genannt wird[4]), so in feierlichen Anrufungen zusammen Τυφὼν Σήθ. Aber wir können uns besonders aus Plutarch, de Iside et Osiride, eine durch den Commentar von Parthey (1850) mit dem

---

1) Biod. 40, 3.
2) De Is. et Osir. c. 13.
3) I, 21.

4) Parthey zu Plut. de Is. et Osir. p. 155.

neusten Stande ägyptischer. Forschung in Zusammenhang gebrachte Schrift, das ächt ägyptische Bild noch ziemlich rein verschaffen. Man vergleiche übrigens die Behandlungen von Banier[1]), Jablonsky[2]), von Creuzer[3]), von Birch[4]), Wilkinson[5]), Bunsen[6]), R. Lepsius[7]).

Wir haben zuerst kurz nachzuweisen, dass Typhon der Hauptgott der einst in Aegypten herrschenden, dann vertriebenen, gehassten, als αἰχμαλωτοί bezeichneten Stämme ist, dass sein Kampf, seine Vertreibung, sein endlicher Wohnsitz gerade in die Gegend, wo die Philistäer ihre Sitze gehabt, verlegt wird. Die Aegypter setzen vor die Herrschaft der menschlichen Könige einen dreifachen Wechsel der Herrschaft von Göttergeschlechtern in menschlicher Gestalt, in denen selbst natürlich eine Reihenfolge der einzelnen besteht. In dem ersten Götterkreise stehen nach der Differenz der ober- und unterägyptischen Nachrichten über die drei ersten Götter allgemein fest die vier Götterpaare Kronos und Rhea (Seb und Nut oder Netpe), Osiris und Isis, Typhon und Nephtys, Horus und Hathor. Lepsius[8]) weist die Reihen auf Denkmälern nach, auf denen an Stelle des meist ausgekratzten Set Haroeris der ältere Horus oder Thoth Hermes oder freilich hinter Horus der Krokodilgott Sehak kommt. Unter diesen stehen im zeitlichen Verlauf obenan Kronos und Rhea als Eltern der zwei folgenden Götterpaare, dann treten auf Osiris und Isis, dann findet der gewaltsame Umsturz durch den Bruder des Osiris, Typhon mit Nephtys statt, der Tod des

---

1) Dissert. sur Typhon in Mem. de litterature tir. des reg. de l'acad. des Inscr. t. I, p. 162 — 196.

2) Pantheon Aegyptiacum III. p. 39 — 130.

3) Symbolik. und Mythologie. Dritte Aufl. Thl. II, S. 70 — 100.

4) Gallery I. p. 34 ff. 47. 48 fig. 81 — 84.

5) A Second Series of the manners and customs etc. Vol. I, p. 301. 329 ff. 414. 427 — 431. 436.

6) Aegypten I, S. 483 ff. 496 ff.

7) Ueber den ersten ägyptischen Götterkreis. Berlin, 1851. S. 48 — 56.

8) a. a. O. p. 18 — 20. p. 25 ff.

Osiris, die Herrschaft des Typhon als Tyrannen, sein
Kampf mit den Göttern, ja ein zweimaliger, der Sieg der
Isis und des Horus, des letzten göttlichen Herrschers,
endlich der Tod oder besser die gänzliche Schwächung des
Typhon [1]). Typhon ist für den bestehenden ägyptischen
Kult eine ganz gefesselte, geschwächte, feindselige Macht,
der zuweilen Opfer noch gebracht werden, der aber als ein
Kriegsgefangener gleichsam verhöhnt und geschlagen wird [2]).
Er erscheint selbst als ein liegender Esel [3]). In den ihm
feindseligsten Städten, wie Busiris und Lykopolis, wird
auf den Opferkuchen ein gefesselter Esel als Zeichnung
gemacht, ebenso am Feste des 7. Tybi ein gefesseltes
Nilpferd, das typhonische Thier [4]). Er, der des Hasses
wegen nicht genannte Gott, wird von den Priestern geschlagen [5]). Mit dem Sistrum verscheucht man ihn, womit die andern Gottheiten gefeiert werden [6]). Seine Farbe
ist die des πυρρός, πυρρόχρους, die nur selten Aegyptier
haben, aber τῶν ξένων οἱ πλείους [7]). Daher werden die
πυρροί verhöhnt, daher zu Opferthieren nur πυρροί genommen, daher auch die feuerfarbigen Menschen als Τυφώνιοι
nach Diodor [8]) vor alten Zeiten von den Königen am Grabe
des Osiris hingeopfert, nach Plutarch [9]) noch später in Ei-
leithyia (in den Hundstagen nach Manetho [10])) verbrannt
und ihre Asche zerstreut, nach Manetho bei Porphyrios [11])
in Heliopolis der Hera geopfert. Herodot [12]) erklärt sich
zwar bei dem Mythos von der Gefahr des Herakles in Aegy-

1) Diod. I, 13—22. Plut. de
Is. c. 19. Her. II, 156.

2) Plut. c. 30.

3) Champollion Gr. 120 bei Parthey, Plut. p. 153.

4) Plut. de Is. c. 50.

5) Her. II, 132.

6) Plut. c. 73.

7) Diod. I, 88. Plut. c. 30.

8) I, 88.

9) De Is. c. 73.

10) Bei Porph. de abstin. p.
380 D.

11) De abst. II, 56.

12) II, 45.

pten geopfert zu werden, gegen die Menschenopfer in
Aegypten, aber nur aus allgemeinen Gründen; jene besonderen, mehr vereinzelten Sitten kennt er nicht. Vielmehr gehört hierher die ξενοκτονία des Busiris, ein von
Diodor[1]) aus dem Aegyptischen als Grab des Osiris er-
klärtes Wort. Lepsius[2]) will den ganzen Mythus von
Busiris als griechische Erfindung bezeichnen, nur beruhend
auf besonderer Fremdenfeindlichkeit der Busiriten;
aber worauf diese ruhte, das erwähnt er nicht weiter. In
Busiris ward das glänzendste Fest der Isis gefeiert, das
Grab des Osiris befand sich hier. Dies ist jedenfalls für
jenen Mythus nicht gleichgültig. Höchst bezeichnend ist
ferner, dass den Opferthieren als Siegel das Bild eines
knieenden Gefangenen, dem das Messer an der Kehle steht,
aufgedrückt wird, eine auch durch die Denkmäler genau
bestätigte Thatsache[3]). Mythe und Kultus geben uns hiermit den schlagendsten Beweis, wie Typhon mit dem Begriffe der einst herrschenden, vertriebenen, gehassten ξένοι
und αἰχμαλωτοί ganz zusammenhängt und als deren Repräsentant erscheint.

Wir haben nun nachzuweisen, wie gerade der Hauptsitz und die entscheidenden Epochen in dem Mythus des
Typhon in die Gegenden fallen, die wir als ächt philistäische Wohnsitze erkannten, ja wie unmittelbar die Entstehung der Philistäer an ihn angeschlossen wird. Avaris,
also Pelusium, wird die Typhonstadt (ἡ πόλις Τυφώνιος),
der militärische Ausgangspunkt der Hyksosherrschaft, die
προγονικὴ πατρίς derselben nach Manetho[4]) und zwar nach
alter religiöser Ueberlieferung (κατὰ τὴν θεολογίαν ἄνω-
θεν) ausdrücklich genannt von Manetho bei Josephos[5]).

---

1) I, 88.
2) Chronol. p. 272.
3) Plut. c. 31. Parthey p. 222.

4) Jos. c. Apion I, 26.
5) c. Apion. I, §. 26. p. 460.

Der Nomos, in dem er lag, trägt den Namen Sethroites [1]) von Seth, dem Typhon selbst. Ganz in der Nähe
befindet sich die Tanitische Nilmündung, durch die Typhon
den Kasten des Osiris in das Meer hinaus gelangen liess,
sie war daher μίσητος καὶ κατάπτυστος [2]). In dem νόμος
Παπρημίτης, auf der östlichen, arabischen Seite des Delta
ward das Nilpferd verehrt, das dem Typhon heilige
Thier [3]) und hier wird eine Kultusstätte des Ares angeführt [4]) mit einer eigenthümlichen Prügelscene bei der Panegyris, die ein Abwehren und Abweisen des Ares von
dem Heiligthum symbolisirt. Bereits Jablonsky [5]) stellt ihn
mit Typhon gleich. In der Stadt Ἡρώ oder Ἡρώων πόλις oder
Αἵμος, an dem südlichen Ende der sumpfreichen, versan-
deten Niederung, die von Pelusium nach der Spitze des
arabischen Meerbusens, sich hinzieht, einer Stadt, welche
Movers [6]) für das beim Auszuge der Juden genannte [7])
בַּעַל צָפוֹן erklärt und hier mit Recht einen kananäischen
Sitz des Baaldienstes annimmt, dagegen ohne Grund eine
phönikische Handelsniederlassung, sollte Typhon vom Blitz
getroffen sein, das Letztere sichtlich nach griechischer Auf-
fassungsweise [8]). Droysen [9]) sah in ihr Avaris selbst, die
Typhonische Stadt. Ganz constant ist aber die Ueber-
ferung, die den Typhon, als er besiegt war oder vom Blitz
getroffen, sich in die Σιρβωνὶς λίμνη verbergen lässt, jene
Reihe von Seen, die nahe an der Küste sich von Pelusium
nach dem Bache Aegyptens hinziehen und durch, ihre oft
von den Sandstürmen überdeckten Untiefen die grössten
Gefahren allen Reisenden bereiteten. So heisst es bei He-

---

1) Strabo XVII, 1. p. 443 ed.
Tauchn.
2) Plut., De Is. c. 13.
3) Plut., De Is. c. 50.
4) Herod. II, 59. 64. 71.

5) III, p. 71.
6) II, 2. S. 186.
7) 2 Mos. 14, 2 ff. 4 Mos. 33, 7.
8) Steph. Byzant. s. v. Ἡρώ.
9) De Lag. regno. p. 23.

rodot [1]): *Σερβωνίδος λίμνης ἐν τῇ δὴ λόγος τὸν Τυφῶν κεκρύφθαι*, ferner bei Apollonios Rhodios [2]): (*Τυφαών*) — *κεῖται ὑποβρύχιος Σερβωνίδος ὕδασι λίμνης*, in dessen Nähe *οὔρεα καὶ πεδίον Νυσήιον* versetzt werden von Apollonios, sowie schon früher von Herodoros, mit dem jener ganz hierin übereinstimmt, ferner bei Eustathios [3]): *λίμνη δὲ Σερβωνὶς καὶ χώρα περὶ ἥν φασι τὸν Τυφῶνα κεκρύφθαι, πλησίον οὖσαν τοῦ πρὸς τῷ Πηλουσίῳ Κασίου ὄρους*, wodurch die Nähe des *Κάσιος* nicht ohne Bedeutung hervorgehoben wird. Auch das Etymologicum Magnum [4]) s. v. *Τυφώς* lässt *Τυφώς* brennend in die *Σερβωνίς* gehen. Die Aegyptier nannten den See selbst *Τυφῶνος ἐκπνοαί* [5]). Solinus [6]) erklärt daher, um den **kilikischen** Ursprung des griechischen Typhon mit dem ägyptischen in Einklang zu bringen: Cilicia autem usque ad *Pelusium Aegypti* pertinebat. Auf den in späterer Zeit mit allem Infernalen, gewaltsam aus der Tiefe Wirkenden ausgestatteten und in Verbindung gebrachten Typhondienst ist endlich die von den Kirchenvätern mit Vorliebe hervorgehobene Pelusiaca religio zu beziehen, wonach die **Zwiebel** (formidolosum et horribile cepe) und ihre Wirkungen auf den **Unterleib** (crepitus ventris *inflati*) verehrt ward [7]). Diese Gegend war auch noch in späterer Zeit gerade von Syrern, Philistäern besetzt, die durch die Araber von ihren Stammgenossen getrennt waren. So sehen wir also deutlich die alten und auch später nicht verlassenen Sitze der Philistäer als Hauptstätten des Typhonmythus erscheinen. Daher wird Busiris, ein Sohn des in dem ägyptischen mythologischen System **unbekannten Poseidon** [8]), was

---

1) III, 5.

2) II, 1215.

3) Ad Dion. Perieg. v. 253.

4) s. v.

5) Plut., M. Anton. c. 3.

6) C. 38 ed. Salm.

7) Hieron. in Jes. c. 46. Opp. III, p. 339.

8) Apollod. II, 5, 11.

Lepsius bei der Kritik der Sage [1]) nicht geltend macht, der sie mit Unrecht als griechisch hinstellt, als ἐπιμελήτης τῶν πρὸς Φοινίκην κεκλιμένων μερῶν gerade mit seiner ξενοκτονία von Osiris mythisch hier im östlichen Theile eingesetzt [2]), daher erscheinen die spätern Bewohner von Busiris und Lykopolis als besonders feindlich dem so nahen, drohenden Typhon, daher ward auf dem Steine von Rosette [3]) die Belagerung der Empörer in Lykopolis im νόμος Βουσιρίτης durch Ptolemäus Epiphanes ganz verglichen mit dem mythischen Kampfe gegen die Empörer daselbst: καϑάπερ Ἑρμῆς καὶ Ὧρος ὁ τῆς Ἴσιος καὶ Ὀσίριος, υἱὸς ἐχειρώσαντο τοὺς ἐν τοῖς αὐτοῖς τόποις ἀποστάντας πρότερον, was augenscheinlich auf die Empörung Typhon's und der Τυφώνιοι sich bezieht. Aber auch die Sage hat mit Typhon selbst oder doch einer in der Sage verwandten Persönlichkeit die Entstehung der philistäischen Stämme angeknüpft. Es beruht nämlich die Erzählung, welche Plutarch [4]) in den Worten anführt: οἱ δὲ λέγοντες ἐκ τῆς μάχης ἐπὶ ὄνου τῷ Τυφῶνι τὴν φυγὴν ἑπτὰ ἡμέρας γενέσϑαι καὶ σωϑέντα γεννῆσαι παῖδας Ἱεροσόλυμον καὶ Ἰουδαῖον auf der sehr verbreiteten, auch in unserm Texte des Manetho angenommenen Vermischung der Hyksosvertreibung mit der Gründung Jerusalems; wir haben den Παλαιστινός statt dessen in Gedanken zu setzen. Daher wird auch jener Königssohn aus Byblos, der die Isis mit der λάρναξ des Osiris begleitete und bei der Eröffnung derselben, also der Befreiung des Osiris im Meere ertrank oder in der Wüste umkam, Πηλούσιος oder Παλαιστινός genannt und von ihm der Name der Stadt abgeleitet [5]). Wir sehen also, wie hier unmittelbar mit der Rückkehr

---

1) Chron. S. 272.
2) Diod. I, 88.
3) ed. Letronne 1841. p. 3. l. 22—27.

4) De Is. c. 31.
5) Plut. de Is. c. 17.

der Isis und des Osirisleichnams nach Aegypten, also dem Weichen des Typhon die Entstehung des Stammes als eines von Aegypten abgesonderten in Verbindung gesetzt wird.

Wir sind also so weit gelangt, den Typhon nicht nur als Gott der unterägyptischen Stämme im Allgemeinen, sondern gerade des philistäischen an der Küste westlich von Pelusium wohnenden Stammes anzuerkennen. Jetzt fragt es sich vor Allem, wie ist Typhon aber mit dem fischleibigen, dem Meerleben angehörigen Dagon verwandt? Die Auffassung des Typhon besonders seit der Deutung griechischer Philosophen von den Pythagoräern an, seit der Herausbildung jener ägyptischen Exegeten mit hellenischer Bildung ist eine sehr vielfache und allgemeine geworden. Es mussten auch nothwendig im Volksglauben selbst verschiedene Elemente sich ansetzen, seitdem der Gott einmal der Gegenstand des Hasses, der Feindschaft geworden war. Es kommt also vor Allem darauf an, den positiven Kern der Tradition herauszuschälen.

Fragen wir zuerst nach der Bedeutung der Namen selbst, so haben die ägyptischen Forschungen über $\Sigma\acute{\eta}\vartheta$, $B\varepsilon\beta\acute{\omega}\nu$, $\Sigma\mu\acute{v}$ bis jetzt noch zu keinem bestimmten Ergebniss geführt. Wir müssen uns daher mit den Erklärungen Plutarch's begnügen, die jedenfalls den allgemeinen Sinn treffen. Danach bezeichnen die drei ägyptischen Namen $\beta\acute{\iota}\alpha\iota\acute{o}\nu$ $\tau\iota\nu\alpha\;\varkappa\alpha\grave{\iota}\;\varkappa\omega\lambda\upsilon\tau\iota\varkappa\grave{\eta}\nu\;\grave{\epsilon}\pi\acute{\iota}\sigma\chi\varepsilon\sigma\iota\nu,\;\grave{\upsilon}\pi\varepsilon\nu\alpha\nu\tau\acute{\iota}\omega\sigma\iota\nu\;\mathring{\eta}\;\mathring{\alpha}\nu\alpha\sigma\tau\varrho o\varphi\grave{\eta}\nu$[1]), $\Sigma\acute{\eta}\vartheta$ ein $\varkappa\alpha\tau\alpha\delta\upsilon\nu\alpha\sigma\tau\varepsilon\mathring{\upsilon}o\nu\;\mathring{\eta}\;\varkappa\alpha\tau\alpha\beta\iota\alpha\zeta\acute{o}\mu\varepsilon\nu o\nu$[2]) oder $\tau\grave{\eta}\nu\;\pi o\lambda$-$\lambda\acute{\alpha}\varkappa\iota\varsigma\;\sigma\tau\varrho o\varphi\grave{\eta}\nu\;\varkappa\alpha\grave{\iota}\;\grave{\upsilon}\pi\varepsilon\varrho\pi\acute{\eta}\delta\eta\sigma\iota\nu$[3]), $B\varepsilon\beta\acute{\omega}\nu$ eine $\varkappa\acute{\alpha}\vartheta\varepsilon\xi\iota\varsigma\;\mathring{\eta}$ $\varkappa\acute{\omega}\lambda\upsilon\sigma\iota\varsigma$[4]). Ganz so wird in einem Anruf an Typhon Seth der Gott genannt: einer der zestört und wüste macht, welcher treibt und unbezwinglich ist[5]). Also die allgemeinen

1) De Is. 62.   4) c. 49.
2) De Is. 41.   5) Reuvens lettre I, p. 39.
3) c. 49.

Begriffe des **Herrschenden** und dann des **Hemmen-
den**, **Umkehrenden** sind uns hierin gegeben. — Wir
haben also weiter nach den Ansichten der Alten und besonders den bestimmten Weisen des Kultus und der Sitte zu
fragen.

Sehen wir von der ganz allgemeinen und vagen Ansicht ab, die in später Zeit des Synkretismus allgemeine
Geltung fand und von Jablonsky[1]) an die Spitze gestellt
ward, dass Typhon gleich Ahriman das Princip des Bö-
sen, der böse Geist sei, so besteht die Meinung Plutarch's,
welche er nach einer aufsteigenden Scale der überlieferten
Ansichten als die seine resumirend hinstellt, darin, dass
Typhon alles **Masslose** in der Natur, alles Schädliche,
Austrocknende, der befruchtenden Feuchtigkeit Feindselige,
$\pi\tilde{\alpha}\nu$ $\check{\alpha}\mu\epsilon\tau\varrho o\nu$ sei im Gegensatz zu Osiris[2]); sie ruht schon
auf einer bestimmteren Naturauffassung, die gegenüber
dem fruchtreichen, in bestimmtem Zeit- und Höhenmasse
anschwellenden, Nahrung und Leben gebenden Strome ein
Ungeregeltes, Störendes, Leben und Fruchtbarkeit Verder-
hendes in ihrer Natur erkannten. Näher bestimmt wird
dies von den $\sigma o\varphi\acute{\omega}\tau\epsilon\varrho o\iota$ $\tau\tilde{\omega}\nu$ $\acute{\iota}\epsilon\varrho\acute{\epsilon}\omega\nu$ als $\pi\tilde{\alpha}\nu$ $\tau\grave{o}$ $\alpha\dot{v}\chi\mu\eta$-
$\varrho\grave{o}\nu$ $\varkappa\alpha\grave{\iota}$ $\pi v\varrho\tilde{\omega}\delta\epsilon\varsigma$[3]), das also im glühenden Wüstenwind
z. B. sich zeigt, aber dies Verzehrende, Feurige hat durch-
aus keine Beziehung zur **Sonne**, wie Plutarch scharf be-
hauptet gegen Einige, die den $\acute{\eta}\lambda\iota\alpha\varkappa\grave{o}\varsigma$ $\varkappa\acute{o}\sigma\mu o\varsigma$ hereinziehen
wollten[4]). Vielmehr erscheint Typhon in der Mythe als
ein **nächtlicher Jäger** beim Mondenschein[5]). Seine
Seele soll in den Bären, den $^{"}A\varrho\varkappa\tau o\varsigma$ am Himmel übergegangen sein[6]), sowie dort in der Nähe das Nilpferd,
das ihm geheiligte Thier, später als **Drache** bezeichnet,

1) III, 75.
2) De Is. 45. 64.
3) Plut. c. 33.

4) c. 41. 51.
5) Plut. c. 8. 18.
6) Plut. c. 21.

seinen Platz fand [1]). Auch eine Kometenform, feurig, nicht.
leuchtend, nicht sternartig, spiralförmig gedreht, ähnlich.
dem das Wasser aus dem Meer aufziehenden Wirbelwind,
der ebenfalls Typhon in der spätern Windlehre hiess [2]),
ward von Aegyptiern und Aethiopern Typhon genannt; die
euhemeristische Deutung führte dies auf einen König jener,
Zeit, Typhon, zurück [3]). Einige nannten den Erdschat-
ten, in den der Mond bei seiner Verfinsterung versinkt,
Typhon [4]). Ja Plutarch bringt wohl den Typhon mit dem
Tartaros zusammen [5]). Also jenes αὐχμηρὸν καὶ πυρῶδες
hat durchaus keine Beziehung zum Licht, es ist vielmehr
für das Erdenleben eine elementare aus der Tiefe hervor arbeitende Thätigkeit. Hier wird uns nun der Uebergang gebahnt zu der bestimmtesten, ausdrücklich als einfachste bezeichneten Auffassung des Typhon, die für uns
von entscheidender Wichtigkeit ist. Nach Plutarch [6]) behaupten οἱ ἁπλούστατοι τῶν φιλοσοφώτερόν τι λέγειν δο-
κούντων, dass Τυφών die θάλασσα sei; jene σοφώτε-
ροι läugnen es nicht [7]), sie wollen nur ein Allgemeineres
aufstellen, ebenso wenig Plutarch selbst [8]). Typhon, der
Gott der meeranwohnenden Hyksos, vor Allem der Philistäer, ein Gott des unfruchtbaren (ἀτρύγετος πόντος, ἀκάρ-
πιστα πεδία), um den Landbesitz des Delta mit dem befruchtenden, Schlamm zuführenden Nile streitenden, gewaltsamen, mass- und regellosen Meeres, das von den
Aegyptern als Gränze ihrer Welt betrachtet, dessen
Schifffahrt von ihnen verschmäht und verboten ist, dies
haben wir im Einzelnen nun nachzuweisen. Typhon zur
Seite steht Nephthys als γῆς τὰ ἔσχατα καὶ ψαύοντα

---

1) Parthey Anm. S. 225.
2) Plin. h. n. II, s. 49.
3) Plin. h. n. II, s. 23.
4) Plut. c. 44.

5) c. 57.
6) c. 32.
7) c. 33.
8) c. 45.

18

τῆς θαλάττης¹), also als das Bild der Meeresküste. Es
soll damit dem späteren Typhon der Aegypter diese Beziehung
durchaus nicht ausschliesslich gegeben werden; sie ist sieht-
lich verschmolzen mit jenem Bilde der dürren, meeresähn-
lichen Wüste, dem heissen, verzehrenden Wüstenhauche,
der dem fruchtbaren Nilthale Verderben droht, aber auch mit
der unsichtbar wirkenden Macht, die in den von Flugsand
überschütteten Salzlaken plötzlich den Menschen verschwinden lässt. Aber bei dem von den Hyksos verehrten Gotte
haben wir diesen maritimen Charakter obenan zu stellen.

Typhon erfüllt in dem Mythus γῆν ὁμοῦ τε καὶ θάλασσαν mit Uebeln²), während des Osiris Herrschaft n u r
dem Lande angehört, er beherrscht auch τῆς Οσίριδος μοί-
ρας, denn M e e r war nach alter Tradition Aegypten³),
er lässt den Kasten des Osiris in das M e e r fahren, um
ihn ganz in seine Gewalt zu bekommen, am M e e r e wird
beim Feste im Monat Athyr derselbe wiedergefunden⁴).
Dazu kommt, dass die Aegyptier in ihrer Mythologie keinen P o s e i d o n noch N e r e i d e n besassen⁵). Der schla-
gendste Beweis liegt aber in der Ansicht der Aegyptier,
besonders der Priester über das Meer selbst und Alles, was
aus ihm hervorgeht oder auf ihm handthiert und in den
daran sich anschliessenden Gebräuchen. Die Priester ver-
abscheuen das Meer (ἀφοσιοῦνται τὴν θάλασσαν), sie halten es für eine Absonderung aus dem Feuer, nicht für
einen besondern Theil noch Element, sondern für einen
fremdartigen, verdorbenen und krankhaften Bodensatz oder
Auswurf (ἀλλοῖον περίττωμα διεφθορὸς καὶ νοσῶδες)⁶),
woran sich die pythagoräische Lehre anschliesst, das Meer
sei eine Thräne des Kronos, um damit das Unreine zu

1) Plut. c. 38.
2) Plut. c. 27.
3) Plut. c. 40.
4) Plut. c. 39.
5) Her. II, 50.
6) Plut. c. 7.

bezeichnen. Die Priester reden keinen Steuermann an, weil dieser vom Meere seinen Lebensunterhalt hat[1]). See- salz und Fische überhaupt sind Gegenstand des Hasses. Das Salz nennen sie *Τυφῶνος ἀφρόν*[2]), sie vermeiden in den Zeiten der Reinigung das Salz und jedes dem Meere verwandte Gewürz[3]), sie bringen kein Salz auf den Tisch[4]). Fische werden von den Priestern gar nicht gegessen, von den übrigen je nach verschiedener Sitte nicht alle verschmäht. Einzelne Fische, wie der Oxyrynchos eine Störart, der *φά- γρος*, der *λεπιδωτός* hatten einzelne Städte, wo sie hochge- halten wurden[5]). Aber der Fisch war Hieroglyphe des Has- ses (*τὸ μισεῖν*): so sagt Horapollo [6]): *ἀθέμιτον δὲ δηλοῦν- τες ἢ καὶ μῖσος ἰχθὺν ζωγραφοῦσι. διὰ τὸ τὴν τούτου βρῶσιν μισεῖσθαι καὶ μεμιᾶσθαι ἐν τοῖς ἱεροῖς· κενοποιὸν γὰρ ἰχθὺς πᾶς καὶ ἀλληλοφάγον.* Plutarch[7]) beweist dies durch eine In- schrift an den Propyläen des Tempels zu Sais, Clemens von Alexandria[8]) durch eine gleiche zu Diospolis. Merkwürdiger Weise hat man bis jetzt noch nicht den Fisch als Hierogly- phe gefunden. Der Fisch ist aber hierdurch als das ei- genthümlichste Thier des Typhon, ja sein Wesen selbst bezeichnend bewiesen. Somit sind wir an das Ziel ge- langt, dem wir nachstrebten: wir haben in Typhon den Meeresgott der Hyksos, der Philistäer erkannte.

Noch haben wir hier eine Verbindung im Typhon hervor- zuheben, die tief in der physischen und religiösen Anschauung des Alterthums wurzelt: die Verbindung des Neptunischen und Vulkanischen in der Natur, die Ableitung der Erder- schütterungen, der vulkanischen Eruptionen von den Gewalten des Meeres. So ist ja Poseidon wie der Erd-

---

1) Plut. c. 32.
2) Plut. c. 32.
3) Plut. Symp. V, 10. VIII, 8.
4) Plut. de Is. c. 7.

5) Strabo XVII, 1. p. 447. 457. ed. Tauchn.
6) I, 44.
7) Plut. c. 32.
8) V, 7. p. 670. ed. Pott.

umfasser[1]), so der Erderschütterer[2]). Poseidon's un-
terirdischer Donner[3]) und Erderschütterung lässt den
Hades fürchten, dass sein Reich den Sterblichen geöffnet
werde. So sind überall, wo vulkanische Erscheinungen
am oder im Meer stattfinden, die neptunischen Mächte mit-
thätig, z. B. bei den Erscheinungen zwischen den Lipari-
schen Inseln in der Zeit des Poseidonios[4]) lässt der
römische Senat opfern τοῖς τε καταχθονίοις θεοῖς καὶ τοῖς
θαλαττίοις. Es war daher die Verbindung und allmälige Verschmelzung der vulkanischen Macht des kilikischen
und syrischen Typhos oder Typhoeus, dessen Mythus vor
allem an den eine ganze Strecke unter die Erde verschwindenden Orontes sich knüpfte, der selbst noch bei den Arabern der Rebell, Asi genannt wird[5]), mit dem ägyptischen Meeresgott eine sehr leicht gegebene. Endlich
ist die Angabe Sanchuniathon's[6]) hier wohl zu beachten,
welche Typhon neben Pontos und Nereus als dritten Meergott der ältern Reihe hinstellt.

Es wird uns nicht stören den Typhon in Aegypten,
wenn er überhaupt dargestellt wird, was bisher nur auf
spätern, meist der Römerzeit angehörigen Denkmälern nachgewiesen und oft zweifelhaft genug ist, nicht gerade fischleibig erscheinen zu sehen. Dagegen haben wir über die Sipp-
schaft des Typhon, gleichsam männliche und weibliche Lokali-
sirungen des Begriffs, wohl entsprechend den Plutarchischen
Angaben einen reichen Ueberblick gewonnen. Das Krokodil, das Nilpferd und der Esel sind ihm besonders heilige Thiere. In das Krokodil sollte er sich auf der Flucht
vor Horus verwandelt haben[7]). Da erscheint es als eine

---

1) Il. XIII, 125. XX, 34. Od.
VIII, 350.
2) Il. VIII, 201. XI, 751. XIII,
10. XX, 20. Od. V, 339. u. a. O.
Vgl. Friedreich, Real. S. 641 ff.

3) Il. XX, 57. ff.
4) Strabo VI, 2. p. 41. ed. T.
5) Journ. Asiat. IX, p. 355.
6) p. 32. ed. Or.
7) Plut. c. 50.

besondere Gottheit, männlich S e v e k [1]) und weiblich S h o u p
oder Shpou (falsch von Wilkinson Typ gelesen) [2]), welche
auch das Nilpferd in sich vereinigt. Das Nilpferd, unter
den Sternbildern der Pharaonenzeit immer in die Mitte, im
Rundbild zu Denderah, an der Stelle des Drachen um den
Nordpol [3]) gestellt, gehört der Taur oder Θούηρις, dem
Kebsweibe des Typhon und stellt sie mit dar [4]). O m b t e,
Opt, Oph, die Mutter des Typhon, eine Modifikation der
Netpe [5]), ist ebenfalls Nilpferdgöttin. Als S e t h hat Typhon
besondere Beziehung zu dem Esel, dessen Farbe jener fehlen, asch- oder gelbgrauen des Typhon entsprach; schon
der Name weist auf Esel, ein Eselfüllen zurück, wie bereits de la Croze bei Jablonsky [6]), jetzt Birch [7]) annimmt.
Als Wasserschlange mit Menschenkopfe von Horus im Boot
durchbohrt hat man als typhonisch bereits erkannt den sich
empörenden R i e s e n (Apóp, Aphoph) [8]). So wird, wenn
überhaupt der S e e f i s c h dargestellt ward und nicht aus
Hass sein Anblick im Tempel verpönt war, auch die Verbindung desselben mit Typhon sich sicherlich noch bildlich
nachweisen lassen. Eine ziemlich klare Andeutung von
der Fischverwandlung des Typhon ist in einer spätern,
griechischen Umbildung der Sage von der Flucht der Götter nach Aegypten und ihrer dortigen Verhüllung in Thiergestalten enthalten; Antoninus Liberalis führt nämlich [9])
die einzelnen Verwandlungen auf und da heisst es: M a r s
in *squamosum piscem*. Nun aber sehen wir oben, wie
der Kultus des Ares im Papremitischen Gau dem Typhon,
einer bestimmten Auffassung desselben gilt. Hier sind sich

---

1) Parthey Anm. S. 275.
2) Birch Gallery p. 42 ff. pl.
21, f. 71. Wilkinson, Second ser.
p. 428 ff. pl. 40, 1 ff.
3) Leps. Chronol. S. 105.
4) Parthey S. 200.

5) Birch p. 42. Wilkinson p. 414.
6) III. p. 109.
7) Gallery I. p. 48. t. 34, 87.
8) Wilkinson, Sec. ser. p. 436.
pl. 42, 1. 2.
9) Metamorph. f. 28.

zwar Typhon als Verfolger und Ares als Fliehender ent-
gegengestellt, aber überhaupt ist die gánze Sage hellenisirt
und dabei die Verwandlung in Thiergestalten von bestimmten Gottheiten als ägyptischer Kern herübergenommen worden. Wir tragen daher kein Bedenken, auch hier A r e s
als eine Auffassung des Typhon anzusehen.

Neben Typhon steht, wie bereits früher bemerkt wurde,
N e p h t h y s als Schwester und Gattin $\tau\tilde{\eta}\varsigma$ $\gamma\tilde{\eta}\varsigma$ $\tau\grave{\alpha}$ $\check{\epsilon}\sigma\chi\alpha\tau\alpha$ —
$\varkappa\alpha\grave{\iota}$ $\psi\alpha\acute{\upsilon}o\nu\tau\alpha$ $\tau\tilde{\eta}\varsigma$ $\vartheta\alpha\lambda\acute{\alpha}\sigma\sigma\eta\varsigma$ [1]), die Meeresküste und den Wü-
stenrand bezeichnend; als Gränze der Erde wird sie dann
auch zu dem unter der Erde Seienden [2]) im Gegensatz zu
der Isis. Aber sie ist unfruchtbar geblieben in ihrer Vereinigung mit Typhon, von einer heimlichen Umarmung des
Osiris gebiert sie den Anubis. Auch sie scheint im harten
Kampfe den Gatten verlassen zu haben, wie Thuoris, das Ne-
benweib. In ganz ähnlicher Weise erhält bei Sanchuniathon
D a g o n, der Bruder des Kronos, die bereits geschwän-
gerte Beischläferin des Uranos, die dann den Zeus Dema-
r o s gebiert. Die Verbindung der Derketo mit dem syrischen Jüngling erscheint ebenfalls als eine ganz illegitime.
Während so in dem männlichen Princip der Charakter des
u n f r u c h t b a r e n Meeres festgehalten wird, tritt in dem
weiblichen diese m a r i t i m e Beziehung mit der der Aphro-
dite zusammen, aber nicht der $O\dot{\upsilon}\varrho\alpha\nu\acute{\iota}\alpha$, sondern vielmehr
der der Unterwelt angehörigen, ihr vorstehenden Göttin.
Daher wird an ihrer Stelle als Schwester und Gemahlin
des Typhon von Diodor [3]) $\mathit{'}A\varphi\varrho o\delta\acute{\iota}\tau\eta$ genannt. Natürlich
ist sie mit diesem Namen ganz zu scheiden von der Ha-
thor, von jener weltschöpferischen Liebeskraft, die als
$\mathit{'}A\varphi\varrho o\delta\acute{\iota}\tau\eta$ bei Herodot [4]), als $O\dot{\upsilon}\varrho\alpha\nu\acute{\iota}\alpha$ bei Aelian [5]), als

---

1) Plut. de Is. c. 38.   4) II, 41.
2) $\tau\grave{o}$ $\dot{\upsilon}\pi\grave{o}$ $\gamma\tilde{\eta}\nu$ Plut. c. 44.   5) De anim. X, 27.
3) I, 13.

Ἥρα und Ῥέα bezeichnet wird. Nephthys ist dagegen die
Venus des Ovid, welche bei der Verwandlungsscene der
Götter in Aegypten, also bei der Erklärung der mit den
Gottheiten verbundenen Thierkulte, in einem Fisch sich
verbarg[1]), während Hathor als Saturnia zur blendendweis-
sen Kuh ward. Als solche chthonische, dem Ende der
Dinge zugewandte Trauergöttin, als Herrin zugleich des
untern Landes, des Delta, hat Nephthys sich in dem neuern,
nach der Hyksoszeit entwickelten Religionssysteme erhalten; sie ist die grosse Schwestergottheit von Isis und
Osiris geblieben und erscheint als kniende Klagegestalt
zu den Füssen der Osirismumie[2]).

Haben wir so die zwei grossen, meerherrschenden Gottheiten der unterägyptischen Stämme, in denen der Charakter des Gewaltsamen, Finstern und Traurigen inwohnt,
wieder erkannt in dem mannigfach getheilten, auch modificirten Reflex des ägyptischen, besonders oberägyptischen
Göttersystems, so bleibt uns noch übrig, die Reste des
Meerkultes unmittelbar am Meere aufzusuchen und hier
eine Erscheinung zu erklären, deren innerer Widerspruch
bisher noch nicht scharf gefühlt scheint. Ich meine jene
Thatsache, dass auf der einen Seite die Hellenen, so Herodot[3]), entschieden weder eine dem Poseidon noch den Nereiden verwandte Gottheit bei den Aegyptern fanden und
dass auf der andern Seite gerade an der Küste Aegyptens,
nach der Insel Pharos und der lang vor der Mareotis sich
hinstreckenden Landzunge, die später Alexandrien schmück-
te, alte griechische Schiffersagen den Sitz uralter, mächtiger Meergottheiten verlegten und später noch heilige Gräber und Kulte derselben dort bestanden, ja dass sogar der
Name der Isis sich einer Meergöttin, einer Πελαγία an-

---

1) Metam. V, 331. 3) II, 50.
2) Birch, Gallery p. 34.

schloss. Bekannt ist jene ausführliche Erzählung des Menelaos bei Homer [1]) von seinem Verweilen auf Pharos, von
Proteus, dem Aegyptier, dem Meergreis (ἅλιος γέρων),
dem Poseidon untergeben, der in der Tiefe des Meeres
lebt, dessen Gefährten die Robben sind, jene, εἰνάλια κή-
τεα [2]), der dem Meer gleich alle Verwandlungen eingeht,
aber doch besiegt wird von den in die Robbenhaut gehüll-
ten Menschen; als seine angebliche Tochter erscheint die
Nereide Eidothea, die den Schiffern hülfreich sich erweist. Zur Zeit des Herodot und des Euripides war ein
chthonischer Kult an Proteus und Eidothea geknüpft bereits
wohl bekannt, nur hatten die hellenisirenden Erklärer den
Proteus zu einem ägyptischen Könige gestaltet, der als
solcher aber auch jeder historischen Wahrheit entbehrt.
An dem Grabmal des Proteus, des Herrschers von Aegypten, dés Gemahls der Psamathe (der Seeküste), einer
der Seejungfrauen, einem Grabmal, das einem Tempel
gleich schützt [3]), spielt die Euripideische Helena. Theonoe,
die Tochter des Proteus [4]) und der meerangehörigen Nereide [5]) hat von ihrem Vorfahren Nereus die Weis-
sagegabe ererbt [6]) und sie ist die Trägerin des Orakels
am Meeresstrande, sie ist hülfreich und theilnehmend den
verschlagenen Schiffen. Dagegen trägt der Sohn des Proteus, Theoklymenos, ganz den düstern, fremdenfeindlichen
Charakter des Busiris, er besteht auf dem Gesetze der
Ξενοκτονία, er ist zugleich ein gewaltiger Jäger [7]). Das
Grab und den Todtenkult des Proteus auf Pharos fand
Alexander der Gr. vor, aber im Verfall; er erhob ihn zu

---

1) Od. IV, 365—570.
2) Od. IV, 443.
3) Hel. 810.
4) Hel. 1390.
5) Hel. 327: τῆς ποντίας Νη-

ρῆδος ἐκγόνου κόρης. v. 1668:
ἡ θεᾶς Νηρῇδος ἔκγονος κόρη.
6) Hel. 16. 1013.
7) Hel. 1189. 90.

neuer Verehrung [1]) und das Land bei Alexandria trug sehr
allgemein den Namen: Proteia tellus. Das Grab der Eidothea und daneben eines des Osiris ward auf Antipharos
gezeigt [2]) und auf der langen Landzunge zwischen Alexan-
drien und Kanobos lag $\Theta\tilde{\omega}\nu\iota\varsigma$, die alte Besuchstätte von
Menelaos und Helena [3]).

Aber die Göttin von Pharos, jener uralten Verkehrs-
stätte mit dem Mittelmeer, war später bekannt und auch
in fast allen Seehäfen verehrt als Isis Pharia, $\Pi\epsilon\lambda\alpha\gamma\acute{\iota}\alpha$, als
Ceres Pharia, als $\mathcal{A}\varphi\varrho o\delta\acute{\iota}\tau\eta \ \xi\acute{\epsilon}\nu\eta$, als Io Isis, als Helena [4]).
Herodot [5]) kennt in Memphis ein grosses, schön gebautes
$\tau\acute{\epsilon}\mu\epsilon\nu o\varsigma$ des Proteus und darin als Hauptheiligthum das der
fremden Aphrodite, aber im Stadttheil, der den Namen
$T\nu\varrho\acute{\iota}\omega\nu \ \sigma\tau\varrho\alpha\tau\acute{o}\pi\epsilon\delta o\nu$ trug und von $\Phi o\acute{\iota}\nu\iota\kappa\epsilon\varsigma \ T\acute{\nu}\varrho\iota o\iota$ bewohnt ward. Vor Psammetich, welcher bekanntlich zuerst
den phönikischen wie den ionischen Kaufleuten Aegypten
wirklich öffnete [6]), ist die Anlage dieser Tyrierstadt nicht zu
setzen und die Verehrung des Proteus und der fremden
Aphrodite in Memphis war der Küste erst übertragen. Es
darf hier erwähnt werden, dass auch in der euripideischen
Helena die Seeschiffe, welche Theoklymenos besitzt, phönikische, sidonische sind [7]). Das Bewusstsein der scharfen
Scheidung dieser Meergöttin von der ächt ägyptischen Isis
war auch an fremden Kultusstätten noch klar ausgespro-
chen, so in Korinth, wo es zwei $\tau\epsilon\mu\acute{\epsilon}\nu\eta$ der Isis gab, $\tilde{\omega}\nu$
$\tau\grave{\eta}\nu \ \mu\grave{\epsilon}\nu \ \Pi\epsilon\lambda\alpha\gamma\acute{\iota}\alpha\nu, \ \tau\grave{\eta}\nu \ \delta\grave{\epsilon} \ A\grave{\iota}\gamma\nu\pi\tau\acute{\iota}\alpha\nu \ \alpha\grave{\nu}\tau\tilde{\omega}\nu \ \grave{\epsilon}\pi o\nu o$-
$\mu\acute{\alpha}\zeta o\nu\sigma\iota\nu$ [8]). Man könnte versucht sein, diese fremde Aphro-
dita rein als phönikische Göttin, als Astarte von Sidon, die

---

1) Jul. Valer. I, 18 ed. A Mai.
2) Eust. ad Dion. Perieg. v.
259. p. 136 ed. Bernh.
3) Strabo XVII, 1. p. 437 ed.
T.
4) Movers II, 2. S. 70 ff.

5) II, 112—126.
6) Diod. I, 66.
7) Hel. 1293: $\Phi o\acute{\iota}\nu\iota\sigma\sigma\alpha \ \kappa\acute{\omega}\pi\eta$
$\tau\alpha\chi\acute{\nu}\pi o\varrho o\varsigma$. 1433. 34. 1471. 1561.
8) Paus. II, 4, 7.

herrschend den Schiffskiel betritt, zu betrachten, also hier
nur einen Ansatz von Aussen, der Handelsfaktoreien zu
erkennen. Movers neigt auch zu dieser Ansicht hin, obgleich er das hohe, vor die Zeit tyrischer Seeherrschaft
hinaufreichende Alter zugiebt. Dagegen ist nun zu erinnern, dass die Nereidenbildung, sowie die des Meer-
greises, der selbst robbenartig auftritt, — und so ist doch
die älteste Ueberlieferung von jenem Kult — dem religiösen Kreise von Tyrus und Sidon ganz fremd war, dagegen
nur in Gabala, der nördlichsten, bereits ganz syrischen
Gränzstadt Phönikes[1]) und in dem Poseidonkult zu Berytos ein Analogon findet, dass die von der Flucht heim-
kehrende Isis von Byblos kommt, nicht von Sidon und
Tyrus, dass endlich der düstere, mit Todtenkult verbundene Charakter der ägyptischen Meergöttin mit der phönikischen Astarte nichts gemein hat. Und nach den obigen
Untersuchungen über das Verhältniss von Dagon und Derketo, Typhon und Nephthys wird die ursprüngliche Zugehörigkeit der Kulte von Pharos und an den Nilmündungen
zu den unterägyptischen Stämmen ohne Zweifel sein. Natürlich ist damit das seit dem Aufblühen tyrischer Handelsfaktoreien und ganzer politischer Associationen in ägyptischen Städten eintretende Streben nicht geleugnet, gerade
jenen Ueberrest ältern Meerkultus durch Anfügung des
Astartedienstes zu Ansehen und Ehre zu bringen.

Ebenso knüpfte sich schon frühzeitig das Band zwischen der pelasgischen, wandelnden Mondgöttin Io, die
überall mit griechischen Handelsansiedelungen sich ansetzt,
und jener Pharischen Meergöttin; bereits Aeschylos
kennt das Ziel der Io in dem Nildelta, der $\tau\varrho\iota\gamma\omega\nu\circ\varsigma$ $\chi\vartheta\grave{\omega}\nu$
$N\varepsilon\iota\lambda\tilde{\omega}\tau\iota\varsigma$[2]) und Io Isis ist bei Lukian z. B.[3]) die ächte

---

1) Paus. II, 1.
2) Prometh. 812.
3) Deor. dial. 3. Deor. mar. dial. 7.

Göttin der Schiffer. Auch Helena ward nach ihrem göttlichen Bestandtheile damit leicht verschmolzen, seitdem einmal Stesichoros[1]) eine wahre, in Aegypten bewahrte von
dem Trugbilde geschieden hatte.

Das Resultat unserer Untersuchung also bleibt: Dagon
ist der Typhon der Hyksos, der gewaltsame und finstere
Herrscher des Meeres und der dem Meer ähnlichen, mit ihm
sogar an der Sirbonis sich mischenden Wüste, der selbst die
Natur der Meerbewohner annimmt, der Schützer zugleich
der Krieger und kriegerischer Unternehmungen, daher bald
den ältesten, griechischen Meeresmächten, einem Nereus
und Proteus, bald dem Poseidon, endlich auch dem Ares
vergleichbar. Sein Dienst ist daher der Hauptdienst des
Kernes der Aegypten verlassenden Hyksos geblieben und
so in den philistäischen Städten in den Vordergrund getreten. Ihm zur Seite steht eine weibliche Meeresgottheit:
Derketo, die ägyptische Nephthys, eine Nereidenbildung,
zugleich mit dem Charakter der Herrin der untern Regio-
nen, des Endes der Dinge, daher eine chthonische und
fremde Aphrodite oder Isis. Mit ihr verbunden erscheint
der früh versenkte Knabe Ἰχθύς. Auch ihr wohnt der Zug
der Trauer, der Düsterkeit bei. Dass Menschenopfer, besonders Jungfrauenopfer in Philistäa diesen Gottheiten fehlten, spricht theils der Mythus der Andromeda unmittelbar
aus, theils weist ein Vers des Sacharja[2]) darauf hin, wenn
er Jehovah von den Philistäern sagen lässt: „Und ich nehme ihr Blut von ihrem Munde und ihr Verabscheutes
zwischen ihren Zähnen weg." Dass aber Menschenopfer
bringen und selbst essen, gleichbedeutend ist, dafür dient
als schlagendes Beispiel eine Stelle in der Weisheit Salo-
monis[3]) über die Kinderopfer an Molóch, wo es heisst:

---

1) Frg. 92 ed. Klein.   3) 12, 3.
2) 9, 7.

Gott hasst die alten Bewohner des Landes als τέκνων φο–
νέας ἀνελεήμονας καὶ σπλαγχνοφάγων (ob zu lesen σπλα–
γχοφάγους?) ἀνθρωπίνων σαρκῶν θοίναν καὶ αἵμα–
τος — καὶ αὐθέντας γονεῖς ψυχῶν ἀβοηθήτων. Neben diesen eigenthümlichsten Gestalten des philistäischen Glaubens
treten dann die mit den Kananäern und Nordarabern gemeinsamen Gottheiten der kriegerischen Himmelsherrsche-
rin, Aphrodite Urania, des zum Ackerbau in besonderem Bezuge stehenden Herrn des Himmels, El, oder endlich die Verehrung der leuchtenden und Wolken um sich
sammelnden Berghöhen, wie des Kasios.

Ein Resultat dieser Art, welches unserer ganzen, ur-
geschichtlichen Ansicht als neue Bestätigung und Ausbildung hinzukommt, muss, wenn es überhaupt haltbar ist,
leicht die richtige Stellung in den benachbarten Kreisen
mythologischer Vorstellungen erhalten und hier vielleicht
zur leichtern, schärfern Lösung oft verwickelter, in einander verschlungener Traditionen beitragen. Es wird dabei
von selbst die grössere oder geringere Berechtigung anderer, in grosser Anzahl um diesen Gegenstand angesetzter
Ansichten klar werden, deren einzelne Widerlegung uns
in ein unabsehbares Labyrinth führen würde. Wir betrachten also die Stellung dieser philistäischen Kulte 1.,
im Kreise der den unterägyptischen Stämmen nahe verwandten Urbevölkerung der libyschen Küste, sowie der auf
Inseln und an den Küsten von Hellas und Kleinasien verstreuten karischen, kretischen, auch phönikisch genannten Stämme; ferner 2., im Verhältnisse zu den kananäischen und aramäischen Religionssystemen, die
in Tyrus und Sidon, in Berytos, Byblos und Gabala, endlich in Mabog oder Hierapolis kulminiren und 3., zu dem
babylonischen und assyrischen Kultus.

1., Westlich an Unterägypten sich anschliessend er-

scheinen die Libyer (die nach der Genesis [1]) von Mizraim
ausgehenden להבים oder לובים) unterschieden von den
phönikischen Ansiedelungen als eine den sogenannten semitischen Stämmen angehörige Urbevölkerung, deren Sprache und Schrift besonders durch die Behandlung der bi-
linguen Inschrift von Tucca in ihrer grossen Ursprünglichkeit hervorzutreten beginnt [2]). Ihr geschichtliches Eingreifen als Glied der unterägyptischen Stämme haben wir
früher bereits hervorgehoben. Diese Libyer sind es nun,
bei welchen der Kult eines Meergottes, den die Griechen
Poseidon nannten, als ureigenthümlicher und hauptsäch-
licher hervortritt [3]); Herodot leitet von da den griechischen
erst ab. Vor Allem concentrirt er sich bei den acker-
bauenden Libyern an der Tritonis [4]). Neben Poseidon ist
es der Triton, diese ältere, dem Meere selbst noch ver-
wandtere Gestalt, die hier verehrt wird. Und als dritte
Gestalt tritt zu diesem noch Ares hinzu in einem feierlichen Schwure, den Hannibal im Namen der karthagischen
Gerusia und der ganzen karthagischen Kriegsmacht, worin
eben diese Libyer den Kern bildeten, gegenüber Philipp
von Makedonien leistete [5]) und wo drei Götterdreiheiten an-
gerufen werden, zuerst die drei makedonischen Zeus, Hera
und Apollon, dann die drei karthagischen: der $\delta\alpha\iota\mu\omega\nu$ Kar-
thagos, Herakles und Jolaos, endlich Ares, Triton und
Poseidon, also als Vertreter des libyschen Heeres. Ist
hier nicht unmittelbar der unterägyptische Typhon dreifach
getheilt? Movers [6]) möchte zwar den libyschen Poseidon
an den Baal einer phönikischen Kolonie anlehnen, jedoch
von dieser hat er gerade am Tritonsee gar keine Zeugnisse und ist das Zeugniss Herodot's und Anderer nicht

---

1) 10, 13.
2) Vergl. Blau, über das nu-
midische Alphabet in Zeitschr. f. d.
morgenl. Gesellsch. Bd. V, S. 330 ff.

3) Her. II, 50.
4) Her. IV, 188.
5) Pol. VII, 9, 2.
6) II, 2. S. 468.

entschieden genug, die den Poseidon einen libyschen, nicht karthagischen Gott nennen? Endlich ist Poseidon hier in die engste Verbindung mit der ureinheimischen Hirtengottheit, die Aegis und Lotospfeife trägt, getreten. Es liefern die Münzen der Syrtenstädte einen merkwürdigen Beweis dafür, die den Poseidon aus dem Oberleib eines Ziegenbockes und einem Fischkörper zusammengesetzt uns zeigen [1]).

Gehen wir von Libyen gleich nach Sicilien über, so begegnet uns auf der westlichen Spitze im hochberühmten Tempelkulte des Eryx Poseidon in Verbindung mit Aphrodite und zwar nicht der sidonisch jungfräulichen, sondern der üppichen, an Mylitta erinnernden; sie gehören einer ältern, von Osten her eingewanderten, unter der Lehnsherrschaft des tyrischen Melkarth, d. h. tyrischer oder karthagischer Handelsherrn stehenden Bevölkerung, der Elymer [2]). Aehnliche Verbindungen von Poseidon und Aphrodite sind in Seehäfen nicht selten, so erscheint sie auf einer bruttischen Goldmünze [3]), so standen ihre Tempel in Aegion zusammen [4]).

Wir sind hiermit auf dem hellenischen Boden selbst angelangt. Es kann uns nun nicht in den Sinn kommen, die mannigfaltige und tiefe Auffassung des Meerlebens mit seinen Gegensätzen von Stille und Frieden und Sturm und Wogenbrandung, von hellen, milchweissen und dunkeln, schwarzen Farben, mit dem der Rossebewegung ähnlichen Rollen der Wogen, mit der geheimnissvollen Tiefe und dem tückischen Riff, mit seiner ganzen Proteusnatur, wie sie in den griechischen Mythenkreisen, dem ältern von Nereus,

---

1) Gesenius, Monum. t. 43.
2) Movers II, 2. S. 323, wo aber Apollod. II, 5, 10, nicht X, 5, 11 zu lesen ist.
3) Müller, Denkm. II, 1. S. 6. N. 68.
4) Paus. VII, 24, 1.

Proteus, Glaukos, Thetis, dem jüngern von Poseidon und
Amphitrite ausgesprochen ist, zurückzuführen auf fremde,
orientalische Anschauungen, auf Tradition aus Philistäa,
Libyen und Unterägypten, vereinigte sich doch in Hellas
Beides zu einer reichen-Ausbildung dieses Idealkreises,
die Natur des Elementes selbst in allen seinen Abstufungen
und seinem Einflusse auf das Menschenleben und ein in
der pelasgischen Urbevölkerung besonders reges Naturge-
fühl. Aber sichtlich tritt dieser ganze Kreis in dem Ent-
wickelungsgang des hellenischen Glaubens sehr zurück gegen andere Kreise, die in sich die sittliche Ideenwelt
mit der Naturanschauung vollständig verschmelzen, muss
doch z. B. Pausanias Analoga suchen, zu dem Kulte der
Νηρηίδες im Tempel des isthmischen Poseidon und führt
er endlich ausdrücklich nur ein ἱερόν in Gabala, an syrischer Küste an. Und vielfach haben die Gottheiten desselben, besonders auch Poseidon, gleichsam stehengeblie-
bene Züge einer sonst überwundenen, rohen Kulturstufe
behalten, in welcher das Pelasgerthum von barbarischen
Einflüssen vielfach berührt ward. Endlich dürfen wir unser
Auge nicht verschliessen, wenn an einzelnen Punkten jene
Meermächte eine ganz umfassende und veränderte Stellung
erhalten haben, wenn fremder Ansatz neben einheimi-
schem Glauben offen hinzutritt, wenn endlich in der Darstellung, der Form die streng symbolische, ganz unorga-
nische Verbindung von Mensch- und Fischgestalt stehen
geblieben ist, die dem ganzen Wesen des griechischen
Formensinns widersprach. Ich verweise für die in Mythen,
Kulten, Darstellungen sich erweisende, vielfach fremdartige, besonders den pelasgischen Mischstämmen der Aeoler
und den Lelegern angehörige Natur des Poseidon auf die
reichhaltige Abhandlung von Gerhard über Ursprung, Wesen und Geltung des Poseidon[1]), und will hier nur an zwei

---

1) Berlin, 1851.

ínteressánten Punkten des Peloponnes den Ansatz des fremden, ächt philistäischen Kultus, sowie in dem Mythus des Herakles·den durchgehenden Gegensatz desselben zu jenen philistäischen Meergottheiten darstellen.

·Die vielfachen Einflüsse fremder von den seefahrttreibenden Karern, von den Küstenbewohnern Syriens gebrachten Kulte auf die ganze Südseite des Peloponnes lassen sich schwerlich leugnen. So war Kythere ein wichtiges Emporium und Station der phönikischen Seefahrt und es 'wird ausdrücklich die dortige kriegerische Göttin, Aphrodite Urania, die dann über Lakedämon sich verbreitete, von dem Heiligthum zu Askalon abgeleitet[1]). Noch in der Zeit des Pausanias[2]) bestand als fremdartige Antiquität im Nedathal oberhalb Phigalia der Kultus einer fischschwänzigen Göttin: nur einmal im Jahr ward das Heiligthum geöffnet und da kam ein Bild zum Vorschein mit goldenen Fesseln umschlungen und zwar εἰκὼν γυναικὸς τὰ ἄχρι τῶν γλουτῶν, τὸ ἀπὸ τούτου δέ ἐστιν ἰχϑύς. Pausanias fügt hinzu: „für eine Tochter des Okeanos, die in der Tiefe des Meeres mit Thetis wohnt, dient wohl der Fisch zum Kennzeichen.‟ Eurynome ·war allerdings eine der vielen Okeaniden[3]) und als solche eine alte, pelasgische Gottheit, aber ihre besondere, einzeln stehende Verehrung schloss sich sichtlich an·an den kosmogonischen Charakter, den sie durch fremden Ansatz erhalten·hatte. In dem Gesange des Orpheus bei Apollonios Rhodios[4]) hat sie mit Ophion, dem schlangen- oder drachenartig·gestalteten Gott, zuerst die Weltherrschaft, wird aber von Kronos und Rhea gestürzt und beide verschwinden im Okeanos. ·

. 1) Her. I, 105; καὶ τὸ ἐν Κυϑήροισι Φοίνικές εἰσιν οἱ ἱδρυσάμενοι ἐκ ταύτης τῆς Συρίης ἐόντες.

2) VIII, 41, 4.
3) Il. XVIII, 399. 405. Hes. Theog. 907.
4) I, 496 ff.

Korinth war bekanntlich das grosse Emporium für
Hellas selbst und den Westen, wo die Kaufleute aus Asien
und Italien in uralter Zeit zusammentrafen, um ihre Fracht
auszutauschen und die gefährliche Fahrt um Malea zu vermeiden, lange schon vor der Stiftung der ithmischen
Spiele[1]). Wie hier das ganze sociale und sittliche Leben
durch den Zusammenfluss fremder, raschen Genuss suchen-
der und mit Geld versehener ναύκληροι bestimmt und ver-
dorben ward, so musste natürlich der fremde Einfluss zunächst der ägyptische und babylonische Waare verführen-
den Phöniker im weitern Sinne in Beziehung der Handel und Seefahrt schützenden Gottheiten sich entschieden
geltend machen. So hatte nach einheimisch korinthischer
Sage Helios, der nach langem Streite mit Poseidon die
Akropolis in Besitz genommen, freiwillig sie an Aphrodite, die bewaffnete, der Urania von Kythere gleiche
überlassen, welche, das einzige Beispiel der Art in Hellas, an 1000 sich den Fremden preisgebende Hierodulen
besass. Helios Statue stand noch bescheiden geduldet im
Aphroditentempel[2]), aber die Stadt selbst war eine πόλις
Ἀφροδίτας geworden[3]). Wie hier die fremde, den Phönikern und Philistäern gemeinsame, vor Allem in Askalon
verehrte Göttin thronte über der Stadt, so war zwar in
dem grossen Isthmosheiligthum auf dem Wege nach dem
Lechaion der griechische Poseidon mit seiner Umgebung
nicht verdrängt von dem fremdländischen, düstern Meerkult, aber er hatte ihn in seinen Bereich, in den περίβολος
aufnehmen müssen. Im grossen Tempel herrscht Poseidon mit Amphitrite und derselbe mit Θάλασσα, bei
der erst von Herodes Attikus geweihten Hauptgruppe feh-

---

1) Strabo VIII, 6. p. 210 ed. T.   3) Euripides bei Strabo VIII, 6.
2) Paus. II, 4, 7.

19 *

ten dann auch Palämon, Ino und Aphrodite nicht, nur sind
sie ganz untergeordnet[1]). Aber daneben steht der Tempel des Palaimon mit der ganz gesonderten Trias: Poseidon, Ino, Palaimon Melikertes und dabei war ein un-
terirdisches Adyton für den darin chthonisch verborgenen
Palaimon. Die Sage von Ino Leukothea stimmt in allen
Hauptzügen so entschieden mit der der Derketo und ihres
zugleich in den See versenkten Sohnes Ἰχϑύς, so dass
wir hier entschieden die fremde Uebertragung, den fremden Zusatz zum einheimischen Poseidondienst erkennen.
Bezeichnend dafür ist es auch, dass der Schwur bei diesem Palaimonheiligthum der grösste und bindendste für
Korinther und Fremde war, sowie düstere, dem Todtenkult angehörige ὄργια dabei bestanden [2]). Dieser spätere
und von fremdher gekommene Kult des Palaimon [3]) ist
auch offen in der Auffassung der Isthmien ausgesprochen,
welche früher dem Poseidon, später dem Melikertes gefeiert wurden nach der allgemeinen Ansicht[4]); nach Mu-
saios gab es immer noch zwei ἀγῶνες, einen für Poseidon, einen für Melikertes.

Von grösstem Interesse für den Zusammenhang dieser an
den Küsten Philistäas, Unterägyptens, Libyens und dann zerstreut an den von dort influenzirten Punkten des Mittelmeeres
auftretenden Kulte der Meergottheiten, als gewaltsamer, düsterer, dem Licht- und uranischen Dienste widerstrebender Mächte
und ihre Aufnahme in die griechische Mythenbildung ist theils
die schon kurz besprochene Perseussage, theils der Mythenkreis des Herakles. Herakles erscheint geradezu als
Feind und Bezwinger wie der Poseidonischen Kinder und
Schützlinge, so der Abkömmlinge des Typhon. So wer-

---

1) Paus. II, 1, 7. 8.
2) Paus. II, 2, 1 ff.
3) Bei Philostratos Im. II, 16

ist Poseidon ξένον τὸν Μελικέρ-
την ποιούμενος.
4) Schol. Apoll. Rhod. III, 1240.

den die von Herakles verfolgten Kentauren von Poseidon in Eleusis aufgenommen und in einen Berg gebor-
gen[1]), so ist Augeas, der wortbrüchige, dann von Herakles bekämpfte Herrscher Sohn des Poseidon[2]), ebenso
wie die zwei Führer von Elis Eurytos und Kteatos[3]);
so tödtet Herakles Sarpedon, Sohn des Poseidon,
einen ὑβριστής in Ainos[4]), so in Torone Polygonos und
Telegonos τοὺς Πρωτέως τοῦ Ποσειδῶνος υἱούς[5]);
so sind die Rinderräuber aus der Heerde des Herakles im
Ligurerlande Poseidonsöhne, sowie Eryx, der Ely-
merkönig[6]). Antaios, der Herrscher Libyens, und Busiris, König von Aegypten, stammen von Poseidon und
Libya, des Herakles gefährlichste Feinde[7]). Eurypylos
von Kos[8]), Neleus und seine Söhne, Nauplios stehen
in gleichem Verhältniss zu Poseidon und zu Herakles. Dieser tödtet den kretensischen Stier, jenen poseidonischen
ἀναδοθεὶς ἐκ θαλάσσης und das poseidonische κῆτος an
Trojas Küste[9]), dem wie in Jope Jungfrauenopfer fallen
sollten. Nereus, des Poseidon Sohn, wird von ihm ebenso
überrascht und zur Weissagung gezwungen, wie durch
Menelaos der Aegyptier Proteus[10]). Hieran schliesst sich
für uns der grosse Reichthum von Darstellungen des Kampfes zwischen Herakles und einer Meergottheit, besonders
auf Vasenbildern[11]). Für uns sind diejenigen besonders
wichtig, in denen die Meergottheit als halb Fisch, halb
Mensch erscheint, also der Dagonform entsprechend: auf
dem höchst alterthümlichen Friesrelief des Tempels zu As-

---

1) Apollod. II, 5, 4.
2) Apoll. II, 5, 5.
3) Apoll. II, 7, 2.
4) Apoll. II, 5, 9.
5) Apoll. II, 5, 9.
6) Apoll. II, 5, 10.
7) Sync. p. 152 D.

8) Apoll. III, 7, 1.
9) Apoll. II, 5, 7. 9.
10) Apoll. II, 5, 11.
11) Vergl. den ausführlichen
Zusatz in Muller, Archäol. S. 679.
Aufl. 3.

sos[1]), das Texier falsch durch Menelaos und Proteus erklärt, erscheint Nereus ganz fischleibig mit menschlichem
Oberkörper, liegend, an einem Ring sich haltend, von Herakles gebändigt. Auf Vasenbildern tragen gleiche Gestalten ausdrücklich den Namen *NEPE*; auch der Flussgott
Acheloos, als Gott des Wassers überhaupt, ist in ·diese
Form eingegangen[2]). Aber Herakles ist auch entschiedener Bekämpfer des typhonischen Geschlechts, im Kerberos, Orthros, Hydra, nemeischen Löwen, Echidne, Drachen der Hesperiden, Adler des Prometheus[3]). Natürlich
ist dieser griechische Typhon eine gemischte, nur zum
Theil aus dem ägyptischen Kreise entnommene Vorstellung.

Kreta, Rhodus und die kleine karische Landschaft waren die Haupthaltepunkte des karisch-kretischen
Stammes; die letzte bewahrte ja später allein noch karische Sprache und nicht gräcisirte Kulte, in Kreta sind dagegen, wie wir früher sahen, die grössten Volksverände-
rungen und Mischungen vor sich gegangen. Sehen wir
uns daher hier nach Analogieen für jene philistäischen
Meergottheiten um. Von besonderem Interesse ist die von
Zeno dem Rhodier in seiner Schrift über Rhodus gegebene,
im Diodor[4]) erhaltene Lokalsage über die Urbewohner von
Rhodus, die Telchinen, die, wo sie auftreten mögen, als
Götter und Helden, überhaupt als Urzeit des karischen
Stammes erscheinen[5]). Sie sind selbst Söhne der Θάλαττα,

---

1) Texier Asie mineure II, pl.
114. p. 207.

2) Auf einer Vase von Caere im
brittischen Museum vergl. Birch
on a vase representing the contest
of Hercule and the Achelous, in
Transact. of the roy. soc. of liter.
Sec. Ser. Vol. I, p. 100 — 108.

Lond. 1843. Eine gleiche Darstellung auf einer Vase im Museum zu
Jena s. Katalog n. 184.

3) Movers I, S. 436.

4) V, 55. Muller Frgm. hist.
III, p. 179.

5) Movers II, 2. S. 248.

Erzieher des Poseidon, sie besitzen unter andern Eigen-
schaften auch die des ἀλλάττειν τὰς μορφάς, das den Was-
sergottheiten eigenthümlich ist; Poseidon liebt auf der Insel die Ἁλία, die Salzfluth, und zeugt sechs Söhne und eine
Tochter Rhodos daselbst [1]). Da zieht Aphrodite auf dem
Wege von Kythera nach Kypros an der Insel vorüber,
wird am Landen gehindert durch die Söhne des Poseidon.
Der Zorn der Göttin sendet ihnen darauf Wahnsinn und
verbrecherische Liebe zur Mutter Halia. Aus Scham darüber stürzt sich diese ins Meer und wird nun als Leukothea verehrt, die Söhne des Poseidon werden vom Vater
unter die Erde verborgen (κρύψαι κατὰ γῆς). Die Telchinen verlassen später die Insel und zerstreuen sich, Lykos
kommt nach Lykien. Ein neues autochthones Geschlecht
verehrt im Helios seinen Stammvater, der mit der Rhodos sich verbunden und die Heliaden gezeugt hat. Seit
der Zeit ist die Insel dem Helios geweiht. Hier haben wir
also 1., einen mit der karischen Bevölkerung verknüpf-
ten, herrschenden Kult des Poseidon, der Thalatta,
Halia und ihrer Söhne, der durch den folgenden, mit dem
Bevölkerungswechsel durch die griechische Colonisation [2])
eintretenden und in der historischen Zeit herrschenden Dienst
des Helios verdrängt wird bis auf den vereinzelten Kult zu
Ialysos, dessen Priesterthum in einigen, mit den Ialysiern
aber vermischten phönikischen Familien erblich war [3]);
2., dieselben Momente im Mythus der Halia und ihrer
Kinder, das feindliche Verhältniss zur Aphrodite Urania,
das sich in das Meer Stürzen, das sich Bergen unter der
Erde, welches uns bei der Derketo und Ichthys zu Aska-

---

1) Die reine Umkehr der Zielpunkte entspringt aus dem in der
ganzen Schrift hervortretenden Streben, alle Ursprünglichkeit der Kultur den Griechen zuzuweisen, die

sie z. B. erst nach Aegypten bringen.

2) Heffter, Götterd. auf Rhod.
Hft. 3. S. 5 ff.

3) Diod. V, 58. Heffter, Heft
3, S. 56 ff.

lon, bei Nephthys in Unterägypten, bei Leukothea und Palämon zu Korinth begegnet. Nur ist in Rhodus — und
dies ist ein bezeichnendes Faktum — nicht wie in Askalon, dann in Korinth der Kultus der Aphrodite Urania als
siegender zur überwiegenden Geltung gekommen, sondern
abgewiesen worden. Dagegen ist im Zeus Atabyrios auf
der Bergspitze des Atabyrios, welcher von Kreta hierher
der Sage nach verpflanzt ward[1]), die wenn auch nur mittelbare Verwandtschaft mit den Kulten der Bergspitzen bei
Kananäern und Philistäern unverkennbar.

Bei den Karern der historischen Zeit erscheinen als
die ihnen ganz eigenthümlichen, einer griechischen Analogie im Zeusdienst entbehrenden Gottheiten, welche in
Mylasa ihre Hauptverehrung hatten, der $Z\eta\nu o\pi o\sigma\varepsilon\iota\delta\tilde\omega\nu$ oder
mit karischem Namen $^{\prime}O\sigma o\gamma\dot\omega$ und $Z\varepsilon\dot\upsilon\varsigma\ \Sigma\tau\varrho\dot\alpha\tau\iota o\varsigma$ oder $\varLambda\alpha$-
$\beta\varrho\dot\alpha\nu\delta\varepsilon\dot\upsilon\varsigma$ mit Doppelbeil und Lanze, also eine dem Ares
vergleichbare Gestalt sichtlich in naher Beziehung zu dem
den Karern altzugehörigen Kriegshandwerk[2]). Darstellungen des Osogo sind uns noch nicht bekannt, dagegen solche von Labrandeus; eben so wenig eine sprachliche, schla-
gende Erklärung des Namens. Wir erinnern nur daran,
dass hier beide Gottheiten neben einander stehen, wie Ares
und Poseidon in Libyen, wie in Unterägypten Typhon als
Meergott und auch als Ares erscheint, wie der Dagon der
Philistäer als kriegerischer Gott die spolia erhält und in
seinem Tempel man die Siege feiert, dass ferner hier in
Mylasa uns eine $^{\prime}A\varphi\varrho o\delta\dot\iota\tau\eta\ \Sigma\tau\varrho\alpha\tau\varepsilon\dot\iota\alpha$[3]), also dieselbe bewaffnete Urania begegnet; ebenso wie in Aphrodisias, der
Stadt dieser Aphrodite, ein Poseidondienst bei einer Salz-
quelle[4]). In der grossen Mischung verschiedenartiger

---

1) Heffter Heft 3, S. 16 ff.
2) Strabo XIV, 2. p. 204 ed.
T. Paus. VIII, 10, 3. Ath. II, p.

42. VIII, p. 337. Corp. Inscr. n.
2693. 2700. Addenda p. 1107.
3) Corp. Inscr. n. 2693.
4) Paus. I, 26.

Kulte, die auf Kreta stattgefunden, fehlt es bekanntlich an
entschiedenen Gestalten phönikischer und ägyptischer Ab-
kunft nicht, — ich erinnere nur an Zeus Atabyrios, an
Europa, Minos in dem urgriechischen Bestandtheil, an Talos,
Rhadamanthys, Minotauros — aber der uns hier beschäftigende, engere Kreis jener Meergottheiten tritt nicht allgemein in den Vordergrund. Jedoch da, wo wir ihn zunächst zu suchen haben, im Lande der Eleokreter bei der
Stadt Praisos fehlt neben dem Berggott, dem $Z\varepsilon\grave{v}\varsigma\ \Delta\iota\varkappa\tau\alpha\tilde{\iota}o\varsigma$,
an den ein geheimer Kult und vor Allem eine Verehrung
des Schweines, die das Essen seines Fleisches verpönte,
sich angeschlossen[1]), auch der fischleibige Meergott nicht.
Von Itanos, der Hafenstadt daselbst, deren Gründung
auf einen Phöniker oder auf $\tau\tilde{\omega}\nu\ Ko\iota\varrho\acute{\eta}\tau\omega\nu\ \dot{\varepsilon}\nu\grave{o}\varsigma\ \mu\iota\gamma\acute{\alpha}\delta o\varsigma$,
also einen Karer zurückgeführt wird[2]), ist eine Münze mit
einem bärtigen in Fischschwanz ausgehenden Poseidon bekannt, der den Dreizack im Arme führt[3]). Und daneben
ist uns in Kreta eine Verehrung der Leukothea be-
zeugt[4]) mit dem Feste der $'I\nu\acute{\alpha}\chi\iota\alpha$, deren lokale Begründung wir zwar nicht kennen, aber mit Wahrscheinlichkeit
den Kulten derselben in Rhodos und Korinth analog auffassen dürfen. Dagegen hat Artemis Diktynna, deren
Verehrungsstätte am andern Ende der Insel bei den Kydonen
war[5]), auf dem Berge Tityros, eine Weide- und Jagdgöt-
tin trotz aller parallelisirender Versuche nichts mit jener
Derketo von Askalon zu schaffen. Auch die von ihr ur-
sprünglich verschiedene $B\varrho\iota\tau\acute{o}\mu\alpha\varrho\tau\iota\varsigma$, deren Heiligthum allerdings in der Hafenstadt Cherronesos war[6]), giebt uns
zu einem solchen Versuche kein begründetes Recht. Ueber

---

1) Ath. IX, p. 376.
2) Steph. Byz. v. $'I\tau\alpha\nu\acute{o}\varsigma$.
3) Arch. Zeit. 1849. n. 9. 38.
Taf. IX, n. 20. Lajard Recherch.
t. XXIV, n. 10.

4) Hesych. II, p. 52.
5) Strabo X, 4, p. 377 ed. T.
6) Strabo a. a. O. p. 378.

die späteren Versuche aber, jenen Ζεὺς Δικταῖος oder Κρηταγενής, ebenso wie Minos unmittelbar in Gaza wieder zu
finden und zwar als kretische Uebertragung, haben wir in
der hellenistischen Periode erst zu reden.

2., Dieser Rundblick an den Küsten, des Mittelmeeres
hat uns somit hoffentlich in ziemlich einleuchtender Weise
den engern, tiefern Zusammenhang der religiösen Grundanschauungen jener philistäischen, nordlibyschen und karischen Bevölkerungen eröffnet; mannigfaltige Modifikatiö-
nen bei gleichbleibendem, innerm Charakter sind an uns
vorübergegangen und wir konnten diesen religiösen Gehalt
auch als fremden Ansatz, zuweilen in enger Verschmelzung
mit ächt hellenischen Glauben nachweisen. Jedoch wird
man fragen, warum werden diese philistäischen Gottheiten
und ihre Kulte nicht sofort mit den phönikischen und dann,
den aramäischen zusammengestellt, ist hier nicht der nächste und einfachste grösse Kreis, in den dieselben hinein-
gehören? Unsere frühern Untersuchungen haben die nationale und geschichtliche Getrenntheit der Philistäer und
der eigentlichen Kananäer der Küste oder Phöniker, sowie
auch der Aramäer wohl klar herausgestellt; aber zugleich
auf die Punkte ihrer Verschmelzung, auf gemeinsame Züge
aufmerksam gemacht, die sie dann auch mit den Nordarabern theilen. Fragen wir also jetzt genau nach, ob wir
zu Dagon und Derketo mit Ichthys, zu dem Mythus derselben und seinem Charakter, zu der ganzen Stellung dieser
Gottheiten im Verhältnisse der übrigen Analoga finden in
den Hauptstätten des phönikischen oder enger gefasst
sidönischen Glaubens. Nur hüten wir uns, jede Notiz von
Φοίνιχες überhaupt[1]), wie von Σύροι als schlagenden Be-

---

1) Hierher gehört die leider fur
uns in ihrem Detail unbekannte δια-
δικασία Φαληρέων πρὸς Φοίνικας ὑπὲρ τῆς ἱερωσύνης τοῦ Ποσειδῶνος von Deinarchos bei Dion.
Hal. de Din. p. 633.

weis für speciell phönikischen, oder nordsyrischen Kult zu
gebrauchen, da bekanntlich beide Ausdrücke auch die philistäische Küste mit begreifen können; und halten wir dann
die engern Complexe aus einander, wie sie Movers in dem
Stamme der Sidonier für Sidon, Tyrus und Aradus und
ihre Kolonieen, dann in die Gibliter mit Byblus, und Be-
rytus, in die am meisten mit den Aramäern gemischten
Arkiter, Samariter, Siniter, Hamathiter geschieden hat[1]).
Man hat in neuerer Zeit der auffallenden Thatsache, dass
bei den seefahrenden, auf der See herrschenden Sidoniern
kein einheimischer Name für eine Meergottheit bekannt
ist, dass vielmehr die Göttin von Sidon oder Astarte, sowie
der tyrische Melkarth neben den Kabiren als Lenker der
Schiffahrt erscheinen, aber selbst durchaus nicht dem Meere
angehören, vielmehr uranischer Natur sind, seine Aufmerksamkeit allerdings zugewandt und Spuren eines ächt
phönikischen Poseidon gesucht, so Münter[2]), Movers[3]),
Heffter[4]), Alfr. de Maury in einer eigenen, aber an Vollständigkeit selbst den andern nachstehenden Abhandlung[5]),
Gerhard[6]). Der Letztere aber schliesst seine Angaben damit: „alles dies weniger zum Erweis durchgängiger phöni-
cischer Verehrung des Poseidon, als der hier und da überwiegend betonten Meergewalt des Allherrscher Baals.“
Wir stehen nicht an, entschieden den Kult eines nationalen
Meergottes für Sidonier und Tyrier und ihre Kolonieen zu
leugnen. Unter den dagegen anzuführenden Stellen bezieht
eine einzige sich direkt auf eine der Metropolen, auf Sidon: es ist die Notiz bei Hesychius s. v. Θαλάσσιος:
Ζεὺς ἐν Σιδῶνι τιμᾶται. Aber wir haben ja in dieser

---

1) Movers II, 1. S. 83 — 117.
2) Religion der Karth. S. 97 ff.
3) Phön. I, S. 661. 664.
4) Götterd. S. 57.
5) Recherches sur le hom et

le charactère du Neptune Phénicien
in Revue d'archéol. Ann. V. p. 545
— 556.
6) Wesen und Geltung des Poseidon S. 31. Note 59. 60.

Glosse nichts weniger als einen einheimischen Namen, sondern die Erklärung eines Kultes aus hellenistischer Zeit.
Dass in dieser Zeit ein Poseidondienst wie in den Neugründungen zu L a o d i k e a [1]), am Meer, zu C a e s a r e a [2]),
zu P t o l e m a i s, hier als $Ποσειδῶν\ τροπαῖος$ [3]), auch spät
zu A r a d o s [4]), ebenso in Sidon sehr natürlich war, liegt
auf der Hand, aber dass er keinen unmittelbaren Anhalt an
alteinheimischen Meerkult fand, dafür ist eben der Ausdruck $Ζεὺς\ θαλάσσιος$ Beweis, der ihn an den allgemeinen
Baaldienst anschloss. Von den übrigen Stellen gehört die
des Sanchuniathon [5]) mit ihrem nicht blos allgemein mytho-
logisirenden Bestandtheile nach Berytos, die des Diodor
dagegen und Hanno den bei ihren Heerzügen und der Colonisation den libyphönikischen Poseidon neben den ächt
karthagischen Gottheiten, besonders dem $Κρόνος$ verehren-
den Karthagern. So gründet Hanno, dessen Auftrag war,
$πόλεις\ κτίζειν\ Λιβυφοινίκων$, also nicht der karthagischen
Stammbevölkerung, bei dem Vorgebirge Soloeis allerdings
ein $Ποσειδῶνος\ ἱερόν$ [6]), so bringt auch Hamilkar bei dem
grossen Seezuge gegen Sicilien zur Zeit Gelons ein glänzendes Opfer dem P o s e i d o n und wird dabei ermordet [7]),
so werden bei der Belagerung von Agrigent durch Hamilkar und Hannibal und der grossen, über das Heer herein-
brechenden Noth Gebete und Opfer gerichtet an die Götter
$κατὰ\ τὸ\ πάτριον\ ἔθος$ und zwar an K r o n o s mit Kindes-
opfer, an Poseidon durch Versenkung von Opferthieren [8]). Hier ist es immer der libysche, von dem grössten

1) Münzen aus der Seleukidenzeit bei Mionn. V, p. 39. n. 342. 43.
p. 55. n. 481 — 484.

2) Münze unter Kaiser Decius
bei Mionn. V, p. 499. n. 68.

3) Poseidonios, bei Ath. VIII, p.
333. B. Frgm. hist. gr. III. p. 254.

4) Münze unter Septimius Severus bei Mionn. V, p. 466. n. 856.

5) Sanchun. frg. ed. Or. p. 89.

6) Hanno Peripl. in Geogr. Min.
ed. Oxon. Vol. I, p. 2.

7) Biod. XI, 21.

8) Diod. XIII, 87.

Theile des karthagischen Heeres als ihr Stammgott verehrte Poseidon, um den es sich handelt. Es kann uns endlich eine vereinzelte späte Münze nicht hierbei stören von Tyrus als Colonia Metropolis unter dem ältern Valerian, die den liegenden, Schilf haltenden Okeanos neben zwei Wasser ausströmenden konischen Steinen zeigt, vielleicht in Bezug erneuter Wasserleitung[1]).

Anders steht es mit dem religiösen Complex, der im Lande der Gibliter, in Byblos und Berytos wurzelt. Wie hier der Mythus der byblischen Aphrodite und des Adonis, als rein der Erde und ihrem Wechsel von Blüthenreichthum und Verdorren, Leben und Tod angehörig am Flusse Adonis und an der Stätte von Aphaka im Gebirge lokal ist, wie eine Verbindung im Austausch dieses Mythus mit dem der über das Meer ziehenden Isis und des todten Osiris sowohl in der byblischen[2]) als in der ägyptischen Priestersage bei Plutarch anerkannt wird und schon zu Aeschylos Zeit in dem Mythus der Io[3]) hellenisirt ward, so ist in Berytos ein eigenthümlicher Meergott als Poseidon[4]) verehrt worden, der aber zugleich nach den Münzen den Charakter eines Dionysos und Serapis trägt durch Modius, langes Schleppgewand und Schale[5]) und auch in der Dichtung des Nonnos in nahe Beziehung zu dem um den Besitz ringenden Dionysos gestellt wird[6]). Hier liegen auch geschichtlich erkennbare Verhältnisse zu den an die Küste vom Gebirge herabdrängenden Arabern vor, deren

---

1) Mionn. V, p. 448. n. 754.
2) Luc. dea Syr. 7 ff.
3) Aesch. Prometh. 811. 12.
4) Sanchun. ed. Or. p. 39.
5) Nonnos Dion. XLI — XLIII.
6) Münzen unter Demetrios II bei Mionn. V, p. 63. n. 548, Alexander Zabinas Mionn. V, p. 85. n. 753, daneben ganz griechische Auffassungen des Poseidon auf Viergespann, nackt mit Delphin auf einen Fels tretend, stehend auf Prora in den autonomen, sowie den römischen Münzen von Berytos als Colonia Julia bei Mionn. V, p. 335. n. 4 ff. p. 349 n. 41. 45. 50 ff. VIII, p. 242. 43. n. 26. 40. 45. 46. 48.

Gott bekanntlich von den Griechen als Dionysos bezeichnet
ward, sowie zu der ganzen Landeskultur der Küste, dagegen fehlt im Mythos und der Formauffassung jede treffende Analogie zu den philistäischen Meerkulten wenigstens
nach unsern nicht über Alexander hinaufreichenden Naeh-
richten. Je mehr wir uns dem eigentlichen Syrien nähern,
um so mehr begegnen uns für den ersten Blick auffallende,
aber doch innerlich verschiedene Analogieen der Kulte: so
der Nereide Doto zu Gabala[1]), die bei Nonnos als Har-
monia mit Astynome oder Eurynome als Dienerinnen bezeichnet[2]), auch im Kult durch den πέπλος, das Gewand
der Welt, an dem sie wirkt, als allgemeine kosmische
Göttin sich darstellt, so die Verehrung der Bergspitzen,
wie des Θεοῦ πρόσωπον an der Küste, wie des Κάσιον
ὄρος, die wir bei den Kananäern überhaupt wie bei den
Nordarabern ebenfalls treffen (ob der Name Κάσιον ὄρος
hier in der That ein altsyrischer und ein und derselbe ursprünglich war für jenen Berg bei Seleukia, mit jenem an
der Gränze Aegyptens, muss sehr dahingestellt bleiben, wir
kennen ihn nur aus griechischen Berichten von Augustus
Zeit an), so der Typhonmythus, der aber durchaus von
der Meerbeziehung entfernt an den Fluss Orontes und sein
Verschwinden sich anschliesst. Die Heiligkeit der Fische[3]),
welche den Syri im Allgemeinen[4]) und auch in besonderer
Beziehung denen Palästina's zugeschrieben wird, ist
durch ausdrückliche Zeugnisse seit Xenophon für die Bewohner des engern Syrien, so die Anwohner des Chalos
gesichert[5]): man ass sie nicht, man legte sie als Opfer

1) Paus. II, 1, 7.
2) Nonnos Dionys. XLI, 288
—315.
3) Cic. de nat. deor. III, 15.
Hygin. Poet. Astron. II, 41 spricht
von Syri complures.

4) Ov. Fast. II, 473. 74. Diod.
II, 4.
5) Xenoph. Anab. I, 4, 9. Luc.
de dea Syria 14.

der Atergatis auf den Opfertisch, wo die Priester sie ver-
zehrten[1]), man weihte ihr bei Gelübden goldene und silberne Fische, man nährte heilige Fische im Flusse Chalos
oder im Teiche des τέμενος der syrischen Göttin. Damit
standen Processionen an das Meer, das Heraufholen von
Meerwasser in Verbindung. Trotzdem hat der syrische
Kult, der in Mabog oder Hierapolis culminirt, keine irgend
specielle Verwandtschaft mit dem philistäischen Kulte fischleibiger Meergötter, oder wo sie etwa erscheint, wird sie
ausdrücklich als erst fremd Herangebrachtes bezeichnet.
Wir leugnen damit nicht, dass in Bezug auf Fischgenuss
hier, wie in Babylon oder Aegypten es bestimmte, altheimische Vorschriften gab. Aus Lucian[2]) geht klar hervor, dass in Mabog ein ursprünglicher Kult der Hera,
als grosser von Löwen getragener uranischer Herrsche-
rin und daneben des Zeus, des Baal bestand, dass zu
diesen durch Semiramis, d. h. hier die babylonische Herrschaft ein drittes mit der Taube charakterisirtes Kultusbild hinzutrat, welches alles bestimmten Namens entbehrte,
auf Semiramis wohl selbst gedeutet ward, ja dass eine
Ausrottung des ältern Dienstes durch die Gewaltherrscher
versucht ward und als diese nicht gelang, jenes Kultusbild
eingefügt ward. An dieses schloss sich allein die Procession nach-dem Meere; und die daran geknüpfte Priestersage suchte die Hera zur Mutter des Semiramis, zur
Derketo umzustempeln, was aber Lucian als ganz un-
statthaft abweist. Hier haben wir also den klaren Beweis
des fremd Hinzugebrachten und zwar des bereits mit der
ächt philistäischen Tempelsage in Askalon verschmolzenen
Semiramiskultus. Nicht uninteressant ist es auch, dass
der angebliche Hyginus[3]) die Verehrung der goldenen Bil-

---

1) Mnaseas περὶ Ἀσίας I. II bei   2) De dea Syria 14. 34. 39.
Ath. VIII; p. 346 D. Muller Frgm.   3) Poet. Astron. II, 44 mit der
hist. III, p. 155.   Berufung auf Ktesias, während

der der Fische, bei den Syrern und zugleich die Versetzung des Fisches Notios und seiner Söhne unter die Sterne von Isis ableitet, die von dem Fisch aus Lebensgefahr gerettet und ihm dafür dankbar geblieben sei. Auch sie wird also die vom Fisch gerettete, sonst in einen Fisch verwandelte Isis oder Venus oder Nephthys zur Erklärung hereingezogen.

3., Die bisherige Untersuchung hat uns also gezeigt, dass wir zu einer Erklärung und Ableitung der an der philistäischen Küste haftenden, eigenthümlichen Kulte aus phönikischem oder streng syrischen Wesen keine Veranlassung haben, dass die streng phönikischen Kulte analoger Bildungen entbehren, wo diese aber unter gemischter oder syrischer Bevölkerung auftreten, hier von Unterägypten oder von Babylon ausgehender, fremder Einfluss sich geltend gemacht hat. Es bleibt uns nur noch die Frage übrig, ob in Babylonien, überhaupt im Euphrat- und Tigrisland nicht Analoges, ja das Ursprüngliche zu suchen sei. Seit Selden[1]) ist es fast Gewohnheit geworden, Dagon unmittelbar mit babylonischen Sagen zu combiniren. Hitzig benutzt diese Combination als ausgemachte Sache[2]): er lässt Pelasger aus Indien mit dem Dienste des Varuna im persischen Meerbusen landen, ihn dort als Oannes auftreten, weiter nach mannichfachen Wanderungen als Minus, endlich als Dagon erscheinen. Auch Knobel[3]) vergleicht Dagon unmittelbar mit Odakon. Movers[4]) spricht sich besonnen nicht hierüber aus, aber er hat auf die Unhaltbarkeit einer uralten Wanderung vom persischen

---

ebenfalls nach Ktesias Eratosthenes Cataster. c. 38 Derketo und die λίμνη von Bambyke dabei nennt. Vergl. Ctesiae frgmta p. 17 ed. C. Muller.

1) De diis Syr. p. 264 ff.
2) S. 58. 214 ff.
3) Völkert. S. 207.
4) Phön. I, S. 590 ff.

Meerbusen nach Phönike und Palästina mit Entschiedenheit gedrungen.

Sehen wir uns einfach die Grundlagen zu diesen Combinationen an, die wir durch die grossartigen, auf diesem
Gebiete gemachten Monumentalentdeckungen bedeutend erweitern können. Sie bestehen zunächst in dem Bericht
des Berossos über Darstellungen im Baltempel zu Babylon,
welche er selbst gesehen und die daran geknüpften Prie-
stersagen mit ungeheuern, chronologischen Berechnungen;
aus Berossos schöpfte vielleicht schon Apollodor, der aber
neben ihm angeführt wird, dabei als fabelnd, übertreibend
und Mährchen erzählend sich bezeichnen lassen muss[1]),
ausdrücklich Alexander Polyhistor und Abydenos und die
Excerpte aus ihnen besitzen wir bekanntlich im Eusebios
und Synkellos[2]). In dem Tempel des Belos, welcher übrigens, was hier wohl zu beachten ist, ganz neu und prachtvoll von Nebukadnezar mit der auf seinen Feldzügen nach
Syrien, Phönike und Aegypten gemachten Beute geschmückt war[3]) und in seinem malerischen Schmucke wohl
nicht über diese Periode hinausreichte, befanden sich unter
den zahlreichen gemalten ζῶα τερατώδη, wunderbaren Com-
positionen von Menschen und Thieren, Thieren unter einander, wie sie uns in den assyrischen Denkmälern zum
grossen Theil wieder leibhaft entgegengetreten sind, auch
Menschen mit Fischschwänzen dargestellt. Ausdrücklich wird das Bild des Oannes genannt, ein vollständiger Fisch, jedoch zeigte sich unter dem Fischkopf ein
menschlicher, unter seinem Schwanze Menschenfüsse. Die
Priester knüpfen an diese Bilder Erzählungen aus der
Zeit der ersten babylonischen Dynastie über die in gewis-

---

1) Syncell. Chronogr. p. 71.   9 ff. 22 ff. in Script. vet. n. coll.
ed. Dind.   t. VIII.

                         3) Beross. bei Jos., Ant., J. X,
2) Eus. Chron. I, 1. 2. 6. p. 6.   11, 1.

sen Zeiträumen auftretenden Ἀννήδωτοι oder Anidosti, dem Meere entsteigende Halbgötter oder Wundergestalten, die als Bringer aller Cultur von der Sprache bis zur Baukunst unter den thierischen Babyloniern erschienen. An der Spitze steht Oannes oder Ὠήν[1]), dann ein Idotion, dann nach Abydenos vier auf einmal Εὐέδωκος, Ἐνεύγαμος, Ἐνεύβουλος, Ἀνήμεντος, ferner ein Ἀνώδαφος, endlich Odakon, den Abydenos aber nicht kennt. Die Gestalt wird uns wie die des Oannes beschrieben oder als eine figura semidei oder als bellua quaedam forma ex homine et pisce mixta. Wir haben hier eine ganze Reihe von Wundergestalten, alle sich ähnlich, keine als Mittelpunkt heraustretend, ebenso eine Reihe von Namen, die kritisch noch nicht sehr fest stehen und unter welchen eine Anzahl identisch oder sich sehr verwandt sind, ich meine Odakon, Evedokos, Anodaphos, auch wohl Oannes, Oen, so dass die Aehnlichkeit von Odakon und Dagon eine sehr zufällige genannt werden kann, da der Anlaut O jedenfalls zum Stamm mitgehört. Und wissen wir nur von einer dieser Gestalten, dass sie wirklich verehrt, wirklich einen Kultus gehabt, oder in den Mittelpunkt der Kulte getreten ist, wie jene Fischgottheiten in Philistäa, dass sie mehr waren als kosmogonische Ideen zur Bezeichnung der aus dem Wasser allmälig hervortretenden Erdbildung, der Zeit der Amphibienwelt und Wundergestalten überhaupt? Sie stehen ausserdem in ihrer Darstellung auf jenen Bildern nicht vereinzelt, sondern in der Reihe der ganzen Wundergestalten, die uns die verschiedenartigsten Combinationen zeigen als Cherubim, als Androgyne, Bockmenschen, Hippokentauren, Stiermenschen, affenköpfige Rosse u. dgl. Als ihre gemeinsame Herrin wird Marcaia oder Ὁμορῶκα, d. h. das Meer genannt, welche ebenfalls als eine Göttin des

---

1) Hellad. Chrestom. bei Phot. bibl. cod. 276.

Kultus noch nicht nachgewiesen ist [1]). Die Möglichkeit
übrigens, dass jene Gestalten einem bereits zurückgedrängten
und nur noch als kosmogonische Gestalten erscheinenden
den Kultus der ältesten Bewohner Babyloniens, den Kuschiten
angehörten, können wir gern zugeben, aber auch
durch nichts beweisen. Aber ebenso entschieden müssen
wir auf die Thatsache hinweisen, dass in Babylon der Conflux
der mannigfaltigsten Völkerstämme war seit alter
Zeit [2]), dass ein Verkehr von dort mit den Seestädten, wie
den phönikischen über Thapsakus und die Euphratstrasse
so mit Gaza und Askalon als ein durch die Vermittelung
der arabischen, karawanenführenden Stämme altgeregelter
bestand. Und hiedurch ist sichtlich schon früher, ganz entschieden
aber seit der assyrischen und babylonischen Herrschaft
an der syrischen Küste jene Mythenmischung der
Semiranis und ihrer Mutter mit der Aphrodite Urania und
der Meergöttin eingegangen worden, der z. B. der askalonischen
Derketo die Beziehung zu dem Sternbilde der
Fische hinzubrachte, wie der Semiramissage die Vermischung
mit dem Nereidenkult, der Isis Pelagia, der Aphrodite
der Unterwelt.

Wie stellt sich aber die neueste Monumentenforschung
zur Frage über Oannes und Dagon, welche Rolle
spielt der fischleibige Gott auf den grossen historischen
und religiösen Reliefs der assyrischen Hauptstädte? Sie
kommt in der That uns zu überraschender Bestätigung,
obgleich ganz gegen die Absicht der ersten Ausleger wie

---

1) Dass Lajard in seinen Rech.
sur le culte etc. de Vénus. Sec.
Mem. p. 41 sie in dem Idol von Hierapolis,
welches eine Taube auf dem
Kopfe trug, erkennt, kann uns bei
der Alles vereinigenden, auf scharfe
und einfache Quellenkritik ganz verzichtenden Art seiner Forschung
nicht auffallen.

2) Eus. Chron. arm. p. 91: in
ipsa urbe Babylone ingentem alienigenarum
hominum, qui videlicet
Chaldaeam incolunt, colluviem versari.

Layards. Erst auf zwei Reliefs von Khorsabad[1]), also dem
Bau der jüngern Dynastie, derselben, welche als erobernde
Macht in den biblischen Berichten auftritt, noch bestimmter
von dem Bau Sarguns erscheint eine Gestalt auf dem Meere
schwimmend, deren Oberkörper der eines bärtigen Menschen ist mit der gewöhnlichen, durch Elephantenzähne
geschmückten, konischen Königstiara bedeckt, der Unter-
körper aber als Fischleib sich darstellt. Er hat die eine
Hand wie verwundert, oder erschreckt erhoben und ist
umgeben von Fischen und Seekrebsen und andern Seethie-
ren. Ihm entspricht auf dem Lande der assyrische geflügelte Stier, jenes assyrische Herrschersymbol neben dem
Löwen. Haben wir hier überhaupt eine mythische Scene,
einen aus dem persischen Meerbusen sich erhebenden, im
fetten Babylonlande Kultur verbreitenden Annedotos? Nichts
weniger als das, nein, es handelt sich hier um einen Kampf
des assyrischen Königs gegen ein seeanwohnendes Volk,
das seine Kastelle am Meer hat mit kriegerisch bemannten
Schiffen zur Seite, deren Besatzung auf der folgenden Tafel[2]) als sich und ihre Städte übergebend dargestellt sind.
Es können dies nur Bewohner der syrischen Küste sein,
wie Layard, der hier auch an einen Annedotos denkt,
nachweist[3]). Was ist aber hier einfacher und natürlicher,
als in dem erschrocken die Hand erhebenden fischleibigen
König den göttlichen Beschützer der Stadt am Meere selbst,
den Meergott zu finden, dem in dem geflügelten Stier am
Ufer das Symbol des siegreichen Gegners gegenübertritt?
Und nun erinnern wir daran, das Sargon gerade mit den
philistäischen Städten, besonders mit Asdod harten Kampf
zu bestehen hatte. Also haben wir hier gerade eine Darstellung des philistäischen Gottes auf assyrischem Relief.

---

1) Botta, Monum. de Niniveh.
t. I, pl. 32. 34. Texte chap. IV,
p. 99 ff.

2) pl. 36.
3) Niniveh and its remains II.
p. 384. 467.

Noch giebt es eine andere Gattung von Denkmalen,
die babylonischen Cylinder, welche hierbei in Betracht kommen, aber häufig so genannt ohne alle Berücksichtigung
der Fundorte, der muthmasslichen Zeit ihrer Fertigung,
ferner der ausdrücklichen Zeugnisse des Alterthums, z. B.
des Plinius[1]), dass nicht allein in Babylonien und bei den
persischen Magiern, sondern auch. in Indien, in Südarabien, in Arabia Petraea, in Aegypten, überhaupt im Orient
der Gebrauch solcher Cylinder von Edelsteinen mit einge-
grabener Schrift oder Darstellung als um den Hals ge-
hängter Amulete ein allgemeiner war und diese meist durch
Beziehung zu Sonne und Mond ihre wunderbare Kraft erhielten. Dass unter der grossen, weitverstreuten Zahl derselben auch einige wenige Darstellungen sich zeigen, welche
dem hier besprochenen Kreise fischleibiger Gestalten angehören, kann uns nicht wundern. Sie sind zusammengestellt von dem umfassendsten Kenner und Besitzer in diesem Gebiete, von Lajard[2]). Unter diesen 7 geschnittenen
Steinen treten sofort zwei verschiedene Klassen von Darstellungen sich gegenüber, die wohl zu scheiden sind:
wirklich fischleibige, oder Nereidenbildungen und zweitens
anbetende, opfernde menschliche Gestalten, aber mit einer
ganzen Fischhaut nebst Fischkopf als Kleidung angethan.
Zu der ersten Klasse gehören zwei Kegel, der eine von
unbekanntem Stoff[3]), der andere von Chalcedon[4]), der
letztere von Denon aus Cairo mitgebracht: es erscheinen
immer je zwei dieser Gestalten mit untergeschlagenen Armen, auf dem letzteren die eine als weibliche charakterisirt; auch zeigt sich über beiden die Mondsichel. Von

---

1) Plin. XXXVII, 14. 20. 24.
28. 34. 37: *totus vero oriens* pro
amuletis dicitur gestare eam (ia-
spidem) quae ex iis smaragdo simi-
lis est etc. 40. 49. 54. 55. 58.

2) Recherches sur le culte de
Vénus. pl. XXII, n. 3. 4. 5. 6. 7a.
8. 9.

3) N. 4, im britt. Museum.

4) N. 7a.

assyrisch-babylonischem Stile tragen sie nichts an sich, vielmehr gleichen sie ganz griechischen Nereidenbildungen.
Wir tragen kein Bedenken, diese Kegel als ein syrisches
Amulet mit Darstellung der Derketo und des Dagon in Anspruch zu nehmen, um so mehr, als uns das Tragen von
Amuleten mit den Bildern philistäischer Gottheiten (ἱερώματα τῶν ἀπὸ Ἰαμνείας εἰδώλων) unter den Kleidern als
ausdrückliche, den Juden verbotene Sitte bezeugt ist [1]).
Anders steht es schon mit dem Cylinder No. 3, wo allerdings auch zwei schwebende fischleibige Gestalten mit Kopf-
schmuck, ganz den Reliefs von Khorsabad entsprechend,
erscheinen, festgehalten von einem zwischen sie tretenden,
königlich geschmückten Mann, daneben zeigt sich der sogenannte Ferver. Die Handbewegung des mittlern zufas-
senden Mannes sind ganz dieselben, die sonst der assyrische Sandon oder der König gegen die aufgerichteten, von
ihm bezwungenen Löwen macht. Jedoch bauen wir hierauf nicht weitere Hypothesen, sowie jene Gestalten in
Fischkleidung vor dem Feueraltar und dem Ferver uns
nicht weiter beschäftigen können, da sie durchaus von den
hier behandelten Götteridolen verschieden allerdings den
Bildern des babylonischen Tempels entsprechen. So lässt
eine einfache Betrachtung der schriftlichen und monumen-
talen Grundlagen uns das Unhaltbare einer unmittelbaren
Verbindung oder gar Ableitung des Dagon und askalonischen Derketodienstes von den babylonischen Gestalten der
Annedotoi, des Oannes, Odakon sowie der Omoroka in
helles Licht treten. Sowohl äussere Darstellung, als der
Charakter des Mythus, als das Zweifelhafte eines wirklichen Kultes in Babylon scheidet diese von jenen Meergottheiten ab. Dagegen macht ein Synkretismus bestimmt seit
der babylonischen Herrschaft an der Küste zwischen Aphro-

---

1) 2 Makk. 12, 40.

dite Urania und der Meergöttin von Askalon und Semiramis und Derketo, ihrer Mutter anderseits sich geltend.

Kehren wir nach dieser Rundschau zu den Philistäern
zurück. Ueber die Kultusform haben wir wenig bestimmte und eigenthümliche Nachrichten. Es ist bereits
erwähnt worden, dass Dagon seine eigenen Priester
(כֹּהֲנִים) besass. Diese sowie die קֹסְמִים, die Propheten
werden bei einer allgemeinen Landesnoth befragt[1]) und sie
bestimmen die Art der Sühnung. Sie zeigen sich als dem
jüdischen Jehovah durchaus nicht feindlich, so führen sie
den Sarnim aus der Geschichte ein Beispiel seiner frühern
Machtbezeugung vor. In den Händen solcher קֹסְמִים lag
jedenfalls das Orakel des Beelzebub in Ekron[2]). In wie
hohem Ansehen die prophetische Seite dieses Kultus stand,
geht aus der Gesandtschaft des Königs Ahasja hinlänglich
hervor, zugleich auch, dass die Bedeutung sich weit über
die agrarische Beziehung hinaus erstreckte. Ein theo-
kratisches Verhältniss tritt aber in Philistäa durchaus nicht
heraus, wie es z. B. in Tyrus von Seiten des Melkarth-
priesters bestand, wie es Judäa entwickelt und in Aegypten auf möglichste Beschränkung das Königthums drang.
Der Kultus hatte seine bestimmt gestalteten Räume;
בַּית oder הֵיכָל sind die Ausdrücke dafür, jenes im weitern Sinn des τέμενος überhaupt, im engern die Tempelzelle, dieses der weite Prachtraum, wie vom Himmelszelt,
so vom Zelt der Bundeslade, dann von dem ναός, dem
Heiligen gebraucht[3]). Die architektonische Gestaltung derselben zufolge der uns in der Geschichte Simson's erhaltenen Andeutungen[4]) wird uns weiter unten beschäftigen.
Hier befand sich das Bild des Gottes, hier wird die Kriegs-

---

1) 1 Sam. 6, 2.
2) 2 Kön. 1, 2. 3 ff.

3) 1 Sam. 31, 9. 10. 1 Chron.
10, 10. Joel 4, 5.
4) Richt. 16, 23 ff.

beute niedergelegt, neben den Spolien auch Gold, Silber
und .Kostbarkeiten[1]), hier bildeten sich Thesauren, wie bei
den. Tempeln des Orients und in Hellas gewöhnlich war.
Ausser dem an die bestimmten Räume. geknüpften Kulte
sehen wir bereits, dass die philistäischen Heere ihre Götterbilder mit in das Feld nahmen, um so sich ihres besondern Schutzes zu versichern. Ja, später in der Makkabäerzeit trug der Einzelne kleine geweihte Nachbildungen derselben als Amulet bei sich[2]). In Bezug auf die .Opfer
haben wir die Wahrscheinlichkeit von Menschenopfer, besonders Jungfrauenopfer bei besondern Zeiten der Noth an
Dagon und Derketo bereits besprochen; ausdrückliche Beispiele fehlen in historischer Zeit davon, jedoch weist die
angeführte Stelle des Sacharja[3]) immer darauf hin. .Wir
erfahren, wie Dagon ein gemeinsames זֶבַח von dem Städtebund erhält, also ein grosses Thieropfer. Dagegen
haben wir für die Philistäer keine Andeutung von der
Theilnahme an dem blutigen Feuerdienste des Baal Moloch,
wie er bei den Kananäern und auch in Jerusalem so hei-
misch war. Ebenso wenig. wird . die allgemeine, wenigstens einmalige Preisgabe der Jungfrauen und Frauen
für die Urania in Askalon, wie im Dienste der Mylitta
zu Babylon an manchen Orten in Kypros, in Lydien erwähnt. Dass es πόρναι zu Gaza giebt, ja dass diese eine
gewisse, geordnete, nicht unangesehene Stellung haben,
kann dafür nichts beweisen, besonders in einer bedeutenden
Handelsstadt. Wir sahen ja früher, dass Urania sich scharf
scheidet von Aschera, Baaltis oder auch der babylonischen Mylitta, die zum Theil von einer andern Naturauffassung, von
der der empfangenden, gebärenden Erde oder des feuch-
ten Elementes ausgegangen, vor allen bei den aramäischen

---

1) Joel 4, 5.   3) 9, 7.
2) 2 Makk. 12, 39. .

und syrophönicischen Stämmen einen so sittenlosen und ent-
sittlichenden Kult frühzeitig erhielten, dass dagegen die
Urania von Askalon nahe steht der jungfräulichen Göttin
von Sidon. Der Dienst der Paphischen Aphrodite erlaubt
aber keinen Rückschluss auf den der Urania zu Askalon,
welcher als älterer Ausgangspunkt bezeichnet wird; denn
gerade in den Mythen dieses Dienstes sowie der ersten
Heroen und Könige der Insel ist ganz klar das Zusammentreffen des syrischen, zunächst aus Byblus kommenden Baaltiskultes mit dem der kriegerischen, strengen
Urania ausgesprochen [1]). Und der ganze Charakter der
von Askalon direkt nach Kythera und Lakonika gebrachten bewaffneten Urania widerspricht durchaus einem ent-
sittlichten, verweichlichten Kulte, obgleich auch hier diese
Urania, ebenfalls zu Askalon nicht als Jungfrau, sondern
als herrschendes Weib erscheint. Damit ist jedoch für
Askalon, überhaupt Philistäa die Existenz von Hierodulen,
von Dienerinnen und Sklavinnen des Tempels nicht in Abrede gestellt, die als solche auch bei dem Conflux der Tem-
pelfeste sich dem Fremden hingeben, aber von der Bevölkerung ganz geschieden sind.

Man führt oft die bei den Mythen auch zu Synesios
Zeit noch erscheinende νόσος θήλεια, welche als eine von
der Aphrodite zu Askalon ihren Tempelräubern zugesen-
dete Strafe betrachtet wurde [2]), auf unnatürliche im Tempeldienst begangene Ausschweifungen männlicher und weiblicher Päderastie zurück [3]). Aber diese Krankheit bestand
nach den philologisch und medicinisch umfassenden Unter-

---

1) Movers II, 2. p. 228 ff.

2) Herod. I, 105. IV, 67. Vgl.
dazu Hippokr. de aere ed. Koray I.
p. 100. 106.

3) So neuerdings Jul. Rosen-
baum wieder in dem über die νοῦσος θήλεια handelnden § 14 seiner Geschichte der Lustseuche im
Alterthum. Halle 1839. Sein S. 156
angeführter Grund gegen die Stark-
sche Ansicht gilt ebenso für den
Pathicus. Dem Hippokrates wird
dabei Unkenntniss des Pathicus zugeschrieben.

suchungen meines Vaters K. W. Stark[1]) in einer auch
jetzt noch bei den Tartaren sich zeigenden wirklichen Entartung und Umwandlung des Körpers und des geistigen Lebens eines Mannes in das Weibliche, welche mit einer Seher-
gabe im Alterthum verbunden war. Diese Krankheit wird,
wie so häufig, auf den Zorn einer Gottheit zurückgeführt
und da bot sich unmittelbar die Aphrodite Urania dar,
deren Heiligthum man geplündert, die als mächtige, gewaltige, auch verderbende Göttin erschien und ihrer Natur nach alle sexuellen Beziehungen lenkte. Die auffallendste Aehnlichkeit mit diesem Glauben bietet die im fünften Buche Mosis[2]) allen Verächtern des mosaischen Gesetzes von Jehovah ausgesprochene Androhung von den
schlimmsten Hautkrankheiten dar, der ägyptischen Elephan-
tiasis (שְׁחִין), fliessenden Hämorrhoiden (עֳפָלִים) u. s. w.;
besonders aber die bei den Philistern, welche im Besitz
der Bundeslade waren, bei den Asdoditern, Githitern, Ekro-
nitern alle männliche Bevölkerung gleichmässig, gross und
klein, Vornehme und Geringe treffende Krankheit der
Apholim[3]), also fliessender Hämorrhoidalleiden[4]).

Wir haben an diese Erscheinung noch die für den philistäischen Kult nicht unwichtige Art der Sühnung (אָשָׁם)[5])
anzuschliessen. Die die Philistäer treffende Plage war nämlich
eine doppelte, eine das Land, die Feldfrüchte verwüstende
von Feldmäusen und dann die Krankheit der männlichen Bevölkerung. Dies verderbende Objekt selbst, Mäuse
und Hämorrhoidalschwären werden unmittelbar nachgebil-

---

1) De νούσῳ θηλείᾳ apud He-
rodotum prolusio. 1827. bes. p. 23 ff.
2) 28, 27.
3) Sam. 5, 6. 9. 12. Auch
טְחֹרִים genannt. Ueber diese
Krankheit handelt ausführlich Winer, Reallexikon u. A. Philister II,

S. 254. 255. Kanne Goldene Aerse
der Philister. 1820. Nürnberg.
4) Vgl. Stark a. a. O. p. 5. 6.
5) Ueber die schwierige Unterscheidung von אַשְׁמָה und הָשְׁאֵת
s. Gesenius, Thes. l. h. p. 160.

det in Gold, es sind dies die כְּלֵי הַזֻּהָב, die in den Korb
an die Seite des die Bundeslade führenden neuen Wagens
gehängt werden. Die Zahl von jedem war, da das Uebel
als ein allgemeines, Alle betreffendes erschien, fünf[1]) (auch
V. 18 ist nicht anders für die Mäuse zu verstehen, da der
Ausdruck: „nach der Zahl aller Städte der Philister, die
der Fünfzahl der Sarnim gehörten, von der festen Stadt bis
zum Dorf des Pheresiters und bis zu dem grossen Stein"
nur die geographische Ausdehnung dieser 5 Städte, nicht
die Gesammtheit aller grossen und auch kleinsten Orte bezeichnet). Die Zurückbringung selbst geschah in feierli-
cher Weise: wie der Wagen ein neuer war, so zogen ihn
zwei junge Kühe, die noch nicht das Joch getragen und
deren Junge von ihnen zurückbehalten wurden. Es war
dies zugleich das sicherste Zeichen des göttlichen Willens,
wenn die Thiere den ihrem Instinkte gerade entgegengesetzten Weg einschlugen und im ungewohnten Joche ruhig
gingen. Das Ganze schliesst dann mit der Verbrennung
des Wagens und der Thiere als Brandopfer von Seiten der
jüdischen Bewohner von Bethseme.

Die Sitte, das durch Sühnung zu Entfernende, zu Heilende unmittelbar nach der Sühnung zu weihen, ist eine
nicht allein im Alterthume, sondern auch im Mittelalter
und dem Katholicismus noch heute häufige Erscheinung;
jene χαριστήρια κατ' εὐχήν, die Nachbildungen menschlicher Glieder, waren im Tempel des Amphiaraos zu Oro-
pos, in Heiligthümern des Asklepios z. B. zu Melos[2]) und
anderswo sehr häufig[3]) und wer heute berühmte Wallfahrts-
orte oder die Kirche S. Agostino in Rom gesehen, dem
werden goldene oder silberne Apholim keine Unbegreiflich-

---

1) 1 Sam. 6, 4.   3) Herm, Griech. Ant. Th. II.
2) Lenormant, Ann. del' Inst. S. 89.
arch. I. p. 341.

keit sein. Josephos[1]) spricht, ästhetisch es verallgemei-
nernd, von ἀνδριάντες. Die Wahl junger Kühe, auf die
noch nicht das Joch gekommen, nach ihrer Erstlingsgeburt
zum feierlichen Zuge wie dann zum Opfer entspricht dem
mosaischen Reinigungsopfer[2]) und erinnert an homerischen
Gebrauch[3]): σοὶ δ'αὖ ἐγὼ ῥέξω βοῦν ἦνιν εὐρυμέτωπον ἀδ-
μήτην ἣν οὔπω ὑπὸ ζυγὸν ἤγαγεν ἀνήρ; an einer andern
Stelle[4]) werden sie noch ἤκεσται deshalb genannt. Die
übrigens von Ewald für eine ganz jener Art der Zurückführung der Bundeslade entsprechend angeführten Stellen[5])
römischer Sitte zeigen durchaus nichts Aehnliches, sie sprechen nur von dem Abholen fremder Gottheiten durch auserwählte Männer in reinen Festkleidern. Es ist dieser
ganze Vorgang bei den Philistäern übrigens ein Beispiel
einer sehr einfachen, auf Naturbeobachtung begründeten,
ich möchte sagen gesunden Art, den göttlichen Willen zu
erkunden.

Die im ersten Buche Samuelis[6]) ausdrücklich bei dem
Dagonheiligthume zu Asdod erwähnte Sitte, dass die Priester über die Schwelle springen, sie nicht berühren, findet
bekanntlich im Zephanja[7]) eine Bestätigung und zwar
ohne jene Beziehung auf den bestimmten, einzelnen Vorfall mit dem Bilde des Dagon. Hitzig[8]) fasst es als einen
im Orient, so in Persien noch spät vorhandenen Gebrauch,
die Schwelle eines Palastes, des Tempels für heilig zu halten; jedoch fragen wir dann um so mehr, wie kommt bei
der Allgemeinheit der Sitte der Erzähler dazu, sie auf eine
besondere Veranlassung hier in Asdod zurückzuführen?

Wenden wir uns nun von dem religiösen Gebiete zu dem

---

1) Ant. VI, 1, 2.

2) 4 Mos. 19, 2.

3) Od. 3, 383. Il. 10, 292.

4) Il. 6, 369. Vergl. Herm., Gr.
Ant II, S. 120.

5) Liv. 5, 22. 29, 11. Plut.
Cam. 30.

6) 1 Sam. 5, 6.

7) 1, 9.

8) Kl. Proph. S. 238.

weitern, allerdings dort sich am meisten offenbarenden der
Sittlichkeit, so tritt uns als eine hervorstechende Eigenschaft der Philistäer und ganz besonders der Gazäer die
Festigkeit und Zähheit im Durchführen der Pläne,
jener Muth, der vor grosser Uebermacht nicht erschrickt,
der auf edlem Stolze früherer Grossthaten ruht, uns entgegen. Die Geschichte, wie wir sie dargelegt, giebt davon die glänzendsten Zeugnisse bis auf den letzten einem
Alexander gegenüber geleisteten Widerstand. Jener an-
feuernde Zuruf, den sie[1]) unter sich erheben: „Seid Männer und streitet, dienet nicht den Hebräern, wie sie euch
gedienet haben, seid Männer und streitet!" spricht diesen
Muth unmittelbar in den Worten des Volkes aus. Damit
mochte jener ernste, an das Harte und Grausame auch
gränzende Charakter ihres Kultus sich wohl vertragen, an
dessen späterer Gestaltung sie auch mit wunderbarer Zähigkeit festhielten. Sichtlich stehen die Philister an sittlicher
Kraft ganz anders hoch, als die kananäischen Stämme, auch
als die 'Aramäer und Hesekiel muss erklären[2]), dass die
Philistäer sich schämen der jüdischen Gräuel, als diese
fremdem, sittenlosem Kult der Aegypter und Assyrer
sich ergeben. Auch wird die Erwähnung der אִשָּׁה זוֹנָה,
jener Buhlerin, zu der Simson nach Gaza herabkömmt, sowie der den Helden fesselnden Delila, die wir doch wohl
als Philistäerin ansehen müssen, uns nicht ein Beweis verbreiteter sittlicher Ausschweifungen sein, wenn wir die
Sitte jener Zeit, das auch über Palästina verbreitete Wesen jener öffentlichen, gewissermassen religiös geweihter
Buhlerinnen, dazu das rege Leben einer reichen Handelsstadt bedenken. Es ist uns höchstens ein Beweis für die
Schönheit und einen Helden wie Simson bezaubernde Macht
philistäischer Frauen.

---

1) 1 Sam. 4, 9.　　　　2) 16, 57.

§. 7.

Landbau. Handel. Gewerbe. Kunst.

Es ist bereits §. 1 dargestellt worden, wie noch jetzt um Gaza eine sorgfältige, von der Natur reich belohnte Bodenkultur stattfindet, wie überhaupt der philistäische Küstenstrich, mit Ausnahme des südlichen Theiles von Gaza an, der fruchtbarste Theil der ganzen Küste ist. Eine Periode, wo hier in kleinen Entfernungen Stadt an Stadt sich drängte, an die Städte sich eine Zahl von Flecken und Dörfer anschloss, lässt schon ohne Weiteres auf eine sorgfältige Benutzung des Bodens schliessen. Wir haben dafür aber die entschiedensten Zeugnisse, vor Allem ist es der hartnäckige von den Philistäern geführte Kampf um den Besitz der Schephela, der Getreideebene, die zu dem Gebirge Juda sich hin erstreckte und die eben durch ihre Fruchtbarkeit so wichtig war. Aber wir erfahren auch, dass man bei Theuerungen in das Philisterland, wie sonst weiter nach Aegypten zieht und da zeitweilig wohnt[1]), dass die Midianiter in die Fruchtgefilde einfallen und sie bis Gaza verwüsten[2]), dass neben dem Getreidebau besonders der Weinstock und Oelbaum, wie noch heutigen Tages vor Allem gedieh und an diesem Simson seine Rache auslässt[3]). Der bedeutende Weinhandel, der zweimal von Phönike oder von Syrien, wie dies in Herodot's Erzählung[4]) hier gleichbedeutend gebraucht ist, nach dem nur im Delta Weinbau kennenden Aegypten getrieben ward und der mit der Versorgung der Wüstenstrasse durch Wasser in den dazu gesammelten irdenen Weinbehältern von ägyptischer Seite in Wechselwirkung stand, ist auch von der

---

1) 2 Kön. 8, 1.
2) Richt. 6, 4.
3) Richt. 15, 5.
4) III, 6.

philistäischen Küste als ausgehend zu denken. Es ist be-
reits oben[1]) darauf hingewiesen worden, wie der Acker-
bau vorzugsweise in den Händen der Avväer, sowie der
davon den Namen Pheresiter tragenden hörig gewordenen
Kananäer lag, während die Philistäer mehr die herrschende,
Krieg führende und Handel treibende Bürgerschaft sind.
Neben der Sephela besitzen die Philistäer auch einen
Negeb, jenes südliche Weideland, das an die Wüste gränzt,
in sie überführt. Hier bildet die Schafzucht immer die
Hauptthätigkeit, daher der Tribut an König Josaphat in
Widder und Böcken[2]) gezahlt wird. Hier mochte der
Philistäer dem nomadischen Midianäer am meisten sich nähern; jedoch ist die Anzahl von Städten, von Emporien
bis zum Bach Aegyptens uns Beweis, dass auch die Kultur des Landes damals viel weiter sich ausdehnte. Weinbau wird uns in dieser Gegend noch in den späteren Zeiten des Römerreiches berichtet.

Jedoch nicht die Produktion ist es, auf die der Reichthum, der Stolz und Glanz (גְּאוֹן פְּלִשְׁתִּים)[3]) der Philistäer schon um die Mitte des achten Jahrhunderts sich
gründet, die sie die Tempel und Paläste[4]) zu bauen veranlasst; es ist vielmehr der Handelsverkehr, welchen
unmittelbar die Lage des Landes an den Pforten von Asien
und Afrika ihnen an die Hand gab, welcher ihnen aber
früher in Unterägypten, sowie ihren Stammverwandten in
den karischen Niederlassungen schon eigenthümlich war.
Aber dieser Handelsgeist der Philistäer, wie auch der Karer, ist immer noch von dem der Phönicier verschieden,
er trägt dort den Charakter eines ritterlichen und wir
können ihn eher mit dem der Araber im Mittelalter vergleichen. Daher geht ein geordnetes Heerwesen, hart-

---

1) S. 131.
2) 2 Chr. 17, 11.
3) Sach. 9, 6.
4) Amos 1, 5. 6. 3, 9.

näckige Kriegführung neben der Handelsbeschäftigung fort, während dies bei den Sidoniern und Tyriern anders sich stellt, die auf dem Lande nicht weiter erobernd auftreten, aber die nördlichen jüdischen Stämme, wie Asser, Isaschar, Naphtali, Zebulon, Dan in einem gewissen Abhängigkeitsverhältnisse durch die Betheiligung an der Fabrikation, an den niedern Geschäften des Handels, dem Verladen und Karawanenführen erhalten [1]). Bei den Phöniciern ist der Handel und besonders zur See, der allerdings ohne jene Zähigkeit der semitischen Stämme, die bis auf das Aeusserste ausdauert und selbst sich lieber vernichtet, als sich ergiebt, welche immer von Neuem das einmal Misslungene versucht, nicht an die entferntesten Küsten des Mittelmeeres und des Oceans sich ausdehnen konnte, dazu gesteigerte Fabrikation das allein herrschende Interesse, dies bestimmt ganz ihre Colonisation neben den politischen Secessionen. Ihre Kriege zur Erhaltung der Colonieen nach Aussen und Innen führen sie mit Söldnerheeren [2]). Die Philistäer wollen herrschen als militärischer Adel, aber ihre Unternehmungen gegen Judäa richten sich auch mit auf die Besetzung der Punkte, die Handelsstrassen beherrschen. Dies ist der Fall bei Michmas und Gibea, dies weiter nördlich in der Ebene Jesreel, es bildet dies die zwei Uebergangspunkte der syrischen Strasse über das Gebirge.

Der philistäische Handel ist aber in dem grösseren Theile unserer Periode vorzugsweise Landhandel. Und hier sind es vor Allem die zwei Hauptrichtungen, die von Nordost nach Aegypten und dann die nach Südost in die Verkehrsstätten der arabischen Stämme, nach Maon und nach Elath und Ezeon Geber führen. Die Nachrichten über den Handel aus unserer Periode sind allerdings sehr dürftig, doch die Bedeutung desselben geht schon

---

1) Movers II, 1. S. 306 ff.   2) Movers II, 2. S. 35.

daraus hervor, dass das Geld, das Silber in Philistäa sich
aufhäufte, weshalb die Philister an Josaphat ihren Tribut in
Silber zahlten [1]). Auch die grosse Summe, die die fünf
Sarnim der Delila gaben, jeder 1100 Sekel Silber, beweist uns ihren Reichthum [2]) oder vielmehr das Currente
des Geldes.

Der Verkehr mit Aegypten war ein ausserordentlich
wichtiger bei der politischen Macht und Kulturblüthe des
Staates. Diese Strasse waren einst die Philistäer selbst
gezogen und sie hatten hier ihre Stationen bis zur Sirbonis. Interessant für die sehr alte Regelung des Verkehrs auf dieser Strasse ist die ausdrücklich auf eigener
Beobachtung beruhende Bemerkung Herodot's [3]), dass alle
Thongefässe, in denen jährlich zweimal der Wein aus ganz
Hellas und aus Phönike eingeführt ward, in jeder Stadt
gesammelt, nach Memphis geschickt und mit Wasser gefüllt
in den wasserlosen Theil der syrischen Küste gebracht wurden.
Einen Hauptartikel bildeten hier ägyptische Pferde und
Wagen, die nicht allein für die Philistäer selbst, deren
Hauptstärke, wie wir oben sahen, gerade in den Streitwagen und der Reiterei bestand, und für die jüdischen
Herrscher, so besonders Salomo, sondern auch weiter für
die nördlicheren Könige der Chittäer und Aramäer aus Aegypten gebracht wurden [4]). Wir erfahren den Preis der
Waare: der Wagen mit Gespann (מֶרְכָּבָה) kam auf 600
Sekel Silber (כֶּסֶף), nicht nach den LXX im Buch der Könige,
während in den Chronika sie mit dem Texte übereinstimmen, auf 100, nach Josephos [5]) 600 Silberdrachmen, das
Pferd auf 150, nicht nach den LXX auf 50. Es war dies der
Preis in Judäa, um den die Kaufleute des Königs sie kauf-

---

1) 2 Chron. 17, 11.   4) 1 Kön. 10, 28. 29. 2 Chron.
2) Richt. 16, 5. 18.   1, 16. 17.
3) III, 6.   5) Ant. VIII, 7, 7.

ten. Die LXX geben den Ort des Handels an, nämlich
Thekoa, indem sie also statt des hier unverständlichen
מתקוה מקוה lasen. Als Verkäufer, als Ueberbringer haben wir die Philistäer anzusehen, da die Aegyptier
selbst damals ihre Waaren nicht in die Fremde ausführten. Für jene Zeit ist es auch ganz falsch und in sich
überhaupt unwahrscheinlich, wenn die LXX den Pferde-
und Wagenhandel nach Syrien von Aegypten zur See
(בְּיָם also statt בְּיָדָם) führen lassen. Dass ebenfalls aus
Aegypten nach Tyrus die ägyptische feine Leinwand
mit kunstreicher Stickerei (μετὰ ποικιλίας) verführt ward,
beweist uns Hesekiel[1]), sowie wir den bedeutenden Weinhandel in umgekehrter Richtung schon hervorhoben. Aus
den Schilderungen des grossen Handelsverkehrs unter Salomo, der in Jerusalem nun einen Mittelpunkt fand[2]), können wir sehr wohl die regste Theilnahme der philistäischen
Städte, die ja erst die judäische Macht unter David mit
begründet und an sie einen Theil ihrer Einrichtungen abgegeben hatten, schliessen, jedoch nichts Specielleres ihnen
zuweisen.

Neben dem Verkehr von Ost nach West ist es aber
zweitens der südliche und südöstliche, den wir besonders Gaza zuweisen müssen. Die politische nahe Verbindung mit den Midianäern, Idumäern, den den Cuschiten
benachbarten Arabern haben wir bereits früher nachgewiesen[3]), sowie das Vordringen dieser Stämme an die
Seeküste, wo sie zu Herodot's Zeit die ἐμπόρια τὰ ἐπὶ
θαλάσσης von Gaza bis Ienysos inne haben. Während der
frühere und ältere Verkehr von Arabien aus im Wady el
Araba aufwärts und dann östlich vom todten Meere durch
Basanitis oder von Babylon den Euphrat hinauf nach Phönicien

---

1) 27, 7. 3) S. 232 ff.
2) Vergl. bes. Jos. Ant. VIII, 7.

sich bewegt, wird in der jüngern Zeit der kürzere Weg
zum Meere nach Gaza und südlicher nach Rhinokorura
gewählt. Nach der Ansicht von Movers [1]) lag der Grund
in der assyrischen Herrschaft und bestimmten Gründungen
derselben; aber diese allerdings wichtige Veränderung hängt
mit dem Vordringen der Nabatäer aus den Niederungen der
Euphratlandschaften im Bunde mit den Syrern, dann besonders der babylonischen Weltmacht bis an die Häfen des
arabischen Meerbusens und ihrer Besitznahme älterer Han-
delsstätten hier, wie am persischen Meerbusen, auf das
Engste zusammen [2]). Dies veranlasst die Idumäer, in das südliche Palästina weiter vorzudringen. Von Gaza aus ist
entweder die See unmittelbar geöffnet oder die Waaren werden
an der Küste nach dem Norden sowie nach Aegypten transpor-
tirt. Das hohe Alter des Weihrauch - und Specereihandels auf
der von Gilead nach Aegypten führenden Strasse bezeugt
uns die Beschreibung der Joseph von seinen Brüdern ab-
kaufenden Handelsleute; es sind Ismaeliten mit Kamelen [3]),
die beladen sind mit Weihrauch (LXX mit $\vartheta v\mu\iota\acute{\alpha}\mu\alpha\tau\alpha$,
$\dot{\varrho}\eta\tau\acute{\iota}\nu\eta$, $\sigma\tau\alpha\varkappa\tau\acute{\eta}$, nach Josephos [4]) mit $\dot{\alpha}\varrho\acute{\omega}\mu\alpha\tau\alpha$ $\varkappa\alpha\grave{\iota}$ $\Sigma\acute{v}\varrho\alpha$
$\varphi o\varrho\tau\acute{\iota}\alpha$, im hebräischen Texte נְכֹאת, צְרִי, לֹט). Welche
grosse Massen aber allein in dem dicht bevölkerten Aegy-
pten an arabischen Waaren verbraucht wurden, das lässt
die Benutzung der Myrrhen, Kassia, aller andern $\vartheta v\acute{\omega}\mu\alpha\tau\alpha$
ausser dem eigentlichen Weihrauch bei jeder Einbalsami-
rung vermuthen [5]). Gaza als Hauptdepot dieses arabischen
Handels anzusehen, dazu giebt uns aber die von Plutarch [6])
berichtete Thatsache allen Grund, dass Alexander mit Gaza
sich im Besitz der $\dot{\alpha}\varrho\omega\mu\alpha\tauo\varphi\acute{o}\varrho o\varsigma$ fühlte, dass er dort ungeheure Vorräthe von Weihrauch und Myrrhen vor-

1) II, 1. S. 405.
2) Ritter, Erdk. XII. S. 138
nach den Untersuchungen von Quatremère.

3) 1 Mos. 37, 35.
4) A. J. II, 3, 2.
5) Her. II, 86.
6) Alex. c. 25.

fand, von denen er seinem Lehrer eine nicht unbedeutende Probe sandte. Weihrauch, Myrrhen, Styrax, Ledanon sind aber Haupterzeugnisse und neben dem indischen Zimmt[1] (κιννάμωμον), der Kassia, die auch in Arabien vorkommt, auch Cardamom Haupthandelsartikel von Arabien[2]. Palästina selbst besass zwar den Balsamstrauch (בְּשָׂם, בְּשָׂמִים), der später vom römischen Fiskus allein angebaut eine bedeutende Staatseinnahme bildete, aber auch er ward aus Südarabien an das Mittelmeer verführt. Das hebräische לֹט wird seit Celsius mit λήδανον, λῆδον identificirt und als aus den Blättern der Cistus ladanifera gewonnenes, wohlriechendes Harz angesehen, so von Gesenius[3]. Ferner נְכֹאת ist das Gestossene, Geriebene, der trockene, gestossene Weihrauch[4]. Ueber den Weihrauch selbst (לְבֹנָה, λίβανος) als in Arabia felix heimischen Baum und als Handelsartikel verweise ich ganz auf Ritters ausführliche Darlegung[5], woraus übrigens hervorgeht, dass bis heutigen Tags der arabische Baum botanisch noch nicht bestimmt ist, dagegen der indische als Boswellia serrata.

Ebenso alte Nachricht besitzen wir über einen andern Handelsverkehr der Gazäer mit Edom, nämlich über den Verkauf der Gefangenen und zwar jüdischer an Edom[6]. Den Menschenhandel, der ja auch von den Phöniciern in so ausgedehnter Weise einst getrieben ward, wie im Mittelalter von den Venetianern, finden wir später auch noch bei den Philistäern in grosser Blüthe: neben Tyrus und Sidon wirft Joel allen Gauen der Philister vor, dass sie Kinder Juda's und Jerusalem's an die Jávanim verkauft haben, dass sie die Mädchen als Buhldirnen

---

1) Ritter, Erdkunde VI, 123 — 142.

2) Herod. III, 107—113. Heeren, Ideen I, 2. S. 109 ff. Zusätze S. 217 ff.

3) Thes. II, p. 748.

4) Gesen. II, p. 883.

5) Erdk. XII, S. 356 — 372.

6) Amos 1, 6.

und die Knaben um Wein verhandelten[1]). Der Sklavenhandel Philistäa's und Edom's ging auch nach Aegypten
seit uralter Zeit, wie der Verkauf Joseph's an die ismae-
litische Karawane und von dieser an den Aegyptier Poti-
phar erweist[2]). Die grosse Zahl semitischer Hetären-
namen im Occident findet hierin ihre Erklärung, sowie die
Verbreitung der orientalischen Päderastie. Auch noch in
der Diadochenzeit haben wir unter den ἔμποροι, die im
Lager zu Emmaus jüdische Gefangene kaufen[3]), uns besonders Bewohner der philistäischen Städte zu denken.
Nikanor und Gorgias schicken[4]) ja in die παραθαλάσσιοι
πόλεις Aufforderungen zum Kauf von Sklaven, 90 für ein
Talent.

Der Verkehr mit den Javanim und den Inseln war
nothwendig ein überseeischer, er weist auf Seefahrt
und auf Hafenanlagen hin, die nothwendig waren, theils
weil Gaza, wie Askalon, noch mehr Asdod und Jabne
vom Meere eine Strecke entfernt lagen, theils weil die
ganze Küste, wie bereits oben[5]) bemerkt ward, keinen
natürlichen Hafen besass und für die Küstenschifffahrt sowie
für das Liegen auf offener Rhede durch den stark wehen-
den, die Wogen aufstauenden Africus, der auch das süsse
Nilwasser bis in die Gegend von Gaza führte[6]) und das
flache, versandete Uferwasser sehr gefährlich war[7]). Von
der Anlage einer eigenen Hafenstadt für Gaza, wie für
Askalon, haben wir zwar für unsere Periode noch keinen
bestimmten Beweis; die spätere Bedeutung dieser Maju-
mas wird uns mehr beschäftigen: ein Name, dessen ägyptischer Ursprung schon in Betracht gekommen ist. Mo-

---

1) Joel 4, 3. 5.
2) Jos., Ant. J. II, 4, 1.
3) 1 Makk. 3, 41—44.
4) 2 Makk. 8, 11.
5) S. 14.

6) Mich. Psell. διδασκ. παντοδ.
c. 131.
7) Jos., Ant. XV, 9, 6. B. J. I,
21, 5. Ach. Tat. III, 1—5. Biod.
XX, 74. Movers II, 2 S. 174.

vers [1]) schliesst aus ihm auf Anlage unter den ägyptischen
Pharaonen der saitischen Dynastie, zugleich auf starke
Betheiligung der Phönicier dabei, was er höchstens für
Askalon durch die Notiz bei Skylax [2]): *Ἀσκάλων πόλις
Τυρίων* wahrscheinlich machen könnte, wenn nicht auch
hier eine ungenaue Bezeichnung für *πόλις Φοινίκης* dem
Schriftsteller zuzuschreiben ist. Dafür haben wir gar keine
Beweise, ja es ist vielmehr wahrscheinlich, dass Hafenanlagen der Art unter den Saiten griechische Namen schon
erhalten haben würden, wie die Naukratis, das Hauptempo-
rium Aegyptens. Vielmehr ist der Name mit den Anfängen der Sache selbst sicher ein diesem Küstenvolk von
jeher angehöriges. Für die frühere Zeit der philistäischen
Blüthe haben wir zwar keine Zeugnisse grossen Seeverkehrs, wenn auch der Zusammenhang mit Kretern und Karern, seefahrenden Stämmen, vor Allem auch die bestimmte
Erwähnung der Uebertragung des Kultus nach Paphos,
nach Kythera und weiter überhaupt Seefahrt unzweifelhaft
macht. Wichtig ist es für die spätere Zeit, dass die LXX
im Jesajas [3]) ganz abweichend vom hebräischen Texte lesen: *πετασθήσονται ἐν πλοίοις Φυλιστιείμ· θάλασσαν ἅμα
προνομεύσουσι καὶ τοὺς ἀφ᾽ ἡλίου ἀνατολῶν.* Daraus geht
hervor, dass in der Ptolemäerzeit die Ansicht von bedeutender philistäischer Seemacht und, wie es scheint, Seeräuberei feststand.

Wenden wir uns zur **gewerblichen** Thätigkeit, so
tritt hier vor Allem eine in den Vordergrund, welche in
der Bearbeitung des **Metalles** ihren Mittelpunkt findet.
Die ausserordentliche Zahl der Wagenkämpfer und Reiter,
die S. 144 näher geschilderte Bewaffnung eines solchen
Hopliten verlangte schon eine starke Fabrikation der Me-

---

1) II, 2 S. 178.   3) 11, 14.
2) Peripl. p. 42 ed. Huds.

tallarbeiten und an kunstreichem Schmucke der Kettenpanzer, der Helme und Schilde, der Aufzäumung des Rosses
wird es nicht gefehlt haben. Dazu erfahren wir ja auch,
dass sie in dem unterworfenen jüdischen Lande keinen
Schmied (חָרָשׁ) duldeten, dass die Juden nach Philistäa
gehen mussten, um sich Pflugschaar, Hacke, Beil und Si-
chel selbst schleifen zu lassen, also jedenfalls auch neu an-
fertigen[1]. Die Nachbildung jener Mäuse und kranken
menschlichen Glieder in Gold ist uns ebenfalls ein Beweis
dafür[2]. Endlich erhielt David aus Philistäa Gold und Silber, wie von Edom, Moab, Amalek, Ammon und den syrischen Königen, das Gott geheiligt[3] und wahrscheinlich,
wie das Erz zum ehernen Meer und Geräthe[4], so zur Be-
kleidung des Tempels im Innern verwendet ward.

Diese Thätigkeit führt uns über zur künstlerischen, die natürlich zunächst auf religiösem Gebiete sich
ausspricht. Dass wir es hier nicht blos mit unförmlichen
Bätylen zu thun haben, geht aus der Beschreibung des
Dagon sowie der Gestaltung der Derketo hervor, wenngleich sicher in dem Heiligthum der Astaroth zu Askalon,
dem ältesten aller Uraniaheiligthümer, der konische Stein
nicht gefehlt haben wird, der in allen übrigen erscheint.
Im Ganzen scheinen die Götterbilder (עצבים) etwas ver-
gänglicher Natur gewesen zu sein, sie werden verbrannt[5].
Das Wort weist auf Thonbildnerei und wir haben bei
diesen in das Feld mitgenommenen wohl auch an Thon-
idole von kleiner Gestalt zu denken. Die in den Tempeln aufgestellten Bilder waren wahrscheinlich aus edle-
ren Metallplatten über hölzernem oder thönernem Kern
gefertigt, eine wenigstens in Phönikien, überhaupt bei Ka-

---

1) 1 Sam. 13, 19 ff.
2) 1 Sam. 6, 18.
3) 1 Chron. 18, 11.
4) 1 Chron. 18, 8.
5) 1 Chron. 14, 12.

nanäern sehr ausgebreitete Technik; jedoch haben die neuesten Nachforschungen in den phönikischen Tempelbezirken
von Hagiar-Cham auf Malta auch eine Anzahl von kleinen Steinbildern meist sitzender weiblicher, nackter
üppiger Gestalten zu Tage gefördert[1]), sowie auf Kypros
durch Ross solche entdeckt sind[2]). Und das elfenbei-
nerne ἄγαλμα der Aphrodite, das Pygmalion der Kyprier liebte, das diese γυμνή darstellte, also wie jene
Steinbilder, gehört wie die ganze Sage der semitischen Bevölkerung an und zwar demjenigen Theil, der
die aus Askalon gekommene, strenge Venus Urania verehrte[3]). Also auch hier eine ganze, menschliche Gestalt
und Arbeit in Elfenbein, hier die Vorgänger der chrysele-
phantinen Bildungen. Nennen müssen wir hier auch die von
Herodot[4]) selbst gesehenen in der Palästina Syria, worunter
er, wie schon oben dargethan und auch Bähr[5]) erklärt, das
philistäische Küstenland versteht, befindlichen Steinmonu-
mente des Sesostris mit Hieroglyphen und γυναικὸς αἰδοῖα.
Bis jetzt sind hier zwar noch keine aufgefunden, wohl
aber am Nahr el Kelb neben dem assyrischen Denkmale,
aber diese Küste ist theils die am wenigsten noch wissen-
schaftlich bereiste, theils waren derartige Denkmäler hier,
wo Felsenwände selten Grund und Boden gewährten, am
leichtesten zerstört. Nicht allein diese Stelen dienten aber
zur Vergegenwärtigung ägyptischen Stiles, sondern der
enge frühere Zusammenhang mit Aegypten, die unmittelbare Beherrschung der mittel- und oberägyptischen Stämme, jener in der Kolossalität, in der feinen Ausführung
des Partiellen, in der Bewältigung der härtesten Steine

---

1) Kunstblatt, 1841. Nr. 52 mit
Abbildungen. Barth in Archäol.
Zeit. 1848. N. 22.

2) Reisen nach Kos Halikarnas-
sos etc. 1852. S. 100. 151.

3) Philosteph. περὶ Κύπρου bei
Clem. Al. Protr. p. 17. 31. Ueber
Pygmalion Movers II, 2. S. 229.

4) II, 106.

5) II, 106.

immer neue Bewunderung erregenden Künstler, endlich der fortwährende nahe fortgesetzte Verkehr mit dem neuen Reiche Aegyptens musste in Philistäa ägyptische Formen und Technik bekannt bleiben lassen.

Die Baukunst hatte in gewaltigen Mauer- und Befestigungsthurmbauten (jenen muri ingentis operis), in den einzelnen festungsartigen Häusern und Pälästen der philistäischen ritterlichen Familien, auf die die Propheten des alten Bundes so oft hinweisen, den Stolz des Stammes ausgesprochen und vor Allem gegenüber dem Feinde einen hartnäckigen Widerstand möglich gemacht. Auch fehlte es in Gaza an einem Gefängnisse nicht, jene בֵּית הָאֲסוּרִים, in welchem Simson sich befand[1]). Wichtig ist aber vor Allem für uns die architektonische Anlage der Heiligthümer. Die bisher so ärmliche Kunde über phönicische Tempelanlage[2]) ist jetzt durch neue Entdeckungen bedeutend bereichert und übersichtlich geordnet worden, wird aber jedenfalls durch eine allseitige Benutzung auch der schriftlichen Quellen und genauere Untersuchungen auf dem so ausgebreiteten Terrain kananäischer Ansiedelungen noch sehr sich erweitern und berichtigen. Es tritt danach wenigstens bei den der Astarte geweihten Heiligthümern als charakteristisches Kennzeichen die grosse Ausdehnung von 2, auch 3 an einander sich schliessenden, offenen Hofräumen hervor, die von gewaltigen Steinpfeilern und Lagen umfasst, entweder viereckig, wie in Paphos und Marathos, oder eiförmig, wic in Malta und Gaulos, in sich wieder abgetrennt durch niedere Steinmauern meist eine besondere Kultusstätte haben, dann Vorrichtungen zum Opfern, Backen der Kuchen u. dergl. und endlich ein im Verhältniss zum Ganzen sehr kleines roh bedecktes Heiligthum. Cypressen-

---

1) Richt. 16, 21. 25.
2) Gerhard, Kunst der Phönicier in Abhdl. Berl. Akad. 1846.
S. 579—618. Barth, Zur Kunst der Phönicier in Arch. Zeit. 1848. N. 21. 22. 1850. N. 5.

haine, auch Wasserbecken waren öfters in diesen Hofräumen eingeschlossen. Daran schliessen sich dann noch
Nebenhöfe in abgerundeter Gestalt und mancherlei Reste
von Aufbewahrungsorten für heilige oder Opferthiere. Das
eigentliche Heiligthum war an den grossen heiligen Stätten ausgebildeter, als etwa in Gaulos, wie schon der Tempel von Paphos nach den bekannten Münzen[1]) mit seinen
zwei vor dem Eingange stehenden Säulen oder Pfeilern
und dem mittleren höheren Theile und zwei auf Säulen ruhenden Flügeln des eigentlichen Naos beweist. Und wie beschreibt Ezekias, der Hohepriester in der Zeit des Ptolemäos Lagi, bei Hekatäos von Abdera[2]) den Griechen den
Tempel zu Jerusalem? Da ist die Hauptsache der $\pi\varepsilon\varrho i\beta o$-
$\lambda o\varsigma$ $\lambda i\vartheta\iota\nu o\varsigma$ 5 Plethren lang, 100 Ellen breit mit doppelten Thoren, mit dem grossen Altar in der Mitte und
neben ihm ($\pi\alpha\varrho'$ $\alpha\dot{\nu}\tau\dot{o}\nu$), ein $o\ddot{\iota}\varkappa\eta\mu\alpha$ $\mu\acute{\varepsilon}\gamma\alpha$ mit golde-
nem Altar und Leuchter, also das Tempelhaus, an das wir
gewöhnlich allein denken. Ezekias muss noch erklärend
hinzufügen, dass keine $\dot{\alpha}\nu\alpha\vartheta\acute{\eta}\mu\alpha\tau\alpha$, keine Pflanzen, keine
Boskete ($\ddot{\alpha}\lambda\sigma\eta$) sich darin, d. h. im $\pi\varepsilon\varrho i\beta o\lambda o\varsigma$ befinden.
Wir haben uns hier überall nur steinerne Grundmauern
und das Uebrige als Holzbau mit glänzendem Metall-
schmucke zu denken, wie von den Heiligthümern in Tyrus, von dem zu Utica uns berichtet wird und die Beschreibung der Stiftshütte[3]) und des Tempels zu Jerusalem[4])
zeigt. Ebenso haben die rohen, gewaltigen Steinumzäu-
nungen nicht als nordische Steinringe die zahlreiche, vielfach üppige und an Glanz gewöhnte Festversammlung bei
Opfern umgeben, sondern auch hier deckte Holzbekleidung,

---

1) Gerhard, Taf. I, 1. 2.
2) Jos., contra Ap. I. I, 22.
3) Jos., Ant. III, 7, 2 ff.
4) Vergl. die neueste, zu sehr
auf den ägyptischen Charakter bau-
ende, die phönikischen Denkmäler
ausser Acht lassende Untersuchung
über den salomonischen Tempel
von Thenius. Bücher der Könige.
Anhang. 1849.

Metallschmuck, Teppiche die Wände oder es liefen vor denselben Hallen, wohl meist aus Holz herum, wie auf dem
Grundrisse des Tempels zu Paphos ja der vordere Hof eine
Säulenhalle enthält, auf denen auch als Estrade das Volk
als Zuschauer sich sammelte. Diese Anstalten für das zu-
schauende Volk richteten sich natürlich nach der Lokalität;
bei Marathos waren dazu Stufen ein Stadium lang in den
Felsen gehauen[1]), Barth[2]) glaubt mit Sicherheit in der
grossen Area zu Tarsos die in zwei Mauermassen regel-
mässig sich entsprechenden Balkenlöcher auf Errichtung
einer solchen Estrade zu beziehen.

Dass das Heiligthum der Urania zu Askalon, in welches
die Waffen des Saul niedergelegt wurden[3]), dessen sehr
bedeutende Tempelschätze von den Skythen geplündert wurden[4]), in seiner Anlage dem unmittelbar von ihm abgeleite-
ten auf Kypros ähnlich war, ist klar. Ebenso haben wir
das Heiligthum des Beelsebub entsprechend uns zu denken
den neben den Uraniaheiligthümern existirenden des Bel als
Himmelsherrscher. Dagegen haben wir, wie von dem Bal
Moloch als Kult, so von dessen pyramidenartig sich erhebenden Feuerstätten, wie sie die Nuraghen in Sardinien
und der Birs Nimrud in den Ruinen von Babylon zeigen,
bei den Philistäern keine Spuren. Wie steht es aber mit
dem Beth Dagon, dem Tempel der speciell philistäischen
Gottheit? Von einer eigentlichen Tempelzelle zu Asdod
ist sichtlich die Rede, wo die Bundeslade neben dem Bilde
des Gottes aufgestellt und in der Nacht dieses umgestürzt
wird. Dass aber die Schwelle (הַמִּפְתָּן), auf der man Kopf
und Hände des Gottesbildes fand, die seitdem weder die
Priester noch alle in das Heiligthum Eintretende zu betre-

---

1) Gerh. S. 599.
2) Arch. Zeit. 1849. Heft 1. S.
20 ff.
3) 1 Sam. 31, 10.
4) Her. I, 105.

ten wagen, nicht die Schwelle des ganzen Heiligthums,
sondern der räumlich nicht ausgedehnten Zelle war, ist in
der ganzen Erzählung wohl klar gegeben. Uebrigens muss
auch in dem Dagonheiligthum zu Asdod das Holz einen
grossen Bestandtheil des Bauwerks gebildet haben, sonst
würde dasselbe unter den Makkabäern nicht so leicht haben
angezündet und niedergebrannt werden können[1]). Aber
das wichtigste und grösste Heiligthum, das des Dagon zu
Gaza, giebt uns nur an einer einzigen Stelle einige, nicht
unwichtige Andeutungen, es ist die Erzählung von der Rache
und dem Tode Simson's[2]), von jeher ein Kreuz der Ausleger und eine fruchtbare Stätte oft wunderlicher Phantasie-
stücke. Suchen wir die einfache Stellenerklärung zunächst
mit unserer jetzigen Kenntniss phönikischer, überhaupt kana-
nanäischer Tempelbauten in Verbindung zu setzen. Fremde
Ansichten wollen wir dann nicht widerlegen, nur classi-
ficiren.

Es wird ein grosses Opfer dem Dagon von den Sarnim der Philister im Beisein einer grossen Volksmenge gebracht; das בַּיִת ist mit Männern und Frauen angefüllt,
ausserdem befinden sich auf dem גַּג, der Oberfläche, dem
platten Dache 3000 Menschen, die zuschauen, wie Simson
tanzen soll. Dies Letztere beweist schon deutlich, dass wir
es hier mit jenem offenen grossen Tempelraum, einem
Tempelhof zu thun haben, auf dem das öffentliche Opfer
und diese Lustbarkeit diesmal, wie überhaupt sonst vor
sich gehen sollte, auf diesen wird von dem גַּג, der Galerie oder Estrade herabgeblickt, nicht etwa von dem Dache
der eigentlichen bedeckten Cella, welche klein zu denken
ist und zugleich als Heiligstes solchem Gebrauch ganz unzugänglich war. Diese Estrade stand aber fest, war gestützt durch Säulen, hölzerne Pfosten (עַמּוּדִים), wie sie

---

1) 1 Makk. 10, 83.   2) Richt. 16, 23—31.

an den Hallen der salomonischen Vorhöfe ebenfalls erscheinen. Zwischen die Säulen wird Simson gestellt, d. h.
an den Rand der offenen Halle, einer Seite, nicht zwischen
die zwei einzigen Säulen überhaupt[1]); dann natürlich,
als er zwischen zwei Säulen steht, erfasst er die zwei
Säulen in der Mitte und neigt sie zusammen[2]). Darauf
stürzt das Gebäude zusammen und begräbt die untenste-
hende Menge mit unter der oben befindlichen. Wir haben
daher hier nicht an die zwei bekannten Säulen zu denken,
die vor den phönikischen Heiligthümern wie vor dem Tempel zu Jerusalem standen, aber frei, ohne zu tragen,
noch an zwei Säulen, die in der Mitte eines Rundgebäu-
des stehen und dasselbe stützen, was ohnehin statisch sehr un-
praktisch wäre, da eine einzige Säule in der Mitte, wie wohl
bei runden Krypten vorkommt, viel sicherer trägt, als zwei aus
dem Centrum gerückte. Dass übrigens der an einer Seite
eintretende Einsturz der Halle mit der Estrade darauf bei
dem grossen, durch die Menschenmenge hervorgerufenen
Druck den Einsturz der ganzen Halle nach sich ziehen
konnte, ist dabei klar. Hier begreift also das Bethdagon
den offenen Tempelraum mit der sie rings einschliessenden,
oder wenigstens an einer Seite in einem Halbrund befindlichen Halle, auf welcher dann eine Zuschauerbühne
sich erhob. Welche Form übrigens diese Räume gehabt,
ob die runde, wie bei den Tempelanlagen zu Malta und
Gaulos, oder mehr eine viereckige, wie zu Marathos und
Paphos, ist hier nicht weiter zu entscheiden.

So ergiebt sich also für uns, dass die Tempelanlagen
der Philistäer den phönikischen nahe verwandt waren, dass
sie wie diese in grossen ausgedehnten Hofräumen mit stei-
nerner Grundlage, aber reichem, wohl auch mit edelm Me-
tall bedeckten Holzwerk neben der engern Cella bestanden,

---

1) V. 25.   2) V. 29.

dagegen von dem bedeckten Steinbau des oberägyptischen, naeh den Hyksos zur Herrschaft kommenden Stammes vielfach sich unterschieden.

Wie oben erwähnt ward, hat die Construktion des Gebäudes von jeher vielfache Ansichten hervorgerufen. Schon über die Bestimmung derselben war man im Alterthum unklar. Während Johannes Antiochenus [1] richtig von einem Heiligthum mit Säulen spricht, fasst Josephos [2] das Gebäude als Trinkhalle, als Haus des Symposium auf, das von zwei Säulen getragen und wo zum πότος gesungen wird. Die neuern Ansichten, welche aber alle auf die Betrachtung von antiken Bauten verwandter, anwohnender Stämme keine Rücksicht nehmen, scheiden sich natürlich in zwei Hauptklassen; die einen sprechen allerdings von einem Hofraum und einem Tempelbau mit Galerie, einer Art Kiosk an der Seite, so Shaw, so Mignot, so Winer, die andern von einem Gebäude allein, entweder mit Halle davor oder einem Centralbau, der von zwei Säulen gestützt wird. Bertheau [3] verzichtet auf die Möglichkeit genügender Anschauung, Studer [4] nimmt erst einen Vorgang im offenen Vorraum, dann in der Halle des Tempelgebäudes an, dessen Decke auf zwei Säulen ruhte.

---

1) Fr. 16 bei Muller Fr. hist. IV, p. 549: διὸ δὴ συμπεσὼν τοῖς τοῦ ἱεροῦ κίοσι συναπώλετο.

2) Ant. Jud. V, 8, 12.

3) Richt. S. 191.

4) B. der Richt. S. 358. 359.

ZWEITES BUCH.

Die Geschichte des Hellenismus an der philistäischen Küste

von Alexander dem Grossen bis zur Eroberung durch die Araber.

Kap. I.

Politische Geschichte

unter der Herrschaft der Diadochen, Ptolemäer und Seleukiden.

§. 8.

Von Alexander dem Grossen bis zur dauernden Eroberung durch Antiochos den Grossen.

Quellen: Kaum hat ein Theil der alten Geschichte eine so reiche, vielseitige Behandlung von Zeitgenossen erfahren, als die der Nachfolger Alexander's und der aus seinem Reiche hervorgehenden Staatenbildungen, kaum hat dann wieder ein anderer Theil des grossen hellenistischen Reiches so sehr die Aufmerksamkeit der hellenischen Geschichts-, Mythen- und vor Allem auch topographischen Forscher erregt, als die zwei bis dahin ihnen noch sehr verschlossen gebliebenen Länderstrecken Syrien und Aegypten, Länder von uralter, in sich abgeschlossener Kultur und von neu erblühendem Reichthum, an deren Geschichte auch von nun an natürlich die Gaza's und des von den Philistern besetzten Landstriches geknüpft ist. Aber nur dürftige Fragmente sind uns von diesem ganzen Reichthum geblieben, bis auf den einen grossen, und zwar den ersten Universalhistoriker, Polybios, dessen vierzig Bücher über die Zeit von 222 bis 146 trotz aller Verluste auch für unsere Specialuntersuchung von unschätzbarem Werthe sind. Ich nenne hier von den Verfassern der politischen Geschichte ausserdem Timäos, den Tauromeniten mit den Büchern περὶ Συρίας καὶ τῶν αὐτῆς πόλεων καὶ βασιλέων, dessen Geschichte bis 264 reicht. (Suidas s. v. *Τίμαιος.* Frgmta hist. gr. I, p. XLIX), Nymphis Herakleota mit seinen 24 Büchern τὰ τῶν διαδόχων καὶ ἐπιγόνων, der die Geschichte bis Ptolemäos III. (247 v. Chr.) führte, des De- metrios aus Byzanz Geschichte der Kriege zwischen Antiochos (II) und Ptolemäos (II) uber Libyen (besonders Kyrene) und die endliche Vertheilung (Muller, Fr. h. II, 624) des Olynthiers Euphantos Geschichte seiner Zeit, des Ptolemäos aus Me- galopolis αἱ περὶ τὸν Φιλοπάτορα ἱστορίαι, des Herakleides aus Oxyrynchos (unter der Regierung des Ptolem. Philometor 181 — 147), wenigstens 37 Bücher ἱστορίαι bis in seine Zeit, des Agatharchides aus Knidos 10 Bücher τὰ κατὰ τὴν Ἀσίαν, d. h. die Geschichte der Diadochen unter Ptolemäus VI und den folgen- den Königen, endlich ein Werk von Timochares über einen An- tiochos (wahrscheinlich Epiphanes vgl. Muller Frgmnta hist. gr. III, p. 207). Von den so bedeutenden, aus dem hellenistischen Asien meist nach Rom übergesiedelten oder mit Römern nahe befreundeten Ge- schichtsforschern und Sammlern hatten fast alle den syrischen Ver- hältnissen eine besondere Aufmerksamkeit gewidmet, wie Strabo in seinen ὑπομνήματα ἱστορικά, wovon das dritte Buch anfing zu erzählen τὰ μετὰ Πολύβιον (Fragmenta hist. III. p. 490 ff.), der Chro- nograph Kastor aus Rhodus, dessen Χρονικά bis zum Jahre 61 v. Chr. reichten (Ctesiae, Chronogr. rel. ed. Car. Müller 1844. p. 153 ff.), wie Cornelius Alexander Polyhistor aus Milet, der Freigelassene des Cornelius Lentulus, der auch περὶ Συρίας ge- schrieben und darin Gaza ausdrücklich behandelt hatte (Frgmta hist. gr. III, p. 237), wie Poseidonios aus Apamea in Syrien, der selbst ein bedeutender Reisender und scharfer Beobachter wie den Naturbedingungen eines Landes, den astronomischen und geodätischen Bestimmungen, so Sprache, Sitte, Kultur der Bewohner ein ein- dringendes Interesse geschenkt hatte, daher sind seine 52 Bücher Fortsetzung der Geschichte des Polybios bis zu dem Jahre 96 v. Chr., der Besitznahme Kyrenes durch die Römer, und die andere περὶ ὠκεανοῦ eine Hauptquelle gerade für Syrien, dessen Va- terland, für Livius, Justin, Stephanos von Byzanz, Strabo gewor- den (Frgmta hist. gr. III, p. 245—311), Timagenes der Sy- rer, dann in Alexandria, später in Rom lebend, hatte in dem Werk περὶ βασιλέων die syrische Königsreihe genau behandelt (Frgmta. hist. gr. III, p. 317—324). Die Universalgeschichte des Niko- laos von Damaskos (Frgmta, hist, III, p. 343—348), des Hof- mannes und Ministers von Herodes dem Gr. war fur die ältere, nicht gleichzeitige Geschichte rein compilatorisch, aus wörtlichen

Excerpten bestehend, während sie für die gleichzeitige, seit dem Auftreten des Pompejus in Syrien bei der freilich den Herrschern, dem Cäsar und Augustus wie dem Herodes huldigenden Rhetorik einen reichen Ueberblick über Selbsterlebtes bot. Die Zeit von Alexander bis zu dem mithridatischen Kriege ist uns aber in den fehlenden Büchern 8—96 ganz verloren. Dagegen geben uns die Excerpte aus der Compilation eines Zeitgenossen des Nikolaos, des Diodoros Siculus, vom zwanzigsten Buche an mit den jüngst bekannt gemachten Erweiterungen (aus Constant. Porphyrog. Περὶ ἐπιβουλῶν Exc. Diod. Sic. in Frgmta. hist. gr. II, p. X—XXVI), sowie der zehn Bücher des Arrian (zwei Jahrhunderte später) über die Nachfolger Alexander's, die Syriaca des Appian (für die frühere Geschichte von Kap. 52 an), selbst eines Alexandriners, der die Verwaltung Aegyptens unter sich hatte, der Rest der vier Bücher des Athenäer Dexippos: τὰ μετὰ ᾽Αλέξανδρον (Muller, Frgmta. hist. III, p. 666 ff.) und die Chronologieen des Cassius (vielleicht Dionysius Cassius Longinus, 273 hingerichtet nach Niebuhr, Kl. Schr. I, p. 188) und des Porphyrios von Tyrus im Auszuge bei Eusebius wichtiges Material für diese Periode. Anekdotenartig war, wie es nach einem Beispiele und der übrigen Weise des Schriftstellers scheint, die Schrift des Athenäos aus Naukratis περὶ τῶν ἐν Συρίᾳ βεβασιλευκότων (Frgmt. III, p. 656) behandelt.

Daneben sind vor Allem noch zwei Klassen von Quellen zu beachten: zuerst die geographischen Werke über Syrien und seine Städte von griechischen Schriftstellern. So gab es von Philostephanos aus Kyrene eine unter Ptolemäos Philopator (222 — 204) geschriebene Schrift περὶ τῶν ἐν ᾽Ασίᾳ πόλεων (Frgmta. hist. III, p. 28), so ᾽Ασίας κτίσεις von Hermogenes, den Josephus benutzte (Frgm. III, p. 523), so handelten zwei Bücher der Periegese des Mnaseas Patrensis, Schülers von Eratosthenes über Asien (Fragm. III, p. 149—154). Syrien war von Xenophon nach bestimmten Vermessungen beschrieben (τῆς Συρίας σχοινομέτρησις in Frgmta. hist. III, p. 229), wonach Alexander Polyhistor sich richtete. In die Zeit der römischen Herrschaft gehören erst zwei Schriften περὶ κοίλης Συρίας, die frühere von einem Eingebornen Theodoros von Gadara, dem Lehrer des Tiberius (Frgmta. h. III, p. 489), die andere von Hermogenes von Tarsos (Frgmta. III, p. 523). Auch die zahlreichen Φοινικικά, deren Verfasser bei Muller (Frgmta. hist. gr. IV, p. 688) verzeichnet sind, mussten diese südlichere, zu Phönikien gezählte Küste in ihren Bereich ziehen. Vor allem sind des Philo von Byblos Werke: $\Phi o\iota\nu\iota\varkappa\iota\varkappa\acute\alpha$ und $\pi\epsilon\varrho\grave\iota\ \pi\acute o\lambda\epsilon\omega\nu$ (Muller, Frg. hist. III, p. 575.) hier zu nennen, aus dem letztern haben wir Nachrichten über palästinische Küstenstädte.

Die zweite Klasse bilden die meist jüdischen, griechisch schreibenden Autoren, die bei der grossen Wechselwirkung, welche besonders in Alexandrien, aber auch in Antiochien, in Kleinasien zwischen Juden und Hellenen eintrat und in den letztern das lebhafteste Interesse für den Glauben und die Geschichte jener erregte, $\pi\epsilon\varrho\grave\iota\ \textrm{'}Iov\delta\alpha\acute\iota\omega\nu$ Werke verfassten, die dann Alexander Polyhistor in seiner Schrift $\pi\epsilon\varrho\grave\iota\ \textrm{'}Iov\delta\alpha\acute\iota\omega\nu$ verarbeitete (Frgmta III, p. 207. 211). Sie bewegten sich allerdings zunächst auf dem Gebiete der ältern judischen Geschichte, also auch der frühern Verhältnisse zu den Philistäern, dagegen geben die Verfasser der zwei Bücher der Makkabäer uns sehr wichtige, ja die wichtigsten Notizen über die hellenistische Periode Gaza's und der übrigen philistäischen Städte und nebenher geht die Compilation des Josephos in der $\acute\alpha\varrho\chi\alpha\iota o\lambda o\gamma\acute\iota\alpha$ Buch XII — XIV. Von jenen zwei, unter sich unabhängigen Schriften ist die zweite bekanntlich ein Auszug der 5 Bücher des Iason von Kyrene (2 M. 2, 23) und umfasst nur die ersten vier Jahre des makkabäischen Aufstandes, das erste reicht bis zu dem Tode Simon's und kennt ein $\beta\iota\beta\lambda\acute\iota o\nu$ über die Zeit der Hohenpriesterschaft von dessen Nachfolger Johannes. Sowohl auf rein griechische, als auf judaistische und lateinische Quellen stützen sich die wichtigen Angaben des Hieronymus in seinem Commentar zum Daniel: er führt ausdrücklich den Callinicus Suctorius aus Petra (Muller, Frg. III, p. 663 ff.), den Diodor, Hieronymus (von Kardia), Polybius, Posidonius, Claudius Theo, Andronicus Alypius an, die auch Porphyrius benutzt hatte, daneben den Josephus und seine Gewährsmänner, endlich den Livius, Pompejus Trogus und Justin.

Von modernen Behandlungen der hier einschlagenden Geschichte dieser Periode sind von besonderer Wichtigkeit, durch die Benutzung der Münzen:

J. H. Noris, Annus et epochae Syromacedonum in vetustis urbium Syriae nummis expositae. Lips. 1696.
 (Dies Werk ist jedoch wichtiger für die römische Periode.)

J. Vaillant, Historia Ptolemaeorum Aegypti regum ad fidem numisnatum accommodata. Amstel. 1701.

Annales compendiarii regum et rerum Syriae nummis veteribus illustrati etc. conscr. a Er. Froelich. Ed. II. Viennae 1754.

Während die neuen, so zahlreichen inschriftlichen Entdeckungen und die Entzifferung der griechischen Papyrusrollen die Versuche einer allseitigen Erforschung der Geschichte Aegyptens unter den Ptolemäern von Champollion Figeac bis Franz in seiner Einleitung zu dem 29ten über Aegypten handelnden Theil des Corpus inscriptionum (p. 281 — 308) hervorgerufen haben, ist Syrien seit jenen Arbeiten nicht Einer ausfuhrlichen Behandlung gewürdigt worden, wenn man von den Abschnitten in Eckhel's Doctrina Nummorum (Vol. III, p. 209—248) und den Münzbeschreibungen in Mionnet (Récueil des médaill. t. V, p. 1 — 110. Suppl. VIII, p. 1 — 82) absieht. In der kurzen Uebersicht von Hegewisch über die griechischen Colonieen seit Alexander dem Grossen (Altona 1811) werden Gaza und die andern philistäischen Städte nur erwähnt.

Von universalhistorischen Behandlungen dieser Periode nenne ich Schlosser's universalhistorischen Ueberblick der alten Welt. Thl. II, 1. S. 15 — 54. 147 — 252. II, 2. S. 95 — 112 und Flathe Geschichte Macedoniens und der Reiche, welche von macedonischen Königen beherrscht wurden. Leipz. 1834. Thl. II, bes. S. 56 ff. 189 — 226. 297 — 318. 363. 595 — 635. 653 ff. Aber erst durch Droysen's Geschichte des Hellenismus. Thl. 1. 2. Hamburg, 1836. 1842. sind die tiefern und wahrhaft fruchtbaren Gesichtspunkte für eine Behandlung dieser Periode eröffnet worden und ihrer, leider nur für den kleinern Theil der Zeit und der Richtungen gegebenen Entwickelung hofft der Verf. auf seinem eng begränzten Gebiete eine nicht ganz unfruchtbare Specialisirung anzufügen.

Wir sahen oben, wie Tyrus und Gaza im hartnäckigen Kampfe allein es wagten, zunächst für ihre persischen Herrscher, in der That aber für ihre eigenste Nationalität, für die abgeschlossene Bedeutung orientalischer Bildung überhaupt mit dem griechischen Heere Alexander's in die Schranken zu treten. Sie unterlagen und hiermit war für ganz Syrien die Bahn der Hellenisirung gebrochen, die nirgendswo, wie hier, feste Wurzeln schlug und ein neues, glänzendes hellenistisches Kulturleben mit der Zeit erzeugte. Der innere Grund dieser besondern Befähigung gleichsam Syriens im Verhältniss zu Aegypten, zu Mesopotamien, Armenien, Persien und andern Theilen des grossen Reiches beruht allerdings zum Theil auf der schon von jeher dem Occident geöffneten, jetzt zum Stützpunkt der griechischen Seemacht gewordenen langgestreckten Küstenlage am mittelländischen Meere, auf der Zersplitterung der Bevölkerung in einzelne, vielfach unter sich feindliche Stämme und der von Polybios schon hervorgehobenen Neigung derselben, Fremdes und Neues sich anzueignen; aber daneben doch vorzugsweise auf der uralten Ausbildung selbstständiger, städtischer Gemeinwesen, die mit ihrer Verfassung, ihren Geschlechtern, ihren Rechten unter persischer Oberhoheit ziemlich ungestört geblieben waren, und die statt einer strengen Centralisation und Beamtenhierarchie, wie in Aegypten, von den Seleukiden anerkannt und vervielfältigt ward. Syrien bildete hierin den entschiedenen Gegensatz zu der eigentlichen orientalischen Weise κωμηδὸν, wenn auch in ungeheuern Städten, wie z. B. Ninive, Babylon, Susa, Ekbatana, ohne bestimmte städtische Gliederung und Rechte gegenüber der ländlichen oder nomadischen Bevölkerung zu leben. Die ungeheure Ausdehnung dieser Städte wird eben durch diese Weise der ungegliederten Aggregation von Landgemeinden mit ihrem Besitzthum herum erklärt. So bildet für die asiatischen Reiche, theilweise auch für Hellas, als hier die pelasgischen, hinter dem übrigen Griechenland an Entwickelung zurückgebliebenen Stämme, wie Epiroten, Akarnaner, Aetoler, Thessaler zur Bedeutung gelangen, ein gleichsam officieller Gegensatz von πόλεις und ἔϑνη sich heraus, wie er z. B. in dem Frieden des Antiochos mit den Römern [1]) ausgesprochen ist. Jene syrischen städtischen Wesen mussten allerdings erst in ihrer Abgeschlossenheit gebrochen, in sie hinein ein hellenisches Element verpflanzt werden, zu-

1) Pol. XXII, 26.

gleich ein den Eroberern ganz ergebener Theil von Eingebornen an die Spitze kommen; aber dann ward auch
jede Stadt gleichsam ein Bollwerk des Hellenismus gegenüber der syrischen Landbevölkerung. Die Glieder dieser
das Land umschliessenden Kette wurden ausserdem noch
stark vermehrt durch eine Menge neuer, hellenischer Stadt-
gründungen, welche in Verlauf dieser Periode gerade in die
abgeschlossensten Theile sich drängen.

Ebenso wenig wie Alexander ein neues Tyrus neben
dem bereits im Verfall begriffenen Παλαίτυρος und dem Inseltyrus angelegt hat, wie er an die Stelle der durch die
Belagerung, den Sturm, die strenge Strafe furchtbar zu-
sammengeschmolzene phönikische Bevölkerung eine griechische setzen wollte und konnte, sondern, wie Justin [1]
ausdrücklich sagt, ingenui et innoxii *incolae* insulae dem
neu eingesetzten königlichen Stamme zur Seite stellte, um
so die in der letzten Zeit herrschend gewesene Sklaven-
bevölkerung, die durch die Sklaven verstärkte Macht des
Demos im Gegensatze der Geschlechter gänzlich auszurotten und durch Rückkehr der Verbannten, der Flücht-
linge, durch Hereinziehen angesehener Landbewohner ein
neues „genus urbis" heranzubilden, ebenso ist Gaza seit
Alexander noch keine πόλις Ἑλληνίς geworden, ebenso
wenig haben wir an eine Neugründung auf einer andern
Stelle durch Alexander zu denken. Diodor sagt [2] nur
kurz: Ἀλ. ὁ βασιλεὺς τὰ περὶ τὴν Γάζαν διοικήσας —
παρῆλθεν εἰς Αἴγυπτον, was allerdings bestimmte, längere
Anordnungen bezeichnet. Arrian [3] giebt das Nöthigste: τὴν
πόλιν ξυνοικίσας ἐκ τῶν περιοίκων ἐχρῆτο ὅσα φρου-
ρίῳ ἐς τὸν πόλεμον. Das Itinerarium Alexandri [4] berichtet: *coli in posterum sinit* (Alexander) *usus ejus studio*

---

1) XVIII, 3. 3) Al. II, 27.
2) XVII, 49. 4) 47.

et opportunitatis ut qui haec talia sibi vinceret: worin
also die volle Erkenntniss der Bedeutung des Platzes in
dem neuen Reich ausgesprochen ist. Also in die verödete
Stadt werden von den περίοικοι, d. h. von den Landbewohnern, wahrscheinlich aus den kleineren Städten und Ortschaften, jenen oben[1]) besprochenen Töchtern Gaza's, aus
den offenen Dörfern, auch aus den benachbarten philistäischen Städten, die keinen Widerstand geleistet, Bürger in
Gaza aufgenommen und so ein städtisches Gesammtwesen,
ein σύστημα πολιτικόν wieder gebildet. Es waren dies aber
Nachkommen der alten Landbevölkerung, Avväer und Philistäer, vermischt mit Idumäern, den Bewohnern des Gebirges Juda, hie und da auch mit Juden, mehr noch
mit Arabern, die sesshaft geworden waren, deren überwiegenden Einfluss wir früher hervorhoben. Wohl mochten griechische Familien, besonders Kaufleute schon länger
hier vereinzelt wohnen, jedoch ohne den Charakter des
Ganzen zu bestimmen. Ein hellenischer Stock der Bevölkerung wird aber hier in Gaza, wie in Tyrus gebildet
durch eine makedonische Besatzung, die nach dem
auch von den Diadochen ganz angenommenen Princip
Alexander's in ihrer Mitte sich eine starke, von Früh auf an
militärische Organisation gewöhnte Nachkommenschaft er-
zog: Alexander machte beide Städte zu Waffenplätzen,
zu φρούρια ἐς τὸν πόλεμον, wo zugleich Kriegsmaterial
und Geld aufbewahrt wurde, wie das letztere für Tyrus
Diodor[2]) genau hervorhebt, wo Truppen aus Griechenland
gelandet und von da versendet wurden. Für Gaza wurde
der Eigenname selbst, den man als das persische seit
Alexander erst den Griechen geläufige Wort für armarium,
für unser Schatz, als Aufbewahrungsort und Aufbewahr-
tes auffasste, die Bezeichnung für die Bestimmung der

---

1) S. 135.   2) XVIII, 37.

Stadt. Während aber Tyrus seit der Gründung Alexandriens und dem Herüberziehen des südarabischen und indischen Handels in den arabischen Meerbusen und Aegypten
an Bedeutung sehr verlor, blieb Gaza immer theils der
Schlüssel für Aegypten, theils die Gränzfestung und das
Emporium für das grossentheils Alexander huldigende Arabien, theils auch ein fester Punkt für das unruhige Palästina selbst. Wie nöthig dies sei, zeigte der während des
Winters, welchen Alexander in Aegypten verweilte, erfolgte sehr bedeutende Aufstand der Samariter, die
den Andromachos, den nach Curtius[1]) und Eusebios[2]) Alexander über Syrien gesetzt hatte (Syriae quae
Coele appellatur praefecerat, ἐπιμελητήν — κατέστησεν) lebendig verbrannten.

Die politische Organisation Syriens, sowie die Reihenfolge der obersten Beamten zu bestimmen, wird theils durch
die Unbestimmtheit der Ausdrücke, besonders für Syrien
und seine Theile, theils durch die Verderbtheit des Textes
der einschlagenden Stellen sehr erschwert, auch fand sichtlich zuerst ein rascher Wechsel Statt. Wir haben jedenfalls eine Doppelheit der obersten Behörden, wie in
Aegypten, in Susiana[3]) und in andern Provinzen zu scheiden, einen Civil- und Militärgouverneur (σατράπης und
ὕπαρχος oder besser στρατηγός) und noch daneben einen
obersten Beamten zur Eintreibung des φόρος. Während Arrian[4]) als ersten σατράπης der κοίλη Συρία Menon, Sohn
des Kerdimmas nennt, welchen Alexander nach der Schlacht
bei Issos und vor der Eroberung Phönike's einsetzte und
mit Reiterei zum Schutze des Landes versah, bezeichnet
Curtius[5]) den Eroberer von Damaskus, Parmenio, als den

---

1) IV, 5.
2) Chr. II. p. 351. Synk. p. 261.
3) Arr. III, 16, 15.
4) Arr. An. II, 13, 9.
5) IV, 1.

ersten Präfekten der Coelesyria; dieser habe aber dann
um an dem Zuge selbst weiter Theil zu nehmen, dem
Andromachos das Amt übergeben [1]), der dann allgemeiner praefectus Syriae heisst; dagegen erhält Philotas das phönikische Küstenland, die regio circa Tyrum, als
praeses. Als Alexander aus Aegypten nach Tyrus zurückkehrt, setzt er den Arimmas als Satrapen Syriens ab,
weil er die zum Marsche des Heeres an den Euphrat, $\varepsilon\iota\varsigma$
$\tau\dot{\eta}\nu$ $\ddot{\alpha}\nu\omega$ $\chi\dot{\omega}\varrho\alpha\nu$, nöthigen Vorkehrungen versäumt hat und
ernennt dazu den Asklepiodoros, Sohn des Eunikos [2]).
Wir haben also hier gleich in dem ersten Jahre neben einander mehrere Namen: Philotas ist jedenfalls militärischer Gouverneur der Flottenstation auf der Küste,
die ja ihre kleinen Könige behielt, daneben steht also bei
Arrian Menon und dann Arimmas, wenn dies die richtige
Lesart ist und nicht verderbt aus Menon, Sohn des Kerdimmas, als Satrap Kölesyriens oder Syriens, dagegen bei Curtius als *praefectus Coelesyriae* oder *Syriae*,
das auch hier identisch gebraucht wird, Parmenio, dann
Andromachos. Wir können dies, da von einer Unterscheidung zwischen dem nördlichen und südlichen Syrien, wie
an und für sich wohl wahrscheinlich, im Ausdruck keine
Spur sich zeigt, nur verstehen von dem Nebeneinanderbe-
stehen eines Satrapen und Strategen. Dieses tritt
klar hervor in der folgenden Zeit. Asklepiodoros war
also Satrap Syriens und wird als $\sigma\alpha\tau\varrho\alpha\pi\varepsilon\dot{\upsilon}\sigma\alpha\varsigma$ $\Sigma\upsilon\varrho\dot{\iota}\alpha\varsigma$ noch
später erwähnt [3]); er ist höchst wahrscheinlich derselbe,
der von Tzetzes neben Attaios, Perikles, Anaxikrates als
$\dot{\varepsilon}\pi\iota\sigma\tau\dot{\alpha}\tau\eta\varsigma$ der Städtegründungen von Seleukos angeführt
wird [4]). Daneben schickt Alexander Menes als $\dot{\upsilon}\pi\alpha\varrho\chi o\varsigma$

---

1) IV, 5.   4) Tzetz. Hist. III, 174. Mul-
2) Arr. III, 6, 12.   ler, Fr. H. IV, p. 302.
3) Arr. IV, 13, 7.

Συρίας καὶ Φοινίκης καὶ Κιλικίας von Susa aus ans Meer
mit einer grossen Summe Geld, um dies theils weiter an
Antipater zu senden, theils ein neues Heer daraus zu bilden [1]); Diodor [2]) nennt ihn zusammen mit Appollodoros, den
Arrian als Strategen von Susiana aufführt, und bezeichnet beide als στρατηγοὺς Βαβυλῶνος καὶ τῶν σατρα-
πειῶν μέχρι Κιλικίας. Und so erscheinen bei der grossen
Versammlung der Heerestheile zu Zariaspa und dem Ge-
richte über Bessos ὁ Συρίας σατράπης und ὁ ὕπαρχος
ἀπὸ θαλάσσης [3]). Die Namen sind dabei verschrieben und
versetzt: Bessos als σατράπης Syriens ist falsch, um so
mehr, da sofort von Bessos als dem Gefangenen gesprochen wird, Asklepiodoros ist nicht ὕπαρχος, sondern eben
jener σατράπης, dagegen Menes der ὕπαρχος. — Als ober-
ster Finanzbeamte für ganz Phönike im Gegensatz zur
Asia diesseit des Tauros wird Koiranos aus Berrhoia genannt [4]).

Folgenreich würde für die philistäische Küste die Durchführung der grossen Plane Alexander's in Bezug auf den
persischen Meerbusen geworden sein: bereits waren
nicht allein aus Phoinike, sondern auch von der andern
παραλία die Bemannung der Schiffe, eine Masse der Pur-
purfischer, andere mit der See sich befassende Arbeiter
(ὅσοι ἐργάται τῆς θαλάσσης) in Babylon angekommen [5]). Da
wird noch Mikkalos mit 500 Talenten nach Phoinike und
Syrien geschickt, um auf der See handthierende Leute
(ὅσοι θαλάσσιοι ἄνθρωποι) zu miethen und zu kaufen,
die die Paralia des persischen Meerbusens und die Inseln
bevölkern sollten. So strömte also die Küstenbevölkerung
dem neuen Lande zu, wohin die Tradition ihre frühern Wohn-

---

1) Arr. III, 16, 16.   4) Arr. III, 6, 6.
2) XVII, 65.   5) Arr. VII, 19.
3) Arr. IV, 7, 1.

sitze verlegt hatte. Jedenfalls würde der Karavanenhandel
mit den arabischen Specereisachen, der bei Gáza mün-
dete, eine bedeutende Veränderung erlitten haben, andererseits aber der syrischen Küste der indische Verkehr zugewiesen sein, der bald um die Südspitze Arabiens nach
Alexandrien geleitet ward.

Alexander's Tod hemmte nicht allein diese eben begonnene Unternehmung, sondern mit ihm treten auf einmal
nicht sowohl die sich durchkreuzenden Interessen des Ei-
gennutzes, der Selbsterhaltung einer Anzahl von Persönlichkeiten, als vielmehr die ganze, bisher mit Mühe
von Einem grossen Gedanken gebändigte in sich so dis-
krete Masse von Naturbedingungen, von Nationalitäten, von
uralten Traditionen streitend auf, bis endlich seit der
Schlacht bei Ipsos selbständige, dauernde Staatskörper neben einander stehen. Die militärische Bedeutung der
philistäischen Küste musste hierbei schwer in's Gewicht
fallen und so ist sie in der That der Schauplatz entscheidender Kämpfe für den Besitz des ganzen Reiches geworden.
Seit jener Consolidirung der Verhältnisse wird sie wieder
das Schlachtfeld und der Siegespreis der zwei hier an einander gränzenden hellenistischen Staaten, Aegypten und
Syrien, die nun über ein Jahrhundert die herrschenden im
Orient sind, bis die Römer die berechnenden Schiedsrich-
ter werden, die endlich auch faktisch diese Küste in Besitz nehmen und somit sie in den grossen Organismus des
römischen Reiches eintreten lassen. Aber es handelt sich —
und das erregt eben ein geschichliches Interesse für diese
beschränkte Strecke — nicht blos um ein passives Ueber-
sichergehenlassen, um die Bedeutung der geographischen
Lage, sondern um ein kräftiges, entschiedenes Parteinehmen und Ausharren, um die Regungen nationalen Sinnes,
um die immer mehr hervortretende Verschmelzung der auf
städtischem Wesen basirten Philistäer und Phöniker mit

dem Hellenenthum im Gegensatz zu dem ἔϑνος der in staunenswerther Energie sich aufraffenden Juden. Wir können sehr wohl für unsere specielle Betrachtung zwei Perioden unterscheiden: die eine von der Schlacht bei Ipsos 301 bis zum Tode des Ptolemäos Philopator oder noch specieller bis zur Belagerung Gaza's durch Antiochos im J. 198, in der Aegypten grossentheils die politische Herrschaft dieser Küste, zugleich mit der ganzen tiefwurzelnden Zuneigung des Volksstammes besass und die zweite, die gewaltsam aufgedrungene seleukidische Herrschaft, die aber bald ziemlich ohnmächtig wird und in sich Raum zu heftigen Kämpfen der einzelnen Stämme und kleinen Staaten lässt, vor Allem aber auch zu einer reichen Entwickelung des freien Städtewesens mit Demokratie und Tyrannis führt. Hier tritt noch einmal der nationale und religiöse Hass der Juden und der heidnischen Küstenbewohner in voller Stärke durch Kampf und Zerstörung auf und hier wird auf gewaltsame Weise das eigentlich philistäische Element in den Städten ausgerottet. Aber nicht der gewaltsam angesiedelte Judenstamm wurzelt hier fest, sondern der neutrale und mit den Philistäern auch hier, wie einst mit Karern und Kretern verschmelzende Hellene besetzt meist das entleerte Terrain oder wandelt seit lange schon mit ansässig den Charakter in einen ganz hellenistischen um.

Ganz Syrien war bei der ersten Theilung[1]) des Reiches unter Perdikkas dem Laomedon aus Mitylene zugefallen, der neben Ptolemäos, Nearchos u. a. zu den bedeutendsten Männern der Umgebung Alexander's gehörig, wohlbewandert auch in den orientalischen Sprachen und Schriften (δίγλωσσος ἐς τὰ βαρβαρικὰ γράμματα) die Aufsicht über

---

[1]) Droysen I, S. 31 — 51. Just. 13, 4. Dexipp. Frgm. in Muller, Fr. hist. III, p. 668.

die vornehmen fremden Gefangenen hatte. In dem Testamente Alexander's bei Julius Valerius[1]) wird zum Syriae rector Uton, wahrscheinlich aus Laomedon durch Abbreviatur entstanden, ernannt, dagegen soll Syria Coele und Phoenice Meleager übergeben werden. Ist dies überhaupt im Plane gewesen, so hat der Untergang Meleager's, der neben den Chiliarch Perdikkas als Hyparchos gestellt war, gleich im Sommer 323 die Ausführung von vorn herein unmöglich gemacht. Wie die Gränze zwischen Syrien und Aegypten lief, ist nicht näher angegeben, doch sagt Arrian[2]), dass zu Aegypten ὅσα τῆς γῆς Ἀράβων ξύνορα Αἰγύπτῳ, ähnlich Dexippos: καὶ τῆς ἐπέκεινα γῆς ὁπόση Αἰγύπτῳ συνάπτει hierbei gerechnet ward, es ist dies also die Landenge von Suez und etwa ein Theil der sinaitischen Halbinsel, der als arabischer Nomos bekannt ist. Für den Küstenstrich giebt uns Plinius[3]) aus Poseidonios oder Alexander Polyhistor, die er in diesem Buche benutzte, die genauste, wie wir bald an einer geschichtlichen Thatsache lernen, für diese Zeit gültige Angabe, wenn er sagt: ultra Pelusiacum Arabia est, ad rubrum mare pertinens, von drei Araberstämmen bewohnt, nur an der Gränze Syriens zum Anbau geeignet, bekannt nur durch den mons Casius — dann fährt er fort: *Ostracine* Arabia finitur — mox *Idumaea* incipit et Palaestina *ab emersu Sirbonis lacus*, also von dem Ἔκρηγμα. Herodot[4]) bezeichnet allgemeiner die Sirbonis, neben dem das Kasion sich zum Meer streckt, als Gränze der Syrer und Aegypter. Danach gehört also ganz Philistäa zu Syrien; das· Gebiet am Kasios war an die Araber schon verloren gegangen. Derselbe Besitzstand ward in dem Vertrage von Triparadeisos unter Antipater's Reichsverweserschaft erhalten[5]), nachdem bereits Perdikkas

---

1) III, 95.
2) Succ. Alex. c. 5.
3) V, 15.

4) III, 5.
5) Arr. Succ. Al. 34. App. Syr. 32.

mit dem Reichsheer die Strasse an der Küste nach Pelusium und weiter den Nil aufwärts gezogen und nach seinem Tode der Rückzug unter Python und Arrhidaeos erfolgt war. Aber Ptolemäos nahm unmittelbar darauf durch einen glücklichen, in Kürze gelungenen Feldzug unter Nikanor (eine σύντομος καὶ πρακτικὴ στρατεία nach Diodor[1])), der von Appian[2]) mit Unrecht zu einer Seeunternehmung gemacht wird, da ja Ptolemäos Phönikien und Kypros brauchte, um eine Flotte erst sich zu schaffen, dem eine Abtretung verweigernden, dann aber gefangen genommenen Laomedon Syrien und Phönikien weg[3]). Er machte die πόλεις κατὰ τὴν Φοινίκην, zu denen, wie das Folgende zeigt, vor Allem auch Gaza gerechnet wird, ἔμφρουροι[4]), legte also ägyptische Truppen hinein und verpflanzte dagegen besonders viel Juden in die ägyptischen festen Städte (φρούρια), sowie deren eine sehr grosse Zahl als Kriegsgefangene von den Soldaten fortgeführt und verkauft wurden[5]); so ward das gewonnene Land an Ptolemäos gekettet[6]). Fünf Jahre blieb Ptolemäos im ungestörten Besitz, und schuf sich hier eine stolze, königlich geschmückte Flotte, mit der er als θαλασσοκρατῶν die Küsten beherrschte und vor Allem Kypros seinem Einflusse unterwarf, bis Antigonos im Jahr 315 v. Chr. nach Besiegung des Eumenes, die Bedingungen seiner frühern Verbündeten abschlagend, unter anderm, dass ganz Syrien dem Ptolemäos bleiben solle[7]), von Kilikien aus seinen Weg in das obere Syrien (ἡ ἄνω Συρία) nahm, die Besatzungen mit einer aus allen Theilen

---

1) XVIII, 43. Eus. Chr. II, p. 352.
2) Syr. 52.
3) Paus. I, 6, 4. Das Dekret des Ptolemäos Philadelphos lautet daher bei Jos. Ant. XII, 2, 3: ὅσοι τῶν συστρατευσαμένων ἡμῶν τῷ πατρὶ τήν τε Συρίαν καὶ Φοινίκην ἐπέδραμον.

4) App. Syr. 52.

5) Jos., Ant. XII, 2. 3.

6) Jos., Ant. XII, 1. c. Apion. I, 22. Vergl. überhaupt Droysen II, 174.

7) Biod. XIX, 57.

Asiens gesammelten Streitmacht aus den übrigen Städten
beim ersten Angriff (ἐξ ἐπιδρομῆς) vertrieb[1]), in Alttyrus
sich lagerte und hier nun die Beschaffung einer ganz
neuen Flotte mit grossartigen Mitteln ·betrieb. Da liess er
die Könige der phönikischen Städte, also jene erblichen
noch erhaltenen Stadtregenten mit Ausnahme des belagerten Tyrus und die ὕπαρχοι von Syrien zu sich berufen; jene wurden mit dem Schiffsbau, diese mit grossen
Getreidelieferungen beauftragt, von denen natürlich das
fruchtbare Palästina, die Sephela nicht den geringsten Theil
getragen hat. Aber neben Tyrus hielt sich noch Joppe
und Gaza und das Erscheinen der ägyptischen Flotte an
der Küste nahm den zu Antigonos Uebergegangenen den
Muth. Es mussten daher diese Haltepunkte der feindlichen
Macht gewonnen werden und so wandte sich die ganze
Streitmacht des Antigonos mit Zurücklassung eines kleinen
Observationscorps nach Süden gegen diese zwei Städte,
die einem Sturmangriff erlagen[2]). Die dort vorgefundene
Besatzung des Ptolemäos ward in die eigenen Reihen vertheilt, dagegen in die Städte eine Besatzung gelegt, die
die Bewohner zum Gehorsam zwingen sollte (φρουρὰν τὴν
ἀναγκάσουσαν πειθαρχεῖν τοὺς ἐνοικοῦντας) — ein deutli-
cher Beweis, dass der Widerstand in der Bevölkerung,
nicht allein in der Besatzung lag[3]). Die Macht des Antigonos erstreckte sich nun über Gaza weit hinaus bis zu
dem sogenannten Ἔκρηγμα, jenem Punkte zwischen dem
Kasion und Rhinokorura, wo ein Durchbruch des Sirbo-
nissees zum Meer künstlich zugeschüttet war[4]). Hier tra-
fen sich gegen Ende des Jahres 315 die beiden Gegner per-

1) Paus. I, 6, 5.
2) Diod. XIX, 59: κατὰ κράτος εἷλε.
3) Diese speciellen Thatsachen
bezeichnet Appian allgemeiner: Φοι-

νίκης τε καὶ τῆς λεγομένης Κοίλης τὰ ἔτι ὑπήκοα τοῦ Πτολεμαίου πρὸς ἑαυτὸν ἀθρόως πε-
ριέσπα.
4) Strabo XVI, 2. p. 371 ed. T.

sönlich, um über Friedensbedingungen zu verhandeln. Diese
zerschlugen sich, Tyrus musste sich nach 15monatlicher
Belagerung ergeben und erhielt Besatzung von Antigonos,
die ägyptische freien Abzug.   Die Unternehmungen zur
See, von Ptolemäos von Pelusium, als Hauptstützpunkt,
von Antigonos von Tyrus aus begonnen, können uns hier
nicht beschäftigen, sowie der Abzug des Antigonos nach
Kleinasien mit Zurücklassung des 22jährigen Demetrios,
um, wie Diodor[1]) sagt, ἐνεδρεύειν. τοὺς περὶ τὸν Πτολεμαῖον, die immer mit einem Heereszuge drohten, sowie
den vorbereitenden Streifzug der ägyptischen Flotte gegen
das obere Syrien und Kilikien[2]), welchen derselbe vergeblich zu hindern suchte.   Nach Appian[3]) war Gaza der
Mittelpunkt für Demetrios gegen die Bewegungen des Ptolemäos von Aegypten aus.   Im Frühjahr 312 (11 Jahre
nach Alexander's Tode und Ol. 117, 1, wie die bei Josephos[4]) angeführten Worte des Chronographen Kastor
aussprechen) unternahm endlich Ptolemäos den lange vor-
bereiteten Angriff mit einem von allen Seiten zusammen-
gezogenen Landheer, das theils aus makedonischen Kern-
truppen, theils aus griechischen Söldnern und einer Menge
zum Tross gehöriger, theilweise auch bewaffneter Aegypter bestand; er wollte durch eine offene Feldschlacht
über den Besitz Syriens entscheiden lassen.   Er rückte
von Pelusium aus durch die Wüste (διὰ τῆς ἐρήμου), wie
besonders der Strich zwischen dem Kasios und Rhinokorura
bezeichnet wird, vor und lagerte sich in der Nähe von
Gaza nahe den Feinden.   Wir haben hier für unsern
Zweck die einzelnen Angaben wohl zu beachten: während
Pausanias[5]) nur von einem μάχῃ κεκρατῆσθαι des Deme-

---

1) XIX, 69.   4) c. Apion., I, 22.
2) Diod. XIX, 80. 81.   5) I, 6, 5.
3) Syr. 53.

trius spricht, sagt Plutarch[1]): περὶ πόλιν Γάζαν ἡττη-
θείς, Diodor[2]): περὶ Γάζαν τῆς Συρίας, ebenso geben
Hekataeos Abderita, ein Zeitgenosse selbst, sowie Kastor
bei Josephos[3]) und Appian[4]) an: περὶ Γάζαν, ebenso Eusebios[5]): superato ad Gazam Demetrio, der Prologus in Trog.
Pomp. hist. XV: Demetrius — Gazae victus est ab Ptolemaeo. Dagegen lesen wir bei Justin[6]): Demetrius prima
belli congressione apud Gamalam vincitur; Gamala ist bekanntlich ein fester, in der Peräa, am See Genazareth ge-
legener Ort, bekannt durch die Belagerung des Vespasian.
Dies ist offenbar ein reines Versehen, da die ganze Beschreibung der Vorgänge, z. B. das Verhältniss zu Asdod,
nur auf die Gegend von Gaza passt, hervorgerufen, wie
es scheint, durch die später gebräuchliche Form Gazara.
Dazu kommt, dass Justin höchst ungenau Ptolemäos im Besitze von Phoenice vor der Schlacht sein lässt. Also Gaza
steht fest: nun aber giebt Diodor[7]) noch eine genauere
Bestimmung: περὶ τὴν παλαιὰν Γάζαν τῆς Συρίας, die
er zweimal hier anführt; im Folgenden ist dann einfach von
Gaza die Rede, jedoch so, dass nothwendig dieselbe Stadt
hier, wie vorher gemeint wird. Auch Eusebios[8]) hat im
armen. Text veterem Gazam delatus und im griechischen
ἐλθὼν εἰς Παλαίγαζαν nach Porphyrios[9]). Es kann hier
nur von der alten von Philistäern bewohnten, von Alexander
eingenommenen und neu bevölkerten Stadt die Rede sein, die,
wie wir sahen, bisher wieder eine grosse militärische Rolle
spielte: es ist aber nicht, wie Droysen sagt, „der seit
Alexander zerstörte Platz, in dessen Nähe sich bald
die neue Stadt erhob,“ so dass also damals bereits eine

1) Dem. 5.
2) XIX, 90.
3) Contra Apion. I, 22.
4) Syr. 53.
5) Chron. p. 183 ed. Mai.
6) XV, 1.
7) XIX, 81.
8) Chron. I, 40. p. 187.
9) Muller, Frgm. hist. t. III, p.
696. 707.

neue Gründung neben der öden Stätte bestanden hätte, wozu
wohl Strabo's durch diese ganze Periode widerlegten Worte
veranlassen konnten [1]) : ὑπέρκειται — καὶ ἡ πόλις — κα-
τεσπασμένη δ᾿ ὑπὸ Ἀλεξάνδρου καὶ μένουσα ἔρημος,
sondern der Ausdruck ist ein von Diodor zunächst für seine
Zeit, wo die römische Neugründung da war, als zur Erklärung nothwendig gebrauchter, daher findet er sich weder
bei Hekatäos noch bei Kastor.

Verfolgen wir nun die Schlachtbeschreibung selbst, soweit sie für uns von Interesse ist. Demetrios hat die in
den Winterquartieren zerstreuten oder entlassenen Soldaten
von allen Seiten nach Gaza berufen und erwartet hier hinter den Mauern den feindlichen Heranzug. Während die
ihm beigegebenen vier erfahrenen Generale jede offene Feldschlacht gegen Ptolemäos und Seleukos widerriethen, be-
schloss er doch muthig diese Gefahr zu bestehen. Nachdem
er in einer Rede von einer Bühne das in voller Waffen-
rüstung erschienene Heer durch sein königliches Aeussere,
seine Schönheit, seine jugendliche, unschuldsvolle Schüchtern-
heit, seine Worte und Versprechungen begeistert hatte,
führte er sie in die Schlachtstellung. Das Schlachtfeld, das
also auf dem Wege nach Aegypten südlich sich erstreckte,
war weit und von weichem Boden, daher für ein Reiter-
und Elephantengefecht (in dem letztern bestand des Demetrios Stärke) besonders geeignet. Die unerwartete Con-
centrirung der Kräfte des Demetrios auf dem linken Flügel,
also nach dem innern Lande zu, führte auch auf dieser
Seite die Entscheidung herbei, die nach dem ersten glücklichen Erfolge der Reiterei desselben, nach einem heftigen Kampfe des Fussvolkes Mann gegen Mann mit der
Vernichtung der Elephanten, die durch ein eisenbeschlage-
nes, mit Ketten verbundenes Pfahlwerk aufgehalten, ver-

---

1) XVI, 2. p. 370.

wundet und zurückgetrieben wurden, und der Umgehung des
Flügels von Seiten der Aegyptier gegeben ward[1]). Demetrios
zog sich in Ordnung mit der Reiterei bis Gaza zurück; hier
löste sich aber alle Zucht, der Wunsch noch von dem Ge-
päck zu retten, welches in der Stadt, die also unmöglich wüste sein konnte, sich befand, führte die Soldaten in
dieselbe, die geöffneten Thore wurden mit Lastthieren aller
Art so gefüllt, der Lärm, die Verwirrung war so gross,
dass die Truppen des Ptolemäos ungehindert in die Mauern
eindrangen und dieser wichtige Platz in die Hände des
Ptolemäos fiel. Demetrios eilte mit seiner Reiterei so rasch
weiter, dass er von Sonnenuntergang bis Mitternacht die
270 Stadien (6¾ d. M.) betragende Strecke bis Azotus
machte und von hier aus erst Unterhandlungen über die
Bestattung der Todten begann, da gerade seine nächsten
Freunde und Rathgeber, meist Ritter gefallen waren. Mehr
als er gewünscht ward ihm zu Theil[2]). Indessen hielt
Ptolemäos eine glänzende Bestattung der auf dem Schlachtfelde Gebliebenen, sandte die mehr als 8000 Mann betragenden Gefangenen nach Aegypten, um sie hier zu vertheilen in die Nomarchien, und rückte selbst weiter. Das
offene Land (τὰ ὕπαιϑρα, οἱ περὶ Συρίαν τόποι bei Hekataios Abderita[3])) fiel ihm sofort zu und die phönikischen
Städte wurden theils durch Güte, theils durch Belagerung
bezwungen, so auch das zum Widerstand am meisten ge-
eignete Tyrus durch eine Meuterei der Soldaten gegen ihren
Feldherrn Andronikos. Die zum Verzeihen geneigte Milde,
Billigkeit, die grossartige Freigebigkeit gewann Ptolemäos
noch mehr die Bewohner Syriens, und es setzte sich hier
die bereits früher begonnene starke Auswanderung der
Juden nach Aegypten, besonders Alexandrien fort, wo ih-

---

1) Ueber die Taktik der Schlacht   2) Just. 15, 1.
s. Rüstow und Köchly, Gesch. der   3) Jos. c. Ap. I, 22.
griech. Kriegskunst. S. 376—378.

‧nen mit den Hellenen gleiche Rechte eingeräumt wurden‚ wo der ‧Hohepriester Ezekias, ein bejahrter, beredter, in‑aller Art Geschäften erfahrener Mann, mit griechi‑ schen Literaten bekannt ihnen die Verhältnisse seines Vol‑ kes genau auseinanderlegte [1]). Ebenso siedelten sich vor diesem Zeitpunkte aber nach Alexanders Tode nach dem‑ selben Zeugnisse viele Juden in Phönike an διὰ τὴν ἐν Συρίᾳ·στάσιν. Was hat diese στάσις ἐν Συρίᾳ, die im Gegensatz zu Phönike Palästina ist, hier zu bedeuten? Der blosse Wechsel der Beherrscher kann hier nicht darun‑ ter verstanden sein, denn der fand ja in Phönike wie in Obersyrien statt, sondern einheimische Spaltung und Kämpfe. Wir können hier wohl mit Recht auf die Feind‑ schaft der Samaritaner und Juden, auf den Aufstand der erst‑en unter Alexander, auf die vereinzelte Notiz endlich hinweisen, dass Perdikkas die urbs Samaritanorum neu er‑ baute [2]).

Der Besitzstand war jedoch für Aegypten nicht gesi‑ chert, obgleich von hier an (von 312, für die Chaldäer von 311) die neue Aera der Verträge, der Hörner (des zwei‑ gehörnten Alexander), der Seleukiden oder der Griechen, da ja Seleukos von Syrien aus den Eroberungszug nach Babylonien das ihm rechtlich gehörige Besitzthum antrat, beginnt [3]). Eine glückliche Waffenthat des Demetrios si‑ cherte diesem den Besitz von Obersyrien (ἡ ἄνω Συρία) und vereitelte den Plan des Ptolemäos, ganz Syrien in Besitz zu nehmen. Die Ankunft des Antigonos mit seiner Armee vergrösserte für ihn noch die Gefahr einer ent‑ scheidenden Schlacht in Syrien, und so zog er es vor, in Aegypten einen Angriff abzuwarten. Er schleifte daher die Befestigungen der bedeutendsten von ihm besetzten Städte‚

1) Hekat. Abder. bei Jos. c. Apion. I, 22.
2) Eus. Can. p. 229.
3) Froelich Aera Sel. p. 9. An‑ not. Ideler Chronologie I, S. 446.

nämlich von Ake in Phönike, Joppe, Samaria, dieser
von Alexander eroberten und mit makedonischen Veteranen
besetzten Stadt[1]) und Gaza, und zog sich mit allen Truppen und Schätzen, so viel er fortbringen konnte, nach
Aegypten zurück[2]). Antigonos war zum zweiten Male
Herr von ganz Syrien und Phönike[3]), somit auch von der
philistäischen Küste und blieb es 6 Jahre lang. Zwei han-
delspolitische Unternehmungen dieser Zeit waren für Gaza
und die Küste vom grössten Interesse, der Versuch des
Antigonos, die Nabatäer, jenes den arabischen Handel
mit Weihrauch an die Küste vermittelnde, daher sehr reiche
Volk, das in Petra, 2 Tagereisen von dem angebauten Lande
entfernt, seinen Zufluchts- und Aufbewahrungsort hatte,
sich dauernd zu unterwerfen, um hierdurch den Weih-
rauchhandel zu monopolisiren und bei der Unternehmung
nach Aegypten die Araber als nothwendige Geleiter, zu
haben, und 2., die wichtige Asphaltgewinnung des todten
Meeres, die in den Händen der herumwohnenden Barbaren, besonders der Idumäer, war und einen sehr grossen
Gewinn durch den Verkauf nach Aegypten zu den dortigen
Einbalsamirungen abwarf, auch der Regierung in die Hände
zu geben. Beide Unternehmungen, die für Aegypten höchst
drückend werden konnten, führten aber zu keinem dauernden Resultate. Ein Grieche, der Historiker Hieronymos von Kardia, verwaltete übrigens unter Antigonos Syrien (ἐπετρόπευεν τὴν Συρίαν[4]), während dieser vielfach
aber vergeblich in Kämpfen um Babylonien mit Seleukos
beschäftigt war. Es schien Syrien aber für immer Antigonos gewonnen, im Jahr 311 ward in einem merkwürdigen Vertrage[5]) ihm ganz Asien zugestanden, dagegen
Ptolemäos auf Aegypten und die συνορίζουσας πόλεις in

1) Droysen, Hellen II, S. 609.   4) Jos. c. Apion. I, 23.
2) Diod. XIX, 93.   5) Droysen, Hell. I, S. 389
3) Diod. XIX, 94.   — 394.

Libyen und Arabien beschränkt, also auf seinen ursprünglichen Besitz. Antigonos gründete im Gefühl dieser Sicherheit als Mittelpunkt seines Reiches Antigonia am
Orontes in prächtigster Weise, um von da, wie Diodor[1])
sagt, ebensowohl Babylonien und den obern Satrapieen
beobachtend nahe zu sein, als τῇ κάτω σατραπείᾳ καὶ
ταῖς ἀπ' Αἰγύπτου σατραπείαις. Und kurz darauf, im Jahr
306 ward auch die ägyptische bis dahin unbesiegte Flotte,
die die Küsten Kilikiens und Syriens bedrohte, bei Salamis
geschlagen, ganz Cypern, gleichsam der Vorposten Syriens, fiel in des Antigonos Hand, und er konnte nun, auch
äusserlich mit dem Diadem geschmückt, die Oberherrschaft
des ganzen Reichs beanspruchend, den lange beschlossenen
Zug gegen Aegypten ins Werk zu setzen. Ein Landheer
von fast 90,000 Mann und 83 Elephanten, eine Flotte von
150 Kriegsschiffen und 100 Transportfahrzeugen, die alle
Arten Kriegsapparat, Geschosse u. dergl. führten, sollten
gleichzeitig agiren. Gaza bildete den Stützpunkt des Un-
ternehmens: hier hatte nach Diodor[2]) das Landheer sich
gelagert, von hier sollte die Flotte nach Aegypten direkt
segeln. Wir haben daher hier jedenfalls eine Hafenstation
anzunehmen, wenn auch vielleicht keine eigene Hafenstadt,
wie später. Das Landheer verproviantirte sich für zehn
Tage, die Araber, seit der zweiten Unternehmung des Demetrios nach Petra in gutem Vernehmen stehend, stellten
die Kamele, um das Getreide und Futter für die Reiterei
zu tragen, anderes Zugvieh führte das Kriegsmaterial (τὰ
βέλη), und so setzte sich das Heer 8 Tage vor der δύσις
der Pleiaden, die nach Plinius[3]) III Id. Nov. fällt, also Anfang November in Bewegung, nicht ohne viele Beschwerden in der Wüste und dann besonders in dem sumpfigen,

---

1) XX, 47.   3) I, 47.
2) XX, 73.

moŕastigen. Terrain.iu der Nähe von Pelusium, den sogenannten Barathra. Noch schlimmer ging es der Flotte in
der für sie höchst gefährlichen Jahreszeit; ein heftiger
Nordsturm trieb einen grossen Theil der Kriegsschiffe in die
Nähe der Stadt R a p h i a, wo der Strand seicht und nicht zum
Landen geeignet ist, die Lastschiffe retteten sich theilweise
wieder nach G a z a. Die besten Schiffe erreichten, gegen
den Sturm ankämpfend, noch das K a s i o n, wo ebenfalls
kein Hafen war und man 2 Stadien vom Lande entfernt
vor Anker liegen musste. Die Küste selbst war dazu bereits ägyptisch, also feindlich. Die Ankunft des Landheeres rettete die Flotte aus grosser Noth. Dies lagerte sich
2 Stadien vom Nil, wo aber alle günstig gelegenen Punkte
bereits vom Feinde besetzt waren. Die glänzenden Ver-
lockungen der Ptolemäer verursachte unter den Soldtruppen
eine grosse Neigung zum Uebergehen. Ein Versuch des
Demetrios auf die sogenannte fa l s c h e M ü n d u n g (τὸ Ψεν-
δοστόμιον, vier Mündungen von den Aegyptern noch später
falsa ora genannt[1])), sowie die P h a t n i t i s c h e schlug fehl,
die sumpfige Niederung weiter westlich machte hier ein
Landen unmöglich und so war der grosse Truppentrans-
port auf der Flotte für das Landheer ohne allen Nutzen,
das selbst täglich mehr in Noth gerieth. Es ward im Feld-
herrnrath ein rascher Rückzug beschlossen und ausgeführt,
auf bessere Rüstung und günstigere Jahreszeit das Unternehmen verschiebend. Aegypten war nun für immer dem
Ptolemäos gesichert.

Man erwartet nun ein sofortiges Vorrücken des Ptolemäos, um das von ihm beansprüchte und besessene untere
Syrien und Phönicien in Besitz zu nehmen; jedoch nichts
weniger als dies: noch vier Jahre bleibt Antigonos Herr
des ganzen Landes. Noch beschränkte Ptolemäos die Ueber-

---

[1] Plin. V, 11.

macht des Demetrios zur See gänzlich auf die Defensive und es galt jetzt alle Kräfte anzustrengen, um den Staat zu retten, der Aegypten nahe verbunden war, der, wie er selbst dadurch reich und gross ward, so Aegypten den ganzen, reichen Export der aus demselben und durch dasselbe gehenden Waaren besorgte, welcher aber gerade deshalb jetzt vernichtet werden sollte, um Aegyptens Handel gänzlich zu lähmen und zugleich ein treffliches ὁρμη- τήριον gegen Aegypten zu erhalten: ich meine Rhodus[1]). Es folgte die ewig denkwürdige Belagerung von Rhodus[2]) in den Jahren 305 — 4, bei der sich Ptolemäos durch wiederholte Sendung von Truppen[3]), einer Flotte mit Proviant[4]) betheiligte und so sich den Namen und die Verehrung als Σωτήρ erwarb. In dem Schlussvertrage musste Demetrios die völlig freien ungehinderten Beziehungen zu Aegypten anerkennen[5]).

Zwei Jahre vergingen, ehe die Coalition der vier Könige, Kassander, Lysimachos, Seleukos, der nun ein grosses Reich vom Euphrat bis Indus und den Jaxartes sich erobert hatte, und Ptolemäos zu Stande kam, in der ausdrücklich Kölesyrien und Phönike für den letzten, dagegen das übrige Asien für Seleukos erworben werden sollte[6]). Während Kleinasien der Schauplatz der entscheidenden, erst sehr zweifelhaften Kämpfe wurde, ehe hier endlich besonders durch Seleukos ungeheure Uebermacht in der Schlacht bei Ipsos Antigonos Heer und Leben verlor und mit ihm der letzte Anspruch auf eine Hegemonie des ganzen, grossen Reiches erlosch, war Ptolemäos im J. 302 mit einer bedeutenden Macht aufgebrochen, hatte fast

---

1) Biod. XX, 81. 82. Plut. Dem. 21. Paus. I, 6.
2) Droysen Hellen I. S. 476 —495.
3) Biod. XX, 88. 94. 98.
4) Diod. XX, 96. 98.
5) Diod. XX, 99.
6) Pol. V, 67.

alle Städte in Kölesyrien (in Phönike wird hier nicht
hinzugefügt) sich unterworfen und lag' vor Sidon, es zu
belagern. Eine falsche, damals sehr wahrscheinliche Nachricht liess · Antigonos als Sieger nach Syrien zurückkehren. Dies .veranlasste Ptolemäos, mit Sidon einen 4monat-
lichen Stillstand abzuschliessen, die unterworfenen Städte
aber mit Besatzungen zu versehen, wozu Gaza, der
Schlüssel Syriens von Aegypten aus, vor allem gehörte,
und mit seinem Heere nach Aegypten zurückzukehren.

: Indessen. kam Seleukos mit ungeheurer Uebermacht
.aus Oberasien in Kappadokien an und die Schlacht bei.
Ipsos ward im folgenden Jahre ohne Dazuthun des Ptolemäos besonders durch diesen entschieden. Hier. setzte Seleukos nun bei den Königen Makedoniens, d. h. Lysimachos und Kassander das Zugeständniss der Herrschaft, über
ganz Syrien (nach Appian [1]) τῆς μετ' Εὐφράτην Συρίας ἐπὶ θαλάσσῃ, nach Polybios [2]). Σελεύκου τὴν ὅλην
Συρίαν ὑπάρχειν) durch, worauf die Seleukiden sich im J.
169 v. Chr. noch beriefen [3]). Die Besitzverhältnisse Kölesyriens in den folgenden Jahren sind bei den nur vereinzelten
lückenhaften Berichten ziemlich dunkel, doch etwas anders
aufzufassen, als dies Droysen [4]) gethan. Dieser nimmt
erst eine Besetzung Kölesyriens durch Seleukos an, wobei
also die ägyptischen Besatzungen vertrieben werden; dann
eine Ueberlassung der Ansprüche an Demetrios und einen
harten Kampf desselben gegen die Palästinenser, endlich
nach 295 eine neue Besetzung und Rückeroberung Syriens
nach dem Abzuge des Demetrios. Vor allem ist zu beachten, dass wie Cypern, so auch Sidon, das ja von Ptolemäos nicht eingenommen wird, somit die wirklichen

---

1) Syr. 55.   4) Hellen. I, S. 557. 544. II,
2) V, 67.   S. 51.
3) Pol. 28. 17.

phönikischen Städte im Besitze des Demetrios vor der Schlacht bei Ipsos sich schon befanden und nachher ihm blieben. Dazu besetzt er noch die Küste Kilikiens, wo er nur hier und da gelandet war[1]. Ptolemäos erkennt von vorn herein die Zugeständnisse nicht an und gewinnt den Lysimachos durch Verheirathung zweier Töchter an ihn und seinen Sohn. Hierdurch wird Seleukos zu einer engern Verbindung mit Demetrios getrieben[2], der durch Flotte und Geld noch mächtig war und Kypros zum Stützpunkt seiner Macht hat, ausserdem die phönikischen Städte noch nicht verloren hat. Demetrios bleibt nun der eigentliche Gegner des Ptolemäos; er hat Tyrus neu besetzt, er scheint aus den südlichen Küstenstädten die Besatzungen vertrieben zu haben. Von dem „schweren Kampfe gegen die widerstrebenden Palästinenser,“ den Droysen[3] annimmt, wissen wir dabei nur aus der einfachen Notiz, die Eusebius aufbewahrt hat[4], dass Demetrios die Stadt Samaria ganz zerstörte (vastat, $\dot{\epsilon}\pi\dot{\delta}\varrho\vartheta\eta\sigma\epsilon$). Diese ist schon oben als makedonische Kolonie und Militärstation genannt und war von Perdikkas neu gegründet. Da tritt Seleukos, in dessen Interesse, für dessen Zukunft ja Demetrios arbeitete, als Vermittler zwischen diesem und Ptolemäos auf und durch ihn ($\delta\iota\dot{\alpha}\ \Sigma\epsilon\lambda\epsilon\dot{\nu}\varkappa o\nu$)[5] wird die Verlobung der Ptolemais mit Demetrios zu Stande gebracht. Hierher gehören nun auch die Worte aus Diodor[6] $\pi\epsilon\varrho\dot{\iota}\ \delta\dot{\epsilon}\ \varkappa o\iota\lambda\tilde{\eta}\varsigma$ $\Sigma\nu\varrho\acute{\iota}\alpha\varsigma\ \delta\iota\dot{\alpha}\ \tau\dot{\eta}\nu\ \varphi\iota\lambda\acute{\iota}\alpha\nu\ \dot{\epsilon}\pi\dot{\iota}\ \tauo\tilde{\nu}\ \pi\alpha\varrho\acuteo\nu\tauo\varsigma\ \mu\eta\delta\dot{\epsilon}\nu\ \pio\lambda\nu\pi\varrho\alpha$-$\gamma\mu o\nu\acute{\eta}\sigma\epsilon\iota\nu,\ \tilde{\nu}\sigma\tau\epsilon\varrho o\nu\ \delta\dot{\epsilon}\ \beta o\nu\lambda\epsilon\acute{\nu}\sigma\epsilon\sigma\vartheta\alpha\iota\ \pi\tilde{\omega}\varsigma\ \chi\varrho\eta\sigma\tau\acute{\epsilon}o\nu\ \dot{\epsilon}\sigma\tau\dot{\iota}\ \tau\tilde{\omega}\nu$ $\varphi\acute{\iota}\lambda\omega\nu\ \tauo\tilde{\iota}\varsigma\ \beta o\nu\lambda o\mu\acute{\epsilon}\nuo\iota\varsigma\ \pi\lambda\epsilon o\nu\epsilon\varkappa\tau\epsilon\tilde{\iota}\nu$, wobei das Letzte sich auf Demetrios bezieht, den auch Lysimachos später nennt: $\pi\lambda\epsilon o\nu\acute{\epsilon}\varkappa\tau\eta\nu\ \ddot{\alpha}\nu\delta\varrho\alpha\ \varkappa\alpha\dot{\iota}\ \pi\tilde{\alpha}\sigma\iota\ \tauo\tilde{\iota}\varsigma\ \beta\alpha\sigma\iota\lambda\epsilon\tilde{\nu}\sigma\iota\nu\ \dot{\epsilon}\pi\iota\beta\epsilon\beta o\nu$-

---

1) Plut. Dem. 31.   4) II, p. 355. ed. Mai.

2) Just. 15, 4.   5) Plut. Dem. 32. 46.

3) II, S. 51.   6) Exc. Vat. p. 43.

λευμένον ¹). Droysen stellt dies gleich nach der Schlacht von
Ipsos ²), aber hier konnte von dem Demetrios als φίλος nicht
die Rede sein, dem κοινὸς πολέμιος ³). Dennoch scheint Ptolemäos den ihm einst zugestandenen Besitz Syriens nicht weiter bei diesem Vertrage urgirt zu haben, der selbst in der
Gegenwart nicht unmittelbare Folgen hatte. Erst mehr
als 10 Jahre später wird ja von Eurydike, der in Milet lebenden, nun lange getrennten Gemahlin des Ptolemäos Ptolemais, die Versprochene ihm zugeführt ⁴), zu einer Zeit,
wo Ptolemäos lange in Griechenland mit Demetrios kämpfte,
eine neue Allianz der vier Könige gegen ihn geschlossen
war ⁵). Doch kehren wir zu dem Frühern zurück: in der
o. a. Stelle deutet bereits Seleukos an, wie er darauf
denke, den übergreifenden, habsüchtigen Bestrebungen des
Demetrios entgegenzutreten und dabei Ptolemäos zu ent-
schädigen. Er that dies nach einiger Zeit, indem er Demetrios Geld zunächst für Kilikien, dann für Sidon und
Tyrus anbot ⁶). Mit Unwillen weist dies Demetrios zurück, er will nicht um schnöden Lohn Seleukos zum
Schwiegersohn haben. Die Städte werden mit Besatzungen gesichert; Demetrios selbst wandte sich mit seiner
ganzen Macht Griechenland und Makedonien zu, dort eine
neue und eine Zeitlang glänzende Rolle zu spielen ⁷).
Da beginnt an der syrischen Küste und um Cypern ein
Kampf, in dem Seleukos und Ptolemäos, beide Demetrios
hier, wie in Griechenland zuerst mehr mittelbar ⁸) bekämpfen. Das sicher stehende Resultat dieses selbst nicht
näher erzählten langwierigen Kampfes ist der Verlust beider Länder für Demetrios. Die Mutter und Kinder, die

1) Exc. Diod. l. XXI. p. 90. ed.
Dind.
2) Hell. I, S. 544. II, 51.
3) Plut. Dem. 31.
4) Plut. Dem. 46.
5) Plut. Dem. 44.
6) Plut. Dem. 33.
7) Droysen Hell. I, S. 563.
8) Plut. Dem. 33

sich in Salamis auf Kypros befanden, werden nach längerer Belagerung [1]) von Ptolemäos mit Ehrenbezeigungen und Geschenken entlassen [2]). Kypros selbst behält nun Ptolemäos, nicht wie Pausanias [3]) ungenau sagt: Σύρους τε αὖθις καὶ Κύπρον εἷλε. Ausdrücklich beruft sich aber Antiochos im Jahr 219 — 218 auf τὴν Σελεύκου δυναστείαν τῶν τόπων τούτων. Der allgemeine Ausdruck des Hieronymus [4]): Ptolemaeum Lagi — ut — Cyprumque obtinuerit et *Phoenicen* beweist für den spätern Besitz nichts, besonders, da erst darauf die Herstellung der Macht des Seleukos genannt wird. Ganz Syrien fällt somit dem S e - l e u k o s zu, um das Jahr 295, wenn nicht mit Zustimmung, doch mit Ignorirung von Seiten des Ptolemäos.

Wie Seleukos und sein Geschlecht faktisch in die von Antigonos und Demetrios errungene Herrschaft über Asien eintritt, so schien auch der folgenden Zeit eine Rechtscontinuität darin zu liegen, und die innere Nothwendigkeit der Verhältnisse bedingte jetzt die Durchbildung eines von dem ägyptischen sehr verschiedenen Regierungssystemes, das Antigonos mit seinen Städtegründungen schon begonnen. Es war dies der reine Gegensatz einer strengen Concentration, eine Bildung einer sehr grossen Zahl kleiner Provinzen und die feste Begründung h e l l e n i s c h e n Wesens in denselben durch die S t ä d t e im Gegensatze zu den ἔθνη, zu den eingebornen, meist nicht in städtischen Wesen lebenden Stämmen. Daher die ausserordentliche Anzahl neuer Gründungen mit Griechen und Juden [5]), die theils ganz neu waren, theils an alte nun umgenannte Städte sich anschlossen [6]) und somit auch die a l t e n Einwohner in das Interesse des neuen Wesens, in das Interesse

---

1) Plut. Dem. 35.
2) Plut. Dem. 38.
3) I, 6, 8.
4) in Dan. XI, 5.
5) Joh Ant. XII, 3.
6) Amm. Marcell. XIV, 8, 5.

für den Gründer zogen. Wie stand aber Kölesyrien, wie
vor allem die philistäische Küste, die uns hier beschäftigt, zu Seleukos und seinem ersten Nachfolger Antiochos I? Der Begriff der *Κοίλη Συρία*, der ursprünglich
speciell den Aulon zwischen Libanon und Antilibanon bezeichnet, umfasst nun gleichsam officiell alles Land über
die Landschaft Seleukis hinaus, wobei der Küstenflus Eleutheros vielfach als Gränze angenommen ward[1]), bis nach
Aegypten und Arabien[2]) und begriff 4 Satrapieen, die wir
einzeln nicht aufgezählt finden, aber doch näher bestimmen können. Strabo theilt Kölesyrien in drei Theile: Kölesyrien s. str., Phönike worunter er den ganzen
Küstenstrich von Orthosia bis Pelusium versteht, und
endlich Judäa, das Binnenland von Gaza bis zum Hermon. Welches war dann die vierte Satrapie? Und ist der
Name Judäa, also von einem damals politisch sehr unbedeutenden Volke entnommen wirklich Name einer Satrapie
gewesen? Bei den Zügen des Antigonos wird uns nur
eine *ἐπαρχία Ἰδουμαία* genannt[3]), die an Arabien gränzte
und am nächsten an Petra lag; es ist darunter der Süden
Palästinas, selbst das Land südlich zu beiden Seiten des
todten Meeres zu verstehen. Wir sahen aber die grosse
Ausbreitung der Idumäer und ihres Namens über Palästina.
Der viel spätere Name *Ἰουδαία* trat sichtlich an die Stelle
eines Theils von *Ἰδουμαία*; dagegen bildete Samareia,
also die nördliche Hälfte Palästinas, mit der militärischen
Hauptkolonie Samareia die vierte Eparchie, die von Plinius[4])
auch neben Idumäa unmittelbar genannt wird. Die Peräa
jenseit des Jordan und weiter südlich erhielt durch eine
grosse Zahl von Gründungen wie Pella, Dion, Gerasa, An-

---

1) Strabo XVI, 2. p. 361 et. T. 3) Biod. XIX, 94.
2) Strabo XVI, 2. p. 365. aus 4) V, 15.
Poseidonios.

tiocheia, das spätere Gadara, Seleukeia, Charax des Antiochos u. a., als sogenannte Dekapolis grössere Bedeutung.
Wie sie aber zu Kölesyrien stand, ob zu Damaskos, Samareia oder Idumaia ganz gehörig oder unter diese vertheilt,
können wir hier nicht weiter untersuchen. Während also
hier Seleukos festen Fuss fasst und eine Reihe hellenischer
Mittelpunkte bildet, während er dann die Juden, die unter
ihm vielfach gedient hatten, als vollberechtigte Bürger,
theils in den Städten Asiens, theils in der κάτω Συρία an-
siedelt, in selbständiger Verfassung unter ihren Hohenprie-
stern lässt gegen einen Tribut von 300 Talenten[1]), so
scheint die Seeküste selbst von ihm und besonders der südliche, mit Städten stark besetzte philistäische Theil weniger beachtet zu sein. Der Grund lag vor Allem darin, dass
Syrien keine bedeutende Seemacht besass, dagegen die des
Ptolemäos mit Cypern als Stützpunkt in der That die Küsten beherrschte. Ausserdem mögen noch bestimmte Versprechungen von Seleukos (συνθῆκαι bei Pausanias[2])) gegeben sein, nie Aegypten feindlich anzugreifen, also auch
nicht in den südlichen Theilen starke militärische Anlagen
zu machen. Ueber die den Seleukiden jedenfalls, freilich
nicht sicher dem ersten angehörigen Neugründungen haben
wir bei der später zu gebenden Uebersicht der Stadt zu
reden.

Mit dem Tode des Seleukos Nikator (Ol. 125, 1 oder
281 im December) und dem kurz vorhergehenden des ersten Ptolemäos lösten sich die bisherigen stillschweigenden
Zugeständnisse zwischen Syrien und Aegypten auf. Aegypten stieg unter Ptolemäos Philadelphos bald auf die Höhe
seiner Macht, der Handel durch Eroberungen im Süden
von Aegypten, durch Anlagen an der südlichen Küste des
rothen Meeres führte Massen des Reichthums hier beson-

---

1) Sever. Sulpit. Sacr. Hist. l. 2.   2) I, 7, 2.

ders in den königlichen Schatz zusammen und auf den
mittelländischen Meere herrschte die ägyptische Flotte;
mehr als 4000 Schiffe verkehrten mit den unterworfenen
Inseln, den Städten Kleinasiens, die ihm gehorchten, und
mit Libyen[1]); ein Heer von 200000 Mann, von 20000 Reitern, 2000 Kriegswagen, 400 Elephanten stand ihm zu
Gebote[2]). Jetzt musste das Verlorne, nie als solches rechtlich Anerkannte, wieder gewonnen werden und die Gelegenheit fand sich bald. Antiochos I, der zu der Herrschaft über das obere Asien nun auch die über Syrien und
die Länder diesseit des Tauros übernahm, sah in der Landschaft Seleukis, also im Herzen des Reiches die Städte
gegen sich in Aufruhr, sah zugleich diese schwierigen
Verhältnisse von andern zum Angriffe benutzt (τοὺς ἐπιϑε-
μένους τοῖς πράγμασιν in der Sigeischen Inschrift[3])) und
musste danach streben, den Umfang der väterlichen Herrschaft wieder zu erwerben (ἀνακιήσασϑαι τὴν πατρῴαν
ἀρχήν), ein Beweis, dass sie bedeutend beschränkt und ge-
kürzt war. Es ist daher die rasche, sofortige Besetzung
von Kölesyrien auf die Nachricht vom Tode des Seleukos
sicher, wenn auch nicht bezeugt[4]). Damaskos ist nach
Polyän[5]) nun sogar im Besitze des Ptolemäos Philadelphos.
Von einem bedeutenden Widerstande konnte hier zuerst
nicht die Rede sein, bei der Empörung im Seleukis, bei
den schwierigen Verhältnissen in Kleinasien, das in lauter
selbständige Streben zu zerfallen strebte. Niebuhr[6]) fasst
die Sache ganz anders, wenn er Damaskos als einzigen
Gewinn des Antiochos von seinem Eroberungszuge
gegen das von Aegypten bisher beherrschte Kölesyrien hin-

1) Kallix. Rhod. bei Ath. V,
36. p. 205. C.
2) Hieron. in Dan. III, 5.
3) Froel. Ann. p. 125. 126. Vgl.
Droysen Hell. II, S. 230.

4) Droysen Hell. II, 231.
5) IV, 15.
6) Kl. Schr. I, S. 269.

stellt, aber von Eroberungszügen kann nach den obigen
Zeugnissen nicht die Rede sein, nur von einem sich Auf-
raffen und Kämpfen um das eben Verlorne.

Achtzig Jahre ist seitdem (280 — 200) mit höchst geringer Unterbrechung Kölesyrien, zunächst die palästinensische Küste unter ägyptischer Herrschaft geblieben
und die uralte, unter Ptolemäos Soter nur gesteigerte Hinneigung derselben zu Aegypten und dessen ganzer Art
und Weise wurzelte jetzt um so fester in allen Lebensbe-
ziehungen: Alexandrien war das Ziel der Kaufleute, das
Ziel Aller, die Aemter suchten und Hofgunst, das Ziel endlich und der Mittelpunkt für alle literarischen und künstlerischen Bestrebungen. Ich habe für diesen Zeitraum
zweierlei hervorzuheben: 1., die Stellung der philistäischen
Städte gegenüber den mannigfachen Bestrebungen Syriens,
sie wieder zu gewinnen, 2., die dauernden innern Beziehungen in Verwaltung, Finanzen und Cultur zu Aegypten. Dass Antiochos I. (280 — 262) in seinem Streben, den
Umfang der väterlichen Herrschaft zu erhalten und wieder
zu gewinnen, den bedeutendsten Verlust, den ganz Kölesyriens nicht ruhig trug, liegt auf der Hand. Ein
Kampf hat hier jedenfalls statt gefunden und ein für Antiochos nicht erfolgloser, wie es in der sigeischen Inschrift
heisst, „in schönem und gerechtem Eifer, mit Hülfe
der Freunde, mit Streitmacht und dem göttlichen
Schutze,“ wie es ausdrücklich vom Memnon [1]) berichtet wird, obgleich Antiochos nach einer Notiz des Justin [2]), besser mit Geld als mit Soldaten versehen war.
Wir erfahren freilich nur die Einnahme von Damaskos,
wo Deinon Strateg des Ptolemäos war [3]), durch Antiochos;
Palästina und Phönike blieb in des Ptolemäos Händen, von

---

1) Hist. Heracl. l. XIV, 15   2) XVII, 2.
bei Mull. Frg. hist. III, p. 534.   3) Polyaen. IV, 15.

dem Theokrit[1]) in seinem Preisgedicht, (das vor der Vermählung desselben mit Arsinoe nach Droysen[2]) geschrieben ist), sagt V. 85 ff.:

$$\varkappa\alpha\grave{\iota}\ \mu\tilde{\eta}\nu\ \Phi o\iota\nu\acute{\iota}\varkappa\alpha\varsigma\ \mathring{\alpha}\pi o\tau\acute{\epsilon}\mu\nu\epsilon\tau\alpha\iota\ \mathring{A}\dot{\varrho}\dot{\varrho}\alpha\beta\acute{\iota}\alpha\varsigma\ \tau\epsilon$$
$$\varkappa\alpha\grave{\iota}\ \Sigma\upsilon\varrho\acute{\iota}\alpha\varsigma\ \varLambda\iota\beta\acute{\upsilon}\alpha\varsigma\ \tau\epsilon\ \varkappa\epsilon\lambda\alpha\iota\nu\tilde{\omega}\nu\ \tau^{\flat}\ A\mathring{\iota}\vartheta\iota o\pi\acute{\eta}\omega\nu.$$

Der eigenthümliche Ausdruck: $\mathring{\alpha}\pi o\tau\acute{\epsilon}\mu\nu\epsilon\tau\alpha\iota$ mit Genitiv in
Mitten der andern scheint darauf hinzuweisen, dass diese
Länder nicht ganz in seiner Gewalt waren, sondern nur
theilweis, was ja auch von Arabien, von Libyen beson-
ders gegenüber dem Magas und Demetrios[3]) ebenso wahr
war, als von Syrien. Auch der nördlichste Theil Phönikes, so Arados, das in der ganzen folgenden Zeit den
Seleukiden grosse Dienste leistet, und seit 258 durch eigene
Aera seine Selbständigkeit bezeugt, gehörten jedenfalls an
Antiochos, der in Verbindung mit Magas von Kyrene den
Plan eines unmittelbaren Angriffes auf Aegypten ($\mathring{\epsilon}\lambda\alpha\acute{\upsilon}\nu\epsilon\iota\nu$
$\mathring{\epsilon}\pi^{\flat}\ A\mathring{\iota}\gamma\upsilon\pi\tau o\nu$) vielfach entwarf, aber nie zur Ausführung
brachte, da die damals allmächtige Flotte Aegyptens ihn
an den verschiedensten Punkten der kleinasiatischen Küste
beschäftigte, ja bedrohte[4]). Auch der Nachfolger von An-
tiochos I., Antiochos II. $\mathring{o}\ \vartheta\epsilon\acute{o}\varsigma$ (261 — 246) setzte den
Kampf fort, der aber nicht in Syrien, dem Objekt desselben,
sondern in Kyrene, Kleinasien und Griechenland zur See vor
Allem geführt ward (daher spricht Hieronymus[5]) von bella
quam plurima) und nach beiderseitiger Ermüdung[6]) zu einem
Friedensschlusse führte, in dem ein verwandtschaftliches
Band zwischen beiden Reichen durch Vermählung der Berenike, des Philadelphos Tochter, mit Antiochos II. abgeschlossen ward, während der Thronfolger in Aegypten die

---

1) Id. XVII.

2) II, S. 239.

3) Droysen II, S. 294.

4) Paus. I, 7. Theokr. Id. XVII,
v. 98 — 102.

5) In Dan. XI, 5.

6) Hieron. Dan. 5.

ihm schon früher zugesagte Berenike von Kyrene und mit ihr dies Reich selbst erhielt [1]). Nicht Land und Leute, sondern ungeheure Summen Geld erhielt die φερναφόρος mit und ward bis Pelusium von ihrem Vater geleitet, um also von da zur See übergeführt zu werden.

Der fast gleichzeitige Tod des Ptolemäos Philadelphos (nach d. 24. Oktbr. 247) und des Antiochos Theos (Anfang 246) zerriss rasch die geknüpfte Verbindung [2]). Die Verfolgung, die furchtbare Ermordung der Berenike und ihres Kindes durch Laodike rief ihren Bruder Ptolemäos III Euergetes [3]), dem die väterliche Erbschaft Aegypten, Libyen d. h. die Küste zwischen Aegypten und Kyrene, Syrien (d. h. Kölesyrien), Phönike, Kypros, Lykien, Karien und die Kykladen zugebracht hatte [4]), zur Invasion in das Reich der Seleukiden, während die mächtigen Städte der kleinasiatischen Küste sich erhoben. Ein gewaltiges Heer zu Fuss, zu Ross, mit den erst kürzlich zum Kriegsgebrauch gebändigten troglodytischen und äthiopischen Elephanten bewegte sich durch Phönike und Kölesyrien, eine Flotte zur Seite [5]). Ganz Syrien mit Ausnahme von Orthosia fiel in seine Hände [6]), bald alles Land diesseit des Euphrat und Kleinasien und ein Siegeszug führte den Ptolemäos bis tief nach Hochasien [7]). Es schien ein neues Weltreich ganz Asien und Aegypten umfassen zu sollen, doch Ptolemäos rief ein einheimischer Aufstand zurück und er zog es vor, die grossen, fernen Eroberungen befreun-

---

1) App. Syr. 65. Polyh. bei Ath. II, 23. p. 45. C. Hieron. in Dan. 12, 5.

2) Die Zeit des Seleukos II Kallinikos chronologisch genau zu bestimmen und die Thatsachen einzuordnen versucht zuletzt C. Müller in einem Exkurs zu Porphyrios Frgm. hist. III, p. 708 ff.

3) Poly. Strateg. VIII, 50.

4) Mon. Adulit. bei Froel. Ann. p. 127 u. jetzt C. J. n. 5127, a. Zeile 7.

5) Mon. Adul. a. o. O.

6) Von Damaskus wird auch gesagt Eus. Chron. I, 40. p. 189: occupavit, dagegen von Orthosia: obsidione cinxit.

7) Mon. Ad. a. a. O.

deten Männern, wie es scheint unter ägyptischer Oberhoheit,
zu geben, selbst nur für sich ganz Syrien behaltend
(Syriam quidem ipse obtinuit, Ciliciam autem amico suo
Antiocho *gubernandam* tradidit et Xantippo alteri duci pro-
vincias trans Euphratem)[1] von dem um 243 an den aus
Kappadokien zurückkehrenden Seleukos zunächst die Ueber-
gangsstationen des Euphrat durch die Gründung von Kallini-
kon, dann auch die Seleukis verloren ging, sowie später weiter
südlich Damaskos und Orthosia (Ol. 134, 3. 242 v. Chr.) entsetzt
wurden[2]. Ja nach Veränderung der für uns hier nicht in Betracht kommenden Verhältnisse Kleinasiens greift Seleukos
(nach Justin[3]) velut par viribus) Ptolemäos selbst in Syrien an,
wird aber gänzlich geschlagen und flüchtet verlassen nach
Antiochien. Seit dieser Zeit sicher, nach Polybios schon
seit früher von dem ersten Siegeszug des Ptolemäos her
ward Seleukeia am Meer, nahe am Ausflusse des Orontes, die wichtigste Position an der eigentlich syrischen
Küste (ἀρχηγέτιν — καὶ σχέδον ὡς εἰπεῖν ἑστίαν ὑπάρχου-
σαν τῆς αὐτῶν δυναστείας nennt sie Apollophanes, selbst
ein Seleukeer im geheimen Kath des Antiochos III), welche
in Feindes Hand fortwährend den Kern des Reiches bedrohte,
dagegen den trefflichsten Ausgangspunkt für See- und Land-
unternehmungen bot, von ägyptischen Truppen besetzt und
blieb es, ein sichtbares Zeichen der ptolemäischen Uebermacht, an 20 Jahre[4] lang. Eine doppelte Einnahme
von Seleukeia, die eine früher, die andere kurz vor 235,
wie sie Niebuhr[5] und Droysen[6] annnehmen um der Stratonike willen, da doch der zehnjährige Friede $\frac{240}{239}$[7])
abgeschlossen war, ist weder bezeugt noch gerechtfertigt.

1) Hieron. in Dan. XI, 6.
2) Euseb. Chron. I, 40. p. 189.
3) XXVII, 2.
4) Pol. V, 58.

5) Kl. Schr. I, S. 282.
6) II, S. 421.
7) Just. XXVII, 2. Droysen,
Hell. II, S. 359.

Stratonike konnte sehr wohl bei dem zu späten Ausfahren von syrischen Schiffen abgefangen werden; ausserdem ist ihre Rolle, als Aufruhrstifterin in Antiochien, ihr Verhältniss zu Antiochos, der ja eben jenen Frieden nicht anerkannte, also Ptolemäos 'feindselig war, viel zu unklar, um darauf eine Erneuerung des Kampfes gegen Seleukos zu gründen. Während die seleukidische Macht im Osten durch die Eroberungszüge des Seleukos sich neu consolidirte, dagegen Kleinasien an die Pergamener und an Aegypten verloren ging, blieb Kölesyrien und Phönike bis an den Eleutheros, südlich von Arados, blieb Seleukeia im ruhigen Besitze Aegyptens. Bis zu dem Tode des Ptolemäos III Euergetes ($\frac{2}{2}\frac{2}{2}\frac{3}{2}$) sind die zu Aegypten, also schon durch ruhige Succession [1]) gehörigen Länder der Gegenstand grosser Fürsorge und Aufmerksamkeit von Seiten der Regierung gewesen. Polybios [2]) schildert uns trefflich dies Verhältniss: „Für die auswärtigen Verhältnisse, sagt er, sorgten die frühern Könige nicht weniger, ja mehr als für die Herrschaft in Aegypten selbst. Standen sie doch dem Könige Syriens zu Land und Wasser drohend nahe als Herren von Kölesyrien und Kypros, sich zur Seite hatten sie die Dynasten Asiens und ebenso die Inseln, im Besitz der bedeutendsten Städte, Orte, Häfen auf der ganzen Küste von Pamphylien bis zum Hellespont und der Gegend von Lysimachia; ihr Auge hatten sie gerichtet auf die Verhältnisse in Thrake und Makedonien, Herrscher der Städte bei Ainos, Maroneia und noch weiterhin. Und auf solche Weise weithin die Hände ausgestreckt, vor sich weit ihre Besitzungen vorschiebend, waren sie nie um den Besitz Aegyptens in Verlegenheit." In der That musste hier ein

---

1) Hieronymns in Dan. XI, 7 spricht zu allgemein: *Syriam quae eo tempore tenebatur* a Ptolemaco Philopatore, dann aber richtig hervorhebend: *Syriam quae per successionem* jam a regibus Aegypti tenebatur.

2) V, 34.

24*

Wechselverkehr der einzelnen Länder bei Aegyptens unbestrittener Seeherrschaft, eine Hebung des ganzen materiellen Lebens eintreten, ein Wohlstand, von dem wir nur einzelne, aber wahrhaft in Erstaunen setzende Zeugnisse haben. Ehe wir diese innern Verhältnisse näher ins Auge fassen, führen wir die äusseren bis zu dem gänzlichen Verluste Kölesyriens für Aegypten, bis zu der drohenden, übergreifenden Stellung des durch Antiochos III fast neu eroberten Seleukidenreiches und dem Beginn der Einmischung einer westlichen Macht, der Römer.

Polybios begann seine Universalgeschichte mit Ol. 139 oder $2\frac{23}{22} - 2\frac{10}{18}$, mit dem gleichzeitigen Auftreten dreier neuer Regenten, des 18jährigen Philippos von Makedonien, des 15jährigen Antiochos III, Bruders des nur drei Jahre (326 — 323) regierenden Seleukos III Keraunos, und des Ptolemäos IV Philopator (von 222 an) in Aegypten, zugleich mit den gleichzeitigen Vorbereitungen und dem Ausbruche des zweiten punischen, des Bundesgenossenkrieges in Griechenland zwischen Philipp und den Achäern gegen die Aetoler und endlich des kölesyrischen Krieges[1]). Während er die frühern Zustände in Italien und Karthago in Griechenland übersichtlich darstellt, hält er dies bei Asien und Aegypten nicht für nothwendig, da gerade mehrere hier die Geschichte der frühern Vorgänge behandelt hätten und so die Verhältnisse allgemein bekannt seien und in seiner Zeit, die er behandeln will (222 — 146) nichts so ganz Ausserordentliches ($\pi\alpha\varrho\acute{\alpha}\lambda o\gamma o\nu$) vom Schicksal ihnen begegnet sei, um Früheres deshalb neu zu erzählen. Sein Häuptinteresse ruht bekanntlich auf der Darstellung des Berufs Roms zur Weltherrschaft und des Verhältnisses, das Hellas dazu einzunehmen hat. Daher treten Syrien und Aegypten mehr in den Hintergrund, so weit hier nicht die Rö-

---

[1] Pol. I, 3. II; 37. III, 1. IV, 1. 2. XL. s. fin.

mer eingreifen. ˗ Aber er stellt von vorn˗herein gleichsam die drei Grundverhältnisse der Zeit hin: Rom und Karthago, Hellas und Makedonien, Aegypten und Syrien; mit seiner ganzen Partei im achäischen Bund den Ptolemäern zuge˗ than, aber fortwährend die Verhältnisse zu Syrien wie Aegy˗ pten abwägend[1]), selbst einst als Gesandter in Aegypten, hat er die Verhältnisse beider Reiche genau gekannt. Seinen leider in Fragmenten nur noch erhaltenen Berichten haben wir hier vor Allem zu folgen.

Während Ptolemäos Philopator nach der Beseitigung sei˗ ner energischen, die Herrschaft, wie es scheint, für den bei den Soldtruppen beliebten, zweiten Sohn Magas erstreben˗ den Mutter Berenike und ihres Anhangs, ferner seines Oheims Lysimachos[2]) sich ganz einem geistreich liederli˗ chen Leben hingab, während er dichtend, Philosophen um sich versammelnd, in Liebeshändeln und Trinkgelagen Zeit und Kraft vergeudend im Festrausch hinlebte ($\pi\alpha\nu\eta\gamma\nu\varrho\iota\textrm{-}$ $\kappa\acute{\omega}\tau\varepsilon\varrho\textrm{o}\nu$ $\delta\iota\tilde{\eta}\gamma\varepsilon$ $\tau\grave{\alpha}$ $\kappa\alpha\tau\grave{\alpha}$ $\tau\grave{\eta}\nu$ $\mathring{\alpha}\varrho\chi\acute{\eta}\nu$), schwer zugänglich und ohne Aufmerksamkeit für die Beamten des Staates, voll Verachtung und Leichtsinn in den auswärtigen Verhältnis˗ sen, alles seinen Günstlingen Agathokles und Sosibios über˗ lassend, wurde der junge Antiochos III von dem Karer Hermeias, der bereits unter Seleukos III eine hohe Stel˗ lung eingenommen ($\pi\varrho\textrm{o}\varepsilon\sigma\tau\grave{\omega}\varsigma$ $\tau\tilde{\omega}\nu$ $\mathring{o}\lambda\omega\nu$ $\pi\varrho\alpha\gamma\mu\acute{\alpha}\tau\omega\nu$), und auf diese Weise allein allmächtig gegenüber den andern Gliedern des Synedriums zu werden hoffte, fortwährend an˗ gestachelt, die Hand nach Kölesyrien auszustrecken und gegen seinen Oheim Achaios, der diesseit des Tauros das Reich verwaltete in allerdings wahrhaft königlicher Macht[3]), als einen geheimen Verbündeten des Ptolemäos zu verfahren. Obgleich der Aufstand in dem obern Asien

---

1) Pol. XXIX, 8. 9.   3) Pol. IV, 2.
2) Pol. XV, 25.

durch Molon und Alexandros sich welter ausbreitet, werden die Rüstungen, wie es nach Hieronymus[1] scheint,
schon unter Seleukos III begonnen, gegen Kölesyrien gerichtet und Antiochos selbst zieht an der Spitze des Heeres
von Laodikea, als ὁρμητήριον durch den Kölesyrien von
Seleukis trennenden wüsten Landstrich in das bereits Ptolemaios gehörige Thal (αὐλών) Marsyas zwischen Libanon und Antilibanon, die Städte, die am Wege lagen, an
sich ziehend. Aber der engste Theil des Thales durch
Sümpfe in der Mitte und Röhricht, wo der μυρεψικὸς κά-
λαμος geschnitten ward, und zwei hochragende Festen, die
in ihren Namen ihre Bestimmung ankündigten, Brochoi
(Schlinge) und Gerrha (Schranken, Verhaue[2]) sehr ver-
engt, ward durch Theodotos den Aetoler, den ägyptischen τεταγμένος ἐπὶ Κοίλης Συρίας, also den militäri-
shhen Oberbefehlshaber mit Gräben, Verhacken und Wa-
chen wohl besetzt. Der Angriff schlug fehl und Antiochos
muss sich zurückziehen[3]. Die Bekämpfung des Aufstandes von Molon, der bereits ganz Babylon sich unterworfen, der Zug in die bisher von Griechen noch unberührt
gebliebene Landschaft Σατραπεῖαι oder Atropatene, der
Sturz des Hermeias, die Verhandlungen mit Achaios, der
nun das Königsdiadem sich umgebunden und im Begriffe
stand Syrien zu occupiren, verzögerten um zwei Winter
(περὶ τροπὰς χειμερινάς ist Antiochos in Antiocheia in
Mygdonien[4]); bei der Rückkehr nach Syrien διαφεὶς τὰς
δυνάμεις εἰς παραχειμασίαν)[5] die nicht aufgegebene Unternehmung gegen Kölesyrien. Jetzt nach dieser gewaltigen,
innern Kräftigung des Reiches lebte Antiochos ganz für den

---

1) in Dan. XI, 6.
2) Ueber die Bedeutung der
γέῤῥα als Schwellen von Flechtwerk
auf der ἀγορά zu Athen s. Wester-
mann in Abhdl. Leipz. Ges. Wiss.

Hist. philol. Kl. 1850. III, S. 165
— 175.
3) Pol. V, 45. 46.
4) Pol. V, 51.
5) Pol. V, 57.

Gedanken dieser Occupation. Grosse Zurüstungen wurden im folgenden Frühjahr 219 gemacht; Apamea war der Mittelpunkt derselben. Es galt vor Allem die Flotte bei den Operationen des Landheeres mitwirken zu lassen, ja hiermit einen Angriff auf Aegypten selbst zu versuchen; aber da musste erst Seleukeia, jene von den Aegyptern besetzt gehaltene, so wichtige Seestadt, gewonnen werden. Es gelang dies theilweise durch den Verrath der Unterbefehlshaber (οἱ κατὰ μέρος ἡγεμόνες), zugleich durch einen energischen Sturm. Die vertriebene Partei ward zurückgerufen, die 6000 freien Bürger darin blieben gesichert und eine syrische Besatzung nahm Burg und Hafen ein [1]). Zu gleicher Zeit ward Antiochos geradezu durch eine Partei nach Kölesyrien gerufen. Theodotos, jener schon erwähnte Aetoler, der Oberbefehlshaber in Syrien, hatte mit Panätolos und andern Freunden, wie es scheint lauter fremden Führern der μισθοφόροι aus Unmuth über den Undank des Ptolemäos, über die Kabalen des Hofes, über die gänzliche Vernachlässigung des Militärwesens [2]), in Besorgniss vor einem ähnlichen Schicksal, als Kleomenes kürzlich betroffen, sich selbständig hingestellt, die zwei Haupthafenplätze Tyrus und Ptolemais, das alte Ake, das hier [3]) zuerst als ptolemäische Neugründung genannt wird, besetzt und lud den Antiochos zur Besitznahme ein, er übergab ihm, wie es heisst, τὰ κατὰ Κοίλην Συρίαν [4]). Nun war Theodotos ὁ ἡμιόλιος bereits von Antiochos mit bedeutender Macht vorausgesandt um καταληψόμενος τὰ στενὰ καὶ προκαθησόμενος τῶν αὐτοῦ (des Antiochos) πραγμάτων; diese στενὰ können nach dem auch im Vorigen gegebenen Wege keine andern sein, als die von Brochoi und Gerrha, da ja das nachfolgende Hauptheer ausdrücklich den Weg zog ἢ καὶ

---

1) Pol. V, 60, 61.   3) Pol. V, 61.
2) Just. XXX, 1.   4) Pol. V, 40. 61.

$\pi\varrho\acute{o}\sigma\vartheta\varepsilon\nu$ [1]). Dass die Besetzung der $\sigma\tau\varepsilon\nu\acute{a}$ selbst, nämlich
jener $\pi\acute{a}\varrho o\delta o\varsigma$ zwischen Sumpf und Gebirge nicht ge-
lungen, davon haben wir kein Anzeichen; im Gegentheil
ist es sehr wahrscheinlich, dass Theodotos, der damals vor
drei Jahren die Befestigung und die Vertheidigung der $\sigma\tau\varepsilon\nu\acute{a}$
selbst geleitet, jetzt alles that, um sie offen zu erhalten.
Dagegen wird die Besatzung von Brochoi schon des Schei-
nes halber nicht die Feste ohne Weiteres übergeben haben.
Um diese handelt es sich das zweite Mal aber nur: $\pi o\lambda\iota o\varrho$-
$\varkappa\varepsilon\tilde{\iota}\nu$ $\tauo\grave{v}\varsigma$ $B\varrho\acute{v}\chio\upsilon\varsigma$ $\tau\grave{o}$ $\varkappa\varepsilon\acute{\iota}\mu\varepsilon\nuo\nu$ $\dot{\varepsilon}\pi\grave{\iota}$ $\tau\tilde{\eta}\varsigma$ $\lambda\acute{\iota}\mu\nu\eta\varsigma$ $\varkappa\alpha\grave{\iota}$ $\tau\tilde{\eta}\varsigma$ $\pi\alpha$-
$\varrho\acute{o}\delta o\upsilon$ $\chi\omega\varrho\acute{\iota}o\upsilon$. Antiochos weiss zuerst nicht, was er mit
den Anerbietungen des Theodotos machen soll, er lagert
daher bei dem Engpasse von Brochoi, nicht vor demselben;
auf die Nachricht aber von der Belagerung des Theodotos
in Ptolemais durch den ägyptischen Feldherrn Nikolaos,
also von der Gewissheit der ganzen Stellung des Aetolers
eilt er vorwärts ($\pi\varrho o\tilde{\eta}\gamma\varepsilon$), also durch die $\sigma\tau\varepsilon\nu\acute{a}$ weiter
mit den Leichtbewaffneten, überlässt dagegen dem schwer
bewaffneten Theile Brochoi zu belagern, um im Rücken
keinen Feind zu haben. Nun soll ihm der Uebergangspass
zur Küste bei Berytos ($\tau\grave{a}$ $\sigma\tau\varepsilon\nu\grave{a}$ $\tau\grave{a}$ $\pi\varepsilon\varrho\grave{\iota}$ $B\eta\varrho\upsilon\tau\acute{o}\nu$), der
von Droysen [2]) richtig als Pass von Zaleh bestimmt ist,
verlegt werden. Er greift die Feinde an, schlägt sie in
die Flucht, setzt sich hier fest, erwartet hier den übrigen
Theil seiner Armee, dem indessen Brochoi sich ergeben
haben wird, trifft hier alle Anordnungen für die folgende
Unternehmung und zieht mit der ganzen Macht an dem Küstenland vorwärts. Dies ist die genau nach Polybios Werke
gegebene Darstellung des Zuges. Der Pass von $\beta\varrho\acute{o}\chio\iota$ mit
dem Sumpfsee ist zugleich sichtlich identisch mit der Gegend
des $A\acute{\iota}\gamma\acute{v}\pi\tau\omega\nu$ $\tau\varepsilon\tilde{\iota}\chio\varsigma$, das Strabo in die Nähe der Orontesquel-
len, des Libanon d. h. seiner höchsten Erhebung und des Para-

---

1) Pol. V, 61.   2) Hellen. II, S. 696.

deisos oder Triparadeisos selbst legt, er befindet sich allerdings im Marsyasthal auf der Wasserscheide vom Orontes und Leontes, nördlich von Balbek. . Droysen ist zu seiner sehr künstlichen Erklärung[1]), die einen kleinen Nebenpass zur Hauptstrasse — den zog doch gewiss der schwere Theil der Armee —, macht, getrieben worden durch Nichtbeachtung des Unterschieds der στενά selbst und der Festung daneben.

Nikolaos hatte die Belagerung von Ptolemais aufgegeben, Theodotos und seine Freunde sich auf eem Wege mit Antiochos vereint, Tyrus und Ptolemais nebst den dort vorhandenen Rüstungen, darunter 40 Fahrzeugen, von denen 20 vortrefflich gearbeitete κατάφρακτα waren und wenigstens Vierruderer, fielen ihm zu. Diognetos vereinigte diese Flotte mit der seinigen, aber der Plan, direkt mit ihr auf Pelusium loszugehen, musste aufgegeben werden, da dort bereits die Truppen sich gesammelt, die Kanäle geöffnet, die Brunnen verstopft waren. Es ist daher sehr ungenau, wenn Justin[2]) sagt: repentino bello multas urbes ejus oppressit *ipsamque Aegyptum* aggreditur, worauf dann erst die Verhandlungen folgen. Mehr Sinn hätte es gehabt, wenn darunter der Zug nach Raphia verstanden werden könnte, der aber erst jenen Verhandlungen folgt. Jetzt galt es, auf dem Landwege vorwärts rückend, die von den Aegyptiern besetzt gehaltenen Städte sich zu unterwerfen. Gütliche Vorschläge und Ueberraschung vermochten nur die unbedeutenden derselben ohne Weiteres Antiochos zuzuwenden, dagegen alle die, welche auf ihre kriegerischen Mittel und ihre feste Lage vertrauten (αἱ πιστεύουσαι ταῖς παρασκευαῖς καὶ ταῖς ὀχυρότησι τῶν τόπων) liessen es auf langwierige Belagerung ankommen (προσκαθεζόμενος πολιορκεῖν) und damit verging die Zeit. Unter diesen letztern Städten war jedenfalls G a z a, der grosse Waffenplatz seit Alexander d. Gr., mit die bedeu-

---

1) Hell. II, S. 696.   2) XXX, 1.

tendste, neben welchen Joppe und Samaria wir schon früher
als Hauptfesten erwähnen mussten. Aber bis dahin war
Antiochos noch nicht gelangt, sondern Dora, die alte Ka-
nanäerstadt auf felsiger, in die See vorspringender Höhe, in
die sich Nikolaos geworfen, trotzte allen Angriffen.

Es war daher Antiochos sehr angenehm, dass man von
Aegypten aus scheinbar allen Krieg aufgebend [1]), durch Gesandtschaften verhandeln liess, die freien, befreundeten
Städte, wie Rhodos, Byzanz, Kyzikos sowie die Aetoler
zur Vermittelung mit veranlassend. Er selbst wollte bei
Herannahen des Winters ($συνάπτοντος$ — $τοῦ$ $χειμῶνος$ [2]))
sein Heer in Seleukeia überwintern lassen, da Achaïos bereits
drohend an der Gränze Syriens stand. Daher ward ein vier-
monatlicher Waffenstillstand geschlossen. Antiochos liess
an den geeigneten Plätzen Besatzungen zurück und be-
traute zugleich Theodotos mit der Fürsorge für das Gewonnene, er kehrte nach Seleukeia zurück mit der festen Er-
wartung, zu einem Kriege werde es nicht kommen, auch
die übrigen Theile Kölesyriens würden sich freiwillig, durch
Verhandlungen ($διὰ$ $λόγου$) übergeben. Seleukeia und Memphis waren der Sitz der officiellen Verhandlungen, die von
beiden Seiten auf das frühere Recht und Besitz basirt zu keinem Resultate führten. Indessen hatten die Lenker Aegyptens mit der grössten Energie die Schöpfung einer Heeresmacht begonnen; Alexandrien, von wo der Hof und Kö-
nigssitz verlegt war, ward der Waffenplatz und die Stätte
für die Aufhäufung der Waffen- und Proviantvorräthe.
Polybios giebt uns ein interessantes Bild der dortigen militärischen Thätigkeit [3]): Eintreffen des Werbecommandos,
Vertheilen nach Alter und Stamm, Bewaffnung, Bildung
ganz neuer Cadres, Exercitien, Manoeuvres, aufmunternde

---

1) Pol. V, 63.   3) V, 63 — 65.
2) Pol, V, 66.

Reden folgten einander; erfahrene griechische Condottieris
an der Spitze, zum Theil aus sehr guten, vornehmen Familien: ein buntes Heer aus Aegyptiern, d. h. dort einheimischen Hellenen, meist aus griechischen Soldtruppen, aus
Libyern, Kretern, Neokretern, Thrakern, Galliern gemischt!

So kam das Frühjahr heran[1]) und zwar des Jahres
der Consuln P. Cornelius und Tib. Sempronius[2]), in welchem Hannibal seinen Zug angetreten, in dem nach Abbruch
der Verhandlungen der offene Krieg zwischen Syrien und
Aegypten begann, wurde doch der vorjährige Zug des An-
tiochos als ein wahres $\pi\alpha\varrho\alpha\sigma\pi\acute{o}\nu\delta\eta\mu\alpha$, gleichsam als ein
Raubüberfall betrachtet. Nikolaos, ebenfalls ein Aetoler,
wie fast alle hervorragenden Kriegsmänner der Zeit, hatte
bedeutendere Vollmacht erhalten, Landtruppen stiessen zu
ihm, bedeutende Vorräthe concentrirte man für ihn $\varepsilon\grave{\iota}\varsigma$
$\tau o\grave{v}\varsigma\ \varkappa\alpha\tau\grave{\alpha}\ \Gamma\acute{\alpha}\zeta\alpha\nu\ \tau\acute{o}\pi o\upsilon\varsigma$[3]), so dass also Gaza der
Stützpunkt der Unternehmung wird. Eine bedeutende Flotte
unter Perigenes segelt seinen Befehlen gehorsam an der
Küste hin, bestehend aus 30 Kriegsschiffen und 400 $\varphi o\varrho$-
$\tau\eta\gamma o\acute{\iota}$. Jetzt galt es, denn noch war Sidon in der Aegypter Hand, weiter nördlich einen Küstenpass zu besetzen.
Es war dies der von Platanos und Porphyrion südlich vom
Flüsschen Damuras (auch Tamyras, j. Nahr ed-Damûr)
gelegene auf halbem Wege nach Berytos, wo der Weg
durch den Aulon mit dem Küstenweg bereits sich vereinigt
hat, war doch der Aulon beim frühern Zuge schon von Antiochos besetzt. Der Pass wird durch einen zwischen dem
Gebirgsabfall (der $\pi\alpha\varrho\acute\omega\varrho\varepsilon\acute\iota\alpha$) und dem Meer quer sich erstreckenden, schwer zugänglichen Bergrücken gebildet. An-
tiochos zog von Seleukeia diesmal an der Küste über Ma-

1) Pol. V, 68. 3) Pol. V, 68.
2) a. u. c. 536 = 218 v. Chr.

ràthos, Arados, die den Seleukiden immer treu ergebene
Stadt, dessen nahes Bündniss gern angenommen ward, bei
dem nördlichen Seeabfall des Libanon, dem Θεοῦ πρόσωπον
in Kölesyrien eintretend, Städte überraschend, aber auch
niederbrennend. Während ein leichtes Corps unter Nikarchos und Theodotos unterwegs abgesendet wird, um die
Pässe am Lykosfluss zu besetzen, die eine weiter aufwärts
in diesem Thale gehende Diversion gemacht haben müssen,
da sie erst am Tamyras wieder zum Hauptheer stossen,
zieht das Hauptheer die Küstenstrasse weiter nach Berytos
und an den Tamyras. An dem Passe selbst standen sich
zuerst Antiochos und Nikolaos entgegen; ein gleichzeitiges
See- und Landtreffen fand statt und die Tüchtigkeit des
Theodotos, seine Ueberflügelung der Feinde entschied das
letztere. Eilig musste Nikolaos nach Sidon sich zurückziehen, wohin seine Flotte aber unbesiegt sich wandte.
Aber Sidon, mit Vorräthen und Menschen wohl ausgestattet, schien jedes Angriffs zu spotten, und so blieb auch
beim Vorwärtsrücken eine nicht unbedeutende Macht im
Rücken. Die syrische Flotte erhielt daher ihre Station bei
Tyrus, um so die ägyptische im Schach zu erhalten. Antiochos aber, durch den hartnäckigen Widerstand der Küstenstädte im vorigen Jahre über die Langwierigkeit dieses
Occupationsweges überzeugt, schlug diesmal den andern
zur dauernden Besetzung des Landes ein, den bereits die
Assyrer früher versucht, dann vor fast einem Jahrhundert
Antigonos ziemlich durchgeführt hatte. Es galt nämlich das
Jordanthal, die fruchtbaren Ebenen von Bethsean oder Skythopolis, sowie die ganze Peräa mit den dort zahlreichen,
griechischen Niederlassungen und mit den weit vorgedrunge-
nen Arabern zu gewinnen. Die beiden bedeutenden Städte,
Philoteria am See Genezareth selbst und zwar am westlichen Ufer, eine Gründung der Ptolemäer und zwar des
Ptolemäos Philadelphos, dessen Schwester Philotera aus-

drücklich einer Hafengründung am rothen Meere ihren Namen gab [1]), und dann Skythopolis unterwarfen sich
durch einen Vertrag und erhielten Besatzungen: somit war
durch diese reiche Ebene für die dauernde Verproviantirung
des Heeres gesorgt und Antiochos konnte sich erst westlich in das gebirgige Land wenden, um hier die bedeutende,
stark besetzte Bergveste Ἀταβύριον, das alte Tabor [2]) zu
bezwingen. Hierdurch war er auch Herr der Ebene Esdraelon und die ägyptischen Militärgouverneur (sie werden hier bald genannt οἱ ὑπὸ τὸν Πτολεμαῖον ταττόμενοι
ὕπαρχοι, bald οἱ παρὰ τοῖς ἐναντίοις ἡγεμόνες, bald blos
οἱ ὑ. τ. Πτ. ταττόμενοι [3]), zuerst Keraias, dann Hippo-
lochos, ein Thessaler, fingen an zu ihm überzugehen,
auch Truppen, so 400 Reiter mit herüberführend.

Es galt jetzt auch die Peraia zu bezwingen: Pella,
Kamus (nach dem moabitischen Gott Camos), Gephrus unterwerfen sich, im eigentlichen Gilead Abila mit der dorthin geeilten, von Nikias befehligten Truppenzahl und auch
Gadara, die festeste und mit bedeutendste Stadt, wird
durch die begonnenen Belagerungswerke zur Uebergabe
veranlasst. Die hier in der Nähe wohnenden Araber vereinigen sich, wie es scheint, unter Menneas, einem Verwandten jenes Nikias und fallen alle an Antiochos ab. Da
hört er, wie diese von der in Rabbatamana (Rabbat Ammon) concentrirten, ägyptischen Macht, auf Streifzü-
gen weil ihre Verbündeten angegriffen werden. Rabbath
Ammon, die alte Hauptstadt der Ammoniter, führte nach
Stephanos von Byzanz später den Namen Astarte (Astaroth), durch Ptolemäos Philadelphos ward sie aber zu einer
hellenistischen Gründung mit dem Namen Philadelpheia [4]).
Ihre Bedeutung im ägyptischen System sehen wir aus eben

---

1) Droysen, Hell. S. 699. 736. 3) Pol. V, 70. 71.
2) 1 Chron. 6, 77. 4) Droysen, Hell. II, 699.

diesem Kampfe, aber zugleich, wie der alte Name noch den neuen überwiegt. Nicht sowohl durch den Wetteifer der beiden Feldherrn Nikarchos und Theodotos, die die Sturmmaschinen leiten, durch die Tag und Nacht fortgesetzte Arbeit, als durch das Abschneiden aller Communication mit dem Wasser ward endlich die Entscheidung gebracht. Hiermit war der Hauptpunkt Peräas gewonnen. Antiochos zog sich in die Winterquartiere von Ptolemais zurück, die zwei von Aegypten abgefallenen Feldherrn mit 5000 Mann in die Gegend von Samareia schickend, um von hier aus alle an Antiochos sich Ergebenden zu überwachen. Der Gewinn dieses Jahres war für Antiochos allerdings ein sehr bedeutender: das Jordanthal mit seiner Fruchtebene, die ganze Peräa genommen und besetzt, die arabischen Stämme auf seiner Seite, im eigentlichen Palästina durch den Abfall der Feldherrn und ihrer Corps auch eine beherrschende Stellung eingenommen, der feindliche Feldherr Nicolaos mit Landheer und Flotte in Sidon durch die Flotte des Antiochos in Schach gehalten. Die im vorigen Jahre noch unbezwinglichen Küstenstädte erscheinen im nächsten Frühjahr dem Antiochos geöffnet, von den dorther Geflohenen hört Ptolemäos [1]) die feindliche Einnahme τῶν ὑπ᾿ αὐτοῦ κρατουμένων τόπων.

Die Entscheidung selbst über den dauernden Besitz musste im folgenden Frühjahr (τῆς ἐαρινῆς ὥρας ἐνισταμένης [2])) fallen und zwar auf dem grossen Schlachtfelde der philistäischen Küste. Die Rüstungen waren beiderseitig beendet; zwei Heere, aus sehr bunten Bestandtheilen gemischt, aber der herrschenden Form der makedonischen Taktik unterworfen, sollten sich begegnen, auf Seite des Ptolemäos mit 70000 M. und 73 Elephanten, auf der des Antiochos mit 68,000 M. und 102 Elephanten. Thraker standen gegen

---

1) Makk. 1, 1.　　　　　2) Pol. V, 79.

Thraker, Kreter gegen Kreter, hellenische *μισθοφόροι* auf
beiden Seiten, aber gegen den überwiegend griechischen
Theil der Aegypter führte Antiochos Meder, Perser, Kissier,
die neu gewonnenen Araber unter Zabdibel und Kleinasia-
ten. Ueber den beiderseitigen Zug haben wir uns die Stelle
des Polybios [1]) genau anzusehen, da daraus die Existeuz
eines neuen, ägyptischen Gaza geschlossen ward
zuerst von Palmer, dem es Reland [2]) wenigstens halb zuge-
steht; auch Hitzig [3]) sieht hier einen wirklichen Irrthum des Polybios, wahrlich, wenn er gegründet wäre, einen Irrthum der
gröbsten Art! Scaliger hat bereits durch Versetzung eines
Satzes [4]) das Richtige gefunden, Schweighäuser nahm sie an,
erklärt aber doch irgend eine andere Versetzung für ebenso
zulässig, Becker [5]) hat sie auch in den Text aufgenommen, nur
auf Schweighäuser sich stützend. Eine genaue Betrachtung der
einzelnen Sätze macht die Umsetzung an die bestimmte
Stelle nothwendig und verbannt für immer den Gedanken
an ein zweites ägyptisches Gaza oder an einen Irrthum des Polybios. Der Gang der Sätze ist nämlich folgender: Ptolemäos ist von Alexandreia [6]) aufgebrochen, er hat
den Marsch nach Pelusion gemacht, hat zuerst in dieser
Stadt Halt gemacht; nachdem er die Nachzügler noch an
sich gezogen (*προσαναλαβών*) und mit Vorräthen sich versehen, setzt er sich in Bewegung und zieht vorwärts den
Weg an dem Kasion und den Barathra vorbei durch die
Wüste. Nachdem er zu dem vorgesteckten Weg fünf Tage
gebraucht (*διανύσας ἐπὶ τὸ προκείμενον πεμπταῖος*), lagert
er sich 50 Stadien von Raphia entfernt, welches hinter

---

1) V, 80.
2) Palaestina p. 790.
3) S. 124.
4) Nämlich *παραγενόμενος δ'εἰς
Γάζαν καὶ προσαναλαβὼν ἐνταῦθα
τὴν δύναμιν αὖθις προσῇει βά-*

δην von seiner Stelle nach *διὰ τῆς
ἀνύδρου* in die Stelle nach *τὴν δύναμιν ἔχων.* —
5) I, p. 466.
6) V, 79.

Rhinokorura liegt, als die erste der kölesyrischen Städte
gegen Aegypten zu. Um dieselbe Zeit war aber Antiochos, der wie Hieronymus angiebt[1]), einen Angriff auf
Aegypten selbst beabsichtigt (in dieser Stelle bezieht
Hitzig zum Buch Daniel[2]) mit Recht das מעון auf Gaza,
als Hauptgränzfeste Syriens) mit seiner Macht herangekom-
men; nach Gaza gelangt (παραγενόμενος δ'εἰς Γάζαν) hat
er hier seine Macht noch einmal verstärkt (προσαναλαβὼν
ἐνταῦϑα τὴν δύναμιν) und rückt dann von Neuem Schritt
vor Schritt weiter, an der oben genannten Stadt vorbei-
ziehend. schlägt er bei Nacht sein Lager 10 Stadien entfernt vom Feinde auf. Die gegnerischen Bewegungen entsprechen sich dann genau auch in ihren Bezeichnungen, so
so dass hier kein Wort unnöthig ist: also erst ein Marsch
von den Winterquartieren an die letzte Ruhestation, welche
zugleich Sammel- und Verproviantirungsplatz (das προσα-
ναλαμβάνειν und σιτομετρεῖν), hier in Gaza, dort in Pelusium; dann von da der zweite Marsch (ein προάγειν und
προιέναι βάδην) bis in die Gegend zwischen Raphia und
Rhinokorura, endlich ein καταστρατοπεδεύειν, hier wie dort.
Es ist ja bekannt, wie noch heutzutage Gaza der Verproviantirungsplatz für alle Reisen an der Küste ist, ebenso
auf der andern Seite die Gegend von Pelusium. Dagegen
bleibt es lückenhaft und widerspruchsvoll, wenn wir die
alte Stellung des Satzes beibehalten: also erstens zieht dann
Ptolemäos über Gaza und Rhinokorura gen Raphia! Von
Antiochos Weg, Concentration der Truppen keine Silbe!
Dann flieht Kap. 86 Antiochos nach Raphia, von da nach
Gaza und lagert sich da, also rückwärts nach Syrien zu!
Hier ist wie dort nur Γάζα ganz allgemein genannt, was
wenn wir an zwei verschiedene Städte, ein zweites zwischen den Barathra und Rhinokorura gelegenes dächten,

---

1) In Dan. XI, 6.   2) S. 195.

von dem sonst k e i n e S p u r existirt, unerklärlich wäre.
Wie leicht aber bei diesen kurzen Marschbezeichnungen
ein Satz vom Abschreiber zuerst vergessen, dann an un-
rechter Stelle eingerückt werden konnte, liegt auf der
Hand. Es ist dies übrigens ein Beweis, dass unsere fünf
Codices des Polybios alle Einer Handschriftenfamilie angehören.

Aus diesen Marschangaben erhellt natürlich, dass Gaza
mit seinen Vorräthen in der Nähe im Winter wenigstens
in die Hände des Antiochos gefallen sein musste; denn er
kam εἰς Γάζαν und rastete hier, während er hinwärts an
Raphia vorbeizog, welches jedoch die letzte von ihm besetzte Stadt war. Fünf Tage lagen die beiden Heere, zuerst 10 Stadien, dann 5 einander gegenüber in ihren Verschanzungen; das Fouragiren und Wasserholen auf diesem
schmalen, damals freilich fruchtbareren Küstenstriche als jetzt
veranlasste mancherlei Scharmützel. Der kühne Versuch des
Theodotos auf des Ptolemäos Leben misslang [1]. Zur Entscheidung ordneten sich endlich zuerst die Aegyptier, dann
die Syrer vor ihr Lager. Allerdings sollten in diesen Stunden die Würfel über das Schicksal Kölesyriens fallen; die
Könige selbst, umgeben von ihren Generalen und Ministern,
so dem allmächtigen Sosibios und Andromachos, ja an der
Seite des Ptolemäos die muthige Arsinoe, seine Schwestergemahlin, ritten an der Front hin aufmunternd und auffor-
dernd. Aber keine Erinnerung grosser, zusammen erlebter
Thaten, nicht einmal gemeinsame Sprache hoben ihre
Worte. Dolmetscher mussten sie den verschiedenen Stämmen zubringen; die Heere selbst waren das Bild jenes bunten Gemisches nationaler, geistiger Zustände der Reiche.
Das Detail der Schlacht kann uns hier nicht beschäftigen:

---

1) Pol. V, 81. 3 Makk. 1, 3, wonach ein hellenisirter Jude Dosi- theos durch kluge Vorsicht den Plan vereitelte.

die Hauptstärke beider Theile stand diesmal auf der See-
seite, nicht wie in jener Schlacht von Gáza, die vor fast
100 Jahren dieselbe Entscheidung mit sich geführt, nach dem
Lande zu; drei Hauptmomente waren die entscheidenden,
das entschiedene Glück des Antiochos durch die indischen
Elephanten und die Reiterei auf seinem rechten Flügel, die
Klugheit und Ueberflügelung der Aegyptier auf dem linken
des Antiochos, wobei vor Allem die Unhaltbarkeit der
10000 Araber hervortrat, dann der Phalangenkampf, der
für den vom linken Flügel hinter die Phalanx sich zurück-
ziehenden und hier plötzlich erscheinenden Ptolemaios glücklich endete. Auf dies letzte Moment kann sich nur die
Erzählung im dritten Buch der Makkabäer[1]) beziehen, wonach Arsinoe mit aufgelöstem Haar unter Thränen und
Flehen die Truppen zum Standhalten beschwor und Jedem
in Fall des Sieges zwei Minen Goldes versprach. Antiochos findet von der Verfolgung zurückkehrend die ursprüngliche Stellung verlassen und muss sich nun zurückziehen.
Gegen seinen Willen ist er genöthigt in die Stadt Raphia[2])
einzugehen; mit dem übrigen Theile seiner Armee wandte
er sich am andern Morgen früh nach Gaza und schlug hier
ein Lager auf. Von hier wurde über die Todtenbestattung
verhandelt, während Ptolemaios zuerst ruhig in sein Lager
zurückgekehrt war, dann am folgenden Tag seine Todten
bestattet hatte. Der Verlust des Antiochos an Fussvolk
war sehr gross, dagegen unbedeutend an Reiterei und Elephanten gegen den des Ptolemaios.

Mit der Schlacht von Raphia war das Schicksal Kölesyriens für Jahre entschieden: Antiochos gab sofort alle
Positionen daselbst auf, trotz der Stärke des noch übrigen
Heeres, trotz der unversehrten Seemacht. Es trat hier in
seinem Charakter, wie auch später, das sprungweise Han-

---

1) 2, 4.   2) Pol. V, 86.

deln, das plötzliche Aufgeben grosser Anfänge hervor, er
glaubte der Masse nicht mehr sicher zu sein[1]) und fürchtete zugleich einen Angriff von Seiten des Achaios. Daher
sein Rückzug bis nach Antiocheia. Raphia und alle übrigen Städte, ausdrücklich bezeichnet[2]) als die nahe liegenden,
also die philistäischen, nahm Ptolemaios sofort (ἐξ ἐφόδου)
ein, indem alle städtischen Wesen (πολιτεύματα) in dem
Abfall zu ihm wetteiferten. Polybios begründet dies theils
aus der allgemeinen menschlichen Natur, theils aus dem
leicht in seiner Gunst veränderlichen Sinn des Menschen-
stammes in jener Gegend, endlich aber in der andauernden, tiefbegründeten Neigung der Volksmasse in Kölesyrien für die Könige aus Alexandreia. Dass der letzte Grund
ganz der entscheidende bei Gaza war, erhellt aus dem
weitern Verlauf der Geschichte und einer ausdrücklichen
Ansicht des Polybios über diesen Stamm. Kein Uebermass
in den Zeichen der Ergebenheit ward unterlassen: Kränze,
meist sehr gewichtvolle Geschenke, grosse Opfer, Altäre
verherrlichten Ptolemaios und Arsinoe. Dieser war über
den unerwarteten Erfolg ganz erstaunt, sehr zu Ruhe und
Frieden geneigt und über die Massen nachgiebig freundlich;
wie er selbst in einem Erlasse an die στρατηγοί und die
στρατιῶται in Aegypten und im Felde (κατ᾽ Αἴγυπτον καὶ
κατὰ τόπον) es ausspricht, nicht nach dem Kriegsrecht,
sondern mit Nachgiebigkeit und grosser Menschenfreundlich-
keit habe er die Kölesyrien und Phönike bewohnenden Völker behandeln wollen, habe gern wohlgethan, den Heiligthümern in den Städten grosse Einnahmen zugewiesen[3]).
Die Quelle zu diesem Benehmen sucht Polybios in dem in
ihm wohnenden Leichtsinn (ῥαθυμία) und der niedrigen Gesinnung (κακεξία). So wurde den Gesandten des Antiochos

---

1) Pol. V, 85, 87.   3) 3 Makk. 3, 16.
2) 3 Makk. 1, 7.

nur mit geringen Vorwürfen über das Benehmen des Königs ein Waffenstillstand auf ein Jahr zugestanden, mit diesen Sosibios abgeschickt und der Vertrag von Antiochos bestätigt. Ueber den Inhalt wissen wir nichts Näheres: welche Gränzen für das ptolemäische Kölesyrien gesteckt wurden, u. dgl. m. Seleukeia ist jedenfalls nicht wieder zurückgegeben worden. Drei Monate blieb Ptolemaios mit Arsinoe und seiner Umgebung noch ἐν τοῖς κατά Συρίαν καὶ Φοινίκην τόποις, ordnete neu die Städte (κα-ταστησάμενος τὰς πόλεις), sie ermuthigend, an die Heiligthümer Geschenke ertheilend[1]). Er besuchte selbst überall die Tempel. Auch aus Jerusalem kamen Gesandte der Gerusia und der Aeltesten mit Beglückwünschung und Geschenken. In Folge dessen zog er dahin, brachte dem höchsten Gott Opfer und erwies der Stadt, deren Bedeutung und stattliches Aussehen ihn in Staunen setzte, Freundlichkeiten. Aber sein entschiedener, durch die Weigerung nur noch hartnäckiger gewordener Wunsch, in das Heiligthum selbst einzutreten erregte die furchtbarste Aufregung in der ganzen Stadt, Alles stürzte, Männer und Frauen, Jung und Alt zum Tempel, bereits wurden in der Stadt zum Kampfe Vorbereitungen getroffen, Alles betete und flehte um die Sinnesänderung des Königs, auch seine Begleitung unterstützte die Bitten; der Hohepriester sprach vor dem Tempel knieend das Gebet um Rettung. Der König soll bestürzt, nach dem Glauben der Juden zufolge wunderbarer Wirkung, zusammen gesunken und von den φίλοι und σωματοφύλακες weggebracht sein. Ohne seinen Wunsch erreicht zu haben, zog er ab[2]). Auf die darauf folgende harte Behandlung muss sich die Notiz bei Eusebios[3]) beziehen: vieti Judaei et LXX (al. XL) milia armatorum ex

---

1) 3 Makk. 1, 7. 3, 16.　　　　3) Chron. II, p. 357.
2) 3 Makk. 1, 8 — 2, 23.

numero eorum occisa. Er liess dann den Andromachos aus Aspendos als Militärgouverneur (als στρατηγός)
in dieser ganzen Gegend, selbst nach Alexandria zurückkehrend, wo allgemeines Erstaunen über diesen Ausgang
des Krieges herrschte.

Die folgenden zehn Jahre der beiden Könige, die so
eben um den Preis Kölesyriens sich gemessen, bieten ein
sehr verschiedenes Schauspiel dar, soweit die fragmentarischen Berichte uns vorliegen. Der besiegte Antiochos ist in
ununterbrochenem Kampfe beschäftigt, die übrigen Theile
des Reiches sich zu erwerben. Zuerst nach Kleinasien sich
wendend mit neuer, gewaltiger Rüstung[1]), belagert er
hier den Achaios in Sardes, nach hartnäckiger, in das zweite
Jahr gehender Belagerung wird die auf Felsen gegründete
Stadt überrascht[2]), aber die Akra mit Achaios hält Stand
und die Verbindungen desselben mit Ptolemaios über Ephesos und Rhodos bleiben ununterbrochen. Der Rettungs-
versuch, den die Aegyptier durch Vermittelung eines Kreters machen, schlägt durch die Verrätherei des Kreters
zum Untergange des Achaios aus. Schon sah er sich gerettet, schon sah er sich plötzlich in Syrien erscheinen und
in der Abwesenheit des Antiochos eine grosse Bewegung
hervorrufen, der guten Aufnahme bei den Antiochenern
und den Bewohnern in Kölesyrien und Phoinike gewiss[3]). Da ist er bereits in den Händen seiner grimmig-
sten Feinde, die sich nicht sättigen können, den Leichnam
zu verstümmeln. Diese vereinzelte Notiz über den Plan
des Achaios zeigt uns, wie auch er, der Freund des Ptolemäer, das von diesem neugewonnene Kölesyrien in sein
eigenes Interesse zu ziehen sucht, wie er ganz Syrien zur
Bildung eines neuen Reichs benutzen will. Dass diese

---

1) Pol. V, 107.
2) Pol. VII, 15—18.
3) Pol. VIII, 19.

Expedition gegen Achaios erst nach der Schlacht bei Pa-
neas 198 von Dröysen [1]) gesetzt wird, beruht auf einem
reinen Versehen in Ordnung der Thatsachen. Nach Vernichtung des Achaios sehen wir Antiochos im J. 213 bereits mit einem bedeutenden Heere nach dem Osten aufgebrochen, hier die in der Zwischenzeit ganz unabhängig
sich benehmenden Stammfürsten und Satrapen zu bezwingen, vor Allem dem um sich greifende Partherreich Gränzen zu setzen. Die Stadt Armosata zwischen Tigris und
Euphrat, der Sitz eines Königs, dessen Vater bereits den
Tribut nicht gezahlt, wird belagert, der junge König durch
Milde und Verzeihung zum Schwiegersohn gewonnen [2]),
aber durch die Trägerin dieses verwandtschaftlichen Bandes aus dem Wege geräumt [3]). Medien mit seiner Residenz Ekbatana muss die reichen Goldreste des Tempels der
Aine in die syrische Münze liefern [4]). Die Wüste hält
den König nicht ab, nach Hekatompylos, dem Mittelpunkt
der Strassen Parthyenes zu dringen; ebensowenig die
gefährlichen Gebirgspässe, die fortdauernden Angriffe der
Feinde, um nach Hyrkanien hinabzusteigen, wo endlich
die Königstadt Syrinx in seine Hände fällt [5]). Noch gilt
es nach Besiegung der parthischen Macht auch die
baktrische anzugreifen [6]). Auch hier sichert ein sieg-
reiches Treffen ihm den Uebergang über den Fluss Arios
und Euthydamos, ein Grieche, der als König Baktriens
sich im griechischen Interesse gegenüber dem mächtig ein-
dringenden Barbarenthum hingestellt, wird in einem Frie-
densvertrag in seiner Stellung anerkannt. Der Rückzug
erfolgt über den indischen Kaukasus, an Indiens Gränze,
durch Arachosia, Drangiana, Karamania, wo zuletzt über.

1) de Lagid. regno p. 8   4) Pol. X, 27.
2) Pol. VIII, 25.   5) Pol. X, 28.
3) Joann Ant. fr. 53 bei Müller 6) Pol. X, 49.
Fr. hist. IV, p. 557.

wintert wird [1]). In den nächsten Jahren (nach der aus
andern Fragmenten des eilften Buches des Polybios hervorgehenden Bestimmung von 206 für diesen letzten Theil
des Zuges) hat Antiochos auch sein Auge auf die Ausgänge
des persischen Meerbusens und auf die in uralter Freiheit und
Frieden an seiner Südseite lebenden Gerrhäer[2]), in dem
nordöstlichen Theile Arabiens geworfen, als deren eine Landschaft Chattenia und die Städte Sabai und Labai genannt
werden[3]). Antiochos bedroht sie mit einer Flotte, da erlangen
sie durch einen Brief ihre Selbständigkeit und beschenken den
König mit 500 Talenten Silber, aber 1000 von Weihrauch
und 200 der $\sigma\tau\alpha\kappa\tau\eta$ (Myrrhen- oder Zimmtöl), das Poly-
bios[4]) als $\pi o\lambda v\tau\epsilon\lambda\acute{\epsilon}\sigma\tau\alpha\tau o\nu$ $\mu\tilde{v}\varrho o\nu$ bezeichnet. Die $\epsilon\mathring{v}\varkappa\alpha\iota\varrho\acute{\iota}\alpha$
des Landes, die $\mathring{\alpha}\varrho\acute{\omega}\mu\alpha\tau\alpha$ waren hier sein Hauptinteresse.
Der eigentliche Zweck dieser Unternehmung des Antiochos,
die nun daran sich schliessenden nähern, freundlichen Beziehungen waren für die philistäische Küste von höchstem Interesse, ja es ward dadurch die Hauptstütze ihrer
materiellen Wohlfahrt mehr und mehr in die Hand des Antiochos gegeben.

Wir haben schon in der vorigen Periode auf die Bedeutung dieser Küstenstädte, als der Mündung des arabischen Weihrauch- und Specereihandels hingewiesen. Nun
aber sind gerade die Gerrhäer und Minäer nach Era-
tosthenes bei Strabo[5]) zwei der vier $\nu o\mu o\acute{\iota}$ von dem glücklichen Arabien, sie gewinnen und erhalten aus Indien den
$\lambda\iota\beta\alpha\nu\omega\tau\acute{o}\varsigma$, die $\sigma\mu\acute{v}\varrho\nu\alpha$, die Larimna (der arabische Name für
den $\epsilon\mathring{v}\acute{\omega}\delta\eta\varsigma$ $\varkappa\alpha\varrho\pi\acute{o}\varsigma$, welcher den grössten Wohlgeruch besitzt[6])

---

1) Pol. XI, 34.

2) Vgl. Ritter Erdk. XII, S. 136.
248. 294. welcher übrigens diese
Expedition des Antiochos III nicht
erwähnt.

3) Pol. XIII, 9. bei Stephanos
von Byzanz und Suidas.

4) Pol. XXVI, 10.

5) XVI, 3. p. 385. 401. 408. ed. T.

6) Agatharch. de r. m. p. 64.
ed. Huds.

und alle übrigen ἀρώματα, wozu man auch das κιννάμωμον, die Narde, die Kassia zählte; vor Allem galt-der λιβανωτύς vom persischen Meerbusen als der beste. Von der Nordostküste aus geht der Haupthandel zu Lande, die Gerrhäer sind hier die πεζέμποροι nach Eratosthenes hauptsächlich, während allerdings nach Aristobulos auch ein Theil der Waare auf Flössen nach Babylon gebracht wird und Euphrat aufwärts. Zielpunkt dieses Landhandels ist die Παλαιστίνη χώρα [1]). Sie sind es, welche wie sie selbst alles Ausgezeichnete aus Asien und Europa aufgespeichert haben, so das Syrien des Ptolemäos reich gemacht, die der Geschäftigkeit der Phönike vortheilhaften Handel und zehntausend andere Dinge zugebracht haben [2]). Der Handel wird vermittelst der dazwischen wohnenden, arabischen Stämme mit den Kaufleuten der Nabatäer und Gazäer geführt, es heisst von den 4 Stämmen bei Eratosthenes: ταῦτα—καὶ τὰ ἄλλα ἀρώματα μεταβάλλονται τοῖς ἐμπόροις. Nach Artemidor [3]) ist ein Theil der Sabäer ebenfalls selbst Kaufleute: τὰ δ᾽ ἐμπορεύεται τὰ ἀρώματα τά τε ἐπιχώρια καὶ τὰ ἀπὸ τῆς Αἰθιοπίας πλέοντες ἐπ᾽ αὐτὰ—διὰ τῶν στενῶν. Wenn er dann erzählt: διαδεχόμενοι δ᾽ οἱ σύνεγγυς ἀεὶ τὰ φορτία τοῖς μετ᾽ αὐτοὺς παραδιδόασι μέχρι Συρίας καὶ Μεσοποταμίας, so ist hierdurch die Uebergabe des Transportes geschildert, wie er auch jetzt von jedem einzelnen Stamme, durch den er kommt, geleitet wird. Es war aber — und das ist für diese Periode das Wichtige — der starke Zug des indischen und arabischen Handels, dessen nördliche Abtheilung durch die Gerrhäer vermittelt wurde, von der Strasse des Euphrat

---

1) Strabo a. a. O. p. 399. ed. T.

2) Agatharch. de r. m. p. 64 sagt von den Sabäern und Gerrhäern: ἐκτεταμιευμένων πᾶν τὸ πῖπτον εἰς διαφορᾶς λόγον ἀπὸ τῆς Ἀσίας καὶ τῆς Εὐρώπης. οὗτοι πολύ-χρυσον τὴν Πτολεμαίου Συρίαν πεποιήκασιν· οὗτοι τῇ Φοινίκων φιλεργίᾳ κατεσκευάκασι λυσιτελεῖς ἐμπορίας καὶ μυρία ἄλλα.

3) Strabo a. a. O. p. 401.

und von Tyrus und Sidon ganz abgelenkt worden. Alexandrien, zugleich treffliche Hafenstadt und Mittelpunkt des Ptolemäerreiches, war rasch zur Alles an sich ziehenden Weltstadt geworden, um von da über das Mittelmeer durch die Rhodier besonders die Schätze des Ostens zu vertreiben. So wird Petra, die Nabatäerhauptstadt, der Kreuzungspunkt der arabischen Karavanen und von da geht der Handelsweg nach Philistäa, Gaza, Raphia, Rhinokolura. Hierher nach Petra kamen auch die Waaren des einen Zweiges des südlichen indischen Seeverkehrs durch den arabischen Meerbusen, welcher im Phönikon und im Hafen von Aila oder Elana sein Endziel fand, während der andere unmittelbar über Myoshormos in das Nilthal einmündete. So beschreibt es Agatharch[1]), so fand es Aelius Gallus bei seiner Expedition unter Augustus[2]), welcher als Hauptstationen dieses Handels vom arabischen Meerbusen Leukekome, Petra, Rhinokolura angab.

Wir sehen hieraus, Antiochos hätte mit der Unterwerfung der Gerrhäer den einen Ausgangspunkt des philistäischen und ägyptischen Handels in Händen gehabt; ein nahes, befreundetes Verhältniss war ihm schon jedenfalls politisch nicht unwichtig. Somit werden wir sein Auftreten in jener Gegend nicht überklug, wie Flathe[3]), als ein ganz unzeitiges Unternehmen bezeichnen dürfen.

Während also Antiochos sein Reich nach Osten zu den Gränzen des einst von Alexander beherrschten wieder erweitert, während er die Kölesyriens Wohlstand und Han-

---

1) D. r. m. p. 57 ed. Huds.: das Vorgebirge bei Phoinikon — διατείνει δὲ ἐπ' εὐθείας θεωρουμένη πρός τε τὴν Πέτραν καλουμένην καὶ τὴν Παλαιστίνην, εἰς ἥν Γεῤῥαῖοι καὶ Μιναῖοι καὶ πάντες οἱ πλησίον

ἔχοντες τὰς οἰκήσεις Ἄραβες τόντε λιβανωτὸν ὡς λόγος καὶ τὰ φορτία τὰ πρὸς εὐωδίαν ἀνήκοντα ἀπὸ τῆς χώρας τῆς ἄνω κατάγουσιν.

2) Strabo a. a. O. p. 406.

3) Gesch. Maked. II, S. 318.

del bedingende, dahinter liegende Küste des persischen
Golfes sich gewinnt, während er mit Kühnheit allen grossen Entwürfen nachgeht[1]) und nun würdig erschien der
Basileia in Asien und Europa[2]), strebt Ptolemäos Philopator, der Besitzer von Kölesyrien, nur nach Ruhe
und Genuss: es schien das ganze Hofleben in bakchische
Schwärmerei und Zügellosigkeit aufzugehen, war ja doch
Dionysos der Familiengott der Ptolemäer[3]), war, wer in
die Mysterien sich einweihen liess, zugleich in die Gesellschaft des Königs aufgenommen[4]). Unzucht, tägliche Trink-
gelage, Musikaufführungen, in denen der König selbst
auftrat[5]), wechselten in berauschender Folge[6]). Bald war
der König von einer schönen, ehrgeizigen Buhlerin Agathokleia, ihrem Bruder Agathokles, ihrer Mutter Oinanthe
beherrscht und durch ihre Hände gingen alle Geschäfte[7]),
sie nahmen später öffentlich die Huldigungen an: ihnen fiel
die thatkräftige Schwestergemahlin Arsinoe zum Opfer,
was Polybios im vierzehnten Buche[8]) und nach der dort
gegebenen Randbemerkung in der Handschrift des Constan-
tinos Porphyrogennetos $\pi\varepsilon\varrho\grave{\iota}$ $\grave{\alpha}\varrho\varepsilon\tau\tilde{\eta}\varsigma$ $\varkappa\alpha\grave{\iota}$ $\varkappa\alpha\varkappa\acute{\iota}\alpha\varsigma$ auf 48 Blättern näher dargelegt hatte. Die grosse ungewohnte militärische
Erhebung der Aegypter, ihr Glück bei Raphia rief einen
sehr gefährlichen nationalen Aufstand hervor; sie wollen
nicht mehr fremden Befehlen gehorchen, sich selbst helfen,
suchen sich einen Führer, eine Persönlichkeit ($\acute{\eta}\gamma\varepsilon\mu\acute{o}\nu\alpha$ $\varkappa\alpha\grave{\iota}$
$\pi\varrho\acute{o}\sigma\omega\pi\sigma\nu$) und finden sie auch endlich[9]). Weiter wissen
wir von dem Kampfe nichts, der nach Polybios[10]) bald

---

1) Pol. XV, 37.
2) Pol. XI, 34.
3) Satyros $\pi\varepsilon\varrho\grave{\iota}$ $\delta\acute{\eta}\mu\omega\nu$ $\mathit{A}\lambda\varepsilon\xi\alpha\nu$-
$\delta\varrho\acute{\varepsilon}\omega\nu$ bei Müller Frgm. hist. t. III,
p. 164. Mon. Adulit. bei Froel.
Ann. Sel. p. 127 und C. I. n. 5127.
4) 3 Makk. 1, 31.

5) Just. XXX, 1.
6) 3 Makk. 2, 25. Pol. XIV,
11. 12.
7) Pol. XV, 34.
8) Pol. XIV, 12.
9) Pol. V, 107.
10) a. a. O.

nach der Schlacht von Raphia ($εὐθέως$ $ἀπὸ$ $τούτων$ $τῶν$ $καιρῶν,$ $οὐ$ $μετὰ$ $πολὺν$ $χρόνον$) eintrat.

Aber eine zweite Stelle bei Polybios [1]), worin er nach Darlegung längern Verlaufs der ägyptischen Geschichte, ohne hier Jahr für Jahr, wie er mit den andern Staaten zu thun pflegte, sie einzuschalten, über dies sein Verfahren sich rechtfertigt, erwähnt auch einen von dem Autor bereits näher dargelegten Krieg, der nur durch gegenseitige Grausamkeit und Gesetzlosigkeit, nicht durch entscheidende Schlachten oder Belagerung sich ausgezeichnet habe, da heisst es nun: „erst spät durch die Verhältnisse gedrängt liess sich Ptolemaios darauf ein.“ Ist dies nun noch derselbe Krieg gegen die aufständischen Aegyptier, oder ist es bereits ein neuer Kampf kurz vor dem Tode des Philopator gegen Antiochos? Für dies Zweite, für eine Besatzung Judäas bereits noch zu Philopators Lebzeit spricht die Angabe des Josephos [2]): $νικήσας$ $μέντοι$ $τὸν$ $Πτολεμαῖον$ $ὁ$ $Ἀντίοχος$ $τὴν$ $Ἰουδαίαν$ $προσάγεται,$ worauf unmittelbar folgt, dass nach dem Tode des Ptolemaios Philopator sein Sohn den Skopas zur Wiedereroberung Kölesyriens ausgesandt habe. Auf Josephos ist auch die bei Eusebios fast mit denselben Worten gegebene Nachricht zu Ol. 144 ($\frac{2\,0\,0}{2\,0\,5}$) v. Chr. die sowohl in der lateinischen Uebersetzung als im Synkellos sich findet [3]) und ausdrücklich den Ptolemäos Philopator als Besiegten nennt, zurückzuführen. Flathe [4]) nimmt einen solchen Krieg, eine Eroberung Palästinas durch Antiochos vor dem Tode des Philopator an, spricht aber dann gleich nachher von dem Gedanken des Antiochos, die verlorenen Provinzen wieder zu gewinnen; sein Citat passt ausserdem hierauf gar nicht; an der zweiten

---

1) XIV, 12.
2) XII, 3.

3) Eus. Can. Chron. II, p. 357 ed. Ang. Mai
4) Gesch. Maked. II, S. 319. 501

Stelle spricht er ohne allen Beweis sogar von einem nicht grossen Erfolge dieses Krieges. Wie wenig zuverlässig Josephos in der genauen Angabe der einzelnen Thatsachen aus dieser Zeit, der einzelnen Königsnamen ist, ist bekannt; so hat er im Vorhergehenden schon von den Kriegen des Antiochos auch gegen Ptolemaios Epiphanes gesprochen. Dagegen wissen die andern Schriftsteller von einem solchen Kriege zwischen Antiochos und Philopator kurz vor dessen Lebensende nichts; vielmehr sagt Polybios ausdrücklich das Gegentheil[1]): „so lange Philopator lebte, waren Philippos von Makedonien und Antiochos bereit ihm zu Hülfe zu eilen, ohne dass er sie nöthig hatte, nach seinem Tode, wo es galt, dem Kinde die Königherrschaft zu erhalten (σνσσώζειν), verbanden sie sich zur Theilung." Damit stimmt auch Hieronymus[2]), der den Antiochos zwar in seiner Verachtung gegen die Lebensweise und den Charakter des Philopator ein sehr grosses Heer in Oberasien, also auf seinem Zuge nach Baktrien bilden, n a c h d e s s e n T o d e aber erst mit einem förmlichen Vertragsbruch (rupto foedere) das Heer gegen den jungen Epiphanes ausrücken lässt. Von einem andern auswärtigen Kriege Aegyptens in dieser Zeit wissen wir aber nichts. Dagegen weist die Bezeichnung desselben als grausam, ohne Achtung vor jeder Verpflichtung geführt auf einen i n n e r n Krieg hin, besonders bei dem von den Griechen an den Aegyptiern wohl bemerkten Zuge der Grausamkeit. Und für einen solchen andauernden Kampf gegen eine nationale Erhebung unter bestimmten Führern (δυνάσται), die wahrscheinlich, wie die unter persischer Herrschaft erstandenen Könige, einem alten Königsgeschlechte angehörten, spricht sowohl die oben zuerst dargelegte Stelle des Polybios, als ganz speciell eine spätere[3]), wo bei der aus dem Stein von Rosette be-

---

1) XV, 20.   3) XIII, 16.
2) in Dan. XI, 13.

kannten Unterwerfung des in Lykopolis concentrirten Aufstandes auf eine frühere, grausame Verträge nicht achtende
Unterwerfung von ἀποστάται durch Polykrates, jenen vornehmen Argiver, der als Führer der Reiterei seit 208 eine
grosse Rolle unter Philopator spielte[1]), hingewiesen wird;
darauf deuten die von Polybios[2]) gegebenen Andeutungen
des tief im Volke wurzelnden Hasses gegen des Agathokles
Herrschaft hin, der nur nach einem πρόσωπον suchte, das
an die Spitze treten konnte. Und Hieronymus[3]) spricht es
ausdrücklich aus, dass die Zerfahrenheit und der Hochmuth
der Herrschaft des Agathokles bei dem Tode des Philopator
die annexen Provinzen in Aufstand versetzte, Aegypten
selbst in fortwährenden Unruhen erhielt.

Mit dem Tode des Ptolemäos Philopator bricht die immer noch scheinbare Macht und Bedeutung des ägyptischen
Königthums als einer Weltmacht zusammen; allerdings gelingt der heillose Plan der beiden andern mächtigsten hellenistischen Könige zur völligen Theilung und Vernichtung
nicht, aber Aegypten wird durch die Römer gerettet und
steht seitdem ganz unter römischem Einfluss. Der dauernde Besitz Kölesyriens geht verloren und dieses ist fortan
hauptsächlich in seiner innern Gestaltung an Syrien gewiesen. Jedoch dies Alles erfolgte nicht ohne harten Kampf,
ohne dass die nahe, enge Verbindung der philistäischen Küstenstädte mit Aegypten noch in treuster Ausdauer sich
ausgesprochen hätte. Wir haben dies daher hier noch ins
Auge zu fassen, ehe wir auf die Zeit der ägyptischen
Herrschaft zurückblickend aus den vereinzelten Bruchstücken
uns den Zustand der philistäischen Küste unter derselben,
so weit es möglich ist, zusammenzusetzen versuchen.

Der Tod des Ptolemäos Philopator, wie der Regierungsantritt desselben schwankt in seiner chronologischen

1) Pol. V, 64. 65. 82. 84.   3) a. a. O.
2) XV, 25.

Bestimmung, jeder um zwei Jahre, also zusammen um eine
Olympiade. Während von Eusebios im ersten Buch des
Chronikon[1]) seine Regierungszeit auf 21 Jahre angesetzt
wird, so ist sie dagegen im griechischen und lateinischen
Texte des Kanon[2]) mit 17 Jahren bestimmt; die Jahre
gleichen sich aber durch Verlängerung der Zeit des Ptolemäos Euergetes[3]) und Epiphanes[4]) wieder aus. In der
That tritt das Schwanken jetzt nicht mehr für den Anfangs-
punkt, wohl aber für den Endpunkt ein. Der Bestimmung
von 17 Jahren und zwar vom Jahre $\frac{222}{221}$ an gerechnet folgen Frölich[5]) und Schlosser[6]) und die meisten Neueren, so Letronne[7]), Franz[8]); sie setzen das Jahr 204,
Schlosser das Frühjahr als das des Todes, was allerdings als der 17. Mechir, also den 26. März nach der
Inschrift von Rosette näher zu bestimmen ist. Flathe[9])
nimmt sogar 205 an, ja der neueste Bearbeiter dieser Chronologie, Müller[10]), das Jahr 206. Damit stimmen aber die
Berichte bei Polybios durchaus nicht, welche im Zusammenhang der Fragmente dafür noch nicht berücksichtigt zu
sein scheinen. Im 14. Buche hat er die Unternehmungen
des P. Corn. Scipio in Afrika, die Rückberufung Hanni-
bals erzählt, also Vorfälle des Jahres 20$\frac{1}{3}$[11]), dabei aber,
wie Kap. 12 der Fragmente zusammenfassend es ausspricht,
über das Leben des Philopator seit dem kölesyrischen Kriege,
eine Reihe von Jahren zusammennehmend berichtet, jedoch
ohne hier den Tod und die daran sich unmittelbar schlies-

---

1) I, p. 87. 125.

2) II. p. 275 und p. 357, sowie
im Lib. I, 22. p. 117.

3) 24 Jahre nach Eus. p. 89, 25
J. nach p. 117, 26 J. nach p. 275
und 357.

4) 22 J. nach Eus. p. 89. 125,
24 J. nach p. 117. 275. 338.

5) Annal. Seleuc. p. 38.

6) Univ. Uebers. II, 2. p. 106.

7) Revue de philol. t. I, p. 1—16.

8) C. I. III, p 288. 337.

9) Gesch. Mac. III S. 800.

10) Annot. ad Fr. hist. III, p.
719.

11) Vergl. Fischer Röm. Zeittaf. p. 95.

senden Wirren zu erwähnen. Im folgenden Buche ist die
Schlacht von Zama und der darauf folgende Friede erzählt[1]), also Thatsachen der Jahre 202 und 201, daran
schliesst sich dann[2]) die Darstellung theils jenes Bündnis-
ses zwischen Antiochos und Philipp zur gänzlichen Theilung Aegyptens bei dem Tode des Philopator, theils der
innern Umwälzung in Aegypten, erst des Lebens des falschen Vormundes Agathokles und seiner schamlosen Sipp-
schaft, dann ihres Sturzes. Polybios hat noch an dersel-
ben Stelle[3]) erklärt, dass er $\pi\acute{\alpha}\sigma\alpha\varsigma$ $\varkappa\alpha\vartheta'$ $\acute{\varepsilon}\varkappa\alpha\sigma\tau o\nu$ $\acute{\varepsilon}\tau o\varsigma$ $\tau\grave{\alpha}\varsigma$
$\varkappa\alpha\tau\acute{\alpha}\lambda\lambda\eta\lambda\alpha$ $\pi\varrho\acute{\alpha}\xi\varepsilon\iota\varsigma$ $\gamma\varepsilon\nu o\mu\acute{\varepsilon}\nu\alpha\varsigma$ $\varkappa\alpha\tau\grave{\alpha}$ $\tau\grave{\eta}\nu$ $o\grave{\iota}\varkappa o\nu\mu\acute{\varepsilon}\nu\eta\nu$ erzähle und
daher nur zuweilen das Ende einer Handlung eher berichte,
als den Anfang, wenn es die innerhalb des einzelnen Jahres
befolgte geographische Ordnung des Planes mit sich bringe.
Jedenfalls ist daher das Bündniss zwischen Philipp und Antiochos $20\frac{4}{1}$ abgeschlossen und, wie es heisst, sofort auf
die Nachricht vom Tode des Philopator, wie auch Li-
vius[4]), Justin[5]), Hieronymus[6]) uns berichten, und sofort
begannen die kriegerischen Unternehmungen, bei denen eine
gegenseitige Unterstützung zugesichert war[7]). Nehmen wir
nun auch an, dass der Tod des Philopator, wie es wirklich
geschah, eine geraume Zeit verborgen gehalten worden, so
handelt es sich hier höchstens um ein Jahr: zu den Jahren
$20\frac{4}{3}$ hatte Polybios nichts davon erzählt, sondern zu den
folgenden Jahren erst $20\frac{4}{2}$ und $20\frac{4}{1}$. Danach können wir
den Regierungsantritt des Epiphanes über das Frühjahr 203
nicht hinaufschieben, seine Regierungszeit ist aber dann
nach Polybios wenigstens zwischen die 22 und 17 Jahre des
Eusebios, auf 19 ($\frac{222}{221} - \frac{203}{202}$) bestimmen.

---

1) Kap. 1 — 19.   5) XXX, 2.
2) Kap. 20 ff.   6) in Dan. XI, 13.
3) Kap. 24.   7) App. LIX, 3. Schweigh. ad
4) XXXI, 14.   h. l.

Antiochos nahm Kölesyrien ein und wollte Aegypten
zu Land angreifen, Philipp warf sich auf die ägyptischen
oder mit Aegypten verbündeten Städte am Chersonnesos, der
Propontis, dann auf Attalos und die Rhodier, die ihm hierin
entgegentraten; für ihn war das Ziel ebenfalls ein Angriff
auf Aegypten selbst, zunächst mit der Flotte auf Alexandria,
den er jedoch nach der glücklichen Schlacht bei Lade un-
verhofft und ohne sichtliche Nöthigung aufgab[1]) und sich
zur langwierigen Belagerung von Abydos wandte; dies war
noch im Jahre 201. Ueber die Einnahme Kölesyriens durch
Antiochos wissen wir durchaus nichts Näheres; in jener
oben angeführten Stelle bei Eusebios[2]) ist durch Josephos
veranlasst nur von Judäa die Rede; bei Justin[3]) heisst es:
itaque Phoenicen *ceterasque Syriae* quidem sed juris Aegypti *civitates* cum invasisset — aber er spricht ganz allgemein, ohne Scheidung der einzelnen Unternehmungen vom
Resultat, Joannes Antiochenus[4]) noch unbestimmter von
einem σὺν προθυμίᾳ στρατεύειν. Die Besetzung ist jedenfalls rasch vor sich gegangen, da in der Regierungszeit
des Philopator an ein aufmerksames Sichern Kölesyriens
nicht gedacht war und jetzt zwischen der ganz in Sorglosigkeit und dionysischer Schwelgerei dahinlebenden Herrschaft untergeordneter, leichtsinniger, frecher Hofdiener
unter Agathokles und den Heerführern, so dem Adaios und
Tlepolemos mit den ἄνω στρατόπεδα[5]), die die Zufuhr nach
Alexandrien beherrschten, offener Zwiespalt bestand, aus
jenen Heeren eine Masse nach Alexandrien sich zog, um
zum Aufstand zu reizen. Dazu kam der ausdrücklich erwähnte Aufstand der Provinz selbst und die bei einer Partei sichtlich hervortretende Vorliebe der Juden für den syrischen Herrn. Allerdings wandert die ptolemäische Partei

---

1) Pol. XVI, 1. a.   4) Fr. 54. Müller Fr. hist. IV,
2) P. 357.   p. 558.
3) XXXI, 1.   5) Pol. XV, 26.

und wie es aus einer Aeusserung hervorgeht, die Optimaten damals vielfach nach Aegypten aus, wenn auch die
Stiftung des eigenen Tempels im Nomos von Heliopolis erst
der Zeit des Antiochos Epiphanes angehört, was selbst die
Zahlenangabe des Hieronymos[1]) von 250 Jahren Dauer erweist. Ob die Eroberung Kölesyriens ganz gelang, ist die
Frage, ausdrücklich wird von einem tenere Judaeam gesprochen; sicher ist, dass der Plan, Aegypten selbst anzugreifen, nicht weiter fortgeführt ward; dagegen hebt Polybios in einem in diesen Zusammenhang gehörigen Fragment[2]) hervor, dass Antiochos im Verlauf seines Lebens
viel hinter den von ihm erregten und auswärts geltenden
Erwartungen zurückblieb.

Die Lage der Dinge veränderte sich aber bald nach der
Umwälzung in Alexandria selbst. Hier brach dieselbe zuerst in dem Standlager der Makedoner aus, verbreitete sich
dann in die Quartiere der übrigen militärischen $\sigma\upsilon\sigma\tau\acute\eta\mu\alpha\tau\alpha$,
fand bald in der Volksmenge die sichtbarste Verstärkung
und endete mit der Befreiung des königlichen Kindes Ptolemäos V Epiphanes aus den Händen des Agathokles, mit
einer wilden, ausgelassenen Volksjustiz an diesem, dem
$\psi\epsilon\upsilon\vartheta\epsilon\pi\acute\iota\tau\rho\sigma\pi\sigma\varsigma$ und seiner Familie, mit der völligen Herrschaft der Militärmacht. Jener Tlepolemos, der Befehlshaber der $\acute\alpha\nu\omega$ $\sigma\tau\rho\alpha\tau\acute\upsilon\pi\epsilon\delta\alpha$, der nun zu der Vormundschaft
auch bald das Amt des Siegelbewahrers[3]) erhielt, zeigte
sich durchaus als tüchtigen, ehrgeizigen Militär, aber unfähig zu den vielseitigen, nüchtern zu behandelnden Staatsgeschäften. Das Geld ward geradezu verschleudert an die
Officiere und Soldaten, die jetzt den Hof bildeten. Das
Lob und die Schmeichelei der Fremden und des Heeres
blendete ihn gänzlich. Zunächst war dies aber sehr gün

---

1) Jos. de bello jud. VII, 10.   2) XV, 37.
Hieron. in Dan. XI, 13.   3) Pol. XVI, 22.

stig für die Bildung eines tüchtigen Heeres, um das Verlorne wieder zu erobern... Hier tritt abermals ein Aetoler
als bedeutender Condottiere auf, S k o p a s , früher Strateg
in der Heimath, durch unersättliche Habsucht fort und weiter getrieben [1]). Er erscheint im Sommer 200 in Aetolien
mit viel Gold und wirbt 6000. M. Fussvolk und Reiterei;
mit Mühe konnte die Jugend nur durch Strafen zurückge-
halten werden, nicht alle der lockenden Werbung zu fol-
gen [2]). Skopas hatte höchste Vollmacht im Felde ($\dot{\varepsilon}\varkappa\ \tau\tilde{\omega}\nu$
$\dot{\upsilon}\pi\alpha\dot{\iota}\vartheta\varrho\omega\nu$) über alles Eigenthum, dazu tägliche Bekösti-
gung und einen Gehalt von täglich 10 Minen. Hoch waren
auch alle Officiere besoldet. So rückt er nach Kölesyrien
($\dot{\varepsilon}\pi\dot{\iota}\ \tau o\dot{\upsilon}\varsigma\ \dot{\varepsilon}\nu\ \tau\tilde{\eta}\ Ko\dot{\iota}\lambda\eta\ \Sigma\upsilon\varrho\dot{\iota}\alpha$ oder $\varepsilon\dot{\iota}\varsigma\ \tau o\dot{\upsilon}\varsigma\ \ddot{\alpha}\nu\omega\ \tau\dot{o}\pi o\upsilon\varsigma$)
noch im Spätjahr vor, unterwirft sich im Laufe des Win-
ters Judäa und die Küste, mit Gewalt viele von Antiochos
besetzt gehaltene Städte einnehmend, in den Juden zugleich
entschiedene Abneigung bekämpfend [3]). Auf eine dieser Belagerungen bezieht sich ein Fragment des Polybios [4]), wonach
Skopas wegen der Langsamkeit und Fahrlässigkeit einer
solchen voreiligen Tadel und böse Nachrede erfuhr. Jedoch
dieser Besitz, welcher auch die wichtigsten Städte in der
Peräa umfasste, war von keiner langen Dauer. Antiochos
liess sich durch die Gesandtschaft der Römer, die im Jahr
200 nach Alexandrien gekommen war und den Schutz des
römischen Volkes für den jungen König und dessen Besitz
aussprach, nicht beirren, nach zwei Seiten hin für die Erfüllung des mit Philipp beschlossenen Planes thätig zu sein:
er greift gleichzeitig die kleinasiatischen, von Truppen ent-
blössten Besitzungen des Attalos von Pergamum an [5]) und
das ägyptische Heer in Kölesyrien, giebt aber dann das er-

---

1) Pol. XIII, 2.

2) Liv. XXXI, 43.

3) Pol. XVI, 38. Jos. Ant. Jud.

XII, 3. Hieron. in Dan. XI, 13. Eus.
Chr. II, p. 358.

4) XVI, 39.

5) Liv. XXXII, 8.

stere zunächst auf, mehr wohl aus militärischen Rücksichten, als auf das Verlangen einer neuen römischen Gesandtschaft[1]). Der Sommer 198 entschied über den dauernden
Besitz von Kölesyrien. Die Schlacht an den Jordanquellen
bei dem Panheiligthum, also an dem nördlichen Eingange
Palästina's geliefert[2]), kostete Skopas einen grossen Theil
seines Heeres; er ward überflügelt, seine Reiterei hielt vor
den feindlichen Elephanten nicht Stand, während die Phalanx siegte, er selbst musste mit dem Reste seines Heeres
auf die Küste nach Sidon sich werfen, wo er tapfer sich
gegen ein Belagerungsheer von 10,000 M. vertheidigend, trotz
der den Entsatz versuchenden ägyptischen Heerführer Aero-
pos, Menokles, Damoxenos endlich zu capituliren genöthigt
ward. Ob die im Daniel[3]) besonders hervorgehobene Einnahme
der עִיר מִבְצָרוֹת Sidon ist oder Gaza, woran wir nach
dem Folgenden wohl auch zu denken berechtigt sind, wird
sich schwer entscheiden. Hiermit war freilich Antiochos
noch nicht Herr des Landes: noch lagen ägyptische Besatzungen in den Städten, zunächst fiel das Land jenseit
des Jordan, die Batanäa ihm in die Hände mit dem festen
Gadara und Abila, dann der hellenistische Hauptpunkt diesseit, Samareia. Die Juden begrüssten Antiochos feierlich
als ihren Retter, brachten freiwillig alle mögliche Zufuhr
für das Heer und unterstützten den König in der Belagerung der ägyptischen Besatzung, wofür ihnen die Herstellung aller verfallenen Theile des Tempels, die Bestreitung
aller zum Tempeldienst nöthigen Bedürfnisse an Getreide,
Schlachtvieh, Weihrauch, Oel, Salz, die möglichste Beförderung der Bevölkerung der sehr öde gewordenen Stadt
unter gewissen Steuerbefreiungen, die Anerkennung aller

---

1) Liv. XXXII, 27.
2) Jos., Ant. XII, 3, 3. Pol.
XVI, 18. 39, wobei dieser eine scharfe
Censur gegen die Hauptbeschreiber
Zenon und Antisthenes von Rhodus
übt. Hieron. in Dan. XI, 14.
3) XI, 15.

strengen Ceremonialgesetze zugesichert ward [1]).· Noch war
aber die Küste nicht erobert, vielmehr tritt hier gerade im
uralten Gegensatze gegen das Judenthum der heftigste Widerstand gegen Syrien hervor. Darauf bezieht sich der
Ausdruck des Eusebios [2]): Syriae urbes recipit. Während
in Sidon die Macht und Persönlichkeit des Skopas es ist,
die Stand hält, haben die G a z ä e r aus eigener, nationaler Zuneigung zu den Ptolemäern, aus der sie so auszeich-
nenden Treue im Halten des Bundes der Allgewalt des Antiochos den verzweifeltsten Widerstand geleistet. Die Belagerung von Gaza ward unter die g e s c h i c h t l i c h b e-
d e u t e n d s t e n jener ganzen Periode gezählt. Den Beweis
dafür liefert Polybios in einem Fragment des 29. Buches [3]),
welcher über die Buchmacherei der Geschichtschreiber sich
aufhält und ihrem Bestreben, Kleinigkeiten mit grosser Aus-
führlichkeit zu behandeln, bei Scharmützeln, unbedeutenden Belagerungen, Ortsbezeichnungen lange zu verweilen
seinen Grundsatz gegenüberstellt, jedem Gegenstand die ihm
zukommende Beachtung zu schenken ($\tau\grave{o}\nu$ $\kappa\alpha\vartheta\acute{\eta}\kappa o\nu\tau\alpha$ $\lambda\acute{o}\gamma o\nu$
$\acute{\epsilon}\kappa\acute{\alpha}\sigma\tau o\iota\varsigma$ $\grave{\alpha}\pi o\delta\acute{\iota}\delta o\mu\epsilon\nu$). Als Beispiel führt er an den Gegensatz der Belagerungen kleiner Orte in Boiotien und Pho-
kis, wie Koronea, Phanotia, welche nach Livius [4]) in den
Jahren 198—197 von den Römern mit Gewalt genommen
wurden, neben Antikyra, Hyampolis, Ambrysos, Daulis
und noch sechs andern phokischen Kastellen, unter deren
Namen also einer für jenen lückenhaften ... $\kappa\epsilon$ — $o\tilde{v}$ zu wählen ist, und dann der wichtigsten Ueberraschungen und
längeren Belagerungen von Hauptstädten, wie T a r e n t s
(im Jahr 209) [5]), wie von Korinth (146 durch Mummius),
von S a r d e s (durch Antiochos III $\frac{2}{2}\frac{1}{1}\frac{6}{5}$), von Gaza, von

---

1) Daniel (11, 14—15) bezeichnet diese damals herrschende Partei als Räuber.

2) Chron. II, p. 358.

3) XXIX, 6 a.

4) XXXII, 18. XXXIII, 29.

5) Vergl. bes. Liv. XXVII, 15 ff.

Baktra (was mit Recht von Becker der andern ⸋Lesart
Συϱακουσῶν vorgezogen wird - als die dritte Hauptbelage-
‚rung Antiochos III), endlich von ⸱Karthago. Von den
zwei rhodischen Historikern Zenon und Antisthenes [1], den
bedeutendsten gleichzeitigen Schriftstellern, hatte der erstere
die Belagerung Gaza's, sowie die Schlacht am Panion genau
geschildert, aber war dabei mehr auf rednerischen, künstlichen Schmuck, als auf die Untersuchung der Thatsachen
ausgegangen; dies wirft ihm Polybios [2] vor, beweist es
aber leider in dem uns erhaltenen Fragment nur näher an
der Schlacht. Die dritte, hierher gehörige Stelle ist jene
bereits früher von mir erwähnte des Polybios [3], in welcher
der Name Gaza's, als einer hochherzigen, kühnen, in der
Treue das Aeusserste aushaltenden Stadt, gleich den Namen
einzelner ausgezeichneter Männer hervorgehoben wird. Hiernach unterliessen die Gazäer nichts Mögliches, um die Treue
gegen Ptolemäos zu bewahren zu der Zeit, wo alles Andere sich gebeugt. Nicht unwichtig ist es auch, dass eine
andere scheinbar lange verschwundene philistäische Stadt,
das alte Gath (*Γίττα*), von Polybios in demselben Buche genannt wird. Gaza wird verwüstet [4] (*Ἀντιόχου — τὴν τῶν*
Γαζαίων πόλιν π ο ϱ ϑ ή σ α ν τ ο ς), allerdings an Schleifen der
Mauern, Plünderung, Untergang eines Theiles der Bewohner,
an Neugründung auf anderer Stelle dagegen ist hier keineswegs zu denken; wenn auch der Stamm der *Γαζαῖοι* nicht vernichtet wird, so wird doch durch Kleruchien der griechische
Theil sehr verstärkt. Hiermit waren alle Städte Kölesyriens
und zwar im Sommer 198 unterworfen, und Antiochos konnte
nach Antiocheia zurückgekehrt ganz seinem Plan zur Eroberung Kleinasiens und zur Bekämpfung der Römer im Westen

---

1) Muller, Frgm. histor. III, p.
178 ff.

2) XVI, 18.

3) XVI, 40.

4) Pol. a. a. O.

leben [1]). Von dieser Zeit an war der gesicherte Besitz
τῶν κατὰ Κοίλην Συρίαν καὶ Φοινίκην πραγμάτων in den
Händen der syrischen Könige [2]), diese Erwerbung im Krieg
bildete in der Folge einen Rechtstitel bei erneutem Streite [3]),
der Aegypten nur momentan wieder zum Herrn machte.
Ausdrücklich wird daher Antiochos bei seinem Kampfe auf
griechischem Boden mit Rom Συρίας καὶ Κομμαγηνῆς καὶ
Ἰουδαίας βασιλεύς von Memnon [4]) nach römischem Begriff der Judäer genannt. Auch die in den phönikischen
Städten, besonders Sidon und Tyrus geschlagenen syrischen
Münzen beginnen nun mit dem Jahre 112 A. S., also $\frac{200}{199}$
v. Chr. [5]).

§. 9.
Innere Verhältnisse der philistäischen Städte unter den Ptolemäern.

Hier ist es an der Stelle, rückblickend auf die letzten
80 Jahre des ägyptischen Besitzes die innern Verhältnisse
der philistäischen Städte zu Aegypten näher ins Auge zu
fassen. Wie ausserordentlich lückenhaft bei dem theilweisen Untergang der Hauptquellen unsere Kenntniss von dem
Zustande der Staatsverwaltung im syrischen wie ägyptischen Reiche ist, wie wenig besonders dieselbe in
jenen einer geschichtlichen Betrachtung gewürdigt ward,
tritt dem Specialforscher doppelt unangenehm entgegen. Für
das ägyptische Reich haben wir einen ersten zusammenhängenden Versuch in der Schrift von Droysen: De Lagidarum regno Ptolemaeo VI Philometore rege [6]), der aller-

---

1) Liv. XXXII, 19.
2) Pol. XXVIII, 1.
3) Pol. XXVIII, 17.
4) Hist. Heracl. XIV, 25. 26.
Muller, Frgm. hist. III, p. 539.

5) Froelich Annales Seleuc. p.
38. 39.

6) Berol. 1831.

dings·die erste Grundlage bildet, wenn auch ·Zweifel und
Bestreitung, sowie Erweiterung durch umfassende Untersuchung der Inschriften und Papyrusrollen sich vielfach dabei
geltend machen musste. Die neueste, zusammenhängende
Behandlung ist von Franz in der Introductio zu·den In-
scriptiones Aegypti[1]) gegeben. Aber der letztere hat, was
allerdings auch dem Zweck der Abhandlung ferner·lag, kaum
hier·und da die Verhältnisse zu den nicht ägyptischen Theilen des Reiches berührt. Suchen wir also das Wenige für
uns auszuscheiden und zu verbinden! In Aegypten war
eine strenge, militärische Concentration durchgeführt wor-
den, die von den $\varkappa\tilde{\omega}\mu\alpha\iota$ und $\tau\acute{o}\pi o\iota$ (den Bezirken ·des fla-
chen Landes) anhebend, durch die ·$\nu o\mu o\acute{\iota}$ zu den drei $\check{\varepsilon}\pi\alpha\varrho$-
$\chi\acute{\iota}\alpha\iota$ oder $\dot{\varepsilon}\pi\iota\sigma\tau\varrho\alpha\tau\eta\gamma\acute{\iota}\alpha\iota$ aufstieg und im $\dot{\upsilon}\pi o\sigma\tau\varrho\acute{\alpha}\tau\eta\gamma o\varsigma$, dem
$\sigma\tau\varrho\alpha\tau\eta\gamma\acute{o}\varsigma$, dem $\dot{\varepsilon}\pi\iota\sigma\tau\varrho\acute{\alpha}\tau\eta\gamma o\varsigma$ ihre Schwerpunkte hatte, de-
nen zum Theil, wie den·Strategen, nicht den Epistrategen
die Civilverwaltung auch zufiel, während die richterliche
Gewalt, das Steuer- und Agrarwesen ($\dot{\varepsilon}\pi\iota\sigma\tau\acute{\alpha}\tau\alpha\iota$ mit den
$\sigma\upsilon\mu\pi\alpha\varrho\acute{o}\nu\tau\varepsilon\varsigma$, dann die $\chi\varrho\eta\mu\alpha\tau\iota\sigma\tau\alpha\acute{\iota}$) getrennt·bestand, in
den untersten Bezirken aus der Bevölkerung genommen ward,
sonst aus der Zahl der Hellenen sich ergänzte, die, wenn sie
nicht Kaufleute waren, zugleich das stehende Heer bildeten, also
auch Militär waren ($o\acute{\iota}$ $\dot{\varepsilon}\pi\grave{\iota}$ $\tau\tilde{\omega}\nu$ $\pi\varrho o\sigma\acute{o}\delta\omega\nu$, $\gamma\varrho\alpha\mu\mu\alpha\tau\varepsilon\tilde{\iota}\varsigma$ $\beta\alpha\sigma\iota\lambda\iota$-
$\varkappa o\acute{\iota}$, $\varkappa\omega\mu o\gamma\varrho\alpha\mu\mu\alpha\tau\varepsilon\tilde{\iota}\varsigma$, $\tau o\pi o\gamma\varrho\alpha\mu\mu\alpha\tau\varepsilon\tilde{\iota}\varsigma$, $\dot{\alpha}\gamma o\varrho\alpha\nu\acute{o}\mu o\iota$). Dazu
kam die strenge Hofetikette der Rangklassen, wie der $\sigma\acute{\upsilon}\gamma\gamma\varepsilon$-
$\nu\varepsilon\tilde{\iota}\varsigma$, $\dot{\alpha}\varrho\chi\iota\sigma\omega\mu\alpha\tau o\varphi\acute{\upsilon}\lambda\alpha\varkappa\varepsilon\varsigma$, $\pi\varrho\tilde{\omega}\tau o\iota$ $\varphi\acute{\iota}\lambda o\iota$, $\sigma\omega\mu\alpha\tau o\varphi\acute{\upsilon}\lambda\alpha\varkappa\varepsilon\varsigma$, der
$\varphi\acute{\iota}\lambda o\iota$, der $\pi\varepsilon\varrho\grave{\iota}$ $\tau\grave{\eta}\nu$ $\alpha\dot{\upsilon}\lambda\grave{\eta}\nu$ $\delta\iota\alpha\delta\acute{o}\chi o\iota$,·neben der Anzahl
der Hofämter·für Tisch, Keller, Jagd, Fremde u.·s. w.
die also an des Königs Person die Beamtenwelt·kettete.
Während man den nationalen, so complicirten Kultus, den
geistlichen Besitz unangetastet liess, ja mehr und mehr in
seine Formen sich fügte, so in den $\dot{\alpha}\nu\alpha\varkappa\lambda\eta\tau\acute{\eta}\varrho\iota\alpha$, in der

---

1) Corp. Inscr. III, 29. p. 287 — 308.

Befreiung von Abgaben, in Stiftungen, so ward die heimische Rechtspflege sehr beschränkt, der Aegyptier zum Kriegsdienst nur in grössern Kriegen verwandt und vor Allem keine selbständigen politischen συστήματα anerkannt mit Ausnahme des hellenischen Theils von Alexandreia, der hellenischen Hermopolis oder Ptolemais in der Thebais und älterer hellenischer Ansiedelungen, wie Naukratis, Kanobos. Ein in alle Verhältnisse, Ackerbau, Weinbau, Waarentransport, Kauf und Verkauf, Erbschaft eingreifendes sehr hohes Steuersystem lag vor Allem auf den Eingebornen, dazu die Willkür der stationirten oder beweglichen Soldatencorps oft drückend genug war. Es war kein Wunder, dass unter der Herrschaft des Philopator in Unterägypten ein heftiger Ausbruch der unterdrückten Nationalität statt fand und nach zwei langen Kämpfen erst besiegt war.

Dies Verhältniss in Kölesyrien durchzuführen, daran konnten die Ptolemäer nicht denken bei der so gefährdeten Lage des Landes, bei der Verschiedenheit der Volksstämme (wohnten doch hier Philistäer, Juden, Samaritaner, Phöniker, die Stämme der Peräa, Araber neben einander), endlich bei der uralten selbständigen Ausbildung von städtischen Gemeinwesen. Die allgemeine Organisation war natürlich ganz von militärischen Rücksichten bestimmt: es galt vor Allem eine Vertheilung von stehenden Truppen über das Land, eine Besatzung der wichtigsten Punkte im Norden an der Gränze nach Syrien zu, sowie östlich vom Jordan, eine Beherrschung der Seeküste, sowie der Fruchtebenen in Galiläa. An der Spitze steht daher ein Oberbefehlshaber τεταγμένος ἐπὶ Κοίλης Συρίας[1]), auch ὁ παρὰ Πτολεμαίου στρατηγός[2]) genannt. Skopas, der

---

1) Pol. V, 40 weder 63 noch 78 wie Droysen (de Lag. r. p. 57) und Franz (a. a. O. p. 395) angeben.

2) Pol. V, 69.

Aetoler, welcher Kölesyrien dem jungen Ptolemaios Epiphanes wieder'eroberte, war πιστευϑεὶς περὶ τῶν ὅλων, er konnte über das ἐκ τῶν ὑπαίϑρων, im Felde Gewonnene disponiren, erhielt für jeden Tag noch als Diät (ὀψώνιον) zehn Minen (250 Thir.) [1]. Unter diesen στρατηγός werden ὕπαρχοι, ἡγεμόνες, οἱ ὑπὸ τὸν Πτολεμαῖον ταττόμενοι, οἱ ἐπί τινος ἡγεμονίας — τεταγμένοι. Diese erhielten unter Skopas täglich eine Mine Sold. Ihre Zahl war nicht klein: Polybios [2] spricht von πολλοὶ — ἡγεμόνες, die zum Abfall an Antiochos geneigt waren. Auch nach Kölesyrien gehören alle οἱ ἡγεμόνες — καὶ ἐπίτροποι, an die Ptolemaios dem Hyrkanos lobende Zuschriften mitgiebt [3]. Die ἐπιτρόποι waren sichtlich nicht militärische Beamte, sondern wahrscheinlich die Verwalter der dem Könige selbst gehörigen Güter, z. B. aller confiscirten. Ob die von Seleukos getroffene Eintheilung in 4 Eparchien: Phönike, Kölesyrien, Samareia und Idumaia oder Judaia mit bestimmend war, ist wahrscheinlich, aber für die militärische Ordnung nicht erweisbar, wohl aber für die Besteuerung [4]. Die militärische Besetzung hat natürlich in den Städten ihre Stützpunkte und hier tritt nun eine grosse Verschiedenheit hervor: entweder liegt sie als φυλακή in einer an und für sich bedeutenden, sonst in ihrer. municipalen Selbständigkeit nicht beschränkten Stadt, dies war in Gaza so der Fall, wie in Sidon, Tyrus, Jerusalem, oder sie bildet selbst mit ein politisches System als Militärkolonie, als Kleruchie, entweder als ganz neue Gründung, oder mit Aufhebung, gänzlicher Veränderung einer frühern Bevölkerung. Dahin gehören die so zahlreichen Gründungen der Ptolemäer, wie Philotera, Arsinoe, Berenike [5] oder

---

1) Pol. XIII, 2.
2) V, 70.
3) Jos. XII, 4, 9.
4) Jos. XII, 4, 4.
5) Vgl. Droysen Hell. II, S. 694 — 701.

Neugründungen älterer Städte, wie Samareia, wie Ptolemais vor Allem, wie Philadelpheia, das Rabbath Ammon.
So droht Ptolemaios Euergetes gegen Onias und die Juden
*κληρουχεῖν τὴν γῆν καὶ πέμπειν τοὺς ἐνοικοῦντας στρατιώ-
τας* (also *κάτοικοι* im Gegensatz zu den *μισθοφόροι*, wie
auch in Aegypten die Soldaten sich schieden). Ob wir an
der philistäischen Küste solche Neugründungen aus ptole-
mäischer Zeit besitzen neben jenen alten, municipal selbständigen, aber mit Besatzungen zum Theil versehenen Städten,
wird die weiter unten zu gebende geographische Uebersicht lehren.

Bei der ägyptischen Besatzung von Seleukeia an der
Mündung des Orontes, einer Stadt von selbständiger Po-
liteià, wird zuerst allgemein von *οἱ ἐπὶ τῶν ὅλων ἐφεστῶ-
τες* gesprochen, aus dem Folgenden erhellt aber, dass dies
gleichbedeutend mit *ὁ ἐπὶ τῶν ὅλων* ist, dem Oberkomman-
danten, im Gegensatz zu *οἱ κατὰ μέρος ἡγεμόνες*[1]). Obgleich diese Militärbehörden nicht die regelmässigen Steuern
und Abgaben zu verwalten hatten und obgleich die Ethnarchen, sowie die städtischen politischen Vorsteher selbständig dastanden und unmittelbar mit dem Hofe von Alexandria
(*τοῖς περὶ αὐλήν*) verkehrten, eigene Gesandten, wie jenen
ἀρχισωματοφύλαξ Andreas bei Josephos[2]), zur Verhandlung erhielten, so war doch das Wohl und Wehe des
Landes sehr in die Hände der *στρατηγοί* und *ἡγεμόνες* gelegt, besonders in den Zeiten wechselnden Besitzes. Dies
erhellt aus den ausdrücklichen Worten des Josephos[3]),
aus dem grossen Verfall und der Verödung, worin sich
Jerusalem bei des Antiochos Ankunft befand, wie aus dem
Befehl des Antiochos an Ptolemaios, seinen Feldherrn
bei Josephos[4]). Um so mehr lag es im Systeme und

---

1) Pol. V, 60.   3) XII, 3, 3.
2) Ant. XII, 2, 4.   4) a. a. O.

im 'Sinne der Könige, des mit den $\sigma\tau\varrho\alpha\tau\eta\gamma o i$ oft nicht eben befreundeten Hofes, den städtischen Ordnungen ihre Aufmerksamkeit, ihr Wohlwollen zuzuwenden. So ist es Hauptsorge des Philopator: $\varkappa\alpha\tau\alpha\sigma\tau\acute\eta\sigma\alpha\sigma\vartheta\alpha\iota\ \tau\grave\alpha\varsigma\ \pi\acute o\lambda\epsilon\iota\varsigma$ [1].

Dass in Syrien regelmässige Werbungen zu dem ägyptischen **Kriegsdienst** bestanden, dass sie als $\mu\iota\sigma\vartheta o$-$\varphi\acute o\varrho o\iota$ in Alexandria und auch an andern Orten des Reichs dienten, geht aus einer Stelle des Polybios hervor [2], wonach im Jahr 222 unter den $\xi\acute\epsilon\nu o\iota\ \varkappa\alpha\grave\iota\ \mu\iota\sigma\vartheta o\varphi\acute o\varrho o\iota$, die für Berenike und Magas eingenommen schienen, Kleomenes den Peloponnesiern und Kretern $\tau o\grave v\varsigma\ \grave\alpha\pi\grave o\ \Sigma v\varrho\acute\iota\alpha\varsigma\ \varkappa\alpha\grave\iota$ $K\alpha\varrho\acute\iota\alpha\varsigma\ \sigma\tau\varrho\alpha\tau\iota\acute\omega\tau\alpha\varsigma$ gegenüberstellt, als die bei weitem schwächeren. Es erinnert diese Verbindung unwillkürlich an die Crethi oder Cari und Plethi, jene ebenfalls geworbene Leibwache der jüdischen Könige. So bildeten auch die Juden keinen ganz unbedeutenden Heertheil; wie sie einzeln freiwillig der Aufforderung Alexanders zum Kriegsdienst [3], wie sie dann dem Seleukos Nikator folgten, so hatte Ptolemaios Soter schon durch die Perser Gefangene $\epsilon\grave\iota\varsigma\ \tau\grave\alpha\ \sigma\tau\varrho\alpha\tau\iota\omega\tau\iota\varkappa\grave\alpha\ \grave\epsilon\pi\grave\iota\ \mu\epsilon\acute\iota\zeta o\sigma\iota\ \mu\iota\sigma\vartheta o\varphi o\varrho\acute\iota\alpha\iota\varsigma$ eingethan, anderen feste $\varphi\varrho o\acute v\varrho\iota\alpha$ in Aegypten als Besatzung übergeben [4]. Ptolemaios Philadelphos geht im grossartigster Weise weiter; auch er betrachtet es als **Auszeichnung**, dass er von den in Aegypten aus der Sklaverei befreiten Juden die kräftigen, jungen Leute $\epsilon\grave\iota\varsigma\ \tau\grave o\nu\ \sigma\tau\varrho\alpha\tau\iota\omega\tau\iota\varkappa\grave o\nu\ \varkappa\alpha$-$\tau\acute\alpha\lambda o\gamma o\nu$ eingeordnet habe, wie er andere an seinen Hof unter seine $\pi\iota\sigma\tau o\acute\iota$ gezogen. Wie das Kriegshandwerk damals in voller Blüthe stand, dies der Weg zu Reichthum und -Bedeutung ist, so ist es für nichthellenische Stämme nur **Auszeichnung**, nicht bitterer Zwang, als $\mu\iota\sigma\vartheta o\varphi\acute o\varrho o\iota$ zu dienen.

---

1) Pol. V, 87.
2) V, 36.
3) Jos. A. J. XI, 8, 5.
4) Jos. XII, 2, 4.

Für die Art. der Besteuerung, für die Bedeutung des städtischen Adels, für das unmittelbare, conventionelle -Verhältniss zum Hofe ist die bei Josephos[1]) uns erhaltene Erzählung von dem Hohenpriester Onias und seinem Neffen Josephos, dem allmächtigen Zollpächter von Kölesyrien von höchstem Interesse. Die Frage, in welche Zeit diese ganze Geschichte gehöre, kann bei der Ungenauigkeit des Josephos in Bezeichnung der Königsnamen allerdings zuerst in Frage gestellt werden. Droysen hat daher[2]) geradezu alle Personen- und Zahlenangaben für falsch erklärt und versetzt die ganze Geschichte in die erst unserem Abschnitte folgende Zeit zwischen die Vermählung des Ptolemaios Epiphanes mit Kleopatra, der Tochter des Antiochos (191) und den Regierungsantritt Antiochos IV Epiphanes (175), indem er zugleich den Besitz Kölesyriens für die Ptolemäer[3]) behauptet, aber zugleich[4]) daran zweifeln muss, dass in dieser Zeit ägyptische Besatzungen in Kölesyrien gelegen hätten. Eine aufmerksame Prüfung der Stelle des Josephos und der hier einschlagenden Thatsachen wird uns Josephos im Ganzen rechtfertigen und die Unmöglichkeit der entgegengesetzten Behauptung klar machen. Es ist daher nöthig und zugleich das Einfachste, bei der Exegese dieser Stelle jenen für uns wünschenwerthen Einblick in das Steuerwesen u. dergl. der kölesyrischen Städte zu gewinnen und zugleich die für unsern folgenden Abschnitt wichtige Zeitfrage zu erledigen.

Josephos hat[5]) den vollständigen Sieg des Antiochos III in Kölesyrien, seine Akte zu Gunsten der Juden berichtet; im vierten Kapitel beginnt er mit dem Bündniss und Frieden zwischen Ptolemaios Epiphanes und Antiochos, dem-

---

1) XII, 4, 1.
2) de Lagidarum regno p. 50.
§. 28 und annot. 2.

3) p. 8. 9. 11.
4) p. 51.
5) XII, 3.

zufolge dieser jenem als Mitgift für seine Tochter ganz Kölesy-
rien· zugestanden, nachgelassen habe (παραχωρήσας αὐτῷ.
τῆς squ.), so dass die Abgaben zwischen beide Könige
getheilt wurden. In dieser Zeit (ἐν τούτῳ τῷ χρόνῳ), erzählt er noch, ging es; den Samaritern sehr gut und sie
belästigten die Juden stark durch Beschlagnahme von Land
und Menschenraub. Sichtlich geht diese kurze Notiz auf
einen längern Zeitraum, in welchem dieses Josephos bemerkt
vorfand und es nun an das Ende gleichsam als Anmerkung
setzt. Mit den Worten „dies geschah unter dem Hohenpriester Onias," schliesst hier der Abschnitt der ˙kurzen
äusseren Geschichte der Juden. Jetzt beginnt die fragliche
Episode und erstreckt sich bis §. 10, wo nun sichtlich im
Anschluss an oben von dem Regierungsantritt des Sohnes des Antiochos, von Seleukos, von dem indessen
und wie der Zusammenhang klar macht, im Anfange˙ erfolgenden Tode des Onias, den während der Regie-
rungszeit des Seleukos ($\frac{187}{175}$) geführten innern Streitigkeiten der Juden, dann vom Regierungsantritte des Antiochos
Epiphanes die Rede ist. Die Episode wird mit γὰρ eingeleitet und führt uns zurück aufwärts in die Reihe der Hohenpriester: Josephos schaltet auch früher die Reihe der
Hohenpriester an das Ende eines Abschnittes ein[1]), bei dem
Tode Alexanders den Tod des Jaddus, die Würde seines Sohnes Onias[2]), die Zeit Simons des Gerechten, nach dessen frühem Tode die Gewalt des Bruders Eleazar statt des
unmündigen Kindes, und dieser Eleazar ist Hoherpriester
in der Zeit des Ptolemaios Philadelphos[3]), also zwischen
285 und Ende 247. An diesen knüpft Josephos in unserer
Stelle an, er lässt jetzt noch einmal einen Oheim und wie
es scheint den Grossoheim des jungen Onias folgen,

1) XI, 8, 7.   3) Jos. XII, 2, 4. 14. 4, 1.
2) XII, 2, 4.

Manasses. Nach dessen Tode tritt nun **Onias**, nicht jung mehr das Amt an, er als *πρεσβύτης* wird in Gegensatz zu *οἱ νέοι* gestellt[1]); seine Schwester, mit einem Tobias verheirathet, hat bereits einen zwar noch jungen (*νέος*), aber doch schon durch Würde und Gerechtigkeit angesehenen Sohn Josephos. Onias, ein habsüchtiger, kurzsichtiger Mensch bezahlt den Tribut nicht, den seine Väter immer aus ihrem eigenen Vermögen für das ganze Volk der Juden bezahlt haben. Dies geschieht also im Anfang seines Amtes. **Ptolemaios** wird darüber erzürnt und schickt einen Gesandten mit drohender Mahnung; von Aegypten und von einer Ptolemaios ist in der ganzen Episode nur die Rede, eine Erwähnung der **Syrer**, dass der Syrerkönig einen Antheil, ein Recht zur Beistimmung gehabt, davon keine Spur. Hier wird ausdrücklich Ptolemaios näher bezeichnet als **Euergetes**, als Vater des Philopator und im vorhergehenden Kapitel[2]) nennt Josephos den Eupator oder Philopator ausdrücklich Vater des Epiphanes; also über das Verhältniss dieser drei Könige ist er sich klar. Anders steht es aber mit der durch die ganze Erzählung gehenden Königsbezeichnung und dann dem Namen der Frau: Josephos redet fortwährend von *ὁ βασιλεύς, ὁ Πτολεμαῖος, ὁ βασιλεὺς Πτολεμαῖος* sowohl zu der Zeit, als Josephos, noch ein junger Mann, nach Alexandrien sich wendet und dort die Gunst des Königs sich erwirbt, als später, wo er bereits ein Vater von 7 Söhnen nach Alexandrien an den Königshof geht und dort in seines Bruders Solymios Tochter eine königliche Tänzerin zu umfangen glaubt, als endlich mehr als 13 Jahre später, wo er selbst bereits älter geworden (*ὑπὸ γήρως κατέχεται*)[3]), er seinen Sohn, den eben zum Jüngling geworde-

---

1) Jos. XII, 4, 3.   3) Jos. XII, 4, 8.
2) III, 3.

nen Hyrkanos an den Hof sendet. Die Rückkehr dieses
Hyrkanos, der offene Kampf und die Nichtankennung.des-
selben bilden sichtlich den Schluss auch der Macht und des
Ansehens des alten Josephos, den Schluss jener 20 oder
22 Jahre seiner Steuerverwaltung Kölesyriens. Nun geht
aber aus dem ganzen Verlaufe der vorhergehenden und
nachfolgenden Thatsachen, z. B. aus dem Alter des Onias,
aus dem Tode des Josephos im Anfange der Regierung des
Seleukos hervor, dass der erste Beginn dieser Erzählung
in die letzten Jahre des Euergetes also zwischen 230 und
222 fallen muss, dass aber die zwei folgenden Zeitpunkte
in die Zeit des Ptolemaios Philopator fallen. Josephos
hat in dem Hervorheben des Euergetes als Vater des Philopator bezeichnet, von welcher Zeit er hier beginnt,
aber spricht dann im Verlauf nur allgemein und ungenau
vom König. Damit stimmen auch die übrigen Züge ganz
überein: die Schmausereien und die $\mu\acute{\epsilon}\vartheta\alpha\iota$ am königlichen
Hofe, an denen Josephos Antheil nimmt[1]), die Gewalt und
das Ansehen der Tänzerin, in die er sich verliebt, der
Schmaus, an dem Hyrkanos dem spottenden Possenreisser
Tryphon bündig begegnet und auf des Königs Befehl allgemein beklascht wird, die durch fortwährende Geldgeschenke
erhaltene Gunst der $\varphi\acute{\iota}\lambda o\iota$ und $o\acute{\iota}$ $\pi\epsilon\varrho\grave{\iota}$ $\tau\grave{\eta}\nu$ $\alpha\grave{\upsilon}\lambda\acute{\eta}\nu$. Epiphanes war im Gegentheil durch das in seiner Jugend gegen-
über der Günstlingsherrschaft emporgekommene Militär,
durch die Aetolerpartei, dann durch Tlepolemos und Aristo-
menes gebildet ein Mann, der ganz in körperlichen, kühnen
Wagnissen lebte, in der Jagd auf wilde Thiere, im Pferdetum-
meln, Speerwerfen u. dgl.[2]). Endlich diese grosse Fest-
lichkeit bei der $\gamma\epsilon\nu\acute{\epsilon}\sigma\iota o\varsigma$ und $\gamma\epsilon\nu\acute{\epsilon}\vartheta\lambda\iota o\varsigma$ $\check{\eta}\mu\acute{\epsilon}\varrho\alpha$ eines sichtlich
spät gebornen Prinzen[3]) passt ganz und gar auf die Ge-

---

1) Jos. a. a. O. 4, 6.   3) Jos. a. a. O. 4, 7.
2) Pol. XXIII, 7.

burt jenes Epiphanes, der bei dem Tode des Philopator ein Kind von 4 — 6 Jahren war, zugleich der letzte Glanzpunkt des Auftretens der bald von Agathokleia gestürzten, hingemordeten Königin. Und was sollen alle $\dot{\eta}\gamma\varepsilon\mu\dot{o}\nu\varepsilon\varsigma$ und $\dot{\varepsilon}\pi\iota\tau\varrho\dot{o}\pi o\iota$ des Ptolemaios in Kölesyrien zu einer Zeit, in welcher, wie Droysen selbst behauptet, Aegypten keine militärische Macht in Kölesyrien hatte? Hiernach haben wir jene Verwaltung des Josephos in die Zeit von $\frac{2\,2\,9}{2\,0\,7}$ etwa zu setzen.

Der Name der Königin ist, wo er erscheint[1]), Kleopatra. Nun aber hiess die Gemahlin des Euergetes Berenike, des Philopator Arsinoe, auch Eurydike wird sie bei Justin[2]) genannt. Flathe[3]) spricht von zwei Schwestern Arsinoe und Eurydike, von der letztern fälschlich als Gemahlin des Ptolemaios Philopator, nur auf Justin gestützt, obgleich Polybios[4]) vielfach Arsinoe als Schwestergemahlin bezeichnet, den jungen Epiphanes ihren Sohn nennt, dagegen eine Eurydike nicht kennt. Dagegen wird Kleopatra erst mit der Tochter des Antiochos III ein im Ptolemäerhause einheimischer Name, obgleich schon früher der erste Ptolemaios mit Kleopatra, der rechten Schwester Alexander des Gr. verlobt war[5]); und Kleopatra war seit jener syrischen Prinzess der stehende Name der für Kölesyrien meist so verhängnissvollen Königinnen ägyptischen Stammes. Eine Verwechselung war daher für Josephos, dem ein Jahrhundert nach dem Ende des Lagidenreichs Lebenden, leicht, war doch z. B. der Hof von Arsinoe am heroopolitischen Meerbusen fälschlich auch Kleopatris genannt[6]), kommen Verwechselungen zwischen Kleopatra und

---

1) Jos. XII, 4. 3. 5. 8. 9.
2) XXX, 2.
3) Gesch. Maked. II, S. 495. 500.
4) V, 83. 84. 87. XV, 25. 32. 33.

5) Vgl. Droysen, Hell. I, S. 419. II, S. 736.
6) Strabo XVI, 4. p. 405 ed. T. Droysen, Hellen. II, S. 735 ff.

Berenike auch in der spätern Königsreihe vor, so wird die Schwester des Ptolemaios *Νέος Διόνυσος* bei Porphyrios Kleopatra[1]) genannt, welche sonst[2]) Berenike heisst. Also dieser Name darf nicht als Beweis für die Zeit des Ptolemaios Epiphanes gelten, da alles andere vorher Angeführte dagegen spricht. Eusebios[3]) setzt dagegen den Beginn dieses Vorfalls unter Ol. 133, 2 in das Jahr des Regierungsantritts des Ptolemaios Euergetes, jedenfalls zu früh, aber ersichtlich den Namen des Königs richtig festhaltend, dagegen das Auftreten des Hyrkanos, Sohns des Josephos in Aegypten und seine Rückkehr Ol. 150, 1 = 181[4]).

Gehen wir nun auf den materiellen Gehalt der Erzählung ein, so ist erstens klar, dass Josephos sowohl als sein Sohn Hyrkanos, so bedeutend in ihnen der ächt jüdische, kaufmännische Spekulationsgeist hervortritt, ebenso sehr dem **hellenistischen** Wesen sich genähert hatten und dies durchaus mit seinem Glanz, seiner Bildung zu verbreiten suchten, dass sie daher oppositionell erschienen zu der bereits dem Philopator schroff gegenübertretenden Altgläubigkeit. Denn Josephos hat seine Freunde in **Samareia**, dem hellenistischen Mittelpunkte Palästina's, dem Hauptfeinde Jerusalem's, er leiht von ihnen Geld[5]), er verschmäht es nicht, im Königspalast (*ἐν τοῖς βασιλείοις*) zu Alexandrien zu wohnen, am Tische des Königs zu essen, mit ihm zu pokuliren, ja der Tänzerin, jener *ἀλλόφυλος* zu begehren, er sucht seinen sieben Söhnen eine gute Erziehung zu geben *πρὸς τοὺς παιδεύειν τότε δόξαν ἔχοντας*[6]), die aber nicht anschlägt. Diese bleiben vielmehr ganz in abgeschlossener jüdischer Weise, sie wollen nicht an den alexandrinischen Hof gehen u. dergl. Dagegen sucht

---

1) Porph. Frgm. bei Mull. III, p. 723. Annot. 2.
2) z. B. Paus. I, 9, 3.
3) Chr. II, p. 356.
4) p. 359.
5) Jos. XII, 4, 3.
6) Jos. XII, 4, 6.

Hyrkanos-bei den Kaufleuten gerade hundert schöne, gebil-
dete ($\gamma\varrho\acute{\alpha}\mu\mu\alpha\tau\alpha$ $\grave{\epsilon}\pi\iota\sigma\tau\acute{\alpha}\mu\epsilon\nu o\iota$) Knaben und ebenso viel
Mädchen aus als Geschenk! Und wie tragen die grossen Bau-
anlagen von Hyrkanos in der Hesbonitis jenseits des Jordan, jene Burg Tyros[1]) ein ganz hellenistisch - assyri-
sches Gepräge, der eigentliche Burgpalast mit seinen Mar-
morwänden ($\lambda\acute{\iota}\vartheta o\iota$ $\lambda\epsilon\nu\kappa o\acute{\iota}$), den grossen zur Decke hinaufreichenden Reliefs, dem breiten Euripos herum, dann die
von Wasser erfrischten Symposien und Schlafgemächer in
den Felsen, die grossen Höfe und langen Parks ($\pi\alpha\varrho\acute{\alpha}\delta\epsilon\iota$-
$\sigma o\varsigma$)! In diesem Sinne des Hellenismus konnte der Geschichtschreiber sagen, dass Josephos das Volk der Juden
$\grave{\epsilon}\kappa$ $\pi\tau\omega\chi\epsilon\acute{\iota}\alpha\varsigma$ $\kappa\alpha\grave{\iota}$ $\pi\varrho\alpha\gamma\mu\acute{\alpha}\tau\omega\nu$ $\grave{\alpha}\sigma\vartheta\epsilon\nu\tilde{\omega}\nu$ $\epsilon\grave{\iota}\varsigma$ $\lambda\alpha\mu\pi\varrho o\tau\acute{\epsilon}\varrho\alpha\varsigma$ $\grave{\alpha}\varphi o\varrho$-
$\mu\grave{\alpha}\varsigma$ $\tau o\tilde{\nu}$ $\beta\acute{\iota}o\nu$ brachte. Dagegen wandte der eigentlich na-
tionale und religiöse Kern der Juden damals mehr und mehr
von den Ptolemäern sich ab, jener Versuch des Philopator in
Aegypten zu einer Bekehrung, dann Ausrottung wirkte
auch unmittelbar auf Judäa, das ja vom König mit einem
Zuge bedroht ward; die Stadt Jerusalem, die äussern Um-
gebungen des Heiligthums waren zerfallen und mit Freude
ward Antiochos aufgenommen, besonders zum zweiten Male,
von dem man Schutz, Förderung und Geld zum nationalen
Kultus erhielt.

Aber es tritt zweitens die Bedeutung der Städte in
Kölesyrien aus dem ganzen Hergang hervor. Die Städte,
nicht die $\check{\epsilon}\vartheta\nu\eta$, sind vertreten bei der Verpachtung der
Steuern, die Städte bewillkommnen den jungen Prinzen mit
Gesandtschaften und Geschenken, Städte leisten allein dem
neuen Generalsteuerpächter Widerstand. In den Städten
aber erscheint ein reiches, mächtiges Patriciat unter man-
cherlei Bezeichnungen: $\check{\epsilon}\kappa\alpha\sigma\tau o\iota$ $\tau\tilde{\omega}\nu$ $\grave{\epsilon}\pi\iota\sigma\acute{\eta}\mu\omega\nu$[2]), $o\grave{\iota}$ $\grave{\epsilon}\kappa$
$\tau\tilde{\omega}\nu$ $\pi\acute{o}\lambda\epsilon\omega\nu$ $\tau\tilde{\omega}\nu$ $\tau\tilde{\eta}\varsigma$ $\Sigma\nu\varrho\acute{\iota}\alpha\varsigma$ $\kappa\alpha\grave{\iota}$ $\Phi o\iota\nu\acute{\iota}\kappa\eta\varsigma$ $\pi\varrho\tilde{\omega}\tau o\iota$ $\kappa\alpha\grave{\iota}$ $\check{\alpha}\varrho$-

---

1) Jos. A., XII, 4, 11.   2) Jos., A. XII, 41.

χοντες [1]), οἱ δυνατοὶ τῶν ἐν ἑκάστῃ πόλει, οἱ τοῖς ἀξιώμασιν ἐν ταῖς πατρίσι διαφέροντες [2]), οἱ ἀπὸ τῶν πόλεων ἐλθόντες, πάντες οἱ πρῶτοι τῆς Συρίας [3]); in Askalon werden οἱ πρωτεύοντες, in Skythopolis οἱ πρῶτοι genannt [4]). Dass dieses Patriciat sich an jenes in den phönikischen und philistäischen Städten ureinheimische, in den letzten besonders als städtisches Ritterthum sich zeigende anschloss, ist natürlich und wahrscheinlich, wenn gleich der Vermögenswechsel, das z. B. in Gaza massenhaft durchgeführte Einbürgern aus benachbarten Städten und auch der Landschaft, die griechischen Militärkolonieen und griechischen Kaufleute es gänzlich verändert haben mochten. Sie alle sehen mit Verachtung auf Josephos, den Juden, der ja durch seine Mutter dem hohenpriesterlichen Geschlecht angehörte, herab. Aus Jerusalem zieht auch Niemand für gewöhnlich mit nach Alexandrien, sondern der Hohepriester zahlt als προστάτης τοῦ ἔθνους jährlich aus seiner eigenen Kasse (ἐκ τῶν ἰδίων) 20 Talente Silber, eine verhältnissmässig sehr geringe Summe als φόρος.

Die Steuern werden also nicht von königlichen Beamten eingetrieben, sondern jährlich in Alexandria an einem Tage an den Meistbietenden des Landes verpachtet gegen gehörige Bürgenstellung und zwar nicht als Gesammtheit für ganz Kölesyrien, sondern in den einzelnen Städten und Bezirken jener vier Hauptlandschaften. Die Summe (τὸ προσταττόμενον κεφάλαιον) wird dann von den Einzelnen zusammengelegt und so dem König übergeben. Die grosse, durch jenen jungen Juden durchgeführte Veränderung war nun die gänzliche Vereinigung dieses Pachtes in Eine Hand, ohne dass er selbst Bürgen gestellt. Dies musste die ganze reiche, patricische Gesellschaft der syrischen Städte auf

---

1) a. a. O. 4, 3.   3) a. a. O. 4, 7.
2) a. a. O. 4, 4.   4) a. a. O. 4, 5.

das Tiefste verletzen; Josephos, dasselbe voraussehend, erbat sich aber vom König 2000 M. Soldaten, also gleich jenen πραγματικοὶ πάντες, den Strategen, ἐπιστάται, Θήβαρχος u. s. w. der Inschrift von Phile, welche mit den ἀκολουθοῦσαι δυνάμεις die Insel so oft belästigten [1]). Aber auch so weigerte sich eine philistäische Stadt, Askalon, sowie Skythopolis, die Hauptstadt der fruchtbaren Jordanebene, an Josephos zu zahlen und sie spotteten seiner. Sofort werden die reichsten Leute ergriffen, getödtet, ihr Vermögen wird confiscirt. Dies Beispiel wirkte, und Josephos hat eine Reihe von Jahren diesen Generalpacht gehabt, allerdings, wie man sieht, gewaltsam genug ihn eintreibend.

Worin bestanden aber die Steuern in den einzelnen Städten und Landschaften? War dies ganz in die Hand der Pächter gelegt? Und welche Summe ward aus Kölesyrien, vorzugsweise den Städten aufgebracht? Dass allerdings nur bestimmte Steuern von jenen Pächtern erhoben werden durften, deren Höhe aber sehr in ihre Willkür gestellt war, schliessen wir aus dem gleich nach der Eroberung zu Gunsten der Juden erlassenen Schreiben des Antiochos [2]), worin eine Kopfsteuer (τέλη ὑπὲρ τῆς κεφαλῆς, das ἐπικεφάλαιον, welches in Aegypten auch alle Eingebornen zahlten [3])), ferner ein στεφανίτης φόρος, also ein Beitrag zu dem jährlich, an bestimmten Festtagen überreichten goldenen Kranze, endlich verschiedene Arten von Zöllen für Holz und allerlei zur Tempelverschönerung Angewandtes erwähnt wird. Die Zahl dieser letzten indirekten Steuern, der Abgaben von Weinbau, Getreide, bei allen Verkaufsgeschäften, beim Export wie Import, speciell der Häfenzölle u. dergl. mochte auch hier gross und drückend sein,

---

1) Droysen, De Lag. regno p. 28. Böckh. C. I. n. 4895.
2) Jos. Ant. XII, 3, 3.
3) Joseph. B. Jud. II, 16, 4. Droysen, De L. r. p. 45.

ähnlich wie in Aegypten [1]), und es hat sicher in so bedeutenden Handelsstädten, wie Gaza, in der fruchtbaren philistäischen Ebene an genau geordneten Zollstätten nicht gefehlt. Ausserdem aber wurde jenen Pächtern die Confiscation der gegen das königliche Haus sich vergehen-
den Personen in der Regel mit verpachtet, aber dadurch
ihnen ein furchtbares Mittel zu Gewaltthätigkeiten gegeben. Confiscation ist überhaupt eine bei den Ptolemäern vielfach beliebte Strafe, so droht Philadelphos [2]) : das Vermögen
$εἰς τὴν βασιλικὴν κτῆσιν ἀνενεχθῆναι βούλομαι$. Josephos
versprach noch besonders diese Vermögen abzuliefern.

Für die Einnahmen der Ptolemäer aus Kölesyrien
erhalten wir aus Josephos zwei bestimmte Data: die Summe
von 8000 Talenten jährlich, die jene Einzelpächter zusam-
menbrachten, und dann die Summe von 16,000 Talenten,
welche Josephos jährlich bezahlte. Rechnen wir zu dem
letztern noch hinzu die Confiscationen, die Menge von Geschenken, welche der König und seine Umgebung von Josephos erhielten [3]), endlich den grossen Gewinn, den der
Pachter selbst dabei hatte, so mochte allerdings die Rede
Tryphon's, dass der Vater des Hyrkanos ganz Syrien wohl
auszuziehen verstand, nicht unbegründet sein. Aber was
haben wir an dieser Stelle unter Talent uns zu denken?
Die Beziehungen zu dem ägyptischen Geld sind hier nothwendig gegeben, aber da haben wir das ägyptische Talent,
das vom jüngern attischen nicht wesentlich verschieden war,
also 1322 Thlr. Preuss. [4]), dann aber ein ptolemäisches
oder auch ägyptisches, wonach die Silbermünzen geprägt
waren und das dem halbirten äginäischen an Gewicht gleichkam, an Werth $\frac{1}{4}$ des attischen Talents, also 325 Thlr.,

---

1) Droysen p. 44. 45.
2) Jos. XII, 2, 2.
3) Jos. XII, 4 4.

4) Böckh, Staatsh. I, S. 25. 28.
2. Aufl. Vgl. überh. Böckh Metrol.
Unters. S 137—160.

ferner ein alexandrinisches, das Doppelte von dem letztern
bildende und endlich ein Holztalent, das zu dem Solonischen
wie 6 : 5 stand., Daneben konnte ja auch nach Kupfertalenten gerechnet werden, und Böckh[1]) berechnet das Verhältniss von Silber und Kupfer zum Ausmünzen wie 60 : 1. Man
ist leicht geneigt, die Angaben über das Einkommen des Ptolemäos für übertrieben zu halten, da man den ungeheuern Geld-
zusammenfluss in Alexandrien und an der äpyptischen und
syrischen Küste in dieser Zeit nicht überschlägt und vergleicht z. B. mit den genauen Festschilderungen eines
Philadelphos. Aber es hat Böckh[2]) bei der Angabe der
Einnahme des Ptolemaios Philadelphos 14,800 Tal. Silber
und 1,500,000 Artaben Getreide (eine Artabe giebt 30
Brode, das Brod den Tagsverbrauch eines Menschen) treffend das de Aegypto urgirt, mit Ausschluss also aller
annexen Länder, und von Kupfertalenten bei diesen Berechnungen will er nichts wissen. Auch an unserer Stelle
ist an Kupfertalente, die Droysen[3]) als ein Vielleicht hinstellt, nicht zu denken, wenn wir daneben die übrigen
Angaben des Josephos von den 10, 12, höchstens Talenten
stellen, die bei jenem Feste von den Reichsten dargebracht
werden und die dann ebenso zu messen wären. Wohl aber
können wir jenes ptolemäische annehmen, wonach also die
Einnahme Kölesyriens für den König jährlich 5,200,000
Thlr. in der Zeit des Josephos, gewöhnlich 2,600,000 Thlr.
betragen haben würde, um so mehr, da dies mit dem in
den syrischen Küstenstädten gewöhnlichen übereinstimmte.

Trotz der schweren Abgabenlast erscheinen die palästinischen Städte sehr dem alexandrinischen Hofe geneigt:
die Reichen, der Adel jener Städte erscheint hier häufig
bei Festfeiern, das strenge Ceremoniell mochte für sie bald

---

1) S. 46.   3) p. 42.
2) S. 14.

Reiz gewinnen. Dabei consolidiren sich die geschäftlichen Verbindungen aller Art und jener Arion, der Bankier von Josephos, welcher 3000 Talente von ihm hatte und die Baarzahlungen an den König machte, ist sichtlich keine vereinzelte Erscheinung gewesen. Dagegen zeigen die Ptolemäer wie gegen die ägyptischen, so auch gegen die syrischen Kulte grosse Freigebigkeit und Connivenz, wie wir oben bei Philopator näher hervorhoben. Aber die hierdurch begründete, innere Zuneigung vermochte seit jener vollständigen, blutigen Eroberung des Antiochos III im Jahre $\frac{198}{197}$ nicht dauernd wieder die Küste Palästina's an Aegypten zu knüpfen.

Kap. II.

Die Zeit von Antiochos dem Grossen

bis zu dem Erscheinen des Pompejus in Kölesyrien.

§. 10.

Die syrische Herrschaft

über die philistäische Küste, ihre Stellung zu Aegypten und ihre innere Auflösung.

Antiochos der Grosse hatte mit bewundernswerther Energie und unermüdeter Thätigkeit dem syrischen Reich eine Ausdehnung und einen Einfluss wiedergegeben, welchen es nur in den letzten Jahren des ersten Seleukos besessen; vor Allem war nach anstrengendem Kampfe die Präponderanz Aegyptens, die von zwei Seiten, in Kölesyrien und den kleinasiatischen Küstenstädten, schwer auf den Seleukiden gelastet, gänzlich vernichtet worden. Kölesyrien war mit der Eroberung von Gaza bis in seine südwestlichste Küstenstrecke, bis an die Sirbonis in die Hand des Antiochos gekommen und wie er selbst diesen Besitz nicht als einen vorübergehenden betrachtend mit grosser

Klugheit durch Colonisation, durch Hebung der Städte,
durch Achtung und materielle Unterstützung nationaler Kulte
das Land an sich zu fesseln trachtete, so wird seine Eroberung (ἡ κατὰ πόλεμον ἔκκτησις) gegen 30 Jahre später
als Rechtsgrund für den Besitz hervorgehoben[1]. Ausdrücklich erklärt Polybios[2], dass seitdem alle jene Gegenden
κατὰ Κοίλην Συρίαν καὶ Φοινίκην bis zu dem im Jahre
169 (a. u. c. 585) neu erhobenen Streite den Königen Syriens gehorchten. Die Geschichte der palästinensischen
Städte und Staaten knüpft sich daher im Wesentlichen seitdem ganz an Syrien. Aber wie diese Länder den bereits
im vorhergehenden Abschnitte zuletzt hervortretenden, jetzt
weiter verfolgten und noch einmal von Antiochos IV Epiphanes auf die Spitze getriebenen tief gewurzelten Plänen
des Antiochos zu einer wenn auch nicht gänzlichen Vernichtung (diese war nicht geglückt), doch zu der gänzlichen Schwächung und Ankettung Aegyptens an Syrien als
Basis dienten, so wurden andererseits die Rechtsansprüche
Aegyptens an dieselben aufrecht erhalten, wenn auch nicht
immer ausgesprochen, ein Einfluss unter den Parteien der
Städte, sowie der Juden gesucht, vielmehr weiter gepflegt. Es
verändert sich nur der Charakter dieser gegenseitigen Spannung sehr, indem man gegenseitig in nahe verwandtschaft-
liche Verbindung tritt, man durch Persönlichkeiten, besonders Frauen, auf einander zu wirken sucht und so an den
Höfen sich eine gegnerische Partei bildet — aber es war dies
freilich ein Zeichen der Erschlaffung oder des Sinkens politischer Selbständigkeit und militärischer Kraft. Das Erstere
tritt vor Allem in Aegypten, hier gleichsam als selbstver-
ständliche Tradition, gewaltsamer in Syrien durch den Einfluss der grossen, westlichen Republik hervor, deren Legaten nun bald inspicirend und Frieden stiftend die Länder

---

1) Pol. XXVIII, 17.   2) XXVIII, 1.

der königlichen Bundesgenossen durchzogen. Dazu kommt
für das syrische Reich das sich Loslösen und Bilden einer
Menge Reiche und Staaten, die auf altnationale Geschlechter, auf erneuten Eifer für heimischen Glauben, allerdings bei äusserer hellenisirter Form, auf kräftige, neu-auf-
tretende Kriegerstämme, wie die Parther, wie die Skythen
im Pontos, die Gallier in Kleinasien gestützt dem grossen
Reiche eine innere Hülfsquelle nach der andern entziehen.
Für unsere Aufgabe concentrirt sich diese letztere so wichtige Erscheinung in dem Kampfe der philistäischen Städte
im Vereine' mit dem Hellenismus der syrischen Herrscher
gegen das neu aufstrebende, weit um sich greifende Judenthum und in dem Selbständigwerden dieser Städte
selbst unter republikanischer oder der Form einer Tyrannis. Also werden für uns vier Gesichtspunkte die leiten-
den bei der so bruchstückartig und zerstreut überlieferten
Geschichte dieses Zeitraums sein: das Verhältniss zu
Aegypten als einem einflussreichen Nachbar und frühern
Herrn, die innere syrische Verwaltung Kölesyriens, die Bildung selbständiger, städtischer Staaten und
der Kampf mit dem Judenthum. Chronologisch theilt sich
dieser Abschnitt in drei Unterabtheilungen ziemlich scharf
als von 197—142 v. Chr. (115 Aera Seleuc. —170), die
Zeit der entschiedenen syrischen Herrschaft über Philistäa
und des mannigfachen Kampfes mit Aegyten; ferner von
142—97 (170 A. S. — 215) die Zeit der Losreissung Kölesyriens und des innern Kampfes gegen das sich ausbreitende jüdische Königthum, endlich von 97 bis 63, die Zeit
der gänzlichen Unterjochung der philistäischen Städte und
deren theilweiser Verödung durch die Juden.

Während Antiochos mit einem grossen Landheer und
einer Flotte sich dem Schauplatze des Kampfes zwischen Philippos von Makedonien und den Römern näherte, zugleich hier
die den Ptolemäern ergebenen Städte sich unterwerfend und

als glänzenden Herrschersitz benutzend, klagten die Gesandten des jungen Ptolemaios bei den Römern wegen der
Wegnahme Kölesyriens[1]) und Kilikiens, aber bereits hatte
Antiochos den Plan zu einer mittelbaren Beherrschung
Aegyptens selbst unter dem Scheine der Verwandtschaft
gemacht. Er konnte den Römern erwidern, dass er schon
verwandt dem jungen König sei und bald sein Schwieger-
vater, daher diese Streitigkeit als Familiensache beilegen
werde. Durch Kleopatra, seine Tochter, welche er unter
Vermittelung des Rhodiers Eukles dem 11jährigen Knaben
verlobte (Ol. 146, 2 oder $19\frac{7}{6}$ a. Chr.), wollte er in Alexandrien herrschen[2]): (volens Antiochus... non solum Syriam
et Ciliciam — possidere sed in Aegyptum quoque *regnum
suum extendere* filiam suam Cleopatram — despondet —).
Sechs Jahre später findet die feierliche Uebergabe der Braut
wirklich kurz vor dem Beginn des Kampfes in Hellas zwischen M'. Acilius Glabrio und Antiochos in R a p h i a, also
nahe der ägyptischen Gränze, statt und — dies ist für uns
der wichtigste Punkt — es wird ihr als Mitgift ($\varphi\varepsilon\varrho\nu\acute{\eta}$[3]),
$\pi\varrho o\acute{\iota}\xi$[4]), dotis nomine[5]), $\varphi\varepsilon\varrho\nu\tilde{\eta}\varsigma\ \acute{o}\nu\acute{o}\mu\alpha\tau\iota$) K ö l e s y r i e n
im weitern Sinne, nach Josephos Kölesyrien, Samareia[6]),
Judaia, Phoinike gegeben. Man hat hierin immer ein Nach-
geben von Seiten des bereits bedrängten Antiochos an die
Ptolemäer, ein Aufgeben Kölesyriens unter einem äussern,
nicht ganz entehrenden Scheine gesehen; Droysen[7]), Flathe[8])
spricht auch von einem Verlorengehen der Provinzen seit dem
an die Ptolemäer, obgleich der letztere über die Art und Weise
nicht klar ist und sogar meint: Seleukiden und Ptolemäer

---

1) Pol. XVII, 32. 33. App. Syr.
2. 3.

2) Hieron. in Dan. XI, 15.

3) Pol. XXVIII, 17. Jos. Ant.
XII, 4.

4) App. Syr. 5.

5) Hieron. in Dan. XI, 15. Eus.
Chron. II, p. 358.

6) Chron. Alexandr. p. 255.

7) De regno Lag. p. 8. 9.

8) Geschichte Maced. II, S. 580.

hätten in der Herrschaft Kölesyriens alternirt. Dass Antiochos nichts weniger, als an ein Aufgeben des Landes
dachte, vielmehr an eine Befestigung der Herrschaft in
Aegypten selbst, geht klar aus den Worten des Hieronymus hervor. Daher ist Kölesyrien nicht abgetreten
worden, es blieb ganz unter der politischen und militärischen Hoheit Syriens, sondern die Einkünfte davon wurden, wie es ausdrücklich heisst, aber nur zur Hälfte der
Kleopatra zugesichert[1]). Antiochos folgte hiermit nur einer
altasiatischen Sitte, Länder und Städte als Mitgift, als Na-
delgeld zu vergeben: so gab Astyages seiner Tochter, die
er dem Meder Spitames verheirathete, ἐπὶ προικί ganz Medien[2]), so hatte Seleukos II Kallinikos dem König Mithridates von Pontos seine Schwester (nicht Tochter)[3]) vermählt
und ihr zur Ausstattung (in dotem) Grossphrygien gegeben[4]), aber darum erscheint es doch im Besitz Antiochos III
und wird daher im Frieden nach der Schlacht bei Magnesia
dem Eumenes von Pergamum zugetheilt[5]), so hatte der
Sohn des Antiochos III, Antiochos Epiphanes Tarsos und
-Mallos seiner Geliebten Antiochis geschenkt[6]). Dass dabei
an eine politische Veränderung nicht gedacht ward, ist klar.
Obgleich nun der Plan des Antiochos den jungen König mit
einer ganz syrischen Partei zu umgeben fehlschlug, indem
die militärischen Lenker des Staates den Plan bald durch-
schauten und auch Kleopatra auf Seite ihres Gemahls trat[7]),
obgleich Ptolemaios zweimal, im Jahre 191 und 190, den
Römern Anerbietungen von Geld, Getreide, Hülfstruppen
machte, die aber dankend abgelehnt wurden, obgleich er selbst

---

1) J. C. C. Hofmann spricht
dies in seiner Dissert. de bello ab
Antiocho Epiph. gestis p. 5 richtig
aber nur als Vermuthung aus.
2) Nic. Dam. Fr. 66 bei Müller
Fr. III, p. 399.

3) Vergl. Niebuhr, Kl. Schr. I,
S. 261.
4) Just. XXXVIII, 5.
5) Polyb. XXII, 27.
6) 2 Makk. 4, 30.
7) Hieron. in Dan. XI, 15.

erklären lässt, in Syrien sei Alles von Furcht gegen die
Römer erfüllt und die Römer zum Betreten Asiens auffordert[1]); von einer Occupation Kölesyriens, von diesem bisherigen Zankapfel ist keine Rede, vielmehr schickt Antiochos Hannibal nach Phönike, um die Flotte der Phöniker
herbeizuholen[2]). Die Römer verfolgten ein festes System
in der allmäligen Schwächung der griechischen Reiche:
jetzt galt es, Antiochos nur aus Kleinasien bis auf den südlichen Küstenstreif zu verdrängen; ihm auch die reichste,
ergiebigste Provinz entreissen zu lassen, die ihm die
Möglichkeit der Deckung der Kriegskosten mitgab, lag nicht
in ihrem Sinne. Wie wichtig Kölesyrien mit seinen vielen reichen Tempeln gerade bei dem Drange der Abzahlung
jener ungeheuern Summe von 15,000 Euböischen Talenten an
die Römer war, zeigt die Erzählung von dem Tempelräuber
Heliodoros. Und Ptolemaios zeigt sich als gehorsamen Bundesgenossen der Römer. Antiochos aber, von der Höhe seines Glücks in peinigende Abhängigkeit, in ungeheuern
Verlust an Länderbesitz und in den noch drückenderen der
Geld- und Kriegsmittel gestürzt, von denen er die letztern nicht wieder ersetzen soll[3]), wendet sich nach Rati-
ficirung des Vertrags noch einmal Oberasien zu, um dort
gleichsam ein zweiter Antäos seine Kraft neu zu stärken,
aber fand bekanntlich bei der unter der Forderung der φερνή
angestellten Beraubung des Haupttempels der Elymer, des
Belos oder der Nanaia im Volksaufstande seinen Untergang.

Für das Verhältniss Kölesyriens zu seinem Nachfolger
Seleukos IV (187 — 176), den theils die militärische
Schwächung des Reiches, die fortgesetzten Tributzahlungen,
theils eigene Unselbständigkeit in Unthätigkeit nach Aussen

---

1) Liv. 36, 4. 37, 3
2) Liv. 37, 8.

3) Pol. XXII, 1. 7. 24. 26. App.
Syr. 38. Exc. Diod. legat. 9. p. 166
ed. Dind.

erhielten ¹), ohne jedoch die Erneuerung engerer Verbindungen, wie mit den Achäern aufzugeben²), fehlt es an
einzelnen, bezeichnenden Zügen nicht. So erscheint Apol-
ionios, Sohn des Thrasaios als *ὁ κατ᾽ ἐκεῖνον τὸν καιρὸν
Κοίλης Συρίας καὶ Φοινίκης στρατηγός* unter Seleukos thätig³), so macht Seleukos aus seiner Privatkasse
grosse, regelmässige Geschenke an das Heiligthum zu Je-
rusalem⁴), so bereist ja unter ihm Heliodor, der mächtige
Premierminister, mit grossem Gefolge die Städte in Kölesyrien und Phönike, sie inspicirend, dabei es aber auf den
Tempelschatz zu Jerusalem absehend⁵). Wir sehen also,
das Verhältniss ist ein ganz bestimmtes und geordnetes, von
einem Einspruch Aegyptens bei dieser militärischen Verwaltung, geschweige von einer militärischen Besatzung
selbst findet sich keine Spur, dagegen rüstet allerdings
Ptolemäos Epiphanes im Geheimen ein Heer gegen Syrien,
wird aber in diesen Rüstungen durch seine eigenen Befehlshaber, die gegen den Krieg sind, vergiftet im Jahre 181⁶) und
es bildet sich — dies ist meines Wissens noch nicht in's Licht
gestellt — in Syrien allerdings durch den Einfluss der Kleopatra, der Vormünderin ihres Sohnes und Schwester des
Seleukos eine förmliche ägyptische Partei und zählt besonders am Hofe ihre entschiedensten Vertreter. Zu dieser
gehört auch Heliodor und man glaubte von Aegypten aus
durch diesen, der zuerst am Hofe allmächtig war, dann
sogar nach der Ermordung des Seleukos als Usurpator auf-
trat⁷), und den kleinen Sohn des Seleukos IV, Demetrios,
ganz Syrien beherrschen zu können. Diese Partei blieb
im Auge des Volkes aber die *ἀλλότριοι.*

1) App. Syr. 45. 66. Diod. Exc. p. 109 ed. Dind. Hieron. in Dan. XI, 19.
2) Pol. XXIII, 9.
3) 2 Makk. 3, 5. 7. 4, 4. Eus. Chr. II, p. 358.
4) 2 Makk. 3, 3.
5) 2 M. 3, 7—40.
6) Hieron. in Dan. XI, 20.
7) App. Syr. 45.

Da erscheint plötzlich **A n t i o c h o s IV E p i p h a n e s** in
Syrien unter dem militärischen Schutze der pergamenischen
Könige und dies macht natürlich einen tiefen Riss in das ganze
über Syrien ausgespannte Netz der ägyptischen Partei. Diese
(qui in Syria Ptolemaeo favebant) erkennen daher Antiochos
nicht an [1]), aber nach der Vertreibung des Heliodor scheint es
zu gewaltsamen Auftritten nicht viel gekommen zu sein,
wenigstens kennen wir sie nicht. Antiochos benahm sich
sehr klug und wusste durch den Schein verzeihender Milde
die Gegenpartei zu entwaffnen und so ganz Syrien sich zu
sichern (obtinuit regnum Syriae, obtinuit Judaeam [2])). Von
einer Eroberung Kölesyriens, das ja nicht von dem übrigen
Syrien losgerissen war, kann hierbei nicht die Rede sein
und so lange Kleopatra lebt, welche jedenfalls ihre Einkünfte aus Kölesyrien behielt, scheint das Verhältniss zu
Aegypten sich wieder freundlicher gestaltet zu haben, ja
eine förmliche Anerkennung durch einen Vertrag erlangt
zu sein, dessen Bedingungen, besonders in Bezug auf die
Einkünfte aus Kölesyrien, wir nicht näher kennen.

Mit dem Tode derselben im Jahre $\frac{172}{171}$ beginnen aber sofort
die grossen Verwickelungen, die für kurze Zeit Syrien die
Herrschaft über Aegypten gaben und auch den bedeutendsten Rückschlag auf Kölesyrien ausübten. Zwar ist Philistäa nur an seiner Gränze der Schauplatz der entscheidenden Schlachten geworden, aber ein Stützpunkt der gewaltigen Rüstungen des Antiochos. Und an die Züge desselben knüpft sich die Wendung des Schicksals von Judäa,
welche für die Küstenstädte bald zum wichtigsten Interesse,
ja zur Existenzfrage ward. Es kann nicht unsere Absicht
sein, eine kritische Auseinandersetzung über Zeit, Ort und
Absicht der Züge des Antiochos zu geben, die trotz viel-

---

1) Hieron. in Dan. XI, 21.   2) Hieron. in Dan. XI, 21.

facher Behandlungen noch nicht scharf und sicher auch in Háuptpunkten herausgestellt sind. Ich verweise zunächst auf Droysen[1]), auf die Monographie von J. Chr. C. Hofmann hierüber[2]), sowie die neuste Besprechung in Hitzig's Commentar zu dem Buch Daniel[3]) und bemerke nur Folgendes. Antiochos ist bei dem Tode der Kleopatra im vollständigen Besitze Kölesyriens, er kommt nach Joppe, nach Jerusalem, wo er glänzend empfangen wird und nirgends eine Andeutung von ägyptischer Macht, ägyptischer Opposition im Lande. Aber der von ihm zur Feier der πρωτοκλισία, vielleicht der Mündigkeitserklärung des Philometor gesandte Apollonios, Sohn des Menestheus bringt die Nachricht von der Veränderung der bisherigen Gesinnungen und Zustände gegenüber Syrien, von der Entfremdung[4]), zugleich von den grossen Rüstungen der bisherigen Vormünder und Leiter des Staates Lenaios und Eulaios, die ausdrücklich für einen Aggressivkrieg bestimmt sind[5]), indem sie den Besitz Kölesyriens, ja Syriens[6]), in der That für Philometor als durch Kleopatra ererbt beanspruchen. Bei dem Krieg selbst sind jedenfalls zwei Háuptabschnitte zu scheiden: den einen bilden die Kämpfe im Jahre 171 noch und durch das ganze Jahr 170, die die Schlacht zwischen dem Kasion und Pelusium gegen die Bewohner des Ptolemäos, die darauf erfolgende Einnah-

---

1) De Lagidar. regno. Berol. 1831. p. 56—69.

2) De bellis ab Antiocho Epiphane adversus Ptolemaeos gestis. Erlang. 1835.

3) Leipzig, 1850. S. 201—208.

4) 2 Makk. 4, 21.

5) 2 M. 4, 21: Epiphanes denkt τῆς κατ' αὐτὸν ἀσφαλείας. Er schickt Gesandte nach Rom, um zu zeigen, dass gegen alles Recht Ptolemäos αὐτῷ τὰς χεῖρας ἐπιβάλλει (Pol. XXVII, 17). Bei den Verhandlungen in Memphis wird von Seiten der griechischen, für Ptolemäos thätigen Gesandten allerdings der Partei des Eulaios die Schuld des Anfanges vom Krieg zugestanden (Pol. XXVIII, 17[a]).

6) Hieron. in Dan. XI, 22: repeterent Syriam, quam Antiochus fraude occupaverat.

me von Pelusium und die *κατάκτησις Αἰγύπτου*, die schmach-
volle Entweichung des Philometor nach Samothrake[1]), die
Erhebung des Ptolemäos Euergetes in Alexandrien zum König, die nun eintretende Protektion des Epiphanes für Philometor, das glückliche Seetreffen bei Pelusium gegen
'Euergetes, sowie die Belagerung Alexandria's, das aber
den Angriff entschieden zurückwies, umfasst. Hierbei kann
man allerdings darüber schwanken, ob sofort nach der
Schlacht bei dem Kasion die Unterwerfung von dem grössten Theile Aegyptens erfolgt sei, oder nicht, ob die *δευ-
τέρα ἔφοδος*, welche im zweiten Buche der Makkabäer erwähnt wird[2]) und in das Jahr 170 gehört, also diese erst
herbeigeführt oder nur auf den Kampf gegen Alexandria
und das Königthum des Euergetes gerichtet war, wofür ich
mich entschieden erklären muss. Der zweite Abschnitt fällt 1½
Jahre später, in das Jahr 168. Inzwischen herrscht in
Alexandrien Euergetes, Philometor dagegen in Memphis
ruhig unter syrischem Schutze und bei syrischer Besatzung
in Pelusium, es erfolgt im Herbste 169 die Aussöhnung
und Vereinigung Beider durch ihre Schwester und Mitköni-
gin Kleopatra[3]). Dies veranlasst Antiochos zu dem Bruche
der schriftlichen Verträge mit Philometor und zum erneuten Kriegszuge gegen Aegypten, aber nun mit ganz veränderten Forderungen: früher war der beabsichtigte Angriff des Ptolemäos auf Syrien, dann der Schutz eben desselben gegen einen Usurpator der feierlich in Gesandtschaften und Schreiben ausgesprochene Grund, diesmal ist es
das bestimmte Verlangen der Anerkennung des syri-

---

1) Diese von Polybios (XXVIII,
170) zweimal erwähnte *ὁρμὴ εἰς
Σαμοθράκην*, also ganz aus Aegypten heraus ist merkwürdigerweise
bisher ganz übersehen worden. Vgl.
auch Exc. Diod. de virt. p. 113 ed,

D., die die Worte des Polybios genau wiederholen.
2) 2 Makk. 5, 1 ff.
3) Pol. XXIX, 8. 9. Liv. XLV,
10. 11.

schen Besitzes von Kypros, von Pelusium und der Um=
gegend des letzteren. Antiochos rückte im Anfang des
Frühjahrs nach Kölesyrien vor; bei Rhinokolura, was
also hiermit als die Gränze Aegyptens für damals bezeich-
'net wird, begegnen ihm die ptolemäischen Gesandten mit
dem Ausdruck des Dankes für das durch Antiochos Errungene aber der Frage nach den Gründen seines feindlichen Auftretens. Hier stellt Antiochos die eben genannten
Forderungen und eine Frist für ihre Antwort. Nach Ab-
lauf derselben zieht er weiter über Pelusium, auf der arabischen Seite nach Memphis, sieht hier von neuem sich ge-
huldigt und naht sich auf 4 römische Meilen (⅘ deutsche
Meilen) Alexandria. Hier gebietet ihm die nach langem,
unfreiwilligen Aufenthalt Anfang Juli angekommene römische Gesandtschaft Halt, hier schneidet die Entschiedenheit
des C. Popilius Laenas und die Nothwendigkeit, in den Ptolemäern Rom selbst anzugreifen, auf einmal alle begonnenen, bis jetzt so glücklichen Unternehmungen ab. Aegypten und Cypern wird von den Syrern innerhalb eines kurzen Termins geräumt[1]). Wie sehr die philistäische Küste
bei diesen gewaltigen Heereszügen des Antiochos betheiligt,
jedenfalls sehr erschöpft war, wie sie in ihrer ganzen Ausdehnung als Hauptstützpunkt der Flotte, wie des Landheeres dienen musste, ergiebt eine einfache Betrachtung der
Sachlage. Sie war dem ersten Angriffe der ptolemäischen
Macht ausgesetzt, aber wir sehen, Epiphanes kommt ihm
zuvor und das Schlachtfeld wird hierdurch von dem Eingang Syriens in den Eingang Aegyptens, in die Gegend
von Pentaschönos und Gerrha verlegt. Und welche Bedeutung musste diese Küstenstrecke gewinnen, wenn der
Schlusspunkt derselben, die Stelle des alten Avaris von
Neuem mit ihr verbunden, wenn statt Gaza Pelusium nun

1) Liv. XLV, 12. Pol. XXIX, 11.

die Feste der Reichsgränze wurde... Ueber die Stimmung
und die Vorgänge in den Städten erfahren wir ebenfalls
nichts, aber dass es ähnlich Phönike und Judäa in fieber-
hafte Aufregung, wenn auch nicht in offenen Aufstand gerieth,
beweist jene so lebendige Schilderung von den vierzigtägi-
gen[1]) Epiphanieen gewaltiger Heermassen und Kämpfe, die
in der Luft vorbeiziehen, zu Jerusalem, beweist die gewaltsame Erhebung des Iason mit Hülfe der Araber ebendaselbst
und das darauf erfolgende blutige Gericht des Epiphanes, wobei 80,000 Juden gemordet, eben so viele verkauft sein
sollen[2]), beweist die das ganze Küstenland Phöniciens
(omnem in litore Phoenices provinciam) treffende Plünderung und die gewaltsame Einnahme von Arados[3]).

Die römische Entscheidung zwischen Aegypten und Syrien, die Geltung des römischen Wortes ist, wie Polybios treffend hervorhebt[4]), ein weltgeschichtliches Ereigniss:
die Anerkennung eines westlichen Schiedsrichters im Streite
der orientalischen Reiche. Kölesyrien hört seitdem auf,
das Objekt des rechtlichen und Waffenstreites zu sein, es
ist von den Römern als zu Syrien gehörig anerkannt und
fällt nun ganz den Schwankungen des syrischen Reichs anheim; allerdings bildet es bei dem noch vielfach auftretenden Einflusse Aegyptens, das aber nicht sowohl in seinem
Namen, wie dem einer Prätendenten- und Hofpartei thätig
ist, den Schauplatz heftiger Kämpfe. Wir überschauen
diese, sowie die allmälig sinkende, dann ganz aufhörende
Herrschaft Syriens selbst zunächst noch kurz, um später
Philistäa gegenüber dem sich erhebenden Judäa und inmitten der heftigen Kämpfe an ihren Gränzen im Zusammenhang zu betrachten. Nach der Dämpfung des phönikischen

---

1) 2 Makk. 5, 1 ff.

2) 2 Makk. 5, 11

3) Porphyrios bei Hieron, in
Dan. XI, 44. 45.

4) Pol XV, 20. XXIX, 11.

Aufstandes sucht Antiochos, scheinbar gänzlich auf eine politische Rolle verzichtend, theils seinen Bestrebungen, die
μισανθρωπία πάντων. ἐθνῶν zu vernichten, alle Völker des
Reichs vor Allem durch eine Einigung: auf religiösem Gebiet, in der Durchführung des bisher nur als gleichberechtigt zu freiwilliger Annahme aufgetretenen hellenischen,
ja schon römisch gefärbten Glaubens zu verschmelzen, einen
oft blutigen Nachdruck zu geben, theils liess er in grossartiger Vergeudung an Einzelne, sowie in Festen, die uns
ein höchst lebendiges Bild des damaligen Luxuslebens geben, es ungewiss, wieviel Wahnsinn und wieviel Schlauheit den Römern gegenüber dabei war. Dabei sind natürlich die Provinzen und vor Allem die mit den Tempeln verbundenen öffentlichen Schätze der Städte sehr ausgeleert
worden[1]). Bereits drei Jahre nach dem ägyptischen Zuge
sieht sich Epiphanes zu dem Zuge in den Osten veranlasst,
um hier, wie es offenbar ist, theils in den noch uner-
schöpften Geldmitteln der Provinzen sich neu zu stärken,
theils hier, in den ἄνω χῶραι, wie sein Vater Antiochos der
Gr., eine neue und breite Basis seines gedemüthigten Reiches zu gewinnen. Dass an einen neuen Zug nach Aegypten in demselben Jahre, wobei er auch Aethiopien und
Libyen berührt habe, wie ihn Hieronymus[2]) ganz allein
anführt, sichtlich weil er eine zusammenfassende Stelle über
Antiochos als einzelnes Faktum ansieht, gar nicht zu denken ist trotz der Ausführung von Hofmann[3]), liegt auf
der Hand; schon eine einfache Betrachtung des Verhältnisses von Antiochos gegenüber den durch Gesandte ihn immer
beobachtenden Römern erweist es.

.Antiochos setzte Lysias, einen hoch stehenden und
dem königlichen Geschlecht angehörigen Mann (ἀπὸ γένους

---

1) Pol. XXXI, 4.
2) In Dan. XI, 40. 41.

3) De bellis ab Antiocho Ep.
gestis §. 5.

τῆς βασιλείας) als Reichsverweser des Landes vom Euphrat
bis zu den Gränzen Aegyptens ein und übergab
ihm die Leitung seines unmündigen Sohnes Antiochos V
Eupator[1]), welcher nach dem in Tabä erfolgten Tode des
Vaters als König nur 1⅓ Jahr regierte gegen den mit Ring
und στολή vom sterbenden König betrauten Philippos, der
als Reichsprätendent in Antiochien auftrat, sich behauptete und diesen nach Aegypten zu fliehen [2]) nöthigte. . Die
militärische Hauptmacht des Lysias concentrirte sich ganz
in Palästina, auf dem Gebiet der philistäischen Städte und
dann im Süden von Judäa, in Idumäa. Der junge König
selbst ist bei der Hauptunternehmung zugegen gewesen [3]),
zog in Jerusalem ein und schien durch seine Zugeständnisse die syrische Autorität in Judäa zu befestigen, während ihm mit bitterer Strenge von den Römern Flotte und
Elephanten vernichtet wurden [4]).

Mit dem Auftreten des Demetrios I, des Sohnes
von Seleukos IV an der phönikischen Küste, wo er zuerst
in Tripolis und der Paralia [5]) eine Herrschaft sich gründet, begann Polybios den dritten Theil seines ganzen Wer-
kes οἷον ἀρχὴν ποιησάμενος ἄλλην [6]), damit beginnt für
Syrien auch der fortdauernde, nie wieder geendete Zwist
zweier Familien, zuerst der Nachkommen von Seleukos IV
und Antiochos IV; jene, durch ihre τυραννικὴ παρανομία
Hass, diese durch die βασιλικὴ ἐπιείκεια die Liebe ihrer
Unterthanen gewinnend[7]), dann der zwei von Demetrios II

---

1) 1 Makk. 3, 32. 33. 2 Makk.
10, 10. Jos. Ant. XII, 9, 3. Pol.
XXXI, 12, 15. App. Syr. 46. Just.
XXXIV, 3.

2) 2 Makk. 9, 29. Jos. XII,
9, 7.

3) 1 Makk. 6, 57. 61. 62. Jos.
Ant. XII, 9, 3. Nach 2 Makk. 13
war der König erst bei dem zwei-

ten grossen Unternehmen, das das
erste Buch nicht scheidet, zugegen.

4) App. Syr. 46.

5) 1 Makk. 7, 1. 2. Makk. 14,
1. Jos. Ant. XII, 10, 1. Just.
XXXIV, 3. Eus. Chr. I, 40. p. 190.

6) Pol. III, 5.

7) Diod. Exc. de virt. p. 131 ed. D.
Just. XXXVI, 1. Jos. Ant. XIII, 2, 1.

ausgehenden Linien. Dies ist für den innern Zerfall des
Reiches, zunächst in zwei Haupttheile, in das eigentliche
Syrien und Kölesyrien, durch das Anlehnen des einen an Aegypten, dann durch die Zersplitterung auch der grösseren Theile in
kleine Politien und Reiche von den wichtigsten Folgen gewesen.
Während in Palästina mit neuer Strenge und grosser Kraft-
entwickelung der Kampf gegen die Makkabäer fortgeführt
wird, erhebt sich in Antiochia selbst ein furchtbarer, von
Ariarathes von Kappadokien begünstigter Aufstand[1]). Dieser Volkshass begünstigte dann einen entschiedenen Einfluss Aegyptens, wo nach kurzer, gemeinsamer Regierung,
dann langen, inneren Kämpfen mit dem jungen Bruder Physkon, der zuerst Kyrene erhalten, dann aber fortwährende Versuche machte, Kypros sich zu erwerben, Philometor seine
Alleinherrschaft endlich neu befestigt hatte. Er schickte
daher ein ägyptisches Heer dem mit seiner Mutter Laodike
in Ptolemais landenden Alexander I im J. 152 zu Hülfe[2]),
welcher auch die syrischen Truppen bald sich zu seinen
μισθοφόροι[3]) hinzu gewann und hier in Ptolemais seinen politischen Mittelpunkt fand. Ganz Palästina fiel ihm
zu, die Demetrios treu gebliebenen Truppen zogen ab und
besonders bewiesen die Juden den ägyptischen Truppen
wichtige Dienste[4]).

Der ägyptische Einfluss steigert sich unter Alexander I
auf Syrien bedeutend, ja er wird endlich der herrschende.
Die palästinische Küste sah in feierlichem Geleite im J. 150
den Ptolemäos Philometor seine Tochter Kleopatra nach Ptolemais bringen, wo ein glänzendes Hochzeitfest statt findet[5]). Drei Jahre später (147) rückt derselbe mit einem
Heer aber in Syrien ein, von einer Flotte begleitet, schein-

1) Just. XXXV, 1.   4) Jos. Ant. XIII, 3, 1.
2) Eus. Chr. I, 40. p. 190. 197.   5) 1 Makk. 10, 53 ff. Jos. Ant.
Jos. Ant. XIII, 2, 1.   XIII, 4, 1.
3) Pol. XXXIII, 16.

bar ganz im Einverständniss mit Alexander., welcher auf
die Nachricht von der aus Kreta bewerkstelligten Lan-
dung des Demetrios II in Kilikien von der Küste nach Antiochien geeilt war. Auf Befehl Alexanders öffnen ihm οἱ
ἀπὸ τῶν πόλεων, hier die südlich von Azotos Wohnenden,
also vor Allem Gaza und Askalon die Thore, nehmen
ihn feierlich auf und geben ihm das Geleite bis Azotos [1]).
Sofort legt er überall φρούρια hinein und zieht von Ptolemais aus, wo Kleopatra, seine Tochter, sich befinden haben
muss, als entschiedener Gegner Alexanders die Küste bis
Seleukeia entlang. Auf dem Gipfel seines Glückes angelangt, in Antiocheia mit den zwei Diademen Aegyptens
und Asiens sich krönend [2]), dann aber Demetrios einsetzend,
überrascht ihn der Tod durch eine Kopfwunde in der
Schlacht. Sofort stürzt auch die ägyptische Macht in Syrien zusammen; die Besatzungen der Städte werden durch
die Städter vernichtet [3]), Demetrios II ($\frac{146}{138}$) gewinnt die
Elephanten, das Hauptheer zieht sich rasch nach Alexandrien zurück.

Während derselbe durch Auflösung eines grossen Theils
des Heeres, durch Verweigerung des Soldes, durch eine
ganz abgeschlossene, nur in wüster Sorglosigkeit zu Laodikea
am Meer sich bewegende Lebensweise sich die obersten
militärischen Führer entfremdet, die eigene Hauptstadt Antiochia in furchtbarsten Aufstande sich erheben sieht und
die Vertriebenen der Stadt als eben so viel Herolde seiner
Grausamkeit im Reiche herumirren, halten die Seestädte
Philistäas mit grosser Treue an ihm fest. Er hat selbst
in Ptolemais im J. 145 Hof gehalten [4]) und hierbei die πό-

---

1) 1 Makk. 11, 2 ff. Jos. Ant.
XIII, 4, 5.

2) 1 Makk. 11, 9 ff Jos. Ant.
XIII, 4, 7. Porphyr. in Müll. Fr.
hist. III, p. 721. Eus. Chron. I.
22. p. 118. Liv. epit. 54.

3) So kann doch nur 1 Makk.
11, 18: οἱ ὄντες ἐν τοῖς ὀχυρώμασι ἀπώλοντο ὑπὸ τῶν ἐν τοῖς
ὀχυρώμασι verstanden werden.

4) 1 Makk. 11, 22.

λεὺς durch die Auszeichnung Jonathans vor den Kopf gestossen, aber als dieser im Namen und für die Sache des
aus dem arabischen Versteck hervorgezogenen Antiochos VI
Dionysos und des eigentlichen Machthabers, des Tryphon
genannten Diodotos [1] die Städte Kölesyriens zum Abfall
auffordert und sie an die erlittene Unbill erinnert, da
weisen sie eine solche Symmachie ab, Gaza lässt es auf
eine Belagerung ankommen, hofft aber vergebens auf Entsatz durch Demetrios [2]. Bereits hatte der Kampf in nördlichen Kölesyrien, in Galiläa begonnen und es ward hier
durch das für Demetrios unglückliche Treffen bei Ptolemais dessen Macht bis über den Eleutheros zurückgedrängt,
wenn gleich ein Naturereigniss, eine Springfluth das siegreiche Heer des Tryphon fast gänzlich verschlingt [3].

Während Demetrios nach Oberasien sich wendend,
dort zuerst eine bedeutende Macht um sich sammelt, dann
aber in die lange drückende Gefangenschaft des Arsakes
von Parthien fällt, in Syrien selbst nur Seleukeia am Meer
mit Kleopatra und des Demetrios Kindern sich hält, sehen
wir Tryphon auch den letzten Schein des Rechts mit dem
Morde des königlichen Knaben abwerfen und sich allgemeine
Anerkennung verschaffen. Er erscheint mit einem Heer in Ptolemais und umzieht von da der Küste entlang und dann durch
Idumäa das jüdische Land [4]. Palästina wird der militärische
Stützpunkt von Tryphon, nachdem er aus Obersyrien durch
Antiochos VII Sidetes, den Bruder des Demetrios und zugleich den Gatten von dessen Gemahlin Kleopatra verdrängt
war. Dora (ἡ ἐπὶ τῆς θαλάσσης, φρούριον δυσάλωτον)

---

1) Er hatte neben Hierax und
Ammonios unter Alexander I die
oberste Regierung in Handen gehabt s. Diodor Exc. de virt. p. 130
ed. D. Jos. Ant. XIII, 5, 1.

2) 1 Makk. 11, 60 ff. Jos. Ant.
XIII, 5, 5.

3) Poseidon. bei Ath. VIII, 7.

4) 1 Makk. 13, 1—22: ἐκύ-
κλωσεν, ἐκπεριῆλθε τὴν χώραν.
Jos. Ant. XIII, 6, 4 ff.

tritt als ein gewaltiges Bollwerk uns entgegen, an dem
die Macht von 120000 Mann und einer Flotte fast sich brach [1]),
die ihre Selbständigkeit als $\iota\varepsilon\varrho\grave{\alpha}$ $\varkappa\alpha\grave{\iota}$ $\ddot{\alpha}\sigma\upsilon\lambda o\varsigma$ seitdem auch
durch Münzen dokumentirt [2]). Allerdings muss Tryphon
aus Dora entweichen und zuerst in Ptolemais [3]), dann in
Orthosia eine Zuflucht suchen, bis er in Apamea ein kläg-
liches Ende findet. Antiochos VII ($\frac{138}{128}$ v. Chr.) war der
letzte der syrischen Könige, welcher mit Kraft die Idee
der Einheit des Reiches festhält und in der That auch alle
selbständig gewordenen Theile dieses grossen Körpers fest
zu verbinden versteht. Die langwierige Belagerung und
Einnahme Jerusalems ($\frac{134}{133}$) [4]) bildet den Mittelpunkt dieser
Bestrebungen. Die syrische Oberherrschaft wird in dem
beschränkten Territorium von Judäa anerkannt, syrische
Besatzungen liegen in den philistäischen Gränzstädten [5]),
die Hafenstadt Joppe ist wieder königlich. Kölesyrische,
jüdische Truppen begleiten Antiochos auf seinem so glor-
reich begonnenen Zuge gegen Parthien ($\frac{129}{128}$) [6]), der aber
durch Verrätherei der mesopotamischen Städte, eine unglückliche Schlacht und den selbstgewählten Tod des Antiochos ein rascheres Ende erreicht.

Die politischen Beziehungen Aegyptens zu Kölesyrien waren seit dem Jahr 146 fast ganz und gar zurückgetreten, jetzt beginnen sie von Neuem von hoher
Wichtigkeit zu werden. Vergegenwärtigen wir uns kurz
den ganz veränderten Culturstandpunkt Aegyptens, der

---

1) 1 Makk. 15, 11 ff. Jos. Ant
XIII, 7, 2. de B. J. I, 2, 2. Just.
XXXVIII, 9.

2) Der Revers zeigt Zeus Nikephoros vgl. Mionnet. t. V, 72. n. 631.

3) Charax Pergamenos in Müller Frg. hist. III, p. 644.

4) Diod. l. XXXIV, fr. 1. 2 Makk.

1, 12. Jos. Ant. XIII, 8, 2. de B.
Jud. I, 2, 5. Eus. Chr. I, 40. p.
191. II, p. 362. Müller Fr. h. III,
p. 712. Prol. Trog. 1. 36. Just. 36, 1.

5) 1 Makk. 15, 38 — 41.

6) Nikolaos Damask. bei Jos.
Ant. XIII, 8, 4.

nach dem Tode Philometors aus Kyrene herbeigerufene
Euergetes II oder Physkon hatte eine furchtbare Umgestaltung durchgeführt[1] und so das Reich auch in seiner Stellung nach Aussen gänzlich geschwächt.

Die makedonische und hellenische Grundlage des alexandrinischen Staates ward soviel als möglich entfernt, die
hellenischen φίλοι und Befehlshaber durch falsche Anklage
und Mord ausgerottet, hellenische Kunst und Wissenschaft
verachtet und verpönt, es trat eine förmliche Flucht der
Künstler aus Aegypten ein[2], der griechische Theil der
Bevölkerung von Alexandria ward geradezu durch peregrini
milites hingemordet und Fremde auf Befehl angesiedelt;
dem ägyptischen Wesen mit seiner ganzen ἀσωτία und dem
hervorstechenden Zuge der μιαιφονία gab man sich hin
und zugleich steigerte sich der Einfluss der massenweise
eingewanderten, im Nomos von Heliopolis um den Tempel
zu Leontopolis zunächst concentrirten Juden, die an die
Spitze des Militärs und des literarischen Wesens treten[3].
Und dennoch macht das Land selbst auf die römischen Gesandten, unter denen Scipio Africanus minor, welche im Jahr
136 v. Chr. ad introspicienda sociorum regna[4] ausgeschickt
waren und Aegypten, Kypros, Syrien besuchten, durch
die Lage und Bedeutung Alexandriens, durch den Anbau
des Bodens, die Myriaden der Bewohner, die Menge der
Städte, die natürliche Sicherheit gegen Aussen einen grossen Eindruck, ganz angelegt zu einer sichern, grossen
Hegemonie[5]. Dies Regiment, vor Allem die Scheusslich-

---

1) Exc. Diod. de virt. p. 132.
134. 137. 144. ed. Dind. Prol. Trog.
Pomp. 1. 38. Just. 38, 8 — 10. 39,
1. 2.

2) Menekles aus Barka und An-
dron Alexandr. b. Ath. IV, p. 184. B.

3) Jos. Ant. XII, 9, 7. XIII, 3.

10. 4. 13, 2. de B. Jud. VII, 10.
Hieron in Dan. XI, 13. Porphyr.
in Müll. Fr. hist. III, p. 722.

4) Just. 38, 8.

5) Diod. Exc. leg. 32. p. 175
ed. D.

keit Physkons gegen seine Schwestergemahlin Kleopatra;
deren Tochter er früher gehabt, erregen den tiefsten Volkshass und der König entweicht auf 4 Jahre nach Kypros.
Kleopatra von ihm neu bedroht wendet sich an den so
eben 128 v. Chr. aus der Gefangenschaft entlassenen Demetrios II Siripides, der sein und seines Bruders Reich
von Neuem übernimmt. Wir sehen ihn dem Rufe folgend
nach Aegypten ziehen und Pelusium angreifen[1]), aber
vergeblich: die Unsicherheit des eigenen Heers, die nahende
Macht des Physkon, die Gesinnungsveränderung der Kleopatra nöthigen ihn zum Rückzug und er findet hier in
Alexander II Zabinas, einem ägyptischen Kaufmannssohn,
den Physkon auf Wunsch der syrischen Militärmacht aufgestellt, einen gefährlichen Feind, dem er endlich erliegt;
und in Tyrus Aufnahme suchend wird[2]) er getödtet. Aegypten wird nun für eine Zeitlang die bestimmende Macht in
Syrien; Frauen, wie Kleopatra, Tryphäna, Selene besetzen und stürzen Throne und ägyptische Hülfsheere, oft
ingentia auxilia[3]) durchziehen das Land. Aber nirgends
die Spur, dass Aegypten von Neuem einen Besitz sich
gründen, dass es in Kölesyrien die alten ägyptischen Sympathieen durch ein dauerndes politisches Band an sich knüpfen will, nur einmal noch einen mehr abentheuerartigen
Versuch. Und die palästinischen Küstenstädte, sowie die
πόλεις Ἑλληνίδες im Innern, wie Samareia, Skythopolis halten noch immer fest an den Seleukiden, aber sie hoffen
gegenüber den Eroberungszügen der makkabäischen Fürsten vergebens auf Hülfe oder diese, wie bei der Belagerung Samareias durch Ptolemäos Lathuros auf Ansuchen
des Antiochos Kyzikenos geleistet, bleibt unwirksam[4]) oder

---

1) Porphyr. bei Müll. Fr. hist.
III, p. 713. Eus. Chron. I, 40.
p. 192.

2) Joann Ant. fr. 68 bei Müll.
Fr. h. IV, p. 561.

3) Just. 39, 2. Jos. Ant. XIII, 10.

4) Jos. Ant. J. XIII, 10, 2.

übt sogar noch Verrätherei. · Ja, bereits 129 v. Chr., (Coss. C. Sempronius Tuditanus.· M'. Aquilius) stellen die Juden an den' römischen. Senat das Verlangen, dass den könig‑ lichen στρατιῶται es nicht gestattet werde, durch das jüdi‑ sche, bis an das Meer erweiterte Gebiet zu ziehen [1]; ein Verlangen, dem freilich nicht entsprochen wird, das uns aber die Isolirung der philistäischen Städte klar zeigt. Die Zeit des Antiochos Kyzikenos ($\frac{112}{105}$ v. Chr.), welcher seit 111 nur Herr von Kölesyrien war neben Antiochos Gry‑ pos, dem König des obern Syriens, ist die des gänzlichen Verlustes, auch der palästinischen Küste für die Seleuki‑ den. Noch hielten sich allein der· jüdischen Uebermacht gegenüber Ptolemais, Gaza und das damals politisch verbundene Dora und Stratonospyrgos, aber verge‑ bens wandten sie sich an die in Hader begriffenen, schwa‑ chen und doch ihre Schwäche nicht gestehenden Seleuki‑ den [2], die kaum ein Interesse noch zeigten für ihre wich‑ tigsten und glänzendsten Städte und Häfen. Da richten die bedrängten Städte ihr Auge auf die Ptolemäer und zwar auf Ptolemäos Lathuros (Soter II.), welcher nach fast 10jäh‑ riger Herrschaft ($\frac{117}{108}$) von seiner Mutter Kleopatra vertrie‑ ben in Kypros eine bedeutende militärische Macht sich bildete. · Er war bereits einmal in Palästina gewesen, er konnte hoffen, hier durch den in Aussicht gestellten Beitritt der Küstenstädte bis über Sidon hinaus eine neue Macht neben Aegypten, zu begründen und so führt er im Jahr $\frac{104}{103}$ den ἔκπλους mit 30000 M. an die Küste bei Ptolemais aus. Aber· hier sieht er sich durch die Bürger von Ptolemais nicht aufgenommen, muss dieses belagern, während Gaza und Zoilos, der Herr von Dora und Stratonospyrgos sich

---

1) Jos. Ant. XIII, 9, 2, welcher aber statt des Namens M'. Aquilius L. Mannius L. f. im jetzigen Text hat. Fischer in seinen Zeittafeln hat übrigens unsere Stelle gar nicht berücksichtigt.

2) Jos. Ant. XIII, 12, 1 ff.

ihm eng anschliessen. Da verhandelt er unmuthig zuerst seine Dienste an Alexander Jannäus in Perfidie gegen die ihm treu gebliebenen Küstenstädte, sieht sich aber dann auch von diesem getäuscht und beginnt nun in Galiläa einen höchst glücklichen Kampf gegen einzelne Städte, dann gegen die jüdische Macht am Jordan. Auch Ptolemais fällt und in der That schien Lathuros eine compakte, kräftige Masse aus den zersplitterten Küstenstädten und dem grössten Theile Palästina's bilden zu wollen [1]. Dies war aber für Aegypten eine Lebensfrage und wir sehen daher Kleopatra mit ihrem zweiten Sohne Alexander alle Kräfte der See- und Landmacht aufbieten. Die ägyptische Flotte bringt Phönike wieder zum Abfall und belagert Ptolemais. Da macht Lathuros gestützt auf G a z a eine Diversion gegen Aegypten, die aber mislingt; er muss sich zurückziehen. Den folgenden Winter residirt er in Gaza, während Kleopatra Ptolemais gewinnt und von da aus Galiläa beherrscht, sowie mit Alexander Jannäus sich nahe verbündet. Ueberhaupt bekleiden Juden unter Kleopatra und Alexander die höchsten Stellen und die *ἰουδαϊκαὶ ἐπικουρίαι* galten im Heer sehr viel, der Hauptgrund zu dem tiefliegenden Hass der Aegypter gegen diese Regierung und dem Streben, sie aus den Königslisten (*ἀναγραφαί*) zu streichen [2]. Den letzten Ausgang des Streites von Kleopatra und Ptolemäos in Kölesyrien kennen wir nicht; wir wissen nur, dass Ptolemäos von Gaza aus nach Kypros zurückkehrt, ebenfall Kleopatra Ptolemais verlässt. Jener hatte jedenfalls den Gazäern seinen Schutz zugesichert, auf den sie freilich bald vergeblich warteten [3]. Mit Gaza fiel kurz darauf der letzte selbständige Rest der griechischen Machtbildung in Palästina, während allerdings Askalon durch frühzeitige Nach-

---

1) Jos. Ant. XIII, 13, 1. de B. J. I, 4, 2.   2) Porphyrios bei Müll. Fr. h. III. p. 722. Eus. Chr. II, p. 864. 3) Jos. Ant. J. XIII, 13, 3.

giebigkeit und Klugheit, durch seine eigene geringere Bedeutung als geduldet in seiner Selbständigkeit sich erhielt.

Die Kämpfe jener zwei von Antiochos G r y p o s und K y z i k e n o s ausgehenden Linien berühren die palästinische Küste kaum mehr. In Kölesyrien, was also jetzt nur das Gebiet von Damaskos, die arabische Dekapolis, den eigentlichen Aulon und eine kurze Küstenstrecke von Phönikien umfasst, als Hafenstadt aber hier Ptolemais behalten hat, hält sich der Sohn des letzteren, A n t i o c h o s X E u s e b e s P h i l o p a t o r am längsten gegenüber Seleukos II, Antiochos XI, Philippos, vor dem er endlich nach Parthien entweicht[1]). Hier übt Ptolemäos Lathuros, der indess seit $\frac{89}{88}$ nach Aegypten als König zurückgerufen ist, den entschiedensten Einfluss aus, indem er geradezu gegen Philippos den Demetrios III aufstellt zum König in Damaskos. Jedoch ist diese Verbindung nur eine zur See vermittelte gewesen. Noch einmal erscheint ein Seleukide, der Nachfolger des gefangenen Demetrios III, Antiochos XII Dionysos mit einer Waffenmacht auf der palästinischen Küste, aber nur um rasch zwischen Joppe und Chabarzaba (dem spätern Antipatris) die von den Juden an dieser nur 150 Stadien betragenden Enge zwischen Gebirge und Meer gemachten Verschanzungen zu durchbrechen und seinen Weg über das Gebirge in das transjordanische Arabien fortzusetzen[2]). Nur die nördlichste der palästinischen Küstenstädte, P t o l e m a i s hält sich gleichsam als Scheidewand, als Gränzstadt zwischen den Resten des syrischen Reiches und dem judaisirten Palästina. Hier sass eine ägyptische Prinzess, jene vielverheirathete S e l e n e unbeweglich fest[3]), immer noch mit kleinem Besitz, während ihre Söhne erst in kilikischem Versteck, dann in Rom mit königlichem Ti-

---

1) Porphyr. bei Müll. Fr. h.   2) Jos. Ant. J. XIII, 15, 1.
IU, p. 716. Eus. I, 40. p. 195.   3) Jos. Ant. J. XIII, 16, 4.

tel freilich existiren und-sich von einem Verres-schmählich ausplündern lassen müssen [1]). Das syrische Reich war bereits seit Jahren in Händen von Barbaren, Obersyrien im Besitze des Tigranes von-Armenien, Damaskos in dem des Arabers Aretas. Es ist eine starke Uebertreibung, wenn Appian sagt, Tigranes habe geherrscht μετ. Εὐφράτην ὅσα γένη Σύρων μεχρὶ Αἰγύπτου, denn seine Macht reichte nur bis vor Ptolemais. Lange hat er die Stadt belagern lassen, worin Selene lebte; er nimmt sie ein, als er die Nachricht vom Einbruche des Lucullus in Armenien erhält und rasch all seine Macht aus Syrien ziehen muss [2]). Aber auch Aegypten hat, obgleich seine Existenz noch einige dreissig Jahre länger fristend, es ganz aufgegeben, dem so·vielfach umkämpften, kostbaren Preis der palästinensischen Küstenstädte nachzustreben. Es sucht selbst noch besitzlose·Seleukiden auf seinen von Ptolemäos Auletes im Stich gelassenen Thron, wie jenen von Gabinius vertriebenen Philippos [3]).

Der grosse, folgenreiche Gegensatz der syrischen und ägyptischen Weltmacht war bereits schon länger in sich zusammengesunken und das materielle Objekt ihres Streites seit 80 Jahren in ganz andere nationale Kreise gezogen. Es schienen die alten, nationalen Mächte in vielfacher Vereinzelung wieder zu ihrem Rechte gekommen, ja zu furchtbarer Schärfe ausgebildet, aber freilich selbst verändert, selbst in·sich den Zwiespalt tragend, selbst halb hellenistisch, halb streng sich abschliessend und hier mit Fana-

---

1) Cic. Verr. Act. II, 4, 27. Ueber die drei Jahre, welche der eine Antiochos III als Scheinkönig in Antiochien durch Lucullus Gnade lebt (69—66), dann die Versuche des Antiochos und Philippos durch die Araber Azizos und Sampsigeramos sich zu halten und ihren Untergang s. Müller Frg. hist. II, p. XXV. Annot.

2) Jos. Ant. J. XIII, 16, 4.

3) Porphyr. bei Mull. Fr. h. III, p 716. Eus. Chr. I, 40. p. 196.

tismus den Hellenismus bekämpfend. Aber in verschieden-
artigster Weise hatte die hellenistische Kultur sich mit den
einzelnen Nationen amalgamirt und hier eine Menge selbständiger Bildungen hervorgerufen, die in dem allgemeinen
staatlichen Verfall jener Reiche, in dem Verfaulen der obersten Schichten der Gesellschaft kräftig sich entwickelt und
freilich jetzt doppelt bedürftig waren einer kräftigen, centralen Leitung, die über dem kleinen Zwiespalt stehend,
das Einzelne verbindend und sichernd, einen Spielraum com-
munaler Freiheit liessen.

§. 11.
Ueberblick über die hellenistischen Anlagen auf der philistäischen Küste.

Stellung dieser Städte in der Verwaltung des syrischen Reiches
und die Herausbildung ihrer politischen Selbständigkeit.

Die Stammeseigenthümlichkeit der Philistäer erscheint
durchaus noch nicht erloschen, wenn auch vielfach gemischt
zunächst mit den im südlichen Palästina weit vorgedrunge-
nen, arabischen Stämmen, besonders den Nabatäern,
dann jenen ansässigen Mischstämmen, die als Idumäer nun
bezeichnet werden, ein Name, der noch in der Form Ἐδουμαῖοι bei Uranios im zweiten Buche der Arabica erscheint
und einem ἔθνος Ἀράβιον zugeschrieben wird [1], dann sich
in der Zeit jüdischer Uebermacht auf alle nach jüdischen
Gesetzen lebende Syrer und Phoiniker auch verbreitete [2].
Dann sind sie den Phönikern, in Ake, dem damaligen
Ptolemais, in der jetzt zu grosser Bedeutung gekommenen
Seestadt Dora schon längst nahe getreten, mit ihnen schon

---

1) Steph. B. Ἐδουμαῖοι. Müller Fr. h. IV, p. 525.
2) Ptolemaeos ἐν τῷ πρώτῳ

περὶ Ἡρώδου_τοῦ βασιλέως bei
Ammon. de diff. verb. s. v. Ἰουδαῖοι.
Müller frg. III, p. 348. Annot.

unter den Persern politisch und militärisch verbunden. Aber
Strabo[1]) spricht es dennoch, freilich nicht aus eigener Beobachtung aus — diese hatte er für Palästina und Phönike
nicht und zeigt daher auffallende Unkenntniss und Ver-
wechselung — sondern als Behauptung einiger ($\check{\varepsilon}\nu\iota o\iota\ \varphi\alpha\sigma\iota$),
darunter wahrscheinlich seine Hauptquelle, den Poseidonios,
der bis zum Jahre 96 die Geschichte dieser Städte schrieb,
verstehend, dass zu den Kölesyriern und Phoinikern v i e r
$\check{\varepsilon}\vartheta\nu\eta$ gemischt seien, die $\mathit{Iov\delta\alpha\tilde{\iota}o\iota}$, $\mathit{\check{I}\delta ov\mu\alpha\tilde{\iota}o\iota}$, $\mathit{\Gamma\alpha}$-
$\mathit{\zeta\alpha\tilde{\iota}o\iota}$, $\mathit{A\zeta\acute{\omega}\tau\iota o\iota}$, von denen die beiden letztern also die
alten Philistäer repräsentiren, merkwürdigerweise unter sich
noch geschieden; aber wir haben bereits früher einen as-
doditischen Dialekt[2]) in der Zeit des Nehemia erwähnt gefunden, wir haben auf das Vorherrschen der Kananäer in
Asdod, Ekron, Gath hingewiesen. In dieser Periode freilich haben wir uns, wie für Judäa, so auch für das Küstenland immer mehr die dialektischen Unterschiede ver-
schwindend zu denken in die allgemein herrschende a r a -
m ä i s c h e oder syrische Sprache, die vom Volke auf dem
Lande und auch von den untern Ständen in der Stadt gesprochen wird, während die griechische Sprache wie die
officielle in Gericht und Verwaltung, die Hofsprache, die der
Literatur, des Handels, auch die aller bedeutender städtischen Familien wird[3]).

So wichtig und wirksam diese vielfach versetzten, gemischten Volkselemente, die vor Allem auf dem offenen
Lande als eigentlicher Stamm sich halten, für die Partei-
nahme und den Kampf mit dem $\check{\varepsilon}\vartheta\nu o\varsigma$ der Juden werden,
den wir im folgenden §. zu betrachten haben, p o l i t i s c h
kommen sie nicht mehr in Betracht; die Seleukiden haben
es mit einer Anzahl S t ä d t e mit Gebieten und gewisser

1) XVI, 2. p. 354 ed. T.   3) S. unten B. II, Kap. V.
2) S. 96. 188.

Selbständigkeit zu thun, mit den **civitates Syriae**; Und hier bildet das griechische, durch Besatzungen, durch Kleruchien bei Eroberung immer neu gesteigerte Element[1] das eigentlich Entscheidende; der Ausdruck *Ἑλληνίδες πόλεις* wird ihnen entschieden bereits in der spätern Seleukidenzeit gegeben[2]. Es erscheinen dabei die eigentlichen philistäischen Städte nahe verbunden wie überhaupt mit der ganzen *Φοινίκη*, deren Name nun bis an den Kasios, ja nach Strabo bis Pelusium reicht, so insbesondere mit der *παραλία* von Ptolemais oder von der *κλίμαξ* von Tyros an. Diese letztere haben wir daher mit zu berücksichtigen. Suchen wir einen Ueberblick über die in dieser Zeit als bestehend nachgewiesenen Städte, deren Gründungsausgang, ob von Seiten der Aegypter oder der Seleukiden, wir nicht immer bestimmen können, zu gewinnen: auf **Ptolemais**[3], diese von den Ptolemäern neu begründete, dann von Antiochos III durch bedeutende Kleruchien von Antiochenern[4] erweiterte und danach auch genannte, als zeitweilige Residenz der Könige hochangesehene Stadt folgt noch an dem Meerbusen von Ake *ἡ Συκάμινος λεγομένη* oder *Συκαμίνων πόλις*, in welcher Ptolemaios Lathuros landete, sichtlich nach der Kultur der Maulbeerbäume genannt. Die kleinen Orte am Karmel *Βουκόλων* (Hirtenstadt)

---

1) Eine vollständige Veränderung des Grundbesitzes, ein *κατακληροδοτῆσαι τὴν γῆν* droht z. B. Antiochos Epiphanes in Juda durchzuführen s. 1 M. 3, 35. 2 M. 11, 2. Jos. Ant. XII, 7, 3.

2) 2 Makk. 6, 8.

3) Vergl. bes. Harpocr. *Ἀκή*, wonach der Name bei Demosthenes (in Call. §. 20) gelesen ward; nach Demetrios gehörte der Name speciell (*ἰδίως*) der Akropolis von Ptolemais an, also der ältesten *πόλις*.

4) So können wir nur die auf Münzen seit Antiochos IV häufige Bezeichnung: *ΑΝΤΙΟΧΕΩΝ ΤΩΝ ΕΝ ΠΤΟΛΕΜΑΙΔΙ* verstehen, vergl. Mionnet V, p. 37. n. 334. VIII, 30. n. 159. V. 88. n. 772. 73. 216, p. 522—530. 218, n 533. 534, nicht als Münzrecht einer Handelscorporation, wie Pellerin und Eckhel meinen, Droysen mit Recht bestreitet.

und *Κροκοδείλων πόλις* werden zwar erst von Strabo angeführt, aber sichtlich aus seiner Hauptquelle, dem Poseidonios, sie sind jedenfalls mit verstanden, wenn von Eroberung und Besitz des *Καρμήλιον ὄρος* gesprochen wird, so unter Alexander Jannäos [1]), obgleich wir auch einen damals be- befestigten Centralpunkt des Karmel, nach Plinius [2]) eine medisch-persische Anlage, daher früher Ekbatana genannt ebensowenig leugnen dürfen, als auf dem *Ἀταβύριον ὄρος*. Die auch noch nördlich von Ptolemais erscheinende Namen- bildung mit *πόλις* weist ganz nach Aegypten hin, wo sie herrschend war: eine *Κροκοδείλων πόλις* war ja die nach- her Arsinoe genannte Stadt [3]), und eine *ἱερὰ συκάμινος* ist ebenfalls eine westliche Stadt daselbst. Es sind dies griechische Namen für altheimische Orte. Zu grosser Bedeu- tung war die darauffolgende Seestadt D o r a, *Δῶρα ἡ ἐπὶ τῆς θαλάσσης* oder *τὰ Δῶρα*, ursprünglich eine phöniki- sche Purpurfärber-Anlage gelangt, ein *φρούριον δυσάλω- τον* mit starken Mauern und grossen Hafenbauten [4]); es hielt, wie früher die Belagerung von Antiochos- III, so die Belagerung des Antiochos Sidetes mit 120,000 M. und 8000 Reitern und einer Flotte bis in das zweite Jahr aus ($\frac{139}{38}$) [5]).

Zwei geographische Meilen südlich lag der bei der Ex- pedition des Ptolemaios Lathuros zuerst genannte, damals bereits selbständige Ort *Στράτωνος πύργος* [6]), wie es scheint, ursprünglich nur eine Festung, ein militärischer Posten in der Nähe eines Landungsplatzes, eines Hafens, der dann zur Stadt allmälig wurde, seine Bedeutung erst in

---

1) Jos. A. XIII, 15, 4.
2) V, 19. 17.
3) Strabo XVII, 1. p. 455. ed. T.
4) Jos. Ant. XIII, 7, 2. Claud. Iol. Phoen. bei Steph. Byz. *Δῶρος*.

5) 1 Makk. 15, 11 ff. Jos. de B. J. I, 2, 2. Ant. XIII, 7, 2.
6) Jos. Ant. XIV, 13, 3. de B. J. I, 7, 7.

der folgenden Periode erhielt. Die Gründung jenem König
Straton von Sidon, der seit der Mitte des IV. Jahrhun-.
derts herrschte und von Alexander entsetzt ward, zuzu-
schreiben, scheint bedenklich; dagegen gab es in der Burg
Baris von Jerusalem einen engen, festen, tiefliegenden Zugang, der denselben Namen hatte und ferner, was für uns
wichtig ist, eine Στράτωνος νῆσος im arabischen Meerbusen an der abyssinischen Küste neben dem bedeutenden
Seehafen Ἐλαία, eine der Ptolemäischen Gründungen des
Euergetes (nach Droysen[1]) jetzt der treffliche Hafen von
Massoua), und darauf ist die in Novella Const. 103 erwähnte
Gründungssage allein zu beziehen. Wie sonst in diesen Gründungen neben den Königsnamen die bedeutender Feldherrn
auftreten, so können wir nach einem solchen ptolemäischen
Führer auch die Befestigungsanlage wie in Jerusalem so an
der Küste genannt glauben. Ja wir können auch hier einer
bisher vergeblich besprochenen Stadt Ἐλαΐς, die Diónysios Pe-
riegetes[2]) und Rufus Avienus[3]), dieser als sterilis bezeichnend,
neben Jope und Gaza unter den südlichen phönikischen nennt, zu
ihrem Recht verhelfen, indem wir hierin den Hafen bei Stra-
tónospyrgos erkennen, der unter Herodes den Namen des Σεβαστός erhielt und als Hafen allein oft genannt wird. Damit
wird dann des Philo Elaia, die phönikische Stadt, die freilich nach dem Auszuge im Stephanos von Byzanz zwischen Sidon und Tyrus liegt, identisch sein, ebenso wie die samarita-
nische Stadt bei Isidorus[4]). Der Name der an der palästinischen Küste so ausgezeichneten Oelbaumzucht entnommen
ist kein ungewöhnlicher: so ist Ἐλαία ein äolischer Städte-

---

1) Hellen. II, S. 740.
2) V. 910.
3) V. 1068.
4) Origg. XIV, 3, 22. Vergl. übr.
Bernhardy ad Dion. Perieg. p. 776.

Die Lesart steht durch den lateinischen Text fest, sowie Eustathios
sie auch allein kennt. Daher ist
die sonst sehr natürliche Conjectur
Πτολεμαΐδα unzulässig.

name in Mysien[1]), Ἐλαιοῦς eine telsche Kolonie am Hellespont[2]) und ist es Zufall, dass Ἐλαίουσα in Kilikien auch
zur Σεβαστή[3]) ward?

Apollonia wird als Stadt der Paralia auch von Alexander Jannäus erobert. Sie ist durchaus eine Neugründung
an einem militärisch wichtigen Punkt, weil dem schmal-
sten Theile der Küste, und in sichtlicher Beziehung zu Samareia, der griechischen Militärgründung erbaut. Der in
Makedonien, besonders an der Küste häufige Name, der
bei dem herrschenden Apollokult der Seleukiden von diesen besonders adoptirt wurde und daher auch in dem
Gebiet von Apamea, der Seleukis[4]), in der Chalkidike Syriens einer Stadt angehörte, bezeichnet die Stadt als syrische Gründung, wahrscheinlich schon der frühen Zeit[5]).
Das von Apollonia landeinwärts an demselben Wadi gelegene Antipatris ist erst eine Gründung der folgenden
Periode an Stelle des alten Chabarzaba (הכברצבא＝Heer-
versammlung)[6]).

Joppe (oder Jope, was Movers für die allein richtige
Schreibweise erklärt, während Tischendorf in der neusten
Ausgabe der LXX das doppelte π setzt), der eigentliche,
lange philistäische Hafen für das Binnenland Judäa und so

---

1) Eust. in Dion. v. 828 aus Arrian.
2) Scymn. Chius V, 706.
3) Jos. Ant. XVI, 4. 6.
4) Strabo XVI, 2. p. 359 ed. T.
5) Ich glaube mit Bestimmtheit
auch hier einem bisher geographisch
nicht fixirten Namen seine Stelle
anweisen zu können. Hierokles
führt im Synekdemos (ed. Wesseling) in der ersten Eparchie Palästinas unter den 22 Städten unmittelbar vor Jope, Gaza, Raphia eine
Σώζουσα auf. Dies ist der zweite
Name und zwar der für den Hafen
von Apollonia, gerade so wie in der
Eparchie Libya es ein Sozusa gab,
das als Apollonia bekannter war
(Hierocl. p. 732. Wessel. Forbig.
II, S. 829.). Eine Stadt des Apollo
Σωτήρ auch Σώζουσα zu nennen,
vor Allem eine Schiffe ber-
gende Hafenstadt ist eine leicht
verständliche Gedankenverbindung.
Wir haben daher mit Forbiger hierin nicht sofort einen alten einheimischen Namen zu suchen.

6) Jos. Ant. XIII, 15, 1.

den Verkehr mit Sidon und Tyros, wie auch mit dem entfernten Tharsis vermittelnd [1]), erscheint als ein wenn auch eine Anzahl Juden als πάροικοι in sich bergendes, doch ganz selbständiges und den Judén sehr feindseliges πολίτευμα, das als Stützpunkt der syrischen Heermacht benutzt wird und einen Hafen mit einer Zahl Schiffe besitzt, unter Antiochos V Eupator (164 — 62)[2]). Antiochos Sidetes (138 — 129) bezeichnet Joppe ausdrücklich mit als πόλις τῆς βασιλείας[3]), im Gegensatz zu dem Besitz des jüdischen ἔθνος. Gleichzeitig ist auch Jamneia, das früher als philistäisch nachgewiesene, das ebenfalls jüdische πάροικοι in seiner Mitte besass, von dem ein in früherer Zeit nicht erwähnter, von Ptolemäos[4]) wohlgekannter Hafen (Ἰαμνειτῶν λιμήν) mit einem στόλος weiter entfernt lag, ein wichtiger Militärpunkt für die Seleukiden.

Wir wenden uns nun zu der eigentlichen philistäischen Ebene, zu jener Sephela, die in schroffem Gegensatze zur Gebirgsterrasse Judas mit seinen Schluchten und Verstecken steht. Auch Ekron, die nordöstlichste der Philistäerstädte, erscheint noch mit einem eigenen Gebiete (τὰ ὅρια αὐτῆς oder ἡ τοπαρχία αὐτῆς)[5]) als eine selbständige Stadt, aber bereits seit Alexander I Balas an Jonathan den Makkabäer im Jahre 147 gegeben und zwar εἰς κληρουχίαν, also zu einer förmlichen Veränderung der Bevölkerung, daher später nicht wieder davon losgerissen. Dass die von Polybios[6]) bei den Kämpfen Antiochos des Grossen erwähnte Γίττα πόλις Παλαιστίνης das philistäische Gath bezeichne, ist sehr wahrscheinlich, aber nicht nothwendig, da der Name Gath mit einem Zusatz: Hepher, Rimmon auch sonst in Palästina erscheint; doch existirt das philistäische Gath

---

1) Esr. 3, 7. Jon. 1, 3. II. Chr. 2, 16.
2) 2 Makk. 12, 3 ff.
3) 1 Makk. 15, 26.
4) Geogr. V, 16 ed. Amstelod.
Jos. Ant. XII, 7, 3. 1 Makk. 5, 58. 2 Makk. 12, 9.
5) Jos. Ant. XIII, 4, 4.
6) XVI, 41.

als Dorf noch zu Hieronymus Zeit. Dagegen spielt Azotos mit seinen περιπόλια, mit seinen πόλεις κύκλῳ αὐτῆς,
mit den πύργοι οἱ ἐν τοῖς ἀγροῖς Ἀζώτου [1]), die, wie Adida,
wie Kedron, zum Theil erst neu érbaut worden [2]), eine
grosse Rolle als Rückzugspunkt der syrischen Heere aus
dem Gebirge Juda seit dem Beginn der Kämpfe im letzten
Jahre des Antiochos Epiphanes. Für die spätere Hafenstadt Azotos haben wir aus dieser Zeit noch keine Zeugnisse. Wichtig ist die in dem öffentlichen Dankdekrete
der Juden für die Makkabäer im August des Jahres 70 Aer. S.
= 142 v. Chr. ausgesprochene Angabe von der Einnahmé
der Γάζαρα ἡ ἐπὶ τῶν ὁρίων Ἀζώτου [3]), da uns dies einen
festen Anhaltepunkt zur Unterscheidung des als Festung
mit hellenischer Besatzung höchst wichtigen ὀχύρωμα εὖ
μάλα φρούριον [4]) Gazara (Γάζαρα, τὰ oder ἡ, auch Γάσηρα)
und von Gaza giebt; die beide in den Handschriften der
Makkabäerbücher und des Josephos schwanken. Die Oertlichkeit von Gazara, das hart am Eingang zum Gebirge
gelegen haben muss, in deren Nähe zugleich von den Juden hoch angeschlagenen Quellen (πηγαί) [5]), ist noch nicht
genau nachgewiesen.

Diese Quellen führen uns darauf in der Nähe von Gazara als eine jener πόλεις im Umkreis von Azotos Ἀρέ-
θουσα zu bezeichnen. Diese Stadt wird zuerst bei der
Wiederherstellung der von den makkabäischen Königen besessenen und verödeten Städte durch Pompejus genannt,
aber eben dadurch als vor der jüdischen Machtbildung blü-
hend erwiesen [6]); sie erscheint in Verbindung mit Azotos und Jamnia als noch dem μεσόγαιον angehörig. Nun

---

1) 1 Makk. 16, 10.
2) 1 Makk. 15, 38. 41.
3) 1 Makk. 14, 34.
4) 2 Makk. 10, 32 ff.

5) Jos. Ant. XIII, 9, 2.
6) Jos. de B. J. I, 7, 7. Ant.
XIV, 4, 4.

aber knüpft sich bekanntlich in Hellas der Name an Quellenreichthum. Ich erinnere hier an die Insel Arethusa, die den Stadttheil von Syrakus bildete. Ferner in Makedonien trug diesen Namen das schöne Thal (αὐλών), in dem der bolbeische See seinen Ausweg zum Meere fand, hier lag eine Stadt Arethusa, dabei das Grabmal des Euripides. Ja ein makedonischer Stamm hiess Arethusis [1]). Der Name kommt bei den seleukidischen Gründungen der ersten Zeit [2]) auch in der eigentlichen Seleukis vor; so die Arethusa, der Sitz des Sampsikeramos und Jamblichos, der Fürsten von Emesa, mit einer vom Jahre 68 = 685 a. u. c. beginnenden Aera [3]), in der Nähe von Apameia, dem wasserreichen [4]). Bei Plinius [5]) wird am Ende der binnenländischen Araber angeführt: fuerunt et Graeca oppida Arethusa, Larissa, Chalcis, deleta variis bellis, jedoch fragt sich sehr, ob wir hier nicht dasselbe Arethusa als das strabonische vor uns haben, das auch in seiner Nähe ein Larissa und Chalkis sah [6]). Das Arethusa der Sephela ist somit sichtlich der griechische, von den Seleukiden gegebene Name für eine der wohlbewässerten πόλεις im Gebiet von Azotos, vielleicht für Gazara selbst.

Askalon mit den πλησίον ὀχυρώματα [7]) hat in dieser Zeit keine hervortretende Bedeutung gehabt, es zeigt sich unmittelbar nachgiebig den Unternehmungen des Alexander Jannäus gegenüber, aber es wird auch von Strabo sichtlich aus seiner Hauptquelle, dem Poseidonios als πόλισμα μικρόν bezeichnet, obgleich er von einer χώρα τῶν Ἀσκαλωνειτῶν spricht [8]), ebenso wie Josephos [9]) die Aská-

---

1) Plin. IV, 17.
2) App. Syr. 57.
3) Noris. Ep. p. 338 ff.
4) Strabo XVI, 2. p. 360
5) Plinius H. N. VI, 32.
6) Vergl. auch Plut. Ant. 37, wo zu Larissa, Arethusa noch Hierapolis das berühmte genannt wird;

auch noch im Synekdemos des Hierokles (p. 712 ed. Wessel.) erscheinen beide Städte zur zweiten Syria gerechnet.
7) 1 Makk. 12, 33.
8) XVI, 2. p. 370.
9) Ant. XV, 1, 3.

loniten neben den Gazäern und Arabern als dem Vater des Herodes wohlbefreundete Stämme nennt. Aber Askalon hat durch kluges, nachgiebiges Benehmen eine ganz gesonderte Stellung sich in dem letzten halben Jahrhundert vor dem Auftreten der Römer geschaffen, es war bereits zu dem Ascalo *liberum* geworden, als alle Städte ringsum der jüdischen Herrschaft erlegen; hierüber ist weiter unten das Genauere zu sagen. Gaza tritt auch in dieser Zeit als Haltepunkt der palästinensischen Küste, als das Bollwerk gleichsam der Selbständigkeit dieser Städte mit treuer Unterordnung unter die hellenistische Herrschaft auf; es besitzt ein Landgebiet in der Zeit des Alexander Jannäus: οἱ Γαζαῖοι — τὴν πόλιν καὶ τὴν χώραν αὐτῶν[1]). Aristeas[2]) spricht von χειμάῤῥοι, die umfassen τὰ πρὸς τὴν Γάζαν μέρη καὶ τὴν Ἀσωτίων χώραν. Es hatte sich sichtlich nach der Belagerung und Verwüstung durch Antiochos den Gr. wieder erholt; das hellenische Element war natürlich durch fortwährende starke Besatzungen, durch die nach einer solchen Katastrophe systematisch eintretende Ansiedelung sehr an Zahl gewachsen. Dass eine bedeutende Hafenanlage am Meer sich befand, der von Strabo erwähnte ὁ τῶν Γαζαίων λιμήν[3]), beweist die Ueberwinterung des Ptolemäos Lathuros in Gaza mit seiner Land- und Seemacht und die von hier aus bewerkstelligte Einschiffung nach Kypros[4]).

Zwischen Gaza und dem 4 deutsche Meilen entfernten Raphia finden wir jetzt eine Stadt mit ganz hellenischem Namen erwähnt, Anthedon (Ἀνθηδών), freilich nur erwähnt in dem Moment ihrer Eroberung und Entvölkerung durch Alexander Jannäus[5]). Der Name gehört bekanntlich einer

---

1) Jos. Ant. XIII, 13, 3.
2) de LXX Interpr.
3) Strabo XVI, 2. p. 370 ed. T.
4) Jos. A. XIII, 13, 3.
5) Jos. Ant. XIII, 13, 3. 15, 4 de b. J. I, 4, 2.

der ältesten Seestädte von Hellas, an der Küste Boiotiens
mit trefflicher Hafenbucht[1]). Ueber ihre Lage im Verhältniss zur See haben wir widersprechende Berichte: bei Plinius[2]) werden aufgezählt: Rhinocolura et intus Raphaea:
Gaza et intus Anthedon, wonach Anthedon entschieden von
der See ab in das Land hinein verlegt wird, dagegen rechnet es Ptolemäos[3]) zu den Küstenstädten im Gegensatz zu
den μεσόγειοι und damit stimmt die genaue Angabe des
Sozomenos[4]), sowie Stephanos von Byzanz[5]), der es
πλησίον Γάζης πρὸς τῷ παραλίῳ μέρει legt. Die Angabe
des Plinius ist hier offenbar die ungenauere, es müsste denn,
was auch sehr wohl zu denken ist, ursprünglich nur eine
μεσόγειος, eine Anlage im Lande gemacht sein, später erst
der Hafen sich gebildet und bald die Landstadt ganz in den
Hintergrund gedrängt haben. Im zweiten Jahrhundert n.
Chr. ist Anthedon übrigens die Gränzstadt Judäas gegen
die Provinz Aegypten. Für seleukidischen Ursprung spricht
der unmittelbar aus Hellas entnommene Name, da die Ptolemäer entweder die eigenen Familiennamen oder die von
Göttern, aber selten, oft auch von bedeutenden Personen,
besonders Strategen mit dem Zusatz von πόλις, λιμήν,
δειρά u. dgl. zu Städtenamen gestalten.

Raphia erscheint durchweg als eine nicht ganz unbedeutende Stadt, sowohl bei der Schlacht des Antiochos III,
der sich zuerst in sie zurückzieht, dann als Ort der Hoch-
zeitfeierlichkeiten der Kleopatra... Sie wird von Polybios
als die erste kölesyrische Stadt auf diesem Küstenwege
bezeichnet, so dass also die politische Gränze damals zwischen Raphia und Rhinokolura lief, während wir früher
das syrische Reich bis zu dem Ekregma sich ausdehnen

---

1) Vgl. z. B. Skymn. Ch. V. 498.   4) Hist. E. V, 6.
2) H. N. V, 14.   5) S. h. v.
3) Geogr. V, 16 ed. Amstel.

sahen. Allerdings blieb noch später der Name Φοινίκη bei
Strabo[1]), z. B. an der ganzen Küste bis Pelusium haften,
aber ohne politische Geltung, und Plinius[2]) bezeichnet die
Gegend von Pelusium bis zum Ekregma als Arabia, von
da dann gleich als Idumaea und Palaestina aber nur gültig
für eine frühere Zeit (vocabatur). Von Rhinokolura
wissen wir aus dieser Periode nichts den Ort speciell
Charakterisirendes: er ist Stationspunkt für Ptolemäos Philopator (216), bei ihm begegnen dem Antiochos Epiphanes
die Gesandten des Philometor mit der Anfrage, warum er
aus einem Freund ein Feind werden wolle; sichtlich geschieht diese Frage und das Abwarten des Ultimatum auf
der Gränze selbst.

Wir fügen hier die Uebersicht über die weiteren Aegypten zugehörigen Küstenanlagen bis Pelusium hinzu, da
sie seit dem Beginn geschichtlicher Thatsachen als eng verbunden sich gezeigt und auch noch im Kultus, wie wir
sehen werden, mit der philistäischen Paralia nahe verbunden bleiben. Zwischen Rhinokolura und Pelusium kennen
wir aus Polybios nur τὰ Βάραθρα[3]), womit er das
Ἔκρηγμα bezeichnet, nicht die Gegend von Pelusium und
τὸ Κάσιον als militärische Haltepunkte. Jedoch Ostrakine, das Plinius[4]) aus älteren Quellen, besonders Poseidonios kennt und das seinen griechischen Namen in Bezug auf jene früher erwähnte, künstliche Wasserversorgung erhalten hat, sowie die Orte zwischen dem Kasion
und Pelusium, als das die Mitte bildende Pentaschoe-
nos (zunächst eine reine Meilensteinbezeichnung von Pelusium aus gerechnet), Gerrha[5]), Χαβρίου χάραξ, das

---

1) XVI, 2. p. 365. 371. 372
ed. T.
2) V, 13. 14.
3) V, 80. Plut. Anton. 3.
4) V, 14.

5) Der Name wechselt: Γέρρα
bei Strabo, Gerrhum bei Plinius
(VI, 29) und Ptolemäos, Γέρρας
in Hierokles (Synekd. p. 727 ed.
W.), Γέρας bei Sozomenos (H. E.

schon·herodoteische *Δάφναι* gehören dieser Periode, zum
Theil bereits der persischen an. Dies *Γέρρα* als Militär- und
Zollstätte erinnert an jenes andere Gerrha neben Brochos
an der Nordgränze Kölesyriens; dort·war es die äusserste
Gränzlinie des Reiches, hier die des·engern Aegyptens
selbst. *Χάρακες* ähnlich unsern Römer- und Schweden-
schanzen, befestigte Lager und Verschanzungen, kommen
im Orient häufig vor, so zeigte man welche des Sesostris,
so gab es ein *'Αντιόχου χάραξ* in der Peräa, so ein *Χάραξ*
an den Kaspischen Thoren ¹). Der Name dieser Anlage
weist uns natürlich auf·den grossen attischen Feldherrn
hin, der unter Akoris, wie dann unter Tachos für die Vertheidigung des empörten Aegyptens gegen die Perser, sowie für die Finanzverwaltung von der durchgreifendsten
Bedeutung war ²). Pelusium bildet endlich den Schlusspunkt dieser Küstengründungen, aber eben deshalb den militärisch wichtigsten, mit grosser Sorgfalt gewahrten Schlüssel Aegyptens, daher immer mit starker griechischer Besatzung versehen, daher aber auch das Hauptverlangen des
Antiochos Epiphanes, überhaupt aller östlichen Herrscher.

·Kehren wir von diesem geographischen Ueberblicke
zurück zu dem syrischen Reiche und suchen aus den freilich spärlichen Bruchstücken, die fast nur in den Büchern
der Makkabäer .und im·Josephos enthalten sind, uns die
Stellung der philistäischen Städte in dem ganzen Verwal-

VIII, 19). ´Der Scholiast zu Lu-
kians Anacharsis (c. 33) stellt diesen Ortsnamen ausdrücklich mit
den attischen *γέρρα* zusammen und
erklärt ihn: *σκηνώματά ἐστιν ἐν*
οἷς παραφυλάττοντες τὰς εἰσό-
δους διατρίβουσιν.
·1) Isid. Char. Mans. Parth.
p. 6 ed. H.
2) Nach ihm hiess auch ein Dorf

im Delta *ἡ Χαβρίου κώμη λεγο-*
μένη auf dem Wege von Rhodia
nach Memphis vor der *λίμνη Μα-*
ρεία (Strabo XVII, 1. p. 441 .ed.
T.). Ausdrücklich wird uns in jener Zeit eine ausgezeichnete Befestigung Pelusiums mit Gräben,
Mauern, Erdwall hervorgehoben.
(Diod. XV, 42.)

tungssysteme der Seleukiden klar zu machen. Wir betrachten zuerst die von oben ausgehende Organisation. An der Spitze der Staatsgeschäfte wenigstens für den Länderbereich zwischen Euphrat und Aegypten [1]) steht seit Antiochos III sicher e i n e Person, gleichsam ein Reichskanzler, genannt ὁ ἐπὶ τῶν πραγμάτων [2]), Stellvertreter des Königs und Vormund des unmündigen (ἐπίτροπος καὶ ἐπὶ τῶν πραγμάτων), am Hofe mit dem höchsten Range eines συγγενής bekleidet und mit den äussern Ehrenzeichen der πορφύρα, des goldenen Kranzes, der goldenen Spange u. s. w. wohl ausgestattet. Durch ihn verhandelt der König mit den Untergebenen, an ihn werden die Kabinetschreiben gerichtet, er theilt sie dann in seinem Namen mit, er bildet die Exekutivgewalt, während ein συνέδριον, gebildet aus den hohen Hofbeamten, den φίλοι, die aber zugleich die höchsten militärischen und Civilstellen bekleideten (ἡγεμόνες τῆς δυνάμεως und οἱ ἐπὶ τῶν ἡνιῶν) die Consultative darstellten. Begreiflich ist, wie gefährlich diese Macht werden konnte, und zahlreiche Beispiele haben die Macht der Versuchung, sich selbst das Diadem aufzusetzen, bewiesen [3]). Natürlich ist dieser ἐπὶ τῶν πραγμάτων zunächst am Mittelpunkte des Reiches, in Antiochien, aber er bereist auch die einzelnen Theile und gerade die S t ä d t e unterliegen s e i n e r C o n t r o l e, wie wir glauben, deshalb, weil sie vielfach eximirt waren von der Gewalt der στρατηγοί. So verbreitet Heliodoros unter Seleukos III, um seine Absicht auf die Tempelschätze zu Jerusalem zu verbergen, das Gerücht, oder es war in der That, wie wahrscheinlich, wirklich seine Absicht, ὡς τὰς κατὰ Κοίλην Συ-

---

1) Jos. Ant. XII, 7. 2. Hier. in Dan. XII, 1 ff.

2) 2 Makk. 3, 7. 10, 11. 13, 2. 23.

3) So Heliodoros nach Seleukos

IV Tod (App. Syr. c. 45), Diodotos Tryphon, Herakleon, der Mörder von Antiochos Grypos (Jos. Ant. XIII, 13, 4. Prol. Trog. l. 39).

ϱίαν καὶ Φοινίκην πόλεις ἐφοδεύσων [1]), also auch die philistäischen Städte. Natürlich geschieht dies mit grossem Gefolge, in , starker Militärbegleitung [2]) (*δορυφόροι*), wie
überhaupt der äussere Glanz einer Umgebung der höchsten
Beamten und Strategen einen Massstab findet in jener genauen Angabe des Justin über den Luxus auf dem Heereszuge des Antiochos Sidetes, wonach auf 80000 Waffen-
tragende 300,000 Trossknechte und Bedienstete aller Art,
als da sind Köche, Bäcker, Schauspieler u. s. w. kommen. Dem entsprach ja ganz die Lebenssitte in diesen
syrischen Städten selbst; tägliche Zusammenkünfte in sog.
Schulen (*γραμματεῖα*) und Gymnasien unter Schmaus, Con-
versation, Musikanhörung mit Uebermass der Genüsse [3]).

Unter jenem Reichskanzler steht der militärische Gouverneur (*ὁ στρατηγός, ὁ στρατηγὸς πρώταρχος*) [4]) von Kölesyrien und Phönike, also der Kölesyria s. l., weshalb
derselbe auch genannt wird *ὁ ὢν ἐπὶ Κοίλης Συρίας* [5]);
er hat *τὴν τῶν ὅλων ἐπιμέλειαν* [6]). Jene Nebeneinander-
stellung zweier höchster Beamten einer Provinz, wie sie
ursprünglich in der persischen Reichsverwaltung eingeführt war, wie wir sie dann zeitweis bei Alexander in
Syrien wiederfinden, war hier in Syrien wie in Aegypten
vor der streng militärischen Organisation zurückgetreten.
Allerdings werden neben diesen regelmässigen *στρατηγοί* bei
besondern Veranlassungen, Krieg und Aufstand noch besondere, rein militärische Befehlshaber committirt. Als
solcher *στρατηγὸς πρώταρχος*, der natürlich eine Militärmacht zur Verfügung immer unter sich hat, zeigt sich
Theodotos unter Antiochos III [7]), Apollonios, Sohn des

---

1) 2 Makk. 3, 8.
2) 2 Makk. 3, 24. 28.
3) Poseidon, bei Ath. XII, p.
527. E. Müller Fr. h. III, p. 258.

4) 2 Makk. 10, 14.
5) 1 Makk. 10, 69.
6) Pol. V, 66.
7) Pol. V, 66.

Thrasaios unter Seleukos IV ($\frac{187}{175}$)[1]); ferner unter Antiochos Epiphanes Seron ($\Sigma\acute{\eta}\varrho\omega\nu$) $\acute{o}$ $\tau\tilde{\eta}\varsigma$ $Ko\acute{\iota}\lambda\eta\varsigma$ $\Sigma\nu\varrho\acute{\iota}\alpha\varsigma$ $\sigma\tau\varrho\alpha\tau\eta\gamma\acute{o}\varsigma$ oder $\acute{o}$ $\ddot{\alpha}\varrho\chi\omega\nu$ $\tau\tilde{\eta}\varsigma$ $\delta\nu\nu\acute{\alpha}\mu\epsilon\omega\varsigma$ $\Sigma\nu\varrho\acute{\iota}\alpha\varsigma$[2]); er setzt sich erst in Bewegung, nachdem der untergeordnete $\sigma\tau\varrho\alpha\tau\eta\gamma\acute{o}\varsigma$ geschlagen ist. Noch wird von Antiochos im J. 166 ein bedeutender Mann, dessen Vater und der selbst am ägyptischen Hofe eine Rolle gespielt hatte und als Gouverneur von Kypros zu den Syrern übergegangen war, Ptolemaios $\acute{o}$ $M\acute{\alpha}\varkappa\varrho\omega\nu$, Sohn des Dorymenes, ernannt, der in milderer und gerechterer Weise den Kampf mit den Juden zu schlichten suchte; er hat zwei $\sigma\tau\varrho\alpha\tau\eta\gamma o\acute{\iota}$ unter sich[3]). Durch Verleumdung bei dem jungen Antiochos V Eupator in seiner Stellung bedroht vergiftet er sich selbst; nun ernennt Antiochos einen neuen $\sigma\tau\varrho\alpha\tau\eta\gamma\grave{o}\varsigma$ $\pi\varrho\acute{\omega}\tau\alpha\varrho\chi o\varsigma$[4]) und nach der folgenden Erzählung scheint es, dass Lysias der Kanzler zugleich als Generalgouverneur in ganz Kölesyrien erschien. Die Thätigkeit des Bakchides, des Gouverneurs von ganz Mesopotamien, bei der Ordnung der jüdischen Verhältnisse in der ersten Zeit des Demetrios I war eine ausserordentliche, ebenso die Mission des Nikanor, des treusten Freundes des Königs als $\acute{o}$ $\tau\grave{\alpha}$ $\beta\alpha\sigma\iota\lambda\iota\varkappa\grave{\alpha}$ $\pi\varrho\acute{\alpha}\tau\tau\omega\nu$[5]). Dagegen ist Appollonios $\acute{o}$ $\Delta\acute{\alpha}o\varsigma$ wirklicher $\acute{\eta}\gamma\epsilon\mu\grave{\omega}\nu$ $\tau\tilde{\eta}\varsigma$ $Ko\acute{\iota}\lambda\eta\varsigma$ $\Sigma\nu\varrho\acute{\iota}\alpha\varsigma$ unter Alexander I im J. 147 (165 A. S.)[6]), es bestätigt ihn Demetrios II $\tau\grave{o}\nu$ $\ddot{o}\nu\tau\alpha$ $\grave{\epsilon}\pi\grave{\iota}$ $Ko\acute{\iota}\lambda\eta\varsigma$ $\Sigma\nu\varrho\acute{\iota}\alpha\varsigma$. Weiter können wir die Namen jener $\sigma\tau\varrho\alpha\tau\eta\gamma o\acute{\iota}$ $\pi\varrho\acute{\omega}\tau\alpha\varrho\chi o\iota$ nicht verfolgen.

Unter diesem $\sigma\tau\varrho\alpha\tau\eta\gamma\grave{o}\varsigma$ $\pi\varrho\acute{\omega}\tau\alpha\varrho\chi o\varsigma$ stehen die $\sigma\tau\varrho\alpha\tau\eta\gamma o\acute{\iota}$ $\varkappa\alpha\grave{\iota}$ $\mu\epsilon\varrho\acute{\iota}\delta\alpha\varrho\chi\alpha\iota$, die aber auch bei dem schwankenden, ungenauen Gebrauch von $\tau\acute{o}\pi o\varsigma$ als $o\acute{\iota}$ $\varkappa\alpha\tau\grave{\alpha}$ $\tau\acute{o}$-

---

1) 2 Makk. 3, 5. 7. 4, 4. Eus. Chr. II, p. 358.

2) Jos. Ant. XII, 7, 1.

3) 2 Makk. 8, 8. 10, 12. Jos. Ant. XII, 7. 3.

4) 2 Makk. 10, 13.

5) Jos. Ant. XII, 10, 1. 4.

6) Jos. Ant. XIII, 4, 3. 1 Makk. 10, 69.

πον στρατηγοί[1]) genannt werden. Sie sind die Gouverneurs für jene bereits von Seleukos I In Kölesyrien geschiedenen kleineren Provinzen, welche wir oben als vier an der Zahl, einzeln angaben, die aber mit der Zeit manche Modifikationen erhielten. Wichtig für uns ist die Strategie der παραλία, welche die südliche Hälfte der Phönike in weiterem Sinne umfasste, das Küstenland mit seinen Städten von der Klimax von Tyrus, jener durch das scharf in's Meer tretende Gebirge ganz verengten Küstenstelle zwischen Tyrus und Ptolemais bis zur ägyptischen Gränze[2]), oder nach einer andern Bezeichnung von Ptolemais ἕως τῶν Γεῤῥηνῶν[3]).

Was ist hier unter Γεῤῥηνοί verstanden? sind es die Bewohner jener Γέῤῥα in der Nähe Pelusiums, der wichtigsten Militärstation, oder bezeichnet es die Gegend von Γέραρα, dem alten גְּרָר, südöstlich von Gaza, welche noch in Eusebios und Hieronymus Zeit bekannt war und mit seinem Namen einen Distrikt Geraritica umfasste? Ich muss entschieden mich für das letztere erklären, theils weil die ägyptische Gränze damals 164 unter Antiochos V nach der römischen Restauration Aegypten sich viel weiter bis Rhinokolura erstreckte, ja dieses noch besass, theils weil der Ausdruck auch nicht der einer Militärstation, sondern eines kleinen ἔϑνος ist, und solches waren die Bewohner des Negeb von Gerar. Dass der Name aus Γεραρηνοί, gebildet wie Γαζηνοί[4]), leicht contrahirt wurde, wenn überhaupt dieses nicht die ursprüngliche Lesart war, liegt auf der Hand. Zu Strategen dieser παραλία, zu denen daher die hellenistischen Städte in naher Beziehung standen, werden

---

1) Jos. Ant. J. XII, 8, 1. So ist Gorgias στρατηγὸς τῶν τόπων 2 Makk. 10, 14, aber genauer ὁ τῆς Ἰδουμαίας στρατηγός 2 Makk. 12, 32.

2) 1 Makk. 11, 59. Jos. Ant. XIII, 59.

3) 2 Makk. 13, 24.

4) S. 46.

freilich nur momentan unter drängendern Verhältnissen die
Makkabäer, Judas Makkabäus von Antiochos V, Jonathan
von Alexander I, Simon von Antiochos VI Dionysos ernannt,
nach ihnen ist Kendebaios unter Antiochos VII Sidetes
Strateg der Paralia [1]). Aber auch die Strategen der innern
Provinzen, von I d u m a i a und S a m a r e i a, zu denen,
wie es scheint, seit dem gefährlichen andauernden Kampfe,
ein besonderer Strateg für J u d a i a hinzutritt [2]), sowie
wir für die P e r a i a einen solchen nun sicher besitzen, erscheinen
häufig in den Küstenstädten, dahin sich zurück-
ziehend oder von da aus agirend; so macht Gorgias $\acute{o}$ $\tau\tilde{\omega}\nu$
$\tau\acute{\upsilon}\pi\omega\nu$ $\sigma\tau\varrho\alpha\tau\eta\gamma\acute{o}\varsigma$ [3]), genauer $\acute{o}$ $\tau\tilde{\eta}\varsigma$ $\mathrm{'I}\delta o\upsilon\mu\alpha\acute{\iota}\alpha\varsigma$ $\sigma\tau\varrho\alpha\tau\eta\gamma\acute{o}\varsigma$ [4])
von Jamneia aus seine Operationen. Für die militärisch
wichtigen Punkte giebt es natürlich dann eigene $\H{\epsilon}\pi\alpha\varrho\chi o\iota$
$\tau\tilde{\eta}\varsigma$ $\dot{\alpha}\varkappa\varrho o\pi\acute{o}\lambda\epsilon\omega\varsigma$ oder $\varphi\varrho o\acute{\upsilon}\varrho\alpha\rho\chi\alpha\iota$ [5]), welche zugleich auch
mit der $\pi\varrho\tilde{\alpha}\xi\iota\varsigma$ $\tau\tilde{\omega}\nu$ $\varphi\acute{o}\varrho\omega\nu$ beauftragt werden konnten [6]).
Die Grundlage der politischen Eintheilung bilden endlich
die $\tau o\pi\alpha\varrho\chi\acute{\iota}\alpha\iota$, was für Palästina der bleibende eigenthümliche Name [7]) ist, während wir den officiell gebrauch-
ten Ausdruck $\nu o\mu o\acute{\iota}$ [8]) mehr als aus ägyptischer Herrschaft
noch herübergenommen, ja vielleicht als ein Erbstück aus
persischer Zeit, wo das Reich für die Tributerhebung in
20 $\nu o\mu o\acute{\iota}$ getheilt war [9]), anzusehen haben. An die Stelle
der $\tau o\pi\alpha\varrho\chi\acute{\iota}\alpha$ tritt natürlich bei den hellenistischen Städten
die Stadt und das ihr gehörige G e b i e t ($\acute{\eta}$ $\pi\varrho o\sigma\varkappa\upsilon\varrho o\tilde{\upsilon}\sigma\alpha$

---

1) Jos. Ant. J. XIII, 7, 3. de B.
J. I, 2, 2.

2) 2 Makk. 14, 12, wird Nika-
nos dazu ernannt, während 2 Makk.
12, 2 uns vier $\varkappa\alpha\tau\grave{\alpha}$ $\tau\acute{o}\pi o\nu$ $\sigma\tau\varrho\alpha$-
$\tau\eta\gamma o\acute{\iota}$ mit Namen bezeichnet wer-
den und $\pi\varrho\grave{o}\varsigma$ $\delta\grave{\epsilon}$ $\tau o\acute{\upsilon}\tau o\iota\varsigma$ Nikanor
als Elephantarch noch allein auf-
geführt.

3) 2 Makk. 10, 14.

4) 2 Makk. 12, 32.

5) 2 Makk. 4, 28. 5, 22. 23.
6, 11. 8, 8. Jos. de B. J. I, 1, 2.

6) 2 Makk. 4, 27.

7) Jos. de B. J. III, 3. Plin.
V, 14.

8) 1 Makk. 10, 30. 11, 34.
Jos. Ant. XIII, 2, 3. 4, 9. 5, 4.

9) Her. III, 90 ff.

αὐτῇ bei Ptolemais [1]), πάντα τὰ ὅρια αὐτῆς bei Ekron [2]),
wofür auch im Josephos gesagt ist: Ἀκκάρωνα καὶ τὴν τ ο-
π α ρ χ ί α ν αὐτῆς) [3]). Um diese letztern kümmert sich die
syrische Verwaltung nicht, sie werden von den städtischen
Corporationen aus geleitet und verwaltet; nur die·Städte·
haben es direkt mit den Strategen des Königs zu thun; anders ist es dagegen mit den τοπαρχίαι der ἔθνη des Landes, welche königliche Beamte haben, die allgemein unter
οἱ ἐ π ὶ τ ῶ ν χ ρ ε ι ῶ ν, οἱ ἄνδρες τοῦ βασιλέως, aber speciell
als οἱ κατὰ τόπον ἄρχοντες begriffen werden [4]). Die Haupt-
bestimmung dieser ist vor Allem ausser den wohl .oft sehr
kleinen Militärcommandos als Steuerbeamte für die Eintreibung der βασιλικά zu sorgen, überhaupt die χρειαί (Be-
fehle) des Königs im Einzelnen zur Ausführung zu bringen.
Hierzu mochten auch Eingeborne leicht verwendet werden,
so werden dem Matathias ἀποστολαί angeboten [5]).

Gehen wir zu dem Steuer- und Militärwesen über,
so haben wir für das erste allerdings fast nur Angaben,
die die Juden betreffen, aber darunter die meisten, welche als hergebrachte, nicht seit dem Drucke unter Antiochos IV erst aufgelegte bezeichnet sind. Wir müssen uns
nun wohl hüten, auf die Küstenstädte, jene πόλεις Ἑλληνίδες
ohne Weiteres zu übertragen, was für die ἔθνη der Kölesyria Einrichtung war, jedenfalls haben die πόλεις, wie
einst nach Alexandrien, so jetzt an die Seleukiden eine
jährliche Gesammtsumme gezahlt, die von Entrepreneurs,
den reichsten Bürgern übernommen und dann einzeln eingetrieben wurde; aber wir können sehr wohl auf das System dieser Eintreibung besonders gegenüber den Landbewohnern dieselben Steuerobjekte und ähnliche Ansätze an-

---

1) 1 Makk. 10, 39.
2) 1 Makk. 10, 89.
3) Jos. Ant. XIII, 4, 4.

4) 1 Makk. 10, 42. 92. 13, 37.
5) 1 Makk. 2, 18.

wenden. Im Allgemeinen war die Besteuerung eine sehr hohe und besonders seit Epiphanes unverhältnissmässig gesteigerte, versprach doch der ἀρχιερεύς, der zugleich als Ethnarch des kleinen Judäa dastand, diesem bei dem Regierungsantritt 590 Talente jährlich aus drei verschiedenen Haupteinnahmen zu geben, und überbot ihn Menelaos sofort um 300 andere. Aber wir haben uns die Bevölkerung, die Landeskultur, die Handelsbewegung sehr gross zu denken. Allgemein galt für die Städte auch die Besteuerung der τεμένη, der Tempel und ihres Einkommens an Opfer; sie waren ἀργυρολόγητα. Es ward von jedem Opfer eine Abgabe an den König gezahlt[1]), und aus dem ἱερόν zu Jerusalem z. B. betrug die Einnahme jährlich **10000** Drachmen[2]). Mit der steigenden Selbständigkeit der Städte treten aber auch hierfür Exemtionen ein und wir haben diese jedenfalls mit in dem Recht und Ehrentitel der ἱεραὶ καὶ ἄσυλοι inbegriffen zu erkennen, der entweder einem Tempel allein oder meist der ganzen Stadt zuertheilt wurde[3]). Ebenso allgemein war ursprünglich die Pflicht des ἀγγαρεύεσθαι, der Stellung der Thiere zum Gebrauche der königlichen Beamten, Boten u. s. w., die aber auch durch Exemtion sehr beschränkt wird[4]). Die **direkten** Steuern bestanden vor Allem in der **Kopfsteuer** (ὑπὲρ κεφαλῆς ἑκάστης), die ausdrücklich für Judaia und die Eparchieen von Samareia, Galilaia und Peraia erwähnt wird[5]). Sie ist von Griechen hier, wie in Aegypten[6]) nie bezahlt worden; in den πόλεις der Paralia haben dies ἐπικεφάλαιον jedenfalls die

---

1) 2 Makk. 11, 3. Jos. Ant. XIII, 2, 3. 4, 9.

2) Jos. Ant. XIII, 4, 9.

3) So verspricht schon Demetrios I: τὴν Ἱεροσόλυμα πόλιν ἱερὰν καὶ ἄσυλον εἶναι βούλομαι Jos. Ant. XIII, 2, 3.

4) Jos. Ant. XIII, 2, 5. Ueber diese persische Sitte s. Jos. Ant. XI, 6, 2.

5) Jos. Ant. XIII, 2, 3.

6) Droysen de Lag. imp. p. 45.

Landbewohner entrichtet, und es ist, bei der Gesammtsteuer wohl sehr mit in Anschlag gekommen. Daneben lernen wir noch ausserordentlich drückende Naturalsteuern kennen, die allerdings in dieser Höhe erst seit der Geldnoth der syrischen Könige erhoben scheinen: das Drittel der σπορά[1]) oder der γεννήματα τῆς γῆς, dann die Hälfte der ἀκρόδρυα oder des καρπὸς ξυλικός, also vom Ertrag vor Allem der Palmen und Oelbäume, wodurch geradezu der Besitz illusorisch ward, die τιμὴ τοῦ ἁλός oder αἱ τοῦ ἁλὸς λίμναι, also eine Abgabe bei der Salzgewinnung, die an der Asphaltitis, dem todten oder Salzmeere eine sehr ausgedehnte war [2]); endlich noch die allgemeine Bezeichnung eines Antheils an δέκαται und τέλη, also an dem Zehnten als Grundsteuer sowie an Gefällen allerlei Art in Handel und Wandel. Wir erkennen leicht, dass diese Steuereinrichtung fast ganz und gar der satrapischen Oekonomie des sog. Aristoteles entspricht [3]), dass sie also im Grunde auf der Einrichtung aus persischer Zeit ruht. Wie wir schon sagten, haben die drückendsten dieser Steuern, wie Kopfsteuer, Ertragsteuer mit für die hintersässige, ungriechische Landbevölkerung jener Städtegebiete Geltung gehabt und sind erst durch die Städte vermittelt an den königlichen Schatz gekommen. Dagegen bildeten in den Städten selbst die Ein- und Ausgangszölle, die Hafenzölle, die Marktzölle eine wichtige Quelle des Einkommens bei dem grossen Export eigner und der östlichen Waaren, deren Ertrag später in römischer Zeit bei dem Verfahren der Kaiser gegen die noch heidnische Stadt sehr in's Gewicht fiel. Neben

---

1) Σπορά ist hier jedenfalls nicht die Aussaat, sondern das Gebaute, der Ertrag. In Aegypten ward bekanntlich die πέμπτη, wie in der Pharonenzeit, so unter den Ptolemäern und Römern entrichtet.

Vgl. 1 Mos. 47, 20 ff. Jos. Ant. J. II, 7, 7.

2) Ritter Erdk. Thl. XV, S. 95. 128. 591. 697. 719. 762. 765 ff.

3) Böckh Staatshaush. der Ath. I, S. 411. Aufl. 2.

30 *

dem also von den Meistbietenden verwalteten. Gesammtzoll
einer Stadt und ihres Gebietes waren jene einst als freiwillige Ehrengeschenke [1]) bei besondern Gelegenheiten gegebenen goldenen στέφανοι von sehr verschiedenem Ge-
wichte, wie z. B. die Tyrier Alexander dem Grossen einen
solchen magni ponderis [2]) bringen, wie ihn freie selbständige Städte den fremden durch ihre φιλάνθρωπα (dies der
stehende Ausdruck für Gunsterweisungen, Hülfleistung
u. dgl.) bekannten Königen vielfach übersenden, in Syrien allmälig zur bestimmten Abgabe geworden; so erlässt
Demetrios den Juden den στέφανος, den sie schuldig [3])
sind oder der ihm zukommt.

Was das Militärwesen und die Militärpflicht
der palästinischen Städte betrifft, so wiesen wir bereits
früher darauf hin, dass Militärdienst damals durchaus als zunächst den Hellenen zukommend, Gewinn und Ehre brin-
gend, als freiwilliges Söldnerwesen in ausgedehnter
Weise erscheint, dass es geradezu als eine Auszeichnung
für ein ἔθνος versprochen wird, man wolle ihre Leute in
das Heer (die δυνάμεις) gleichberechtigt den μισθοφόροι
oder ξέναι δυνάμεις aufnehmen und sie in die grossen ὀχυρώματα des Reiches als Besatzung legen [4]). Daher haben
aus den Ἑλληνίδες πόλεις natürlich auch viele als μισθοφόροι im Heere gestanden, ja die philistäischen Städte haben
aus freien Stücken den Feldherrn des Demetrios I in Hopliten und Reiterei ihr Contingent gestellt und sind der frühern Siege gegenüber den Juden wohl bewusst, sie sind
noch immer Kämpfer der Ebenen [5]). Es wird geradezu
ausgesprochen, dass Johannes Hyrkanus die syrischen
Städte leer von μαχιμώτεροι zu finden hofft wegen des

---

1) Böckh Staatshaush. I, S. 40 ff.
348.

2) Just. XI, 10.

3) 1 Makk. 11, 34. 35. 36. Jos.
Ant. XIII, 4, 9.

4) 1 Makk. 10, 37.

5) 1 Makk. 10, 37.

von Antiochos VII nach Medien unternommenen Zuges [1]),
und unter den Σύροι, die Alexander Jannäus in sein μισθο-
φορικόν nicht aufnimmt wegen des tiefwurzelnden Hasses
gegen die Juden, sind vorzüglich die Bewohner der Küstenstädte zu verstehen [2]), während früher Jonathan gegen
die Besatzungen in Jerusalem eine grosse Kriegsmacht aus
Syria und Phoinike gesammelt hatte [3]). Aber in Ganzen galten diese Syrer als keine besonders guten Soldaten
und natürlich agirten die syrischen Könige in Palästina
vor Allem mit Fremden. Wir müssen die grosse Masse
der fortwährend hier ab- und zuströmenden ξέναι δυνάμεις
als ein nicht unwichtiges Glied in der Mischung der Stämme
und starken Hellenisirung ansehen; da sind die μισθοφόροι
aus Aetolien und Arkadien, vor Allem dann von den Inseln [4]) von Kreta und Rhodus, da die Reiterei τῆς
Ἀσίας [5]), hier wohl mehr oberasiatische Nationen, dann
thrakische Reiter [6]) in Menge; und die sonstigen Söld-
nertruppen wie Galater und Spanier haben an dieser
Küste auch nicht gefehlt. Sobald die philistäischen Städte
auf ihre eigene Kraft angewiesen sind, im Stich gelassen
von den Seleukiden, nehmen sie selbst auch fremde Truppen
in Dienst; so haben die Gazäer 2000 ξένοι im Dienst, aber
daneben auch 10000 οἰκέται bewaffnet [7]), freilich bei
grosser Noth; unter den letztern haben wir vor Allem jene
Hintersassen des Landes, Kriegsgefangene, dann Araber uns
zu denken.

Haben wir bis jetzt das Verhältniss der Städte der
palästinischen Paralia nach oben, zur syrischen Herrschaft
näher in's Auge gefasst, so gilt es nun ihre eigene Glie-

---

1) Jos. de B. J. I, 2, 6.   5) 2 Makk. 10, 24.
2) Jos. de B. J. I, 4, 5.   6) 2 Makk. 12, 35.
3) Jos. Ant. XIII, 5, 4.   7) Jos. Ant. XIII, 13, 3.
4) 1 Makk. 11, 38 ff.

derung und ihre Erhebung zu vollständiger Autonomie
und zu mannigfacher Entartung der Politeia in eine Tyrannis, soweit die wenigen Andeutungen hinreichen, soweit
die Münzen, 'diese gleichsam urkundlichen Zeugnisse der
Autonomie, uns Auskunft geben, zu bezeichnen. Nur die
πόλις, das σύστημα πολιτικόν hat einen δῆμος, eine sich
selbst regierende, gegliederte Bürgerschaft, kein ἔθνος: so
bezeichnen die in der Seleukis verbundenen, autonomen
Städte ihre gemeinsamen, seit $\frac{153}{152}$ (164 A. Sel.) geschlagenen Münzen als δήμων ἀδελφῶν[1]), so erscheint der Demos von Ptolemais versammelt in der Volksversammlung[2]),
so tragen die ohne die Kaisernamen geprägten Münzen des
neugegründeten, ausdrücklich als hergestellt bezeichneten
Gaza vielfach die Inschrift *ΔΗΜΟΥ. ΓΑΖΑΕΩ.* (oder
ΤΩΝ. ΕΝ. ΓΑΖΗ, ΓΑΖΑΙΩΝ, ΓΑΖΕΑΤΩΝ)[3]). Der
δῆμος selbst besteht nur aus den Vollbürgern, neben dem
die Masse der Sklaven, der hörigen Landbewohner, dann
der sogenannten πάροικοι, die wir den attischen μέτοικοι
gleichstellen können, und nach dem seit Alexander d. Gr.
mehr und mehr durchgeführten Princip eines gewissen Census, eine Zahl besitzloser Einwohner existirt; als solche
πάροικοι erscheinen die Juden z. B. in Joppe und Jamnia[4]),
ähnlich wie im Gegentheil eine Corporation der Ἀντιο-
χεῖς in Jerusalem sich findet, die dann in völlige Bürger
umgewandelt werden[5]) in der Zeit, wo der Hohepriester
Jason systematisch die Hellenisirung betrieb. Den in Volks-
versammlungen ausgesprochenen Wünschen dieses Demos
wird von Seiten der Regierenden nicht durch direkten Befehl entgegengetreten, sondern man sucht sie zu überre-
den, zu überzeugen: so heisst es vom Reichsverwalter Ly-

---

1) Mionn. V, p. 146 ff.
2) 2 Makk. 13, 26. Jos. Ant.
XIII, 12, 3.
3) Mionnet V, p. 535 ff. n. 109.
110. 112. 114. VIII, p. 371 ff. n.
45. 46. 47.
4) 2 Makk. 12, 8. 13.
5) 2 Makk. 4, 9.

sias unter Antiochos V Eupator, dass er in Ptolemais $\pi\varrho o\varsigma$-$\tilde\eta\lambda\vartheta\epsilon\nu$ $\dot\epsilon\pi\dot\imath$ $\tau\dot o$ $\beta\tilde\eta\mu\alpha$, durch Reden das über die Ernennung des Judas Makkabäus erbitterte Volk besänftigte [1]. Es bildet sich natürlich auch eine Demagogie und diese, so z. B. Demainetos zu Ptolemais, eifert gegen fremdes Patronat als eine Despotie [2]. In jeder griechischen Verfassung steht neben der Volksgemeinde, dem $\delta\tilde\eta\mu o\varsigma$, die $\beta o\upsilon\lambda\dot\eta$ als berathender Ausschuss, in verschiedenen Perioden verschieden zusammengesetzt, je nachdem als blosser Ausschuss aus der Gemeinde, oder gebildet aus denen, die Aemter bekleidet, oder auf eine Reihe Geschlechter oder Census basirt. Ueber die Art ihrer Zusammensetzung hier in vorrömischer Zeit wissen wir nichts, aber interessant ist es, dass uns 500 als die Gesammtzahl der $\beta o\upsilon\lambda\epsilon\upsilon\tau\alpha\dot\imath$ von Gaza ausdrücklich angegeben wird [3], also ganz gleich der Zahl in Athen, in der Zeit seiner Blüthe und Selbständigkeit von Kleisthenes bis Demetrios Poliorketes [4]. Ob wir von diesen 500 auf eine Zehntheilung der Bürgerschaft in Phylen zu schliessen berechtigt sind, muss dahingestellt bleiben. Neben der $\beta o\upsilon\lambda\dot\eta$ stehen die $\dot\alpha\varrho\chi\alpha\dot\imath$ als ausführende Behörden: dass es hier in den kölesyrischen Städten an einer Stufenfolge nicht fehlte, beweist z. B. die Erwähnung des Nikolaos Damaskenos, dass sein Vater Antipater in Damaskos $\pi\varrho\epsilon\sigma\beta\epsilon\dot\imath\alpha\varsigma$ $\varkappa\alpha\dot\imath$ $\dot\epsilon\pi\iota\tau\varrho o\pi\dot\alpha\varsigma$ $\dot\alpha\varrho\chi\dot\alpha\varsigma$ $\tau\epsilon$ $\pi\dot\alpha\sigma\alpha\varsigma$ $\delta\iota\epsilon\xi\tilde\eta\lambda\vartheta\epsilon$ $\tau\dot\alpha\varsigma$ $\dot\epsilon\gamma\chi\omega\varrho\dot\imath o\upsilon\varsigma$ [5]). Für Gaza haben wir die ausdrückliche Erwähnung der $\dot\alpha\varrho\chi o\nu\tau\epsilon\varsigma$, deren Söhne als Geisel dem Jonathan Makkabäus gegeben werden [6]), und wenigstens in der späteren Zeit vielfacher Bedrängniss sind wir wohl berechtigt, den $\sigma\tau\varrho\alpha\iota\eta\gamma\dot o\varsigma$, diese zuerst rein

---

1) 2 Makk. 13, 26.

2) Jos. Ant. XIII, 12, 3.

3) Jos. Ant. XIII, 13, 3: $\tau\tilde\omega\nu$ $\delta\dot\epsilon$ $\beta o\upsilon\lambda\epsilon\upsilon\tau\tilde\omega\nu$ $\tilde\eta\sigma\alpha\nu$ $o\dot\imath$ $\pi\dot\alpha\nu\tau\epsilon\varsigma$ $\pi\epsilon\nu\tau\alpha\varkappa\dot o\sigma\iota o\iota$.

4) Herm. Gr. Ant. I, §. 175. Anm. 8.

5) Suidas v. Antipat. Nikol. Dam. bei Müll. Fr. hist. III, p. 348.

6) 1 Makk. 11, 62.

militärische Würde, die später aber des militärischen Charakters gänzlich entkleidet ward [1]), und als höchste Behörde auf den Münzen der meisten kleinasiatischen Städte erscheint [2]), auch als oberste Macht in Gaza zu betrachten. Und leicht mochte eine gewisse Tradition jener philistäischen Sarnim, noch mehr aber das ganz militärisch gegliederte Beamtenthum des ptolemäischen und seleukidischen Reichs den Namen des $\sigma\iota\varrho\alpha\tau\eta\gamma\acute{o}\varsigma$ stützen. Wir kennen einen solchen Strategos im Apollodotos, der ausdrücklich $\acute{o}$ $\sigma\tau\varrho\alpha\tau\eta\gamma\grave{o}\varsigma$ $\tau\tilde{\omega}\nu$ $\Gamma\alpha\zeta\alpha\acute{\iota}\omega\nu$ genannt wird, welcher allerdings die Truppen führt und die Stadt vertheidigt, von dem es aber ausdrücklich heisst, dass er $\pi\alpha\varrho\grave{\alpha}$ $\tauo\tilde{\iota}\varsigma$ $\pio\lambda\acute{\iota}\tau\alpha\iota\varsigma$ $\varepsilon\acute{v}\delta o\varkappa\iota\mu\varepsilon\tilde{\iota}$; er wird gestürzt durch seinen Bruder, der dagegen ganz auf das $\sigma\tau\varrho\alpha\tau\iota\omega\tau\iota\varkappa\acute{o}\nu$ sich stützt und die Stadt verräth. Es war sehr natürlich, dass in kleinen Staaten die wenn auch nur für kurze Zeit gewählten Heerführer, die ein Söldnerheer unter sich hatten, unmittelbar die wichtigste Person des Staates wurden, dass mit der Zeit die Strategie selbst unter ruhigen Verhältnissen zu einer städtischen Behörde sich umgestaltete, oder dass aus derselben sich die Tyrannis entwickelte. Diesen letztern Gang können wir gerade in den syrischen Städten vielfach verfolgen.

Inmitten des allmäligen Zerfalles der seleukidischen Herrschaft, seit den letzten Jahren von Antiochos III, der fortwährenden Bekämpfung verschiedener Linien bildet das Auftreten, das Emporblühen zahlreicher städtischer Wesen vielleicht den interessantesten, noch wenig beachteten Gesichtspunkt. Tapferes Ausharren gegenüber den Ptolemaiern, entschiedenes Parteinehmen für eine Familie, hartnäckige Vertheidigung führte die Seleukiden dazu, Immunitäten und

---

1) Herm. Gr. Ant. I' §. 176.   2) Eckhel D. N. IV, p. 192 ff.
Anm. 14.

Exemtionen aller Art dieser und jener Stadt zu gewäh‑
ren; sie sind begriffen unter den Ehrennamen der ἱερὰ καὶ
ἄσυλος für Bevorrechtung städtischer Heiligthümer, Siche‑
rung gegen alle militärische und richterliche Thätigkeit der
Beamten in ihrem Bereich und Befreiung von allen Abga‑
ben, der αὐτόνομος, ἐλευϑέρα[1]), als Zeichen ihrer municipalen
Selbständigkeit, Freiheit von den regelmässigen Abgaben[2]),
von der Besatzung. Dazu kommen dann noch besondere
Bezeichnungen als μητρόπολις mit einem gewissen in Eh‑
rensachen, Gesandtschaften u. dergl. sich erweisenden Vor‑
rang vor andern Städten, als ναυαρχίς als Inhaber von
wichtigen Schiffstationen und, wie es scheint, eigener Kriegs‑
flotte. Mit dem Zeitpunkt solcher Autonomieertheilung oder
Erringung beginnt meist eine eigene städtische Aera,
neben der natürlich die der Seleukiden als die allgemein
verbreitete noch hergeht, es beginnt aber auch, wenngleich
verschieden im Zeitpunkt, selbst das Ausmünzen eigenes
Silbergeldes zunächst noch mit dem Kopf der seleukidischen
Herrscher, aber — und dies ist eine von Böckh nachge‑
wiesene, interessante Thatsache[3]) — mit einem von dem
attischen, durch Alexander den Gr. in dem makedonischen
Reich eingeführten, von den Seleukiden beibehaltenen ver‑
schiedenen Münzfusse, welchen Böckh als gleich und her‑
vorgegangen aus dem alteinheimischen, tyrischen wie he‑
bräischen, ursprünglich babylonischen sehr wahrscheinlich

---

1) Antiochos Eupator gelobt Je‑
rusalem ἐλευϑέραν ἀνδεῖξαι (2
Makk. 9, 14), er gelobt die Juden
zu machen ἴσους Ἀϑηναίοις. De‑
metrios I erklärt καὶ τὴν Ἱεροσο‑
λυμιτῶν πόλιν ἱερὰν καὶ ἄσυλον
εἶναι βούλομαι καὶ ἐλευϑέραν (Jos.
Ant. XIII, 21, 3.)
2) Die Zusammenstellungen die‑
ser Bezeichnungen wechseln: so ist

Tyros ἱερὰ καὶ ἄσυλος oder μη‑
τρόπολις (Mionnet V, p. 65. n. 567.
p. 78. n. 689—91.), Antiochia μη‑
τρόπολις αὐτόνομος (Mionnet V,
p. 148 ff.), Seleukia ἱερὰ καὶ αὐ‑
τόνομος, Laodikea πρὸς ϑάλατ‑
ταν ἱερὰ καὶ ἄσυλος, aber auch
ἱερὰ καὶ αὐτόνομος (Mionnet V, p.
272. n. 844).
3) Metrol. Unters. S. 65—67.

macht: es ist dies zugleich ein Münzfuss, welcher mit dem
ptolemäischen ganz übereinstimmt und daher bei der langen
Herrschaft und lebendigen Verbindung der Küstenstädte mit
Alexandrien, bei der allerdings nicht seltenen Erscheinung
von ptolemäischen in Tyrus und Tripolis geschlagenen Münzen [1]) um so leichter sich erhalten und neu befestigen konnte.
Mit der einzigen Ausnahme von A r a d o s, dessen Autonomie und Aera mit dem Jahr $2\frac{61}{80}$ v. Chr. (52 A. S.) beginnt,
welches aber noch einmal durch Antiochos III 168 v. Chr.
hart gezüchtigt wird, drängen die Aeren und der Beginn
der Autonomie für die andern wichtigsten Städte Tyrus,
Sidon, Antiochia, Seleukia, Apamea, Laodikea, Tripolis
sich alle in das letzte Drittel, ja in das letzte Jahrzehent
des zweiten Jahrhunderts zusammen [2]), und das Ausmünzen städtischer Münzen geht sehr selten bis zu Antiochos III hinauf, meist nur bis Demetrios II. Von den philistäischen Städten hat A s k a l o n allein eine Aera aus dieser Zeit, ist dieses allein als ἱερὰ καὶ ἄσυλος bezeugt,
obgleich wir für Gaza aus dem einige Jahre nach der römischen Neubegründung, die aber doch nur Restitution der
bereits unter den Seleukiden eingenommenen autonomen Stellung war, gebrauchten Beinamen der ἱερὰ καὶ ἄσυλος, aus der
ganzen hochbedeutenden Stellung der Stadt unter den Seleukiden auf den Gebrauch derselben Beinamen, auf die anerkannte Autonomie mit Sicherheit zurückschliessen können.
Wir kennen von Askalon allein Münzen, die bis zu Antiochos III hinaufreichen, von der weitern Küste Palästina's
überhaupt sind Münzen nur von Dora [3]) und Ptolemais
oder vielmehr *ΑΝΤΙΟΧΕΩΝ ΤΩΝ ΕΝ ΠΤΟΛΕΜΑΙΔΙ* [4])

---

1) S. unter Ptolemaios Euergetes bei Eckhel D. N. IV, p. 14.

2) Aera von Tyrus 187 A. S.
($1\frac{29}{55}$ v. Chr.), von Sidon 202 A. S.
($1\frac{11}{40}$ v. Chr.), von Tripolis 201 A. S.

(1$\frac{11}{4}$ v. Chr.), von Antiochia 207 A.
S. C. 10$\frac{2}{5}$ v. Chr.).

3) Mionnet V, 72. n. 631.

4) Diese Bezeichnung ist jedenfalls nicht als die einer Corporation

mit der Bezeichnung als ἱερὰ καὶ ἄσυλος, oder ἱερὰ αὐτονόμος bekannt. Der Beginn der askalonischen Aera unterliegt keinerlei Zweifel, er fällt in den Herbst des Jahres 104[1]). Es ist dies gerade die Zeit, wo, wie wir eben sahen, die palästinischen Küstenstädte von aller syrischen Hülfe seit lange entblösst, selbständig als Demokratie oder unter eine Tyrannis gestellt von Alexander Jannäus stark bedrängt nach auswärtiger Hülfe sich umsahen und Ptolemäos Lothuros herbeiriefen. Askalon erscheint hier in keinerlei Weise betheiligt, weder als von Ptolemäos in Schutz genommen, noch als von Alexander erobert; es ist hierbei ganz neutral geblieben, und in der That finden wir bereits 40 Jahre früher die Askaloniten dem Heereszuge des Jonathan Makkabäus ehrenvoll mit Geschenken (φιλοτίμως — μετὰ δώρων) begegnen und eine Symmachie mit ihm schliessen[2]), auch später, bis Askalon nur die Gränzreise des Simon Makkabäus machen [3]). Hier nun muss eine förmliche oder wenigstens bei der Kriegführung beobachtete Anerkennung der Neutralität Askalon's von Seiten der Makkabäer wie des Ptolemäos erfolgt und die Lö-

---

aufzufassen, sondern als die seit der Eroberung Kölesyriens durch Antiochos III eingetretene Namenänderung der S t a d t selbst, die sichtlich zur Verdrängung des P t o l e m ä e r namens eingeführt war. Die Münzen dieser Seleukidenzeit haben daher immer diesen gleichsam officiellen Namen. Münzen kommen vor von Antiochos Epiphanes, Mionnet V, 218 n. 333. 334. VIII, 30. n. 159. dann besonders von Antiochos VIII und der ägyptischen den Lotos tragenden Kleopatra und zwar die eine mit der Jahreszahl ΘΠΡ (189 A. S., also 1 $\frac{14}{13}$ v. Chr.) vgl. Mionnet V, 88. n. 772. 73.

1) Nach Eusebios (Chr. II, p. 396) ist das 2. Jahr des Probus, also 1030 a. u. c. das Jahr 380 der Askalonischen Aera Dagegen haben wir die specielle Angabe des Chronicon Paschale zu Ol. 169, 1. Antonio et Albino Cass. : Ascalonitae hinc sua tempora numerant, also eine Olympiade später. Mit der ersteren Angabe stimmen die mit der eigenen Aera geschlagenen Münzen. Vgl. übrigens Noris. Ann. Syrom. p. 512. Ideler Handb. der Chronol. I, S. 473. 474.

2) Ant. J. XIII, 5, 5.

3) a. a. O. 10.

sung von Syrien gleichsam rechtlich geworden sein. Seit dieser Zeit wird also von einem Askalon liberum gesprochen[1]). Die Bezeichnung der ἱερὰ καὶ ἄσυλος erscheint bereits einige Jahre vor dem Beginne der Aera auf einer Silbermünze von Antiochos VIII aus dem Jahre 205 A. S. (EΣ) also $20\frac{8}{7}$ v. Chr.[2]). Was das Ausmünzen betrifft, so ist Askalon eine alte Münzstätte und allerdings frühzeitig eine seleukidische gewesen, sowie schon Münzen mit Alexander dem Grossen auf attischen Fuss daselbst geprägt existiren[3]). Falsch ist es aber jedenfalls, wenn Mionnet[4]) eine Münze aus Cabinet Allier zu Paris mit dem bekannten seleukidischen Revers des auf der Cortina sitzenden Apollo mit dem Pfeil und Bogen, und der Legende ΑΣΚ Antiochos I zuschreibt, da, wie wir früher sahen, das südliche Kölesyrien unter Antiochos an Ptolemäos Philadelphos verloren gegangen war. Sicher gehört diese Münze bei der von Mionnet gerade hervorgehobenen Schwierigkeit, auf diesen städtischen Münzen die einzelnen Könige zu scheiden, Antiochos III zu, von dem uns ebenfalls eine aus demselben Kabinet mit genau derselben Beschreibung angeführt wird[5]). Aus der Zeit von Antiochos IV Epiphanes kennen wir zwei[6]) mit ΑΣ. und den Jahreszahlen ΔΜΡ und EΜΡ (144 und 145 A. S., also $1\frac{69}{68}$ und $1\frac{68}{67}$), also gerade geschlagen in der Zeit der grossen politischen Uebermacht des Epiphanes in Aegypten, in der Zeit, wo er selbst mit seinem Heere von der philistäischen Küste aus operirte. Die Darstellung des Strahlenhauptes des Königs sowie des Zeus mit dem Kranz in der Rechten bietet nichts Eigenthümliches; der letztere, bekanntlich hoch verehrt als Olym-

---

1) Plin. V, 13.

2) Mionnet V, 525 n. 52. S. VIII, 30. n. 160 Eckhel D. N. III, p. 444.

3) Mus. Brit. S. 102. Pembroke

II, t. 53 bei Böckh, Metrol. Unters. S. 67.

4) Mionnet V, 8. n. 59.

5) Mionnet V, 25. n. 219.

6) Mionnet V, 38. n. 336. 337.

pios von den Seleukiden und durch Epiphanes Judäa aufgedrungen. Das Monogramm M sichtlich mit dem der spätern Autonomenmünzen $\overset{\vee}{M}$ aus gleichen Theilen bestehend, ist noch nicht erklärt. Sind es etwa nur die Anfangsbuchstaben: $A\Sigma$ vereinigt? Auf den als Usurpator sich Autokrator nennenden Tryphon, welcher in Dora, seinem Stützpunkt die ersten Münzen schlagen liess und dieser Stadt auf denselben das Prädikat als $\iota\epsilon\varrho\grave{\alpha}\;\varkappa\alpha\grave{\iota}\;\mathring{\alpha}\sigma\nu\lambda o\varsigma$ gab[1]), sind in Askalon auch Münzen geschlagen worden[2]) mit dem ihm, wie seinem Schützling Antiochos VI zukommenden runden, bebänderten, mit aufgesetzter Spitze (oder Horn, oder Feder?) versehenen Königshute. Die letzten Seleukidenmünzen gehören unter Antiochos VIII Grypos[3]), unter dem, wie wir oben sahen, in Palästina alle syrischen Haltepunkte verloren gingen und zwar mit dem Jahr $E\Sigma$ (205, also 10⅞ v. Chr.); der Revers (Adler mit der Palme) gehört hier dem unter ägyptischem Einflusse stehenden Grypos wie Kyzikenos[4]) sowohl wie der Stadt nach ihren autonomen Münzen. Ob von diesen letztern, mit zwei Ausnahmen lauter Erzmünzen, irgend welche in die Periode vor der römischen Eroberung fallen, steht sehr zu bezweifeln: diejenigen, welche Jahreszahlen tragen, gehören alle erst der Zeit seit Augustus bis Hadrian an, und die andern zeigen weder durch Darstellung noch Stil eine durchgehende Verschiedenheit.

Wir wiesen schon oben bei der Besprechung des $\sigma\tau\varrho\alpha\tau\eta\gamma\acute{o}\varsigma$ als des Führers von $\mu\iota\sigma\vartheta o\varphi\acute{o}\varrho o\iota$, als der obersten, zu-

---

1) Mionnet V, 72. n. 631.
2) Mionnet V, 72. n. 625.
3) Mionnet V, 525. n. 52. VIII, 30. n. 160. Eckhel D. N. III, p. 444. Auffallend bleibt es übrigens sehr, wenn noch im Jahr 107 Askalon den Kopf des Antiochos Grypos auf die Münzen setzt, da damals bereits seit vier Jahren Kyzikenos in Kölesyrien, dagegen Grypos in Obersyrien herrschte.
4) Froelich Ann. t. XIII, n. 24. XIV, n. 10.

nächst militärischen Würde in einer ächt hellenischen autonomen Stadt auf die Gefahr und die grosse Leichtigkeit
der ächt hellenischen Bildung einer Tyrannis hin. Dies
ist in der That auch neben der freien Städteverfassung und
oft in ihr die fast herrschende Form der kleinen, auf der
Grundlage des syrischen Reiches sich erhebenden Staaten
geworden. Sie findet theils in dem ächt hellenischen Um-
schlag der Republiken in die Tyrannis, theils aber auch
in den nationalen Grundlagen kleiner, scharf noch getrenn-
ter Stämme, so arabischer, die einem Stammeshaupt sich
unterordnen, theils endlich in der Isolirung ursprünglich
syrischer στρατηγοί ihre Erklärung. Man hat diese Erscheinung im Zusammenhang meines Wissens noch nicht betrachtet, obgleich sie weit über Syrien hinausgreift. Hier will
ich nur erinnern an Straton ὁ τῆς Βεροίας τύραννος[1] in
der Zeit des Demetrios III (92 — 87), an Ptolemäos, Sohn
des Mennaios in der Landschaft von Apamea[2]), an Dionysios Tyrann von Tripolis[3]), an Silas, Tyrann der Landschaft Lysias[4]), an Lysimachos oder richtiger Lysanias,
König von Chalkis[5]) am Antilibanon, dann an die mächtigen Tyrannen der hellenistischen Städte der Peräa, wie
Zeno Κοτυλᾶς in Philadelpheia[6]) und seinen Sohn Theodoros[7]), an Demetrios, ἄρχων in Gamala[8]), überhaupt an
die von Josephos häufig generell genannten μόναρχοι[9]).
Auch an der palästinischen Küste sehen wir ganz dieselbe

---

1) Jos. Ant. XIII, 14, 3.
2) Jos. Ant. XIII, 15, 2. 16, 3.
XIV, 3, 2. Münzen bei Mionnet VIII,
119. n. 20.
3) Jos. Ant. XIV, 3, 2. Münze
Mionn. V, 395. n. 389.
4) Jos. a. a. O.
5) Porphyrios in Mull. Fr. h.
III, p. 724 (Λυσανίου Randlesart von
Scaliger). Eus. Chr. I, 22. p. 124.

Münze Mionn. VIII, 119. n. 21. Inschrift von Abila bei Böckh C. I.
n. 4521.
6) Jos. Ant. XIII, 7, 2. de B.
Jud I, 2, 4.
7) Jos. Ant. XIII, 13, 3. 15, 3.
de B. J. I, 4, 2. 3.
8) Jos. de B. J. I, 4, 8.
9) Jos. Ant. XIII, 15, 2. 16, 5.

Erscheinung auftreten, so in Zoilos, jenem Tyrannos von Stratonospyrgos und Dora zusammen, der also die Küste zwischen Joppe und dem Karmel beherrscht, welcher auf sein σύνταγμα στρατιωτικόν sich stützt, um das Jahr 103 von Ptolemäos Lathuros gestürzt wird. Die Vorgänge in Gaza zwischen Apollodotos dem Strateg und seinem Bruder und Mörder Lysimachos zeigen uns gerade den Moment des Ueber- gangs der Strategie in die Tyrannis, aber auch durch die Einnahme und Zerstörung Gaza's die unmittelbare Erstickung der letzteren in ihrem Beginne. Eine andere Macht hatte bereits in nächster Nähe sich gebildet, gestützt allerdings auch auf die Mittel einer Tyrannis, besonders ein starkes Söldnerheer, aber gegründet auf eine grossartige Erhebung nationaler und religiöser Individualität, und diese ist es, die den helle- nistischen Städten der Paralia als unerbittlicher, zerstören- der Feind gegenübertrat und für mehr als ein Menschen- alter gerade jene autonome Entwicklung vernichtete oder hemmte. Dies führt uns hinüber zu dem letzten Paragra- phen dieses Abschnittes, zu der kurzen, zusammenfassen- den Darstellung dieses Kampfes, der uns gleichsam ein Ge- genbild giebt zu dem einstigen Verhältnisse zwischen Phi- listäa und dem Volke Israel.

§. 12.

Die philistäischen Städte gegenüber der Reaktion des Judenthums unter den Makkabäern.

Ihre Unterwerfung und Verödung.

In der Geschichte der hellenistischen Reiche und der hellenistischen Bildung im Orient bildet die Reaktion nationa- ler und zwar gesteigerter nationaler Mächte und Richtungen eine besonders gegen das Ende des zweiten Jahrhunderts v. Chr. allgemein hervortretende, tief durchgreifende Er- scheinung. Sie zeigt sich am sichtbarsten in der baldigen,

entschiedenen Losreissung ganzer Stämme und Provinzen
von den griechischen Reichen unter nationalen Führern mit
Betonung und Schärfung nationalen Glaubens und Sprache,
wie der Parther, wie der indischen Reiche, oder in der
mehr allmäligen Ablösung von Stämmen unter den als Va-
sallen gelassenen heimischen Geschlechtern, wie in Armenien oder Kappadokien, in dem Vordringen der arabischen
Stämme, in der wachsenden Bedeutung arabischer Stam-
mesfürsten, wie des Sampsikeramos in Arethusa und Larissa,
der Aretas in der Peräa, die endlich sogar ebenso wie die
Armenier das Seleukidendiadem sich auf das Haupt setzen;
sie macht sich in Aegypten geltend unter dem Epiphanes,
Philometor, Euergetes II durch langdauernde, heimische
Empörungen, durch das Hervortreten und die Begünstigung
ächt ägyptischer Kulte, durch die gewaltsame Vertreibung
hellenischer Bildung aus Aegypten, durch die fast entschiedene Herrschaft der Juden am Hofe und im Heer; ja diese
nationale Reaktion greift weiter an die Küsten des Mittelmeeres und spricht sich hier als eine Hauptrichtung in den
gewaltigen Sklavenaufständen aus, die seit Ol. 161 ($\frac{140}{137}$)[1]
nicht allein Sicilien, sondern auch Unteritalien, Attika,
Delos, die kleinasiatischen Städte[2] in furchtbare Bewegung setzen, und sich auf die unter den Sklaven herr-
schende Nationalität der $\Sigma\acute{v}\varrho o\iota$, auf den Glauben der Syria
dea, ihre Traumerscheinungen, Visionen, auf Wunderthä-
ter stützen und syrische Namen und Einrichtungen an die
Spitze stellen[3].

---

1) Eus. Chr. II, p. 362.

2) Diodor Exc. Phot. l. 34.

3) Eunus in Sicilien, ein Syrer
aus Apamea, $\ddot{\alpha}\nu\vartheta\varrho\omega\pi o\varsigma$ $\mu\acute{\alpha}\gamma o\varsigma$, $\tau\varepsilon$-
$\varrho\alpha\tau o\upsilon\varrho\gamma\acute{o}\varsigma$ sieht Götter, speit Feuer,
wird König nur wegen der Te-
rateia, er ist $\tau\varepsilon\varrho\alpha\tau\acute{\iota}\alpha\varsigma$ $\varkappa\alpha\grave{\iota}$ $\beta\alpha\sigma\iota$-
$\lambda\varepsilon\acute{v}\varsigma$, er nennt sich Antiochos.
Ferner werden die Sklaven im Auf-
stand allgemein $\Sigma\acute{v}\varrho o\iota$ genannt. Der
König Salvius im zweiten Sklaven-
kriege wird nur König, weil er in
der $\iota\varepsilon\varrho o\sigma\varkappa o\pi\acute{\iota}\alpha$ erfahren ist und
$\tau\alpha\tilde{\iota}\varsigma$ $\gamma\upsilon\nu\alpha\iota\varkappa\varepsilon\acute{\iota}\alpha\iota\varsigma$ $\vartheta\acute{\varepsilon}\alpha\iota\varsigma$ $\dot{\upsilon}\lambda o\mu\alpha\nu\tilde{\omega}\nu$,

In dieser ganzen Kette von Erscheinungen bildet der merkwürdige Kampf in Palästina, den wir gewöhnlich als Makkabäerzeit bezeichnen, eines der interessantesten Glieder. In ihm sieht eine oberflächliche Geschichtsbetrachtung nur die Erhebung einer Provinz, einer Glaubensgesellschaft gegen die wahnsinnige Laune eines Herrschers, der es sich zum Ziel gesetzt, alle Unterthanen seines Reiches zu Dienern Eines Kultus zu machen, gegen die Habsucht, die durch unvernünftigen Steuerdruck und Tempelplünderung sich Geld zusammenschafft, oder die Intriguen eines fremden Hofes, wie des ptolemäischen und der Römer zur Untergrabung Syriens. Sind alles dies auch Anlässe und hinzukommende Faktoren gewesen, so konnte jeder ernsteren Forschung das tiefer liegende Wesen nicht entgehen, nämlich der innere Process des jüdischen Volkes selbst, der Kampf eines enggeschlossenen Kernes priesterlicher, gesetzeseifriger, mit klarem, scharfem Blick das Ziel der strengen, national abgeschlossenen Theokratie verfolgender Männer, die als Ἀσιδαῖοι bezeichnet werden, gegenüber dem übermächtigen, auch das hohepriesterliche Geschlecht ergreifenden Einflusse allgemeiner, wenn man sagen darf humanistischer Ansichten, die nur in der Verschmelzung mit dem allgemeinen Wesen des Hellenismus, in der Einführung hellenischer Sitte und Jugenderziehung (Gymnasien, Choregie und Ephebie), in religiöser Toleranz, in Aufnahme Fremder in den eigenen municipalen Verband, in freundlichem Verkehr, Verheirathung mit Hellenen und den benachbarten Stämmen (τὰ ἔϑνη τὰ περὶξ αὐτῶν oder κυκλῷ αὐτῶν) die Wohlfahrt und die Zukunft ihrer Nation erblickten [1]).

---

er nennt sich Tryphon. Athenaion, ein anderer Anführer, ein Kiliker ist Astromant. Diod. a. a. O.

1) 2 Makk. 4, 1 ff. 6, 24. 11, 25. 14, 3.

Ich fügte hier die letzten Punkte mit Absicht hinzu, die bisher ganz unbeachtet geblieben sind und die gerade für unsere Aufgabe die eigentlichen Haltepunkte in diesem Verhältnisse sein müssen. Die nationalen Unterschiede nämlich im Gebiet von Palästina waren, wie wir schon früher hervorhoben, durchaus nicht verwischt, sondern bestanden in vielfach zäher, oppositioneller Weise unter der allgemeinen Decke ägyptischer und syrischer Verwaltung fort; die Idumäer im ganzen Süden Palästina's bis nahe Jerusalem, dann die Philistäer, oder nun nach Städten genannt die Gazäer und Asdodier, die Phöniker, dann die Samariter oder Chuttäer, die Mischbevölkerung von Galiläa, die Araber der Peräa. Die städtischen Organisationen hatten die einen von diesen ganz und gar an das hellenische Wesen gekettet, hatten ihr Interesse mit Recht nur im grösseren Verband des griechischen Handels- und Verkehrslebens, in griechischen Lebensformen finden lassen, während die andern, so besonders die arabischen Stämme durchaus als ἔθνη in lockerem Verbande zur Fremdherrschaft standen, unter sich aber nicht durch das Bewusstsein ursprünglicher und gleichsam allein berechtigter religiöser wie nationaler Ansprüche geeint wurden. Zu jenen gehörten, wie wir bereits sahen, ganz und gar die philistäischen Städte, sie waren durch ihre maritime Lage, wie durch ihre militärische gleichsam die Hauptfesten des Hellenismus in Palästina geworden, das Volk folgte durchaus diesem vorherrschenden Zuge. Sobald daher das bis dahin politisch ganz unbedeutende ἔθνος der Juden im offenen Kampf zunächst für ihre religiöse Sonderstellung, dann für ihre politische Autonomie, endlich sogar für die Wiedergewinnung des traditionell noch lebendigen, idealen Landbesitzes dem syrischen Reich gegenüber traten, so mussten theils jene Städte schon an und für sich die Stützpunkte der syrischen Operationen, die Zielpunkte der feindlichen jüdischen werden, theils sich

die ganze nationale, nicht griechische Schicht der Bevölkerung in ihrem alten Hass, ihrem alten Gegensatz zu dem
Judenthum neu entzünden und jenen hellenischen Kampf
auch als ihren nationalen betrachten. So wird diese Periode zugleich ein Aufleben des alten Nationalkampfes der
Bewohner Palästinas, nur modificirt und gesteigert durch
den gleichsam darüber gebauten des Hellenismus mit nationaler Reaktion. Dies der Gesichtspunkt, durch den die
Betrachtung dieser Zeit erst recht früchtbar wird, unter dem
wir die vereinzelten Notizen für unsern Kreis zu coneëntriren haben, dies die Erklärung zugleich für den geradezu
vernichtenden, zerstörenden Ausgang. In den äusseren
Vorgängen kehren übrigens sehr den früheren Kämpfen
ähnliche Erscheinungen wieder, die theils in der Natur des
Grund und Bodens, theils in jener dem Orient so eigenthümlichen Zähigkeit einmal vorhandener Völkerverhältnisse
ihre Erklärung finden; so der Gegensatz der einen guerillaartigen Bergkrieg führenden, leichtbewaffneten Juden und
der Hopliten- und Reitermacht der Ebenenbewohner, die
Festigkeit und lange Haltung der philistäischen Städte, endlich die verzweifelte, sich selbst vernichtende Gegenwehr,
die Verbindung des städtischen Handelsinteresses mit dem
Krieg, besonders im Sklavenhandel.

Folgen wir nun dem Gange der einzelnen Thatsachen.
Die harten, grausamen Massregeln des Antiochos Epiphanes, welche mit der Einführung des vollständigen Ἑλλη
νισμός in Judäa, mit der Verwandlung des Jehovahtempels
in einen des olympischen Zeus, mit der Errichtung der
Statue (jenes βδέλυγμα ἐρημώσεως) und des grossen Altars,
mit der Erbauung von τεμένη und βωμοί in andern Theilen
des Landes zusammenhingen, und zur massenweisen Fortführung der Einwohner, zur Einrichtung von Kleronomieen, zu dem Versuch einer vollständigen Bevölkerungsänderung führten, wurden ausdrücklich auch auf die Juden,

31 *

in den benachbarten hellenistischen Städten ($\varepsilon\iota\varsigma\ \tau\dot{\alpha}\varsigma$ $\dot{\alpha}\sigma\tau\nu\gamma\varepsilon\dot{\iota}\tau\sigma\nu\alpha\varsigma\ \dot{E}\lambda\lambda\eta\nu\dot{\iota}\delta\alpha\varsigma\ \pi\dot{\sigma}\lambda\varepsilon\iota\varsigma$) ausgedehnt; das Psephisma ist durch Ptolemäos Makron, den Strategen von Kölesyrien und Phönike, veranlasst und verkündet, und es soll hier die Beobachtung des griechischen Kultus, das $\mu\varepsilon\tau\alpha\beta\alpha\dot{\iota}\nu\varepsilon\iota\nu$ $\dot{\varepsilon}\pi\dot{\iota}\ \tau\dot{\alpha}\ \dot{E}\lambda\lambda\eta\nu\iota\varkappa\dot{\alpha}$, ebenso streng durchgeführt werden [1]). Keine Andeutung fällt dabei, dass bei der einheimischen Bevölkerung an ähnliche Opposition gedacht werde. Diese mit ihrem Kulte sind bereits im Bereiche des hellenischen Wesens. Bei den ersten kriegerischen Unternehmungen gegen das aufständische Juda, oder gegen die um die Makkabäer gescharte, oft wechselnde Partei der $\dot{A}\sigma\iota\delta\alpha\tilde{\iota}\sigma\iota$, der mit dem Glück der Waffen mehr und mehr die Sympathieen des Stammes als solchen zufallen, galt es vor Allem an den zwei Haupteingängen bei Bethhoron und bei Emmaus oder vom Süden, von dem idumäischen Hebron her, die Hochebene des Gebirges Juda, die mit ihren zerklüfteten, durchschneidenden Thälern und der Wüste nach dem todten Meere zu den feindlichen Stützpunkt bildete, zu gewinnen. Daher findet das Treffen des Seron bei Bethhoron statt, daher schlägt Nikanor ein festes Lager bei Emmaus auf und liegt hier längere Zeit, die Feinde aus dem Gebirge zu ziehen, daher unternimmt endlich Lysias den Zug durch Idumäa und macht Bethzur zwischen Hebron und Jerusalem zum Hauptpunkt seiner Kriegsführung. Hierbei bildet das philistäische Land zunächst den sichersten Rückzugs-

---

1) Man hat in 2 Makk. 6, 8. das $\Pi\tau\sigma\lambda\varepsilon\mu\alpha\dot{\iota}\sigma\nu\ \dot{\upsilon}\pi\sigma\tau\iota\vartheta\varepsilon\mu\dot{\varepsilon}\nu\sigma\nu$, wofür eine andere Lesart den Plural hat, immer bezogen auf die Ptolemäer, die Könige Aegyptens. Jedoch dies ist falsch, theils weil diese gar nicht mehr die hellenischen Nachbarstädte Judäas besitzen und weil diese, d. h. der damals herrschende Philometor wie dann Euergetes gerade entgegengesetzt die Juden an sich zogen, ihnen in ihrem Lande freien Kult gaben, ja sie darin sehr unterstützten. Dagegen war Ptolemäos Makron damals Strateg jener Provinz 2 Makk. 8, 8.

punkt für die syrische Macht, só erstreckt sich in dem ersten Treffen bei Bethhoron das Treffen vom Gebirge ἕως τοῦ πεδίου und es heisst: die Uebrigen fliehen in das Land der Philister (εἰς γῆν Φυλιστιείμ) [1]), dessen Gränzen also hier ganz an das Gebirge herangehen; dabei hören τὰ ἔθνη τὰ κύκλῳ αὐτῶν zuerst von der Bedeutung des Judas Makkabäus. Bei dem bedeutenderen Kampfe von Nikanor und Gorgias bei Emmaus werden die Syrer verfolgt bis Gazera und bis zu den Gefilden Idumäas und Azotos und Jamnia; die im Gebirge zurückgebliebene Abtheilung des Gorgias flieht εἰς γῆν ἀλλοφύλων, natürlich eben dahin.

Wir haben schon früher einmal Gazera oder Gazara (Γάζηρα, Γάζαρα) [2]) — dies sind die einzig richtigen Formen — als bedeutende, feste Stadt an der Nordostgränze Philistäa's kennen gelernt, auch jetzt erscheint sie mit den andern philistäischen Städten immer verbunden, als Haupthaltepunkt der syrischen Macht. Sie ist, wie aus unserer Stelle entschieden hervorgeht, nicht nördlich von Emmaus und Bethhoron nach der Kiepertschen Karte, sondern südwestlich zwischen Timnath und Jamnia, sowie Azotos andererseits anzusetzen.

Zu gleicher Zeit nehmen die philistäischen Städte Interesse an dem Kampfe selbst; Nikanor hat an die παραθαλάσσιοι πόλεις geschickt und zum Kauf der jüdischen Gefangenen aufgefordert, 90 σώματα für ein Ta-

---

1) 1 Makk. 3, 16.

2) 1 Makk. 4, 15. Jos. Ant. XII, 7. Die Lesarten schwanken zwischen Γαζηρὼν, Γασήρων, bei Josephos sogar Γαδάρων, Γαζαρῶν, Γασάρων. Ich erwähne hier gleich, dass wenn im zweiten Buch der Makkabäer, das ja in der Darstellung der Zuge des Lysias und Antiochos V Eupator, sowie der andern gleichzeitigen Unternehmungen in der Peräa sehr von der des ersten Buches abweicht, von einer Flucht des Strategen der Peräa Timotheos nach Gazara, von der Einnahme der Stadt geredet wird, hier Γάζαρα eine falsche Lesart oder Verwechselung mit Ἰαζήρ ist, welches in der entsprechenden Stelle des ersten Buches (1 Makk. 5, 8. 9. Jos. Ant. XII, 8, 1.) genannt wird.

lent[1]); er hat hiermit an 1000 Kaufleute in sein Lager geführt, welche mit Gold und Silber, mit Edelsteinen (ὑά-
κινϑος, also Saphir) und anderem πλοῦτος, reich auch
mit Ketten zur Empfangnahme der Sklaven versehen
sind [2]). Das Lager fiel mit dem grössten Theile dieser
Schätze in jüdische Hände. Aber auch militärische Unterstützung wird von den Städten den syrischen Strategen
zugeführt; es ist dies die δύναμις Συρίας καὶ γῆς ἀλλοφύλων, die in das Lager von Emmaus zieht [3]).

Der erste Abschnitt in diesem, immer an Bedeutung
und Ausdehnung gewinnenden Kampfe wird geschlossen
durch die drei Jahre nach der Erhebung stattfindende Tem-
pelreinigung zu Jerusalem (am 25. Chasleu 148 A. S.,
also im November 165); es war hiermit die religiöse
Selbständigkeit gewahrt und befestigt, aber natürlich mit
grosser, innerer Opposition einer starken, hellenistischen
Partei; es war bis jetzt nur ein Vertheidigungskampf am
Rande des kleinen Gebietes geführt worden; von jetzt an
wird das Verhältniss ein anderes aggressives, und jetzt tritt
zugleich der ganze Hass der benachbarten Stämme gegen
die unter ihnen auch lebenden Juden auf, welche daher bei
jeder neuen, glücklichen Unternehmung der Makkabäer sich
den Siegern anschliessen und massenweise in das jüdische
Gebiet aus der Zerstreuung zurückströmen. Unter den drei
Hauptrichtungen und Hauptstätten des Kampfes, der Peräa,
Galiläa und Idumäa nebst der Küste interessirt uns hier nur
die letzte. Der auf eigene Hand wider des Judas Makkabäus Gebot gemachte Zug von Joseph und Asarja gegen
Jamnia, wo Gorgias mit seiner Heeresmacht lag, endete
hier mit einer grossen Niederlage der Juden [4]); glücklicher

---

1) 2 Makk. 8, 9 — 11. 14.

2) 1 Makk. 4, 23 ff. Jos. Ant.
XII, 7, 3. 4.

3) 1 Makk. 3, 42 ff. Jos. Ant.
XII, 7, 3.

4) 1 Makk. 5, 58. Jos. Ant.
XII, 8, 6. 2 Makk. 10, 15.

war die Unternehmung des Judas Makkabäus, die zunächst die Einnahme von Hebron und der benachbarten Orte in Idumäa zur Folge hatte. Gorgias muss sich nach Ma r e s a, also in das Hügelland, in die philistäische Gränze zurückziehen [1]). Eine glückliche Diversion führte Judas nach A z o t o s, was kaum irgend militärisch besetzt gewesen zu sein scheint, und es beginnt hier die allen feindlichen Kult schonungslos zerstörende Thätigkeit der jüdischen Reaktion: die Altäre werden eingerissen, die Bilder der Götter ($\tau\grave{\alpha}$ $\gamma\lambda\upsilon\pi\tau\grave{\alpha}$ $\tau\tilde{\omega}\nu.\vartheta\epsilon\tilde{\omega}\nu$) verbrannt, die im Tempel aufbewahrten Siegeszeichen und Schätze der Städte ($\sigma\varkappa\tilde{\upsilon}\lambda\alpha$ $\tau\tilde{\omega}\nu$ $\pi\acute{o}\lambda\epsilon\omega\nu$) geplündert [2]).

Jedoch war dies nur ein Handstreich ohne irgend dauernde Besetzung. Als ein solcher ist auch der Ueberfall des Hafens von J o p e und J am n i a zu betrachten. Dort hatte man nämlich die ansässigen Juden mit Weib und Kind unter dem Schein des Friedens zu Schiff gebracht und sie dann, 200 an der Zahl, versenkt, in Jamnia ein Gleiches vorgehabt. Judas überfällt nun zur Rächung dieses $\dot\alpha\sigma\acute\epsilon\beta\eta\mu\alpha$ bei Nacht den Hafen von Jope, dann (natürlich nicht an demselben Tage) den von Jamnia und steckt hier ebenfalls die Schiffe in Brand. Die Häfen waren also offen, unbefestigt, während ausdrücklich die Städte als geschlossen genannt werden und daher nur mit einem spätern Wiederkommen bedroht werden [3]). Wir sehen bald darauf den grossen Heereszug des Lysias und jungen Antiochos Eupator ungehindert durch das Küstenland nach Idumäa sich bewegen, Bethzur auf dem Gebirge zwischen Hebron und Jerusalem einnehmen, den Tempel von Jerusalem belagern und endlich zu einer Kapitulation die Juden zwingen, in denen officiell die vollständige Toleranz gegen den jüdi-

---

1) 2 Makk. 10, 33.   3) 2 Makk. 12, 3 ff.
2) 1 Makk. 5, 66 ff. 2 Makk. 13.
Jos. de B. J. I, 1, 5.

schen Glauben (das πορεύεσθαι τοῖς νομίμοις αὐτῶν ὡς πρότερον) und das Aufgeben des Planes einer μετάθεσις ἐπὶ τὰ Ἑλληνικά, ausgesprochen wird [1]). Dass übrigens damals nicht, wie im zweiten Buch der Makkabäer steht [2]), Judas Makkabäus zum στρατηγός für das ganze Land von Ptolemais bis zu den Gerrhenern ernannt ward, wo Jerusalem eben eingenommen ist, liegt auf der Hand. Es erscheint für einige Zeit die Ruhe hergestellt, aber mit dem entschiedenen Uebergewicht der hellenistischen Partei und der zeitweiligen Residenz des Strategen in Jerusalem. Der wieder ausbrechende Kampf führt uns auf den frühern Schauplatz zurück: aus dem entscheidenden Treffen am 13. Adar $\left(\frac{\text{Februar}}{\text{Marz}}\right)$ 151 A. S. (161 v. Chr.), in welchem Nikanor fällt und ein grosser Theil seines Heeres, zwischen Bethhoron und Adasa fliehen die Syrer eine Tagereise (ὁδὸν ἡμέρας μιᾶς) weit nach Gazera, als einem sichern Halt [3]). Wenn in dem Treffen des folgenden Jahres bei Eleasa oder Bethsetha, in welchem Judas Makkabäus seinen Tod fand, von der Verfolgung des einen

---

1) Die chronologische Schwierigkeit der zwei hierauf bezüglichen frühern Briefe des Antiochos vom 24. des Monats Dioskorinthios und vom 15. Xanthikos sucht Ideler (Chronol. I, S. 399) durch die Annahme zu heben, dass dieser Schaltmonat nicht an das Ende des seleukidischen Jahres, sondern wie bei den Hebräern in das Frühjahr vor dem Nisan, dem Xanthikos gesetzt sei. Hermann (Griech. Monatskunde S. 102) erklärt sich dagegen und stellt den zweiten Brief in das Frühjahr, den ersten in den Herbst, September desselben Jahres, also ein halbes Jahr später.

Natürlich ist dann der undatirte Brief des Antiochos an Lysias auch in das Frühjahr zu setzen. In der That spricht auch hierfür die innere Ordnung der Dinge im Frühjahr auf die Nachricht vom wirklichen Tod des Epiphanes der angekündigte Pardon an die Juden mit bestimmter Frist der Rückkehr in die Heimath, die gleichzeitige Aufforderung (V. 36), Jemand mitzuschicken zu weiterer Verhandlung; im Herbst das Resultat dieser Verhandlung mit den jüdischen Abgeordneten.

2) 12, 24.

3) 1 Makk. 7, 39 — 45.

Flügels ἕως Ἀζώτου ὄρους geredet wird [1]), so ist zu bemerken, dass Josephos [2]) von einem Ἀζᾶ ὄρος οὕτω λεγόμενον spricht, Epiphanias dagegen Gazara hier las. Jedenfalls ist hier, da von einer Schlacht auf der Gebirgsebene die Rede ist, die Stadt Azotos nicht gemeint. Der Erfolg dieses letzten Treffens war übrigens die noch einmal durchgeführte Herrschaft des hellenistischen Regiments. Interessant für uns sind hierbei die bedeutenden Befestigungen zur Sicherung des Besitzes, die Anlage von πόλεις ὀχυραί nach den vier Hauptseiten Jerusalems. Die philistäische Ebene erhält in Emmaus, Timnath, Bethhoron und vor Allem in G a z a r a ihre Gränzfesten; vor Allem ward diese letztere neben der Akra von Jerusalem und Bethzur der Haupthalt der syrischen Militärmacht [3]).

Jedoch der Kampf um den Thronbesitz Syriens zwischen Demetrios I und Alexander I, die auf Aegypten sich stützende Macht des Letztern fördert ungemein die Jahre lang nur auf einen kleinen Bezirk um Michmas beschränkte Macht des Jonathan Makkabäus; man giebt ihm Exemtionen mancherlei Art, man überbietet sich in Versprechungen; so kommt es, dass im Jahre 162 A. S. (150 v. Chr.) Jonathan von Alexander I und Philometor zum königlichen στρατηγός und μεριδάρχης ernannt wird [4]). Es war natürlich, dass nun der alte nationale Stolz der ἀλλόφυλοι, jener ritterlichen Bewohner der Ebene und der mächtigen Küstenstädte erwachte, dass sie sofort an den gelandeten Demetrios II sich anschliessen und mit ihrer ganzen Kriegsmacht (die ἄριστοι ἐξ ἑκάστης πόλεως) ihn, oder seinen Strategen Apollonios unterstützen, der in Jamnia sich gelagert hat [5]). Bis dahin war ihre Theilnahme am Kampf

---

1) 1 Makk. 9, 15.
2) Ant. XII, 11, 2.
3) 1 Makk. 9, 50. Jos. Ant. XIII, 1, 3.

4) 1 Makk. 9, 66. Jos. Ant. XIII, 4, 2.
5) 1 Makk. 10, 69.

theils eine blos passive gewesen, als Schutz und Rückhalt
gewährend, theils in isolirten Ausbrüchen der Feindschaft
gegen Juden hervorgetreten; von jetzt an bilden sie geradezu
den Mittelpunkt des Kampfes. Sie erlassen eine förmliche
Herausforderung gegen Jonathan und die Juden: ihre Väter
hätten Israel zweimal aufs Haupt geschlagen, sie möchten
nur in die Ebene herabsteigen und mit der Reiterei und
der schweren Hoplitenmacht sich messen auf einem Terrain,
wo kein Fels, keine Kiesel, kein Ort zum Fliehen und
Verstecken sich zeige. Und in der That steigen die Makkabäer mit 10,000 Mann in die Ebene hinab, sie wenden
sich zuerst nach Jope, die φρουρά des Apollonios muss
die Stadt verlassen und die Städter (οἱ ἐκ τῆς πόλεως) öffnen ihnen dieselbe[1]). Der Versuch des Apollonios, durch
die Reiterei, worin seine Stärke bestand, die Juden zu
einem Treffen auf dem Blachfelde zwischen Jope und Azotos zu veranlassen, mislingt, in einer Schlucht greift Simon glücklich an und die philistäische Macht zieht sich auf
Asdod zurück und zwar εἰς Βηθδαγών τὸ εἰδωλεῖον αὐτῶν,
das also als der bedeutendste und festeste Punkt erschien,
während die Stadt, wie auch schon bei dem ersten Handstreich sich zeigte, ganz offen gewesen sein muss. Die
Stadt sowohl, als die Flecken rings herum werden in Brand
gesteckt und endlich auch das Heiligthum mit den darin
befindlichen Feinden. Somit ist einer der noch erhaltenen
religiösen Mittelpunkte des Stammes vernichtet. Die Folge
war, dass als Jonathan und Simon bei Askalon ihr Lager
aufschlagen, sie hier von den Städtern mit Geschenken und
Ehrenbezeugungen in grossem Glanz empfangen werden[2])
und daher in gutem Vernehmen abziehen. Diese fortgesetzte
Politik einer gegen die Makkabäer äusserlich freundlichen,

---

1) 1 Makk. 10, 75. ff. Jos.   2) 1 Makk. 10, 86. ff. Jos. Ant.
XIII, 4, 4.

zuwartenden Stellung hat, wie wir oben sahen, Askalon
für die ganze folgende Zeit sicher gestellt und sich selbst
überlassen. Ueber Askalon hinaus ist Jonathan nicht gezogen, dagegen ist es wichtig, dass Alexander I auf die
Nachricht von dieser Unternehmung eine philistäische Stadt,
die früher auch schon lange den jüdischen Königen gehört
hatte, mit ihrem Gebiet, nämlich Ekron ($Axx\acute{\alpha}\varrho\omega\nu$ $x\alpha\grave{\iota}$ $\tau\grave{\alpha}$
$\acute{o}\varrho\iota\alpha$ $\alpha\grave{v}\tau\tilde{\eta}\varsigma$) förmlich als Eigenthum, $\varepsilon\iota\varsigma$ $x\lambda\eta\varrho\upsilon\chi\acute{\iota}\alpha\nu$, also
auch zu einer Besetzung mit jüdischen Kolonisten übergab.
Vergeblich appellirten die $\pi\acute{o}\lambda\varepsilon\iota\varsigma$ bei dem durch das Land
ziehenden Philometor wegen der Verbrennung des Heilig-
thums, der Zerstörung von Asdod, schweigend zieht der
König weiter und in Jope empfängt ihn bereits als in dem
eroberten Besitze Jonathan, um ihm das Ehrengeleite zu
geben [1]).

Auch Demetrios II fand sich zuerst veranlasst, Jonathan in seinen Ehren und Rechten, sowie in dem um drei
$\nu\upsilon\mu\upsilon\acute{\iota}$ erweiterten Gebiete Juda's zu bestätigen. Unter diesen letztern [2]), von Samareia abgelösten ist Lydda für uns
von Interesse, weil hierdurch der makkabäische Besitz ununterbrochen bis an das Meer nach Jope sich erstreckt,
also hierdurch Idumäa schon isolirt wird. Jedoch Demetrios, kaum befestigt in seiner Herrschaft, verlangt sofort
von den Juden alle früher gezahlten $\varphi\acute{o}\varrho\upsilon\iota$ und dies führt
die Makkabäer hinüber zur Partei des jungen, von Try-
phon erhobenen Antiochos VI. Simon Makkabäus, der
Bruder des als Hoherpriester und Ethnarch bestätigten Jonathan, wird als Strateg über die ganze Paralia von der
Klimax bei Tyrus bis zu den Gränzen Aegyptens eingesetzt [3]) und somit ihm eine freilich durch die städtische

1) 1 Makk. 11, 2 ff. Jos. Ant.
XIII, 4, 4. 5.

2) 1 Makk. 10, 30. 11, 28. 34.
Jos. Ant. XIII, 2, 3. 4, 9. 5, 4, wo

von vier $\nu\upsilon\mu\upsilon\acute{\iota}$ gesprochen wird,
wahrscheinlich aber der vierte der
$\nu\upsilon\mu\acute{o}\varsigma$ von Jerusalem selbst ist.

3) 1 Makk. 11, 50.

Autonomie beschränkte Gewalt über die Küstenstädte ertheilt, die er aber erst gegenüber den Strategen des Demetrios erringen soll. Er erscheint in der That nun mit
einem förmlich organisirten Kriegsheer, das zu ihm aus
Syrien und Phönike gestossen, nicht wie früher mit Frei-
schaaren oder einem Volksaufgebot; er der Vorkämpfer
einst der religiösen Reaktion und politischen Sonderstellung
des jüdischen Stammes, der gefürchtete Parteigänger und
Freibeuter des Gebirges, tritt jetzt auf im Dienst des hellenistischen Herrschaft, umgeben von einem hellenistischen
Heere gegenüber den nationalen Feinden seines Stammes,
den treusten Anhängern und Schutzwehren hellenistischer
Bildung! Die Bürger von Askalon begegnen ihm zum
zweiten Male glänzend ($\varepsilon\vec{v}\delta\acute{v}\xi\omega\varsigma$), auch sie, wie andere
Küstenstädte lassen sich nach einiger Weigerung bewegen,
eine wirkliche Symmachie gegen Demetrios einzugehen.
Nur Gaza bewahrt, wie die Treue gegen Demetrios, so
den alten Stolz den Nationalfeinden gegenüber. Aber ein
Theil des Heeres sengt und brennt in dem Gebiet und den
Vorstädten, der andere belagert die Stadt. Hülfe erscheint
nicht und so lassen sich $o\acute{\iota}$ $\acute{a}\pi\grave{o}$ $\Gamma\acute{a}\zeta\eta\varsigma$ endlich zur Ab-
schliessung eines Friedens bewegen, wobei die Söhne der
$\acute{a}\varrho\chi o\nu\tau\varepsilon\varsigma$ von Gaza als Geisel nach Jerusalem wandern[1]).

Noch waren drei Punkte im jüdischen Gebiet mit fremder Besatzung versehen, die Akra von Jerusalem, Bethzur und Gazara, noch alle bedeutenden hellenistischen
Städte innerhalb Palästina's bis auf Jope selbständig unter
syrischer Hoheit, aber es tritt jetzt ganz entschieden schon
der Anspruch der Makkabäer auf den ganzen Besitz des
einstigen jüdischen Reiches auf und dies ist fortan der Zielpunkt; zugleich schärft sich die Art und Weise dieses Besitzes in dem Grundsatz einer wo möglichen Ausrottung

---

1) 1 Makk. 11, 60 ff. Jos. Ant. XIII, 5, 5.

aller nationalen und religiösen Opposition, einer förmlichen
Judaisirung. Aber schon war jener Simon Makkabäus,
welcher nach der Hinrichtung seines hinterlistig gefangenen
Bruders Jonathan (169 A. S., 143 v. Chr.) auch die hohepriesterliche Würde überkam' und seit 172 A. S. (140 v.
Chr.) mit sehr unumschränkter Gewalt ausgestattet war,
mit dem die Acra der Juden (170 A. S.) und der Beweis
ihrer Autonomie im Münzrecht begann, nichts weniger mehr
als ein blos glaubensvoller Vorkämpfer des erneuten Judenthums; er war durchdrungen von hellenistischen Ansichten
und Bildung. Militärverfassung, Münze, diplomatische Verbindung, Stellung im Innern, Pracht und Glanz des Lebens,
alles war daher entnommen. Dies steigert sich fortwährend unter seinen Nachfolgern, nur dass hier bald mächtig die streng judaistische Partei, aus der sie hervorgegangen, sich geltend macht oppositionell und durch die Opposition auch herrschend, bis dass aus dem in seinen staatlichen Mittelpunkten fast vernichteten, hellenistischen Küstenlande die Familie hervorgeht, welche die Hasmonäer
vernichtet, getragen von der Neigung jener andern nationalen Bestandtheile Palästina's, von den hellenistischen Tendenzen, von der römischen Politik.

Folgen wir dem Gange dieser Entwickelung in aller
Kürze: Simon Makkabäus bereist als Strateg förmlich Ju-
däa $\varkappa\alpha\grave{\iota}$ $\tau\grave{\eta}\nu$ $\Pi\alpha\lambda\alpha\iota\sigma\tau\acute{\iota}\nu\eta\nu$ $\check{\epsilon}\omega\varsigma$ $\mathcal{A}\sigma\varkappa\acute{\alpha}\lambda\omega\nu\sigma\varsigma$[1]), also das eigentliche Philisterland mit Ausnahme der zwei südlichen Haupt-
städte. Wie er jetzt überall entsprechend dem von den Syrern verfolgten Princip Festungsanlagen macht und mit Besatzungen versieht, so hat er in der Ebene, der Sephela,
und um sie zu beherrschen ($\varkappa\alpha\tau\grave{\alpha}$ $\pi\rho\acute{o}\sigma\omega\pi\sigma\nu$ $\tau\sigma\tilde{\nu}$ $\pi\epsilon\delta\acute{\iota}\sigma\nu$)
eine solche, Adida angelegt[2]), so hört er bei jener Mili-

1) 1 Makk. 12, 33. Jos. Ant. XIII, 5, 10.
2) 1 Makk. 12, 38. Jos. Ant. XIII, 5, 11.

tärreise bis Askalon, dass die Jopiten ihre Festung an Dé-
metrios II zu übergeben Miene machen. Sofort wird starke
jüdische Besatzung hineingelegt unter Jonathan, Sohn Ab-
salons, und die Einwohner aus der Stadt (τοὺς ὄντας ἐν
αὐτῇ) verjagt und die Stadt als jüdischer Hafen befestigt [1]),
wie es heisst, mit allem Glanz (μετὰ πάσης τῆς δόξης)
und mit voller Oeffnung für die Inseln des Meeres [2]), worunter besonders das handelsmächtige Rhodus zu verstehen ist.
Bereits war auch die eine der drei syrischen Festen im
Lande, Bethzur der langen Belagerung erlegen, nun
galt es noch die zwei andern, Gazara und die Akra von
Jerusalem zu gewinnen.

Der Kampf um die erstere hat für uns ein doppeltes
Interesse; es gilt erstens festzustellen, dass wir es hier
mit Gazara, nicht mit Gaza zu thun haben, und zweitens hervorzuheben, wie durch diese Eroberung die ganze
Sephela mit ihren offenen Orten, sowie die ganze Verbindung
zwischen den Küstenhäfen, unter denen neben Jope nun sofort
auch Jamnia [3]) gewonnen wird, und dem Gebirge gleichsam
in jüdische Hände kam. Für den ersten Punkt sind theils die
verschiedenen Lesarten, theils die vorhergegangenen und
folgenden auf Gaza und Gazara bezüglichen Thatsachen zu
erwägen. In der betreffenden Stelle über die Eroberung
steht ohne verschiedene Lesart allerdings ἐπὶ Γάζαν [4]), dagegen lässt unmittelbar darauf Simon seinen Sohn Johannes wohnen ἐν Γαζάροις mit Militärmacht, von dort
Unternehmungen machen [5]), ohne dass wir von der Einnahme dieses wichtigen, von Griechen stark besetzten Ortes etwas erfuhren; dagegen — und dies ist an und für
sich schon entscheidend — wird in dem Dankdekret an die

1) 1 Makk. 12, 33.
2) 1 Makk. 14, 5.
3) Jos. B. J. I, 2, 2. Ant. XIII, 6, 7.
4) 1 Makk. 13, 43.
5) 1 Makk. 16, 1.

Makkabäer, das 172 A. S. (140 v. Chr.) auf ehernen Stelen aufgestellt ward [1]), ausdrücklich unter den Hauptthaten hervorgehoben: καὶ Ἰόπην ὠχύρωσε τὴν ἐπὶ τῆς θαλάσσης καὶ τὴν Γάζαρα (Cod. Vat. hat γαζαραν) τὴν ἐπὶ τῶν ὁρίων Ἀζώτου ἐν ᾗ ᾤκουν οἱ πολέμιοι τὸ πρότερον ἐκεῖ καὶ κατῴκισε ἐκεῖ Ἰουδαίους etc. An der Identität dieser Thatsache mit der vorher beschriebenen Einnahme von Gaza kann nach den gegebenen Details gar kein Zweifel sein und hier steht die Lesart nicht blos fest, sondern der geographische Zusatz macht eine Aenderung unmöglich, denn dass man nicht von dem bedeutenden, mächtigen Gaza, der Küstenstadt sagen kann: sie liegt auf der Gränze von Asdod, ist klar; ja es scheint fast, dass der Zusatz zur Vermeidung eines solchen Missverständnisses hinzugefügt sei. Weiter ist bei den Verhandlungen zwischen Antiochos III Sidetes und Simon [2]) von den Forderungen dreier Punkte als πόλεις τῆς βασιλείας die Rede: Joppe, Gazara oder Γαζαρηνοί und die Akra von Jerusalem. Endlich ist der ganze über 40 Jahre später stattfindende Kampf mit Gaza ein reines Räthsel, wenn jetzt bereits es eingenommen und in seiner Bevölkerung verändert war. Josephos · hat übrigens an den zwei die Thatsache betreffenden Stellen [3]) Γάζαρα, an der zweiten allerdings verstümmelt ζαρα, wodurch jedoch die Endsilbe gesichert ist. Es kann uns daher auch nicht im Mindesten stören, wenn im jüdischen Kalender diese Thatsache als Einnahme von Gaza unter den Festen begriffen wird [4]).

Was die Thatsache selbst betrifft, so wird die Belagerung von Gazara nach hellenischem System in aller Form betrieben; es findet ein κυκλοῦν mit festen Lagern statt,

---

1) 1 Makk. 14, 25 ff.
2) 1 Makk. 15, 26 ff., ganz entsprechend 1 Makk. 14, 34.
3) Ant. XIII, 6, 7. B. J. I, 2, 2.
4) Angeführt bei Noris. Ann. Syromac. p. 491.

eine Erbauung von grossen Maschinen (ἑλεπόλεις). Die Erschütterung eines der Hauptthürme ruft die Bevölkerung
auf die Mauern. Es wird capitulirt, die Bewohner, also
Philistäer und Griechen, werden aus der Stadt vertrieben,
alle Heiligthümer profanirt; die Stätten gereinigt, Männer,
die das Gesetz halten, hineingepflanzt und eine Residenz
(οἴκησις) für Simon oder vielmehr für dessen Sohn Johannes, welcher nun als Oberbefehlshaber des jüdischen Heeres auftritt, erbaut. Also auch hier, wie in Jope, eine
förmliche Veränderung der Bevölkerung. Mit Gazara war
also ein wichtiger militärischer, als solcher wohl erkannter
Mittelpunkt gewonnen, und seitdem werden die Städte
der Ebene, Ekron, Asdod und seine Töchterstädte, Gitta
u. a. als selbständig den Juden oppositionell nicht mehr genannt.

Es war natürlich, dass jede kräftigere Regierung in
Syrien die Gefahr dieser jüdischen Eroberungen erkannte,
und in der That stellt daher Antiochos VII das entschiedene
Verlangen auf Herausgabe von Jope und Gazara neben der
Akra, sowie der grossen τόποι d. h. des offenen Landes,
ausserhalb der Gränzen Judäas, oder wenigstens auf eine
(wie es fast scheint, jährliche) Zahlung von 1000 Talenten Silber für den dadurch erwachsenen Schaden und Ein-
busse am φόρος. Simon erkennt offen an, dass Jope und Gazara nicht zur κληρονομία πατρῶν gehörten, aber dass sie
für Judäa höchst gefährlich und verderbenbringend waren.
Noch einmal wird Jamneia, das von den Juden nicht befestigt war, und die Gegend von Azotos der Mittelpunkt
der syrischen Macht; die πύργοι in diesem Gebiet und besonders Kedron, von Kendebaios besetzt, boten Gazara die
Stirne. Die Capitulationsbedingungen des Antiochos für
Jerusalem lauteten nach Josephos Erzählung [1]) nicht auf

---

1) Jos. Ant. XIII, 8, 3.

eine Herausgabe von Jope und der andern Städte πέριξ
τῆς Ἰουδαίας, sondern nur auf einen Tribut, einen δασμός
dafür, aber aus den bei Josephos mitgetheilten Senatsakten
über die Audienz der jüdischen Gesandten des Jahres 128
v. Chr. geht entschieden hervor, dass alle jüdischen Erwerbungen verloren gegangen waren, Jope und die Häfen,
Gazara und die Quellen und viele andere Städte und χῶραι, die Antiochos erobert hatte.[1]). Auf diesen Zustand,
der unter des Antiochos VII Sohn, Antiochos IX Kyzikenos noch eine Zeit sich erhielt, können die Beschlüsse des
römischen Senats, die in dem ψήφισμα Περγαμήνων von
Josephos[2]) mitgetheilt aber fälschlich auf den spätern Hyrkanos bezogen sind, allein gehen, in denen die Entfernung
der φρουρά aus Jope, das Aufgeben der φρούρια, λιμένες
und χώρα von Antiochos, Sohn des Antiochos verlangt, zugleich den Juden die Erhebung eines ἐξαγώγιον in den jüdischen Häfen wie Landgränzen mit alleiniger Exemtion des
Ptolemäos gegeben wird. Aber es war dies nur ein zeitweiliger Verlust. Die lange[3]) Regierung von Johannes
Hyrkanos in der Zeit der syrischen Thronstreite brachte
zunächst das Verlorne wieder zurück, setzte aber nun gestützt auf μισθοφόροι aller Art den Aggressivkampf fort
gegen Peräa und besonders gegen Samareia und Idumäa,
allgemein gegen die πόλεις ἐν Συρίᾳ[4]). Wie nach langer
Belagerung der Haupthalt der griechischen Macht auf dem
Gebirge Samareia neben dem Tempel von Garizim erobert
und gänzlich geschleift[5]) wird, wie Skythopolis durch Ver-

---

1) Jos. Ant. XIII, 9, 2.

2) Ant. XIV, 10, 22.

3) Sie schwankt zwischen 33
Jahren (Jos. B. J. I, 2, 8), was jedenfalls die Zeit seiner Residenz
in Gazara mit begreift, 31 (Jos.

Ant. XIII, 10, 7) und 26 (Euseb.
Chron. I, 18).

4) Jos. B. J. I, 2, 6 ff. Ant.
XIII, 9, ff.

5) Sie wird von den Wasser-
ravinen ausgespült.

rätherei endlich eines Strategen fällt[1]), so werden die kleineren Städte am idumäischen Gebirge und im Hügelland, so Adoraim, so Maressa auf der halben Strasse nach Gaza unterworfen und systematisch die Bewohner, allgemein Idumäer genannt, zur äussern Judaisirung gezwungen. In der That war beim Lebensende des Johannes Hyrkanos das ganze Land innerhalb des Karmel im jüdischen Besitz, nur auf der Paralia ragten gleichsam vereinzelt die noch ungebrochenen Burgen städtischer Autonomie und des hellenischen Wesens über dem Niveau des neugebildeten, jüdischen Reiches heraus. Die kurze Regierung des ersten $\beta\alpha\sigma\iota\lambda\varepsilon\acute{\nu}\varsigma$, Aristobulos wandte ihre Militärkräfte nur gegen die Ferne und zwang Ituräa, also den nördlichsten Theil zur Annahme des jüdischen Gesetzes; erst Alexander Jannäus (10½ bis $\frac{78}{77}$ v. Chr.), des Aristobulos jüngerer Bruder, welcher ein Träger der kirchlichen und weltlichen Autorität, ganz als asiatischer Despot lebte, gestützt durch ein gewaltiges Söldnerheer, mit diesem im zweiten Theile seiner Regierung nach 6jährigem Kampfe den heimischen Aufstand der strenggläubigen, pharisäischen und zugleich demokratischen Partei niederkämpfend und rächend, in seinem Privatleben Trinkgelagen und $\pi\alpha\lambda\lambda\alpha\kappa\acute{\iota}\delta\varepsilon\varsigma$ hingegeben, erst dieser ist es, welcher den Kampf auf der Paralia vollendete. Gegen das Ende seiner Regierung hatten die Juden, so fasst es Josephos zusammen[2]), Städte der Syrer, Idumäer und Phöniker inne: am Meere Stratonospyrgos, Apollonia, Joppe, Jamneia, Azotos, Gaza, Anthedon, Raphia, Rhinokolura, in der Mesogaia und Idumala Adora, Marissa, Samareia, $K\alpha\rho\mu\acute{\eta}\lambda\iota o\nu$ $\acute{o}\rho o\varsigma$, $\mathit{\dot{I}}\tau\alpha\beta\acute{\nu}\rho\iota o\nu$ $\acute{o}\rho o\varsigma$, Skythopolis und dann folgen Städte der Peräa, der Gaulonitis, Moabitis, Auranitis,

---

1) Beides findet erst statt nach 108 v. Chr., nach der Vertreibung des Lathuros aus Aegypten durch seine Mutter (Jos. Ant. XIII, 10, 2).

2) Ant. XIII, 15, 4. Vergl. auch Eus. Chron. II, p. 364 zu Ol. 174, 2 (83 v. Chr.).

die zu den πρωτεύουσαι τῆς Συρίας gerechnet werden. Wir
sehen hieraus, die ganzen Küstenanlagen ältester und neuerer Stiftung sind in jüdischen Händen bis auf das eine un-
genannte Askalon, das als ungefährliche und verbündete
Freistadt unberührt geblieben ist. Wie ist aber das so
verhängnissvolle Resultat herbeigeführt worden? In welcher
Weise ist auch hier die Judaisirung gegenüber den nationalen Antipathien, gegenüber der hellenistischen Bildung
als Princip festgehalten?

.. Wir haben bereits oben die Unternehmung des Ptolemäos Lathuros und seiner Mutter Kleopatra geschildert.
Hier interessirt uns nur das Verhältniss der dabei betheil-
ligten Städte zu dem jüdischen König, Ptolemais im
Norden, Gaza im Süden und die verbundenen Städte Dora
und Stratonospyrgos in der Mitte. Das erste wird
bereits von Alexander belagert, das Gebiet der übrigen verwüstet. Alexander Jannäus hatte gehofft, durch Ptolemäos
Stratonospyrgos erobert und überliefert zu erhalten, jedoch
sich darin getäuscht. Ptolemais wird von Ptolemäos belagert und erobert, von Kleopatra von Neuem belagert und
erobert, aber erhält sich durch die Symmachie des Alexander mit Kleopatra nun frei vor jüdischen Angriffen. Um so
erbitterter war Alexander gegen das in bleibender Treue
für Ptolemäos ausharrende, von ihm zu seinem Haltepunkte
und Hauptquartier erwählte Gaza. Durch Gaza ward die
Städtereihe nach Aegypten zu beherrscht. Nachdem daher
die Paralia von den beiderseitigen ptolemäischen Truppen
verlassen war, nachdem Alexander jenseit des Jordan Gazara und Amathus, das eine allein nach 10monatlicher Belagerung, das andere nach einem verlustvollen Kampfe mit
dem Araberfürsten Obodas gewonnen hat, wendet er sich
der Paralia zu[1]). Der Kampf beginnt an dem südlichsten

---

1) Jos. Ant. XIII, 13, 3. de B. J. I, 4, 2.

Punkte: zuerst werden Raphia und Anthedon mit Sturmangriff (κατὰ κράτος) erobert, dann concentrirt sich
die ganze Macht um Gaza. Das Landgebiet wird verwüstet, eine regelmässige Belagerung eingeleitet, welche durch
ein ganzes Jahr sich hinzieht. Ein kühner Nachtangriff
des Strategen Apollodotos, welcher 2000 ξένοι und 10000
bewaffnete Sklaven führt, bringt das jüdische Lager in
grosse Verwirrung; man glaubt, Ptolemäos sei erschienen;
der Tag zeigt den Irrthum und mit einem Verlust von 1000
Mann werden die Gazäer in die Stadt zurückgetrieben.
Aber weder der Mangel noch die Verluste an Menschen entmu-
thigten sie; dazu kam die Hoffnung, dass der Araberkönig Aretas seinem Versprechen gemäss ihnen zu Hülfe eilen
werde. Da ist es endlich die Verrätherei des Bruders und
Mörders jenes Strategen Apollodotos, Lysimachos, welcher
die Stadt an den Feind ausliefert. Schweigend und still
zog Alexander Jannäus ein in dies Bollwerk der Judäa von
jeher feindlichen Macht; keinem der jüdischen Könige der
Vorzeit, nicht David und Salomo, war dies gelungen. Jetzt
sollte Rache genommen werden für alle die Feindschaft:
das Heer wird von einem Punkt aus vertheilt zu allgemeinem Morden. Aber ein furchtbarer Kampf entspann sich noch;
Mann gegen Mann; auf jüdischer Seite fiel fast eine gleiche
Zahl; häufig zündeten die vereinzelt Bedrängten ihre Häuser an, Andere tödteten mit eigener Hand Weib und Kind,
um sie so von der Knechtschaft zu befreien. Der ganze
Rath der Fünfhundert war im Apollotempel versammelt, sie
Alle werden hingemordet. Die Stadt wird über ihren Leichen
niedergebrannt und eingerissen (ἐπικατασκάπτειν).

Gerade 100 Jahre nach der Belagerung des Antiochos
des Gr. ist Gaza den Juden erlegen. Jetzt sah das Volk
Israel allerdings die Prophezeiung des Jeremias [1]) erfüllt:

1) Jer. 47, 5.

Kahlheit und Oede war über Gaza gekommen und der Rest der Bewohner der Sephela konnte in Trauer sich schlagen und zerfleischen. Nachdem Gaza gefallen, haben sich die übrigen Städte der Paralia, wie Apollonia, Stratonospyrgos, Dora nicht lange mehr halten können; auch sie, wenigstens die zwei letzten sind ἔϱημοι geworden. Während jeder andere Eroberer der Paralia, die Bedeutung dieser Städte sofort erkennend, sie hob und auf jegliche Weise neu zu stärken suchte, ist es der jüdische Nationalhass, das ganze, zunächst nur auf das Land der Verheissung und auf die Parteien im eigenen Lande gestellte, den Begebenheiten am Mittelmeer, im Westen abgewendete Interesse der jüdischen Machthaber, welche geradezu in der Verödung der Küste, in dem unstäten Herumirren der Bewohner oder durchaus nur dorfweisen Ansiedelung, in der äusserlichen Unterwerfung derselben unter das jüdische Gesetz sich befriedigt fühlt. Die 36 Jahre bis zu dem Auftreten des Pompejus in Palästina sind daher die unseligste Zeit für diese Küste geworden. Die Städte bleiben ἔϱημοι[1]), wurden wohl als offene Flecken hie und da bewohnt, aber nicht aufgebaut, an ihren Namen, so gerade an Gaza haftete der Name des wüsten, wie ihn Strabo aus seiner Quelle entnahm und falsch die Ursache auf Alexander d. Gr. zurückführte, was um so leichter geschehen konnte, da auch hier der König den Namen Alexander trug, wie ihn vielleicht die Apostelgeschichte[2]) ebenfalls noch braucht, jedoch davon weiter unten genauer. Die Landbevölkerung, bereits zwar vielfach gemischt, besonders mit den angränzenden Arabern, mit andern Stämmen Palästina's, wie wir früher sahen, aber im Grunde noch sehr viel des ursprünglichen Charakters bewahrend, ward mehr und mehr in den allgemeinen Namen der südpalästinischen Bewohner der Idu-

---

1) Jos. Ant. XIV, 5, 3.   2) 8, 26.

mäer aufgelöst; Dialekt, Sitte, Charakter mochte sich
mit der Zeit hier vielfach ausgleichen. Die Küste selbst
— und dies ist eine in diesem-Zustande 'der' Bevölkerung,
in der frühern Tradition des Handelslebens tief begründete
Erscheinung — wird eine Stätte der ausgebreitetsten Räu-
berei zu See und Land. Strabo[1]) berichtet uns, wie
Jope und die benachbarten Häfen ($\mathit{\dot{\varepsilon}\pi\iota\nu\varepsilon\iota\alpha}$) den Hauptsitz
dieser einer Zeitlang furchtbaren Macht bildeten, wie theils
der grosse Wald ($\mathit{\delta\varrho\upsilon\mu\acute{o}\varsigma}$) nach dem Karmel zu, theils
die ganzen Ortschaften in der Gegend von Jamneia auf das
stärkste mit kühnen Männern bevölkert waren, so dass
rasch 40,000 bewaffnete Männer auftraten; er erzählt es
dann später[2]), wie aus der jüdischen $\mathit{\tau\upsilon\varrho\alpha\nu\nu\acute{\iota}\varsigma}$ die $\mathit{\lambda\eta\sigma\tau\acute{\eta}}$-
$\mathit{\varrho\iota\alpha}$ hervorgegangen seien, indem die jenen feindliche, den
strengen Speisegesetzen u. s. w. sich nicht fügende Partei zur
Plünderung und Verwüstung getrieben ward. Offenbar
haben jene vertriebenen Massen der städtischen Bevölkerung,
die fremdem Gesetz sich nicht beugten, denen Krieg und See-
wesen gleich bekannt waren, zu jenem System grossartiger Freibeuterei gegriffen und einen wichtigen Bestandtheil
dabei gebildet. Dio Cassius[3]) hebt ausdrücklich die grosse
Zahl der $\mathit{\dot{\alpha}\nu\acute{\alpha}\sigma\tau\alpha\tau\omega\iota\ \pi\acute{o}\lambda\varepsilon\iota\varsigma}$, der Vertriebenen, auch da noch
mit Verderben Bedrohten als die Ursache der grossen Aus-
dehnung der Land- und Seeräuberei (der $\mathit{\lambda\eta\sigma\tau\alpha\acute{\iota}}$ und $\mathit{\kappa\alpha\tau\alpha}$-
$\mathit{\pi\omega\nu\tau\iota\sigma\tau\alpha\acute{\iota}}$) hervor, von der er ein sehr lebendiges Bild ent-
wirft. Mit der Vernichtung der Seeräuberflotten im Mittel-
meer, besonders bei Kilikien durch Pompejus[4]) im Jahre
67 v. Chr., haben natürlich auch die Häfen Palästina's ihre
Bedeutung verloren. Ebenso bedeutend aber war das ausgebildete Räubersystem zu Lande und hier finden jene Ver-

---

1) XVI, 2. p. 370 ed. T.   4) Die Stellen s. Fischer, Röm.
2) XVI, 2. p. 374 ed. T.   Zeittaf. S. 209. 210.
3) XXXVI, 3.

triebenen, Verfolgten der Küste in den immer mehr vordringenden, nun durch die Vernichtung der hellenistischen Küstenstädte nur geförderten Arabern treffliche Verbündete; Justin giebt uns eine Notiz über diese zwischen Aegypten und Syrien wachsende Macht der Araber, und über die grossen Raubzüge derselben unter König Ermotimos [1]). Mit diesem Zustande der Zerstörung und Auflösung schliesst für uns die rein hellenistische Periode von Gaza und der übrigen philistäischen Küstenstädte; Askalon ist der einzige Punkt gewesen, wo die Tradition des hellenistischen Wesens undurchschnitten in das neue Weltreich übergegangen ist, unter dessen Aegide eine neue und in sich höchst merkwürdige Epoche auch für diese kleine Strecke Landes beginnt.

Kap. III.

Die politischen Zustände und Ereignisse der philistäischen Städte unter den Römern.

Vorbemerkung und Quellen: Die bisher von uns angestrebte Behandlungsweise der innern und äussern politischen Geschichte Gaza's und des übrigen Philistäa's muss für die vorliegende Periode von uns verlassen werden, um einer kürzern, nur die Hauptdata und das streng jenen Städten Zugehörige einfach nebeneinanderstellenden Platz zu machen. Aeussere und innere Gründe veranlassen uns dazu: Liegen jene in den äussern Gränzen dieses Buches und dem überhaupt für die folgende Darstellung nur allzu knapp zugemessenen Raume, in der Nothwendigkeit eines dafür ganz umfassenden, die kirchlichen Schriftsteller eben so genau als die profanen beherrschenden Quellenstudiums, welches die merkwürdig zerstreuten, noch nie planmässig gesammelten Notizen erst vollständig und genau an die Hand gebe, welches der Verf. offen bekennt, in dieser Ausdehnung noch nicht gemacht zu haben, so geben die zweiten für jene ersten die triftigste Entschuldigung, fügen überhaupt

---

1) Justin. 39, 5. 40, 2.

die tiefere Begründung hinzu. Der Hellenismus hat nämlich mit der
Herrschaft der Römer über Syrien und Aegypten seine weltpolitische
Rolle ausgespielt; die Objekte, um die er gekämpft, die Gegner,
die er bestritten, die Verhältnisse der Staaten unter einander,
die er begründet, sie schwinden in ihrer Bedeutung dahin vor der
grossen centralisirendeu Macht, die von vorn herein sich über die
Gegensätze hellenistischer und wenn man will, barbarischer oder nationaler Mächte hinausgestellt hat und die es allein im Stande war,
dem gänzlichen Zerfallen jener hellenistischen Reiche in πόλεις und
ἔϑνη, die in fortwährendem, sich aufreibendem Kampfe lagen, ein Ende
zu machen und sie einer straffen Verwaltung zu unterstellen. Somit
ist aber der Mittelpunkt des politischen Lebens aus dem Bereiche
jener Gegenden weit entfernt, die römische Verwaltung selbst, der
Wechsel, die Zahl ihrer Beamten, die Kriege, die auf diesem Grund
und Boden geführt sind, alles dies gehört in eine Geschichte des
römischen Staatslebens der Kaiserzeit, wie sie freilich im Ganzen
durchgeführt noch gar nicht existirt und z. B. für Syrien speciell nicht
einmal versucht ist. Dies letzte hier, vielleicht ähnlich wie für Kölesyrien
in der eben behandelten Periode zu leisten, liegt ausserhalb der Aufgabe, die wir uns gesteckt. Immerhin gewährt übrigens das pro-
vinciale Leben für das erste Jahrhundert nach Christus durch das von
den Römern zunächst noch mit Vorsorge gepflegte Vasallenkönigthum
der Familie des Herodes und weiter durch die furchtbare Macht des
nationalen Widerstandes der Juden auch in ihrer Rückwirkung auf
die ursprünglich diesen Bewegungen entzogenen hellenistischen Städte
ein allgemeineres Interesse. Aber die Bedeutung des Hellenismus
für diese Periode liegt in der allseitigen K u l t u r entwickelung autonomer, unter römischer Oberherrschaft äusserlich gesicherter Städte,
die wir daher hier ganz in den Vordergrund zu stellen haben, dann
vor Allem in seiner Stellung zum C h r i s t e n t h u m, dessen Kampf und
Durchführung, dessen bald die religiöse Organisation zum Mittelpunkt
solcher Städteleben gestaltende Kraft auf diesem begränzten Gebiete
in neuer, vielfach überraschender Weise dargestellt werden kann.

Unter den l i t e r a r i s c h e n Q u e l l e n ist Josephos in seiner
Archäologia B. XIV — XX, dem Bellum judaicum und der Vita für die
ersten 120 Jahre weitaus die wichtigste, wie sie seit dieser Zeit uns
nicht mehr fliesst. Neben den allgemeinen Grundlagen der römischen
Kaisergeschichte, zu denen wir auch die im vierten Bande der
Fragmenta historicorum von Müller gesammelten Reste der spätern
griechischen Historiker, besonders solche, wie Joannes Antiochenos,

welche aus Syrien stammen, zu rechnen haben, sowie neben den
Geschichtschreibern aus der Zeit Justinian's, vor Allem Prokopios
und den allgemeinen Chroniken, besonders dem Chronikon Paschale,
sind die gelegentlichen Notizen aus Hieronymus in dem Leben des
Hilarion und an Laeta, in den bei der Geschichte des Christenthums in diesen Städten genauer anzufuhrenden Quellen, so Bio-
graphïeen, wie der vita Porphyrii von Marcus Diaconus (Acta Sanct.
Febr. III, p. 643 ff.), so der Kirchengeschichte des Eusebios, Sozomenos, Epiphanias u. a. uns von Werth. Zu vergleichen waren auch
die meist nur nackten Angaben der Geographen, ausser Plinius,
Dionysios Periegeta, Stephanos v. Byzanz, Ptolemäos (l. V, 16 ed.
Amstelod.), das Itinerarium Antonini (p. 150—152. 199—200 ed.
Wessel.), das Hierosolymitanum (p. 584 ff. ed. W), des Hierokles
Synekdemos (prov. 53. ed. W.), des Apospasmation geogr. anecd.
in den Geographi minores t. IV, p. 39 ed. Huds. und die Exposita
totius mundi eines Anonymus (Geogr. min. III, p. 5 ff.), die beiden
letzten mit für uns wichtigen Notizen. Die einheimischen Rhetoren kommen für die äussere Geschichte kaum in Betracht, von
ihnen haben wir weiter unten speciell zu reden.

Zum Glück geben uns die Münzen für die Zeit bis in die Mitte
des dritten Jahrhunderts n. Chr., bis Gordianus III eine Reihe fester
und wichtiger Anhaltepunkte der äussern Geschichte wie des Kultus.
Sie haben durch Noris in den Annales Syromacedonum (Lips.
1696) Dissert. V eine für jene Zeit treffliche Bearbeitung gefunden; gleichzeitig publicirten und besprachen sie Vaillant in den
Numismata imperatorum Aug. et Caesar. a populis graece loquentt.
percussa. Amstel. 1700, Harduin in der den Opera selecta (1709)
einverleibten dissert. numm. ant. pop. p. 62 ff. Mehr als Eckhel's
Abhandlungen in der Doctrina Nummorum t. III, p. 529—555 giebt
natürlich Mionnet (Recueil des médailles grecques et romaines, t. V.
p. 499—552. Suppl. t. VIII, p. 364—377) uns eine vollständige
Uebersicht der bis jetzt bekannt gewordenen Münzen, meist auf die
Arbeiten von Sanclemente und Sestini sich stützend, die dem Verf.
unzugänglich waren, jedoch bedurfen freilich seine Angaben der
Darstellungen oft noch sehr genauerer Bestimmung und Berichtigung,
was wir an einzelnen Punkten nachweisen werden. Dem Verf. lagen
durch die Gute des Vorstehers der Berliner Munzsammlung, Herrn
Dr. Pinder, die Reihe der dort vorhandenen Münzen in genauen Ab-
drücken vor, sowie ihm die Vergleichung der Mionnet'schen Abdrücke
dabei zu Hülfe kam.

Was endlich die Inschriften, diese andere authentische und
für manche Theile des hellenistischen Asiens so reich fliessende
Quelle betrifft, so ist sie für uns bis auf eine einzige, allerdings wichtige, aber in Italien gefundene Inschrift noch gar nicht erschlossen.
Wie überhaupt Syrien im Verhältniss zu Aegypten offenbar stief-
mütterlich nach dieser Richtung von der seit Jahrhunderten durchziehenden Menge der Reisenden durchforscht, wie das vorhandene
reiche Material im Corpus Inscriptionum von Franz auffallend kurz
und flüchtig abgethan ist, so ist die Küstenstrecke Palästina's am
allerwenigsten dabei beachtet worden. Wir zweifeln nicht, dass eine
genaue Kenntnissnahme des im modernen Gaza verbauten antiken Ma-
terials, der gewaltigen Trümmer Askalon's uns hier mit der Zeit noch
interessante, für vorliegende Periode nicht unwichtige schriftliche
Denkmale zu Tage fördern wird.

Von neuern allgemein geschichtlichen Werken über diese ganze
Periode des römischen Reiches, wie Gibbons history of the de-
cline and fall of the Roman empire Vol. II — VIII (New edit. Lips.
1829) und Schlossers Universalhistorische Uebersicht. Thl. III.
Abthl. 1. 2. 3. hat keines den Specialverhältnissen gerade Syriens,
der Bedeutung ihres Städtelebens ein aufmerksames Auge zugewendet; Monographieen einzelner Theile der Kaisergeschichte finden
später ihre Erwähnung. Hier nur sei gleich gesagt, dass das zwei-
bändige Werk von Salvador Geschichte der Römerherrschaft in
Judäa und der Zerstörung Jerusalems, deutsch von L. Eichler (Bre-
men, 1847), welches mit einer sehr mangelhaften Kenntniss des
Griechischen und in einer gewissen leeren Breite, abgesehen von
seiner judaistischen Tendenz geschrieben ist, für die Darstellung des
Hellenismus in Palästina und der neben und gegenüber Judäa autonomen Städte gar keine Ausbeute giebt, weil es diesen Gesichtspunkt gar nicht kennt. Die genauste Zusammenstellung der die
politische Eintheilung der syrischen Provinz betreffenden Angaben besitzen wir für jetzt in der Fortsetzung von Becker's Handbuch der Römischen Alterthümer durch J. Marquardt Thl. III,
S. 175 — 201, sowie uns Höck's Römische Geschichte (Bd. I, 1.
2 3) und besonders Kuhn's Beiträge zur Verfassung des Römischen Reichs (Leipzig, 1849) für die städtische Stellung und Gliederung der griechischen Städte überhaupt unter den Römern eine für Syrien und Kleinasien leider noch nicht durchgeführte Grundlage gewähren. Ausserdem vergl. den ausführlichen Artikel von Rein über Provincia in Pauly Realencyclopädie. Bd. VI, S. 147 — 155, worin das
Städtewesen S. 147 — 152 behandelt ist.

§. 13.
Neugründungen durch die Römer.

Städtische Aera und Jahreseintheilung. Münzrecht.
Ehrende Beinamen. Städtische Verfassung.

War es seit der Consolidirung des jüdischen Aufstandes und Kampfes gegen die syrische Herrschaft ein lebendiges Interesse des römischen Senates gewesen, durch Gesandtschaften, Bündnisse, Geschenke[1]) diesem ἔϑνος einen
starken und breiten Rückhalt zu geben und dadurch das
syrische Reich innerlich zu beschäftigen und zu lähmen, erscheinen sie so seit dem Jahre 160 v. Chr. bereits in vielfacher freundlicher Beziehung mit den Makkabäern, vertreten sie die jüdische Bevölkerung auch in andern griechischen Staaten und drohen für sie den syrischen Königen,
so hatte das Verhältniss sich ganz geändert, als Pompejus
auf seinem asiatischen Heerzuge, die Uebermacht des Tigranes in Syrien zertrümmernd, den letzten Schein der Herrschaft eines Antiochos auslöschend nach Palästina kam,
scheinbar gerufen durch den Zwist zweier streitender Brüder, Aristobulos und Hyrkanos. Die kräftige Militärmacht
eines Alexander Jannäus, die gleichsam einen Riegel vor-
schob vor allen den grossen, nationalen Mächten Oberasiens geltenden Bestrebungen, die mit diesen verbündet
ihnen eine bedeutende Küstenstrecke am Mittelmeer öffnete,
die Bedeutung dieser Küste in dem Seeräuberwesen der
Zeit, die ja die Juden erst herbeigeführt, fast erzwungen,
endlich die furchtbare, nachhaltige Gewalt der in Judäa zur

---

1) Erste Gesandtschaft 1 Makk
8. 2 Makk. 4, 11. Jos. Ant. XII,
10, 6. Zweite Verbindung 1 Makk.
12, 1—24. Jos. Ant. XIII, 5, 8.
Justin. 36, 3. Dritte Verbindung
1 Makk. 14, 24. 15, 18. Jos. Ant.
XIII, 7, 3. Neues Verhältniss unter
Johannes Hyrkanos Jos. Ant. XIII,
9, 2.

Herrschaft gelangten streng nationalen Partei, alles dies
und vor Allem die vielfach unbewusste, aber gewaltig Sitte
und Leben in Rom umgestaltende. Verknüpfung und Verschmelzung des hellenistischen Wesens, der hellenistischen Interessen mit Rom führte die Römer nothwendig
zur Zertheilung des jüdischen Reichs, zur Abtrennung rein
hellenistischer nur an Rom gewiesener Stätten, zur entschiedensten Beförderung des hellenistischen Wesens in Judäa, die in der allmäligen Hebung und endlichen Herrschaft
eines Herodes klar uns vor Augen liegt. Bei der Constituirung der syrischen Verhältnisse nach der Einnahme von
Jerusalem am Ende des Jahres 63[1]) drängt Pompejus das
ἔθνος der Juden in seine alten Gränzen zurück und lässt
es unter Hyrkanos als ἀρχιερεύς und dem ἐπίτροπος Antipatros mit Tributzahlung an die Römer selbständig bestehen, aber die Städte Kölesyriens, sowohl des ʽμεσόγειον
als der παραλία, welehe die Juden früher erobert hatten
und welche, was jedoch allein für das μεσόγειον gilt,
nicht ganz abgebrochen waren, werden von ihnen losge-
trennt, unmittelbar der neugebildeten, noch ziemlich sehma-
len Provinz Syrien einverleibt und für frei (ἐλεύθεραι)
erklärt[2]). Hier werden unter den παράλιοι aufgezählt und
zwar in der sich gleichbleibenden Ordnung Gaza, Joppe,
Dora, Stratonospyrgos, unter den μεσόγειοι sind für
uns noch von Interesse Marissa, Azotos, Jamneia,
Arethusa. Alle diese werden den γνήσιοι πολῖται
zurückgegeben, also den frühern vollberechtigten Bürgern.
Ein ἀνακτίζειν, ein förmliches Neugründen wird uns nur
von dem kurz vorher zerstörten Gadara jenseit des Jordan berichtet, was Pompejus seinem Freigelassenen, dem
gelehrten Demetrios von Gadara zu Liebe that. Diese in

---

1) Fischer, Zeittafeln S. 220. 2) Jos. Ant. XIV, 4, 4. 5. B. J.
I, 7, 7.

grossartigem Stile auch für Phönike und das eigentliche
Syrien durchgeführte Constituirung der Städte wurde in
Palästina 4 Jahre später durch den unumschränkt hier an-
ordnenden, Kriege auf eigner Hand unternehmenden Proconsul Gabinius[1]) fortgesetzt. ·Er war es, der die κα-
θῃϱημέναι τῶν πύλεων neu gründete (κτίζειν παϱιέελεύιο).
So geschah dieses mit Azotos, Anthedon, Raphia,
Gaza, Marissa neben Samareia, Skythopolis und vielen
andern[2]). Es begegnen uns also-hier Gaza, Azotos, Mo-
rissa von Neuem, die bereits von Pompejus die ἐλευθεϱία
und unmittelbare Stellung unter die Römer erhalten hatten,
daneben aber die zwei südlichen philistäischen Küstenstädte
Anthedon und Raphia: wir haben es also bei den ersteren
Städten mit einer neuen κτίσις und einem früher ertheilten
Privilegium als ἐλεύθεϱαι zu thun, nachdem sie vorher längere Zeit ἔϱημοι gewesen waren.

Hier ist der Beginn des neuen Gaza (ἡ νέα Γάζα)
im Gegensatz zu der ἔϱημος Γάζα oder Παλαίγαζα.
Ausdrücklich wird uns die Verschiedenheit der Lokalität bezeugt[3]) und wir können aus einer bisher übersehenen Stelle
eines Geographen[4]) entschieden entnehmen, dass die neue
Stadt südlicher als die alte gegründet ward, aber in gleicher Entfernung (nämlich 20 Stadien) vom Hafen (Γαζαίων
λιμήν), welcher jedenfalls derselbe geblieben ist, da es sich
hier um bestimmte Naturbedingungen handelt, ausserdem
auch Strabo's Quelle nur von der ἔϱημος Γάζα spricht, aber

---

1) App. Syr. 51. Porphyr. bei
Müller Fr. H. III, p. 716. Eus. Chr.
I, 40. p. 196.

2) Jos. Ant. XIV, 5, 3.

·3) Hieronym. Onom.: antiquae
civitatis locum vix fundamentorum
praebere vestigia, hanc autem quae
nunc cernitur in alio loco pro illa
quae corruit aedificatam.

·4) Apospasm. geogr. anecd. in
Geogr. min. t. IV, p. 39 ed. Huds.
zählt auf von Aegypten aus die Stationen und fährt bei Rhinokorura
fort: μετὰ τὰ Ῥινοκόϱουϱα ἡ νέα
Γάζα κεῖται πόλις οὖσα καὶ
αὐτὴ εἶθ'. ἡ ἔϱημος Γάζα
εἶτα ἡ Ἀσκάλων πόλις.

vom Bestehen des Hafens. Der Name Gaza's haftete, wie
eben jener Anonymus nachweist, noch lange an jener alten
durch eine tausendjährige Geschichte geheiligten Stätte, aber
die Trümmer zerfielen mehr und mehr und zu Hieronymus
Zeit fanden sich kaum noch Spuren der Grundmauern.

Hier haben wir auch von der vielbesprochenen Stelle der
Apostelgeschichte [1]) zu reden, in welcher dem Philippus, der
so eben nach Norden, nach der Stadt Samareia und der Umgegend die Predigt des Evangeliums getragen hatte, vom
Engel befohlen wird: „stehe auf und ziehe nach Süden
auf die Strasse, die herabführt von Jerusalem nach
Gaza: diese ist wüste" ($\varkappa\alpha\tau\grave{\alpha}\ \mu\varepsilon\sigma\eta\mu\beta\varrho\acute{\iota}\alpha\nu\ \grave{\varepsilon}\pi\grave{\iota}\ \tau\grave{\eta}\nu$
$\acute{\delta}\grave{\delta}\nu\ \tau\grave{\eta}\nu\ \varkappa\alpha\tau\alpha\beta\alpha\acute{\iota}\nu\upsilon\sigma\alpha\nu\ \grave{\alpha}\pi\grave{\delta}\ \text{'}I\varepsilon\varrho\upsilon\sigma\alpha\lambda\grave{\eta}\mu\ \varepsilon\grave{\iota}\varsigma\ \Gamma\acute{\alpha}\zeta\alpha\nu\cdot$
$\alpha\check{\upsilon}\tau\eta\ \grave{\varepsilon}\sigma\tau\grave{\iota}\nu\ \grave{\varepsilon}\varrho\eta\mu\upsilon\varsigma$). Im Verlaufe der Erzählung ist von
dem gemeinsamen Fahren des Philippus mit dem äthiopischen
Kämmerer auf der Fahrstrasse, von dem Ankommen bei
einem Wasser, einem Wadi, wahrscheinlicher eingefassten
Brunnen, dann von dem Verschwinden des Philippus und
seinem Auftreten in Azotos, von seinem Durchwandern der
Städte (also der philistäischen) bis nach Caesarea die Rede,
während der Kämmerer freudig die Strasse weiterzieht.
Es fragt sich nun: ist der Zusatz: $\alpha\check{\upsilon}\tau\eta\ \grave{\varepsilon}\sigma\tau\grave{\iota}\nu\ \grave{\varepsilon}\varrho\eta\mu\upsilon\varsigma$ einer
des Erzählers, oder gehört er dem Engel an, ferner bezieht
sich $\grave{\varepsilon}\varrho\eta\mu\upsilon\varsigma$ auf Gaza oder auf den Weg, wie kann jenes
$\grave{\varepsilon}\varrho\eta\mu\upsilon\varsigma$ genannt werden, wie dieser, welcher Weg ist überhaupt sonst indicirt? Wir wollen hier von den Erklärern
nur die zwei so viel wir wissen, neusten und eine bestimmte Ansicht begründenden berücksichtigen: Robinson in
einem Exkurs zum zweiten Bande [2]) seiner Reise und Raumer
in der neusten Auflage Palästina's [3]). Beide sind gegen die
Zugehörigkeit des Zusatzes zu Gaza, der erstere giebt aller-

---

1) Act. Apost. 8, 26 ff.   3) Palästina S. 173—176. 411.
2) Palästina II, S. 747—749.

dings noch einen Ausweg an; beide beziehen ihn auf die
Strasse, aber im Strassenzug stimmen sie nicht überein.
Robinson nimmt die Hauptstrasse über Marissa oder das
spätere Eleutheropolis an, welche von Jerusalem gleich
hinabführt in den Wadi Musurr, Raumer dagegen lässt den
Kämmerer von Jerusalem über Hebron nach Gaza ziehen;
jener meint, die an sich so fruchtbare Gegend zwischen
Eleuthropolis und Gaza habe damals ebenso wüste durch
die Idumäer sein können, wie jetzt, dieser kann allerdings
seine Strasse als an der Wüste Thekoa, der ἔρημος Αἰλίας
hinführend ἔρημος nennen.

Stellen wir unsere Ansicht und die Gründe dazu einfach gegenüber: allerdings kann sehr wohl von einer ἔρημος Γάζα im Jahre 34 n. Chr. und später gesprochen werden nach dem oben erwiesenen geographischen Sprachgebrauch, der Hieronymus gegen alle Annahmen einer blos theo-
retischen Liebhaberei sichert, und da Altgaza nördlicher,
mehr nach Askalon zu lag, führte die Strasse von Jerusalem, natürlich die uralte Handelsstrasse, zunächst nach
Altgaza und von da kam man also seit der Neugründung
nach Neugaza; man mochte das Ende der Strasse, die sich
nun mit der der Küste parallel gehenden vereinigt, eine halbe
Stunde vor dem jetzigen Gaza immer noch mit dem alten
Endpunkt im Sprachgebrauch des Volkes bezeichnen. Dann
ist alles Andere in Ordnung: die Strasse ist die vielbefah-
rene grosse Strasse, die ein Fremdling doch wohl zunächst
einschlägt, sie führt durch Wadi's und an Brunnen vorbei,
sie führt in ihrem westlichen Arme in einer Entfernung von
3 Stunden an Asdod[1]) vorüber, so dass also der Weg des
Philippus dahin ganz in der Oertlichkeit mit begründet war.
Gegen Robinson ist zu erinnern, dass bei der grossen und
reichen Kultur Palästina's besonders seines eigentlichen Ge-

---

1) Robinson II, S. 623.

treidelandes in damaliger Zeit unmöglich diese Strasse nach
Gaza ἔρημος genannt werden konnte. Was seine Auskunft
aber betrifft, dass Lukas im Jahre 65 oder kurz nachher
diesen Abschnitt geschrieben haben könne, wo Gaza durch
einen furchtbaren, unerwarteten Wuthausbruch der Juden
niedergebrannt wurde[1]), so ist dagegen zu erwidern, dass
erstens die Zeitbestimmung in Bezug auf die Abfassung rein
eine Möglichkeit und nach den andern Theilen der Apostelgeschichte zu urtheilen eine grosse Unwahrscheinlichkeit
ist, zweitens, dass Gaza damals durchaus nicht ἔρημος geworden ist, sondern fort als πόλις existirt, von der wir
zwei Jahre später (130 der Stadtära, 68 n. Chr.) gerade
Münzen besitzen. Am allerunwahrscheinlichsten ist die Ansicht von Raumer, wenn sie sich auch auf lokale Traditionen in Bezug auf den Philippusbrunnen stützt, denn dass
man den Weg nach Hebron von Jerusalem allenfalls, was
Robinson bezweifelt, befahren konnte, ist noch kein Beweis, dass ein nach Aegypten und von da weiter Zurück-
reisender, um nach Gaza zu kommen, den grossen, be-
schwerlichen Umweg über Hebron macht, und würde da der
Engel nicht nothwendig den Weg als nach Hebron füh-
rend haben bezeichnen müssen? Dazu passt weder das κα-
ταβαίνειν, denn die Strasse nach Hebron führt ja oben auf
dem Gebirge hin, noch das Gehen des Philippus nach Asdod. Und auch jene Bezeichnung κατὰ μεσημβρίαν spricht
nicht weiter dafür. Sichtlich ist diese Südreise des Philippus im Gegensatz zu der Nordreise nach Samaria gestellt;
der Süden, der Negeb ist die ganze Gegend von Gaza bis
an das todte Meer. Es heisst ja auch nicht: „gehe auf
die südliche Strasse,“ sondern „gehe nach Süden, auf die
Strasse.“ Somit hoffen wir diese Stellenerklärung wirklich
gefördert zu haben und in dem Interesse derselben auch die

---

1) Jos. B. J. II, 18, 1.

Begründung für diese Digression von dem strengen Gange unserer Untersuchung zu finden.

Noch haben wir ein anderes, in der Folgezeit nicht unwichtiges Verhältniss eines Stadtt h e i l e s zur Stadt hervorzuheben: es ist dies der H a f e n : von Gaza, der *Γα-ζαίων λιμήν* oder das *ἐπίνειον Γαζαίων* mit dem heimischen Namen *Μαιουμᾶς* [1]), welcher auch von der neuen Stadt etwa 20 Stadien entfernt, z. B. von Ptolemäos [2]) als eigentlicher Küstenort geschieden wird von der *μεσόγειος* Gaza. Aber dennoch war diese Hafenstadt bis Constantin politisch nur ein Theil der Hauptstadt selbst und als *παραθαλάττιον μέρος τῆς τῶν Γαζαίων πόλεως* hatte sie an der städtischen Verfassung Theil, stand ganz unter den städtischen Behörden. Erst Constantin trennte sie, weil rasch zum Christenthum sich bekehrend, von der ganz hellenistischen Hauptstadt ab und gab ihr mit dem nach seiner Schwester ertheilten Namen Constantia die Rechte einer *πόλις.* Als Julian den Thron bestieg, erhoben die Gazäer Klage gegen die *Κωνσταντιεῖς* und der Kaiser, selbst zu Gericht sitzend, hob die Politie wieder auf und vereinigte die Hafenstadt als *παραθαλάττιον μέρος* von Neuem mit der Stadt. Jedoch blieb seitdem in kirchlicher Beziehung die gänzliche Trennung von beiden bestehen [3]).

Das bleibende Zeugniss für die m a t e r i e l l e und p o l i t i s c h e Neubegründung war, wie wir schon oben erwähnten, für die autonomen Städte ihre A e r a. In keinem Theile des römischen Reiches hat sich hierin eine so bunte Mannigfaltigkeit erhalten, als in S y r i e n, wo die Aeren bald in die Seleukidenzeit hinüberreichen, bald an Pompe-

---

1) Daher der Name der Bewohner *Μαιουμαῖται* vergl. Sozom. H. E. V, 3.

2) Geogr. V, 16.

3) Eus. V. Const. IV, 38. Sozom. H. E. V, 3. VII, 21. Dass der *Ἰα-μνειτῶν λιμήν* (Ptol. V, 16) neben Jamneia selbst, dass das bei Hierokies (Synekd. Prov. 53) getrennte *Ἄζωτος παράλιος* neben dem *μεσό-γειος* eigene Rechte als *πόλις* hatte, ist durch nichts bezeugt.

jus, Gabinius, Cäsar, die Schlacht bei Actium oder spätere
Kaiserverleihungen sich anschliessen. Für Gaza haben wir
auf den Münzen die lange Reihenfolge ihrer städtischen
Jahre bis zu dem Jahre 280 unter Elagabal; von diesen ist
zur genauen Zeitbestimmung die mit dem Kopf der Plautilla, der Caracalla aufgezwungenen und kaum ein Jahr
als Augusta existirenden Gemahlin, versehene vom Jahre 264
mit Recht schon von Noris, zuletzt von Sanclemente [1]) benutzt worden. Daneben steht die Angabe des Chronicon
Paschale, welches zu dem vierten Jahr nach des Pompejus
Einnahme von Jerusalem, unter die Consuln Marcellus
(richtiger Marcellinus) und Philippus die Notiz setzt: $\dot{\varepsilon}\nu$-
$\tau\varepsilon\tilde{\upsilon}\vartheta\varepsilon\nu$ $\Gamma\alpha\zeta\alpha\tilde{\iota}o\iota$ $\tau o\grave{\upsilon}\varsigma$ $\dot{\varepsilon}\alpha\upsilon\tau\tilde{\omega}\nu$ $\chi\varrho\acute{o}\nu o\upsilon\varsigma$ $\dot{\alpha}\varrho\iota\vartheta\mu o\tilde{\upsilon}\sigma\iota\nu$, somit also
die Aera an das Proconsulat des Gabinius anschliessend.
Jedoch jene Münze der Plautilla weist entschieden den Anfang der Aera in das Jahr 692 a. u. c., in den Herbst (28.
Okt.) des Jahres 62 v. Chr., nachdem im Frühjahr desselben also die constituirende Verfügung des Pompejus erfolgt ist. Der Anfang im Herbst ist in dem allgemeinen Anfang
der syrischen Aera im Herbst begründet, und dass man nicht
schon das laufende Jahr mitzählte, lag sicher in dem nicht auf
einem Schlag geschehenen Zusammenströmen der alten Bewohner. Mochte auch durch Gabinius die materielle Reconstru-
ktion Gaza's erfolgt sein, so war es doch sehr natürlich, dass
man später immer auf die Anordnung des grossen Pompejus
als den Beginn der neuen Existenz zurückwies [2]).

Eine zweite Aera finden wir unter Hadrian zu der
ersteren auf Münzen von 7 Jahren noch hinzugefügt
und zwar in folgender Weise: Γ. $E\Pi I$. BqP, $\varDelta$. $E\Pi I$.
ΓqP, u. s. w. [3]). Man sieht aus den Münzen, das Jahr

---

1) Mus. Sanciem. num. sel. t. II.

2) Harduinus setzte den Anfang
auf 690 a. u. c., Scaliger auf 691,
Spanheim auf 692, Usseri und Norisius auf 693. Vergl. Noris. Ep. Sy-

rom. diss. V, c. 3. p. 484. Eckhel
D. N. II, p. 453.

3) Mionnet VIII, n. 48. V, 122
—126. VIII, n. 50. V, n. 128. 129.
VIII, n. 52.

dieser Aera hat nicht gleichen Anfang mit dem ältern, sondern fällt in die Mitte desselben hinein, so dass also z. B. das Jahr E mit $\varDelta qP$ und EqP verbunden erscheint. Der Anfang der Aera selbst gehört in die Mitte des Jahres 190 der ältern Aera, also in das Frühjahr 129 n. Chr. und knüpft sich an den Besuch Hadrians in Palästina und die weiter unten zu besprechenden Gunstbezeugungen[1] gegen Gaza an, wie auch die Beispiele von Antiochia, Caesarea, Askalon solche Aeren als nicht ungewöhnliche Ehrenbezeugung erweisen. Jedoch hat diese Aera nicht über das Lebensende Hadrians im Jahre 138 hinausgereicht.

Sehen wir uns nach städtischen Aeren der andern, von Pompejus oder Gabinius neu begründeten philistäischen Städte um, so finden wir solche südlich von Gaza in Anthedon und Raphia. Auf den wenigen Münzen von Raphia[2], welche sich von Commodus bis Philippus senior erstrecken, finden wir Jahresangaben von 237 bis 304. Sowohl Noris[3] wie Eckhel[4] lassen es ungewiss, von welchem Zeitpunkt der Beginn zu setzen sei, ob von Pompejus, ob ganz gleichzeitig mit Gaza, ob von Gabinius an; jedoch schon die ausdrückliche Angabe des Josephos, die Raphia unter den von Pompejus erneuerten Städten gar nicht nennt, konnte auf die Aera des Gabinius vom Jahre 58 entschieden schliessen lassen, und die Münze des Philippus Arabs mit dem Jahr 304 macht eine andere Aera, z. B. vom Jahre 62 v. Chr. unmöglich. Was Anthedon betrifft, so haben wir hierfür nur unvollständige Anhaltepunkte: zunächst sind die zwei von Mionnet[5] als autonome Münzen von Anthedon angegebenen mit der Umschrift

1) Eckhel D. N. IV, p. 403.
2) Mionn. V, p. 551 — 552. n. 187 — 191. S. VIII, p. 376. 77. n. 66.
3) Ann. Syrom. p. 515, 521.
4) Eckhel D. N. III, p. 455.
5) Mionnet V, p. 522. n. 34. 35.

ΑΓΡΙΠΠΕΩΝ und der Jahrzahl *IH* (18) auszuscheiden, da sie den Agrippenses Bithyniae angehören[1]); es bleiben dann zwei mit dem Namen des Königs Herodes Agrippa (38 —48 n. Chr.) und den Jahren *L. B.* und *L. E* geprägte[2]), die die Regierungsjahre sind, also auf die Stadt sich nicht beziehen; ferner noch drei unter Caracalla geschlagene[3]), darunter eine mit der verstümmelten Jahresbezeichnung *ET* ...*A*, deren Ergänzung ganz problematisch bleibt; jedoch passt die Zahl dreissig für keine Aera aus pompejanischer Zeit in Bezug auf Caracalla. In Askalon erhält sich bei der nicht durch jüdische Unterwerfung unterbrochenen Continuität ihres städtischen Wesens die Aera vom Jahre 104 v. Chr. fortwährend auf den bis Diadumenianus reichenden Münzen. Merkwürdigerweise findet sich bis jetzt nur eine Münze mit einer zweiten Aera daneben, nämlich die Zahlen $\frac{\varsigma N}{BP}$ auf einer Münze des Augustus[4]), woraus hervorgeht, dass man von Gabinius an, von 58 v. Chr. auch in Askalon also eine Nebenära zählte, die jedoch sehr bald gegen die ältere wieder zurückgetreten ist. Von Azotos, Jamnia, Jope, Arethusa, Marissa, zwar nicht unbedeutenden Orten, kennen wir keine eigene Jahresrechnung, während Dora ihre Neubegründung durch Pompejus, wie die Münzen aus den Jahren 38, 128, 132, 175 bezeugen, durch dieselbe verewigte[5]). Für Stratonospyrgos trat der Beginn der städ-

---

1) Diese Notiz verdanke ich einer brieflichen Mittheilung des Herrn Dr. Pinder in Berlin.

2) Mionnet VIII, p. 364. n. 20. 21.

3) Mionn. V, p. 522. 23. n. 36. 37. VIII, p. 364. n. 22. Ich will hier gleich bemerken, dass die historische Veranlassung für Agrippa, in Anthedon Münzen von sich schlagen zu lassen, jedenfalls in der Bedeutung der Stadt bei seiner Flucht aus Palästina nach Rom zu suchen ist, da er hier das Schiff bestieg und zuerst vor Anker lag, dann durch eine Nachtfahrt der Beschlagnahme seines Schiffes entging (Jos. Ant. XVIII, 6, 3.)

4) Eckhel D. N. III, p. 447.

5) Mionnet V, p. 359 ff. n. 148 — 163. VIII, 258 ff. n. 94—99. Allerdings weist das auf der einzi-

tischen Autonomie bald zurück gegen die Umwandlung durch
Herodes, dann gegen die Umgestaltung in eine römische
Kolonie unter Claudius, so dass wir wenigstens durch die
Münzen von einer eignen, sonst sehr wahrscheinlichen Aera
nichts wissen.

Wir schliessen hier gleich die Besprechung einer andern die Zeiteintheilung betreffenden Thatsache an, welche
uns die merkwürdige Selbständigkeit von Gaza und Askalon in den das gewöhnliche Leben ordnenden Verhältnissen
noch in dieser so nivellirenden Epoche bezeugt und zugleich
unserer im Frühern ausführlich dargelegten Ansicht über
die nahe Beziehung zu Aegypten als überraschendes Analogon noch hinzutritt. Das in einem leydener Manuscript
befindliche griechische Hemerologium allein führt uns nämlich neben dem römischen Kalender, dem der Alexandriner,
Hellenen (dies sind die syrischen Griechen nach allgemeinem
Sprachgebrauch der späteren Zeit), Tyrier, Araber, Sidonier, Heliopoliten, Lykier, Asianer (der eigentlichen provincia Asia mit Ephesos an der Spitze), Kappadoker, Seleukeer die Kalender von Gaza und Askalon auf[1]). Es
wurden nämlich in ganz Syrien die Namen des daselbst
einheimischen Mondjahres mit denen des makedonischen
Mondjahres nur vertauscht, wie es bei Malalas heisst, durch
ausdrücklichen Befehl des Seleukos Nikator; der Jahresbeginn ward auf den 1. Oktober, überhaupt auf den Herbst
fixirt, während der Anfang im jüdischen Kalender in den
Frühling fiel, und es trat natürlich ein Schaltmonat von
Zeit zu Zeit ein zur Ausgleichung mit dem Sonnenjahr.
Dies war die Grundlage auch der übrigen städtischen Jahresrechnungen, wie in Antiochien, Seleukien, Sidon nur

---

gen Münze von Jope (Mionnet V, n.
499) befindliche $\varDelta$ auf den Anfang
einer Aera hin, wahrscheinlich einer
pompejanischen.

1) Zuerst herausgegeben von

Ste. Croix in Mém. de l'acad. des
inscr. t. XLVII. Vergl. Ideler Chronol. I, S. 411. Hermann, Griech.
Monatsk. S. 86. 95 a. a. O. Noris.
Ann. Syrom. p. 478 ff.

mit kleinen Abweichungen im Anfang und mit einem Ver-
schieben oder anderer Ordnung der Monatsnamen. Ganz
anders in Askalon und Gaza. Hier herrschte ein festes
Sonnenjahr ganz entsprechend dem altägyptischen, bürgerlichen Jahre[1]), das dann die Alexandriner annehmen,
mit 12 30tägigen Monaten und 5, alle vier Jahre 6 Epago-
menen. Allerdings brauchten sie die makedonischen Namen
für diese Monate, nicht die unter den Ptolemäern fortwährend in Gebrauch gebliebenen altägyptischen, und begannen
das Jahr mit Ende Oktober (28.), nicht Ende August, wie
die Aegyptier, wenn sie gleich, wie Ideler meint, die Epa-
gomenen an ägyptischer Stelle vom 24.—29. August liessen. Die askalonische Jahresrechnung unterschied sich von
der gazäischen nur durch Verrückung eines Monats: dort
in Askalon begann das Jahr mit dem Hyperberetäos, hier
mit dem Dios. Es ist wohl zu beachten, dass auch die
Araber, d. h. die Bewohner von Petra und Bostra die ägyptische Eintheilung hatten, jedoch mit dem Jahresbeginn
vom 22. März und dem Gebrauch altarabischer Namen neben
den makedonischen. Ist diese grosse Differenz auch noch
in spätrömischer Zeit zwischen Gaza und Askalon und den
übrigen, ihnen sonst so gleichgestellten syrischen hellenistischen Städten eine Zufälligkeit, ist sie, wie man bisher
glaubte, blos eine Folge der ptolemäischen zeitweiligen Herrschaft? Warum blieb das ägyptische Jahr dann
nicht in Phönike, in andern palästinischen Städten? Der
Grund liegt hier jedenfalls tiefer, er führt weiter hinauf;
wir sind überzeugt, die Philister brachten eben dieses Sonnenjahr aus Aegypten schon mit und von ihnen, da sie die
Mündung gleichsam des ganzen inneren arabischen Handels
waren, haben es die Araber Petras erhalten.

Wie in der Eintheilung des Jahres, in der allgemeinen

1) Lepsius, Chronol. S. 134.

Zeitrechnung die. Römer im hellenistischen Orient und besonders in Syrien neben dem officiellen für das ganze Reich eingeführten julianischen Kalender, neben der Rechnung nach Erbauung der Stadt. und .den Consularangaben oder den Indiktionen später eine grosse Mannigfaltigkeit provincieller und städtischer Aeren und Jahreseintheilungen noch bestehen liessen, so haben sie auch in der Ausmünzung des Geldes den vielen, selbständigen politischen Bildungen des Orients dem bereits so massenweisen Geldumlauf daselbst und den Beziehungen zu den nicht dem römischen. Weltreich unterworfenen östlichen Völkern einen gewissen Spielraum gelassen, nur dass sie die Prägung des Goldes ganz und gar den Provinzen entzogen, die des Silbers beschränkten, dagegen das Kupfergeld an einer Menge Prägstätten ausgeben liessen [1]). Es ward allerdings dieses Recht von der Bestätigung des Kaisers, dann der Provinzialgouverneure abhängig gemacht, aber wir finden gerade in den zwei wichtigsten der von uns behandelten Städten, besonders in Gaza eine fast fortlaufende Reihe der Münzen bis kurz vor Aurelian, der diese Provinzialmünzstätten alle aufhob und der vorhandenen Provinzialmünze eine bestimmte Geltung in der Reichswährung gab, während sie bis dahin, das Kupfer nicht weit über den Bereich der kleineren Bezirke, das Silber über den der Provinz hinauskam. Für die Silbermünze blieb jene von uns früher besprochene, von der attischen abweichende phönikische Währung, die als tyrisches Silber gewöhnlich bezeichnet ward und dem antiochischen ebenfalls gleichkam, die Drachme derselben nun zum römischen Denar wie 3 : 4 gerechnet. Wir besitzen übrigens von Gaza gar keine Silbermünze, ebenso wenig von Jope, Azotos, Anthedon. Von Raphia führt

---

1) Mommsen, Ueber den Verfall des römischen Münzwesens. Bes. Abdruck aus den Berichten der Verh. der Kön. S. Gesellsch. d. W. zu Leipzig. 1851. Abschnitt 3. S. 193 — 216.

Eckhel[1] drei unter Commodus, Caracalla, Alexander Severus geschlagene als Silbermünzen an, während sie Mionnet[2]) als Bronze bezeichnet, ebenso Pinder[3]), die unter
Commodus geschlagene, in Berlin befindliche, was jedenfalls das Richtige ist. Dagegen existiren von Askalon, dessen autonome Silbermünzen aus früherer Zeit wir kennen
lernten, noch drei dergleichen aus römischer Zeit, zwei
autonome, d. h. ohne Kaiserbild, von denen die eine die
Jahreszahl Π (80) trägt, also 34 v. Chr. unter der Herrschaft des Antonius und der Kleopatra geschlagen ist, die
andere nicht zeitlich näher sich bestimmen lässt[4]); die
dritte ist eine **g r o s s e** Silbermünze (Tetradrachme?), geschlagen zu Ehren des Claudius als $\Sigma EBA\Sigma TO\Sigma$. ΓEP-
$MANIKO\Sigma$ und Messalina in dem Jahr NP (150)[5]), also
47 n. Chr., offenbar nur eine Denkmünze für den germani-
schen Triumph zufolge der von Corbulo glücklich geführten
Kämpfe[6]) des um Palästina sich sehr viel bekümmernden
Claudius, welcher zwei Jahre vorher nach dem Tode des
Herodes Agrippa Judäa's Königreich aufgehoben, vielleicht
auch in Bezug auf Messalina, als Inhaberin des $\beta \alpha \sigma i \lambda \varepsilon \iota o \nu$
von Askalon, welches mit der Erbschaft der Salome wieder
an das augustische Haus, an des Augustus Mutter Livia
gefallen war.

Abgesehen von diesen Ausnahmen sind also alle Städ-
temünzen, die hier in Betracht kommen, **K u p f e r m ü n-
z e n**, ausgemünzt in drei Grössen, die natürlich zu dem
römischen As und zu seinen drei Ausmünzungen im Se-
stertius oder $\tau \varepsilon \tau \varrho \acute{\alpha} \sigma \sigma \alpha \varrho o \nu$, dem Dupondius und dem As[7])
eine bestimmte Werthstellung hatten, als Scheidemünze nur

---

1) D. N. III, p. 455.
2) V, p. 551. 52. VIII, p. 376.
77.
3) Die antiken Münzen des königl. Museums. Berlin, 1851. S. 283.

4) Mionnet V, n. 38. VIII, n. 23.
5) Mionnet V, n. 68.
6) Tac. Ann. XI, 20.
7) Mommsen, Verf. d. röm.
Münzw. S. 202.

im engern Bereiche Palästina's blieben. Wir haben unter diesen die sogenannten autonomen meist mit dem Kopf der Stadtgöttin versehenen Münzen von den Kaisermünzen zu scheiden. Die Zahl der erstern ist allerdings verhältnissmässig eine kleine und von Raphia, Anthedon und Azotos haben wir keine, während die einzige von Jope erhaltene eine solche ist und wahrscheinlich in die ersten Jahre ihrer Herstellung durch Pompejus fällt. In Gaza kennen wir solche aus dem Jahre 16 der Stadtära (*L. IC*, als *Iς* zu lesen)[1]), also $\frac{16}{15}$ v. Chr., dann aus den Jahren 63, 65, 66 unter Augustus, also 2, 3, 4 n. Chr., und eine unter Trajan vom Jahr 166 (10$\frac{4}{5}$ n. Chr.), wenn hier *ςΞP*, wie ich sehr bezweifle, richtig gelesen ist; aber bereits in der Inschrift zwischen *ΔΗΜΟΥ ΓΑΖΑΙΩΝ* mit der Bezeichnung kaiserlicher Autorität durch die Legende $\overset{A}{C€}$ [2]) oder blos *C€* [3]) oder *C€Δ*[4]), wo der letzte Buchstabe jedenfalls als *Δ* zu lesen ist. Auch unter Hadrian, dem Wohlthäter Gaza's, sind mit der doppelten Aera Münzen Gaza's, aber nicht mit dem *δῆμος Γαζαίων*, sondern einfach mit *Γάζα* bezeichnet und ohne kaiserliches Bild, mit der die Einrichtung von Siegesspielen bezeichnenden Darstellung geprägt worden[5]). Das stehende, bis jetzt noch unerklärte[6]) Monogramm von Gaza 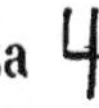 füllt öfters den ganzen

1) Eckhel D. N. III, p. 449 begründet es, warum hier 16, nicht 210 zu lesen sei, aus der Form *E*, da in der Inschrift ς durch *Σ* bezeichnet werde, sowie durch den guten Münztypus.

2) Mionnet VIII, n. 45.

3) Mionnet VIII, n. 46.

4) Mionnet V, n. 112.

5) Mionnet V, n. 113. 114. VIII, n. 48. Ein Beweis, wie wenig sorgfältig, ja wie ohne alle Ueberlegung Mionnet solche Legenden oft behandelt, giebt die letzte Münze: hier steht *B. EΠ* mit einer Lücke darauf, so dass man sofort sieht, eine Zahl ist ausgefallen und zwar *BϙP* oder *AϙP* nach den andern Münzen mit der doppelten Aera zu schliessen. Mionnet übersetzt ruhig: 2 et 85, sieht also *EΠ.* als die Jahreszahl hier an!

6) Harduin (Op. sel. p. 781) womit er sie aus doppeltem *Γ* und *I* zusammensetzt. Eckhel (D. N. III, p. 448) bringt es zusammen

Revers der autonomen Münze, sowie es auf Kaisermünzen
ebenfalls erscheint. Von A s k a l o n kommen in der römischen Imperatorenzeit wieder autonome Münzen vor nach
der Zerstörung Jerusalems, so aus den Jahren 176, 180,
189, 198, 221 der städtischen Aera, also von Vespasian
bis zum Beginn der Regierung Hadrians, mit der einfachen
Legende *ΑΣ* oder *ΑΣΚΑΛ*.

Die Zahl der K a i s e r m ü n z e n ist für Gaza und Askalon, besonders das erstere, sehr bedeutend. Hier haben wir
eine fast vollständige Kaiserreihe bis auf Elagabal, seit
Trajan aber erst benannt und dann noch eine Münze von
Cornelia Paula und eine von Gordian III; in dem Zeitraum
zwischen Hadrian und Caracalla können wir oft ganze Reihen von Jahren ohne Unterbrechung verfolgen. Für Askalon drängen sich die meisten uns erhaltenen Münzen auf
die Zeit vom Ende Nero's bis Hadrian zusammen; sie reichen überhaupt bis Severus Alexander. R a p h i a[1] hat erst
seit Commodus, so viel wir wissen, Münzen geschlagen,
welche bis Philippus sen. reichen. In dieselbe Zeit, in
welcher die Sorgfalt der Kaiser für das ihnen heimathliche
Syrien sehr lebendig sich zeigt, Septimius Severus z. B.
neben dem alten, wie wir wissen, ganz verfallenen Marissa
den Ort Bethogabra zur Eleutheropolis macht, wo er Lydda,
seit Jerusalems Zerstörung Diospolis genannt, neu gründet,
fallen auch die wenigen Münzen von A z o t o s[2] und A n-
t h e d o n[3], jene dem Septimius Severus und Julia Domna,
diese Caracalla angehörig.

Das Münzrecht, sowie die Führung einer eigenen Aera,
ja eigener Jahreseintheilung führt uns unmittelbar auf die

---

mit der Triquetra argolischer Colonieen.
1) Mionnet V. p. 551—552. n.
187—191. S. VIII, p. 376. 377.
n. 66 69.

2) Mionn. V, p. 534. n. 103. 104.
VIII, p. 370. n. 43.
3) Mionn. V, p. 522. 523. n.
36. 37. VIII, p. 364. n. 22.

bestimmte politische Stellung, welche diese Städte
im grossen Complex des römischen Reiches einnahmen, und
auf das Mass und die Art der eigenen Verwaltung.
Hier haben wir voranzustellen, dass die Römer bei der Constituirung Syriens für die oben genannten hellenistischen
Städte den Zustand der Selbständigkeit wieder herstellten,
wie er in der letzten Zeit der Seleukiden vor der jüdischen Eroberung bestanden, wie wir ihn früher in deren
gemeinsamen Zügen und in den verschiedenen, von ihnen
geführten Ehrenbeinamen schon betrachtet haben, dass sie
ausdrücklich die γνήσιοι πολῖται in ihre alten Rechte wieder einsetzten. Sind nun auch, besonders in dem ersten
Jahrhundert nach der römischen Eroberung grosse und gewaltsame Veränderungen mit dem obersten Besitz der Städte
vor sich gegangen, beschränkte eine straffe Provinzialver-
waltung jedes nach aussen greifende Streben derselben, sind
einzelne Städte, wie Marissa, Azotos, Jope, Jamnia in ihrer ἐλευθερία[1]), die ihnen doch gegeben war, und αὐτονομία, weil an Bewohnerzahl und materieller Bedeutung untergeordnet, wohl kaum sehr beachtet worden, so hat sich
für Askalon und Gaza diese Stellung als autonome, griechische Stadt noch Jahrhunderte lang erhalten. Und es
ist hier wohl hervorzuheben, wie ringsherum die bedeutenden palästinischen Städte zu römischen Colonieen umgewandelt werden, so unter Claudius Ptolemais, unter
Vespasian Cäsarea und Nicopolis (das alte Emmaus), unter
Septimius Severus Sebaste (Samaria), unter Philippus sen.

---

1) Belley Observat. sur le titre
d'éleuthère etc. in Mém. de l'acad.
des. inscr. t. XXXVII, p. 419 hat
nicht Recht, wenn er behauptet, in
Judäa oder Palästina habe es nur
eine ἐλευθέρα πόλις gegeben und
das sei die von Septimius Severus
gegründete Eleutheropolis. Ausdrücklich sagt ja Josephos von der
früher aufgezählten Reihe von Städten, dass Pompejus sie ἀφῆκεν
ἐλευθέρας Jos. de B. J. I, 7, 7.
Die Begriffe der ἐλευθερία und
αὐτονομία waren für Städte kaum
scharf geschieden; der letztere ist
das Kennzeichen des erstern.

Neapolis (Sichem) als Col. Serg. Neapol. oder Jul. Neapol. oder Neapol. Neocoro.[1]), dagegen an der philistäischen Küste die hellenische Stadtverfassung sich erhält und wir in diesem ganzen Gebiete keine römische Colonie kennen.

Suchen wir nun die Bedeutung dieser Verfassung nach Aussen und Oben in den Beinamen der Städte zuerst nachzuweisen. Für Gaza geben die Legenden der Münzen, sowie ein an den Kaiser Gordianus III gerichtetes Ehrendekret der Stadt[2]) uns hierüber vollständige Auskunft. Nach den Münzen wird der δῆμος Γαζαέων ἱερὸς καὶ ἄσυλος[3]) genannt, in jener Inschrift nennt sich die Stadt ἡ πόλις ἡ τῶν Γαζαίων ἱερὰ καὶ ἄσυλος καὶ αὐτόνομος πιστὴ ἡ εὐσεβὴς λαμπρὰ καὶ μεγάλη. Somit ist also die an die bedeutenden, hochangesehenen Heiligthümer geknüpfte Exemtion von den gewöhnlichen Gerichten und deren Verfolgung, von militärischen Einquartierungen, ausserordentlichen Steuern u. s. w. ausgesprochen, sowie das Recht eigener, städtischer Verwaltung mit selbstgewählten Beamten. Von Besteuerung ist dadurch die Stadt nicht frei, nur hat sie als Einheit eine Summe zu bezahlen, die nach selbständiger Vertheilung eingetrieben wird[4]). Die folgenden vier Titel erscheinen als reine Ehrentitel, die allerdings unter den rechtlich gleichgestellten Städten die eine an äusserer Stellung heraushob: πιστή ist ein Beiname zufolge hewie-

---

1) Marquardt in Becker, Röm. Staatsalt. Th. III, S. 199, welcher Neapolis ausgelassen hat.

2) Muratori Thes. inscr. vet. 1740. t. II, p. 1048. n. 5. Böckh C. I. n. 5892. Nach Doni ist die Inschrift im Portus Trajani gefunden Dies kann allerdings der von Trajan hergestellte Portus Augusti, Ostia gegenüber gelegen sein, gewöhnlich nur Portus genannt; so nimmt es Franz im Corp. Inscr.

Aber der eigentliche Portus Trajani war der von Centumcellae, jetzt Civita Vecchia, von Plinius (Epp. VI, 31) uns geschildert. S. Francke Trajan S. 593. Mannert (Geogr. Thl. 9. Abthl. 1. S. 361) verlegt ihn weiter nördlich bei Torre di Troja.

3) Mionnet V, p. 536 n. 109.

4) Becker, Röm. Alterth. III, S. 179.

sener Treue bei Aufständen, Thronstreitigkeiten ertheilt, den allerdings Gaza, wenn irgend eine Stadt Palästina's im Verlauf ihrer ganzen Geschichte verdient hat. $Εὐσεβής$ bezieht sich offenbar auf die glänzenden Tempel und Feste, die weit und breit in Syrien bekannt waren, auf den strengen, fast fanatischen Eifer für den hellenistischen Cultus gegenüber dem Juden- wie Christenthum. Für die dem äussern Glanz ($λαμπρά$) und der Grösse ($μεγάλη$) entnommenen Beinamen fehlt es an Belegen bei andern Städten nicht; so nannte sich Side $λαμπροτάτη$[1]), so ist Artabanes ein reicher Bürger und Beamter $Ἀντιοχείας τῆς μεγάλης$[2]), so rühmt sich Ephesos als $ἡ πρώτη πασῶν καὶ μεγίστη$, so nennen sich die Smyrnäer $πρώτους Ἀσίας κάλλει καὶ μεγέθει$[3]). Für Askalon ergeben die Münzen auch den Zusatz der $ἱερὰ καὶ ἄσυλος$, ebenso für Raphia der $ἱερά$[4])

Wie erst eine strenge und umfassende Geschichtsforschung das römische Reich in seinem Bestand seit Cäsar und Augustus durchaus nicht als eine compakte Einheit und als den einfachen Gegensatz unterworfener Völker gegenüber der despotischen Macht einer kleinen Anzahl herrschender Familien einer Stadt oder eines einzigen Princeps und seiner Beamten aufzufassen vermag, sondern es als einen grossen Staatencomplex, einen Bundesstaat der verschiedenartigsten Bildungen, Berechtigungen republikanischer und monarchischer Formen, allerdings zusammengehalten in seinen obersten Spitzen durch den Senat und den Princeps und die von ihm ausgehenden Gewalten betrachtet, so ist jetzt jene noch von Savigny[5]) scharf ausgesprochene An-

1) Eckhel IV, p. 331.
2) Malal. Chron. p. 281. ed. B.
3) Eckhel D. N. IV, p. 287.
4) Mionnet V, p. 552 n. 190.
5) Geschichte des römischen Rechts im Mittelalter. 2. Aufl. I,

S. 86. 87. 91. Walter, Römische Rechtsgesch. I, S. 466. Note 3 erklärt sich allerdings gegen Savigny, aber spricht doch nur von einem Vielleicht.

sieht, dass eine innere politische Organisation mit einem Magistrat nur die Städte mit dem jus Italicum im römischen Reiche besessen, dass daher jene corporative Bildung in den Provinzen rein durch die Stiftung römischer oder lateinischer Colonieen oder. die Umwandlung. in solche entstanden, durch Untersuchungen, wie die von E. Kuhn [1]) als falsch erwiesen. Der griechische Orient ist es besonders, in dem von den Römern die grosse Mannigfaltigkeit autonomer Bildungen von vorn herein anerkannt, restituirt und durch Jahrhunderte hindurch in gewisser Weise respektirt ist. Allerdings schmilzt auch hier seit der Zeit Constantin's die Stellung der autonomen griechischen Städte mehr und mehr mit der römischer Municipien zusammen und die Formen und Namen der Magistrate gleichen sich aus, aber dennoch werden wir in dem uns vorliegenden beschränkten Bereiche noch bis in das fünfte Jahrhundert das Bewusstsein besonderer Stellung ausgesprochen finden.

Suchen wir nun die wenigen speciellen Notizen über die innere Verfassung der philistäischen Städte unter jenen allgemeinen Gesichtspunkten zusammenzufassen. Im $\delta\tilde{\eta}\mu o\varsigma$, $\beta ov\lambda\acute{\eta}$ und $\mathring{\alpha}\varrho\chi\alpha\acute{\iota}$ gliedert sich die griechische $\pi\acute{o}\lambda\iota\varsigma$, wie wir schon oben für die syrischen Städte bestätigt fanden; als $\pi\acute{o}\lambda\epsilon\iota\varsigma$ sind sie von Pompejus hingestellt, als $\pi\acute{o}\lambda\iota\varsigma$ ertheilt Gaza das Ehrendekret für Gordian, als $\pi\acute{o}\lambda\iota\varsigma$ führt es den Process vor Julian gegen die durch Constantin abgelösten Majumaiten. In ihr bildet der $\delta\tilde{\eta}\mu o\varsigma$ den Gesammtausdruck republikanischer Souveränetät; daher prägen sie als $\delta\tilde{\eta}\mu o\varsigma\ \Gamma\alpha\zeta\alpha\acute{\iota}\omega v$, $\tau\tilde{\omega}v\ \mathring{\epsilon}v\ \Gamma\acute{\alpha}\zeta\eta$, $\Gamma\alpha\zeta\alpha\acute{\epsilon}\omega v$, $\Gamma\alpha\zeta\alpha\iota\tau\tilde{\omega}v$,

---

1) Beiträge zur Verfassung des röm. Reichs. Leipz. 1849. bes. S. 61 ff. S. 68 — 98. Vergl. überhaupt über die Verhältnisse der Städte die Darlegung von Bethmann Hollweg in Gerichtsverfassung und Process des sinkenden Römischen Reichs. S. 120 ff. Walter R. R. I, Kap. 36. 43. 44. Marquardt in Becker Röm. Alterth III, S. 383 — 388.

Γαζεατῶν ihre Münzen. Der *δῆμος* besteht natürlich nur aus den *γνήσιοι πολῖται*, denen ja die Stadt ausdrücklich 'zurückgegeben war[1]). Wie wir schon unter hellenistischer 'Herrschaft den Gegensatz der grundbesitzenden, rein griechischen .oder · gräcisirten Bürgerschaft zur syrischen Landbevölkerung und städtischen niedere Handwerke treibenden Bewohner machen mussten, so ist er durch die römische Neugründung ganz hergestellt, · ja eher geschärft worden bei ihrem speciell[2]) gerade in Judäa durchgeführten Princip, das a r i s t o k r a t i s c h e Element in den Städten und kleinen Reichen gegenüber der Dynasteia oder Demokratie zu verstärken. Dass in Gaza, Askalon und den übrigen Städten die dort ansässigen oder sich ansiedelnden Juden jedenfalls n i c h t die Politeia erhielten, geht aus dem blutigen Streite um die Isopolitie in Cäsarea unter Nero hervor, wo die dort an Geld und Einfluss mächtigen Juden sich ausdrücklich auf die Neugründung der Stadt durch Herodes als jüdischen König beriefen, während die andere Partei die Stadt als Stratonospyrgos, als rein hellenisch in Anspruch nahm[3]); und Nero hob die Isopolitie auf. Dass solche von der ganzen *πόλις* ausgehende Beschlüsse, · wie das genannte Ehrendekret in der Versammlung des *δῆμος* beschlossen werden, liegt auf der Hand; sowie die Wahlen der *ἀρχαί* in der ersten Zeit dem *δῆμος*, wenigstens nach griechischem Begriff zu urtheilen, anheimfiel.

Neben dem *δῆμος* erscheint nothwendig die *βουλή* :. wird sie in Gaza zufällig jetzt nicht genannt, so kennen wir die frühere aus 500 bestehend; so hat jede autonome Stadt Syriens, wie Samareia[4]), Eleutheropolis[5]) eine solche. Diese *βουλή* ist in allen diesen Städten aber jetzt kein

---

1) Jos. B. J. I, 7, 7.
2) Jos. Ant. XIV, 5, 4.
3) Jos. Ant. XX, 8, 7.
4) Jos. Ant. XVIII, 4, 2.
5) Suidas s. v. *Εὐτόκιος*. Müller Fr. k. IV, p. 55.

blosser Ausschuss aus dem ganzen δῆμος mehr, sondern
wird selbst aus einem engeren Kreise der durch einen gewissen Census oder vollendete Amtsthätigkeit oder Geburt
dazu Berechtigten gebildet[1]). · Wir haben schon in dem
vorigen ·Abschnitt von den πρῶτοι der πόλεις als Zollpäch-
tern, Gesandten u. s. w. öfters gehört. Auch jetzt hören
wir in den syrischen Städten von οἱ πρῶτοι, an die man
sich zunächst wendet[2]), die als Theoren kommen zu öffentlichen Festen[3]), die als Gesandte zum Kaiser mit Klagen gehen[4]). Sie erscheinen durchaus als die βουλή selbst
oder als eine Deputation derselben, ähnlich den sonst
bekannten δεκάπρωτοι. Ausdrücklich wird auch in einer
für diese Verhältnisse interessanten Erzählung bei Suidas[5]) erwähnt, dass die βουλή aus den εὐγενέστεροι
bestand. Die Zeit dieses Vorfalls ist allerdings nicht bestimmt; dass er lange nach Septimius Severus, dem
Gründer von Eleutheropolis erfolgte, geht allerdings sicher
aus dem Ganzen hervor. Ein gewisser Eutokios, ein thra-
kischer Soldat, hat die Kasse seines τάγμα gestohlen und
will durch das Geld, um des Vermögens willen, in die ·
βουλή von Eleutheropolis, der Stadt an der Gränze des
Philisterlandes sich eindrängen, die aus εὐγενέστεροι besteht. Er wird nicht angenommen und wendet sich nun
nach Askalon; hier nimmt ihn Krateros ὁ τότε πρωτεύων
auf und giebt ihm πολιτικῆς ἐλευθερίας. Das τάγμα erhebt
nun Klage gegen Eutokios, aber Krateios führt den Pro-

---

1) Kuhn, Beiträge S. 43. In Antiochia schlagen die κτήτορες und
der ganze δῆμος zu Stellen vor
(Jo. Malal. XII, p. 285 ed. B.).

2) So wendet sich P. Petronius
unter Claudius wegen einer That von
Jünglingen aus Dora Δωριέων τοῖς
πρώτοις (Jos. A. XIX, 6, 3).

3) So die Theorenversammlung

in Caesarea τῶν κάτα τὴν ἐπαρ-
χίαν ἐν τέλει καὶ προβεβηκότων
εἰς ἀξίαν πλῆθος (Jos. ᾿Α. XIX,
8, 2).

4) Οἱ πρῶτοι τῶν Σαμαρέων
reisen zu Claudius in einem Process, werden aber in Rom getödtet
(Jos. A. XX, 6, 2).

5) Suidas a. a. O.

cess und gewinnt ihn; Eutokios bleibt ungefährdet, geschützt durch seine Aufnahme in Askalon. Es darf uns hier nicht stören, dass zuerst von der Aufnahme in die βουλή, dann allein von der πολιτικὴ ἐλευθερία die Rede ist. Allerdings kam es zunächt darauf an, den Fremden als γνήσιος πολίτης anzunehmen, dann konnte er zufolge seines Vermögens auch in die βουλή kommen. Das Ganze ist übrigens ein Beweis, wie die πολιτεία den Inhaber gegen alle von Aussen kommende, wenn auch gerechtfertigte Ansprüche auf seine Person schützt. Ueber die Verwandlung der βουλή in einen erblichen, durch die Last aller Aemter gedrückten Stand der Decurionen, wie sie in den Städten des Reichs vor sich gegangen ist und worin die Städte des italischen Rechts und die griechischen autonomen sich vielfach ausgleichen, erfahren wir hier nichts. Aber es erscheinen unter Arcadius bei den Verhandlungen neben den Magistraten immer *primores* thätig, so klagen zwei mit den ersten Beamten wegen des angeblich todt in die Stadt gebrachten Barochas [1]), so werden *tres primores* gefangen und müssen Bürgschaft leisten [2]), so wird von den Curiales (der spätere Ausdruck für Decuriones) gesprochen, die mit dem heidnischen Oberpriester es halten [3]), ja sie werden von Hieronymus für die Zeit des Constantius (337—50) als Decuriones bezeichnet, die einen vom Kaiser empfohlenen Mann, einen Kranken glänzend aufnehmen und in zahlreicher Begleitung zu dem Kloster des Hilarion bringen [4]). Diese Curiales sind der Haupthalt des Heidenthums in Gaza; um ihren Widerstand zu brechen, verhandelt man am kaiserlichen Hofe darüber, ob man ihnen nehmen solle *dignitates* et alia civilia officia [5]),

---

1) Marc. V. Porphyrii c. 3 in Acta Sanctor. Febr. t. III, p. 643 ff.

2) Marc. v. Porphyrii c. 4.

3) Marc. a. a O. c. 12. Leider kenne ich den griechischen Text nicht, der dieser vita zu Grunde liegt, um zu bestimmen, welches griechische Wort hier gebraucht ist.

4) Hieron. vit. Hilar. II. p. 159. ed. Franc.

5) Marc. a. a. O. 6.

woraus hervorgeht, dass diese.Primores ihre Stellung durchaus als Vorzug, nicht als Last betrachteten, der man sich zu entziehen sucht. Sie sind es, die sich auf die patriae leges (die *νόμοι πάτριοι*, bekanntlich ein Zeichen der Autonomie)[1] berufen, die am Ende des vierten Jahrhunderts noch keinen Christen zu einem städtischen Amte zulassen! So tritt uns hier mit wunderbarer Zähigkeit eine städtische Nobilität entgegen, die, zugleich auf sehr bedeutende, dem Staate lukrative Einkünfte[2] basirt, in einem Stadtbereiche der ganzen, seit Constantin durch die Gesetzgebung im Staatsleben durchgeführten nicht sowohl Gleich - als alleiniger Berechtigung des Christenthums trotzt. Der Verfall des städtischen Buleutenadels ist erst durch Anastasios herbeigeführt[3].

Die *ἀρχαί* bilden bekanntlich den dritten Faktor griechischer Autonomie, wie der Magistratus Zeichen einer römisch organisirten Commune ist; daher in den officiellen Zuschriften an autonome Städte die Anrede an die *ἄρχοντες βουλὴ δῆμος* gerichtet wird[4]. Gaza hat gemeinsam mit Majuma, als seiner maritima pars in der Zeit Julians und später noch die *πολιτικοὶ ἄρχοντες καὶ στρατηγοὶ καὶ τὰ δημόσια πρόγματα*[5]. Hier werden also *ἄρχοντες* und *στρατηγοί* geschieden, obgleich sonst wohl das erstere als allgemeinerer Begriff für das letztere zuweilen gebraucht wird. Wir haben früher über die Entwickelung der *στρατηγοί* von der militärischen Macht zur städtischen Magistratur gesprochen und schrieben gerade auch Gaza vor seiner Zerstörung einen *στρατηγός* zu. Ist nun hier etwa ein einfacher Gegensatz von Militär - und Civilgewalt von Neuem damit bezeichnet? Gewiss nicht. Sehen wir uns weiter nach

---

1) Pol. IV, 25, 7.

2) Der Kaiser sagt von der civitas: est in nos grato animo in pensitandis vectigalibus publicis, quae quidem confert plurima.

3) Durch die Aufhebung der von der Bule gehandhabten Besteuerung und durch Einsetzung der Vindices (Fuagr. H. E. III, 39. 40).

4) Jos. Ant. XIV, 10, 2.

5) Sozom. H. E. V, 3.

den Amtsbezeichnungen in Gaza um, welche auch sonst
unter ἄρχοντες und στρατηγοί verstanden werden, so begegnen uns hier entschieden zwei, als die entsprechenden.
Hieronymus spricht[1]) von einem *duumvir* Gazensis, der
durch Grösse seines Aufwands bei einem öffentlichen Spiele
imponirte; dagegen erwähnt der Biograph des Porphyrios
die *Irenarchae*, welche mit dem *defensor populi* und den
primores für die *patriae leges* auftreten. Nun sind die
duumviri bekanntlich der römische Municipalmagistrat, entsprechend den Consuln der Urbs selbst, Präsidenten der
Curia und Leiter der Jurisdiktion; sie werden durch ἄρχοντες, aber allerdings zuweilen auch durch στρατηγοί übersetzt[2]). Sie erscheinen also in Gaza auch als die höchste
abwechselnde bürgerliche Behörde, als die eigentlichen πο-
λιτικοί ἄρχοντες und es ist daher der Ausdruck hier, wie
in Massilia, Pampelon[3]) u. a. auf Städte nicht römischer
Verfassung übertragen. Daneben erscheinen die *Irenarchae*,
hier in Gaza in der Mehrzahl erwähnt, während man bisher nur von Einem Irenarcha in einer Stadt sprach[4]). Sie
sind die φύλακες τῆς εἰρήνης[5]), qui disciplinae publicae et
corrigendis moribus praeficiuntur[6]), eine jährlich wechselnde
Behörde, aus den von der πόλις präsentirten zehn Namen der
πρῶτοι durch den Statthalter ausgewählt, in ihrer Thätigkeit
dem Praefectus urbi entsprechend und die oberste in die Hand
der Aristokratie gelegte Polizeimacht handhabend. In einer
Zeit, wo diese πρῶτοι aber durch ihr Festhalten am Heidenthum die Hauptgegner der kaiserlichen Edikte waren,
sind es die Irenarchae, welche, wie in der Const. de irenar-

---

1) Vita Hilarion. II, P. 158 ed. Fr.
2) In Korinth s. Marquardt in
Becker R. A. III, S. 388. Auch
Cod. Just. I, 4, l. 30 braucht στρατηγός dafür.
3) Walter, Röm. Rechtsg. I, S.
378. N. 95.

4) Walter, R. R. S. 378. Marquardt in Becker R. A. III. S. 386.
Anm. 64.

5) Arist. Vol. I, p. 523.

6) Digest. L. 4, 18.

chis von Honorius und Arcadius [1]) es heisst, assimulata
provinciarum tutela quietis ac pacis per singula territoria
haud sinunt stare concordiam, welche also ihrem ursprüng-.
lichen Zwecke, die städtische oberste Polizei abhängig vom
Statthalter und im Sinne der Regierung zu verwalten, ganz
entfremdet die Hauptvertreter des städtischen Widerstandes
werden. So ist ihr Auftreten in Gaza bei der Christianisirung; daher in denselben Jahren der förmliche Beschluss,
dieses genus perniciosum reipublicae [2]) ganz aufhören zu
lassen, der jedoch nicht wirklich durchgeführt ist; sie werden
zu untergeordneten kaiserlichen Beamten gemacht, gleich-
gestellt den actuarii et corniculares [3]), bis Justinian ihnen
eine freiere Stellung zurückgab [4]). Wir glauben entschieden,
dass diese Irenarchae unter στρατηγοί in obiger Stelle verstanden sind; theils kommt ein solcher in Smyrna als στρατηγὸς ἐπὶ τῆς εἰρήνης wirklich vor [5]), theils hat er, wie
der Praefectus urbi, allerdings einen militärischen Charakter.

Daneben fehlt auch der von den Kaisern seit der ersten
Hälfte des vierten Jahrhunderts aus den einfachen Sach-
waltern der Städte vor den Gerichten umgebildete und gehobene *defensor populi* nicht [6]), welcher im Gegensatz zu
der aristokratischen Exclusivität der ἄρχοντες und Irenarchen
von der ganzen Bürgerschaft und zunächst allein aus der
Plebs gewählt die Interessen des gedrückten Volkes, des einzelnen wie des ganzen gegen die Beamtenwillkür zu wahren und selbst an den Kaiser zu berichten [7]) hat. Die fragliche Stelle zeigt klar, dass für ein πολίτευμα wie Gaza
der defensor populi nicht etwa den fehlenden Magistrat ver-
tritt, ersetzt, sondern neben ihm besteht.

1) Cod. Theod. XII, 14, 4.
2) Cod. Th. a. a. O.
3) Cod. Theod. X, 2, 17 vom
J. 420, Cod. Theod. VIII, 7, 21 vom
J. 426.
4) Just. Cod. X, 75.

5) C. I. n. 3151.
6) Marc. v. Porphyr. c. 3.
7) Bethmann Hollweg Gerichtsv.
S. 127 ff. Savigny G. des R. R. i.
M. Kap. II, §. 23.

Noch haben wir eine, auch im bürgerlichen Leben hervorragende Stellung, die in der Curia, in der βουλή von bedeutendem Einflusse war und eng verschmolzen dem oligarchischen Element der städtischen Verfassung, hervorzuheben, es sind die heidnischen Priesterwürden und vor Allem die des obersten Tempelverwalters des πάτριος θεός. Für Gaza besitzen wir zwei wichtige Notizen hierüber: das Ehrendekret für Gordian wird von der πόλις durch den ἐπιμελητὴς τοῦ ἱεροῦ des πάτριος θεός ausgesprochen; dann wird S a m p s y c h u s[1]) der erste inter idololatras genannt, der die ganze Curia auf seiner Seite hat, und mit dem Oeconomus der Kirche über den Besitz von Ländereien sich streitet. Wie in Askalon und den kleinern Städten dieser Küste die ἀρχαί gegliedert waren, darüber sind wir nicht näher unterrichtet.

§. 14.

Aeussere Schicksale der philistäischen Städte unter den Römern. Verkehrsleben.

Wir können hier unter sehr bestimmte Gesichtspunkte den Wechsel der äussern Verhältnisse Gaza's und der übrigen Städte lassen, die ja nun ganz aufgehört haben, das Objekt und zugleich das Terrain des politischen Kampfes zweier grosser Mächte zu sein und hierbei durch die eigene Wahl und Stellung eine wichtige Rolle zu spielen. Es handelt sich erstens vor Allem darum, zu welcher Partei stellen sie sich in den zwei grossen zur gesicherten Alleinherrschaft des Caesar, wie dann des Augustus hinführenden Kämpfen, wie stellen sie sich später bei den

---

1) Sampsychus ist hier sichtlich Name des Amtes, nicht Eigenname. Der Stamm des Wortes ist derselbe, als in Σαμψιγέραμος, Σαμψαῖος (C. I. n. 4511), Amrisamses (Inschrift von Palmyra C. I. n. 4481) und ist das hebräische שמש, die Sonne.

Thronstreitigkriten der Imperatoren, welche Zeichen der
Gnade oder Ungnade erhalten sie von den kaiserlichen Personen als solchen? Zweitens fragen wir, in welchen grösseren politischen Verband einer römischen Provinz werden
sie eingefügt, was sind die hier auf sie wirkenden Mächte?
Drittens tritt für das erste Jahrhundert wenigstens als das
folgenreichste und tiefgreifendste Verhältniss das zu dem in
merkwürdiger Selbständigkeit erhaltenen jüdischen Volke
und seiner Herrscherfamilie auf, es schliesst sich dies an
die ältesten und am Ende der vorigen Periode in neuer
Schärfe ausgebildeten Tendenzen dieser Paralia an; in ihm
gewinnen Gestalten, wie die des Herodes I, erst ihre rechte
Bedeutung. Endlich werden die äusseren Feinde des römischen Reichs, die Parther, Perser und vor Allem die Araber zuweilen von verhängnissvoller Bedeutung für diese
Küste; das Verhältniss zu den letztern, deren nördliche
Stämme ja in der sinaitischen Halbinsel und dem Bezirke
von Petra ganz unter römische Herrschaft und unter den
Einfluss des hellenistischen Wesens kommen, ist ein durch-
gehendes, durchaus nicht allein feindseliges, an Bedeutung
immer steigend, bis der gewaltige geistige und nationale
Strom der arabischen Bewegung über den römischen Orient
sich entladend, zunächst Gaza und die Küste Palästinas
überfluthet und hier die sichtbare Existenz der Völker- und
Kulturbildung des Alterthums verschlingt.

Gaza und die andern, von Pompejus und Gabinius neu
zur Autonomie erhobenen Städte waren von Judäa ganz
losgelöst unmittelbar zur Provincia Syria geschlagen, die
damals nur als schmaler Streifen die syrische Küste und
einen Theil der ἄνω Συρία umfasste und seit Gabinius eine
proconsulare ward, dann seit dem Jahre 27 bei der Theilung der Provinzen als kaiserliche einen legatus Augusti
pro praetore an der Spitze hatte[1]). Sie erscheinen aber

1) Marquardt in Becker Röm. Alterth. Thl. III. Syria S. 175—207.

von vorn herein in naher Beziehung zu Judäa und zwar
zu der Familie des von den Römern eingesetzten ἐπίτροπος gestellt, welcher neben dem ἀρχιερεύς steht und die innere Verwaltung, besonders die des Tributes hat, welcher
dann ähnlich den fränkischen Hausmeiern die hohle, inhalts-
leere Macht der Hasmonäer als Ethnarchen und ἀρχιερεῖς
auch äusserlich zertrümmert und das Diadem aus römischen
Händen empfängt. Es war dies Antipater, ursprünglich
Antipas genannt, ein Landsmann von ihnen und vor dem
Erscheinen des Pompejus unter Alexander Jannäus στρατηγὸς ὅλης τῆς Ἰδουμαίας gewesen, der die Gunst der Gazäer,
Askalonier und Araber durch Geschenke aller Art sich in
hohem Grade erworben. So sehr auch der Hofhistoriograph
von Herodes, Nikolaos von Damaskos sich bemühte, seinem
Herrn eine altjüdische Herkunft zuzuweisen, im Bewusstsein des Volkes war er, wie sein Vater ἀλλόφυλος[1]) und
dies war der Grund mit des tiefliegenden Hasses der Juden
gegen die Herodiaden; es ruhte dies auf der unbestreitba-
ren Thatsache, dass er ein Idumäer, d. h. ein äusserlich
judaisirter Fremder war und zwar ein Sohn eines Hierodulen des Apollotempels zu Askalon[2]), also eines auf
dem Tempelbesitz hörigen Mannes, welcher von Idumäern
geraubt unter diesen grossgezogen ward. Josephos bezeichnet ihn nur als Idumäer und zwar durch Geschlecht und
Reichthum hervorragend. Jedoch geht die besonders nahe
Stellung des Antipatros wie des Herodes zu Askalon aus
ihrem ganzen Verhalten gegen die Stadt hervor. Sie ist
sichtlich der heimathliche Stützpunkt derselben. Dort befand
sich die Gemahlin des von den Römern auf des Antipater
Betrieb mit gestürzten, dann in Verwahrsam gehaltenen,

---

1) Eus. Chr. Arm. II, p. 91.
277. 363. Chron. Pasch. p. 358. 362
ed. Bonn. Epiphan. haer. 20. c. 1,
welcher das Geschlecht am weitesten hinausführt und noch erwähnt,
dass Antipatros und Herodes ἐξ
ἐράνου τῶν πολιτῶν losgekauft
sei.

2) Eus. H. E. I, 6. 7.

endlich von den Pompejanern getödteten Aristobulos, mit
ihrem Sohne Antigonos und den Töchtern[1]); dort trifft Antipatros mit dem Parteigänger Cäsars, Mithridates von Pergamum zusammen[2]); auf Askalon concentrirt Herodes einen
grossen Theil seiner in prachtvollen Bauten sich bezeügen-
den Freigebigkeit gegen die πύλεις[3]); dort ist eine βασίλειος οἴκησις, die nach des Herodes Tode von Augustus
an Salome noch ausser andern, ihr schon bestimmten Orten
zugetheilt wird[4]).

Durch Antipater und Herodes, also selbst ἀλλόφυλοι
werden die allerdings erst allmälig nach ihrer Neugründung
erstarkenden Städte in ihrer Politik nach Aussen bestimmt.
Sie waren natürlich dem aus Parthien umkehrenden und
Ptolemäos XI nach Aegypten gewaltsam zurückführenden[5])
Gabinius, ihrem Wohlthäter mit Antipatros sehr behülflich
bei seinem Zuge durch die ἔρημος und der Gewinnung von
der Gegend Pelusiums[6]). Wie sie zu Kleopatra dann sich
stellen, welche aus Aegypten vertrieben im Jahr 48 ein
Heer sich sammelt ἀμφὶ τὴν Συρίαν und ihre εἰςβολαί an
der philistäischen Küste unternimmt, weshalb Ptolemäos XII
sie mit dem Heere am Kasion erwartet, ist unbekannt[7]);
aber die palästinische Küste war noch damals neben Kilikien ein ergiebiger Ort für alle Heerwerbungen; das alexan-
drinische Heer bestand auch zum Theil aus den praedones
latronesque Syriae[8]). Der Tod des Pompejus, welcher neben
dem Tempel dem Mons Casius und der Stadt daselbt die einzige

---

1) Jos. Ant. XIV, 7, 4. B. J. I,
9, 1.

2) Jos. Ant. XIV, 8, 1. B. J. I,
9, 3.

3) Jos. B. J. I, 21, 11.

4) Jos. Ant. XII, 11, 5.

5) App. Syr. 51. Liv. Epit. 105.
Porphyr. in Müller Fr. H. III, 716.

6) Jos. Ant. XIV, 6, 2. B. J. I,
8, 7.

7) App. B. C. II, 83. Lucan.
Pharsai. VIII, 455 ff. Vell. Paterc.
II, 53. Nach Caes. B. C. III, 103
war das Lager der Cleopatra un-
weit von dem des Ptolemaios entfernt.

8) Caes. B. C. III, 110.

aber traurige Berühmtheit gab, liess Palästina, obgleich ihm und seiner Partei, als den Ordnern und Erneuerern des dortigen Lebens nahe verknüpft, rasch dem Caesar sich zuwenden. Ausdrücklich wird die grosse Bereitwilligkeit der civitates Syriae in der Bildung eines Heeres unter Mithridates hervorgehoben [1]) und Antipater ist es, welcher ausser eigener Hülfe die Dynasten, die Araber und die πόλεις zu energischer Hülfeleistung bewegt und von Askalon nach Pelusium die Leitung und Versorgung des Heeres mit unternimmt [2]). Daher empfingen auch bei dem Aufenthalt Cäsars in Syrien fast alle civitates quae in majore sunt dignitate Belohnungen und Ehrenbezeugungen [3]), viele knüpften an diesen Zeitpunkt ihre neue Aera. Für uns kommt hier nur zweierlei in Betracht: erstens wird das Ehrendekret für Hyrkanos von Judäa auf eherner Tafel aufgestellt ausser auf dem Capitol in Sidon, Tyrus und Askalon und in den Tempeln [4]); es geht daraus hervor, dass Askalon neben den in uralter Freiheit auch später anerkannten [5]) Städten Sidon und Tyrus die erste Stelle als Freistadt, die hier für Judäa in Betracht kommen konnte, bei den Römern einnahm. Dann erfahren wir aber aus dem Dekret über den φόρος, dass die πόλις Jope, welche die Juden beim Beginne ihrer Freundschaft mit Rom besessen hätten, ihnen jetzt wieder gehören solle, und die Einkünfte aus dem Land und dem Häfenzoll derselben solle Hyrkanos selbst jährlich, nicht zweijährig, wie der φόρος für das übrige Land in Sidon an die Römer entrichtet ward, ebenfalls in Sidon erhalten [6]).

---

1) Hist. B. Al. c. 26.

2) Jos. Ant. XIV, 81. B. J. I, 9, 3.

3) Hirt. B. Al. 65.

4) Jos. Ant. XIV, 10, 3. Es ist zu fragen, ob jenes καί in καὶ ἐν τοῖς ναοῖς nicht zu streichen ist und die Tempel nur jener 3 Städte verstanden sind.

5) Jos. Ant. XV, 4, 1. B. J. I, 8, 5.

6) Jos. Ant. XIV, 10, 6.

Hart werden die Städte Syriens durch Cassius nach
Cäsars Ermordung mitgenommen; übermässige Contribu-
tionen müssen gezahlt werden und Cassius der Republika-
ner sucht durch Erhebung von Tyrannen die Städterepubli-
ken in Zaum zu halten [1]), ja er droht kleinern Städten mit
gänzlicher Zerstörung. Noch verhängnissvoller waren die
folgenden Jahre, als ein furchtbarer innerer Aufstand der
gegen Herodes, den nach des Vaters Tode von Antonius
anerkannten ἐπίτροπος, für das hasmonäische Geschlecht,
den Antigonos und das strenge Judenthum kämpfenden Partei zugleich die Parther in das Land rief und sie zwei
Jahre lang (40—38) zu Herren derselben machte. Marissa, die mit Gaza und den andern neu gegründete Stadt,
ist damals durch die Parther zu Grunde gegangen (ἀνά-
στατος geworden) [2]). Auch Stratonospyrgos war in den
Unruhen ganz gesunken [3]). Jope erscheint als Haltepunkt
der Partei des Antigonos, sowie Lydda, weshalb es von
Herodes neu erobert werden muss [4]). Der einzige Halt des
Herodes blieb jene berühmte Feste Masada und das südliche
Idumäa, also der Negeb zwischen Gaza und dem todten Meer;
hier halten sich allerdings zerstreut seine Parteigänger, hier
schützt ihn auf dem Wege zwischen Petra und Rhinokolura ein einheimisches Heiligthum, wahrscheinlich das des
Lucifer zu Elusa [5]); ein Kostobaras (Sohn des Koze), aus
einem Priestergeschlechte des Κοζέ, des idumäischen Haupt-
gottes, welcher von Tuch [6]) als Regenbogen- und Himmelsgott erklärt ist, wird ἄρχων τῆς Ἰδουμαίας καὶ Γάζης
für Herodes. Hiernach erscheint Gaza, obgleich noch rechtlich eximirt von jüdischer Herrschaft, doch in ein abhängiges Verhältniss zu dem ihm befreundeten Herodes gekom-

---

1) Jos. Ant. XIV, 12, 1. B. J.
I, 12, 2.
2) Jos. B. J. I, 13, 9.
3) Jos. B. J. I, 21, 5.
4) Jos. B. J. I, 15, 4.

5) Jos. Ant. XIV, 14, 2. B. J.
I, 14, 2.
6) Sinaitische Inschriften in
Zeitschr. d. morgenl. Gesellschaft
1849. Bd. III, S. 200 ff.

men. Uebrigens geht aus dieser Bezeichnung hervor, dass
neben Idumala das Stadtgebiet von Gaza als nicht unwichtig in Betracht kam[1]). Bald musste jedoch der in mehr als
zweijährigem Kampfe seine von Antonius und Octavian im
Jahre 40 ihm verliehene βασιλεία sich erkämpfende Herodes auf die ganze Paralia, sowie auf Theile seines engern
Landes verzichten gegenüber den Ansprüchen der ein altes,
weitreichendes Ptolemäerreich sich erträumenden Kleopatra, welche ein Antonius von Ehrgeiz und Liebe betäubt
zu verwirklichen strebte. Alle πόλεις vom Fluss Eleutheros
bis Aegypten mit Ausnahme von Tyrus und Sidon werden Kleopatra übergeben[2]), der eine Sohn derselben Ptolemäos als βασιλεύς βασιλέων, als Herr von Syrien, Phönike und Kilikien proklamirt[3]). Sie selbst bereist, von Herodes begleitet, ihr neuerworbenes Reich. Die Schlacht von Aktium
zertrümmert diese orientalische Schöpfung, aber Herodes,
der Freund des Antonius, erhält bald mehr als die Bestätigung seines bisherigen Besitzes aus den Händen Octavians.
Er versorgt das Heer derselben, das bei Ptolemais gelandet ist, auf dem Zuge nach Pelusium trefflich mit Lebensmitteln, Wein und Wasser[4]); er erhält bei Octavian und
Agrippa persönlich hohe Gunst. So fügt Octavian in Aegypten gleich ausser der Zurückgabe des von Kleopatra ihm
Abgenommenen zur Basileia noch hinzu eine Anzahl autonomer Städte und zwar, wie im Innern Gadara, Hippos
und Samareia, so an der Küste Gaza, Anthedon,
Jope und Stratonospyrgos[5]). Zehn Jahre später sah
sich Herodes bekanntlich auch noch im Besitz aller nordöstlichen Landschaften bis zum Antilibanon und Damaskus[6]).

---

1) Der νομὸς Γάζης mit κῶμαι
wie Bethelean, Kapharchobra u. a.
bei Sozom. H. E. VI, 31.

2) Jos. Ant. XV, 4, 1. B. J. I,
18, 5.

3) Plut Ant. 54.

4) Jos. Ant. XV, 6, 7. B. J. I,
20, 30.

5) Jos. Ant. XV, 7, 3. B. J. I,
20, 3.

6) Jos. Ant. XV, 10, 1. 3. B. J.
I, 20, 4.

Fünfundzwanzig Jahre lang bis zum Tode des Herodes (4 v.; Chr.) bildet also Philistäa einen Theil des jüdischen Vasallenreichs; auch Askalon, obgleich nicht zugetheilt, ist sichtlich dem Einflusse des Herodes ganz hingegeben. Nicht schärfer kann uns der ganze geistige Gegensatz des durch die Makkabäer regenerirten Judenthums und der seit Alexander Jannäus wenn auch mit Widerstreben der Herrscher selbst ausgeübten Macht der altgläubigen Partei und der unter römischer Auctorität herrschenden Herodiadenfamilie entgegentreten, als in ihrem Verhältniss zu den griechischen πόλεις. Dort das Streben nach völliger Vernichtung, Verödung, Zerstörung jedes politischen Verbandes, zwangweise Aufnahme in das Judenthum, hier furchtbare Härte in Steuererhebung, blutige Bestrafung der Aufständischen, allmäliges Einführen fremder, dem religiösen Gesetz nicht entsprechender Sitten und Lebensformen in Judäa selbst, dagegen die schonendste Rücksicht gegen städtische Verfassung, Höflichkeit und Philanthropie in jeder Beziehung, bereitwilliges Aushelfen in materieller Bedrängniss, und vor Allem die grossartigste Liberalität, um die Städte mit allem Glanze von Prachtbauten, von Künstwerken, von Festen und Kulten, von Anstalten für Handel und Verkehr, für griechische Bildung zu schmücken. Das sprechen die Juden nach des Herodes Tod vor Augustus klar aus[1]) und haben nur den einen Wunsch, von dieser Basileia loszukommen. Wir wollen hier nicht aufzählen, welche der syrischen Städte Herodes mit Gymnasien, Stadtmauern, Hallen, Theatern, Aquädukten, Strassen, Parks (λειμῶνες) geschmückt, nicht auf seine grossartigsten Gründungen von Samareia Sebaste und von Kaisa-

---

1) Jos. Ant. XVII, 11, 2: πόλεις γε μὲν τὰς μὲν περιοικίδας καὶ ὑπὸ ἀλλοφύλων οἰκουμένας κοσμοῦντα μὴ παύσασθαι καταλύσει τε καὶ ἀφανισμῷ τῶν ἐν τῇ ἀρχῇ αὐτοῦ κατῳκημένων. Vergl. Jos. Ant. XV, 9, 3. 5. XIX, 7, 3.

reïa mit dem Hafen Sebastos eingehen, auf seine Einrichtung von Agonen und Gymnasiarchien, auf jene Feste, wo
• er vor den Festgesandten der δῆμοι alle Pracht entfaltete;
nur hervorheben, dass Askalon ganz besonders durch
grossartige Bäder und prachtvoll gefasste Wasseranlagen
mit grossen Säulengängen (βαλανεῖα καὶ κρήνας πολυτελεῖς
πρὸς δὲ περίστυλα θαυμαστὰ τήν τε ἐργασίαν καὶ τὸ μέγεθος) ¹) geschmückt wurde, dass Anthedon, welches im
Verlauf dieser Kämpfe wieder zerstört war, nun als Ἀγρίπ-
πειον zu Agrippa's Ehren neu aufgebaut ward ²), dass fast
alle Städte Tempel und Heiligthümer des Σεβαστός, sogenannte Καισάρεια erhielten. Mit Recht können wir das
rasche materielle und künstlerische neue Aufleben der hellenistischen Städte dieser Zeit des Herodes zuschreiben.

Der Tod des Herodes im März des Jahres 4 v. Chr.
musste den lange niedergehaltenen Gegensatz des jüdischen
ἔθνος zu den Ἕλληνες und dem Geschlechte des Herodes
sofort in offenen, blutigen Kampf verwandeln. Es siegt
zwar das Ἑλληνικόν, aber in ihm ist selbst grosser Zwiespalt zwischen Archelaos, Antipas, den συγγενεῖς und auch
den πόλεις ³), dessen Ausgleichung Augustus anheimfällt.
Die letzteren schicken Gesandte an den Kaiser mit dem Verlangen nach der ἐλευθερία, die ihnen ja einst gegeben war
und deren sie also unter der persönlichen Gunst und Liberalität des Herodes, nicht vergessen hatten; freilich seine
Zwischenstellung zwischen dem äusserlichen Judenthum und
hellenistischer Gesinnung, die tiefe Unwahrheit und Unhaltbarkeit, ja die sittliche gerade im Streite mit der eigenen
Familie hervortretende Verderbniss einer solchen Combination konnte auch selbst bei den Hellenen kein dauerndes
Vertrauen hervorrufen. Nikolaos Damaskenos, der An-

---

1) Jos. B. J. I, 21, 11.   3) Nikol. Dam. de v. s. fr. 5.
2) Jos. B. J. I, 21, 8.   Müller Fr. III, p. 354.

walt und Redner des Archelaos, rieth demselben, den hellenistischen Städten in ihrem Verlangen nach Freiheit nicht
entgegenzutreten. Und so wird bei der neuen Vertheilung,·
wo bekanntlich Archelaos als Ethnarch nur Idumäa, Samaria und Galiläa erhält, daneben aber zwei kleinere Te-
trachieen im Norden und Nordosten gebildet werden, Gaza·
ausdrücklich neben Hippos und Gadara eximirt und als autonome Stadt der Provinz Syrien unmittelbar zugeordnet,
dagegen bleibt Jope neben Stratonospyrgos und Sebaste
dem Archelaos zinspflichtig[1]). Jamneia und Azotos erhalten mit Phasaelis noch eine besondere Stellung; sie waren im Testamente des Herodes seiner Schwester·Salome
als Privatbesitz zugeschrieben, Augustus bestätigt dies
nicht allein, sondern schenkt auch $\tau\dot{\alpha}$. $\dot{\epsilon}\nu$ $Ά\sigma\varkappa\dot{\alpha}\lambda\omega\nu\iota$ $\beta\alpha-$
$\sigma i\lambda\epsilon\iota\alpha$ (oder $\tau\dot{\eta}\nu$ $\dot{\epsilon}\nu$ $Ά\sigma\varkappa\dot{\alpha}\lambda\omega\nu\iota$ $\beta\alpha\sigma i\lambda\epsilon\iota o\nu$ $o\ddot{\iota}\varkappa\sigma\iota\nu$) hinzu[2]).
So sind also die philistäischen Städte drei verschiedenen
Kreisen gleichsam anheimgefallen. Gaza und Askalon
sind die freien, autonomen unmittelbaren Städte des Reiches; das letztere hat nie Herodes gehört, wenn es gleich
mit besonderer Vorliebe von ihm geschmückt ward, sondern sich in seiner besondern Stellung erhalten, sowie es
auch durch das erste Jahrhundert hindurch weit bedeutender und mächtiger als Gaza erscheint. Es darf uns nicht
wundern, dass wir von einem königlichen Palast in der
Stadt erfahren, der also in die Hände der Salome übergeht; es ist dies kein politischer, sondern Privatbesitz in
einer befreundeten Stadt; so haben Agrippa II und Berenike in Jerusalem ihre Basileia[3]), so Helena, die Königin
von Adiabene, und ihr Sohn Monobazos[4]) ebenfalls daselbst.
Ausser Jope, das bereits früher zu einer Art Privatbesitz

1) Jos. Ant. XVII, 9, 4. B. J.
II, 6, 3.
2) Jos. Ant. XVII, 8, 1. 11, 5.
B. J. II, 6, 3.
3) Jos. B. J. II, 17, 6.
4) Jos. B. J. V, 6, 1. VI, 6, 3.

der Ethnarchenfamilie erklärt war, ist das von Herodes neugegründete Anthedon jedenfalls bei der. Ethnarchie geblieben, sowie wahrscheinlich auch Raphia. Jamneïa und Azotos gehen nach dem Tode der Salome in kaiserlichen Privatbesitz, in den der Livia über und erhalten als solcher einen ἐπίτροπος[1]), aber bei dem jüdischen Kriege seit J. 66 sind sie in jüdischen Händen und haben auch eine judaisirte Bevölkerung[2]); auch die der Ethnarchie zugehörigen Städte wurden schon seit 6 n. Chr. mit der ganzen Landschaft von Procuratoren unter der höhern Autorität des Statthalters von Syrien verwaltet[3]).

Die kurze Erneuerung der ganzen, vereinigten jüdischen Basileia unter Agrippa I, dem Schützlinge des C. Caligula und Claudius (die nördlichen Tetrarchien seit 37 und 39, Judäa und Samaria seit 41), hat für uns durch die nahe Beziehung nur Interesse, in welche Anthedon zu Agrippa tritt. Hier in Anthedon hatte der aus Tiberias entflohene, von den Gläubigern und dem römischen Procurator verfolgte Agrippa Aufnahme und Zuflucht auf einem Schiffe gefunden, von hier aus war er nach Rom entkommen, um dort eine glänzende Rolle am Hofe zu spielen[4]). Als βασιλεύς hat er Anthedon nicht vergessen und seine in Anthedon geprägten Münzen[5]) mit den Inschriften ΒΑΣΙΛΕΥΣ. ΑΓΡΙΠΠΑ. ΜΕΓΑΛΟΣ und ΑΝΘΗΔΙΩΝ. ΒΑΣΙΛΕΥΣ. ΑΓΡΙΠΠΑ, oder ΒΑΣΙΛΕΥΣ. ΑΓΡΙΠΠΑ. mit dem Revers ΑΓΡΙΠΠΑ ΥΙΟΣ. ΒΑΣΙΛΕΩΣ nebst den Jahreszahlen 5 und 2 beweisen z. B. die dieser Stadt erwiesene Gunst. Sonst haben wir in seinem von Josephos hervorgehobenen Wohlwollen gegen die πόλεις keine hierher gehörigen

---

1) Jos. Ant. XVIII, 2, 2. 6, 3. B. J. II, 9, 1.

2) Jos. B. J. III, 3, 5. IV, 3, 2.

3) Jos. Ant. XVII, 13, 5. XVIII,

2, 1. B. J. II, 8, 1. Walter, Röm. Rechtsg. I, S. 373. Anm. 22.

4) Jos. Ant. XVIII, 6, 3.

5) Mionnet VIII, p. 364. n. 20. 21.

Beweise; B e r y t o's war die Stadt seiner Hauptstiftungen [1])
und ist fast die dauernde Residenz von Agrippa II geworden [2]).

In der seit dem Jahre 44[3]) wieder eingeführten und für
Judäa und Samaria durch des Agrippa II Königthum, dem nur
die nördlichen Tetrarchieen zufielen, nicht modificirten Pro-
curatorenverwaltung reifte die seit der Makkabäerzeit auf-
gegangene, durch das System des Herodes nur begünstigte
und jetzt schon in der Auflösung der rechtlichen Zustände,
in der Bedrohung des Lebens und Eigenthums üppig wu-
chernde Saat des tiefen, innern religiösen wie überhaupt
alle Kultur betreffenden Zwiespaltes der jüdischen Nation zu
dem furchtbarsten Ausbruch, zu einem Todeskampfe, wie
ihn kaum eine Nation erlebt hat. Es ist sehr begreiflich,
dass die hellenistischen Städte, die schon lokal an den Rand
und in die Mitte dieses Kampfes gestellt waren, die selbst
die Träger, die Sitze der ganzen Kultur und Religionsan-
schauungen waren, welche, will man nun als wichtiges
Ferment oder als verderbliches Gift, die jüdische Nation
inficirt hatten, die endlich an die politische Macht der Römer sich eng angeschlossen, gegen welche die nationale
Verblendung einen ohnmächtigen Kampf führte, dass diese
auf das tiefste von jenen Bewegungen mit erschüttert wurden. Die grosse Begünstigung der Juden durch Claudius,
sein Wille, dass dieselben mit den Hellenen im gleichberechtigten, politischen Verbande ständen (συμπολιτεύεσθαι τοῖς
Ἕλλησι)[4]) förderten nur solche Ausbrüche des jugendlichen
Uebermuthes, wie in Dora[5]), der militärischen Verachtung
gegen das jüdische Königshaus, wie in Cäsarea und Sebaste[6]), endlich des blutigen Hasses, wie zwischen Gali-

---

1) Jos. Ant. XIX, 7, 5.
2) Jos. Ant. XX, 9, 4.
3) Jos. B. J. II, 11, 6.

4) Jos. Ant. XIX, 5, 3. 6, 3.
5) Jos. a. a. O.
6) Jos. Ant. XIX, 9, 2.

läern und den Bewohnern von Sebaste[1]), wie vor Allem der griechischen und reichen jüdischen Bevölkerung von Cäsarea über die Isopolitie, die zu Strassenkämpfen führten[2]). Dies Letzte, sowie der durch Florus in Jerusalem geleitete Angriff gegen die wehrlose Masse war das Signal zum Ausbruch des grossen jüdischen Krieges im April (Artemisios) des Jahres 66. Auf einen Tag fast begann der erbittertste Kampf in und vor den hellenistischen Städten Palästinas; das jüdische ἔϑνος, schon länger von herumziehenden, durch kühne Parteigänge geleiteten Banden beherrscht, warf sich mit furchtbarer Energie gegen dieselben oder erhob, sich in ihrer Mitte. Wie die meisten Städte widerstand auch Askalon, Anthedon, Gaza nicht der ersten Ueberraschung; Brand und Plünderung bezeichneten den Weg der jüdischen Masse[3]); die offenen Ortschaften ihrer Gebiete wurden am meisten heimgesucht. Von Gaza und Anthedon wird ausdrücklich ein Niederbrennen berichtet, was natürlich als keine dauernde Vernichtung zu fassen ist. Bald waren auch die griechischen Bewohner consolidirt und in den Städten standen sich zwei στρατόπεδα gegenüber. Die Askaloniten tödten von ihren als Metöken ansässigen Juden 2500, in Cäsarea waren 20,000 gefallen.

Cestius Gallus, welcher als Statthalter von Syrien mit einer bei Ptolemais gesammelten Truppenmacht das Centrum des Aufstandes, Jerusalem, unmittelbar anzugreifen unternimmt, musste natürlich den jüdischen Haltpunkt an der Küste, Joppe zu gewinnen und in seiner Bedeutung zu vernichten suchen. Durch einen Angriff zu Land und zu Wasser wird Joppe eingenommen und niedergebrannt, 8400 Menschen dabei getödtet[4]); dasselbe Schicksal hatte dann Lydda, diese bedeutende κώμη damals noch zwischen

---

1) Jos. B. J. II, 12, 6.
2) Jos. B. J. II, 13, 7. 14, 4.
de V. S. 11.
3) Jos. B. J. II, 18, 1. 2.
4) Jos. B. J. II, 18, 10.

der Küste und dem Gebirge. Aber um so gewaltsamer entlud sich nach dem so misslichen und verlustvollen Rückzuge des Cestius der jüdische Hass und Siegesmuth über
die Küste, sowie es zugleich militärisch und politisch allerdings das nächste und wichtigste Ziel sein musste, einen
bedeutenden und bisher feindlichen Haltepunkt an der Küste
zu gewinnen, sobald der Aufstand einmal aus einem provincialen zu einem des Orients gegen den Occident gemacht
werden sollte. Unter Joannes dem Essäer, Silas und Niger
ward eine rasche Unternehmung (καταδρομή) gegen das
10 deutsche Meilen entfernte Askalon [1]), die wichtigste und
festeste Stadt damals der philistäischen Küste ausgeführt,
aber der römische Führer Antonius, dem nur eine Kohorte
Fussvolk und eine Schwadron Reiterei zu Gebote stand und
welcher auch aus der Nähe keine Verstärkung an sich
ziehen konnte, erwartete sie bereits vor den Mauern und
die römische Taktik, besonders die Anwendung der Reiterei
auf dem grossen, ausgedehnten Blachfelde führte eine blutige Niederlage unter den Juden herbei. Noch einmal versuchte die in einem kleinen idumäischen Orte Salles gesam-
melte jüdische Heermasse unter dem noch allein am Leben
gebliebenen Niger einen Handstreich auf Askalon, aber ein
geschickt angelegter Hinterhalt schneidet sie ab; von der
Reiterei umzingelt flüchtet der Rest in einen jener oft erwähnten Thürme der Sephela, Bezedel, der von den Römern angezündet wird, und ein Verlust von 8000 Mann zu
den 10,000 des ersten Treffens war der entschiedenste
Beweis des gänzlichen Mislingens dieser Unternehmung.
Dagegen war Jamnia und Azotos in jüdischen Händen und
das von Cestius geschleifte Jope wird wieder aufgebaut und
hier eine Piratenflotte gerüstet, um den ganzen Seeverkehr
zwischen Syrien und Aegypten unsicher zu machen [2]).

---

1) Jos. B. J. III, 2.   2) Jos. B. J. III, 9, 2 ff.

Es. war natürlich, dass neben der energischen Bekämpfung des Aufstandes in Galiläa es für Vespasian und
Titus im ersten Jahr ihrer Kriegführung eine Aufgabe war,
diesen Ausgangspunkt der jüdischen Macht an der See zu
vernichten, und so ward das neu wieder gewonnene Jope
im Sommer des Jahres 67 von römischen Truppen überrascht. Die jüdischen Einwohner flüchteten auf die Piratenflotte im Hafen, aber ein starker Wind trieb sie am
folgenden Morgen an die klippenreiche Küste und hier im
Meer oder unter den römischen Waffen sind sie zu Grunde
gegangen. Nur eine römische Besatzung blieb auf der
Akra und beherrschte von hier aus die Umgegend[1]). Während von da an die philistäischen Küstenstädte unberührt bleiben von dem hartnäckigen Kampfe, der in immer
engerem Kreise um Jerusalem sich zusammenzieht, ist es
für uns von Interesse, den planmässigen Anordnungen des
Vespasian zu folgen, wodurch die tiefer im Lande, an den
Ausgängen des Gebirges liegenden Punkte Philistäa's meist
als zu Idumaia gerechnet als römische Militärstationen (στρατόπεδα, φρουραί unter Hekatontarchen und De-
kadarchen) organisirt und mit neuen Ansiedelungen versehen
werden: dies geschieht in Antipatris[2]), dann in Jamneia
und Azotos[3]), in Lydda, welches seitdem bei Josephos als
Diospolis erscheint, und Emmaus, als römisches στρατύπε-
δον unmittelbar nach Zerstörung Jerusalems dem Zeus Nikephoros als Nikopolis geweiht[4]); dann in den grossen,
reichbevölkerten Ortschaften der untern Idumäa, wo erst an
10,000 Menschen getödtet, massenweise Andere vertrieben und
sehr bedeutende Besatzungen hineingelegt werden. Unter den

---

1) Jos. B. J. III, 9, 2.
2) Jos. B. J. IV, 8, 1.
3) Jos. B. J. IV, 3, 2.
4) Jos. B. J. VII, 6, 6. Siehe
die Münzen seit Trajan bei Belley

in Mém. de l'acad. des inscr. t.
XXX, p. 294. Eckhel Doctr. N. III,
p. 454. Mionnet V, p. 550. n. 184
— 186. VIII, p. 376. n. 64. 65.

hierbei genannten Namen ist **Betaris**, wofür Rufinus in seiner Abschrift *Βήγαβρις* liest, jedenfalls identisch mit dem gewöhnlichen Namen Betogabris, das ganz in der Nähe vom zerstörten Marissa dieses gleichsam vertrat und nun später noch durch Septimius Severus erneuert als Eleutheropolis eine grössere Rolle spielt [1]). Durch diese Gründungen und Ansiedelungen ward die idumäische und jüdische Nationalität auch hier gebrochen und griechisch-römisches Wesen auch an den Gränzen Philistäa's zur Herrschaft gebracht.

Die hellenistischen Städte Syriens überhaupt waren es dann, die im Herbst des Jahres 68 durch Gesandtschaften und Kränze Vespasian auf dem glänzenden Tage zu Berytos [2]) als Imperator begrüssten, die weiter zu lebhaften Werkstätten für die Kriegsrüstungen Vespasian's wurden [3]), welche endlich nach Jerusalems Einnahme Titus allseitig als Sieger mit *στέφανοι* überschütteten [4]). Werden hier die einzelnen Städte überhaupt nicht aufgeführt, so sind die philistäischen Städte um so mehr darunter begriffen, als wir ausdrücklich sie als die Stationen bei des Titus Zug aus Aegypten im Jahre 69 bezeichnet finden [5]) und Titus im Jahre 70 nach dem Ende des Kampfes dieselbe Strasse, wie es heisst in allen Städten, durch die er kam, mit Festen hochgeehrt, zog [6]). Während die jüdische Nation, deren politischer Mittelpunkt nun vernichtet war, bei ihrer grossen Ausdehnung und materiellen Bedeutung immerhin noch gefürchtet durch die von Vespasian eingeführte harte Kopf-

---

1) Schon Reland vermuthet dies und Robinson (II, 618. Note 1) ist dafür. Dass das in den Itinerarien erwähnte Bethel zwischen Cäsarea und Antipatris nicht zu verstehen ist, ergiebt die Bezeichnung als *κώμη* in der Mitte Idumäa's.

2) Jos. B. J. IV, 10, 6. Tac. H. II, 81.

3) Tac. Hist. II, 82.

4) Joann. Ant. fr. bei Müller Fr. H. IV, p. 578.

5) Jos. B. J. IV, 11, 5.

6) Jos. B. J. VII, 5, 2.

steuer an den Tempel des Jupiter Capitolinus, die Grau-
samkeiten eines Domitian, durch die systematischen Anordnungen eines Trajan und Hadrian zur Vernichtung ihrer
religiösen Sonderstellung gezwungen werden sollte und noch
zweimal in einem furchtbaren, weit ausgebreiteten Aufstande
sich erhob, während bei dem letzten unter Barkokebas (über
drei Jahre 132 — 136) Judäa selbst zum Schauplatze der
entsetzlichsten Verwüstungen und Niedermetzelungen ward,
wobei 50 Festen ($\varphi\varrho o\acute{\iota}\varrho\iota\alpha$) und 985 Ortschaften ($\varkappa\tilde{\omega}\mu\alpha\iota$)
gänzlich zerstört sein sollen [1]) und so dasselbe ganz verödet
ward, ist ein bedeutender Aufschwung im Besondern der philistäischen Städte, wie überhaupt ganz Syriens im zweiten
Jahrhundert nicht zu verkennen. Die Erweiterung und
Sicherung der Gränzen gegen Parthien und Arabien, die
vielfache Anwesenheit der Flavier und ihre grossartige Sorgfalt in Hebung der Städte, endlich das Auftreten eines
neuen auf syrischem Boden erwachsenen Kaisergeschlechts
sind die äussern Gründe hierfür, die um so mehr Gewicht
erhalten, je mehr in die Person des Kaisers die politische
Macht des Reichs concentrirt wird. So ist der Feldzug
des A. Corn. Palma, des Statthalters von Syrien, im Jahre
105 nach Bostra und Petra, die Gründung der Provinz
A r a b i a, die also die Peraea, dann das Nabatäerland bis
nach Aila' und die Sinaihalbinsel zum grossen Theil umfasste, von grosser Bedeutung für die Sicherung Gaza's
und seines Gebietes, für die Hebung und Regelung des uralten Verkehrs nach Petra und Aila geworden. Hadrian hat
persönlich Palästina schon in den Jahren 123—125 besucht,
dann aber fällt sein längerer und wichtigster Aufenthalt in
das Jahr $\frac{129}{130}$ und noch einmal auf der Rückkehr von Aegypten 132. Wie er hier als Restitutor Arabiae genannt
wird, wie von einem peragrare Arabiam gesprochen wird [2]),

[1] Cass. Dio 69, 14. Vgl. Gregorovius, Hadrian S. 44 — 58.
[2] Stellen bei Gregorovius, Hadrian S. 39

wie er am Kasion das Denkmal des Pompejus glänzend er-
neuern liess[1]), wie er vor Allem die Aelia Capitolina bereits gegründet und geordnet hat, so ist er für Gaza durch
bedeutende Gnadenbezeugungen an den Beginn einer neuen
Aera getreten, welche in das Jahr $\frac{190}{191}$ der alten oder 129
n. Chr. fällt[2]). Eine glänzende, regelmässige Festfeier
($\pi\alpha\nu\eta\gamma\nu\rho\iota\varsigma$) [3]), die noch in der Zeit des Verfassers des
Chronicon Paschale als $\mathcal{A}\delta\rho\iota\alpha\nu\eta$ gekannt ward, war seine
Gründung. Mit ihr wird von dem Chronicon Paschale ein
grossartiger, von Hadrian gehaltener Sklavenmarkt der jüdischen Gefangenen verbunden, der zuerst in der sogenannten Terebinthos, nach Hieronymus in Sichem, nahe bei Neapolis, dann hier abgehalten sei und wobei der einzelne
Mensch zu dem Preise eines Pferdes angesetzt ward. Ob
dieser Sklavenmarkt erst an das Ende des Aufstandes von
Barkokebas fällt, oder bereits bei der Anwesenheit des
Hadrian im Jahre 129, wo uns Spartian[4]) jüdische Unruhen wegen der verbotenen Beschneidung berichtet, bleibt
dahingestellt, aber das ist jedenfalls festzuhalten, dass jenes
Fest im Jahre 129 mit Spielen eingerichtet ward und dass
es sich vor Allem auf die Ordnung der Arabia, welches
hier als Land des Weihrauchhandels erschien, weniger auf
den jüdischen Sklavenmarkt bezieht. Beweis dafür sind die
Münzen, die wir mit der hadrianischen Aera haben, theils
ohne das Bild des Kaisers, theils mit demselben[5]). Jene
zeigen uns eine militärische, hochgeschürzte Figur mit
Helm, in der Rechten einen langen in ein Gefäss gesteck-

---

1) Spart. Hadr. 13. Cass. Dio.
69, 11.

2) Münzen bei Mionnet V, n. 113.
114. 122 — 129. VIII, n. 48. 52.

3) Hieron. Zachar. c. 11. Jerem.
c. 31. Chron. Pasch. p. 474 ed. B.,
wo die Gründung falsch in das dritte

Regierungsjahr Hadrians gesetzt
wird.

4) Spart. Hadr. c. 14.

5) Mionnet V, n. 113. 114.
VIII, n. 48 und Mionnet V, n. 122
—126. 128. 129. VIII, n. 50. 52.

ten Zweig, in der Linken einen Speer und auf dem Revers einen mehr gebüschartigen Baum mit und ohne Gefäss: offenbar der kriegerische Ordner des Landes, der Einsetzer der Spiele, was bekanntlich durch einen in eine Vase gesteckten Zweig bezeichnet wird, der zugleich als Weihrauchbaum die Oertlichkeit selbst, Arabia kund giebt [1]).

Die zahlreichen Münzen von Gaza unter Antoninus Pius in den Jahren der städtischen Aera von 202 bis 220 ($\frac{141}{140}$ bis $\frac{158}{157}$ n. Chr.) [2]), dann von M. Aurelius allein [3]) und mit L. Verus [4]), von diesem allein [5]), von Faustina allein als Sebaste [6]) und mit Lucilla [7]) aus den Jahren 220 bis 229 der Stadtära (159 — 168 n. Chr.), von M. Aur. Antoninus Commodus als Caesar und als Augustus von 236 bis 248 (175 — 187 n. Chr.) [8]), dann die Askalonischen an Zahl für diese Zeit weit zurückstehenden unter Antoninus Pius und eine von Faustina junior sind uns allerdings ein Beweis für die stetige Wohlfahrt dieser Städte, für ihre günstige Stellung unter den Antoninen. Auch die Usurpation des Präfekten Avidius Cassius von Syrien, eines in Syrien Gebornen, welcher bekanntlich durch Faustina veranlasst, durch eine falsche Nachricht zum Ausbruch gebracht, durch die provincialen Sympathieen in Syrien und Aegypten verbreitet ward, hat keine tiefergehende Störung der städtischen Zu-

---

1) Ebenso zeigt die zu Ehren Trajans als Arabicus geschlagene Münze in der Hand der weiblichen Figur den Weihrauchstrauch, vgl. Eckhel D. N. II, 420. So hält die Tyche von Gaza auf einer Münze von Claudius ebenfalls den Weihrauchzweig Mionnet V, n. 117. Liebe Gotha numm. c. IX, §. 8 nennt es arbuscula, denkt dabei an Wein, womit die Abbildung nicht die geringste Aehnlichkeit hat.

2) Mionnet V, n. 130—147. VIII, n. 53.

3) Mionnet V, n. 149 — 151. 153 — 155.

4) Mionnet V, n. 157. 158.

5) Mionnet V, n. 160 — 162. VIII, 58 — 60.

6) Mionnet V, n. 159.

7) Mionn. V, n. 163. VIII, n. 56. 57.

8) Mionn. V, n. 164 — 166. VIII, n. 61. 62.

stände hervorgerufen; M. Aurel durchreiste darauf Syrien und behandelte alle δῆμοι, πόλεις, sowie die Einzelnen mit grösster Milde[1]). Der jährliche φόρος der Syrer und Kiliker betrug unter Hadrian nur ein Procent des τίμημα, freilich der Abschätzungssumme, nicht des Einkommens, während die Juden durch eine schwere Kopfsteuer gedrückt waren[2]), allerdings eine sehr milde Besteuerung im Gegensatz zu den besprochenen Steueransätzen der Ptolemäer und Seleukiden. Unter Commodus scheint sie sehr erhöht zu sein; die Palaestini wenden sich an Pescennius Niger, den Gouverneur von Syrien wegen ihrer censitio idcirco quod esset gravata[3]), erhalten aber eine abweisende, höhnende Antwort.

Von eingreifender Bedeutung für die palästinischen Städte war der Thronstreit des Pescennius Niger und die Anordnungen des Septimius Severus. Man war jenem, als dem Inhaber der militärischen Macht im Osten zugefallen, nur zwei Städte, Laodikea aus Feindschaft gegen Antiochia und Tyrus im Gegensatz zu Berytos hatten sich dagegen erklärt und dann erhoben, um arg durch die Maurusischen Truppen mitgenommen zu werden; harte Brandschatzungen waren von Niger erhoben worden. Als Septimius Severus nach den Schlachten bei Kyzikos, bei Issos Syrien gewann, sind die πόλεις hart durch den vierfachen Betrag des an Niger Bezahlten gestraft worden. In Palästina ist noch hartnäckiger Widerstand geleistet worden; Neapolis (Sichem) verlor, weil es noch lange die Waffen getragen, sein Recht als Stadt (jus civitatis)[4]) und ein triumphus Judaicus ward dem Sohne des Septimius, Caracalla vom Senat bestimmt[5]). Aber sechs Jahre später ($\frac{199}{200}$)

---

1) Cass. Dio 71, 22. 27. Joann. Ant. fr. 118 bei Müll. Fr. H. IV, p. 582.
2) App. Syr. 50.
3) Spart. Pesc. Niger c. 7.
4) Spart. Sept. Sev. c. 9.
5) Spart. Sept. Sev. c. 17.

bei dem grossen Zuge des Septimius in den Orient, wobei
Ktesiphon erobert, Atraa belagert ward, wobei das nach-
barliche Arabien von ihm betreten und geordnet ward, ist
Palästina der Gegenstand besonderer Fürsorge des Kaisers
gewesen, wie es scheint durch den Einfluss der Kaiserin
Julia Domna, einer Syrerin aus Emesa; er tritt als ein
zweiter Pompejus auf, dem er auch hier Todtenopfer
brachte [1]). Sein Biograph [2]) sagt allerdings nur: in iti-
nere Palæstinis plurima jura fundavit, aber die Münzen
geben uns hierfür reicheres Detail. Gaza prägte solche auf
seinen Namen (die bekannten fallen 257 bis 268 A. G.,
also $\frac{195}{196}$ bis $\frac{206}{207}$ n. Chr.), auf den seines Mitregenten Caracalla, der Augusta Julia Domna, und sogar auf die nur
ein Jahr dem Caracalla wider seinen Willen verheirathete
Plautilla Augusta aus dem Jahre 202 n. Chr. [3]). Von Askalon kennen wir nur welche des Septimius Severus. Aber
daneben treten nun als Münzstätten, überhaupt als autonome
Städte mehrere lang verschollene wieder auf: so Azotos,
wo Julia Domna als *TYXH. ACΩTIΩN* in einem zweisäuligen Tempel verehrt auf den Münzen erscheint [4]), so
Raphia, von dem bereits aus der Zeit des Commodus, aber nicht
früher Münzen existiren [5]); so ist Eleutheropolis eine
Neugründung des früher genannten Bethogabra, welche den
Namen des Severus trägt und die erste uns bekannte Münze
$\frac{202}{203}$ schlug [6]), während Marissa 2 Millien davon in Trümmern liegen blieb; so nennt sich Diospolis (Lydda) ebenfalls nach ihm auf den nur damals geschlagenen Münzen [7]),

1) Cass. Dio 75, 13.

2) Spart. Sev. c. 17.

3) Mionnet. V, n. 167 — 176.

4) Mionnet V, p. 534. n. 103.
104. VIII, p. 370. n. 43.

5) Mionnet V, p. 551 — 552. n.
187 — 191. VIII, p. 376. n. 66 ff.
Mittheil. Berl. num. Ges. I, S. 28.

6) Belley in Mém. de l'acad. des
inscr. XXVI, p. 429. Eckhel, D. N.
III, 448 Mionnet V, p. 534. n. 105
— 107.

7) Mionnet V, p. 497 — 498.
n. 62 — 67. VIII, p. 344. n. 48. 49.

so ward Sebaste (Samaria) zur Colonia L. Sep. Sebaste [1]).

Ein Zeugniss der launenhaften Gunst des Caracalla auf
seiner an Scenen des blutdürstigsten Wahnsinns reichen
Rundreise durch den Orient geben die Münzen der beiden
Nachbar- und Gränzstädte Anthedon und Raphia. Jenes
hat, soviel wir wissen, seit Agrippa I nie wieder Münzen
geschlagen bis auf Caracalla und ebensowenig später; hier
erscheint es mit Münzen und Aera [2]); die Tyche der Stadt,
als schiffsherrschende Astarte gebildet, trägt den apotheo-
sirten Kopf des Kaisers auf der Rechten. Auf den Münzen
von Raphia legt eine thronende Gestalt in der Toga, mit
dem Speere in der Linken die Rechte auf das Haupt einer
kleinen vor ihr stehenden Figur, während eine zweite hinter steht, so also den vom göttlichen Imperator auf die
Stadt ausgehenden Segen uns vergegenwärtigend [3]). Die
gesteigerte Adulation der Stadt gegen das syrische Kaiser-
haus, das den syrischen Charakter und Kultus in seiner
furchtbarsten Entartung auf dem römischen Thron entfaltete, beweist uns eine der unter Elagabal nicht seltenen [4])
Münzen Gaza's, welche den Kaiser auf den ausgebreiteten Flügeln des Adlers also bei seinem Leben apotheosirt
und dem Helios selbst identificirt auf ihrem Revers hat [5]).
Mit Gordian III (238—244) schliesst für uns die Reihe
der Münzen Gaza's, sowie überhaupt der philistäischen
Städte. Wie er in den wenig Jahren seiner Regierung
sich die allgemeine Liebe des Reiches, vor Allem der va-
terländischen Provinz Afrika und Syriens [6]) erworben

---

1) Mionn. V, p. 513 ff. n. 152
—167. VIII, p. 356 ff. n. 104—114.

2) Mionnet V, p. 522. 523. n.
36. 37. VIII, p. 364. n. 22.

3) Mionnet V, n. 188.

4) Mionnet V, n. 177—181.
VIII, n. 182.

5) Mionnet V, n. 180.

6) Capitol. Gord. tert. c. 30.

hatte, so muss er bei seinem Aufenthalte in Syrien während des Perserkrieges Gaza, wahrscheinlich dem dortigen Kultus besondere Gunst erwiesen haben. Wir besitzen noch das bereits früher angeführte Ehrendekret der *πόλις ἡ τῶν Γαζαίων,* wodurch er als der *θεοφιλέστατος κοσμοκράτωρ* auf Befehl, auf das Orakel des *πάτριος θεός* hin zu ihrem *εὐεργέτης* erklärt wird durch die Vermittelung des Tiberius Claudius Papirius, des *ἐπιμελητὴς τοῦ ἱεροῦ* [1]).

---

1) Das Dekret lautet im C. I. n. 5892:

> *ΑΓΑΘΗ ΤΥΧΗ*
> *ΑΥΤΟΚΡΑΤΟΡΑ. ΚΑΙΣΑΡΑ*
> *Μ. ΑΝΤΩΝΙΟΝ*
> *ΓΟΡΔΙΑΝΟΝ. ΕΥΣΕΒΗ*
> *ΕΥΤΥΧΗ. ΣΕΒΑΣΤΟΝ*
> *ΚΟΣΜΟΚΡΑΤΟΡΑ Η ΠΟΛΙΣ*
> *Η ΤΩΝ ΓΑΖΑΙΩΝ ΙΕΡΑ ΚΑΙ*
> *ΑΣΥΛΟΣ ΚΑΙ ΑΥΤΟΝΟΜΟΣ*
> *ΠΙΣΤΗ Η ΕΥΣΕΒΗΣ ΛΑΜΠΡΑ*
> *ΚΑΙ. ΜΕΓΑΛΗ ΕΞ ΕΝΚΛΤΣΕΩΣ*
> *ΤΟΥ ΠΑΤΡΙΟΥ ΘΕΟΥ*
> *ΤΟΝ ΕΑΥΤΗΣ ΕΥΕΡΓΕΤΗΝ*
> *ΔΙΑ. ΤΙΒ. ΚΛ. ΠΑΠΕΙΡΟΥ*
> *ΕΠΙΜΕΛΗΤΟΥ. ΤΟΥ. ΙΕΡΟΥ.*

Dass hier die *ἔνκλυσις,* besser *ἐνκέλευσις* den Orakelbefehl bezeichnet, ist schon von Andern bemerkt worden und wird durch Stellen wie die des Malaïas (Chron. p. 248) bestätigt, wo von *ἀπὸ θείας κελεύσεως* eines Kaisers mehrmals die Rede ist. Auch über die bestimmte Beziehung des *πάτριος θεός*, einer auf syrischen Inschriften so häufigen Bezeichnung des nationalen, ungriechischen Gottes (C. I. n. 4609. 4450. 4451. 4463. 4480. 6014. 6015) kann kein Zweifel sein. Warum übrigens diese Tafel entschieden! auf einen im Portus Trajani errichteten Tempel des Marnas hinweise, wie Franz meint, sehe ich nicht ein. Sie ist in der Hafenstadt in einem der dortigen Heiligthümer aufgestellt gewesen, wenn sie dies überhaupt war und nicht bei dem raschen Tode Gordians dort im Hafen liegen blieb. Ueber den *ἐπιμελητὴς τοῦ ἱεροῦ* als den Vollzieher des Beschlusses der *πόλις* in dieser sacralen Angelegenheit ist bereits gesprochen worden.

Wenden wir uns nun von diesem wechselnden Verhältnisse der philistäischen Städte gegenüber der Gunst ein-
zeiner Imperatoren, welches, wo wir überhaupt noch historische Anhaltspunkte finden, seit Constantin ganz auf dem
Gebiete des religiösen Lebens, auf der Stellung zum Christenthum wurzelt und daher in dieser Rücksicht von uns
im Zusammenhang hervorzuheben ist, zur Auffassung ihrer
Stellung in der spätern römischen Verwaltung. Es tritt
uns hier Hadrian als der erste Wendepunkt entgegen. Er
war es bekanntlich, der die durch die Vereinigung aller
kleinen Tetrarchieen und selbständigen ἔθνη ausserordentlich vergrösserte Provinz Syrien theilte, sichtlich von der
Gefahr eines solchen Complexes bei grossen Städten und
besonders der demokratischen Unruhe Antiochiens überzeugt: er schied Syria (allein oder Coele, Magna, Major
Syria), Phoenice und Syria Palaestina [1]) ganz von einander,
jedes unter der Verwaltung eines legatus Aug. pr. pr.
Allerdings hatte das letztere schon lange eine Sonderstellung gehabt, der grössere Theil Palästina's ward bekanntlich von einem eigenen Procurator unter der Oberleitung
des Legaten verwaltet, aber die autonomen Städte der Paralia waren unmittelbar unter den Legaten als Statthalter
Syriens gestellt. In dem unter Nero ausbrechenden, grossen jüdischen Kriege haben Vespasian und Titus freilich
die ἡγεμονία τῶν ἐπὶ Συρίας στρατευμάτων als Ganzes gehabt [2]); nach ihrem Weggange wird Caesennius Paetus als
ἡγεμονεύων τῆς Συρίας nach Antiochia geschickt, daneben
der Legat Lucilius Bassus nach Judäa, dem zur Seite der
Procurator Liberius Maximus steht [3]); auf Lucilius Bassus
folgt als ἡγεμών und στρατηγός von Judäa Flavius Silva [4]);

---

1) Marquardt in Becker R. A.
III, S. 198.

2) Jos. B. J. III, 1, 3.
3) Jos. B. J. VII, 3, 4. 6, 1. 6.
4) Jos. B. J. VII, 8, 1. 10.

der seine Residenz in Cäsarea hat; unter Trajan wird ein
Tiberianus als ἡγεμών und zwar schon τοῦ πρώτου Πα-
λαιστίνων ἔθνους aufgeführt[1]); diese besondere Bezeichnung ist jedenfalls ein Anachronismus, da allerdings der in
Cäsarea residirende Legat pr. pr. für ganz Palästina
später es für Palaestina prima war. Hieraus geht allerdings unter Vespasian eine gesonderte Verwaltung unter
einem eigenen Legaten hervor: der officielle Name Syria Palaestina mag erst unter Hadrian fixirt sein. Cäsarea wird die Metropolis von Palästina, der politische Mittelpunkt auch für die autonomen Städte, soweit sie überhaupt nicht von der Provinzialgewalt eximirt waren.

Mit der durch Diokletian begründeten, durch Constantin,
dann Theodosius weiter ausgebauten neuen Organisation des
Reichs, wodurch Civil- und Militärgewalt ganz geschieden
ward und die frühern Provinzen in kleinere zertheilt erscheinen zur Durchführnng einer strengen Bureaukratie, ändert
sich natürlich auch die Lage der palästinischen Küste. Militärisch waren sie unter den dux Palaestinae gestellt, welcher als einziger den Umfang der frühern Provinz nebst
der südlichen Hälfte der Provinz Arabia unter sich hatte[2]);
aber unter den Angaben der Militärstationen ist keine einzige mit Wahrscheinlichkeit bei der allerdings grossen Verderbtheit der Namen auf eine der grössern philistäischen
Städte zu beziehen. Es ist hierbei zu bedenken, dass jene
Stationen fast alle Gränzstationen sind, grossentheils mit
Reiterei besetzt, dass jene civitates ausserdem auch durch
Privilegien von Besatzungen befreit sein mochten. In der
Nähe von Gaza finden wir Menois, den von Hieronymus
auch angeführten Ort (oppidum juxta Gazam) als Station der
Equites Promoti Illyriciani. Allerdings bei ausserordentlichen

---

1) Joann. Ant. fr. 111. bei Müll.
Fr. H. IV, p. 580.

2) Notit. Dignit. p. 78 — 80.
Annot. p. 341—361 ed. Böcking.

Veranlassungen, so dem grossen Aufstande der samari-
tischen, nicht christlichen Landbevölkerung in Palästina
unter Justinian zogen in Gaza auch die kaiserlichen Truppen ein; die ganze Stadt war darüber in Aufregüng, da
man die Willkür der Soldaten fürchtete, aber der Bischof
liess durch einen Bürgerausschuss die Versorgung derselben übernehmen [1]).

In der Civilverwaltung zerfiel Palästina in drei Provinzen, in die prima, secunda und tertia oder salutaris,
immer getrennt seit 409, aber schon früher geschieden und
nur zeitweise vereinigt[2]). Die Städte der Paralia, die ältesten Bestandtheile der römischen Provinz bleiben fortwährend bei *Palaestina prima* oder Palaestina s. str., deren
Mittelpunkt Cäsarea war und welche auch dem Range nach
gegenüber der secunda und tertia höher gestellt war; sie
hatte einen consularis an der Spitze, während die zwei
andern nur praesides[3]). Interessant für uns ist die Con-
stitution von Justinian[4]), welche als Caesariensium privilegium bezeichnet wird und den Rang des consularis von
Palästina zu dem eines proconsul, den er schon früher gehabt, wieder erhob und zugleich den Umfang seiner Amts-
gewalt, die bei Tumulten u. dergl. sich auch über Palaestina secunda erstreckte, besonders im Verhältniss zum dux
bestimmte. Hier tritt die Bedeutung der *civitates* im Gegensatz zur Landbevölkerung scharf hervor; es sollen an
den Proconsul als Polizeimacht Soldaten vom Dux abgegeben werden, die erprobt sind tam in tuenda *dignitate ci-
vitatum* quam conservanda *moderatione* in iis qui ruri ha-
bitant; der Proconsul soll vor Allem darauf sehen, ut quae-

---

1) Choric. in Marc. p. 113 ed.
Boisson. Ueber den Aufstand s. Procop H. Arc. 11. 18. Notae Alem.
ad h. l. p. 406. 407 ed. Bonn.

2) Böcking zur Not. Dignit. p.
512.

3) Ueber die Stellung der Con-
sulares und Praesides s. Bethm.
Hollw. Gerichtsv. S.62 ff.

4) Nov. C. III.

que suo ordine flant in *civitatibus* neque popularis aliquis tumultus excitetur in urbibus; es wird hervorgehoben, dass die nun vom Kaiser gegebene Würde wichtiger sei quam qui civitati debeatur und dadurch der Proconsul freier gestellt gegenüber dem städtischen Stolze. In dem Synekdemos des Hierokles [1]), der unter Justinian, aber vor dem Jahr 535, vor jener Novelle abgefasst ist, erhalten wir die vollständige Aufzählung dieser civitates: unter ihnen finden wir jetzt ein doppeltes Ἄζωτος (Ἄζωτός, Ἔξωτος, Ἀσκαδώδ), eine παράλιος und μεσόγειος, wir finden Ἰόππη, Γάζα, Ἀσκάλων, Ῥαμφία, Ἀνθηδών, Ἐλευθερόπολις, ein in seiner Lage nicht bestimmtes Diocletianopolis, das aber jedenfalls mit den grossartigen Befestigungsanlagen des Kaisers von Aegypten bis zu den Gränzen des persischen Reiches zusammenhängt, wobei dem Kaiser an der syrischen Gränze στῆλαι errichtet wurden [2]). Ekron (Akkaron) bestand als sehr grosses **Dorf**, nicht Stadt Judäa's noch in Hieronymus Zeit [3]), ebenso Gath als Dorf auf dem Wege zwischen Eleutheropolis und Nikopolis, dagegen Jamnia als πολίχνη.

Der Gegensatz der arbeitenden **Landbevölkerung**, der γεωργοί zu den Städtern, die zugleich die Grundbesitzer waren (κύριοι τῶν χωρῶν), war in den letzten funfzig Jahren um so verhängnissvoller für Palästina geworden, als sich der Kampf des auf dem Lande noch tief wurzelnden Heiden- und Judenthums, sowie der samaritanischen, an den Berg Garizim anknüpfenden Glaubens gegen das in den Städten zur Herrschaft gekommene Christenthum auf das schärfste zugleich- geltend machte. Schon unter Zeno I (474—491) hatten die Samariter Neapolis überrascht, ihr λῄσταρχος und König Justasas präsidirt in Cäsarea bei den Circenses und brennt Kirchen nieder. Nach

---

1) Synekd. Prov. 53 ed. Wesseling. 3) Onom. loc. hebr. s. v.
2) Malal. Chron. XII, p. 308 ed. Bonn.

Dämpfung des Aufstandes ward jeder Waffendienst den Samaritern verboten, Hab und Gut den Parteigängern confiscirt [1]). Unter Anastasios wird eine neue aber mislungene Erhebung versucht. In den ersten Jahren Justinians brach der nationale und religiöse Hass in furchtbarer Energie aus. Skythopolis war diesmal der Mittelpunkt der Bewegung, aber Caesarea und alle andern Städte wurden in grosse Unruhe versetzt durch den neuen König. Julianos. Ein grosses Blutvergiessen endete die Sache und das fruchtbarste Land ward dabei verödet [2]). Noch wird mit den Persern conspirirt und noch einmal im 29sten Jahre von Justinians Regierung bricht ein Aufstand in Caesarea aus, der weithin die Kirchen verwüstet, bis Amantius mit furchtbarer Strenge denselben dämpfte und „grosser Schrecken im Orient war" [3]).

Worin lag aber die Bedeutung dieser Städte, besonders der Küste, welche nicht wie Caesarea der Mittelpunkt der Regierung oder mit starken Militärcommandos versehen waren? Und diese Bedeutung ist keine scheinbare, kein von früheren Zeiten erborgter Glanz. Ammianus Marcellinus [4]), also in der zweiten Hälfte des vierten Jahrhunderts führt unter den egregiae civitates in Palästina, von denen keine der andern weiche, sondern die sich vollkommen die Wage hielten (sibi vicissim velut ad perpendiculum aemulas) die drei jungen Städte Caesarea, Eleutheropolis, Neapolis und die zwei alten Ascalon und Gaza an. Auch Hieronymus [5]) nennt Gaza *usque hodie* insignis civitas, ebenso der Biograph des Porphyrius als populo frequens et clara civitas, und Antoninus Martyr [6]) am Ende des 6ten

---

1) Procop. de aedif. V, 7. Chron. Pasch. p. 604 ed. B.

2) Procop. Hist. arc. 11. Not. Alem. ad h. l. Chron. Pasch. p. 530 ed. B. Jo. Mal. XVIII, p. 445 ed. B.

3) Jo. Mal. XVII, p. 488 ed. B.

4) XIV, 8.

5) Onom. s. v. Gaza.

6) Itin. c. 33.

Jahrhunderts eine civitas splendida, deliciosa. Ausdrücklich
heben die Kaiser, sowohl Arcadius[1]), als später Justinian[2]) die Ergebenheit gegen die Herrscher und die sehr
grossen, pünktlich und bereitwillig gegebenen Abgaben dieser civitates ampli nominis hervor. Es ist der materielle Reichthum, der theils auf die grosse und reiche
Produktion des bedeutenden Stadtgebietes, theils auf den
arabischen Tauschhandel sich stützt. Wir können hier auf
unsere frühere Darstellung der Natur des Landes[3]), der
uralten Cultur desselben und des Handelsverkehrs[4]), vor
allem auf die bereits besprochene[5]) Veränderung des grossen indischen und ostarabischen Handelsweges seit Alexander dem Grossen hinweisen, wodurch Gaza geradezu der
Ausgangspunkt des einen Theiles wird, und sehen uns also
hier nur die Zeugnisse späterer Zeit an. Der Weinbau,
damals überhaupt in Palästina, wie in der Provinz Arabia
verbreitet, war an der philistäischen Küste mit der bedeutendste im Orient: wie er uns von Askalon besonders ge-
rühmt wird[6]), so erstreckte er sich von Gaza aus das
ganze Gränzland nach Bersaba hinauf, sowie an der Küste
nach Rhinocorura zu; es spielen in dem Leben der durch
Hilarion hier errichteten Klöster die vindemiae eine grosse
Rolle[7]). Askalon und Gaza, jene civitates eminentes et
in negotio bullientes et abundantes omnibus schicken Sy-

1) Marc. v. Porph. c. 6: (Gaza)
est in nos grato animo in pensitandis vectigalibus publicis quae quidem confert plurima.

2) Nov. CIII. §. 1: cernimus
autem quod et magnae admirandae-
que regionis imperium habeat ea
provincia et quam maximam reipublicae gratiam et censum exhibeat
tam tributorum magnitudine quam
devotionis exsuperantia praebeatque
ampli nominis civitates ac bonos ci-
ves enutriat et omni doctrinarum
genere refertos neque non inter sa-
cerdotes celebres.

3) S. 15 ff.
4) S. 317 ff.
5) S. 391 ff.
6) Al. Trall. 8, 3.
7) Hieron. v. Hilar. Opp. I,
p. 160 ed. Francof.

rien und Aegypten den besten Wein [1]); in dem Hafen von Gaza, Majuma, wohnen viele ägyptische Weinhändler [2]); · die Kaufleute aus Gaza bringen die Nachricht von den kaiserlichen Haftbefehlen, die die Gazäer erwirkt gegen Hilarion, mit in den Occident [3]). Auf die Tafel des Kaiser Justin II kommen die Weine, quae Sarepta ferax quae *Gaza* crearat *Ascalon* et laetis dederat quae Graeca colonis, neben den Weinen von Tyrus, Afrika, Meroe (Verwechselung mit Marea), Cypern, Lesbos, des ager Falernus [4]); der alte palästinische Wein, blendendweiss von Farbe und von · angenehmem, leichtem Geschmacke wird an der Tafel gemischt [5]). Auch im Occident ward der Wein von Gaza (Gazetum, Gazetinum) zu den besten und berühmtesten in derselben Zeit gerechnet und ihm zu gleichen ist grosser Ruhm für andere [6]). Daneben ist es das Getreide der reichen Fruchtebene, das Oel der Olivenwälder, was hier in das Gewicht fällt [7]). Askalon rühmte sich noch einer besondern, weit verführten Zwiebelart ($\varkappa\varrho\acute{o}\mu\mu\nu\alpha$, Ascaloniac cepae, die ital. Scalogna, Schalotte), welche bei den Griechen hochangesehen war, eine besondere Behandlungsweise erfuhr und vielfach mit den Creticae als identisch betrachtet wurde [8]). In der Gegend von Rhino-

---

1) Anon. Expos. tot. m. bei Huds. Geogr. min. t. III, p. 5, aus der Zeit des Constantius und Constans. Abgedruckt auch Class. Auct. t. III, p. 395. ed. A. Mai.

2) Marc. v. Porph. c. 5.

3) Hieron. v. Hilar. I, p. 162 ed. Fr.

4) Corippus de laud. Just. min. III, 88 ff.

5) Mit Corippus stimmt hierin ganz Cassiod. Var. XII, 12, der suavis pinguedo, das molle, den candor hervorhebt.

6) Fulgent. Mythol. II, 15. Fort. Venant. de s. Mart. l. II, p. 296 ed. Brower. Isidor. XX, 3. Cassiod. Var. XII, 12. Sidon. Apoll. XVII, 15. Gregor. Turon. Hist. VII, 29. III, 19 (wo der Wein der Diviones verglichen wird mit dem Cabilonum (oder wie Andere lesen Scalonum, von Ascalon). de Gl. conf. c. 65.

7) Anon. l. l. p. 6.

8) Theophr. H. Pl. 7, 4. Strabo XVI, 2. p. 370 ed. T. Plinius XIX,

korura war ein grossartiger Wachtelfang, da diese gerade
den arabischen Golf bei ihrer Wanderung masseweis aufsuchen [1]). Zu diesen einheimischen Produkten trat der
wichtige Transitohandel hinzu mit dem Weihrauch und
seinen verschiedenen Arten, einem bei dem masseweisen
Verbrauch im Alterthum so wichtigen Artikel, mit den
Zimmtarten, mit andern Gewürzen, mit Elfenbein, Schildkrott u. dergl., der in den Emporien von Gaza, Askalon,
Asdod einen wichtigen Ausweg an das Mittelmeer fand,
oder nach Alexandria weiter zu Land geführt wird. Daher rechnet der Anonymus Gaza zu den Städten quae per
negotia stant und reiche Leute besitzen. Es würden uns
wohl aus Inschriften, wenn sie erhalten oder aufgesucht
wären, ἀρχέμποροι, Kaufleute erster Gilde, sowie das
wichtige Geschäft der συνοδίαρχαι, der Karawanenunternehmer so gut als in Palmyra bekannt werden [2]). Wie
von Gaza die Entfernungen nach Petra, nach Aila, dann
für die Reise durch Arabien berechnet werden [3]), so ist
für den Seeverkehr Askalon mehr der Berechnungspunkt:
man bestimmt die Fahrt von Rhodus nach Askalon auf
3600 Stadien; von dem Κῆπος in Kypros nach Askalon auf
1300 [4]). Natürlich war für die Römer die Verbindungsstrasse von Aegypten und Syrien über Gaza eine sehr wichtige, und sie ist daher sowohl in der Tabula Peutingeriana [5]),
wo merkwürdigerweise der Name Gaza an der leeren Stelle
ausgefallen ist, als in dem Itinerar. Antonini [6]), mit der Bezeichnung der römischen Millien angegeben. Die Statio-

---

32. Colum. R. R. 11, 3. 12, 10.
Dioscor. 1, 124.

1) Diod. I, 60. Jos. Ant. III,
1, 5.

2) C. I. n. 4485. 4486.

3) Die Zusammenstellung der

Nachrichten bei Ritter Erdk. XIV,
S. 78 ff. 91 ff.

4) Stadiasm. m. mar. ed. Hoffm.
p. 294.

5) Segm. IX ed. Scheyb.

6) P. 150 — 152 ed. Wessel.

36 *

nen sind hier noch die alten, aber räuberisches Gesindel machte die Strasse oft unsicher [1]). Bei Askalon trennt sich dann die Küstenstrasse von der nach Aelia Capitolina führenden, und die erstere zweigt sich dann zwischen Azotòs und Jamnia nach Lydda zu ab. Es sind dies die βασιλικαὶ ὁδοί, die bei dem Aufstand der Samariter für die Christen unpassirbar wurden [2]). Auch weit südlich von Gaza hatten die Römer ihre Strasse über Elusa, Eboda, Lysa, Gypsaria, Gerasa direkt nach Aila geführt, ebenso von Klysma nach Aila, und eine Anzahl Episkopalsitze waren über die sinaitische Halbinsel vertheilt; Aila war seit Justinian [3]) von den Oströmern besetzt. So, schien mehr als je eine sichere Kulturentwickelung hier befestigt; die philistäischen Städte sahen die Haltepunkte und Gränzstädte der städtisch consolidirten, festsitzenden Bevölkerung gegenüber der nomadischen weit nach Süden gerückt. Aber schon seit Jahrhunderten kämpften die mehr und mehr nach Norden drängenden mittlern Stämme Arabiens, Σαρακηνοί genannt, nach der Verschmelzung der Idumäer mit den Juden, Philistäern, nach dem Untergange des Reiches der Nabatäer, um den Besitz der palästinischen Gränzen; bald allein, bald im Bunde mit dem neupersischen Reiche. Diokletian hatte gegen sie die castra entlang der palästinischen Gränze angelegt, aber fortwährend wird diese beunruhigt, so unter Constantius Chlorus [4]), so unter Kaiser Anastasios von den Σκηνῖται βάρβαροι Phönike wie Palästina [5]), so durch Badicharimos, Fürst der Chiadeni [6]). Seit Justinian schienen friedlichere Verhältnisse einzutreten, nachdem

---

1) Ach. Tat. III, 5.
2) Cyrillos Exc. bei Alem. not. ad Procop. H. A. p. 407 ed. Bonn.
3) Procop. de B. pers. I, 19.
4) Malal. XII, p. 313. ed. B.

5) Eust. Epiph. bei Müller Fr. H. IV, p. 142.
6) Nonnosos bei Müller Fr. H. IV, p. 178—180.

ein grosser glücklicher Feldzug der Duces von Palästina, Arabia, Phönike, Euphratesia Almundar, den mächtigen, den Persern verbündeten Sarakenenführer weit zurückgedrängt hatten [1]). Sarakenische Stammhäupter lassen sich vom Kaiser zu φύλαρχοι ernennen, sie erhalten sogar die ἡγεμονια Παλαιστινῶν, natürlich von Palaestina tertia; griechische Sprache und Bildung findet bei ihnen Eingang. Aber es war nicht die Bestimmung der Araber, aufzugehen ähnlich den Kulturvölkern des Orients der alten Welt in die hellenistische Bildung, die alle Stadien ihrer Entwicke-lung nun auch bereits unter der Macht des der neuen Welt-periode angehörenden Glaubens durchlaufen haben; sie soll-ten das reich ausgestattete, aber in sich matte und zusam-menhanglose Gebäude der östlichen Herrschaft zertrümmern, um aus ihm reiche, köstliche Beute des Wissens und Kön-nens in das neue religiöse und nationale Weltreich davon zu tragen. Und bereits hatten die Perser unter Khosru das geschichtliche Ideal des alten Perserreichs zur Wirklich-keit für Jahre (614—627) gemacht; von Damaskus aus ward der Libanon überstiegen, Jerusalem fiel und den Weg nach Pelusium zog wieder eine persische Armee [2]). Noch ein-mal verlässt aber nach dem von Heraklios erkämpften Frie-den die fremde Besatzung die syrischen und ägyptischen Städte und Palästina kehrt unter die griechische Herr-schaft. Aber 8 Jahre später (635) führte der Nachfolger Mohammeds Amru - ben - Alas (Ἀβουβάχαρ) [3]) die Armee ge-gen Gaza, als die südliche Feste Palästinas. Vergeblich warf sich ihm Sergius, der Gouverneur von Caesarea, mit 8000 Mann bei Tadun nahe an Gaza entgegen, er

---

1) Malal. Chron. XVIII, p. 435. ed. B.

2) Gibbon chapt. XLVI. t. VIII, p. 199 ff. ed. Leips.

3) Const. Porphyrog. de adm. imp. c 18 ed. B.

ward besiegt und gefangen, Gaza und sein ganzes Gebiet
fiel in die Hände der Araber[1]).

Kap. IV.

Hellenistische Kultur und geistiges Leben auf der philistäischen Küste.

§. 15.

Hellenistischer Glaube und Kultus. Kunstwerke und Thätigkeiten.

Wir haben es in einem frühern Abschnitte versucht,
gestützt auf die allgemeingeschichtlichen Thatsachen, auf
die ursprünglichen Völkerverhältnisse der Philistäer den
vereinzelten, aber vollgültigen Zeugnissen über die philistäische Theologie ein tieferes und allseitigeres Verständniss abzugewinnen; wir haben hier die spätern Nachrichten absichtlich zurückgestellt und mussten überhaupt soviel
als möglich die einzelnen Kultusgruppen scheiden und trennen, ohne jedoch darüber die Verbindungsglieder zu mis-
achten, ja mit dem Bestreben, sie bestimmt zu begründen.
Jetzt gilt es von der allgemeinen Stellung aus, welche
der griechische Kultus in Syrien vor Allem, dann auch in
Aegypten zu dem einheimischen eingenommen, von dem
universalen Charakter desselben die einzelnen Kulte zu begreifen; nachzuweisen, wo das Neue aufgetreten, wo es
sich selbständig erhalten hat, welche Bindeglieder da waren,
wie der alte Kultus ihm gegenüber modificirt oder ganz
zurückgetreten ist. Wohl wäre es wünschenswerth, hier
nicht eine fast 700jährige Periode zu umfassen, sondern
die Stufen der Veränderung unter Seleukiden, Ptolemäern,

---

1) Elmacini Hist. sarac. p. 19. le Syrien in Journ. Asiat. Ser. IV,
Extrait de la chronique de Michel t. XIII, p. 352.

Juden, dann den Römern verfolgen zu können; aber für die Seleukidenzeit haben wir nur wenige, zufällige Erwähnungen, die an und für sich schon wichtig sind, aber nichts Zusammenhängendes geben. Unsere Hauptquellen sind die Münzen, also aus der Zeit vor Augustus bis in die Mitte des dritten Jahrhunderts n. Chr., an denen die besondern, rein der Persönlichkeit der Kaiser geltenden Gegenstände und Arten der Darstellung im Vorhergehenden von uns schon herausgehoben wurden; daneben steht dann der Bericht der christlichen Schriftsteller bei Zerstörung des griechischen Glaubens und Kultus aus dem fünften Jahrhundert und vereinzelte Notizen späterer Lexikographen und Scholiasten. Wir dürfen aber nicht übersehen, dass in den syrischen Kulten im Verlauf der römischen Herrschaft eine merkliche Umwandlung eingetreten ist, dass das Nationale gegenüber dem Hellenischen besonders seit Hadrian schon wieder stark sich geltend macht, dass hier vor Allem der arabische und chaldäische Sternendienst im Bunde mit der im Occident weit und breit herrschend gewordenen Astrologie und Magie andere Kulte modificirt. Es gilt hier natürlich zuerst die einzelnen Gottheiten, welche wirklich einen Kult hatten, nach ihrer innern und äussern Bedeutung festzustellen, dann die Ansätze der bestimmten griechischen Mythen an jene Kulte oder vielleicht auch an bloss gelehrte Namendeutungen herauszufinden, dann drittens, für die Form des Kultus Andeutungen zu erhalten und hier vor Allem die Feste zu bestimmen, sowie die bildende Kunst im Tempelbau, in Sculpturen und Gemälden sich den besondern Beziehungen fügt.

Während in Aegypten die nationalen, an die einzelnen Namen geknüpften Kulte einzelner Götter oder Götterpaare mit merkwürdiger Zähigkeit sich tief in die Römerzeit erhalten, von den Griechen zwar in die ihnen geläufigen Götternamen übersetzt werden, aber ohne dadurch

hellenisirt zu sein, dagegen die griechischen Gottheiten,
von denen nothwendig ein bestimmter Complex an das
neue Herrscherhaus sich anschloss [1]), beschränkt bleiben
auf die wenigen rein griechischen Städtestiftungen und
im Ganzen selbst dem ägyptischen Wesen, besonders
seit der ägyptischen Reaction, die unter Ptolemäos Epiphanes beginnt, sich anschmiegen, so ist es in Syrien anders. Hier treten die Menge seleukidischer Städtestiftungen gleich mit einer Reihe ächt griechischer Gottheiten
auf, die stets und unverändert sich erhalten, die nun auch
in den gewaltsam oder nach und nach hellenisirten Städten
herrschend werden und so, durch das ganze, weite Land
hin eine Masse von Mittelpunkten finden: alle πόλεις sind
in dieser Beziehung hellenistisch und auch die ἔϑνη können
der vordringenden Macht sich mit der Zeit nicht ganz entziehen. Aber daneben bleiben allerdings auch in den nicht
ganz griechischen Städten ϑεοὶ πάτριοι, πατρῷοι bestehen,
als solche scharf hervorgehoben; sie gewinnen sichtlich an
Bedeutung mit der Zeit und werden unter den Römern mit
Vorliebe als Orakelstätten auch von den Nichteinheimischen
gepflegt; sie selbst tragen — und das müssen wir hier
gleich hervorheben — gegenüber der grossen Mannigfaltigkeit der frühern Stammeskulte einen allgemeinern Charakter und reduciren sich auf wenige Begriffe und Namen.

Eine merkwürdige Thatsache ist es nun, dass vom Beginn der Diadochenzeit an die Kulte der Seleukiden und Ptolemäer einen grossen, innern Gegensatz tragen, der allerdings auch den Verschiedenheiten des syrischen und ägyptischen Kultus sehr parallel geht. Wollen wir ihn kurz
bezeichnen, so ist es der apollinischer und dionysisch-
chthonischer Gottheiten. Apollo ist der ἀρχηγέτης der
Seleukiden; eine frühzeitige Sage machte ihn zum Vater

---

1) Kuhn Beiträge u. s. w. S. 155 — 177.

des Seleukos I und nahm als sein Geschenk das seleukidische Siegel, einen Anker[1]), Antiochos I wird als Ἀπόλλων Σωτήρ begrüsst[2]), die apollinischen Heiligthümer zu Delphi und Delos werden von Seleukiden besonders begnadigt[3]) und beschenkt, bei Verträgen wird der Apollo Ἀρχηγέτης allen Göttern vorangestellt[4]). An Apollo schliesst sich natürlich seine Schwester Artemis an, dann Helios als griechischer Gott, dann vor Allem Zeus und Hera, als dessen Mund und Prophet Apollo ja dasteht, und zwar in verschiedenen griechischen Auffassungen, als ächter Olympios, Nikephoros, als Hellenios überhaupt, als Xenios, als Keraunios, dann Nike[5]), die auch zur Athene wird; daneben tritt als den göttlichen Schutz der einzelnen Politeia nach ihren besondern Verhältnissen verheissend, Tyche, gleich von Seleukos I in Antiochia hoch auf ein Tetrakionion gestellt[6]); in sie konnten die verschiedensten Specialgottheiten eingehen und ihr Heiligthum umfasste meist einen ganzen Complex von σύνναοι θεοί[7]). Man sieht, es sind dies Gottheiten, die alle ursprünglich — auch die Tyche nicht ausgenommen — dem uranischen Kreise angehören, die zu Zeit, Licht, Luft und Aether, zu Sonne, Mond und Sternen, den gewaltigen Lufterscheinungen des Himmels in naher Beziehung stehen, wenn sie gleich hier zunächst als sittliche und politische Mächte auftreten: sie finden sich in fast allen griechischen Städten Syriens zusammen. Hiermit ist natürlich nicht ausgespro-

1) Justin. XV, 4.
2) Inschrift von Seleukeia in Pierien C. I. n. 4458.
3) Marm. Arundel. bei Froelich Ann. Sel. p. 136. Von Antiochos Epiphanes ist dies besonders bekannt. Marm. Arundel. aus Delphi bei Froel. Ann Sel. p. 136. 137.

4) Das Decretum Sigeorum bei Froel. Ann. Sel. p. 225.
5) Sogleich neben Apollo auf dem Sigeischen Dekret.
6) Mal. Chron. VIII, p. 199. 200.
7) Beschreibung eines Τύχαιον des Nikolaos von Myra in Rhetores gr. t. I, p. 408 ed. Walz.

chen, dass Götter aus einem andern Kreise, so besonders.
aus dem des Meeres, wo sie sich finden, immer auf fremden Ursprung zurückzuführen sind. Weist schon das Symbol des Siegelrings der Seleukiden, der Anker auf die
Beziehung zum Meere, die Herrschaft darauf hin, so findet sich in den Seestädten der Kultus des griechischen Poseidon vielfach ausgeprägt. Wir glauben' nicht zu irren,
die Grundlagen desselben vor Allem der Zeit des Demetrios
Poliorketes natürlich nur in den damals bereits bestehenden Städten zuzuweisen. So haben Arados, Laodikea am
Meere, vor Allem Berytos, dann Sidon, Ptolemais bei ganz
bestimmter, uns noch bekannter Gelegenheit[1]), selbst Apamea und das peräische Rabbathmoba allerdings erst unter Caracalla einen Poseidon erhalten. Ueber den Anschluss an
den altheimischen Kult in Berytos und über den veränderten Charakter des Poseidon ist bereits oben gesprochen
worden[2]). Aber nirgends tritt Poseidon in den syrischen
Städten in den Mittelpunkt des Kultus, nirgends schliessen
sich an ihn die grossen Feste an, nirgends ist er Vertreter
des griechischen Wesens.

Gegenüber und neben diesen hellenischen Gottheiten
stellen sich nun die πάτριοι ϑεοί. Bekanntlich lag es
durchaus nicht im griechischen Wesen, den fremden Kult
als solchen nicht zu respectiren, zu verdrängen, nur dann
wird ein fremder Kult wohl bekämpft, wenn er selbst das
Princip der Alleinberechtigung, der Intoleranz aufstellt, wie
es beim jüdischen Jehovahdienst der Fall war, aber doch auch
nur sehr vereinzelt. Von Seleukos I an sind daher die Seleukiden meist auch in irgend eine Beziehung zu den πάτριοι
ϑεοί getreten. Hier sind es zunächst lauter Kulte, die dem
griechischen Zeus sich anschliessen, aber auch zum Apollo
übergehen. Belos, der Herr des Himmels, der als Ζεύς

---

1) Poseidon bei Ath. VIII, p.   2) S. 300.
333. B. Müller Fr. H. III, p. 254.

βῆλος in Apamea eine berühmte Orakelstätte hat [1]), bestimmter Malachbel, Madbachos, Machbelos [2]), der Baal Moloch
der frühern Zeit, der Gott des Saturn als des höchsten
Planeten, als Aglibol [3]) oder Elagabal, als Gott der Sonne,
als eigentlicher Helios, endlich Ζεὺς Κάσιος [4]), mit dem
die Kulte und Orakelstellen des Karmel, dann des Baal
Hermon oder Antilibanon, des Garizim ganz auf eine Linie
zu stellen sind, der Gott der wolkenumhüllten Regen und
Fruchtbarkeit [5]) bringenden, aber auch von dem Sol oriens
(ἀνίσχων ἥλιος), den alle Syrer verehren [6]), zuerst beschie-
nenen Berghöhen. Daneben fallen die weiblichen einheimischen Gottheiten [7]) entweder unter den Begriff der Rhea,
Hera, als Mutter aller Schöpfung, als Gemahlin des Zeus,
des Bel, so in Hierapolis, oder unter den der Ἀφροδίτη,
als Ἀτάργατις, als Princip der Zeugung, der weiblichen,
empfangenden Natur, die hier mit dem Dienst des Planeten
Venus zusammenfällt, dann der Aphrodite Urania s. str.,
der strengen, jungfräulichen Mondgöttin; die letzte ver-
schmilzt in den phönikischen und palästinischen Städten

1) Cassius Dio 79, 8. 40.
2) Auf Inschriften aus Palmyra
und Beroia C. I. n. 4480. 4450.
4451.
3) Inschrift einer Palmyrenerin
zu Rom C. I. n. 6015. Dies der
Gott von Heliopolis von Emesa, von
dem syrischen Kaisergeschlecht.
4) Vergl. Movers Phön. I, S.
669 — 671.
5) Triptolemos als Heros verehrt von den Antiochenern ἐν τῷ
Κασίῳ ὄρει (Strabo XVI, 2. p. 355
ed. T.). Bei grosser Dürre steigt
Julian, um Opfer zu bringen, zum
Kasius hinauf (Marcell. XVI, 13. 14).
Als Hadrian oben opfert, sind Regen und Blitz gewichtige Zei-

chen (Spart. Hadr. c. 14). Zeus
Kasios hat auf einer Münze zum
Revers den Ἀγρεύς (Liebe Gotha
numm. p 308. Vaillant Num. gr. Ap-
pend. ad p. 30, 8. 46, 4). Er wird
ganz zum Ἀγρεύς.
6) Den Sol oriens begrüssen
alle Syrer (Tac. Hist. III, 24).
Hadrian steigt auf den Berg vi-
dendi solis ortus caussa (Spart.
a. a. O.).
7) Namen für weibliche Gottheiten sind Σεάλμανις, Σελάμανις,
Σηηόαμις (C. I. n. 4450. 4451.
4480); sie treten neben Malachbel.
Ἀρτίμπασα wird als Aphrodite Urania angesehen (C. I. n. 6014).

ganz mit Artemis und der Tyche der Städte. Noch sah Lukian die fischleibige Göttin Derketo als Kulturbild ἐν Φοινίκῃ, sichtlich in Askalon, also jene philistäische von uns
oben ausführlich behandelte chthonische und Meeresgöt-
tin; aber sie war in seiner Zeit nur noch ein Curiosum.
Wie sie in Gaza in die griechische Io und Persephone umgewandelt ist, werden wir weiter unten sehen; sowie die
Erinnerung an ihren Meerescharakter in dem Feste der Majuma. Die ihr entsprechende Gottheit, der Dagon, ist
damals bereits länger aus dem Kultus verschwunden: er ist
vor dem durch den Hellenismus gestützten und getragenen
Kult des uranischen Bel, vor dem im Süden Palästina's zur
Herrschaft gekommenen Einfluss der arabischen Planeten-
götter, endlich durch die gewaltsame Ausrottung der Juden,
die das Βηθδαγὼν τὸ εἰδωλεῖον αὐτῶν, das ἱερὸν Δαγών zu
Asdod (noch 147 v. Chr.) verwüsteten und niederbrann-
ten[1].

Von grosser Bedeutung für das Kultussystem der syrischen Städte, sowie der spätern Seleukiden wird aber jetzt
der in Petra, in Bostra, Adraa, ja auch in Damaskus und
an den Gränzen Obersyriens sich consolidirende und neben
den griechischen tretende Kultus der arabischen Stämme. An
der Spitze steht hier der arabische Dionysos[2]), bei Herodot Urotal, später der Thyandrites[3]) oder Dusares[4]), allerdings zunächst der Gott des damals in dieser
Arabia so blühenden Weinbaues, aber zugleich der Gott der
Gluth, des die Gluth bringenden Planeten Mars. Mit diesem ward der jüdische Gott wegen äusserer ähnlicher, dem

---

1) 1 Makk. 10, 83. 84. 11, 4.
Jos, Ant. XIII, 4, 4. 5.

2) Tertull. Apol. 24. Herod.
III, 8.

3) C. I. 4609. Marin v. Procli
c. 19. p. 16 ed. Boiss.

4) Siehe die Münzen von Adraa,
Bostra, Rabbath Moab (Mionn. V,
p. 578. n. 5. 6. p. 581. n. 18. 24.
32. 34. 35. VIII, p. 386. n. 18.
24. Steph. Byz. s. v.

Wein entlehnter Symbole häufig identificirt, als Liber pater
angesehen [1]), daher auch die Aelia Capitolina den Bakchos
mit Thyrsos und Panther häufig auf Münzen trägt [2]). Neben Dusares ist L u c i f e r hoch verehrt als Morgenstern,
als Tagbringer, wahrscheinlich der auch in Namen der He-
rodiadenzeit bekannte *Κοζέ*, Gott der Idumäer [3]), welcher
auf Berghöhen verehrt ward und z. B. mit dem Zeus Kasios bei Pelusium, mit dem syrischen Höhengott ganz verschmolzen erscheint [4]). Aphrodite U r a n i a, Alilat, als Him-
melsgöttin, als der vom Morgenstern geschiedene Abend-
stern, ist bekanntlich die weibliche Hauptgöttin der Araber,
sie fand in der Mondgöttin Urania der syrischen Küstenstädte, in der Baaltis ihre analogen Bildungen.

Haben wir so in kurzer Uebersicht den Kreis der *πάτριοι θεοί* Syriens, welche neben und verbunden mit der
um Apollo sich concentrirenden Gruppe der Götter der Seleukiden in hellenistischer Zeit hervortreten, betrachtet, so
müssen wir noch einen Blick werfen auf den für Palästina
durch Herrschaft und Verkehr wichtigen Kultus der Ptolemäer. Wir nannten ihn oben einen vorzugsweise d i o n y -
s i s c h - c h t h o n i s c h e n. In der That ist wie Apollo für
die Seleukiden, so D i o n y s o s für die Ptolemäer *άρχηγέ-
της* [5]), weil der eine Stammvater des Geschlechtes; nach
Dionysos ward die erste *φυλή* von Alexandrien genannt,
deren 8 Demen dionysische Namen tragen; die Dionysien
waren bekanntlich die grösste *πανήγυρις* von Alexandrien,
zur Theilnahme an den Dionysien sollen die Juden gezwungen werden [6]), das ganze Hofwesen der spätern Ptolemäer

---

1) Tac. Hist. V, 5.
2) Mionnet V, p. 177. n. 5. VIII,
p. 361. n. 5.
3) Jos. Ant. XV, 7, 19.
4) Lucan Phars. VIII, 857: *Lucifer a Casia* prospexit *rupe diem-

que misit in Aegyptum primo quoque sole calentem.*
5) Satyros *περὶ δήμων Ἀλεξαν-
δρέων* bei Müller Fr. H. III, p. 164.
6) 3 Makk. 2, 29.

wird geradezu als dionysischer Festrausch bezeichnet; Antonius, der in sich die Ptolemäermacht zu regeneriren suchte, tritt als förmlicher Bacchus auf[1]). Die innere Verwandtschaft mit dem Osiris ward zu völliger Verschmelzung jetzt ausgebeutet[2]) und die Doppelseitigkeit des oberirdischen feurigen und chthonischen Charakters bestand neben einander. Ein eigenthümliches Element trat als drittes noch hinzu in der Neubildung des Serapis, des in der römischen Zeit unter den ägyptischen Gottheiten weit bedeutendsten: nämlich das des Asklepios, den wir als kleinasiatischen, speciell auch dem pergamenischen Reiche angehörigen Gott in der Zeit des Hellenismus betrachten können. Serapis ist daher der im Feuer verklärte jugendliche Dionysos[3]), er ist der Dis der Unterwelt, er ist der heilende dem Apollo verwandte Gott[4]). Der Asklepios erhielt in Memphis ein besonders hochgeehrtes Heiligthum; eine weit und breit befragte Orakelstätte, τὸ μέγα Ἀσκληπιεῖον[5]). Die weiblichen, griechischen Gottheiten sind vor Allem die zwei grossen der Thesmophorien, Demeter und Persephone, welche beide in der Isis ihre Verschmelzung finden; auch tritt nun jene fremde 'Aphrodite, die meerwaltende Isis Pharia, welche bei Alexandrien ja schon lange ihre Hauptstätte besass, die griechische Io unmittelbar mit der ägyptischen Isis zusammen: das schweilende Segel und das Sistrum trägt sie zugleich auf Münzen von Alexandria[6]). — Die Ptolemäer aber haben daneben den Kultus des heroisirten Menschen, des Todten

---

1) Vell. Paterc. II, 82.

2) Tibull El. I, 7, 27 ff.

3) Tac. Hist. IV, 81.

4) Bei spätern Beschwörungen des Asklepios, worin er Ζεὺς φθίμενος genannt wird, erscheint endlich der Gott κατὰ τοῦ ἐδάφους πυρώδης Ἀσκληπιός (Orig. Philos. l. II, p. 68 ed. Miller).

5) C. I. III, 29. p. 304. Befragung von einem Gazäer z. B. Hieron. v. Hilarion.

6) Mionnet IX, p. 56. n. 178. 179. p. 67. n. 240. p. 70. n. 261. 262.

als zum Gott Erhobenen zu einem religiösen Mittelpunkt.
gemacht: das Grab und der Tempel Alexander's d. Gr.
hat geradezu die erste religiöse Stelle im Kulte Aegyptens.
Daran reihen sich die Tempel der heroisirten Könige selbst,
der ϑεοὶ Σωτῆρες. Auch hier waltet der chthonische an die
ägyptische Verehrung der Mumie als neuer, junger Osiris
sich anschliessende Charakter, aber zugleich eine ächt
griechische Beziehung zu Herakles nämlich, als dem andern Urahn des Ptolemäergeschlechts[1]), als dem zum Gott
gewordenen Menschen, als dem Vorbild des makedonischen
Hauses. Daher auf den Ptolemäermünzen die herakleischen
Zeichen, die herakleische Bildung und der Schmuck des Kopfs.
Dieser Name musste im Kultus die Städte Phönikes, besonders Tyrus eng mit den Ptolemäern verbinden. Und
wie die Herakleen durch sie neuen Glanz erhielten, so können wir diejenigen Heraklesmythen, die erst aus griechischer Zeit an die Städte Palästina's sich anschliessen und
hier auch einen Herakleskult involviren, gerade aus der
Ptolemäerzeit herleiten; z. B. wenn Ἄκη, der alte, für die
Burg noch erhaltene Name für Ptolemais, von der Heilung
des Herakles durch ein Kraut erklärt wird[2]), ebenso wenn
Gaza von Azon, Sohn des Herakles, gegründet sein soll[3]).
Die Münzen[4]) bezeugen dabei immer spätern Kult des
Herakles an diesen Orten.

Diese Sichtung der allgemeinen religiösen Verhältnisse
Syriens und der von Aegypten ausgehenden Einwirkungen,
die Feststellung der gemeinsamen Charaktere musste vor-
ausgeschickt werden, sollte die Besprechung der bestimmten hellenistischen Kulte in Gaza und Askalon (diese

---

1) In dem Monum. Adulit. (C.
I. n. 5127) nennt sich Ptolemäos
Euergetes τὰ μὲν ἀπὸ πατρὸς Ἡρα-
κλέους τοῦ Διός.

2) Eust. ad Dion. Perieg. V.
910.
3) Steph. Byz. s. v. Ἄκη.
4) Für Ake Mionnet V, p. 473.
n. 1.

beiden Städte kommen hier hauptsächlich nur in Betracht)
nicht eine blos äusserliche Aneinanderreihung oder ihre Erklärung ein Herumgreifen nach den verschiedenartigsten
Möglichkeiten werden. Und wir haben in dieser Beziehung
für Syrien auch noch nicht die geringsten, von dem mythologischen Standpunkte aus unternommenen Vorarbeiten.
Um so kürzer können wir die Einzelbesprechung fassen.

Der hellenische Zeus Nikephoros hat nach den
Münzen einen Kultus in Gaza gehabt: auf einer der gewiss
ältesten autonomen Münzen[1]) befindet sich ein mit Lorbeer
bekränzter Zeuskopf, ebenso wie auf Münzen von Dora[2]),
wo er aber durch Galeere, durch Akrostolium leicht als Poseidon, der mythische Stammvater von Δῶρος zu bestimmen sein möchte; auf einer andern autonomen Münze[3])
steht er mit dem in der Rechten gehobenen Kranze, während das Motiv der linken Hand mit dem Gewand oder
Speer in der Beschreibung undeutlich gelassen ist; noch
die letzte Münze unter Gordian zeigt ihn mit gehobener
Rechte, den Blitz in der Linken und zu den Füssen den
Adler[4]). Auch eine Tradition wies allgemein auf Ζεὺς
als Gründer von Gaza hin, der hier seine γάζα als an einem
sichern Ort zurückgelassen habe[5]). Aber dieser hellenische Zeus ist ganz in den Hintergrund getreten vor einer
einheimischen Zeusbildung, vor dem πάτριος θεός der Gazäer, vor Marna oder gräcisirt Μαρνᾶς. Sein Tempel
Μαρνεῖον galt in den Augen der Gazäer für den ruhm-
vollsten, wichtigsten unter allen Tempeln, er war einer
der bedeutendsten in ganz Syrien in späterer Zeit[6]); er

---

1) Mionnet V, p. 535. n. 109.
2) Mionnet V, p. 359 ff. n. 148
ff. Claud. Iol. Phoen. bei Steph. B.
v. Δῶρος: τινὲς ἱστοροῦσι Δῶρον
τὸν Ποσειδῶνος οἰκιστὴν αὐτῆς
γεγονέναι.

3) Mionnet V, n. 112.
4) Mionnet V, n. 183.
5) Steph. B. s. v. Γάζα. Eust.
ad Dion. Perieg. V. 910.
6) Marc. V. Porph. c. 4. 9.

wird neben dem Serapeion zu Alexandria als Häupthalt des Heidenthums betrachtet[1]); er war auch·im Verzweiflungskampfe der Bewohner die letzte Burg. Die erste Erwähnung des Namens — und das ist wohl zu beachten — findet sich erst auf einer Münze von Hadrian und zwar in der Inschrift *ΓΑΖΑ ΜΑΡΝΑ* neben einem distylen Tempel mit Apollo und Diana[2]), eine Verbindung, die wir weiter unten zu erörtern haben. Seine Bedeutung und seine häufigere Erwähnung gehört ganz der Zeit des letzten Kampfes des Heidenthums an.

Suchen wir nun·unbekümmert um die grosse Anzahl der divergirendsten, neuern Ansichten, die ihn mit wenigen Ausnahmen, wozu Schwenk und Quatremère gehören, kritiklos mit den ältesten, philistäischen, lange geschwundenen oder ganz umgestalteten Kulten ohne Weiteres zusammenbringen, aus dem **Namen**, den **bestimmten Nachrichten**, den von den Alten herbeigebrachten **Vergleichungen** und **Mythen** dem Gott seine Stelle in dem oben bezeichneten Kreise der syrischen Kulte des Hellenismus zu sichern. Der Name ist als syrischer trotz aller Einwände von Hitzig gesichert: Mar (*Μάρις*, eigentlich מר) ist das syrische Wort für Herr[3]), also gleichbedeutend mit Bel und Adonai; die längere Form *Μαρὰν* ist in der Formel *Μαρὰν ἀθά*[4]) bekannt, sie steht zu Mar, wie das philistäische סרן zu שר, wenn sie nicht als Abkürzung aus Marana, d. h. unser Herr, betrachtet werden soll. Marna

---

1) Hieron. ad Laetam ep. VII (t. I, p. 35 ed. Franc.). Comm. ad Jesaj. c. 17: Serapium Alexandriae et Marnae templum Gazae in ecclesias domini surrexerunt.

2) Mionnet V, n. 126.

3) Philo adv. Flaccum (t. II, p. 523 ed. Mangey): in Alexandria wird ein armseliger Mensch als König begrüsst mit *Μάρις οὕτω δέ φασι τὸν κύριον ὀνομάζεσθαι παρὰ Σύροις* und es geschah dies ·in Bezug auf König Agrippa I als Syrer von Geburt und Herr über einen Theil Syriens.

4) 1 Korinth. 16, 22.

wird ebenfalls allgemein als eine solche Abkürzung angesehen, wobei freilich der lange ausgelassene Vokal Schwie-
rigkeiten macht; uns bleibt, wenn hierfür im spätern syro-
chaldäischen Dialekt alle - Analogieen fehlen sollten, immer
die Möglichkeit, es als Pluralis majestaticus Marnai wie
Schadai, Adonai, Sarai aufzufassen. Mit diesem Namen ist
also die Gottheit nur Hauptgottheit, als dem Begriff des
herrschenden Bel, des griechischen Zeus parallel bezeichnet.
Es gilt nun näher den Andeutungen über sein Wesen nachzugehen: nach dem Leben des Porphyrios [1]) bezeichnen
seine Verehrer ihn als Jupiter, sie dachten ihn als Ora-
kelgott, sie wenden sich vor Allem an ihn bei grosser
Dürre und Trockenheit mit Gebet und Opfer, nicht allein
im Tempel, sondern auch ausserhalb der Stadt an einem
Ort (locus), der Ort des Gebets genannt wird und welcher als ein Platz unter freiem Himmel indicirt erscheint, sie
bezeichnen den Marnas als Herr des Regens. Damit
stimmt nun ganz die Notiz von einem in Gaza eigenthümlichen Zeuskult als Ἀλδήμιος, Ἄλδος[2]); der Name wird
entsprechend dem Wesen des Gottes von ἀλδαίνω, αὐξάνω
abgeleitet, was auch gegenüber allen Versuchen von Movers ihn mit חלרל zusammenzubringen das allein Richtige[3])
ist und erklärt ἐπὶ τῆς αὐξήσεως τῶν καρπῶν. Somit ist
Marna in griechischer [4]) Auffassung zunächst Ζεὺς Ἀγρεὺς,
Ἀρουραῖος und diese Ausdrücke, welche bei Hieronymus
und Philo[5]) unter den verschiedenen Erklärungen des Dagon vorkommen, sind sichtlich der Natur des spätern Haupt-
gottes von Gaza entnommen.

Nun aber müssen wir weiter gehen: die Marnasver-
ehrer bezeichneten selbst ihr Heiligthum als zugehörig dem

---

1) Marc. V. Porph. c. 3.
2) Etymol. M. s. h. v.
3) Lobeck Paral. gr. gr. p. 397
ff. Bergk Beitr. zur gr. Monatsk.
p. 66. Anm.

4) Lex. gr. nomm. hebr. v. Dagon.

5) Müll. Fr. H. III, p. 568.

Cretagenes Jupiter[1]); Stephanos von Byzanz weist es
auch — das steht in der, was die Etymologie von Μάρνας
und die Verbindung mit dem Namen für die παρθένος betrifft, ganz verderbten, keinen Zusammenhang darbieten-
ten Stelle fest — dem Κρηταῖος oder Κρηταγενὴς Ζεύς zu[2]).
Bekanntlich ist aber dieser, als Δικταῖος, dem Sitze der
Eteokreter angehörig, ein eigentlicher Höhenzeus, ein
Ἀκραῖος, der Regen und Fruchtbarkeit von seiner wolken-
sammelnden Spitze auf die Erde herabsendet, der dem Ζεὺς
Ἀταβύριος, also jenem ächt syrischen in den Westen auch
gebrachten Höhenkulte ganz analog steht. Hiermit haben
wir auch für Marna die Stelle unter den πάτριοι θεοί der
Syrer gefunden, er gehört einfach zu jenen Bildungen des
Zeus Kaslos und ähnlicher Gestalten. Und wie ein Tempel
des Zeus Kasios in Pelusium sich später fand, also in der
Ebene, in der Tiefe ziemlich entfernt von dem ursprünglichen Lokale des Berges Kasios, so ist auch der Hügel
Aldioma[3]) in der Nähe von Gaza jener ursprüngliche Ort
der Anbetung gewesen. Hier können wir auch in die frühere Periode zurückgreifen; wir können daran erinnern,
wie die Küste bis zum Kasios im philistäischen Besitze war,
wie der Kaslos, wenn auch ohne Tempel, doch als eine
einfache Kultusstätte bestand, wie in Philistäa selbst neben
dem herrschenden Dagon die Spuren eines Himmelsgottes
mit agrarischer Beziehung sich fanden. Jetzt in der griechischen und römischen Zeit sind diese Kulte der im Frühlicht
leuchtenden und dann wieder Regen gebenden Berghöhen,
in Verbindung mit dem Lucifer, wie wir oben sahen, zur
vollen, grossen Bedeutung gelangt; jetzt ist dieser Ζεὺς

---

1) Marc. V. Porph. c. 9, wo
statt Critae generis Jovis in der vielfach fehlerhaften Uebersetzung aus
dem griech. Text, der nicht publicirt ist, Cretagenis zu lesen ist.

2) Steph. Byz. s. v. Γάζα p. 194
ed. Meineke.

3) Marc. V. Porph. c. 10.

Ἀλδῆμιος auch in Gaza der herrschende geworden. Und wir werden, glaube ich, nicht irren, wenn wir die piastische Darstellung des Marna, worüber uns alle Nachrichten fehlen, da die Münzen den Kasios als unmittelbare Felsenspitze in einem Tempel zeigen, ähnlich der über die Statue dieses Gottes zu Pelusium im Achilles Tatius [1]) gegebenen Nachricht uns denken: es war eine Jünglingsgestalt, dem Apollo am meisten vergleichbar, dessen Alter er gerade hatte, in der vorgestreckten Hand den Granatapfel, dessen mystischer Sinn (ὁ λόγος μυστικός) wie bei der Hera zu Argos der der Fruchtbarkeit ist. So war die in Syrien Grundlage männlicher Kultusgestalten gewordene apollinische Natur auch hier durchgedrungen, ganz entsprechend dem Begriff des ἥλιος ἀνίσχων, der an den Kaslos sich anschliesst. Nun erklärt sich auch jene alleinstehende Münze des Hadrian, wo allerdings Gaza und Marna als Inschriften in gewisser Correspondenz stehen mit dem ganz griechischen Götterpaar Apollo und Artemis, da auch ΓΑΖΑ als der Stadt Tyche in Artemisauffassung leicht gedacht wurde [2]).

Aber wie steht es mit der bestimmten Beziehung zum Ζεὺς Κρηταῖος? Hier ist überhaupt der Ort, wo wir von einer mythischen Verbinduug Gaza's mit Kreta im Glauben der Leute oder auch der Gelehrten erst reden können. Hören wir hier gleich die Zeugnisse dafür neben einander: nach dem Bearbeiter des Stephanos von Byzanz [3]) ward Gaza auch Μινῷα genannt, weil Minos mit seinen Brüdern Alakos und Rhadamanthys hinging (ἰών) und nach sich die Stadt so nannte und das sei die Veranlassung zur Gründung des Heiligthums des Ζεὺς Κρηταῖος. An einer zweiten Stelle [4]) werden die verschiedenen Minoa genannten

1) III, 6.

2) Auf Münzen von Gerasa ist die griechische Artemis mit der In-

schrift: ΑΡΤΕΜΙΣ. ΤΥΧΗ. ΓΕΡΑΣΩΝ.

3) S. v. Γάζα p. 194 ed. M.

4) S. v. Μινῷα p. 454 ed. M.

Städte aufgezählt, da heisst es: *ἐκαλεῖτο καὶ ἡ Γάζα Μί-
νωα* und unmittelbar darauf: *ἔστι καὶ Ἀραβίας ἧς οἱ πολῖται Μινῶῖται ἀπὸ Μίνωος.* Noch eine mythologische,
hierher bezügliche Stelle existirt bei Epiphanios[1], danach
wird Marnas, ein Diener des Kretensischen Asterios in
Gaza verehrt. Asterios, ein mythologisch mehr erscheinen-
der Name, der z. B. der Höhe des Kithaeron auch ertheilt
wird[2], ist als kretensischer ausdrücklich ein *Δικταῖος,* er
ist Sohn des Minos, irdischer Gemahl der Europe, König
der Kreter, er gilt identisch mit dem Minotaur.[3] Also
auch hier dieselbe Beziehung zu Minos und dem kretischen
Kult; nur noch bestimmter der astrale Charakter dabei betont. Das einzige, nicht blos gelehrte Zeugniss für eine
solche Tradition bietet uns die Münze, in Gaza zu Ehren
des gelehrten, überall archaistische Beziehungen hervorsu-
chenden Hadrian, als Befestiger der Provinz Arabia und
Stifters der gazäischen Spiele geschlagen[4]; da findet sich
die Inschrift *ΜΕΙΝΩ* um die militärische, kurzgeschürzte
Gestalt mit Speer und dem in eine Vase gesteckten Baum-
zweig; auf der andern Seite ist *ΓΑΖΑ* die Legende. Hier
hat die Inschrift zu der Gestalt die engste Beziehung; es
fragt sich, ob wir es als *Μείνωα* oder *Μείνως* zu ergänzen
haben.

Das ist das Mass der Zeugnisse, welche wir hier nur
im Zusammenhang mit der damals gäng und gäben Auffassung des Minos, des Zeus Kretagenes zu betrachten haben.
Und hier können wir von vorn herein offen erklären: das
Ganze ist eine gelehrte Sagenbildung aus römischer
Zeit, die zwar Namen verwendet, in denen eine ursprüngliche Hinweisung auf unterägyptische und phönikische Ver-

---

1) Ancorat.
2) Plut. fluv. p. 4 ed. Huds.
3) Nonn Dion. XXXVII, 82 ff.

726. 765. Vergl. Pauly Realenc. u.
a. W.
4) Mionnet V, n. 113. 114. VIII,
n. 48.

bindung innenwohnt, aber ohne allen Zusammenhang mit
diesem über alle historische Zeit hinausweisenden, in dem
Bewusstsein einer oft gewaltsam wechselnden Bevölkerung
gar nicht vorhandenen Verhältnisse. Minos war ein Heros, welcher ähnlich universal als Herakles mit seinen Zügen im Osten, wie im Westen, in Sicilien, an der ganzen
griechischen und asiatischen Küste, dann an der libyschen
gefunden wurde; er der Repräsentant eteokretischer, dann
aber auch dorischer Herrschaft in Kreta, worin schon frühzeitig ein grosses Schwanken in seiner Gestalt eintritt,
ward ein allgemeiner οἰκιστής wie Herakles und Sarpedon[1]),
an den jede Stadt besonders neuerer griechischer Gründung
sich als an einen Helden von uraltem Adel gern schliessen
mochte, war es doch förmliches System der spätern Rhetorik ἀπὸ γένους πόλιν ἐγκωμιάζειν und daher zunächst
Pflicht, ein solches γένος zu finden. Es war sehr natürlich,
dass auch auf Palästina und Arabien, sobald sie in den Bereich griechischen Verkehrs und Ansiedelung traten, ein
solch heroischer Stempel bei dem Leichtsinn griechischer
Etymologieen aufgedrückt ward. Wie man Judaei und
Idaei sofort zusammenbrachte[2]), oder von Οὐδαῖος, Sohn
des Sparton, einem Thebaner, der mit Dionysos zog, ab-
leitete[3]), so wurden die südlichen arabischen Haupthan-
delsvölker an Minos und Rhadamanthys angeschlossen: die
Minaei sind bei Plinius[4]) a rege Minoe ut existimant ori-
ginem trahentes und von den Rhadamaei (eigentlich Rham-
maniten) heisst es: et horum origo Rhadamanthus putatur
frater Minois; Nonnos[5]) weiss von der Auswanderung der
Rhadamanen aus Kreta nun vielerlei zu erzählen. Ritter[6])

---

1) Menand. Π. ἐπιδεικτ. in
Rhet. gr. t. IX, p. 178 ed. Walz.
2) Tac. Hist. V, 2. 4.
3) Claud. Iol. bei Steph. B. ᾿Ιου-
δαία.

4) Plin. H. N. VI, 32.
5) Dion. XXI, 304. XXXVI, 420.
XXXIX, 8 ff.
6) Erdkunde XII, S. 277.

hat zu der Namensähnlichkeit noch die äussere Veranlassung der Etymologie in dem Vorhandensein eines dem Styx von Ptolemäos verglichenen Brunnen, überhaupt einer Gegend, die den Arabern das Land der Todten seit alter Zeit hiess, gefunden, aber mit Recht allen historischen Zusammenbang abgewiesen. Dass nun in Arabien auch eine Stadt sich fand, die den Griechen als $Mί\nu\omega\alpha$ erschien, ist begreiflich. Gaza ist aber der Hauptausgangspunkt dieses von den Minäern getriebenen Weihrauchhandels. Was Wunder, dass hier Minos auch seine Stätte fand, umsomehr, als in der Nähe ein Dorf existirte, dessen Name, eigentlich $M\eta\nu\acute{\epsilon}\beta\eta\nu\alpha$, leicht zu $M\eta\nu\omega\acute{\iota}\varsigma$ ward[1]? Und hat jenes $M\epsilon\iota\nu\omega$ der Münze nicht die sichtliche Beziehung zu Hadrian, als dem Sicherer der Provinz Arabia, deren Symbol der Weihrauch ist? Dazu kommt endlich, dass der $Z\epsilon\acute{\upsilon}\varsigma \cdot K\varrho\eta\tau\alpha\gamma\epsilon\nu\acute{\eta}\varsigma$ in der römischen Kaiserzeit zu neuen Ehren kam, dass die zersplitterten kretischen kleinen Staaten in ihm, einer ganz archaistischen, aber allen gemeinsamen Gestalt den Ausdruck ihrer Einheit auch auf den Münzen suchten[2]). Somit glauben wir, ist die Bedeutung der Minos- überhaupt kretischen Sage für Gaza auf ihr richtiges Mass zurückgebracht und man wird sie nicht wieder anwenden, um damit die ursprüngliche, philistäische Mythologie auszustaffiren.

Wir gehen nun weiter zu den andern Kulten in Gaza: ächt griechischer Natur und seleukidischer Gründung ist der Apollodienst. Das Heiligthum des Apollo war bei der Zerstörung durch Alexander Jannäus der Zufluchtsort der $\beta o \upsilon\lambda\acute{\eta}$[3]) und bei der allgemeinen Tempelzerstörung im

---

1) Eus. Onom. und Hieron. s. v. Menois.

2) Der Zeus Kretagenes auf einer angeblich gazäischen Münze unter Titus ist schon längst zurückgewiesen, da sie gar nicht nach Gaza gehört.

3) Jos. Ant. XIII, 13, 3.

J. 401 n. Chr. wird ebenfalls der Apollotempel genannt [1],
Apollinische Namen wie der Strateg Apollodotos kommen
hier vor und die Münzen zeigen ihn in ganz griechischer
Auffassung neben Artemis der Jägerin im distylen Tempel [2]. Die letztere erscheint auch auf einer Münze allein,
in ihrer Motivirung genau der Diana von Versailles entsprechend, mit dem Hirsch zur Seite, der Rechten am Köcher, in der Linken den Bogen [3]. Ebenso hat Raphia
den griechischen Apollo- und Artemiskult; Apollo stützt
hier die Linke auf die Lyra, die auf dem Dreifuss steht [4],
Artemis ist dieselbe, hochgeschürzte Jägerin wie in Gaza [5].
Von Apollo ist Helios in Gaza geschieden nach rein griechischer Auffassung: er hat hier, wie in Antiochien, wo
ihm die Ἡλιαῖα im Hippodromion neben seinem Tempel gefeiert wurden, einen eigenen Tempel gehabt [6]. Dass endlich Herakles, der ptolemäische Heros, einen Kult hier
hatte, wird theils durch die Gründungssage, die Gaza auf
den Sohn des Herakles Azon zurückführte [7], theils durch
ein grosses Werk technischer Kunst, das ihn zum Mittelpunkt hatte, wahrscheinlich und endlich haben wir zwei
Münzen mit einem Herakleskopf und der Keule [8].

Wenden wir uns nun zu den weiblichen Gottheiten:
hier führt uns der Berichterstatter über die Zerstörung der
Tempel durch die Christen einen Tempel der Venus nebst
einer hochverehrten Statue derselben mit Altar auf einer
Tetramphodos, ferner einen der Proserpina, der Hekate, der Fortuna civitatis (templum) quod vocabant Tycheon und ein sogenanntes Hiereon auf, was er allerdings

1) Marc. v. Porph. c. 9.
2) Mionnet V, n. 126. 136. 163.
167. 175. 176. VIII, n. 56.
3) Mionnet VIII, n. 57.
4) Mionnet V, p. 551. n. 189. Vgl.
Müller Archäol. S. 545. Aufl. III.

5) Mionnet V, p. 551. n. 187.
VIII, n. 66.
6) Marc. v. Porph. c. 9.
7) Eust. ad Dion. Perieg. v. 910.
8) Mionnet V, n. 152 (M. Aurel).
162 (L. Verus).

erklärt: seu sacerdotum. Auf den Münzen. haben wir ausser Artemis nur die Tyche der Stadt und Io zu scheiden. -Gehen wir von dem Gemeinsamen zuerst aus. -

Die Tyche von Gaza erscheint nach den Münzen mit dem speciellen Charakter der Stadtgöttin, die zugleich den Segen und den Ruhm ihres Gebietes in sich fasst, scharf ausgeprägt, sie ist, was schon Eckhel bemerkt, hier keine blos angewandte, allgemeine Göttin, wie in den meisten Küstenstädten Syriens Astarte. So erscheint sie als Kopf mit der prägnirt hervorgehobenen Thurmkrone, welcher aus drei scharf gezeichneten Mauerthürmen, der eine mit Thor versehen besteht und dem den Hinterkopf deckenden Schleier, so als stehende Figur in der Stola, mit Thurmkrone, in den Händen eine Schale, ein Füllhorn, Aehren, einen Zweig, Kranz, eine Palme, ein Akrostolium, einen Dreizack, eine Lanze, auch auf der Hand einen Kopf, den Eckhel, dann Mionnet meist als Isis- oder Osiriskopf bezeichnen, während er nach dem in Syrien gerade sehr allgemeinen Gebrauch nur der des bestimmten, göttlich verehrten Kaisers ist, so hier des Titus [1]), dessen grosse Verehrung als Sieger von Jerusalem in den hellenistischen Städten wir schon kennen lernten. Eine Münze, auf welcher nach der Beschreibung bei Mionnet [2]) Tyche den Lotos auf dem Kopfe trägt und einen Vogel in der Hand, bedarf jedenfalls erst genauerer Prüfung. Dagegen tritt zur Tyche von Gaza seit Hadrian sehr häufig [3]) das im Stephanos von Byzanz [4]) ausdrücklich erwähnte Attribut hinzu.

---

1) Mionnet V, n. 120. So erscheint der Kopf in der Hand der Tyche von Caesarea, Tiberias, Neapolis Samar., Skythopolis, Sebaste, Aelia Capitolina und gehört hier immer bestimmten Kaisern an.
2) Mionnet V, n. 154.
3) Mionnet V, n. 122. 125. VIII,
51. V, n. 134. 141. 147. 149. 150. 151. 158. 160. 169. 171. 181. VIII, 60. 63.
4) Steph. Byz. s. v. Ἰόνιον πέλαγος: — ἡ Γάζα — βοῦν ἔχουσα πλησίον ἐν τῇ εἰκόνι. Es geht aus der Stelle klar hervor, dass Γάζα als Τύχη die Kuh hat

die Kuh zu ihren Füssen ruhend. Diese erscheint sogar einmal allein neben einem Baum, indem ihr ein Mann in kurzem
Gewand 'etwas darbringt[1]). Dieses Attribut führt uns unmittelbar hinüber zu der zweiten, weiblichen Gestalt, die
im freundschaftlichen Verein 'Tyche die Hand reichend auf
den Münzen sich findet und in tieferem mythologischen Zusammenhange zu ihr steht: ich meine Io. Sehen wir uns
hier zunächst das Thatsächliche an: unter Trajan findet
sich zuerst auf dem Revers 'einer Gazäischen Münze die
Inschrift: *EIΩ. ΓΑΖΑ* dann unter Hadrian, Antonin, M.
Aurel (hier umgedreht *ΓΑΖΑ. EIΩ*, was später auch vorkommt), Commodus, Septimius Severus, Julia Domna, Caracalla, Elagabal (*IΩ. ΓΑΖΑ*); dabei jene zwei weiblichen
Gestalten, meist nur die eine mit Modius, dieselbe mit Füllhorn, Dreizack, auch die Kuh zu den Füssen; die andere
in sehr jungfräulicher Auffassung, ihr die Rechte reichend.
Dass diese letztere Io ist, kann kein Zweifel sein. Daneben stellen sich die literarischen Angaben. Nach Stephanos
von Byzanz ward Gaza auch Ἰώνη genannt ἀπὸ τῆς Ἰοῦς
πρὸσπλευσάσης καὶ μεινάσης ἐκεῖ[2]), Eustathios zum Dionysios Periegeta[3]) spricht nur von einem καλοῦσί τινές,
sowie auch einige behaupten, das Meer von Gaza bis Aegypten werde Ἰόνιον πέλαγος genannt. Er fügt hinzu: in
Gaza war eine Kuh ἐν ἀγάλματι τῆς Ἰοῦς, ἤτοι τῆς σελή-
νης und das letztere bezeichnet er als argivische Auffassung. Es kann dies heissen: die Kuh vertrat allein das
ἄγαλμα der Io oder sie fand sich bei der Darstellung als
Attribut. Beides war in der That der Fall, dies es nach
den Münzen, jenes nach der auch sonst geltenden und
plastisch ausgesprochenen Auffassung der Ἰναχίη βοῦς

---

in Bezug auf Jo, aber nicht diese
dann selbst ist.

1) Münze der Paula (Mionnet
V, n. 182.

2) Steph. B. s. v. Γάζα. Ἰόνιον.

3) V. 92 p. 103 ed. Bernh.

selbst[1]). Die Stellung der Io im Kultuskreise von Gaza
kann uns durchaus nicht befremden bei ihrer grossen,
durch ganz Syrien sich durchziehenden und in Antiochia,
auch einer Ἰώνη oder Ἰόπολις besonders festgewurzelten
Geltung[2]), war sie doch die rechte wandernde Schiffsgöt-
tin bei ihrer sehr frühzeitigen Verschmelzung mit der zu
Kanobos, bei Pharos, überhaupt an der Deltaküste verehrten Isis Pelagia; dies letzte stellt sie nach unsern oben
dargelegten Untersuchungen ja in unmittelbare Beziehung
zu der ächt philistäischen Meer- und chthonischen Göttin.
Die hellenistische Sage von Antiochien machte sie zur
Schwester von Belos und Kasos und berichtete, wie sie
am Berg Silpion geblieben und gestorben sei, aber in
Gestalt einer δάμαλις den suchenden Argeiern geantwor-
tet[3]). Lauter Einzelheiten, denen wir hier in Gaza, also
in gleicher Zeit begegnen. Die Kuh, das Bild der Bodenkultur, der Fruchtbarkeit des Landes, braucht weiter keine
mythologische Begründung gerade hier für Gaza. Dass der
Name Ἰώνη und Ἰόνιον πέλαγος nie eigentliche Geltung im
wirklichen Verkehr hatte, sondern erst um des Mythus
willen später vereinzelt gegeben ward, geht aus den dafür
überhaupt vorhandenen Zeugnissen klar hervor.

Unter den acht heidnischen Haupttempeln in Gaza wird
uns keiner der Io, ebensowenig der Artemis erwähnt,
dagegen zwei der Proserpina und der Hecate[4]). Wir werden wohl nicht irren, wenn wir nach dem späteren, syn-
kretistischen Sprachgebrauch in Proserpina Io, in Hekate
Artemis finden. Noch bleiben uns zwei religiöse Haupt-

---

1) In Bezug auf dies Identificiren ist die Grabinschrift auf Boi-
·dion, die Gemahlin (δάμαλις) des
Feldherrn Chares interessant (Hesych. Chron. in Müller Fr. H. IV, p.
152). Ueber plastische Darstellung
s. Gerhard Myken. Alterth. 1850.

2) Movers Phön. II, 2. S. 67.
Droysen Hellen. II, S. 32. Bostra
ein βοὸς οἶστρος bei Damasc. v.
Isid. (Phot. cod. 242)!

3) Chron. Pasch. I, p. 74 ed. B·
4) Marc. v. Porph. c. 9.

punkte der Stadt: das sogenannte Hiereon und der Tempel
der Venus. Was das erstere betrifft, so können wir in
dem Ἱερεῖον nichts anderes sehen als eine spätere Wort-
form für Ἡραῖον, die allerdings auch zu einer förmlichen
Täuschung über den Ursprung führte. Wir haben den
schlagenden Beweis dafür aus derselben Periode für einen
Tempel am Meeresufer zu Byzanz; bei Prokop [1]) heist es
von Theodora, Justinians Gemahlin κἂν τῷ Ἡραίῳ ὅπερ
Ἱερεῖον καλοῦσι τανῦν — νεὼν — κατεστήσατο. Diesen
falschen Sprachgebrauch bemerkt auch Stephanos von Byzanz [2]), wenn er von der Ἡραια ἄκρα Chalkedon gegenüber
spricht, die einige Ἡερία oder Ἡριον nennen. In dem Hemerologium von Noviomagus wird der Monat Ἡραιος genannt [3]).
Der codex Ambrosianus des Aesop de Alex. ortu zeigt ein
Διὸς καὶ Ἱερᾶς ἱερόν, wo Julius Valerius richtig Junonis
übersetzt [4]). Also erhalten wir in Gaza ein Hera heiligthum neben dem des griechischen Zeus.

Grosse Verehrung genoss endlich Aphrodite: sie
besass einen Tempel in der Stadt und auf der Tetramphodos, dem Kreuzungspunkt zweier Strassen am Weg vom
Hafen aus stand ihre Marmorstatue über einem Altar. Sie
ward nächtlich von den Frauen mit brennenden Laternen
und Weihrauch verehrt und sollte im Schlaf denen, die
im Begriffe standen die Ehe einzugehen, Rath ertheilen.
Ihre Statue zeigte sie nackt mit unverhüllter Scham. Sie
darf daher nicht als Urania, wie etwa die Göttin von Askalon aufgefasst werden, sondern ist die dem Meere ent-
stiegene Aphrodite Anadyomene, die Göttin des Geschlechts-
lebens; in dieser Beziehung ward sie verehrt in dem Ha-

---

1) De aedif. I, 3. Hist. Arc. 15.
2) Steph. Byz. s. v. Ἡραια
p. 302 ed. B. und die dort angeführten Stellen.

3) Herm. Gr. Monatsk. p. 60.
4) Jul. Val. I, 30 ed. A. Mai.

fenfeste Majuma, so wird sie von den gazäischen Rhetoren verherrlicht.

Wenden wir uns jetzt nach Askalon als dem zweiten, in religiöser Beziehung seit uralter Zeit so hervortretenden Mittelpunkt an philistäischer Küste. Hier fehlen
uns die sichtlichen Zeichen eines Kultes des Zeus Nikephoros auf Münzen nicht, theils als thronende Gestalt
auf der Silbermedaille von Claudius und Messalina, theils
als lorbergeschmückter bärtiger Kopf, als Kopf des Zeus
Ammon (?), als Adler mit Blitz und Palme, als schrei-
tende Nike auf autonomen Münzen. Auch hat Askalon als
bedeutende Seestadt einen griechischen Poseidon mit
Dreizack und Delphin, auf den Fels tretend[1]). Apollo
wird uns sowie Helios durch seinen Kopf auf autonomen
Münzen bezeugt. Zu dem Apollo stand auch, wie wir
oben sahen[2]), der Vater des Herodes und dessen Vorfahren in bestimmter Beziehung, er wie der Grossvater Herodes wird uns als ἱερόδουλος bezeichnet, also dem Tempel und seinem Dienst angehörig, ihm geweiht, wenn auch
aus freiem, vielleicht sehr vornehmen, städtischen Geschlechte, wie im apollinischen Kulte zu Delphi uns gerade
dasselbe Verhältniss begegnet; der letztere ist sogar eigentlicher ἱερεύς des Apollo. Nach Eusebios[3]) lag das Heiligthum (εἰδωλεῖον) an den Mauern (πρὸς τοῖς τείχεσι, ob
innerhalb oder ausserhalb bleibt unentschieden) Askalons
und ward durch einen idumäischen Ueberfall geplündert.
Ein Athenekopf wird auf einer Münze des Alexander
Severus[4]) angeführt, ebenso eine Herme derselben neben
der des Hermes auf einer Galere, der bekannten Darstellung der autonomen Münzen dieser Stadt, jedoch bedarf es
zur Fixirung dieser Verbindung hierbei noch eigener, ge-

---

1) Mionnet V, n. 92. 98. 100.   3) H. E. I, 6. 7.
2) S. 535.   4) Mionnet V, n. 102.

nauer Ansicht der Münze selbst. Dass die Dioskuren, die astralen Leiter der Schifffahrt, in Phönike in die Kabiren und Patäken vielfach übergehend, in Askalon einen Kultus erhalten haben, wird uns am wenigsten wundern; die über ihren Häuptern stehenden Sterne haben den Mond in der Mitte[1]). Dunkel ist dagegen noch das auf Münzen des August erscheinende weibliche Götterpaar, mit Modius, lang herabgehendem Schleier und einfacher Bezeichnung des Rumpfes mit anliegenden Händen; ob Demeter und Persephone, ob Gaea, ob Hera, ob die Tyche der Stadt[2])?

Die eigenthümlichsten und hervorragendsten religiösen Bildungen in Askalon sind aber in dieser griechischen Periode zwei: die Urania als Stadtgöttin und der Asklepios $\lambda \varepsilon o \nu \tau o \tilde{\nu} \chi o \varsigma$. Urania ist in ihrem Wesen der philistäischen Astaroth[3]) gleich geblieben; die Beziehung zum Mond und zum Planeten Venus, der kriegerische Charakter, der Schutz über die ihren Dienst verbreitende Schifffahrt, die Verehrung der Taube, der Kultus auf dem freistehenden, in seiner Form den assyrischen, dann persischen Feueraltären entsprechenden Altar, mit grossen flammenden Candelabern, alles dieses findet sich auf den so häufigen Münzdarstellungen der Urania als Stadtgöttin beisammen[4]). Seit Antoninus Pius tritt aber eine auffallende Erweiterung der Darstellung ein, die auf Münzen des Septinius Severus und des Elagabal wiederkehrt: trat die Göttin bisher auf eine Schiffsprora, das Aplustre in der Hand, so steht sie jetzt auf einer in einen Fischleib endenden Gestalt, die dienstfertig zu ihr gewendet eine Muschel, ein Füllhorn, den Dreizack emporhebt, während die Linke,

---

1) Mionnet VIII, n. 39.

2) Eine ganz gleiche Darstellung findet sich nach einer brieflichen Mittheilung des H. Dr.

Friedländer auf einer Münze zu Capua.

3) S. oben S. 258. 259.

4) Mionnet V, p. 525 ff. n. 53 ff.

wie es scheint, ein Schilfrohr oder Ruder trägt[1]). Da
hat man nun sofort aus dieser Gestalt, die ohne Zweifel
eine Meeresgottheit ist, Derketo gemacht und in dieser Darstellung die Ausprägung jenes früher besprochenen Verhältnisses von Urania und Derketo gefunden. Wir geben
hier nur zweierlei zu bedenken: 1., erscheint diese fischleibige Gestalt wirklich als eine weibliche auf der Münze
und nicht als ein einfacher Triton? Gerade die genauern
Zeichnungen, wie bei Lajard, sprechen dagegen. Und
2., müssen wir immer beachten, dass das Stehen der Tyche, der Stadtgöttin auf einer Wassergottheit etwas gerade auf palästinischen Münzen sehr häufiges ist, so ist es
von Caesarea als Col. Prima Fl. Caesariana z. B. unter
Trajan[2]), noch unter Trebonianus Gallus, so von Sebaste,
so von Jerusalem als Aelia Capitolina [3]) erwiesen. Und
hier ist bei dieser Verbindung sicher an keine besondere
mythologische Grundlage gedacht.

So reichlich, natürlich verhältnissmässig, wir Erwähnungen und Darstellungen der Hauptgöttin von Askalon
besitzen, so spärlich ist es mit den Anhaltepunkten für
A s k l e p i o s λεοντοῦχος bestellt. Wir wissen nur aus
der Biographie des Proklos von Marinos, einem Palästinenser aus Neapolis (Sichem), dass Proklos Hymnen dichtete
nicht allein auf griechische Götter, sondern auch auf Marnas von Gaza, auf den Asklepios λεοντοῦχος von Askalon
und auf Thyandrites, den bei den Arabern hochverehrten
Gott[4]). Es geht daraus hervor, dass es also eine ungrie-

---

1) Mionnet V, n. 93. 94. 99.
101. VIII, p. 369. n. 40. 41. Abbildungen bei Norisius (Ann. Syrom.
p. 508. 510), darunter auch eine
Münze des Claudius, wo Astarte
auf eine Schlange tritt. Mionnet
beschreibt die Münze mit derselben
Jahreszahl, aber ohne Schlange.
Neuste Abbildungen s. bei Lajard

Rech. s. le culte de Ven. pl. 24, 7.
8. 25, 7. 9.
2) Mionn. VIII, p. 336. n. 9.
3) Unter M. Aurel (Mionnet
VIII, p. 362. n. 13. V, p. 518.
n. 13).
4) Marin. v. Procli c. 19. p. 16
ed. B.

chische, orientalische Bildung des Asklepios ist, welche
wie die beiden andern, wie überhaupt alle orientalischen
der neuplatonischen Altgläubigkeit besonders nahe lagen.
Movers hat bereits diese auffallende Form des Asklepios
ausführlicher behandelt[1]): er weist mit Recht auf den allgemeinen Charakter des phönikischen Asklepios, der als ach-
ter Kabir den Sternenhimmel selbst, überhaupt den Kosmos bezeichnet und in dieser Beziehung seinen Kult in den
phönischen Städten hatte, auf die Schlange als Symbol des
Kosmos, auf den Löwen als Symbol der Wärme, der war-
men, von der Sonne ausgehenden, in der Welt verbreiteten
Luft[2]) hin, er findet dann besondere Uebereinstimmung
mit der Sage vom Tragen des Löwen um die Burg von
Sardes, mit dem Namen von Lebena, dem Löwenvorgebirge
in Kreta neben dem Ἀσκληπιεῖον. Diese zwei letzten Punkte
sind jedenfalls zu weit gesucht. Dagegen geben, was Movers übersehen, ägyptische Münzen entschiedene Belege,
die bei der Verbreitung des Serapisdienstes über Palästina,
bei der Asklepiosnatur des Serapis allerdings hier erst zu
vergleichen sind: so weist eine Nomosmünze der Mareotis
unter Antonin uns Serapis mit Modius und Stab und Löwe
auf dem Arm als λεοντοῦχος auf[3]), so aus ganz gleicher
Zeit die Münzen von Leontopolis ebenfalls einen unbärti-
gen Mann, im herabfallenden Pallium, mit Scepter, Kranz
und Löwen auf dem Arm[4]). Dazu kommt die von den
Chaldäern gebrauchte Bezeichnung λεοντοῦχος für die Quelle
oder Ursache des Sternenbildes des Löwen, der selbst der
οἶκος des Helios ist[5]); endlich die bestimmte Erscheinung

---

1) Phön. I, S. 534.
2) Paus. VII, 23.
3) Abbildung bei Vaillant Hist.
Ptolem. p 208.
4) a. a. O. p. 207. Er wird hier
allerdings für Phtha erklärt, aber
es ist bekannt, dass Serapis in

Memphis geradezu auch mit Phtha
verschmolz. Und die äussern At-
tribute sprechen nur für Serapis,
nicht Phtha.
5) Psell. Orac. p. 77 bei Boissonade zu Marin. p. 108.

des feurigen ($\pi\nu\varrho\dot\omega\delta\eta\varsigma$) Asklepios bei magischer Beschwörung [1]). Daher liegt also in Asklepios, als Repräsentant des mit feurigem Aether erfüllten, für Helios selbst Stätte und Quelle darbietenden Himmelsraumes der Grund zu dieser Darstellung. Und so steht er wohl als eine ähnlich mächtige, universale Gestalt neben der Himmelskönigin Urania.

Werfen wir noch einen Blick auf die Münzen der übrigen hier in Betracht kommenden Städte, so ist ihre geringe Zahl allerdings wenig genügend auf die auch hier zahlreichen Heiligthümer einen Schluss machen zu lassen. Die einzige Münze von Jope, der hart am felsigen Meeresgestade liegenden Seestadt, zeigt uns Poseidon den Herrn des Meeres selbst auf dem Felsen sitzend [2]). Plinius berichtet uns ja von dem Kultus der Ceto daselbst, wie wir früher sahen; also scheint auch hier, wie in Askalon die Bedeutung der fischleibigen Derketo nicht ganz geschwunden zu sein. Ueber bestimmte gräcisirte Kultusformen, die an Andromeda und Perseus hier sich angeschlossen, wissen wir nichts, nur von dem Festhalten dieser Oertlichkeit, auch noch in späterer Zeit bei Aristides, Libanios, Prokop von Gaza [3]). Erst in sehr später Zeit ist sichtlich in Bezug auf die ganze Küste auf einer Münze von Ptolemais, der römischen Colonie seit Claudius Perseus mit Medusa und der Harpe dargestellt [4]). Aber wir haben noch ein anderes interessantes Zeugniss für die spätere, griechische Beziehung des Andromedamythos zu dem Kultus dieser Küste an dem andern Ende derselben: Achilles Tatius [5])

---

1) Orig. Philos. II, p. 68 ed. Miller.
2) Eckhel D. N. III, p. 433. Mionnet V, p. 499.
3) Tzetz. ad Lycophr. V. 836.
4) Unter den bei Mionnet V, p. 474—481. n. 6—43. VIII, p. 325 — 330. n 7—31 aufgeführten. Leider finde ich die bestimmte Nummer nicht in meinen Excerpt aufgezeichnet und das Buch ist mir nicht mehr zur Hand.
5) III, 6. 7.

beschreibt uns nämlich im Opisthodomos des Zeus Kasios
zu Pelusium ein Bilderpaar des Malers Euanthes: Andromeda und Perseus gegenübergestellt dem gefesselten Prometheus und Herakles. Dort war der Moment kurz vor
dem Kampfe gewählt: Andromeda im bräutlichen Gewand
mit ausgestreckten, gefesselten Armen am Felsen in natürlicher Nische sitzend; auf sie zuschwimmend das κῆτος
mit dem aus dem Wasser erhobenen Kopf, zwischen beide
Perseus aus der Luft herabeilend, mit der Chlamys um die
Schultern, den πῖλος auf dem Kopfe, die Flügelschuhe an-
gezogen, sonst nackt, in der Linken das Gorgonenhaupt
vorhaltend, in der Rechten die Harpe. Die Correspondenz
der Situation mit Prometheus hebt Achilles Tatius gut hervor; sie war dichterisch bereits in der Andromeda des
Euripides ausgesprochen. Dass die Wahl beider Stoffe,
besonders des perseischen nicht ganz zufällig war, liegt
wohl auf der Hand; die solarische Beziehung des Perseus,
wie des Herakles, die astrale der Andromeda stimmten
trefflich zur Bedeutung des Zeus Kasios selbst. — Unter
den übrigen Städten ist von dem Apollo und Artemiskult
in Raphia bereits gesprochen worden, in Azotos ward Julia Domna ausdrücklich als *TYXH ACWTIWN* verehrt[1]).
Die Tyche von Anthedon hat ganz Astartebildung; den
Fuss auf die Schiffsprora gestellt, die Rechte ausgestreckt,
des Kaisers Caracalla Büste darauf, in der Linken den
Speer, so steht sie im tetrastylen Tempel[2]).

Ein reiches Festleben mit musischen, gymnasti-
schen, scenischen Agonen, mit Gladiatoren, Thierkämpfen,
Wagenrennen war in der römischen Zeit in Palästina entwickelt. König Straton in Tyrus hatte zuerst musische

---

1) Daher ihr Kopf im distylen
Tempel auf Münzen bei Mionnet V,
p. 534. n. 103. 104. VIII, p. 370.
n. 43.

2) Mionn. V, p. 522. n. 36.
VIII, 364. n. 22.

Agonen wetteifernd mit Euagoras von Kypros angestellt, Alexander der Grosse den ersten grossen theatralischen Wettkampf in Tyrus gehalten, die Seleukiden und Ptolemäer, besonders Antiochos Epiphanes feierten die Herakleen zu Tyrus mit grösster Pracht und die Apollo- wie Dionysosfeste derselben drängten an Glanz und Pracht Olympia und Eleusis, Delphi und Delos in den Hintergrund, griechische Gymnasien und Athletenschulen wurden von einer Partei in Jerusalem erstrebt und mit hoher Summe die Erlaubniss ihrer Gründung erworben und seitdem ist das Interesse dafür nie wieder erloschen. Zu den griechischen Agonen fügte man die rohern, blutigen der Römer und Herodes der Gr., sowie Agrippa I haben das Mögliche gethan, um keine $\pi \acute{o} \lambda \iota \varsigma$ ohne Panegyris zu lassen. Mit kaiserlichen Stiftungen verbanden sich gleich neue Agonen. Auch für Gaza und Askalon fehlt es uns nicht an freilich spärlichen Nachrichten. Unter der grossen Zahl von Siegen in fast lauter syrischen Städten, die ein gewisser Aurelius Septimius, Sohn des Eutyches Eirenaios von Laodikea im Jahr 220 n. Chr. errungen, wird uns auch ein solcher in Askalon und zwar von einem $\tau \alpha \lambda \alpha \nu \tau \iota \alpha \tilde{\iota} o \varsigma \ \dot{\alpha} \gamma \acute{\omega} \nu$ (einem mit Geldpreis verbundenen Wettkampf) aufgeführt[1]. Ausserdem erfahren wir aus einer kurzen Aufzählung dessen, was die einzelnen syrischen Städte für Agonen Gutes und Nützliches aufzuweisen hatten in agitatores, mimarii, pantomimi, choraulae, dass Askalon gute Athleten, Ringer und Seiltänzer (castabetia, calopettas oder wohl besser calobetas) bildete, Gaza aber neben den $\dot{\alpha} \varkappa \rho o \alpha \mu \alpha \tau \iota \varkappa o \acute{\iota}$, Künstler im rhetorischen Agon des Vortrags (schlecht auditores übersetzt) auch pammacharii[2]. In Gaza hat die $\pi \alpha \nu \acute{\eta} \gamma \nu \rho \iota \varsigma$

---

1) Inschrift auf drei Seiten einer achteckigen Säule (C. I. n. 4472).
2) Expos. tot. m. in Geogr. min. III, p. 6 ed. Huds. Class. Auct. ex codd. vatic. III, p. 396 ed. A. Mai.

Ἀδριανή [1]) natürlich aus Agonen mit bestanden. Die Feier
der Circenses gehörte dort zur öffentlichen Function des
duumvir und wir haben eine interessante Erzählung,
die uns das Verwachsen des religiösen Kampfes mit den
Circusparteien klar zeigt: ein Christ, Italicus aus Majuma
hält Gespanne zum Wettrennen gegenüber einem Diener
des Marnas, einem damaligen duumvir, das Volk war in
grösster Spannung, die Parteien scharf geschieden und
als die Rosse des Italicus siegten, rief die Masse erstaunt:
Marnas victus a Christo est [2]); ja dies war für viele Circenses Grund genug Christen zu werden.

Noch haben wir ein spätes Fest hier zu besprechen, das
zwar nicht ausdrücklich von Gaza erwähnt, aber mit Recht
um seines Namens und auch um des Charakters willen dorthin und zwar in die Hafenstadt als ursprüngliche Stätte verlegt
wird; und wir können es in seiner Umbildung in christlicher Zeit und in seinem Einflusse auf Poesie und Rhetorik
in der That genau verfolgen, es ist das Fest Majuma.
Aus der geringen Zahl der insgesammt über das vierte
Jahrhundert nicht zurückgehenden aber z. B. das Bestehen
des Festes in den Zeiten Caracallas ganz sichernden Nachrichten [3]) war dasselbe ein Hauptfest der Provinzialen,
in Antiochia besonders mit grosser Vorliebe und Geldver-
schwendung gefeiert, auch in der syrischen Sophene, endlich zu Rom aber im Hafen von Ostia; noch die christliche Bevölkerung hält mit grossem Eifer daran und es
ward im J. 396 von Arcadius und Honorius, nachdem es

---

1) Chron. Pasch. I, p. 474 ed. B.
2) Hieron. v. Hilarion. I, p. 158
ed. Franc.
3) Julian Misopog. p. 307 ed.
Petav. Cod. Theod. XV, 6, 1. Cod.
Justin. XI, 45, 1. Glossa vulg. und
Glossa basil. μαϊοῦμαι. Suidas s.

v. Μαιουμᾶς. Malal. Chron. XII,
p. 284 ed. B. Paul. Diac. Hist.
XXIII, 4. Vgl. Rivinus Diatr. de
Majumis, Maicampis etc. in Graev.
Synt. dissertat. p. 537—621, eine
sehr weitschweifige, viel Ungehö-
riges einmischende Abhandlung.

also aufgehoben war, von Neuem unter Beschränkungen gestattet, aber drei Jahre später doch wieder verboten. Aber erst Anastasios I (491—518) hat wenigstens dem Majuma in Ostia ein Ende gemacht. Es war hier in dieser ursprünglich selbst phönikischen, später wenigstens mit ausländischen Kulten angefüllten Hafenstadt zunächst ein Hafenfest mit Schaukämpfen auf dem Wasser, mit einer Art Fischerstechen, aber zugleich ein Frühlingsfest, Anfang Mai gefeiert, voller Lust und übermüthiger Ausgelassenheit in der Darstellung mythischer Scenen, wie sie überhaupt in den Naumachien nach Martials[1]) Beschreibung dem Volke vorgeführt wurden, daher mit den römischen Floralia leicht verwechselt.

In Antiochia, wie überhaupt in den syrischen Städten ist das Fest der Majuma allerdings auch eine Frühlingsfeier, aber schärfer bezeichnet als ein Mysterienfest von Dionysos und Aphrodite mit nächtlicher Festfeier und scenischen Darstellungen (σκηνικὴ ἑορτὴ νυκτερινή), wobei glänzende παννυχίδες mit Illumination durch λαμπάδες und κάνδηλα gehalten werden. Dass diese Darstellungen den Mythenkreis von Dionysos und Aphrodite, und den ganzen sich anschliessenden Kreis der Satyrn wie Erotenwelt zum Mittelpunkt hatten, darunter die Meergeburt der letztern, von Nereiden umgeben, ihr Verhältniss zu Adonis, zu Eros, dass hier in voller Nacktheit einem durch Sinnenreiz verwöhnten Volke sinnliche Scenen bei dem Zauberglanz nächtlicher Beleuchtung vorgeführt wurden, geht aus dem Gegenstand des Festes, aber auch aus ausdrücklichen Zeugnissen hervor; so bezeichnen die Kaiser das Fest als foedum atque indecorum spectaculum, als ein Erzeugniss der procax licentia, es wird gefordert, dass hier Anstand wenigstens gewahrt werde. Für Gaza haben wir, wie schon

---

1) Liber de spectac. 34. 26. 28.

oben gesagt wurde, kein bestimmtes Zeugniss seiner Feier, aber dass der Name-*Μαιουμᾶ*, den natürlich spätere Ety-mologieensucht an den Majus mensis anschloss, mit dem der Hafenstadt derselbe ist, dass hier bei dem oben nach-gewiesenen Dienste der Venus Marina, die zugleich. den Charakter als nächtliche chthonische Göttin trug, und bei der Bedeutung des dortigen Weinbaues gerade ein solches Fest sich ausbilden konnte, leuchtet ein. Und nun haben wir aus dem sechsten Jahrhundert die Erwähnung eines Festes, einer *ἡμέρα τῶν ῥόδων* daselbst[1]), wo Recita-tionen von Gedichten und *μελέται* stattfanden, welches dem Maiuma ebenso entspricht, wie eine vom Bischof Markia-nos gefeierte glänzende Panegyris im Spätsommer mit Illu-mination auch den dionysischen Festen gegenüber gestellt wird[2]). Endlich ist es eine bezeichnende Thatsache, dass in Gaza eine förmliche Schule von Anakrontikern bestand, die den Frühling, die Rose, die Mythen von Aphrodite, Dionysos, Adonis in den verschiedensten Variationen behan-delte; dass die christlichen Sophisten, wie Prokopios und Chorikios in ihren Prunkrecitationen auch in Prosa diesel-ben Stoffe vorzugsweise wählten. Man sieht hier also deutlich, wie der Rest jener Festlust der Maiuma sich in das gelehrte Gewand der Sophistik und Poesie flüchtete, wie das Theater, einst der Schauplatz glänzender Panto-mimen und balletartiger Darstellungen, jetzt in strengerer, nüchterner Zeit zum Auditorium ward.

Dass die griechische **bildende** Kunst auch die äus-sere Erscheinung dieser so bedeutenden, hellenistischen Städte umgestaltete, dass hier für Verkehr und festliches Leben Hallen, eine reich geschmückte *ἀγορά*, Theater, Cir-cus, Bäder sich erheben, dass den griechischen Göttern

---

1) Verzeichniss der Anakrontea des cod. Barber. in Spicileg. Rom. t. IV.

2) Chor. Gaz. p. 123 ed. Boiss.

hier Tempel, Altäre und Statuen nicht fehlten, würden wir
ohne jegliche Andeutung ohne Weiteres anzunehmen haben.
Aber wir haben früher bereits von den grossartigen Anlagen des Herodes zu Askalon gesprochen, wir haben von
den acht Haupttempeln Gazas, von freistehenden Statuen
gehört und so ist uns, Dank dem Berichte von der Zer-
störung der Tempel, den Beschreibungen ($\grave{\epsilon}x\varphi\varrho\acute{\alpha}\sigma\epsilon\iota\varsigma$) pa-
triotischer Rhetoren noch manch interessanter Einblick in
die Kunstthätigkeit, wie sie noch ganz der vorkirchlichen
Zeit und Geistesrichtung angehört, verstattet. Stoen führten vom Theater in Gaza weithin durch die Stadt, die $\epsilon\grave{v}$-
$\varrho v\acute{\alpha}\gamma v\iota\alpha$ genannt werden konnte[1]. Eine $\grave{\alpha}\gamma\acute{o}\varrho\alpha\iota o\varsigma$ $\sigma\tau o\acute{\alpha}$
wird uns erwähnt, sowie die $\beta\alpha\sigma\acute{\iota}\lambda\epsilon\iota o\varsigma$ $\sigma\tau o\acute{\alpha}$, also die Ba-
silika für Marktverkehr und Gericht[2]), ebenso das Bad[3]).
Was die Form der Tempel betrifft, erfahren wir nur
etwas allerdings Bezeichnendes für den Tempel des Gaza
eigenthümlichen, von ihnen am höchsten geehrten Gottes,
des Marnas[4]). Das Marneion war ein grosser Rundbau,
umgeben von zwei weiter und näher um das Heiligthum lau-
fenden (duabus porticibus se invicem interius subeuntibus)
Säulengängen, welche also zwischen sich die von den ausdrücklich erwähnten, dem Marnas heiligen Thieren mit in-
negehabte Area des Tempels enthielten; das Heiligthum
selbst (adyton), mit starken ehernen Thüren versehen erhob
sich hoch in der Mitte und hatte hier eine Deckenöffnung
zum Herauslassen des Rauches[5]); es ist dies also die Pan-
theonform mit Kuppeldach höchstwahrscheinlich nach dem
in römischer Zeit ausgebildeten System des Kuppelbaues.
In dem Innern waren Nischen zur Aufnahme von Statuen

---

1) Chor. Gaz. p. 23.

2) Chor. p. 84. 151.

3) Chor. p. 23.

4) Marc. v. Porph. c. 9. 10.

5) Marc. v. P. c. 10: medium
erat ad emittendos vapores constitu-
tum septentrionaleque et extensum
in altum. Was septentrionale hier
soll, verstehe ich nicht.

angebracht, sowie der Opferaltar. Auch führten verschiedene geheime Ausgänge aus demselben - in .verschiedene Theile der Stadt. Das Material war Marmor, und Massen edeln Metalles wurden bei dem Niederbrennen noch herausgeraubt. Interessant für uns ist die Rundform, da sie jedenfalls als wesentlich mit dem Gotte selbst und seiner Bedeutung als Himmelsgott verbunden erscheint und wir hier einen neuen Beitrag zur Begründung einer Ansicht erhalten, welche die Tempelform des Rundbaues als eine ursprünglich orientalische hinstellt und ihre Anwendung im griechischen Bausystem nur einem bestimmten Kreise von Gottheiten, vor Allem dem Dionysos und der Aphrodite zuweist, die sichtlich durch fremden Kult modificirt wurden [1]).

Die grosse Zahl von Statuen, welche nicht allein die Tempel, sondern auch die Atrien der Häuser, Strassen, auch die Umgebung von Gaza füllten, wird ausdrücklich bei der Zerstörung derselben hervorgehoben. Interessant für uns sind noch zwei erhaltene Beschreibungen gazäischer Kunstwerke, von denen das eine als complicirtes mechanisches und plastisches Werk, das andere als Gemälde die Aufmerksamkeit der Bewohner nnd Fremden auf sich zog. Sie gehören beide dem Redner Chorikios aus Justinian's Zeit an und sind zuerst von Ang. Mai im Spicile-

---

1) Ich führe hier nur den ϑολοειδὴς ναός der Aphrodite zu Knidos, desgleichen auf der ϑαλαμηγός des Ptolemãos Philadelphos (Callix. Rhod. περ. 'Αλεξ. in Müller Fr. H. III, p. 57), den Rundtempel des Bakchos zu Teos, die ναΐσκοι der Tripodenstrasse, vor Allem die Rundtempel des Serapis an. Eine selbständige Stellung haben allerdings die Heiligthümer der 'Εστία und der Tellus. Jedoch bedarf diese Ansicht, die meines Wissens bisher noch nicht ausgesprochen ist, erst einer vollständigeren Grundlage in der Uebersicht von Denkmälern, die in ihrer Bestimmung völlig gesichert sind, ehe sie auf wissenschaftliche Geltung Anspruch machen kann. Sie findet allerdings in der grossartigen, zur alleinigen Herrschaft später gelangenden Form der Kuppelkirchen im christlichen Orient eine auffallende Bestätigung.

gium Romanum [1]), dann von Boissonade in seinem Chori-
eius [2]) aber mit einem vielfach lückenhaften und verstümmelten Text herausgegeben, der schon durch genauere Vergleichung, aber besonders durch Benutzung anderer Handschriften ganz anders sich gestalten würde. Wir müssen
bei den äussern Gränzen dieses Buches ganz darauf verzichten, hier eine genaue Herauslösung des ganzen Inhaltes und
eine Texteskritik zu versuchen, was ohnehin ein rein archäolo-
gisches, die historische Aufgabe der ganzen Untersuchung
wenig berührendes Interesse hat. Suchen wir wenigstens
uns über den Gegenstand, die Anordnung und Hauptmotive,
sowie die Stellung dieser Werke in der Kunstthätigkeit der
Zeit klar zu werden.

In der Mitte der Stadt, höchst wahrscheinlich auf der
ἀγορά, gegenüber der βασίλειος στοά lag ein mässiges Gebäude mit je einem zweisäuligen Vestibulum nach Ost und
West, welches aber den Anblick der Mauerwand selbst
durchaus nicht hinderte. Dies war das ὡρολόγιον, die öffentliche Uhr der Stadt, welche in sehr kunstreicher
Weise durch sich bewegende Gestalten von Bronze und
durch Klang die 12 Stunden des Tages anzeigte. Ueber
die mechanische Herstellung dieser regelmässigen Bewegung
erhalten wir gar keine Andeutung. Dass Gorgo die Augen
in gewisser Regelmässigkeit drehend und Perseus sie
tödtend den Beschauern gleich in die Augen fiel, können
wir aus dem sehr lückenhaften ersten Absatz entnehmen,
aber auch weiter nichts. Die Haupt- und mittlere Darstellung bilden zwölf Thüren, entsprechend den auf irgend
eine Weise dabei bezeichneten zwölf ὧραι; über diesen
thronen zwölf eherne Adler mit einem Kranze in beiden
Krallen. An den Thüren hin bewegt sich Helios, durch
sein Schreiten die Bewegung der Stunde abmessend, in der

---

1) T. IV, p. 428 ff. V, p. 422 ff.   clamationes fragmenta. Paris. 1846.
2) Choricii Gazaei orationes de-   p. 149—172.

Linken die Himmelskugel (den πόλος)[1]) hochhaltend, die
Rechte ausstreckend, um gleich den den Auslauf der Rosse
aus den Schranken Befehlenden, zur bestimmten Stunde jede
der Thüren zu öffnen. Sofort tritt Herakles heraus mit
einer seiner Arbeiten und zwar in folgender Reihe: der
nemeische Löwe, Hydra, erymantbische Eber, die Hirsch-
kuh, die stymphalischen Vögel, die Amazonen, der Augias-
stall, der kretensische Stier, die Rosse des Diomedes,
Geryones, Kerberos, die Aepfel der Hesperiden; je sechs
davon sind als ἑξάς äusserlich markirt und entsprechen so
den Schlägen der Uhr, die ebenfalls nur bis 6 zählt. Sobald Herakles die ehernen Thüren aufgestossen hat und
herausgetreten ist, erhebt sich der entsprechende Adler von
oben, entfaltet die Flügel und lässt sich und den Kranz,
den er mit beiden Füssen hielt, auf das Haupt des Herakles nieder; eine Zeitlang ruhend, erhebt er die geöffneten Krallen sowie die ganze Gestalt und kehrt zu seinem
Platz zurück, die Flügel wieder an die Seiten schliessend;
Herakles aber verbeugt sich mit dem Kranze gleich einem
Sieger im Stadion und kehrt in das Innere zurück.

Das Schlagwerk der Uhr befindet sich an einem andern,
sehr in die Augen fallenden, herausgerückten Orte von bedeutender Weite, der die Form eines kleinen Tempels hat.
Auch hier zeigt sich Herakles, noch ganz jugendlich, hart-
los, nackt, nur mit der Löwenhaut auf der Schulter, mit gehobener Keule, bei jeder Stunde sie bewegend gegen ein von
ihm in der Linken, aber schwebend gehaltenes Schallgefäss
(ἠχεῖον), dem der Künstler den Namen des Löwen gegeben
und welches weithin den Schlag ertönen lässt; die Zahl der
Schläge steigt bis 6 und beginnt dann von Neuem. Ueber

---

1) Der πόλος mit dem γνώμων
und den 12 Theilen des Tages war
von den Babyloniern zu den Griechen gekommen (Her II, 109); unter πόλος ist hier jedenfalls die
Himmelskugel mit Aequator und der
Zone des Zodiakus zu verstehen.

diesem Tempel ist **P a n** dargestellt, der sehnsuchtsvoll nach
Echo bei dem Klange sein Gesicht wendet, von spottenden
S a t y r e n umgeben. Dagegen zur rechten Seite steht **D i o-
m e d e s**, der bei dem fünften ἆϑλος des Herakles ähnlich
wie auf Skyros laut in die Trompete stösst, worauf ein
S k l a v e geschäftig eilt, seinem Herrn das Badegeräth zu
bringen, während ein **a n d e r e r** mit dem Einkaufe vom
Markte kommt. Die diesen entgegengesetzte στάσις nimmt
ein **H i r t** ein, welcher in der Linken den gekrümmten Hir-
tenstab haltend freundlich lacht und die Rechte staunend
emporhebt. Unter Diomedes ist eine andere Scene: ein
Bogenschütze hat den Pfeil auf die Sehne gelegt und zieht
diese so weit als möglich an sich, mit der Linken den
Bogen hinausdrückend; die Augen sind auf ein kleines
Ziel gerichtet, vielleicht auf die als ἆϑλα bezeichneten goldenen Aepfel. Hiermit bricht die Beschreibung ab, die uns
also eine grosse Mannigfaltigkeit sinnreich zusammenge-
stellter Scenen vorführt, in welchen Herakles, der phönikische Repräsentant der zeitlichen Weltordnung[1]), der
Führer der Horen, den Mittelpunkt bildet. Unmittelbar
erinnert uns aber das ganze Werk an die grossen, künstlichen, darstellungsreichen Uhren der Städte des 16. und
17. Jahrhunderts, die den Stolz und ein Wunder derselben
bildeten; zugleich aber müssen wir, was die ausgebildete
Mechanik betrifft, daran erinnern, wie gerade in Alexandrien diese in der römischen und byzantinischen Herrschaft
eine grosse Ausbildung erhalten, wie ähnliche Kunstwerke
den Audienzsaal zu Byzanz schmückten, wie die Araber
hier gerade in Syrien die ganze Erbschaft dieser Technik
übernahmen und sie dann durch ihre Geschenke in den
Occident, so an Kaiser Karl verpflanzen[2]).

---

1) Movers I. S. 445.

2) Die von Einhard (Ann. a.
807) beschriebene Uhr, welche
Harun al Raschid an Karl über-
sandte, mit ihren zwölf aus Thüren herauseilenden Reitern ist von

Die zweite Beschreibung (ἔκφρασις[1]) εἰκόνος ἐν τῇ πόλει τῶν ·Γαζαίων κειμένης) hat ein Gemälde zum Gegenstande, welches jedenfalls von nicht unbedeutendem Umfange der Stadt als Schmuck und Freude diente, geschenkt
von einem vornehmen und reichen Manne, Timotheos,
der die consularische Tracht trug, durch Liberalität bei den
Circenses, für die Bäder und die Armen sich ausgezeichnet
hatte. Man würde ihn gern für den Grammatiker und Dichter Timotheos aus der Zeit vom Kaiser Anastasios halten,
wenn unter seinen Lobsprüchen irgend einer auf sein literarisches Verdienst sich bezöge. Sein Porträt ragte an
dem obern Ende des Gemäldes (ἐξ ἄκρου τῆς γραφῆς) hervor, wie ein Götterbild in der Mitte eines Tempels, vielleicht also in Hautrelief daran angebracht[2]). Wenn das
Gemälde in der That der Zeit Justinian's oder der kurz
vorhergehenden Periode angehört, wofür entschieden einzelne Motive sprechen, wie z. B. das Auftreten eines
Falkenier, so giebt es für diese Zeit ein interessantes, jetzt
noch vereinzelt stehendes Beispiel einer freien Reproduktion
älterer, bedeutender Originale mit vollständiger Beibehal-

Angelo Mai passend verglichen worden, sowie auch byzantinische
Werke der Zeit zur Vergleichung
sich darstellen. In Hertz, Geschichte der Uhren. Berlin, 1851.
S. 9. 10 geschieht der ganzen Periode von August bis Pabst Sylve-
ster II keiner Erwähnung. Dagegen bespricht L. W. Barfuss,
Geschichte der Uhrmacherkunst,
Weimar, 1837. S. 109. 110. eine
hierher gehörige Stelle des Cassio-
dor, sowie die eben erwähnte Uhr
Karls des Grossen.

1) Choric. Or. p. 156 — 172.

Das Bild ist bisher nur einmal besprochen von Brunn, Ippolito in
Bull. dell instit. di corr. arch. 1849.
n. 4. p. 60 ff, welcher auf den hier
vorkommenden Brief der Phädra die
Bestätigung der Winkelmannschen
Erklärung eines Albanischen Sarkophagreliefs stützt und beiläufig auf
den Parallelismus in den Hauptbil-
dern aufmerksam macht.

2) Unklar ist, ob die Worte S.
172: μάρτυρα τὸν ἐπὶ τῆς κεφαλῆς βασιλέα ποιούμενος noch auf
eine Darstellung des Kaisers über
Timotheos hinweisen.

lung der antiken Motive und der Strenge der Anordnung, allerdings aber mit einer Häufung der ersteren und einem sehr bedeutenden Hervortreten, ja fast Uebergewicht der Scenerie. Aber noch, sieht man, lebt diese Kunst in den mythischen Stoffen und ihrer Behandlung durch die Tragiker, sie zeigt eine Strenge der Composition, die durch das Gleichgewicht der Gruppen uns einen klaren Ueberblick über ein sehr mannigfaltiges Detail gewinnen lässt; es fehlt ihr auch in den Theilen, welche offenbar nicht einem ältern Original entnommen sind, nicht an epigrammatischer Sinnigkeit, freilich auch nicht an einer entschiedenen Sentimentalität.

Die Hauptdarstellung hat Phädra und Hippolytos zum Gegenstande, diesen in der römischen Zeit mit Vorliebe auf Sarkophagreliefs und Gemälden behandelten Stoff[1]). Sie zerfällt in zwei selbständige, aber in der Composition correspondirende Abtheilungen: in der einen bilden Theseus und Phädra, in der andern Hippolytos und Daphne[2]) den Mittelpunkt. Dort ist die Scenerie ein Hain (ἄλσος) mit hohen Bäumen, wie er an Königspaläste und Tempel häufig sich anschloss und der Königspalast (τὰ βασίλεια) selbst, hier eine Landschaft, mit Waldgebirge und Ebene; dort ist die Tageszeit der Scene als stiller, heisser Mittag aufgefasst, hier nur eine Andeutung der Sonnenstrahlen, vor denen der Wald schützt. Der geöffnete Königspalast mit seiner das Innere vorn und zu den Seiten umgebenden Stoa, mit den zur obern Hälfte kanellirten, vergoldete Kapitelle tragenden Säulen, mit der in der Wand angebrachten Bogen- oder Nischenreihe, welche Statuen

---

1) Müller, Archäol. Aufl. 3. S. 690. O. Jahn Arch. Beitr. S. 300 — 330.

2) Eine bisher noch unbekannte Verbindung. Allerdings erscheint Hipolytos zuweilen begleitet von einer amazonenartigen Gestalt.

aufnehmen sollen, wird uns genau geschildert. Auf dem
Dache zeigt sich in der Mitte ein Pfau, mit dem Schnabel
seine Schweiffedern ordnend, an der einen' Ecke ein sich
schnäbelndes Taubenpaar. Den Mittelgrund des Bildes bildet gleichsam der über der Säulenreihe hinlaufende Fries
(ὀφρύς), den der Maler im kleinern Massstabe für zwei
correspondirende, zum Ganzen in bestimmter Beziehung
stehende Darstellungen benutzt hat. Zur Rechten Hippolytos auf der Jagd (zu Ross) vor dem von seinem Speere
getroffenen, zusammenkauernden, dem Verscheiden nahen
Löwen und ein Hirt[1]), vor Freude und Staunen hoch
die Hände erhebend. Daran schliesst sich eine zweite Scene:
Hippolytos mit aufgestütztem rechten Fusse, die Rechte
ausgestreckt und so zu den nachkommenden Dienern
sprechend, während sein Ross und das Jagdgeräthe, Netze
u. dergl. nachgeführt wird. Zur Linken erscheint Theseus im Kampf mit dem Minotaur. Das Motiv ist das
bekannte: er zieht ihn an dem einen Horn zur Erde nieder, während die Linke zum Schlage gehoben ist. Daneben rückt die zweite Scene: an dem Thore des Labyrin-
thes Ariadne, den Faden reichend und die Reihe der betrübten, weinenden, als φόρος dargebrachten attischen
παῖδες.

Wenden wir uns zur Darstellung in dem Palaste selbst:
sie gruppirt sich um den auf einer κλίνη liegenden, tief
schlafenden Theseus und um Phädra, welche auf einem
Sessel daneben unruhig, aufgelöst in Liebeskummer sitzt.
Theseus liegt ausgestreckt auf der κλίνη, unter dem an den
Säumen mit Gold und kunstreicher Stickerei geschmückten
Chiton hie und da den an die Sonne gewöhnten Körper
zeigend, die eine Hand um den Hals gelegt, den linken

---

1) Der Hirt ist in der Lücke zu erkennen aus δίκην ἔχειν οἰόμε-
S. 157 zwar ausgefallen, aber er ist νος τῆς ἀρνός.

Fuss im Schlafe zurückgezogen mit hoch herausstehendem
Knie.· An dem Lager steht Hypnos, eine schattenartige,
geflügelte Gestalt, eine weisse Binde im Haar, das Gesicht
durch die über einander gelegten Hände bedeckt und mit
diesen auf die *κλίνη* gestützt. Die Gruppe um das Lager
ist bestimmt durch den Eindruck, den die Mittagstunde und
die tiefe Ruhe des Herrn auf die für die Jagd theilweis ein-
gerichtete Dienerschaft macht. Da ist der eine Sklave,
welcher einen Fliegenwedel trägt, stehend eingeschlafen,
den einen Fuss hinaufgezogen und darauf sitzend, den Fliegenwedel gerade gestellt und˜so in den Arm ihn fassend, den
Kopf mit der einen Hand gestützt. Ein zweiter blickt
vorsorglich hinter einer Säule hervor und streckt die Hand
nach der Hand des ersten aus, ihn zu wecken. Ein dritter schläft seinen Herrn gleich ruhig ausgestreckt, aber
nur in umgekehrter Richtung, auf die rechte Seite gewendet, die Füsse übergeschlagen; die Linke ist vom Kopfe
auf die *κλίνη* des Herrn herabgesunken, welche durch Elfenbein, Gold und eine mit ausgebreiteten Flügeln stehende,
stützende Nike geziert und mit den reichen Troddeln einer
Decke behängt ist. Indessen sind die seiner Sorge anver-
trauten Hunde, der Spürhund und die Hündin in Streit
gerathen und diese flieht, den Schwanz eingezogen, furcht-
sam vor jenem.

Ganz anders Phädra und ihre Umgebung. Sie sitzt
auf einem Polster, an ein zweites den Rücken gestützt,
mit den Fingerspitzen die Wange berührend[1]. Ein Gewand fällt in feinen Falten von den Schultern zu den Füssen, die entblösst auf einen *δίφρος* (einen Schemel) gehoben
sind, auch mit einigem Schmuck geziert, sowie sie bereits
eine goldene Tänie mit indischen Steinen um das Haupt ge-

---

1) Hier (S. 162) ist manches
lückenhaft und schwer zu ergänzen.
Zur Beschreibung der Phädra gehört
dann noch ein Theil des dritten Ab-
satzes auf S. 164.

bunden hat und Hals-, Ohren- und Armschmuck an sich
trägt. Neben ihr liegt auf der *κλίνη* die Schreibtafel, die
an Hippolytos die Liebe verkünden soll und mit der sie
ganz beschäftigt ist. Dem Hypnos bei Theseus entspricht
hier ein Erotenpaar: der eine schwebend, mit der Fackel
Phädra genaht und auf das an der Wand (am Fries) befindliche Bild des Hippolytos hinweisend, während der andere, die Füsse übergeschlagen stehend den Schreibgriffel
(*γραφίς*) in das von ihm in der Linken gehaltene Tinten-
fass gesteckt hat. Eben spricht die alte Wärterin vorwärts gebückt zur Herrin, mit dem Finger ihr leise demon-
strirend, die linke Hand in die Seite stützend. Eine
schwarze Kleidung bedeckt Alles ausser Gesicht und Hände;
hinter der breiten, losen Kopfbinde zeigen sich spärliche,
graue Haare. Von den drei jungen Dienerinnen sind
zwei in leisem Gespräch begriffen; die eine auf das Bild
des Hippolytos, als Ursache des Leidens der Herrin hin-
aufweisend, die andere nachdenklich den blossen, geschmückten Arm gehoben und den Finger an die Wange legend.
Eine dritte, blondgelockte ist mit dem Schmuck der Herrin
beschäftigt, den sie aus dem in der Linken gehaltenen
Kästchen stückweis herausnimmt.

Die zweite Hauptdarstellung schliesst sich nahe an die
erste an, es ist die Wirkung des in der ersten zur That
gereiften Entschlusses der Phädra, ihre Liebe an Hippolytos zu gestehen, auf diesen selbst. Hippolytos und
Daphne, an der Spitze der Jagddienerschaft, beide zu
Ross, bilden den Mittelpunkt des Bildes. Hippolytos hat
das *πινάκιον* aus der Hand fallen lassen und es liegt zerbrochen am Boden; seine Handbewegung, sein Gesicht
spricht den Abscheu aus. Auch Daphne wendet das Gesicht ab. Ihr rechter Arm ist entblösst, das Gewand unter
der Achsel über die rechte Schulter gezogen. Die Linke
hält das herabfallende Gewand zusammen und zugleich mit

den Fingerspitzen den Jagdspeer. Die Haare mit einem
Lorbeerkranz flattern frei über die Schultern. Vor Hippolytos wird die Strafe an der Ueberbringerin des Briefes von einem jugendlichen Sklaven sofort vollzogen.
Mit ausgespreizten Beinen steht er da, die Hunde auf die
Alte hetzend und mit der Keule in der Linken zum Schlage
ausholend. Diese ist zusammengeknickt, die rechte Hand
vor die entblösste Brust gelegt, die linke zur Abwehrung
des Schlages erhebend; der eine Hund hat das Kleid zerrissen, der andere steht mit hängendem Ohre wartend, sie
zu packen, wenn sie sich umdrehe. Ein greiser leichtge-
schürzter Diener in hohen Jagdstiefeln, der Falkenier,
spricht sein Mitleid mit der Alten aus, sucht sich aber
durch die vorgehaltene Rechte gegen einen etwaigen Schlag
zu schützen. Von der Jagddienerschaft, die zur
Seite Daphne's das Gegengewicht gegen diese Scene bildet
und als ϑέατρον, als die Zuschauerschaft bezeichnet wird,
erfahren wir nur, dass sie beritten sind und ihre Speere
gerade halten; ihre Rosse waren durch die Stellung von
Hippolytos und Daphne ziemlich verdeckt. Den Mittelgrund nehmen drei[1]) Gruppen ein, die an der halben
Höhe des Berges sich befinden: eine Schafheerde mit einem
alten, gebückten Hirt in der Exomis und mit dem Hirten-
stab, die Hand um Mitleid für die Alte zu Hippolytos erhebend, darüber ein in den Wald sich bergendes Thier,
ferner eine Gruppe zweier Bauerfrauen und eines Zie-
genhirten, die im Hinaufsteigen des Berges begriffen sich
nach der untern Scene umsehen. Die eine trägt auf den
Schultern ein kleines Kind, das mit der Rechten an dem
Kopf der Mutter sich festhält, in der Linken ein Spielzeug,
eine Rassel hat. Der Hirt verfolgt mit dem Finger den

---

1) Vielleicht vier, da S. 167 nach   eine Lücke ist in Bezug auf das dem
ἡμιτελῆ μὲν τὰ ϑεάματα sichtlich   Walde zufliehende Wild.

untern Vorgang, die eine Frau hält die linke Hand wie
mit einer gewissen Scheu über dem Kopf, die andere entblösst durch die Hebung des rechten Armes die Seite, aber
nicht die durch eine Tänie zusammengehaltene Brust; jene
legt nachdenkend die Fingerspitze an das Kinn, die andere
die Rückseite der Hand. Die dritte Gruppe bildet ein Reiter mit Umgebung, den die Speere gerad haltenden Dienern, der zur Jagdgesellschaft gehört und traurig über diesen Vorgang den Kopf senkt. Ganz auf der Höhe des Gebirges und Bildes zeigt sich eine Ziegenheerde; ein Paar
mit den Köpfen auf einander zugehend, ein dritter an einen
alten anspringend, aber seine Schulter verfehlend[1]).

    Dies ist das Hauptbild. Ueber demselben brachte der
Maler noch eine Folge von vier Scenen aus der Ilias an,
die wir uns als eine ganz unabhängige obere Abtheilung
zu denken haben[2]). Sie sind dem dritten Buche der Ilias
entnommen, aus den ὅρκοι und der μονομαχία von Alexander und Menelaos. Sie beginnen mit der Fahrt des die
Zügel haltenden Priamos und seines Begleiters (des ἐπα-
ναβάς) Antenor auf einem Rossegespann, voraus einige
bewaffnete Vorläufer[3]). Es folgen die ὅρκοι selbst: Agamemnon ganz unbewaffnet bis auf das Schwert, auf dessen
Griff er die Linke stützt, dem herankommenden Priamos
die Rechte reichend. Odysseus tritt vor, Diomedes ist in
der Ferne, beide durch Mund und Handbewegung diesem
ein Halt zurufend. Nestor als σύμβουλος neben Agamemnon,
weiter Aias und Menelaos iu voller Rüstung, an dem zur
Seite stehenden Schild fassend und den Speer ruhig haltend. Die dritte Scene ist die Monomachie selbst: Diomedes

---

1) Dieses allerletzte Motiv ist
durch den jetzigen Text nicht ganz
sicher gestellt.

2) Chorikios sagt p. 169 vom
Maler: μέρος τι τῶν Τρωικῶν

ἐναπετίθει τοῖς γράμμασι und
spricht dann von ἡ τοῖς εἰρημένοις
ἐπικειμένη γραφή.

3) Il. III, 259 — 264, wo die δορυφόροι ganz fehlen.

hat mit der Trompete das Zeichen gegeben, Agamemnon, Nestor, Aias, Odysseus als Zuschauer, der letzte im Eifer die Kampfbewegungen mitmachend. Paris liegt rücklings auf dem Schild, Menelaos hebt das Schwert zum Schlag, Aphrodite über Paris vorgebogen löst das Helmband. Abweichend von der Schilderung der Ilias sind ausser den griechischen Helden Priamos und Antenor zugegen[1]). Das Ganze schliesst der Thalamos der Helena mit Aphrodite, welche den Betrübten und die Widerstrebende an der Hand dem Lager zuführt[2]).

Dass es in der Zeit des Chorikios an andern mythologischen Bildern in Gaza nicht gefehlt, können wir aus einer Stelle dieser ἔκφρασις schliessen, wo er von den Thaten des Theseus spricht und hierbei auf eine ἑτέρα γραφή verweist. Jedenfalls ist uns in den vorliegenden Beschreibungen ein interessanter Beweis für die frühere Kunstübung und das auch in justinianischer Zeit noch rege Kunstinteresse an Werken des antiken, hellenischen Ideenkreises gegeben. Wie gleichzeitig die malerische, überhaupt bildende Thätigkeit dem neuen, so ganz verschiedenen christlichen Leben und seiner Gedankenwelt sich mit Energie und Entfaltung glänzender Mittel zuwendet, werden wir im folgenden Paragraph näher kennen lernen.

§. 15.

Das Christenthum im Kampf mit dem Hellenismus der philistäischen Städte. Christliche Kunst und Kultur.

Quellen: Ausser den griechischen Kirchenhistorikern (citirt nach der Ed. Colon. Allobrog. 1612 und nach Theodorit., Euagr., Exc. Philostorg. ed. Valesius 1679), unter denen Sozomenos das Meiste darbietet, ist die vita des Hilarion von Hieronymus von besonderem Interesse. Die entscheidende Periode der Bekehrung von Gaza ist in der vita des Porphyrios von Gaza enthalten, welche sein Schü-

---

1) Il. III, 340 ff. bes. 375.   2) Il. III, 420 — 448.

ler, der Diaconus Marcus, bald nach seinem Tode schrieb und die
wir ın der lateinischen Uebersetzung des Gentianus Hervetus ge-
druckt besitzen, daneben in dem Auszug aus den griechischen Me-
nologieen zum 26. Februar (Acta Sanctor. Febr. III, p. 645 — 649.
Ed. Antv. 1658). Unter den Rhetoren sind für die justinianische
Zeit die zwei zum ersten Male von Boissonade aus einer madrider
Handschrift 1846 herausgegebenen λόγοι des Chorikios auf den
Bischof Markianos von Gaza mit den angeschlossenen ἐκφράσεις von
Kirchen die einzige aber reich fliessende Quelle.

Literatur:

> Tillemont, Mém. sur l'histoire ecclésiast. t. X, p 705 ff.
>
> Le Quien, Oriens christianus. t. III, p. 598 — 633. Paris. 1740.
>
> Quatremère, Appendice sur la ville de Gaza in Macrici
> Histoire des sultans Mamlouks de l'Egypte. t. I, p. 229. 230.
>
> Et. Chastel, Histoire de la destruction du paganisme dans
> l'empire d'orient. p. 219 ff. Paris 1850.

Es ist nicht unsere Absicht, ein Stück Specialgeschichte
der christlichen Kirche in Palästina zu schreiben, um für
die Reihenfolge und kirchlichen Ansichten der Bischöfe
jener Städte Ergänzungen und Berichtigungen zu geben;
nein, der allgemeine Gesichtspunkt, welcher unsere bisherigen Untersuchungen des zweiten Buches beherrscht hat,
er muss auch hier der leitende bleiben : die Darstellung der
politischen und kulturgeschichtlichen Bildungen, welche der
Hellenismus im Gegensatz und theilweise gemischt mit den
nationalen Elementen und Traditionen der palästinischen
Stämme hervorgerufen hat. Diese müssen wir bis in ihre
Hauptendpunkte, bis dahin auch verfolgen, wo er dem Chri-
stenthume, dieser neuen, ganz in seiner Nähe, aber auf
national-orientalischem Boden auftretenden universalen geistigen Macht kämpfend erliegt, aber zugleich dann merkwürdig rasch in und durch das Christenthum hindurch noch
seine Kulturzweige treibt, um hier ein zweites, kurzes Aufblühen zu feiern. So beschäftigt uns eben dieser Kampf
mit dem Christenthum, in dem die ganze Zähigkeit des philistäischen Stammes gerade verbunden erscheint mit dem

Bewusstsein dieser Städte, als Träger hellenistischer Bil- dung, in welchem es an wahrhaft ergreifenden Scenen eines untergehenden, aber tapfer kämpfenden Glaubens nicht fehlt; so zweitens das Kunst- und Kulturleben, das ein Jahrhundert später die Kirche selbst leitet und fördert, unbewusst inficirt von dem in Sitte und Anschauung, in der geistigen Erziehung und Literatur noch daneben herge- henden Hellenismus.

Das Evangelium war bereits in den ersten Jahren nach Christi Tod auch in den südlichen Städten der palästini- schen Paralia verkündigt worden: durchwandert doch Phi- lippus, welcher die Strasse nach Gaza gezogen war, Asdod und alle Städte von da bis Caesarea mit der Predigt des- selben [1]), steigt Petrus nach Lydda hinab und durchzieht die Ebene Saron, findet er in Joppe bereits Jünger und bleibt hier länger bei dem Gerber Simon, hier Viele zu dem neuen Glauben bekehrend [2]). Ueber die Gründung einer christlichen Gemeinde in Askalon, Gaza und den südlichen Städten haben wir aber erst in der dem Dorotheos, Bischof von Tyrus, zugeschriebenen Schrift de LXX domini disci- pulis [3]) eine Angabe, als Ausdruck der spätern herrschen- den Tradition. Danach ist Philemon, an welchen Pau- lus schrieb, der erste Bischof von Gaza, und es verkün- digt der Apostel Simon Judas in Eleutheropolis, das, wie wir früher sahen, erst unter Septimius Severus gegrün- det wird, und von Gaza bis Aegypten Christus und wird unter Trajan gekreuzigt und in Ostrakine begraben. In der diokletianischen Christenverfolgung wird uns zuerst ein Bischof von Gaza oder τῶν ἀμφὶ τὴν Γάζαν ἐκκλησιῶν genannt, Silvanus [4]); er wird als ein kühner, glaubens-

---

1) Acta Apost. 8, 39.
2) Acta Apost. 9, 42. 43.

3) Chron. Pasch. II, p. 129 ed. B. p. 138.
4) Euseb. H. E. VIII, 22. 25.

voller Bekenner an die Spitze der palästinischen Märtyrer
der Zeit gestellt; in die Bergwerke von Phaino[1]) zwischen
Petra und dem moabitischen Zoar geworfen, wo sich aber
bald ein christliches Gemeinwesen bildete, dann als alter,
gebrechlicher Mann an einen einsamen Ort zur Bebauung
des Landes verwiesen, endlich mit 48 Andern in Cäsarea
unter Galerius Maximianus hingerichtet im achten Jahre der
diokletianischen Verfolgung (also 311). Gleichzeitig erfahren wir noch von zwei gazäischen Märtyrern, Timotheos, welcher den Feuertod stirbt, und Alexander, ein
Jüngling, welcher mit 4 Andern bei einer grossen Pana-
gyris zu Cäsarea als Christ sich selbst angiebt[2]). Das
Martyrion des h. Timotheos, die heilige Stätte über seinen
Gebeinen war bereits 395 hochverehrt[3]). Auf dem nicäni-
schen Concil erscheinen die Bischöfe von Gaza, von Askalon, von Eleutheropolis neben den meisten, auf einen
sehr kleinen Sprengel beschränkten angränzenden palästinischen Bischöfen. Wenig Jahre darauf wird durch Constantin ein eigner Bischofssitz zu Majuma gebildet[4]) und
erhält sich auch fortwährend selbständig neben dem von
Gaza, obgleich in der Zeit des Sozomenus (vor 423) der
Versuch von dem Bischof von Gaza gemacht ward, diesen
Sitz wieder mit dem seinigen zu vereinigen, da es unerhört sei, dass in einer politischen Gemeinde zwei Bischöfe
existirten. Wie es gekommen ist, dass im J. 518 im
Briefe des Patriarchen Johannes von Jerusalem auch ein
ἐπίσκοπος τοῦ Μαιοῦμαν Ἀσκάλωνος erwähnt wird, also
auch hier für kurze Zeit, denn es ist dies die einzige
Erwähnung, die maritima pars, der vom Meer unmittelbar amphitheatralisch sich erhebende Stadt, kirchlich
abgesondert war, ist völlig unklar. Anthedon und Ra-

---

1) Ritter, Erdk. Thl. XIV, S. 125. 3) Marc. v. Porph. c. 3.
2) Eus. H. E. VIII, 13. 4) Sozom. H. E. V, 3.

p h i a haben seit dem Jahre 431 eigene Bischöfe aufzuweisen,
ebenso die Stationspunkte nach Aegypten, R h i n o k o r u r a,
Ostrakine, Cassium, Grachum, Aphnäum .(ob
Daphne?), unter denen das erste geradezu als 'eine Haupt-
stätte trefflicher, eingeborner Geistlichen seit der zweiten
Hälfte des vierten Jahrhunderts bezeichnet wird [1]).

Wir würden aber sehr irren, an das Bestehen der
Episkopate von Gaza und Askalon in der constantinischen
Zeit den Schluss auf eine herrschende Stellung der Christen in diesen Städten oder sogar auf eine Christianisirung
zu knüpfen.· Nein, vielmehr im Gegentheil erscheinen diese
Gemeinden als klein, gedrückt, verachtet, ohne Halt in der
eigentlichen Bürgerschaft, während diese mit ganzem Eifer
dem glänzenden Festdienst der hellenischen Götter hingegeben ist [2]). Mit Constantin tritt nun die officielle Anerkennung des Christenthums als herrschenden Glaubens ein,
seine spätern Edikte gegen $τὰ$ $μυσαρὰ$ $τῆς$ $κατὰ$ $πόλεις$ $καὶ$
$χώρας$ $τὸ$ $παλαιὸν$ $συντελουμένης$ $εἰδωλολατρείας$ [3]) richten sich
unmittelbar auf Verpönung des öffentlichen, heidnischen
Kultes; auf Staatskosten erheben sich die verfallenen Kirchen oder neue mit glänzender Pracht; die Uebertretenden
werden mit Vorrechten und Auszeichnungen belohnt. Nir-
gendwo fast im Orient hat sich seit Constantin so scharf
und hartnäckig das Bewusstsein eines Gegensatzes von
Hellenismus und Christenthum ausgebildet, als gerade hier
in Gaza. Constantin hatte der Hafenstadt Majuma, deren
Bewohner plötzlich in Masse aus sehr eifrigen Heiden Christen geworden waren, besonders die zahlreichen fremden,
dort ansässigen Kaufleute, Stadtrechte abgesondert von Gaza
selbst, einen Bischofssitz, einen neuen Namen Constantia
verliehen und hoch dasselbe ausgezeichnet [4]). Um so mehr

---

1) Sozom. H. E. VI, 31.   4) Eus. V. Const IV, 28. Sozom.
2) Marc. v. Porph. c. 9.   H. E. II, 4.
3) Vergl. Chastel Hist. p. 60 ff.

concentrirte sich das Heidenthum in Gaza, und die beiden
benachbarten Städte, mit Verkehr, Handel, Lebenssitte,
Feste ganz zusammengehörig rivalisiren, unter dem Schilde
von Christus und Marnas. Es wird dies der Parteiruf der
Rennbahn, jedes christliche Wunder, jede Heilung soll
Marnas stürzen helfen. Die ganze, eigentliche Bürgerschaft von Gaza, der reiche Kaufmannstand gehört noch
dem Hellenismus an und die christlichen Kirchen standen
an den Mauern oder vor der Stadt unansehnlich und klein.
Umsomehr aber steigert sich die geistige Energie der dortigen Träger des Christenthums, umsomehr werden diese
der strengen, asketischen, alles Irdische hinter sich las-
senden, nicht beachtenden Richtung hingegeben, wie sie von
Aegypten aus damals als eine Erneuerung des kirchlichen
Lebens gegenüber dem rationalistischen Arianismus auftrat, dogmatisch in Athanasius, asketisch in Antonius.
Asklepas der Gazäer und Bischof daselbst steht dem
Athanasius treu zur Seite; auf der Synode zu Tyrus wird
er der Verfälschung der Lehre angeklagt[1]), auf der Synode zu Sardes[2]) steht er mit Athanasius und Marcellus,
um sich zu vertheidigen gegen die Arianer und gegen die
bei dem Kaiser gehäuften Anklagen; die arianische Partei
hatte bereits einen andern Quintianus in das Bisthum ein-
gedrängt; die Synode zu Sardes restituirt Asklepas völlig.
Von tiefer eingreifender Bedeutung, als der Streit des
Arianismus, war für diese Paralia die Verbreitung des
mönchischen Lebens, dieser neuen, hier bisher ganz unbekannten Art des φιλοσοφεῖν. An einen Mann, der ganz
in der Nähe von Gaza, in dem Ort Tabatha an dem südlich von Gaza mündenden Wadi seine Heimath hatte und
aus reicher Familie stammte, der dann hier in der Nähe
die erste Einsiedelei gründete, an Hilarion knüpft sich

---

1) Theodorit. H. E. I, 29.   2) a. a. O. II, 7. 8.

diese rasch und gewaltig um sich greifende Lebensordnung an [1]). In Alexandrien zuerst im grammatischen Unterricht gebildet, dann aber zu Antonius in die Wüste gegangen, kehrt er als Jüngling in die Heimath, um hier all sein Vermögen abtretend bei dem 7. Meilenstein von Majuma, nahe der Strasse· von Aegypten in der Wüste zu leben zwischen Meer und salzigem Sumpf. Bald wird er aufgesucht von den geistiger und körperlicher Hülfe Bedürftigen, von vornehmen Beamten, kaiserlichen Schützlingen, wie von armen Frauen; aus Majuma, aus Eleutheroplis, aus Aila kommt man zu ihm; bald siedeln sich Andere an und es entsteht eine Klostergemeinschaft. Dies war der Anfang zahlreicher Klostergründungen in Palästina: Gaza wird geradezu umgeben von solchen; in Gerar [2]), in Cades [3]), in Bethelean [4]), zwischen Gaza und Majuma [5]) bilden sich bald welche, ebenso in dem νομός von Eleutheropolis [6]) wie auf der ganzen Küstenstrecke nach Aegypten zu. Sie sind die festesten Vorposten des Christenthums, die Bekehrer des Landvolkes; gegen sie, die das ganze sociale Leben überhaupt nur als ein Accidenz, als ein zu Vermeidendes betrachten, kann der Glanz der Handelstadt, die griechische Bildung, Kunst und literarisches Wesen nicht kämpfen.

Es lag in der Natur der Dinge, dass eine Reaktion des mit dem ganzen Leben tief verwachsenen Heidenthums gegen diese, wie es schien, alle Kultur aufhebende geistige Macht sich erhob. Julian war der zündende Name, der den gehäuften Brennstoff in Flammen setzte, unter dem, ohne Befehl und Geheiss in den Städten der Kampf gegen Kirchen und Klöster losbrach. So ist es in Gaza wie As-

1) Hieronymus, v. Hilarionis in Ep. 56 (T. I, p. 187 ed. Fr.). Sozom. H. E. III, 13.
2) Soz. H. E. VI, 31.
3) Hieron. v. Hilar. p. 160.
4) Soz. H. E. VI, 31.
5) Mosch. Prat. Spirituale.
6) Soz. H. E. VI, 31.

kalon und den übrigen Städten dieser Parália geschehen; die Basiliken wurden in Brand gesteckt[1]), von Gaza zieht man mit Gerichtspersonal hinaus zum Kloster des Hilarion, er war den Tag vorher entflohen, das Kloster wird zerstört, der Tod des Hilarion und Hesychas wird von oben zugestanden, man schickt überall hin Verhaftsbefehle gegen sie aus. Jetzt verlangen die Gazäer die Aufhebung des Privilegiums der Majumaiten. Julian auf seinem Zuge in den Osten sitzt selbst hierüber zu Gericht und spricht Majuma den Gazäern zu[2]). Der Hass entlud sich auch in dem Angriffe auf Leben und Gut des Einzelnen. Drei Brüder Eusebios, Nestabos und Zeno[3]) werden aus ihren Wohnungen geholt und in das Gefängniss geworfen; im Theater sammelt sich das Volk, man häuft gegen sie die Anklagen, dass sie die Heiligthümer profanirt, ἐπὶ καθαιρέσει καὶ ὕβρει τοῦ ἑλληνισμοῦ; da wälzt sich das erhitzte Volk zum Gefängniss, schleppt die Brüder heraus und schleift sie durch die Strassen, die Weiber von dem Webstuhle weg, die Fleischer am Markte, sie schlagen, stossen, übergiessen sie mit siedendem Wasser, man schlägt ihnen den Kopf und verbrennt ihre Gebeine auf dem Schindanger. Der Schwager derselben, Nestor, war auch mitergriffen und geschleift worden, aber die Schönheit seines Körpers erregte Mitleid, mit Wunden bedeckt brachte man ihn zu Verwandten, wo er trotz der guten Pflege starb. Aehnliche Excesse ereigneten sich in dem damals noch eifrig heidnischen Anthedon, sowie Schlimmeres zu Askalon. Zwar bleibt die von den Gazäern gefürchtete Bestrafung des Kaisers aus und der oberste Beamte des Gebietes (ὁ ἡγούμενος τοῦ ἔθνους) wird abgesetzt, weil er die Bürger, die als Anstifter des Aufstandes galten, in das Gefängniss

---

1) Ambros. ep. 48 ad M. Theodosium. (t. II, p. 951).

2) Sozom. H. E. V, 3.

3) Sozom. H. E. V, 7.

hat werfen lassen; aber vergeblich, Julian starb kurz darauf (363), das frühere System der Regierung trat zuerst in sehr toleranter Weise wieder ein; vor Allem aber war durch diese Verfolgungen der christliche Eifer nur geweckt. Die Getödteten, wie jene 3 Brüder werden zu Märtyrern, deren Gebeine man sammelt und Kirchen darüber gründet[1]); die Klöster werden wieder bezogen, Hilarion thut als Todter Wunder[2]) und seine Schüler, wie Hesychas, Epiphanius, der spätere Bischof von Salamis, Malachion, Krispion Ammonios gründen neue Klöster[3]). Bereits werden glänzende Märtyrerfeste gefeiert und das Volk fängt an als Gesammtheit Männer, wie Hilarion, wie Abikios aus Anthedon, Alexion aus Bethagutha u. s. w. zu verehren; bereits gehen aus den vornehmen Geschlechtern ($\varepsilon\dot{v}\pi\alpha\tau\varrho\dot{\iota}\delta\alpha\iota$) mehrere jener Männer hervor.

Mit Theodosios beginnt der eigentliche Todeskampf des Heidenthums: Einheit des Glaubens im Innern, wie Sicherung nach Aussen war der Grundgedanke des thatkräftigen, militärischen Kaisers. So ward durch Edikte und Militärgewalt der alte Glauben angegriffen; in immer gesteigerter Weise wurden den Heiden die politischen Stellungen, Rechte, endlich die Privatrechte des Besitzes geschmälert oder genommen; die heidnischen Zeichen und Verbindungen entfernt und endlich die unmittelbare Zerstörung der heidnischen Mittelpunkte unterstützt[4]). Eine gewaltige Erschütterung im Orient rief die Zerstörung des Serapeum zu Alexandria im J. 391 hervor[5]). Die zertrümmerten Mauern, das zerschlagene Gottesbild liess am Schutz der alten Götter verzweifeln und massenweise Uebertritte finden statt. Da ist es die palästinische Küste, die muth-

---

1) Sozom. H. E. V, 7.
2) Sozom. H. E. V, 8.
3) Sozom. H. E. VII, 31.

4) Chastel p. 179 ff.
5) Chastel p. 196. 197.

voll und bis jetzt noch glücklich für ihre Götter kämpft: es ist
Gaza und Raphia, es ist dann Petra und Areopolis in Arabien,
es ist Heliopolis und Apamea[1]); aber auch die Tempel der
beiden letzten sinken kurz darauf in Asche unter der die Bischöfe unterstützenden Militärmacht. In Gaza war im J. 395
die Zahl der Christen noch klein (280 erscheinen bei einem
feierlichen Gottesdienst), die Kirche arm, der Klerus und
die Laien nicht einig, die Christen noch ausgeschlossen von
allen städtischen Aemtern, als Porphyrios widerstre-
bend von dem Erzbischof Joannes von Caesarea zum Bischof geweiht ward. Es war dies ein Mann, in dem jene
asketische Richtung, die Hingabe alles Irdischen im Dienste
der Kirche, endlich ein zu Visionen gesteigertes inneres
Leben auf das Entschiedenste ausgeprägt war. Er hatte
Thessalonike, seine Vaterstadt, Eltern und Reichthum verlassen, um in der ägyptischen Eremos zu Scetis, dann in
der Wüste am Jordan als Eremit zu leben, in aller Ent-
behrung und niedriger Arbeit; seit 6 Jahren war er nun
bereits Presbyter zu Jerusalem gewesen. Er war der Mann
dazu gemacht, um mitten in der ihm feindlichen Stadt unter obern Beamten, die bestochen oder aus eigner Ueber-
zeugung den heidnischen Glauben schützten, durch seine
Unerschrockenheit, seine ganze allem Irdischen abgekehrte
Erscheinung bald die Gemeinde zu vermehren, aber sofort
auch auf die aggressive Vernichtung des heidnischen Kultus auszugehen. Bereits im Jahre 398 sandte er seinen
treuen Genossen Marcus nach Byzanz, um das kaiserliche
Edikt für Zerstörung der Tempel zu erlangen, es lautete
aber nur auf Schliessung der Tempel und Verbot fernerer
Befragung ihrer Orakel[2]). Allerdings erscheint Hilarius
als Beauftragter des Kaisers, in Begleitung der Commen-
tarienses consulatus und Adjutores sowie vieler Polizeidie-

---

1) Sozom. H. E. VII, 15.   2) Marc. v. Porph. 4.

ner aus Askalon und Azotus in Gaza, nimmt drei primores als Geiseln, lässt sich von ihnen eine Bürgschaft stellen, die Tempel werden geschlossen, aber das Hauptheiligthum, das **Marneion**, bleibt nach wie vor den Befra-
genden geöffnet. Eine schwere Geldsumme hatte dies bei
Hilarius vermocht. Porphyrios beruhigt sich dabei nicht;
die Erbitterung der Bürgerschaft war nur gesteigert und
die Christen vielfachen Vexationen ausgesetzt[1]). Da tritt
der Bischof mit den Erzbischof von Caesarea selbst die
Reise nach Byzanz im December 400 an. Wie sie hier
Joannes Chrysostomus in Ungnade antreffen, durch den Eu-
nuchen Amantius an die Kaiserin Eudoxia sich wenden,
wie diese die ihr gewordene Prophezeiung eines Sohnes
durch das Gelübde einer Kirche zu Gaza erwidert, wie sie
nach der Geburt desselben eifrig der Erfüllung nachstrebt,
auf welche Weise die Bittschrift an Arcadius gebracht und
er ungern und fast gezwungen dieselbe bewilligt bei der
Befürchtung, der Handel und die Einkünfte von Gaza
möchten dadurch sehr sinken, gehört nicht weiter hierher.
Das Edikt lautet auf **Zerstörung** aller Heiligthümer,
auf Ertheilung grosser Privilegien und Einkünfte an die
Kirche zu Gaza. Reiche Geldgeschenke werden von Eudoxia und Arcadius noch hinzugefügt. Am 18ten April
reist die Gesellschaft ab und landet in Majuma, wo die
zwei ganzen Gemeinden die Bischöfe feierlich empfangen.
Nach 10 Tagen langt Cynegius, der kaiserliche Bevollmäch-
tigte mit dem Consularis und Dux, also der Civil- und Mi-
litärbehörde der Provinz und starker militärischer und Ci-
vilbegleitung an. Eine grosse Zahl der Gazäer, gerade
die Reichsten flüchten in die Dörfer oder andere Städte.

---

1) In diese Zeit zwischen 398 und 400 fällt der Brief des Hieronymus an Laeta (Ep. VII. T. I, p. 35 ed. Fr.), wo es heisst: jam et
Aegyptius Serapis Christianus fa-
ctus est: Marnas Gazae luget inclu-
sus et eversionem templi jugiter
pertimescit.

Bei dem Verlesen des kaiserlichen Briefes in der Volks-
versammlungen erhebt sich ein Wehgeschrei, die Christen
jubeln; die Soldaten machen einen Ausfall auf das Volk.
Sofort wird zur Ausführung geschritten: die Soldaten, die
Christen von Gaza und Majuma, viele Fremde durchziehen
die Stadt, die Statuen werden auf den Strassen herabgewor-
fen, verbrannt, in den Schmutz getreten, die Tempel aller
Kostbarkeiten beraubt und dann angezündet, 10 Tage waren darüber hingegangen und das Marneion stand noch un-
versehrt, der erste Angriff war abgeschlagen worden, die
Thore des Heiligthums selbst durch Steinmassen verram-
melt und alles Werthvolle in dem Innern aufgehäuft; da
hält man von Neuem Berathung und die Stimme eines 7jäh-
rigen Knaben ward zum Wunderzeichen, dem man folgte.
Die äussern, prachtvollen Umgänge werden erhalten, aber
die ehernen Thore des Innern mit Pech, Schwefel und
Fett bestrichen und das Ganze dann angezündet. Es sank
der Haupttempel Gazas in Trümmer; die Priester und andern Ausharrenden hatten sich noch durch geheime Ausgänge gerettet. Jetzt ging es an die Privathäuser, die aller Geflohenen waren bezeichnet; noch standen die Atrien
voll Statuen und Werke der Kunst; sie werden zertrümmert, verbrannt. Die zahlreichen, liturgischen Bücher erlitten ein gleiches Schicksal. Somit war der Mittelpunkt
des heidnischen Kultus in Gaza für die ganze Küste zerstört, die Zukunft der Erhebung abgeschnitten, aber immer noch war die Hauptmasse der Bevölkerung heidnisch:
noch nach Jahren betraten viele Gazäer, besonders Frauen
nicht den Platz vor dem einstigen Marneion, da er auf besondern Befehl des Bischofs mit den Marmorstücken des
Tempels gepflastert war. Es erhob sich dann ein Volks-
aufstand in Gaza, der 7 Menschen das Leben kostete, die
bischöfliche Wohnung plünderte, den Bischof zwang über
die Dächer zu fliehen, aber mit der strengen Bestrafung

der Schuldigen durch den Proconsularis von Caesarea endete [1]). Viele suchten im Manichäerthum eine Versöhnung
des alten und neuen Glaubens [2]). Die letzten Zuckungen
des hellenistischen Glaubens in den Städten fallen zusammen mit jenen grossen samaritanischen Bewegungen unter
Kaiser Anastasius I und Justinian, die wir oben erwähnten.

Indessen war der Rückschlag dieses entschiedenen Sieges durch Porphyrius auf die ganze Hebung und Befestigung des Christenthums ein ungeheurer. Mit Milde und
Nachsicht, ohne strenge Prüfung wurden die Bittenden in
den neuen Glauben aufgenommen, bald nach jener Katastrophe 300 und so jährlich mehr. Ein siegesfreudiger Eifer, auch äusserlich an die Stelle des Marneion vor Allem
ein Bild der siegenden Kirche hinzustellen, bemächtigt sich
der Gemeinde. Man hatte zuerst, was wohl zu beachten
ist, den Gedanken, die Kirche ganz in der Form des Rundbaues des Tempels wieder aufzurichten, aber der von Eudoxia gesendete Plan enthielt die Kirche in Kreuzesform.
So wird zunächst die innere Tempelstätte gereinigt, alles
Material des alten Baues als unheilig entfernt; die Säulenhallen, welche sie umgeben, sind und bleiben erhalten.
Nach einiger Zeit zieht die Christengemeinde mit Hacken
und Karst aus der Kirche Irene durch das Spalier des Militärs, welches der Bischof zur Erhaltung der Ruhe noch
da behalten hatte, unter Psalmengesang an die gereinigte
Stätte. Der Architekt Ruffinus, der Leiter des Baues,
zeichnet mit Kalk den Grundriss der Kirche auf. Mit dem
Rufe: Christus hat gesiegt, wendet man sich zur Arbeit;
Jung und Alt, Frauen und Männer, Vornehm und Gering,
alles legt Hand an. So wird später vor der Gemeinde unter Vorgang des Bischofs und Clerus das Steinmaterial aus
dem Hügel Aldioma geholt. Ausser der Arbeit wird frei-

---

1) Marc. v. Porph. c. 12.   2) a. a. O. c. 11.

willig Geld zugeschossen, um die eigentlichen Arbeiter zu zahlen. Nach einem Jahre langen in Majuma zu Schiff 30 Säulen darunter 2 von Karystischem Marmor an, welche Eudoxia schenkt: da eilt alles an das Ufer, man spannt sich selbst an die Wagen, um diese Säulen nach einander der Stadt zuzuführen. In fünf Jahren war die Eudoxiana vollendet und daneben ein Xenodocheion, ein Hospiz. In der Osterzeit ward die Einweihung gefeiert: an 1000 Mönche strömen zusammen, ein Beweis für die rasche Entwickelung des Mönchthums dieser Gegend, dazu Bischöfe, Kleriker und Laien. Die Grösse des Kirchenbaues, die zuerst grossen Anstoss erregt, erschien nun nur im Verhältniss zu der Menge hinzuströmender Fremden. Reiche Geldstiftungen wurden an das Xenodocheion geknüpft, überhaupt das kirchliche Wesen nun nach fester Regel geordnet.

Wir übergehen die nach dem Chalcedonischen Concil (451) eintretenden Wirren, die in Majuma und in Gaza den Petrus Iberus, als Anhänger der Alexandrinischen Partei auf den Bischofsitz brachten, einen hochgeachteten, ein lebendiges Andenken an sich hinterlassenden Mann[1]); dann den Einfluss, welchen der folgende Bischof von Gaza auf Kaiser Anastasios und seine Aufhebung des Chrysargyrum ausübte, dieser einträglichen, aber tief unsittlichen Abgabe. Hiermit hängen auch die literarischen Produkte der Gazäischen Schule zusammen, die gerade den Kaiser in dieser Beziehung verherrlichen. Es gilt hier noch einen Zeitpunkt aufzufassen, in dem an die christliche Kirche, an die Persönlichkeit des Bischofs sich das ganze Kultusleben mit Kunst und Literatur, soweit sie damals lebendig war, angeschlossen hatte, wo Gaza mit christlichem Eifer den frühern Glanz der Handelstadt, der zu Festen zusammenströ-

---

1) Euagr. II, 5. 8. III, 33.

menden Fremdenwelt, die Freude an der immer noch hellenistischen Bildung und ihren Anstalten verband, wo die
bewundernswerthe Bauthätigkeit, die durch das ganze Reich
sich verbreitete, hier unter der Theilnahme der ganzen
Bürgerschaft grosse Werke schuf. Es ist dies die Zeit
Justinians, für Gaza die Zeit des Bischofs Marcianus.
Aus einer reichen, angesehenen Familie in Gaza abstam-
mend, von einer Mutter, deren ἐπιτάφιος λόγος von Chorikios wir noch besitzen [1]), aufgewachsen in der Schule
der Poeten, dann der Rhetoren, vor Allem seines Land-
mannes Prokopios, bei seinem Oheim in der heiligen Schrift
unterrichtet, hatte er als Bischof einen sehr allseitig gegründeten Einfluss; neben ihm verwaltete ein Bruder die
politische ἀρχή von Gaza [2]), ein anderer war Bischof des
benachbarten Eleutheropolis, ein vierter Jurist. So vereinigt sich in ihm in seltener Weise städtischer Patriotis-
mus, Eifer für den Glanz seiner Kirche, Sinn für Bildung
und Kunst und das Streben, seinen Namen gleichsam als
zweiten Gründer der Stadt zu verewigen. Der Mittelpunkt
seiner Thätigkeit ist das Bauen; daran schliessen sich
Feste, Handelsverkehr, Gelegenheiten zu Prunkreden und
Gedichten.

Es galt für Marcian zunächst das Vorhandene zu re-
stauriren und zu erweitern: so ward die nur durch einen
vielfach unterbrochenen Erdwall umgebene Stadt jetzt mit
einer starken Mauer und Graben versehen [3]), so die Stoen
fortgesetzt, das Bad vollendet [4]), so die Kirche der Apostel an der Mauer bei einem belebten, marktähnlichen Ver-
kehrsort, welche lange baufällig stand, erneuert, so ein
kleines, wohl 50 Stadien vor der Stadt liegendes Heiligthum (ob das Martyrion des h. Timotheos?) mit Pracht

---

1) Chor. Gaz. orat. p. 37—48.   3) a. a. O. p. 111.
2) a. a. O. p. 45.   4) a. a. O. p. 23.

ausgeschmückt [1]). Aber das Hauptziel bleibt natürlich, in
der Stadt selbst zu den vorhandenen Kirchen, unter denen
die Irene genannte unter Bischof Irenion (363 — 393) auf
einem den Gazäern schon geheiligten Orte erbaut, die Eudoxiana bisher die grösste und glänzendste war, neue
grosse Kirchen zu gründen und sie durch den Schmuck der
Farben, durch den Reichthum der Darstellungen noch zu heben. Von zwei derselben, von den Kirchen des h. Sergius und Stephanus Protomartyr, besitzen wir in den zwei
bei den Festen der Heiligen zu ihrer Einweihung gehaltenen Reden des Chorikios eine genaure Beschreibung, die
allerdings für den Kirchenbau dieser Zeit, sowie die kirchliche Malerei viel Interessantes, aber auch durch unklare
Ausdrücke, sowie Textverderbniss grosse Schwierigkeit
darbietet. Beschränken wir uns auch hier auf die wesentlichen Haupttheile und die Angabe der ganzen Anordnung,
einer speciellen, dem Text in alles Einzelne folgenden Behandlung in einer Specialuntersuchung das Uebrige über-
lassend.

Die Kirche des h. Sergius [2]) lag in dem nördlichen Theile der Stadt, vom Markte etwas abseits. Propyläen mit 4 karystischen Säulen und dem auf den mittleren ruhenden Bogen, innerlich gewölbt führten in den Vorhof (die αὐλή, das atrium oder paradisus), ein regelmäs-
siges Viereck mit 4 Säulenhallen. Bei dem Eingang erheben sich über den Säulen Bogen, entsprechend also den
äussern Propyläen. Nach Süden liegt an der Halle ein
Bau, dem, der das Priesterthum hier verwaltet, zur Haltung der Ansprache bestimmt [3]). Die nach Westen geöffnete Halle ist die eigentliche Vorhalle des τέμενος, hier

---

1) a. a. O. p. 112.
2) Chor. Gaz. p. 83 — 99.
3) Bei der andern Kirche (Chor.

p. 114) entspricht derselben noch
eine eigentliche Sakristei.

liegen die weiten Eingänge in dasselbe. Wir treten in das **Langhaus** mit der grossen Halle ($εὐμήκης\ στοά$) und den zwei unter sich gleichen Seitenhallen, deren Wände durch bunten Marmor und Malerei geschmückt sind. Die Säulenreihen mit Bogenstellung erstrecken sich bis zu dem **Hauptpunkte**, der **Vierung** der Kirche, den $ἀνέχον$-$τες\ κίονες$ des $τέμενος$ mit vier grossen Bogen und gewölbter Decke. Der Kuppel zu beiden Seiten[1]) einander entsprechend wölbte sich ebenfalls über je vier Bogen die Decke. Die östliche Wand schliesst dann mit der mittlern Hauptapsis und den zwei Nebenapsiden. Die **Hauptkuppel** selbst ($ἀετός$, $οὐρανός$) erhebt sich auf einer achteckigen Form, die auf einem Viereck des Gesimses ($σύνδεσμός$) ruht, zu der an den Bogen die Wand hinaufsteigt. Gold und Azurblau strahlt von ihr hernieder. Ueberhaupt ist ein grosser Glanz und Farbenpracht über die Kirche ausgegossen. Marmorplatten von Prokonnesos, Lakedämon, Karystos, von Sangarios, aus Karien wechseln ab. Die Hauptnische mit dem Sitze des Bischofs ist mit thessalischen Säulen geschmückt. Dazu kommt die **Malerei.** Aus der Mitte der Hauptnische strahlt dem Eintretenden in Gold und Silbermosaik das Bild Marias mit dem Christuskinde entgegen mit dem Chor von Heiligen zu beiden Seiten; auf der Rechten wendet der Schutzheilige der Kirche Sergius sich huldvoll, die Rechte auf die Schulter legend dem Ueberbringer der Kirche zu; dieser wird hier

---

1) Dies ist im Text nicht klar ausgedrückt. Es ist von dem $τὸ$ $μέσον$ der $ἀνέχοντες\ κίονες$ die Rede, wo 4 $ἀψῖδες$ einander $ἀντι$-$τιταγμέναι$ sind, dann heisst es: $ἕτεραι\ τοσαῦται\ τὸν\ ἀριθμὸν$ $πρὸς\ ἐναντίαν\ αὐταῖς\ ἀντιβαί$-$νουσι\ στάσιν$, und nun wird von der $ἑκάστη\ συζυγία\ ὄκτω\ τούτων$ gesprochen, die eine $κοίλη\ ὀροφή$ umfasst. Es kann dies allerdings heissen, dass überhaupt nur 8 Bogen da waren; aber jedenfalls waren es drei gewölbte $ὀροφαί$ oder eine und nicht zwei, die auf Bogen ruhten.

40 *

als ein durchaus βασιλικός bezeichnet, also ein vornehmer
Beamter, der den Namen des Archegeten der Diakonen,
also des Stephanos trägt; er erscheint als der Schenker
der Kirche, während der neben ihm dargestellte ἱερεύς,
natürlich Markianos die Ausführung geleitet hat. Die beiden Seitennischen sind in Mosaik mit reich verzweigten
Weinstöcken geziert, unter denen an einem Wasserbecken
zahlreiche Vögel, besonders Feldhühner sich versammelt
haben. Reihen historischer Scenen, aber nicht in Mosaik,
bedecken die Seitenwände, ebenso die ganze Decke. Die
Folge der letzteren ist von dem Rhetor beschrieben und
führt uns von der Verkündigung des Engels zu der Be-
gegnung Marias und Elisabeths, zur Geburt Christi, zu
den Hirten auf dem Felde, zu dem Greis Simeon, zur
Hochzeit von Kana, zur Heilung der Schwiegermutter von
Simon Petrus, des Mannes mit der verdorrten Hand, des
Knechtes des Hauptmanns von Capernaum, zur Wiederer-
weckung des Jünglings von Nain, zur Fusssalbung der
grossen Sünderin, zur Stillung des Sturmes, zur Führung
des Petrus auf dem Meere, zu dem epileptischen, vom Dä-
mon eben verlassenen Knaben, zu dem blutflüssigen Weib
und zur Auferweckung des Lazarus. Die Leidensgeschichte
beginnt mit dem Abendmahle, daran reiht sich die Umarmung des Judas Ischarioth und die Gefangennahme, dann
die Händewaschung des Pilatus, die Kreuzigung zwischen
dem Räuberpaar, die Auferstehung, die Erscheinung vor den
Frauen, die Himmelfahrt. Den Mittelraum der Decke umgeben die Reihen der Propheten. Es ist wohl klar, welches Interesse die Beschreibung dieser Reihenfolge im Verhältnisse zu den uns in Kirchen jener Zeit, der S. Maria
Maggiore zu Rom erhaltenen darbietet, wie hier der Reichthum der angegebenen einzelnen Motive im Verständniss
dieses weiter führt. Auf eines soll hier wenigstens aufmerksam gemacht werden, auf die Darstellung der Kreuzi-

gung[1]), zwar nur als Moment in der ganzen Reihenfolge,
die aber hier zum aller ersten Male ausdrücklich erwähnt
wird, während bis jetzt man die syrische Evangelienhand-
schrift von 586 als das älteste Beispiel kannte[2]).

Der zweite unter Markianos vollendete grosse Bau
war die Kirche des Stephanos Protomartyr, welchen Chorikios ebenfalls näher in der zweiten Lobrede auf
den Bischof uns geschildert hat[3]). In der Nähe des östlichen Thores der Stadt erhob sich der Bau auf einer bedeutenden Höhe, zu welcher eine stattliche Stufenreihe hin-
aufführte. Zwei Thürme flankirten den Eingang, die πρό-
θυρα, die in den grossen, viereckigen, von Säulen umge-
benen Vorhof, die αὐλή führten. Ihr zur Seite lag hier
die Sakristei, dort ein mit Wasser gekühlter, mit Frucht-
bäumen bepflanzter Raum, in dem der Priester die ihn Suchenden empfing. Die östliche Halle, als vor dem Haupt-
haus sich streckend, ragte an Höhe und Breite über die
andern hervor und die darüber sich erhebende Wand war
bedeckt mit reichem, malerischen Schmuck auf Goldgrund.
Die Kirche selbst hatte die Basilikenform, ohne Kreuzschiff,
nach der freilich oft lückenhaften Beschreibung. Eine doppelte Säulenreihe theilte das Langhaus in drei Schiffe; aus
Marmor bestanden die Säulen, von denen die vier stärk-
sten mit der königlichen Farbe des Rothes den Chor als
abgeschlossenen Raum abtheilten gegen den allgemein geöffneten Theil. Marmorplatten aus den mannigfachsten
Steinbrüchen bedeckten in kunstreicher Zusammensetzung

---

1) Der Text lautet: ἐμπαροι-
νήσαντες δὴ τούτῳ πολλά, μᾶλ-
λον δέ σφισιν αὐτοῖς — τελευ-
τῶντες τῷ πάντων αἰσχίστῳ θανά-
τῳ τρόπῳ παρέδωκαν λῃστρικῆς
μετά ξυνωρίδος.

2) Piper Christl. Bilderkreis.

S. 26. 1852. Wahrscheinlich ist es
allerdings, dass in der nur allge-
mein bezeichneten Reihenfolge der
Bilder der Blachenen Kirche in
Byzanz (kurz nach 440) auch der
Kreuzestod nicht fehlte.

3) Orat. p. 114—120.

die Wände. Die Kirche besass eine Empore als γυναικωνῖ-
τις, die ebenfalls mit einer nur niedrigern Säulenreihe in
das Mittelschiff sich öffnete. Ueber dieser zog sich der
zweite Fries mit Thiergestalten bunt verziert, dann die
obere, durch bogenförmige Fenster unterbrochene Wand,
darüber breitete sich die Decke, aus mannigfachen, kunstreich gearbeiteten Holzstücken gebildet [1]). Aller Glanz
concentrirte sich auf die Nische mit der Apsis. Oben thronte
in der Mitte Christus, ihm zur Seite hier Stephanos
mit der Kirche in den Händen, dort Joannes der Täufer.
Unter diese gehört die vom Rhetor als vergessen in der
Beschreibung nachgeholte Darstellung des Nil, als ein
von Vögeln belebtes, mit blumigen Wiesen umgebenes
Wasser, nicht als Flussgott, wie der Rhetor hervorhebt.
Der untere, cylinderförmige Theil war durch ein breites
und langes Fenster in der Mitte getheilt. Kunstreich ge-
fügte Marmorstreifen liefen über dasselbe und umkleideten
es, sowie überhaupt die Kunst des grossen Marmormosai-
kes an dem ganzen Bau hervorgehoben wird.

Diese Kirchenbauten führten zu glänzenden Festen bei
ihrer Einweihung, zu deren Wiederholung bei den Festen
der Märtyrer und Heiligen. Schon fügte ein reicher Cyklus derselben sich an einander und das Volk sah hier
die frühern πανηγύρεις ersetzt, deren blutiger Theil, die
Circenses, sowie die Pantomimen durch Anastasios 1 aufgehoben waren. Festgesandtschaften kommen dazu von allen Seiten [2]), Freunde erwartet man dazu [3]). Ein heiteres

---

1) Unklar ist der Ausdruck
Chor. S. 118. ξύλα γὰρ ἐνταῦθα
πολυτελῆ καλαθίσκοις κεκαλυμ-
μένα τοῦ τε πρὸς ἰσχὺν ἅμα καὶ
πρὸς κάλλος εὖ ἔχειν. Man erwartet etwa: καλαθίσκοις καὶ καλύμ-
μασιν. Das Letztere bekanntlich
der verzierte Deckel der Kastelle,

welche hier durch καλαθίσκος ausgedrückt ist.

2) Chor. p. 124.

3) Prokop. Ep. XLVII bei A.
Mai Class. Auct. IV, p. 235. Diodor will τὴν τῶν μαρτύρων πανή-
γυριν in Gaza feiern.

Marktleben bildet sich dabei: der Marktplaz, die Strasse
zum Heiligthum schmückt sich mit Zelten, mit Lorberzwei-
gen und Teppichen, ein förmlicher $\check{\alpha}\lambda\sigma\sigma\varsigma$ entsteht um die
Tempel und die reichsten Kaufwaaren werden hier glän-
zend aufgestellt. In das Theater drängt man sich, um die
Reden der Schüler, die Prunkreden der Rhetoren, die das
Fest verherrlichen, zu hören. In der Nacht strahlt die
Stadt in der glänzendsten Illumination, die an alte jüdische
Sitte, an die damals noch bestehenden $\lambda\nu\chi\nu o\kappa\alpha\tilde\iota\alpha\iota$[1]) der
Aegypter, wie sie zu Sais der den Osiris suchenden Neith
zu Ehren gehalten wurden, sich anschloss. In Transpa-
renten waren die guten Wünsche für Kaiser, Obrigkeiten,
Priester niedergelegt. So war das Christenthum vielfach
sich anlehnend oder parallel gehend dem frühern Kultus die
allgemeine Macht geworden, die Freude und Leid, Armuth
und Glanz, Wissen und Können, das ganze Kulturleben
jener Zeit in sich aufnahm.

§. 17.
Literarisches Leben. Die Schule von Gaza.

Die bisherigen Untersuchungen haben hoffentlich das
Bild des hellenistischen Städtewesens in Palästina, weiter
in Syrien reicher und bedeutungsvoller herausgestellt, als
es bis jetzt geschehen war. Die politische Organisation
und Selbständigkeit, die Energie und zuweilen hohe sittliche Kraft, welche diese Städte im Kampfe der Monar-
chieen oder gegenüber den ungriechischen $\check\epsilon\vartheta\nu\eta$ bewiesen,
die merkantile und überhaupt materielle Bedeutung dersel-
ben, das religiöse System, der Glanz des eigenthümlich
componirten Kultus, endlich die Werke der bildenden Kunst,

---

1) Chorikios (p. 122) sah sie
am Nil bei einer $\pi\alpha\nu\acute\eta\gamma\nu\varrho\iota\varsigma$, die
den Namen trug: $\grave\epsilon\kappa\ \tau o\tilde\upsilon\ \pi o\tau\alpha\mu o\tilde\upsilon$. Es ist die alte $\pi\alpha\nu\acute\eta\gamma\nu\varrho\iota\varsigma$, von der
Herodot (II, 61. 59. 70. 71) und
Andere erzahlen.

sie lassen an und für sich darauf schliessen, dass die geistige Bildung des Hellenismus, insofern sie auf einem geregelten Uuterrichtswesen und auf dem Hervortreten einzelner oder einer Gesammtheit literarisch thätiger Männer beruht, hier nicht gefehlt habe. Und eine auch nur übersichtliche Beachtung der griechischen, in Syrien wurzelnden Literatur, wie sie freilich derselben bisher in irgend genügender Weise noch gar nicht zu Theil geworden ist[1]), muss uns die Mannigfaltigkeit ihrer Stätten, die reiche Productivität, endlich auch die bestimmten geistigen Gebiete, in denen sie vor Allem sich bewegt, leicht erkennen lassen. Es hat sich allerdings hier ein starkes an die Monarchie angeschlossenes Centrum des wissenschaftlichen Betriebs nicht, so wie vor Allem in Alexandrien und in Pergamum herausgebildet, obgleich es an mannigfaltigen Bestrebungen dafür nicht fehlt, dafür erhält aber bald jede, irgend bedeutende hellenistische Stadt eigene, freie Bildungsanstalten, wenn wir es so nennen wollen, einen Cyklus des Unterrichts in Grammatik, Poetik, Rhetorik, Philosophie mit Lehrern, die hier in der Stadt zunächst ihren Ruf gegründet, dann durch Schrift, Reisen, äussere politische Stellung ihn weit verbreiten. Neben Antiochien stehen hier Tyrus, Byblos, Berytos, Damaskos, Gerasa, Gadara, Philadelphia, Pella, Petra u. a., in selbständiger Weise da, und ein grosses Verzeichniss der hier geborenen, dann auch daselbst weilenden Männer von literarischem Rufe würde leicht sich herstellen lassen. Achten wir auf das Gemeinsame oder wenigstens Hervortretende ihrer Thätigkeit, so ist es im Gegensatz zu den exakten Wissenschaften, zu Mathematik, Mechanik, Geographie, Medicin, zu Grammatik und Kritik das Gebiet der praktischen und theo-

---

1) Andeutungen bei Bernhardy Grundr. I, S. 419. 425. 442. bes. S. 501 ff.

retischen Rhetorik, wie sie in den politischen Verhältnissen jener Städte allerdings eine breite Grundlage fand,
es ist das Gebiet der geschichtlichen Darstellung, einer meist an das Residuum der nationalen mythologischen,
besonders kosmischen Systeme oder an den neu aufge-
tauchten Mysticismus - sich anlehnende Philosophie und
endlich einer leichten, in kurzen und prägnanten oder sehr
bequemen Formen sich bewegenden Poesie. Nirgends ist
die Sophistik, als der Gesammtcharakter vielseitiger li-
terarischer Bestrebungen so herrschend geworden, als in
den syrischen Städten. Natürlich haben wir hier die zwei
Perioden der griechischen und römischen Herrschaft,
wohl zu scheiden, wobei die Masse der Erhaltenen hauptsächlich der zweiten Periode zufällt; dann auch die einzelne provincielle Stellung zu beachten, die die Küstenstädte Palästinas von jeher nahe an Aegypten geknüpft hat
und also auch hier eine literarische Annährung erwarten
lässt.

Für Gaza fehlen uns in der ersten Periode alle An-
haltpunkte, dagegen wird Askalon als Geburtsstätte vieler bekannter Männer bezeichnet [1]). So hatte die stoi-
sche Philosophie ihre Vertreter in Antiochos, der den
Beinamen ὁ Κύκνος führte [2]), in Sosos, Antibios, Eubios;
von dem ersten wissen wir, dass er kurz vor Strabo lebte,
der ihn als Philosoph anführt [3]), und dass er eine Schrift
περὶ θεῶν schrieb [4]). Als Grammatiker werden Ptolemäos,
ein Freund des Aristarchos, also aus der Mitte des 3ten
Jahrhunderts v. Chr., dann Dorotheos genannt. Unter der
grössern Zahl dortiger ἱστορικοί treten Apollonios und Artemidoros, der Verfasser der Schrift über τὰ περὶ Βιθυνίας

---

1) Steph. Byz. s. v.
2) Aehnlich wie Apion Oasita
den Beinamen ὁ Μόχθος führte
Mull. Fr. H. III, p. 506.

3) Strabo XVI, 2. p. 370 ed. I.
4) Plut. Luc. c. 28.

hervor; aber für diese fehlen uns alle weitern Anhaltepunkte zu chronologischer Bestimmung.

Dagegen concentrirt sich in Gaza gegen das Ende
der hellenistischen Zeit das literarische Leben in merkwürdiger Weise. Es tritt hier für die Zeiten des Kaisers
Anastasios I und Justinian theils als eine entschiedene Schule,
als ein Complex gleichstrebender Männer auf, die in den
drei Gebieten der Rhetorik, Philosophie und Poesie eine
grosse Thätigkeit entwickeln, für gewisse Zweige allein
in ihrer Zeit stehen und auch in der Nachwelt eine bestimmte Anerkennung erlangen, theils als ein mit dem, wie
wir oben sahen, christianisirten Kultusleben eng verbundenes Bildungselement auf, das im allgemeinen Unterricht,
in dem Festleben, in der politischen Stellung zum Kaiser
und den Beamten eine nicht unbedeutende Rolle spielt. In
Betracht kommt hierbei das bestimmte Verhältniss, welches
diese Gazäische Schule, theils zu der Alexandrinischen,
theils zu der Athenischen der letzten Neuplatoniker einnimmt. Es ist übrigens hier nicht der Ort zu einer kriti-
schen, irgend umfassenden Untersuchung, die ausserdem
noch gar nicht geführt werden kann, da ein grosser Theil
der hierhergehörigen Schriften, so von Prokopios [1]), Chorikios [2]), Aeneas [3]), Zosimos [4]), noch nicht herausgegeben
oder kaum ihre Existenz bekannt ist, die vereinzelt herausgegebenen, wie z. B. die Briefe, erst im Text zu rei-
nigen und das Zusammengehörige zusammenzustellen ist,

1) Ueber den grossen Commentar zur Genesis, sowie zu den Pro-
verbia s. Ang. Mai in Class. Auct.
t. VI, Praefatio und p. 347. Nota.

2) Aus dem Madrider Codex
sind bis jetzt bei Boissonade nur 3
Stücke bekannt gemacht, der sehr
viele Sachen des Rhetors noch enthalten soll.

3) So ein $\ddot{\epsilon}\lambda\epsilon\gamma\chi\circ\varsigma\ \tau\tilde{\eta}\varsigma\ \pi\alpha\varrho'\ "E\lambda$-
$\lambda\eta\sigma\iota\ \lambda\circ\gamma\circ\mu\alpha\chi\iota\alpha\varsigma$, dann selecta Plo-
tini super dialectica.

4) So Commentare zum Lysias,
Demosthenes, ein Auszug aus Atha-
nasios, einem Alexandriner Sophisten.

endlich Gedichte, wie das des Joannes von Gaza erst der genausten, auch archäologischen Feststellung des Inhalts und Gedankenganges bedürfen. Versuchen wir uns hier ihres Zusammenwirkens in Gaza und der verschiedenen Hauptrichtungen bewusst zu werden.

Schon aus der Zeit der Söhne Constantins erfahren wir, dass Gaza auch eine gute besuchte Schule der Rhetorik (bonos auditores) besitzt[1]), dass sie nicht allein reiche, sondern auch beredte Männer hat. Die Rhetorik bildet auch hier, wie in allen Studienörtern[2]) dieser Jahrhunderte, den eigentlichen Mittelpunkt des höhern Unterrichts, der auf die Schule der γραμματικοί sich aufbaut; als dritte Stufe tritt dann entweder die Philosophie, aber nur in Athen und Alexandrien hinzu, oder die bestimmten Fachschulen, so vor Allem die des römischen Rechts und der Medicin. In Gaza kennen wir keine Fachschule, wie z. B. in Cäsarea allerdings neben Berytos eine Rechtschule sich gebildet hatte[3]). Auch die p h i l o s o p h i s c h e n Studien, welche von Neuplatonikern hier zuletzt gepflegt wurden, haben nicht wie in Athen einen gesonderten Studienkreis ausgemacht, da sie, was hier wohl zu beachten ist, nicht mehr getrennt oder im Gegensatz zu dem Christenthum standen, sondern unmittelbar auf die Darstellung christlicher Ideen angewendet wurden und daher kirchlicher Theilnahme sich erfreuten. Sie wählen daher zu ihrer Form auch neben den antiken der Abhandlung, ja des Dialogs geradezu die der Commentare zu den heiligen Schriften, oder der Polemik gegen die Ἕλληνες. Man kennt daher in Gaza selbst nur σοφισταί χριστιανοί, aber nicht φιλόσοφοι. Die p o e t i-

---

1) Expos. t. m. in Huds. Geogr. min. III, 6..

2) Schlosser, Univers. Studirende etc. in Archiv f. Gesch. v. Schlosser u. Bercht I, S 217 — 272.

Bernhardy, Grundr. der gr. Literatur I, S. 548 ff.

3) Justin. Const. Tauta §. 9. Zimmern Röm. Rechtsg. I, S. 368.

schen produktiven Bestrebungen sind, obgleich ihrer Natur nach weniger geeignet zu regelmässigem Schulbetrieb, allerdings hier in Gaza von Männern, die als Improvisatoren oder mit ausgearbeiteten Gedichten öffentlich auftraten und einen Namen sich erwarben, in schulmässiger Weise geleitet worden; sie treten aber nur neben der Sophistik als parallel-gehende Beschäftigung, als Blüthe der γραμματική auf. Dieselben Stoffe werden in den μελέται, wie in Anakreonteen behandelt, derselbe Charakter spiegelt sich hier wie dort, bei denselben Gelegenheiten finden die öffentlichen Deklamationen statt.

Die Thätigkeit der Rhetoren ist auch hier in Gaza vorzugsweise eine dreifache: die der eigentlichen προγυμνάσματα, der Uebungen in den seit Hermogenes von Tarsos festgestellten Formen der Darstellung, als da sind die μῦθοι, διηγήματα, ἐκφράσεις, χρεῖαι etc., die eigene Behandlung bekannter Themata in diesen Formen und die Leitung der Schülervorträge in den ἀκροάσεις, dann zweitens die Erklärung der alten Musterwerke, vor allem des Demosthenes und Lysias, endlich das öffentliche Auftreten im θέατρον vor einer glänzenden Versammlung, um πανηγυρικοὶ λόγοι auf lebende, oft anwesende Personen, auf den Kaiser, auf den dux, den consularis, den Bischof, oder ἐπιτάφιοι auf Gestorbene, auch auf vornehme Frauen, endlich um συμβουλευτικοί zu halten, die allerdings aber bei dem gänzlichen Sinken der βουλή, überhaupt der städtischen Verfassung immer seltner werden und an Bedeutung verlieren. Von einer gerichtlichen Beredsamkeit hören wir nichts, wohl von einzelnen, die rhetorisch und juristisch (νόμοι καὶ λόγοι) gebildet sind. Als ein bekannter Rhetor tritt uns zuerst Zosimos von Gaza [1]) entgegen, welcher Commentare zum Demosthenes und

---

1) Fabric. bibl gr. ed. Harl. II, p. 770. 850. VI, 124. 141.

Lysias, sowie eine alphabetisch geordnete λέξις ῥητορική
schrieb. Naeh Cedrenus[1]) ward er unter Kaiser Zeno neben andern bedeutenden Männern hingerichtet, nach Suidas[2]), der aber schwankt, ob er aus Gaza oder Askalon
stamme, lebt er zur Zeit des Anastasios. Das Erstere ist
hier jedenfalls das Richtige, wenn wir nicht zwei Personen
scheiden wollen. Von weit bedeutenderem Einflusse in der
Gegenwart, wie für die spätern Studien ist aber ein zweiter, der eigentliche Mittelpunkt der gazäischen Schule,
Prokopios von Gaza. Wir besitzen in dem ἐπιτάφιος
λόγος seines Schülers Chorikios[3]) ein kurzes Lebensbild
von ihm, sowie die jetzt herausgegebenen Briefe[4]), welche
meist sehr kurze, oft ziemlich inhaltslose, aber keine künstlich componirten sind und Empfehlungen von Fremden,
Reisenden, Danksagung, Bitte um Nachricht, um Beförde-
derung von städtischen Bittschreiben an den Kaiser und dergl.
enthalten, uns den grossen, vielseitigen literarischen Verkehr mit Zeitgenossen darlegen. Seine Zeit wird durch
den Panegyrikus auf Anastasios I fixirt, welcher kurz nach
dem Jahre 498, nach der Besiegung der Saracenen in Mesopotamien und Abschaffung des Chrysargyrum gehalten
ward. In Gaza geboren, gebildet, hat er den grössten
Theil seines Lebens hier zugebracht, nur kurze Zeit in
Cäsarea bleibend, wohin er um einen sehr hohen Preis gerufen war. Mit Aegypten, ebenso wie mit den Rhetoren
von Antiochia und Tyrus verkehrt er viel; in Alexandrien
hatte er als Jüngling schon den Preis über einen bekannten
Sophisten davongetragen. Dem Leben nicht abgestorben,

---

1) Chron. I, p. 622 ed. Bran.
2) Suidas s. v. I, 2. p. 742 ed.
Bernh.
3) Chor. Orat. p. 1 — 24 ed.
Boiss.

4) In den Epist. divers. philos.
Ed. Ald. 1499 erschienen 57, dazu
hat A. Mai in Class. Auct. t. IV.
an 104 gefügt.

in Geschäften gewandt, im Namen der Stadt zum Sprecher
des Dankes bestellt gegenüber dem Kaiser, auch mit seinen Geschwistern und deren Familie viel verkehrend ist er
doch durchaus ein Gelehrter, der eine grosse Bibliothek sammelt, der den Dichtern, den Rhetoren, Philosophen, wie
endlich dem alten Testament und der ganzen Reihe seiner
Erklärer ein aufmerksames Studium zugewandt hat, der
auf der einen Seite den feinsten Atticismen, den zierlich-
sten Wortwendungen nachstrebt, idyllische, mythologische
Scenen rhetorisch ausstaffirt[1]), auf der andern als Bekämpfer philosophischer Grundansichten, wie über die Ewigkeit
der $\H{v}\lambda\eta$ in ausführlichen Deduktionen sich ergeht. Er galt
als Muster der $\h\varrho\eta\tau o\varrho\iota\varkappa\grave\eta$ $\lambda o\gamma o\gamma\varrho\alpha\varphi\iota\alpha$ und der $\varkappa\alpha\vartheta\alpha\varrho\grave\alpha$ $\lambda\acute\varepsilon\xi\iota\varsigma$[2])
der strengen, reinen, nicht schwülstigen Rede, die aller-
dings des übermässigen Atticismus und des unzeitigen Gebrauchs von Tropen und Beiwörtern von Johannes Sice-
liota beschuldigt wird[3]). Seine Reden, mannigfacher Art,
besonders die Panegyriken, werden spät als Muster noch –
vielfach gelesen[4]). Ja man ging damals von Athen nach
Gaza, um das $\dot\alpha\tau\tau\iota\varkappa\iota\zeta\varepsilon\iota\nu$ zu lernen[5]). Dagegen tritt seine
philosophische Bildung, seine massenhafte Belesenheit hervor
in dem grossen Commentar zu dem Oktateuch, zu andern
Büchern des alten Testaments, in denen eine vollständige
Sammlung der divergirenden Ansichten der Erklärer niedergelegt und zugleich die philosophischen Ansichten des
$\H{E}\lambda\lambda\eta\nu\varepsilon\varsigma$ kritisirt waren. Wir kennen bisher nur einen von
ihm gemachten Auszug daraus zu den ersten 18 Kapiteln

---

1) Eine solche $\mu\varepsilon\lambda\acute\varepsilon\tau\eta$ bei Boissonade Annot. ad Marin. v. Procli
p. 76. 77.

2) Joh. Rakendyt. Synops. Rhe-
toric. in Rhetor. gr. III, p. 521.
526. ed. Walz.

3) Rhetor. Gr. VI, p. 94 ed.
Walz.

4) Phot. Cod. 160.

5) Brief des Aeneas Gazaeus
an Theodorus Sophistes.

der Genesis, sowie ein Stück allegorischer Auslegung des Hohenliedes[1]).

Wie er als Lehrer persönlich gewirkt, das beweist der Briefwechsel mit vielen seiner Schüler, wie Sozomenos, Epiphanios, Eusebios, Johannes u. a., das die Grabrede des Chorikios, das die Angabe von der grossen Zahl ähnlicher Porträts, die von ihm existirten[2]). Unter seinen Schülern war sein unmittelbarer Nachfolger auf dem Sophistenstuhle, Chorikios, ebenfalls ein Gazäer, der bedeutendste und am meisten literarisch thätige, welcher neben seinem Meister, den er getreulich in Gedanken und Redensarten nachahmt, meistens genannt wird. Wie er mit seinem Vorgänger die Mannigfaltigkeit öffentlicher Reden, der πανηγυρικοί, ἐπιθαλάμιοι, ἐπιτάφιοι, der μονῳδίαι und auch die Themata der μελέται gemein hat, so ist jene philosophische und religiöse Richtung in ihm gar nicht ausgebildet, dagegen lebt er geradezu noch mit dem ganzen Vorrath von Bildern, von Lebensansichten in der antiken Mythologie und Dichterwelt; man sieht deutlich, welchen Einfluss die Dichter der Vorzeit, sowie die Anakreontiker seiner Zeit auf ihn gehabt. Er liebt es daher, was auch Photios an ihm bemerkt[3]), Situationen, landschaftliche Scenen mit irgend sentimentaler Stimmung in scheinbarer, aber wohlberechneter Skizzenhaftigkeit (ἠθοποιίαι) uns vorzuführen, an Werke der Kunst sich anzuschliessen und sie durch das Medium der Rede (ἐκφράσεις) den Hörern zu reproduciren. Kommt er in das philosophische und näher sittliche Gebiet, so sind es auch hier mehr hübsch abgerundete Gnomen und Sätze, kurze Analogieen, als irgend tiefere Auffassung; daher auch eine ziemliche Anzahl solcher ἀποσπασμάτια sich erhalten hat[4]).

---

1) A. Mai, Class. auct. t. VI, p. 1 — 347; dann zum ἄσμα p. 348 — 378.

2) Chor. p. 17.

3) Phot. cod. 160.

4) Herausgegeben ist eine ἠθο-

In Prokopios trat uns bereits eine sehr entschiedene philosophische Ausbildung entgegen, die sich aber auf dem Boden der katholischen, auch gegen Origenes Front machenden Kirchenansicht nur polemisch zur antiken Philosophie verhält. Wir können hier noch auf das Fragment einer grössern Schrift der Art verweisen, auf die ἀντιῤῥή-σεις εἰς τὰ Πρόκλου θεολογικά, das Angelo Mai herausgegeben hat[1]). Es ist hieraus schon die Beziehung gegeben zu den letzten Vertretern des Neuplatonismus, zu der von Alexandria ausgehenden athenischen Schule, deren Verbindung und Wirkung hier in Gaza wir an andern hervortretenden Erscheinungen näher verfolgen können, und zwar nach einer doppelten Seite hin, indem jener Neuplatonismus sich noch an die letzten verschwindenden Reste des dort einheimischen Kultus anklammert und begeisterte Vertreter seines alle Form verschmähenden, auf jede Dialektik verzichtenden Mysticismus gewinnt, oder indem er nur zum Studium des Plato anregt und die platonische Form, sowie platonische Ideen auf christliche Grundanschauungen übertragen lässt. Für jenes ist uns Proklos selbst, ein geborner Lykier, der in Alexandria gebildet, dann ein Glied in der goldenen Kette zu Athen zwischen Syrianos und Marinos ward (lebt 412 — 485), ein Beweis, welcher seine Hymnen an den Gazäischen Marnas, sowie den Asklepios von Askalon und den arabischen Thyondrites richtete[2]), ferner sein Mitschüler bei Olympiadas in Alexandrien und Syrianos in Athen, Ulpianos oder Olympianos aus Gaza, über dessen Stellung zu Ulpianos, dem Scholiasten

---

ποία ποιμένος von ihm von Boissonade zu Marini Procli vit. p. 76, dann mehr von A. Mai im Spicileg. Roman. t. V, p. 410 — 463, der praeb. p. XXV — XXXIII über ihn spricht; am vollständigsten ist bis jetzt die oft angeführte Ausgabe von Boissonade. Paris, 1846.

1) Class. auct. t. IV, p. 274. 275.

2) Marin. v. Procli. p. 16 ed. B.

des Demosthénes wir nicht unterrichtet sind und von dem
wir nur wissen, dass er in seinem Leben ἱκανῶς φιλοσο-
φήσας ist [1]), endlich einer der letzten Vertreter der neuplatonischen Lehre, Isidoros von Gaza. Dieser gehört
zu den sogenannten πρέσβεις, welche nach Aufhebung der
Philosophenschule zu Athen im Jahre 529 nach Persien auswanderten, dann aber zufolge einer besondern Friedensbe-
dingung in die Heimath zurückkehrten und ungefährdet und
unschädlich ihres Glaubens leben konnten. Sichtlich hat er
nicht in Gaza, sondern in Athen gelebt und war mit Damaskios dem Syrer, Simplikius dem Kiliker, mit Eulalios,
Priskianos, mit Hermeias und Diogenes aus Phönike nahe
verbunden. Aber ganz ist er zu scheiden von jenem Isidoros, dem Nachfolger des Marinos, jenem Theurgen, dessen wunderbares Leben Damaskios geschrieben [2]), was selbst
Ritter [3]) mit als Frage hinstellt, denn für diesen ist sowohl
der ganze Anfang seiner Lebensbeschreibung, als auch die
ausdrückliche Stelle, wo er Syrianos seinen Landsmann
nennt, der entschiedene Beweis seiner Herkunft aus Alexandria. Wir sehen also, allerdings zieht aus Gaza der Neuplatonismus Kräfte an sich, aber er ist von ihnen wenigstens erweislich nicht in Gaza gelehrt werden. Dagegen
ist der ältere Zeitgenosse des Prokopios, Aeneas Gazäus
von grosser Bedeutung, aber in einer entgegengesetzten Richtung gewesen [4]). Er ist auch aus der alexandrinischen
Schule hervorgegangen, aus der Schule des Hierokles,
an dem wohl Isidoros, jener Theurg anerkennen muss, dass
an menschlicher Zurüstung zur Philosophie ihm nichts ge-

1) Mar. v. Procl. p. 8. Not. p. 85.

2) Phot. cod. 242.

3) Gesch. der Philos. V, S. 727.

4) Eine kurze, aber gute und genaue Schilderung giebt Wernsdorf in der disputatio de Aen. Gaz. edit. adornanda, abgedruckt vor Aeneas et Zacharias ed. Boissonade. Paris 1836. Vergl. Fabric. bibl. gr. ed. Harl. I, p. 689. 309. III, p. 160. VI, p. 749.

fehlt habe, dagegen aber viel an jener wunderthuenden, innern Kraft, an der Mystagogie. Aber Aeneas hat aus dieser Schule allerdings eine reiche und schöne Zurüstung mitgebracht der Formbildung und platonischer Gedanken; er hat dann als Sophist in mannigfacher auch rhetorisch bildender Thätigkeit gestanden, was aus seinen Briefen hervorgeht[1]), im literarischen Verkehr mit den bekanntesten Sophisten seiner Zeit, wie Sopatros, Zosimos, Epiphanios, Dionysios, Theodoros, mit Geistlichen und hohen Beamten; er hat endlich in einer für jene Zeit fast allein stehenden, künstlerischen Form, in der eines platonischen Dialogs gegenüber dem athenischen Neuplatoniker, den er als Theophrastos einführt, seine christliche Ansicht über Unsterblichkeit der Seele, über Ewigkeit des Stoffes, über das Schaffen überhaupt niedergelegt.

Als die dritte wichtige Seite des literarischen Lebens von Gaza bezeichnen wir die Poesie und zwar in einem bestimmten, schulmässigen Betrieb, aber mit einzelnen hervorragenden Männern. Es gab damals nur noch zwei in der gebildeten Gesellschaft lebendige Gattungen derselben: das Epos, wie es von Ober-Aegypten, nicht von Alexandrien aus durch Nonnos nach Form und Gehalt neu regenerirt wurde, aber auf einem dem epischen Wesen total entgegengesetzten Boden phantastischer Berauschung [2]) in einzelnen der Volkstradition fremden, nie zur Abrundung kommenden Bildern sich bewegte und zweitens das leichte, eine kleine Situation des menschlichen oder des Naturlebens prägnant auffassende oder mythisch umsetzende Gedicht, das als Epigramm oder in der dem Volkstone sich an-

---

1) Die 25 Briefe sind herausgegeben in Epist. div. philos. Ed. Ald. 1499.

2) Interessant ist, wie Prokopios dem Pankratios über das von ihm gesandte Gedicht schreibt: er sei berauscht von dieser $\mu o \acute{v} \sigma \eta$, ganz nach Alexandrien versetzt und habe geschwelgt in den $\delta \iota \eta \gamma \acute{\eta} \mu \alpha \tau \alpha$.

nähernden Weise der **Anakreonteen** gestaltet wurde.
Dazwischen liegen aber sehr vereinzelt die längern, in Trimetern sich ergehenden τραγῳδίαι oder μονῳδίαι, erwachsen aus den Monologen der spätern Tragödie. Wir sehen
in Gaza beide Gattungen vertreten, vorzugsweise aber die
zweite und hier entschieden die Anakreonteenform, die theils
als einfache Hemiamben, theils in dem strophischen Aufbau
der οἶκοι und des κουκούλιος sich entwickelt. Wie diese
Form am meisten gerade der Stimmung des ganzen Volks-
lebens und dem Sprachbestand entsprach, wie sie mit den
poetischen Formeln unmittelbar in das griechische Kirchen-
lied hinübergenommen ward, haben wir früher schon dargestellt [1]; wir hoben zugleich jenes Randscholion zu dem
Gedicht des Johannes-Gazäus [2] hervor, wo Gaza als φι-
λόμουσος καὶ περὶ τοὺς λόγους εἰς ἄκρον ἐληλακυῖα bezeichnet und dafür als Beweis οἱ τῶν ἀνακρεοντείων ποιη-
ταὶ διάφοροι angeführt werden. In der That haben wir
uns dies als eine förmliche Schule zu denken, deren Glieder an bestimmten Tagen, so besonders an dem Fest der
Rosen, vielleicht einem Ueberrest des Frühlingsfestes
Majuma öffentlich auttraten und hier nun vor Allem die
Rose als unerschöpflichen Stoff [3], besonders in mythologischer Beziehung zu Aphrodite, Adonis, Eros, dann den
Frühling im Gegensatz zum Winter, den Dionysos und die
Feste des Winzerlebens, Apoll und Musen nebst Chariten,
feierten. Es war dies ein von der Kirche damals wohl ge-

---

1) Quaest. Anacreont. libri duo.
Lips. 1846. p. 35—44. Ueber die
metrische Form s. ebendas. p. 29.
30.

2) In Anthol. Pal. III, p. 814.
n. XV.

3) Von den durch Matranga herausgegebenen Anacreontea (Romae
1850. p. 633—698) ist N. 3 des

Joannes Gazäus ein σχέδιον ἐν τῇ
ἡμέρᾳ τῶν ῥόδων, 4 ebenfalls am
Rosentag. Georgios Grammaticus
behandelt ebenfalls die Rose, Athene
und Aphrodite zweimal, dann die
Rose, Ares und Aphrodite, dann
die Rose, Apollo und Daphne, dann
die Rose, Hippolytos und Phädra
zweimal.

littenes, harmloses Spiel in der mythologischen Bilderwelt, welche noch nicht eben lange als leibliche, körperhafte Scenen den Zuschauern der Pantomimen entgegengetreten war. Natürlich geht in diese Form mannigfacher Inhalt, wie ihn die Gelegenheit, Freude und Schmerz bot, ein, und die Improvisation hatte hier ein bequemes Bette, den Redestrom rhythmisch aber frei zu gestalten.

Dass jedoch in diesen Anakreonteen die Thätigkeit der gazäischen Dichterschule nicht eingeschlossen war, dafür sind die zwei bedeutendsten Vertreter ein Beweis, die wir hier noch kurz zu nennen haben: Timotheos und Johannes von Gaza. Timotheos[1]) gehört ganz in die Regierungszeit des Kaisers Anastasios und hatte sich bei jener wichtigen Angelegenheit, deren Erledigung dem Kaiser die Gunst der Städte in hohem Grade gewann und daher, wie wir oben sahen, auch panegyrisch gefeiert ward, nämlich bei der Aufhebung der drückenden Erwerbsteuer, des Chrysargyron durch eine $\tau\varrho\alpha\gamma\omega\delta\iota\alpha$ betheiligt, also eine Schilderung des bisherigen Nothstandes, gleichsam eine poetische Bittschrift. Daneben hat er in einem epischen Gedichte von vier Büchern die Naturgeschichte der ausländischen, besonders indischen, arabischen, ägyptischen, libyschen vierfüssigen Thiere, Vögel und Amphibien behandelt, das wir nicht kennen, bis auf einige kurze, prosaische, von Cramer[1]) herausgegebene Auszüge, in denen vom Kamel, Krokodil, Nilpferd, Rhinoceros u. s. w. gesprochen wird. Wir haben daher über seine poetische Stellung gar kein Urtheil. Anders steht es mit Johannes Gazäus, der der Zeit nach mit Prokop zusammenfällt. Von ihm besitzen wir eine Anzahl der eben besprochenen Anakreonteen, aber dann auch die merkwürdige, dunkle $\check{\epsilon}\varkappa\varphi\varrho\alpha\sigma\iota\varsigma\ \tau o\tilde{v}\ \varkappa o\sigma\mu\iota$-

---

1) Suidas s. v. $T\iota\mu\delta\vartheta\epsilon o\varsigma$. Dazu Anmerk. von Bernhardy. Grammat. Coislin. p. 597. Cramer Anecd.

IV, p. 263 ff. Cosmas im Spicil. Rom. II, p. 333. Tzetz. Chil. IV, 128.
2) Anecd. a. a. O.

κοῦ πίνακος τοῦ ἐν Γάζῃ ἤ ἐν Ἀντιοχείᾳ [1]). Sie ist in der
That in öffentlicher *ἀκρόασις* vorgetragen worden und zwar
in zwei Abtheilungen, daher die Einleitung zweimal mit
iambischen Trimetern in den epischen Hexameter überführt.
Jedenfalls hat eine bildliche Darstellung dem Gedicht sls Oh-
jekt gedient; wie diese *κοσμικοὶ πίνακες* allerdings besonders als *τράπεζαι* in byzantinischer Kunstübung mehrfach
erscheinen und eine zusammenfassende Betrachtung verdien-
ten; aber wie weit hier die *τόλμα* [2]) des Dichters von der
des Malers abgehangen, ist schwer und nur durch genauste
Einzelerklärung zu ergründen. Eine wunderbare Verbindung christlicher Weltanschauung, wie sie in der Grund-
form des Kreuzes, in dem Typus der Dreieinigkeit, dem
Engel, als Wächter des Okeanos offen daliegt, ist hier mit
antiker Mythologie und ethischer Allegorie hergestellt. Sie
ist in der That auch für das Bewusstsein des Dichters da,
der sich als ganz bedingt von der in Nonnos zum vollen
Ausdruck gekommenen, das Christliche wie das Heidnische
gleich behandelnden Form poetischer · Improvisation auch
in den einzelnen Redewendungen zeigt. Die Form der
ἔκφρασις, die wir in der gazäischen Rhetorik besonders
entwickelt fanden, kehrt hier wieder, aber ganz gemischt
mit dem augenblicklichen Erguss eines subjektiven, geistigen Lebens, das in christlichen und antikmythologischen
Bildern schwelgt. Mit Wahrscheinlichkeit können wir endlich Georgios den Grammatiker, von dem Matranga eine
Anzahl Anakreontea herausgegeben, deren Stoffe ganz dem
gazäischen Stoffkreise angehören, auch selbst zu diesem
gazäischen Dichterkreise rechnen, sowie mit der Zeit die
Namen der. eigentlichen Anakreontiker Gazas bei dem noch
nicht erschöpften handschriftlichen Vorrath dieser Gedichte
sich herausstellen werden.

---

1) Kritische Ausgabe von Fr.   2) V. 25.
Gräfe. Leipz. 1822.

Erklärung der Münztafel.

N. 1. Autonome Münze von Gaza. Kopf der Tyche von Gaza. Rv. Monogramm. Jahreszahl 16 der Gazäischen Aera.

Nach einem Mionnetschen Schwefelabdruck.

N. 2. Münze des Hadrian in Gaza geschlagen. Rv. zeigt Apollo und Artemis in einem distylen Tempel. Der von Apollo in der Rechten gehaltene dreitheilige blattartige Gegenstand ist noch unbestimmt. Die Jahreszahl ΓΙΡ ist im Original undeutlicher, als auf der Abbildung, nicht abgenutzt sondern verprägt.

Nach dem Original der Königl. Münzsammlung in Berlin.

N. 3. Münze des Antoninus Pius in Gaza geschlagen. Rv. Tyche von Gaza. Das Thor in der Thurmkrone ist scharf ausgeprägt. Die Jahreszahl IC ist nicht weiter zu ergänzen.

Ebendaher.

N. 4. Münze des M. Aurel in Gaza geschlagen. Rv. Tyche von Gaza stehend mit Thurmkrone, Füllhorn und Speer. Neben ihr ein Thier vorragend, ob ein Kalb?

Ebendaher.

N. 5. Autonome Münze von Askalon. Kopf der Tyche. Rv. Schiffsvordertheil. Die Inschrift ist ungenau von Sestini Lett. VI S. 81 publicirt mit ΑΣΚΑΛΩ
ΝΠΩΝ
ΔΗΝΟΣ

welcher auch ΕΜ übersah, was die Jahreszahl sichtlich enthält.

Ebendaher.

N. 6. Münze des Tiberius in Askalon geschlagen. Rv. Zwei eingehüllte weibliche Gestalten mit Schleier und Modius.

Ebendaher.

N. 7. Münze des Domitian in Askalon geschlagen. Rv. Astarte auf Schiffsprora.

Ebendaher mit Ergänzung nach einer Mionnetschen Schwefelpaste.

N. 8. Münze des Caracalla in Anthedon geschlagen. Als Jahreszahl auf dem Rv. nur Δ sichtbar.

Nach einer Mionnetschen Schwefelpaste.

Berichtigungen und Zusätze.

S. 10 füge noch zu den Einzelarbeiten über Gaza die Observations sur la ville de Gaza ou Gazah von Quatremère in Histoire des sultans Mamlonks de l'Egypte par Makriçi trad. en franc. par Quatremère. t. I, p. 228—239. Paris 1837.

— 25. Nach Quatremère giebt P. Mariano Morone da Maleo in seiner Terra santa nuov. illustrata. t. I, p. 473 interessante Aufschlüsse über die an der Stelle des alten Hafens gemachten Untersuchungen und gefundenen Alterthümer. Das Buch selbst habe ich nicht erlangen können, auch sonst keine Notiz über diese Thatsache gefunden.

— 27. Z. 7 v. o. Nach der Zählung von 1851 hat Jerusalem allerdings 23,000 Einwohner; vgl. Ritter, Blick auf Palästina. Berlin, 1852.

— 27 Z. 2 v. u. Quatremère macht aus arabischen Manuscripten eine Reihe von Mittheilungen über den Zustand im Mittelalter und der neuen Zeit, die das Berichtete bestätigen über die gesunde Luft, den Weinbau, den Reichthum an Rosinen und Feigen, über die zahlreichen Gräber und Collegia. Die Erbauung der Hauptmoschee, des Bades, Schlosses, des Almeidan, Khan, Hospital fällt unter Emir Alem-eddin-Sandjar-Djaouli nach Makriçi. Gaza trug den Namen „die Schwelle des Königreichs" und gilt in der arabischen Legende für den Geburtsort des Salomo.

— 30. Z. 9 v. o. Khan Yûnas ist erst erbaut und genannt nach dem Emir Yûnas, der im J. 791 der Hedschra starb.

— 32. Z 13 v. u. lies חֲצֵרִים statt חֲצֵרִים

— 46. unten l. עִיר הַעֻזָּה statt עִיר הַעֻזָּה

— 47. Z. 14 v. o. l. עָרֵי—הַמִּבְצָר statt עָרֵי—הַמִּבְצָר

— 55. Z. 5. v. u. l. אֲשֶׁר statt אֲשֶׁר

— 57. Note 1 l. 25, 16. statt 23, 15.

— 62. Z 10 v. o. l. שְׁפֵלָה statt שְׁפֵלָה

— 129. Z. 8 v. o. l. הָהָר statt הָהָר

— 135. Z. 8. v. o. l. עָרֵי statt עָרֵי

— 136. Z. 12 und 8. v. u. l. שָׂרִים statt שָׂרִים

— 139. Z. 16. v. o. l. שַׂר statt שַׂר

— 144. Z. 11. v. u. l. מִשְׁקָל statt מִשְׁקָל

— 144. Z. 6. v. u. הַצֹּרִים statt הַצֹּרִים

S. 146. Z. 14. v. u. lies חוֹמַת statt חוֹמֹת

— 146 Z. 2. v. u. l. מִבְצָר statt מְמַצָר

— 147. Z. 11. v. o. l. הִכְרַתִּי statt תִכְרַתִי

— 158. Z. 11. v. u. l. אִשָּׂא statt אַשֵׂ

— 177. Z. 11. v. o. l. מִנְחָה statt מִנְחָה

— 180. Z. 8. v. u. l. בְּגַת statt נְגַת

— 212. Z. 14 v. u. l. פַּרְעֹה אֶת statt פַּרְאֹהְאָת

— 266. Z. 13. v. u. l. Io statt Jo.

— 270. Z. 5. v. o. l. *νομός* statt *νόμος*.

— 272. Z. 3 v. o. l. *ἐπιμελητής* statt *ἐπιμελήτης*.

— 277. Z. 11 v. u. Hieroglyphe ist hier im engern Sinne zu fassen für Gedankenbild. Sonst erscheinen verschiedene Fische, wie es aber scheint nur Flussfische, in den Inschriften (Rosellini Mon. stor. t. L. LVII.).

— 281. Z. 7. v. u. l. an die statt an der.

— 286. Z. 3. v. o. l. *σπλαγχνοφάγους* statt *σπλαγχοφάγους*.

— 288. Z. 13. v. o. l. üppigen statt uppichen.

— 297. Z. 4. v. o. l. ungriechischen statt urgriechischen.

— 304. Z. 4. v. o. l. auch hier statt auch sie.

— 350. Z. 1. v. u. l. *συνορίζουσαι* statt *συνορίζουσας*.

— 376. Z. 11. v. o. l. *χωρίον* statt *χωρίον*.

— 377. Z. 9. v. o. l. dem statt eem.

— 381. Z. 8. v. u. l. Rabbath statt Rabbat.

— 425. Z. 10. v. u. l. Aegypten statt Aegyten.

— 432. Z. 7. v. o. l. umfassen statt umfasst.

— 463. Z. 9. v. u. l. Aegyptens statt Aegypten.

— 500. Z. 13. v. o. l. welches statt welche.

— 502. Z. 8. v. o. l. eine statt einer.

— 505. Z. 15. v. o. l. Expositio statt Exposita.

— 511. Z. 8. v. o. l. Eleutheropolis statt Eleuthropolis.

— 615. Z. 3. v. o. l. Gerrhum statt Grachum.